Meesterwerken in het Mauritshuis

Uitgegeven ter gelegenheid van de heropening van het gerestaureerde Mauritshuis in juni 1987

Meesterwerken in het Mauritshuis

Ben Broos

Staatsuitgeverij, Den Haag 1987

De uitgave van *'Meesterwerken in het Mauritshuis'* werd mede mogelijk gemaakt door de steun van de Algemene Bank Nederland nv

© Staatsuitgeverij, Den Haag 1987
© *Tekst*: Koninklijk Kabinet van Schilderijen *Mauritshuis*

ISBN 90–12–05567–9 (paperback)
ISBN 90–12–25566–0 (gebonden)

Eindredactie: Rieke van Leeuwen (Mauritshuis, Den Haag)
Redactie-assistentie: Jantien Salomonson, Den Haag
Vormgeving: Hans Bockting (Concepts, Amsterdam)
Fotografie kleurenafbeeldingen: Han Geene (Mauritshuis, Den Haag)
Lithografie kleurenafbeeldingen: Gravura bv, Den Haag
Druk en lithografie zwart-wit afbeeldingen: Ando bv, Den Haag
Tekst gezet uit 10.6 pnt Baskerville op Linotronic 300
Bindwerk: Jansenbinders, Leiden

Omslag: Carel Fabritius, *Het puttertje* (detail), cat.nr.24
Paulus Potter, *De stier* (detail), cat.nr. 45

Inhoud

Voorwoord

In deze catalogus is een keuze van zeventig schilderijen uit de verzameling van het Mauritshuis opgenomen. De selectie werd in de eerste plaats bepaald door de wens een royale keuze van de kwalitatief meest in het oog springende werken van de erkende grote meesters te tonen. Daarnaast werden enkele schilderijen van minder bekende meesters opgenomen die eveneens van een uitzonderlijke kwaliteit zijn, zoals van Pieter van Anraadt, Abraham van Beyeren, Ambrosius Bosschaert, Willem van Haecht en Joachim Wtewael. Ook werden enkele werken geselecteerd die in een bijzondere relatie tot het Mauritshuis staan, zoals een werk van Jacob van Campen, Albert Eckhout en een van Pieter Post. Tenslotte komt een aantal schilderijen aan de orde die vanwege hun affiniteit met het huis van Oranje belangwekkend zijn, waaronder werken van Abraham Bloemaert, Jan Gossaert en Gerard Houckgeest.

De diversiteit van onderwerpen speelde eveneens een rol bij de keuze, naast het verlangen om enkele recente aanwinsten op te nemen, daarmee niet alleen bewijzend hoe levend de collectie is, maar ook hoezeer het zelfs in de laatste decennia nog mogelijk was belangrijke werken aan de verzameling toe te voegen, waaronder schilderijen van Pieter van Anraadt, Balthasar van der Ast, Meindert Hobbema en Jan van Hemessen. Veelzeggend is in dit verband dat van de zeventig hier behandelde schilderijen er vijfentwintig in de laatste veertig jaar zijn verworven. Deze aanwinsten vergroten niet alleen de diversiteit, maar steunen ook in niet geringe mate het aanzien en het niveau van de collectie.

Zevenenveertig van de hier opgenomen schilderijen maakten deel uit van de catalogus *De Rembrandt à Vermeer*, die in 1986 verscheen naar aanleiding van de in Parijs gehouden tentoonstelling van het Mauritshuis. Deze Franstalige tentoonstellingscatalogus omvatte uitsluitend schilderijen uit de Hollandse zeventiende en achttiende eeuw. Ditmaal zijn echter ook enkele Vlaamse schilders opgenomen, naast werken van Cranach en Holbein. Aldus laat deze publicatie die ter gelegenheid van de heropening van het gerestaureerde Mauritshuis verschijnt, een selectie zien van voor het publiek tentoongestelde schilderijen, die als kenmerkend kan worden beschouwd voor de kwaliteit van de verzameling van het museum in zijn geheel.

De schrijver van deze publicatie, dr. B.P.J. Broos, wetenschappelijk medewerker, heeft zich met grote toewijding en kennis van zijn taak gekweten. Hij is erin geslaagd een voor de kunsthistoricus originele en waardevolle wetenschappelijke verhandeling te schrijven, die echter ook voor een breed publiek goed leesbaar is. Talloze nieuwe kunsthistorische vondsten en inzichten worden hier voor het eerst gepubliceerd. De prestatie die hij met de redactionele hulp van mevr. drs. R. van Leeuwen, wetenschappelijk medewerker, en mevr. drs. J. Salomonson, volontair, heeft geleverd, dwingt grote bewondering af. De in de Parijse tentoonstellingscatalogus toegepaste typografie, ontworpen door Hans Bockting, is hier gehandhaafd, aangezien deze als bijzonder overzichtelijk ervaren werd. Door drukkerij Ando in Den Haag werd veel zorg besteed aan de druk en de kwaliteit van de kleurenreprodukties.

Dat het voor u liggende boek uiteindelijk in deze vorm kon verschijnen, is mede te danken aan de steun die de 'Stichting Vrienden van het Mauritshuis' mocht ontvangen van de Algemene Bank Nederland nv.

Moge deze publicatie niet alleen duidelijk maken welk een bron van kennis er in de collectie van het Mauritshuis besloten ligt, maar ook hoe belangrijk het is dat het museum zijn verzameling blijft verrijken. Moge de catalogus tenslotte ook tonen hoe hoog het niveau is van deze internationaal befaamde verzameling, die gehuisvest is in één der mooiste gebouwen van Nederland.

H.R. Hoetink, *directeur*

Een vorstelijke verzameling

Het Koninklijk Kabinet van Schilderijen is een museum met een bijzondere geschiedenis. Het is niet, zoals de naam wellicht doet vermoeden, louter een verzameling van schilderijen uit Oranjebezit: daarvan geeft de collectie op 's Konings Loo sinds kort een beeld. Toch zijn veel topstukken uit de nalatenschappen van de prinsen/stadhouders in het Mauritshuis terecht gekomen. Van het *Portret van Floris van Egmond* door Jan Gossaert is de herkomst via Anna van Buren, dankzij haar huwelijk met Willem van Oranje, rechtstreeks terug te voeren op de opdrachtgever. Uit vorstelijk bezit zijn ook de meesterwerken van Dou en Holbein afkomstig. *De jonge moeder* van Gerard Dou werd door de Staten van Holland en West-Friesland gekocht van de schilder zelf, als onderdeel van een diplomatieke gift aan koning Karel II. Het werd door stadhouder Willem III, nadat hij in 1688 koning van Engeland was geworden, teruggebracht naar Nederland en opgenomen in zijn vernieuwde paleis Het Loo. Ook het *Portret van Robert Cheseman* door Hans Holbein kwam zo in Nederland terecht, wat tot vergeefse protesten leidde van koningin Anna in 1713. Wanneer het prachtige *Bloemstilleven met horloge* van Willem van Aelst in de stadhouderlijke collectie werd opgenomen, is niet meer bekend. In 1763 werd het vermeld in een inventaris van paleis Het Loo.

Als een *pars pro toto* geeft de herkomst van de hier geselecteerde zeventig meesterwerken in het Mauritshuis een goede indruk van het ontstaan van de huidige collectie. De stadhouderlijke verzameling had gevoelige verliezen geleden toen de schilderijen van Amalia van Solms verdeeld werden over haar vier dochters, die allen met Duitse prinsen waren getrouwd. Zo kwam Rembrandts *Passieserie*, die Frederik Hendrik nog bij hem had besteld, in Duitsland terecht. In 1713 werd uit geldgebrek een deel van de collectie van Het Loo in Amsterdam openbaar verkocht, waar onder andere *Vertumnus en Pomona* van Rubens en Jan Brueghel onder de hamer kwam. Beide aderlatingen van de collectie werden door Willem IV en Willem V enigszins gecompenseerd. Zo zou men althans de aankoop kunnen uitleggen van *Het loflied van Simeon* van Rembrandt in 1733 en van *Het aardse paradijs* van Rubens en Brueghel in 1766. Erfstadhouder Willem IV verwierf ook *De stier* van Potter in 1749, die toen gold als 'het bijzonderste hier te lande van hem bekend'.

Het loflied van Simeon van Rembrandt blijkt achteraf een passend geschenk te zijn geweest van Willem IV aan zijn bruid, Anna van Hannover. Willem V [1] kocht daarentegen geen schilderijen om er zijn vertrekken mee in te richten, maar uit het oogpunt van collectievorming. Hij sloeg zijn grootste slag toen in 1768 het 'kabinet' van Govert van Slingelandt, Ontvanger Generaal der Belastingen in Holland en West-Friesland, geveild zou worden. Voor de neus van de gretige buitenlandse kopers kaapte hij de complete verzameling weg door er een bod van vijftigduizend gulden op te doen, daarbij de wensen van de erflater negerend. Zo opereerde toen alleen Catharina de Grote op de internationale schilderijenmarkt, uit puur machtsvertoon.

1
Benjamin Samuel Bolomey
Portret van prins-stadhouder Willem v
Doek, 223 x 103 cm
Op de rots rechts ter hoogte van de knie:
Bolomey 1770
Amsterdam, Rijksmuseum, inv.nr. A 948

Een groot deel van de hier geselecteerde meesterwerken is afkomstig uit de collectie Govert van Slingelandt: het *Portret van Anna Wake* van Anthonie van Dyck, de *Dame die muziek schrijft* van Gabriël Metsu, twee werken van Rembrandt (*Suzanna en de ouderlingen* en het *'Zelfportret' met een gepluimde muts*) en van Adriaen en Willem van de Velde respectievelijk *Strandvermaak* en *Schepen op een kalm water*. Ook op andere wijze bleven schilderijen van de familie Van Slingelandt, die meerdere verzamelaars kende, voor Den Haag behouden. Van de erven van de Haagse burgemeester Hendrik van Slingelandt kocht Willem v op een onbekend tijdstip het schilderij van Adriaen van Ostade, *Boeren in een herberg*.

Sinds 1760 werd door het stadhouderlijk hof weer kunst gekocht. Een speciale aanwinst was *Het grafmonument van Willem van Oranje in Delft* van Gerard Houckgeest. Dat was in 1764: Willem v was toen zestien jaar oud. Uiteraard had de afbeelding van het nationale monument een bijzondere betekenis voor hem en historisch besef of familietrots was wel vaker een extra argument bij het verwerven van schilderijen. Toen hij de zogenaamde *Hoenderhof* van Jan Steen tien jaar later verwierf, liet de verkoper hem in de waan dat een van de prinsesjes van Oranje was voorgesteld (het wapenschild dat dit weersprak, was weggeschilderd).

Zo'n vermeende status had ook Caesar van Everdingens *Diogenes zoekt een mens*, waarin de voorouders van zijn persoonlijke adviseur, Pieter Steyn, zouden zijn geportretteerd. De verwerving van *Apelles schildert Campaspe* van Willem van Haecht was het resultaat van meedogenloos bieden op een van de topstukken op de veiling van de koning van Polen. Het ietwat vrijmoedige stukje van Wtewael, *Mars en Venus betrapt door Vulcanus* hing al in 1763 op het Loo: wanneer, van wie en voor hoeveel Willem iv of Willem v het heeft gekocht, is niet bekend.

In 1774 installeerde de stadhouder zijn schilderijen in een speciaal daarvoor ingerichte ruimte: de in 1977 in oude luister herstelde Schilderijengalerij Prins Willem v op het Buitenhof in Den Haag. Het 'Cabinet du Stathouder' werd in 1795 in zijn geheel als oorlogsbuit door de Fransen naar Parijs gevoerd, waar Potters *Stier* werd opgehangen in het Louvre tussen de Rafaels en de Titiaans, die in Italië waren gestolen. Twintig jaar lang hebben de Franse burgers zich kunnen vergapen aan het stadhouderlijk kabinet. De recuperatie vond in 1815 plaats: op 14 oktober werden kratten met de schilderijen op wagens, begeleid door honderdtwintig Haagse vrijwilligers, twintig man cavalerie en vele hoogwaardigheidsbekleders, triomfantelijk onder kanongebulder en klokgelui het Buitenhof opgereden. Een kleine honderd stukken waren – helaas voorgoed – in Frankrijk achter gebleven.

Koning Willem i [**2**] stelde de collectie van zijn vader onder de hoede van het Rijk en richtte daartoe het Koninklijk Kabinet van Schilderijen als instelling op, die gehuisvest werd in de oude Galerij van Willem v. Jonkheer Steengracht van Oostcapelle werd in 1816 benoemd tot directeur. De koning gaf vaak hoogstpersoonlijk opdracht bepaalde stukken te verwerven en bleek daartoe wel te beschikken over 'bijzondere fondsen'. Zo werd op de veiling van een nazaat van Paulus Potter in 1820 het portret gekocht dat Bartholomeus van der Helst posthuum gemaakt had van de schilder van *De stier*. Omdat de Galerij te krap was geworden, kocht men het voormalige woonhuis van Johan Maurits van Nassau aan de overzijde van het Binnenhof, waar het 'Mauritshuis' op 1 januari 1822 haar deuren opende voor het publiek.

De fraaiste aanwinsten van het Rijk werden sindsdien op last van de koning in 'zijn' Kabinet geplaatst. Zo moest de directeur van 's Rijks Museum, Cornelis Apostool, op 11 juni 1822 aan Steengracht van Oostcapelle schrijven dat hij hem het *Gezicht op Delft* van Jan Vermeer zou opsturen, dat toen op de veiling Stinstra in Amsterdam was aangekocht. In 1827 verwierf het Mauritshuis aldus Ruisdaels *Gezicht op Haarlem* en van een particuliere verzamelaar in Brussel werd *De bewening van Christus* van Rogier van der Weyden gekocht (men schreef het toen aan 'Hemlin' toe). Dat zou men een historische daad kunnen noemen, omdat het schilderij nu nog een van de topstukken is van de Vlaamse primitieve schilderkunst in Nederland, die er in het algemeen nogal schaars vertegenwoordigd is. Minstens zo belangrijk was in 1828 de 'redding' van Rembrandts *Anatomische les van Dr. Nicolaes Tulp.* De koning zelf had de openbare verkoop verboden, die al door het Amsterdamse stadsbestuur was goedgekeurd. Hij had ook bepaald dat dit typisch Amsterdamse stuk naar Den Haag moest worden overgebracht.

De negentiende eeuw leverde het Koninklijk Kabinet een grote reputatie op, vooral bij buitenlandse bezoekers onder wie natuurlijk de criticus Thoré-Bürger die hier de grootmeesters uit de Gouden Eeuw voor het thuisfront 'herontdekte'. Van koninklijke bemoeienis was toen nauwelijks meer sprake. In 1850/1851 werd de collectie van koning Willem 11 met de schitterendste vijftiende- en zestiende-eeuwse meesterwerken, openbaar geveild. Niets daarvan kwam in het Mauritshuis terecht, waar men jarenlang een aankoopbudget had van zegge en schrijve achthonderdtien gulden. In 1880

kocht het Rijk voor het museum de portretten van *Jacob Olycan* en zijn vrouw door Frans Hals uit oud familiebezit, maar pas toen Abraham Bredius [**3**] directeur was geworden, werden er weer regelmatig interessante stukken aan de verzameling van het Koninklijk Kabinet toegevoegd.

In 1894 kocht Bredius in Londen een als Antonello da Messina aangeprezen en in de literatuur tot dan toe volkomen onbekend *Mansportret*, dat nu wordt toegeschreven aan Memling. Deskundigen waren het er over eens dat hij het ver onder de werkelijke waarde had kunnen kopen. Met een budget van slechts een paar duizend gulden op zak was hij ook in Parijs toen daar in 1896 *Het puttertje* van Carel Fabritius (waarover Thoré-Bürger zo lyrisch had geschreven) ter veiling kwam. Bredius beschreef later met voldoening dat hij zo slim was geweest om een stroman te laten bieden omdat hij bang was dat zijn belangstelling voor het schilderij de prijs zou opdrijven.

Inmiddels verrijkten ook legaten de collectie in het Mauritshuis. De reeks werd geopend met de schenking van Aert de Gelders *Juda en Tamar* door de graaf van Limburg Stirum in 1874, maar het hoogtepunt was natuurlijk de verwerving in 1946 van vijfentwintig schilderijen uit de collectie Bredius, die al vele jaren als bruikleen in het museum hingen. Daarbij was Rembrandts *Homerus dicteert zijn verzen*. Eveneens door een legaat was het Mauritshuis in 1903 in het bezit gekomen van verschillende topstukken, zoals het bij het publiek zo geliefde *Meisje met een tulband* van Vermeer. Dit schilderij werd geschonken door A.A. des Tombe, die het in 1882 voor nog geen rijksdaalder had gekocht. Dankzij het geschenk van Des Tombe kwam het museum tevens in het bezit van de prachtige *Vaas met bloemen* van Ambrosius Bosschaert, *Een meisje bij een kinderstoel* van Govaert Flinck en het *Winterlandschap* van Esaias van den Velde. Een belangrijke schenking deed Sir Henry Deterding in 1936, met onder andere het *Schepen aan de kust* van Jan van de Capelle en *De oestereetster* van Jan Steen.

Bredius was in 1909 opgevolgd door Willem Martin. Tijdens zijn directeurschap kwam in 1913 in Parijs de collectie Steengracht ter veiling, een verzameling met zeventiende-eeuwse meesterwerken die lange tijd in een huis aan de Vijverberg de schatten van het Mauritshuis concurrentie aandeed. Gelukkig bestond inmiddels de Vereniging Rembrandt, een particulier initiatief dat pal stond voor het behoud van kunstwerken, als de overheid zich 'op zijn smalst' toonde. 'Rembrandt' kocht vijf schilderijen, met behulp van giften van het koninklijk huis en vele particulieren, zodat de regering evenmin achter kon blijven en een extra aankoopkrediet verleende. Zo kwam het Mauritshuis in het bezit van het wonderlijke *Grachtje* van Job Berckheyde (hier geïdentificeerd als *De Oude Gracht te Haarlem*), *De luizenjacht* ('*Moederlijke zorgen*') van Gerard ter Borch en '*Zoals de ouden zongen, zo piepen de jongen*' van Jan Steen. Zo'n gezamenlijke financiële krachtsinspanning was ook nodig om in 1925 *Reizigers voor een herberg* van Isack van Ostade aan te kunnen kopen, een schilderij dat nota bene in de befaamde Wallace Collection in Londen had gehangen. Martin was terecht trots op deze aanwinst.

Na de Tweede Wereldoorlog werd de collectie van het Mauritshuis aangevuld met schilderijen die niet meer aan hun oorspronkelijke eigenaars konden worden teruggegeven. Drie schilderijen uit de collectie Mannheimer belandden aldus in Den Haag: het *Gezicht op de Oudezijds Voorburgwal met de Bierkaai en de Oude Kerk* van Jan van der Heyden (dat door de Fransen uit Kassel was geroofd, door de Russische Tsaar van keizerin Josephine was gekocht en door de Nazi's voor het museum in Linz was bestemd), de delicaat geschilderde *Bordeelscène* van Frans van Mieris en '*'t Kan verkeren*' van Jan Verkolje. In 1947 werd van de familie Rathenau het *Zelfportret* uit Rembrandts laatste levensjaar gekocht, dat al voor de oorlog in bruikleen aan het Rijksmuseum was gegeven. Dergelijke uitzonderlijke schilderijen pasten bij de allure die het Mauritshuis zich allengs had mogen aanmeten in de ogen van kunstkenners en (hopelijk ook) het publiek. Dit was inderdaad het museum waar een tentoonstelling 'In het licht van Vermeer' (1966) op zijn plaats was.

Het Mauritshuis is steeds een kabinet gebleven: beperkt van omvang, maar een bewaarplaats van kostbaarheden. Het aankoopbeleid van de directeuren A.B. de Vries (1947–1970) en H.R. Hoetink (sinds 1972) heeft zich daaraan aangepast. 'Alleen de top is er goed genoeg en naar historische volledigheid wordt niet gestreefd', analyseerde Openbaar Kunstbezit onlangs de aanwinsten uit het recente verleden. Een zekere verbreding van de Hollandse kunsthistorische horizon betekende de verwerving van *De hemelvaart van Maria* van Rubens en *De aanbidding van de herders* van Jordaens in 1956 en 1957. De grenzen van de Gouden Eeuw bleken geen belemmering te zijn om meesterwerken uit de zestiende en achttiende eeuw toe te laten tot de collectie, zoals de *Allegorie op de harmonie in het huwelijk* van Jan van Hemessen en de *Allegorie op de oorlog met Frankrijk in 1747* van Cornelis Troost. De bijzondere relatie met de geschiedenis van het huis van Maurits de Braziliaan was de aanleiding tot drie aankopen: *Mercurius, Argus en Io* van Jacob van Campen en het *Duinlandschap met een hooischelf* van Pieter Post – deze schilders zijn de ontwerpers/bouwers van het Mauritshuis geweest – en *Twee Braziliaanse schildpadden* van Albert Eckhout, die destijds in dienst was van de gouverneur in Brazilië.

Inmiddels was de Stichting Johan Maurits van Nassau opgericht, die sinds 1986 'Stichting Vrienden van het Mauritshuis' wordt genoemd, en die optreedt als mede-financier bij belangrijke aankopen. Door De Vries werden gekocht *De bevrijding van Petrus* van Ter Brugghen, *Een lachende jongen* van Frans Hals, *De Mariaplaats met de Mariakerk te Utrecht* van Saenredam en *Een dode patrijs* van Jan Baptist Weenix: stuk voor stuk juweeltjes van schilderkunst. In de laatste tien jaar waren de meest opmerkelijke aanwinsten: het *Stilleven met stenen kruik en pijpen* van Pieter van Anraadt, een onverwacht meesterwerk van deze portrettist; het *Fruitstilleven met schelpen* van Balthasar van der Ast, een sleutelstuk in diens oeuvre; het *'Zelfportret' als herder* van Jacob Backer; de *De roeping van Matteüs*, een duo-schilderij van Nicolaas Berchem en Jan Baptist Weenix; het *Pronkstilleven* van Abraham van Beyeren en *Vakwerkhuizen onder bomen* van Meindert Hobbema, waarvan de kwaliteit velen pas na de aankoop duidelijk werd.

Bij het schrijven van deze catalogus bleek bij herhaling dat de schilderijen in het Mauritshuis niet alleen een sterk beroep doen op het esthetisch gevoel, maar dat ze zeker ook van bijzonder belang zijn als documenten uit het verleden. De hier bijeengebrachte zeventig schilderijen vertellen stuk voor stuk hun eigen verhaal, dat ons inzicht verdiept of ons ontroert. Het Mauritshuis heeft kortom een vorstelijke verzameling van schilderijen, in die zin dat kwaliteit in artistiek en kunsthistorisch opzicht meer dan royaal aanwezig is.

Ben Broos, *wetenschappelijk medewerker*

Catalogus

Willem van Aelst

1 | Bloemstilleven met horloge

Delft 1627 – Amsterdam na 1683

Doek, 62,5 x 49 cm
Links onder: *Guill.ᵐᵒ van Aelst. 1663*
Inv.nr. 2

Herkomst
Collectie Paleis Het Loo, 1763
Het Louvre, Parijs, 1795–1815
Koninklijk Kabinet van Schilderijen, Den
Haag, 1815
Koninklijk Kabinet van Schilderijen
'Mauritshuis', 1821

Bibliografie
Balkema 1844, p. 2
Bredius 1895, p. 1–2, nr. 2
Den Haag 1914, p. 1, nr. 2
Martin 1935, p. 3, nr. 2
Martin 1936, dl. 1, p. 432, afb. 229
Van Gelder 1950, p. 30, nr. 3
Gerson 1952, p. 60–61, afb. 182
Den Haag 1954, p. 1, nr. 2
Bergström 1947/1956, p. 222–233, afb. 186
Bol 1969, p. 326
Parijs 1970–71, p. 3, nr. 1
Drossaers/Lunsingh Scheurleer 1974–76, dl. 11,
p. 644, nr. 110, dl. 111, p. 203, nr. 2
Segal/Warner 1928/1975, p. 14–15, afb. pl. 2d
Den Haag 1977, p. 29, nr. 2 en afb.
Brenninkmeyer-de Rooij 1980–81, p. 161, nr. 2 en
afb.
Segal 1982, p. 50 en 100, nr. 55 en afb.
Hoetink e.a. 1985, p. 120–121, nr. 1 en afb.,
p. 331, nr. 2 en afb.
Broos 1986, p. 108–111, nr. 1 en afb.

**Hij was een leerling van zijn oom Evert van Aelst in Delft, waar hij in
1643 lid van het gilde werd. Omstreeks 1645 ondernam hij een reis naar
Frankrijk en daarna naar Italië, waar hij in Florence tot 1656 in dienst
was van de hertog van Toscane. Sinds 1657 werkte hij in Amsterdam als
schilder van bloem- en jachtstillevens, waarop als laatste datering 1683
voorkomt. Zijn stijl is die van de fijnschilders en zijn composities zijn
steeds uitgekiend en wars van herhalingen. Van Aelst kwam als eerste
met a-symmetrische stapelingen, die worden benadrukt door fraaie
lichteffecten. De heldere kleuren zijn geraffineerd op elkaar afgestemd.**

Het is zeer verhelderend een vergelijking te maken tussen twee
bloemstillevens uit het Mauritshuis die ieder een groot boeket in een vaas op
een tafel voorstellen, waarop tevens een geopend horloge ligt. Het ene
schilderij is het hier besproken werk van Willem van Aelst uit 1663, het
andere is van Abraham van Beyeren [1] en is niet gedateerd.[1] Een precieze
datering van de Van Beyeren – die ongeveer uit dezelfde tijd of zelfs iets later
is – doet niet zo ter zake, omdat het hier gaat om de duidelijk verschillende
opvattingen. Van Beyeren houdt vast aan een traditionele vormgeving,
terwijl Van Aelst allerlei vernieuwingen introduceert. De compositie van Van
Beyeren is tamelijk stijf en symmetrisch, terwijl Van Aelst verrast met een
diagonale lijn, die loopt van de wit-rode anjelier links onder naar de rode

Willem van Aelst Bloemstilleven met horloge

papaver rechts boven. Bij Van Beyeren valt het licht nog verspreid over het hele boeket, terwijl Van Aelst clair-obscur-effecten aanbracht door een geconcentreerde belichting en het bewust kiezen van lichte bloemen (de witte sneeuwbal en de roze rozen) tegen een donkere achtergrond van bladeren. Van Aelsts kleuren-compositie is uitgekiend met een harmonieuze verdeling van koele en warme tinten, terwijl het metaal van de vaas en het oppervlak van het wit en rood-bruin geaderde marmer zacht glanzen. Van Beyeren is daarin wat nonchalanter en niet zo'n fijnschilder.[2]

Een punt waar de schilders het wèl over eens waren, was de rol van het horloge naast het weelderige boeket. Dit was een van oudsher beproefd attribuut in vanitas-stillevens en niet licht mis te verstaan. Het symboliseert natuurlijk het verstrijken van de tijd en dus in het algemeen de ijdelheid van het bestaan.[3] Daar is Willem van Aelst zich bewust van geweest, want zijn bloemen zijn allesbehalve geïdealiseerd. 'De bladeren van de rozen zijn gedeeltelijk aangevreten, verdord en virusziek, en met een scherpe en objectieve blik is dat geobserveerd', aldus Sam Segal, die voor deze catalogus de bloemen en dieren in het boeket identificeerde [2].[4] Net als in veel oudere (vanitas)stillevens zou de vlieg, die zich aftekent tegen de sneeuwbal, de brenger zijn van een dergelijke sombere boodschap, die handelt over de kortstondigheid van het leven. Voor een tegenwicht zorgen dan weer de vlinders en de waterjuffer, die ons doen denken aan de wederopstanding.[5]

Het stilleven in Den Haag verwijst met de signatuur 'Guill(er)mo van Aelst' naar het verblijf van de schilder in Italië, waar hij tot 1656 voor de hertog van Toscane werkte. In het daarop volgende jaar was de schilder terug in Amsterdam en Van Aelst lijkt daar ook nadrukkelijk aan te willen refereren door zijn bloemstukken te schikken in vazen die te herkennen zijn als werkstukken van de beroemde Amsterdamse zilversmid Johannes Lutma de Oude, wiens portret in 1656 door Rembrandt werd geëtst.[6] In schilderijen met jaartallen van 1659 tot 1663 komen herhaaldelijk deze vazen voor in de tamelijk rigoreuze, symmetrische oorschelp- (of kwab-, kraakbeen- of 'knörpel'-) stijl. Een dergelijke gedreven vaas vertoont een *Bloemstilleven in een nis* (Rotterdam, Museum Boymans-van Beuningen)[7], dat 1662 is gedateerd. Hierop ligt ook zo'n horloge met een geopend, kristallen deksel. In de compositie is nog niet het idee van de sterke diagonaal toegepast.

Dat is wèl het geval in een ongedateerd *Bloemstilleven* (Oxford, Ashmolean Museum) [3][8], waarin de vaas precies dezelfde is als op het stuk in Den Haag. Het horloge is schuin van boven gezien, zoals op de Rotterdamse versie. Geheel identiek is de rechterbovenhoek uitgevoerd met de grote papaver. Ook is de sneeuwbal in het midden gesitueerd en zien we de waterjuffer en de schoenlapper, zij het de laatste in spiegelbeeld. Het schilderij in Oxford is dus beslist ook in 1663 of niet lang daarna gemaakt.[9] Na 1665 komen de zilveren Lutma-vazen niet meer voor.

2
Schematische voorstelling van cat.nr. 1

1 Apothekersroos *Rosa gallica* L. *subplena*
2 Anjelier *Dianthus caryophyllus* L.
3 Gentiaan *Gentiana clusii* Perr. & Song.
4 Sneeuwbal *Viburnum opulus* L. Cu. *Roseum*
5 Klein Afrikaantje *Tagetes patula* L.
6 Groot Afrikaantje *Tagetes erecta* L.
7 Dubbele Krulpapaver (Slaapbol) *Papaver somniferum* L.
8 Damascener Roos *Rosa damascena* Mill.
9 Provenceroos *Rosa provincialis* Mill.
a Schoenlapper *Cynthia cardui* (L.)
b Groot Koolwitje *Pieris brassicae* (L.)
c Waterjuffer *Aeschna cyanea* (Müll.)
d Bromvlieg *Calliphera vomitoria* (L.)

1 *Hoetink e.a. 1985*, p. 138–139, nr. 10 en afb., p. 338, nr. 548 en afb.
2 De vergelijking tussen de twee schilderijen werd voor het eerst gemaakt door *Segal 1982*, p. 50; voor een karakteristiek van de 'New Look' die Van Aelst introduceerde, zie ook *Bol 1969*, p. 324–326.
3 Legio voorbeelden in *Leiden 1970* en *De Jongh e.a. 1982*, p. 187–235. Zie ook: *Bergström 1947/1956*, p. 189–190
4 *Segal 1982*, p. 50
5 Zie cat.nr. 3, noot 13
6 B. 276; *Hollstein*, dl. XVIII, p. 129, nr. 276, dl. XIX, p. 224–225 en afb.

3
Willem van Aelst
Bloemstilleven
Doek, 66 *x* 53 cm
Niet gesigneerd, niet gedateerd (ca. 1663)
Oxford, Ashmolean Museum, inv.nr. A 527

7 Inv.nr. 1005; *Rotterdam 1962*, p. 17, nr. 1005 (foto RKD)
8 *Van Gelder 1950*, p. 30–31, nr. 3. Verschillende stillevens met identieke vazen werden in de kunsthandel gesignaleerd.
9 Er is in het Ashmolean Museum in Oxford een soortgelijk bloemstuk van Van Aelst, met dezelfde herkomst en nagenoeg dezelfde maten (maar met een slak in plaats van een horloge), dat misschien een pendant is; het stuk is gesigneerd en 1663 gedateerd (inv.nr. A 526; *Van Gelder 1950*, p. 28–29, nr. 2 en afb.; *Bol 1969*, p. 325, afb. 295).

Pieter van Anraadt Stilleven met stenen kruik en pijpen

Utrecht ca. 1635 – Deventer 1678

Doek, 67 x 59 cm
Links onder: *Pieter van/ Anraadt. An. 1658*
Inv.nr. 1045

Na 1654 was hij vermoedelijk in Deventer in de leer bij Gerard ter Borch, terwijl dit 1658 gedateerde stilleven (cat.nr. 2) aantoont dat hij dergelijk werk van Amsterdamse schilders als Jan Jansz van de Velde gekend moet hebben. Vanaf 1660 woonde hij in Deventer, waar hij trouwde met de dochter van de populaire dichter Jan van der Veen. Na een periode van kennelijke inactiviteit (uit de jaren zestig is één schilderij bekend) legde hij zich in de jaren zeventig toe op portretten, waarin hij zijn vroege meesterschap nauwelijks wist te benaderen.

Dit stilleven is wel een unicum genoemd.[1] Dat is het ook voorzover het de maker, Pieter van Anraadt, betreft. Deze Deventer kunstenaar was voornamelijk portretschilder, van wie vooral werken bekend zijn uit de jaren zeventig.[2] Toch is dit schilderij 'Pieter van Anraadt An. 1658' gedateerd en gesigneerd. Het is het enige bekende stilleven van Van Anraadt, dat voor een beginneling verbazend volwassen geschilderd is. Het spel van licht en schaduw op de stenen – zogenaamd Siegener – kruik en de weergave van het glas met donker bier doen bijzonder levensecht aan. De jonge schilder (hij werd omstreeks 1635 geboren) moet wel een bijzonder goede leermeester hebben gehad en daarom lijkt het niet onwaarschijnlijk dat dit Gerard ter Borch is geweest, die zich in 1654 definitief in Deventer vestigde.[3]

Overigens waren eenvoudige (vanitas)stillevens zeer gebruikelijk als onderwerp voor de schildersleerling. Maar gezien de signatuur was Pieter van Anraadt in 1658 al een zelfstandig werkend kunstenaar, van wie we niet weten of hij nog meer van dit soort stillevens heeft gemaakt. Zo'n unicum is overigens geen zeldzaamheid. In de collectie van Abraham Bredius, die een zwak had voor zulke bijzondere werken, bevinden zich bijvoorbeeld een *Jachtstilleven* van een specifieke landschapschilder (Salomon van Ruysdael)[4], een unieke *Geplukte haan* van een portretschilder (Karel Slabbaert)[5] en het merkwaardige *Kluizenaars in een landschap* van een uitgesproken zeeschilder (Cornelis van Wieringen).[6]

Er is welhaast geen traditioneler en Hollandser onderwerp denkbaar dan een stilleven op een tafelblad, bestaande uit een eenvoudige maaltijd ('banketje') of de stille getuigen van onschuldig, dan wel volgens sommigen juist zeer ondeugdelijk vermaak: roken en drinken. In zeventiende-eeuwse inventarissen vindt men zulke stillevens omschreven als 'een biertie met een toebackje'.[7] Pieter van Anraadt heeft dergelijke werken zonder twijfel gekend: in Amsterdam, waar hij wel moet zijn geweest, werden dit soort schilderijtjes aan de lopende band gemaakt door schilders als Jan Jansz den Uyl en zijn zwager Jan Jansz Treck. Een stilleven van laatstgenoemde uit 1647 (Amsterdam, Rijksmuseum) [1][8] vertoont zelfs zeer veel overeenkomst in compositie en samenstelling van de voorwerpen op het tafelblad (het vuurlont is alleen vervangen door een vuurtest). Maar ook Jan Jansz van de

Herkomst
Collectie C. Raven, Londen
Veiling Londen, 1939
Collectie Vitale Bloch, Den Haag, 1939–1940
Collectie Chr. Norris, Polesden Lacey, Dorking, Kent, ca. 1940–1952
Kunsthandel Ch. Duits, Londen, 1952–1953
Collectie S.J. van den Bergh, Wassenaar, 1955–1972
Koninklijk Kabinet van Schilderijen 'Mauritshuis', 1977 (in bruikleen vanaf 1972)

Bibliografie
Vroom 1945, p. 170–171, afb. 154, p. 197, nr. 1
Gudlaugsson 1960, p. 289
Bloch 1963, p. 10
De Vries 1964–A, p. 354–356, afb. 5
Den Haag 1966, nr. 25 en afb.
De Vries 1968, nr. 12 en afb.
Bol 1969, p. 81–82, afb. 69
Hoetink 1974, p. 213, 215 en afb. 2
Den Haag 1977, p. 30, nr. 1045 en afb.
Hoetink 1977–A, p. 53–55 en afb.
Hoetink 1978, p. 104–109 en afb. 1
Hoetink 1979, p. 192
Couprie 1981, p. 12–14 en afb. 1
Washington enz. 1982–83, p. 46–47, nr. 1 en afb.
Haak 1984, p. 400 en afb. 863
Hoetink e.a. 1985, p. 122–123, nr. 2 en afb., p. 331, nr. 1045 en afb.
Broos 1986, p. 115–119, nr. 3 en afb.

Velde kan hem hebben geïnspireerd, zoals een óók 1658 gedateerd *'Biertie met een toebackje'* (Amsterdam, Rijksmuseum) [2][9] aantoont.

De biograaf Arnold Houbraken kende Van Anraadt als een 'brave pourtret en gezelschapschilder', waarmee hij doelde op enkele nu nog van hem bekende regentenstukken (Amsterdam, Rijksmuseum; Haarlem, Frans Halsmuseum).[10] Veel meer wist Houbraken eigenlijk niet mee te delen, op één weetje na, dat kennelijk in zijn tijd nog de ronde deed: 'Hy was een potzige

◄ **1**
Jan Jansz Treck
Stilleven met stenen kruik en pijpen
Paneel, 49,5 x 37 cm
Op de kruik: *J Treck 1647*
Amsterdam, Rijksmuseum, inv.nr. A 2222

▶ **2**
Jan Jansz van de Velde
Stilleven met roemer, bierglas en pijp
Paneel, 36 x 32,5 cm
Op de tafelrand: *J. van de Velde fecit Anº 1658*
Amsterdam, Rijksmuseum, inv.nr. A 1766

knaap, en beminde inzonderheit de Rym-oeffening van Jan van der Veen, om welke reden hy ook … naderhant deszelfs Dochter getrout heeft'.[11] Inderdaad: de uit Utrecht afkomstige Van Anraadt deed in 1660 belijdenis in Deventer en ging er twee jaar later in ondertrouw met Antonia van der Veen, met wie hij in 1663 trouwde.[12] Zij was de dochter van de destijds bekende literator Jan van der Veen (1578–1659), de 'Deventer Vader Cats'.[13]

Van der Veen publiceerde in 1653 een reeks geestige gedichtjes onder de titel *Raadtselen*.[14] Hoetink suggereerde terloops dat passages daaruit van toepassing zouden kunnen zijn op Van Anraadts stilleven, dat een vantitasgedachte zou kunnen bevatten (het leven is ijdel als de rook) of een verwijzing naar de vier elementen.[15] Veelzeggend voor het eigentijdse denken zijn veel van de rijmsels uit de *Raadtselen*, die aantonen dat men in allerlei alledaagse dingen aanleiding zag tot bespiegelingen:

'Tabak daar mennigh veel van hout,
Wordt in een steenen pyp gedout,
Syn rook een (=en) smook is ydelheyt,
Daar me (=mee) ist raadtsel uytgeleyt'.[16]

En:

'Een AARDEN-POT dit raadtsel raakt,
Van water vuur en kley gemaakt,
Eerst van de lucht gedrooght bequaem,
Dit syn vier elementen t'saem'.[17]

Met dit soort geestig-, dan wel diepzinnigheden vermaakte Pieter van Anraadt zich kostelijk. Het lijkt dan ook geoorloofd in de trant van het laatste gedicht het 'raedtsel' van zijn stilleven als volgt te ontsluieren: uitgebeeld zijn hier de vier elementen, te weten (van links naar rechts) het vuur (in de vuurtest), de lucht (die door pijp en tabak wordt gezogen), de aarde (de kruik van aardewerk) en het water (de grondstof voor bier).[18]

1 *Hoetink 1978*, p. 104

2 Een opsomming van zijn werken: *Hoetink 1978*, p. 108, noot 4

3 Volgens *Gudlaugsson 1960*, p. 289

4 Inv.nr. 98–1946; *Blankert 1978*, p. 110–111, nr. 140 en afb.

5 Inv.nr. 104–1946; *Blankert 1978*, p. 120, nr. 150 en afb.

6 Inv.nr. 210–1946; *Blankert 1978*, p. 148, nr. 188 en afb. *Hoetink 1978*, p. 105 gaf andere voorbeelden van 'unica' in de geschiedenis van de kunst.

7 Omschrijvingen van zulke werken in de zeventiende-eeuwse inventarissen werden opgesomd door *Vorenkamp 1933*, p. 7; legio voorbeelden en afbeeldingen vindt men in *Vroom 1945*.

8 *Van Thiel e.a. 1976*, p. 544, nr. A 2222 en afb.

9 *Van Thiel e.a. 1976*, p. 559, nr. A 1766 en afb.

10 Inv.nr. C 440; *Van Thiel e.a. 1976*, p. 84, nr. C 440 en afb.; inv.nr. 2; *Hoetink 1978*, p. 108, noot 2 (foto RKD)

11 *Houbraken 1718–21*, dl. III, p. 50

12 *Hoetink 1978*, p. 104

13 NNBW, dl. VII, kol. 1223–1224

14 *Van der Veen 1653*

15 *Hoetink 1978*, p. 109, noot 9

16 *Van der Veen 1653*, p. 126, nr. 8

17 *Van der Veen 1653*, p. 204, nr. 110

18 Dit betekent niet dat dergelijke stillevens steeds aldus zouden moeten worden geïnterpreteerd, hooguit dat de schilder in dit geval deze uitleg begrepen en mogelijk gewaardeerd zou hebben. Over andere interpretaties van dit stilleven (onder andere als winkelschild voor een tabakhandel), zie: *Couprie 1981*, p. 12–14.

Balthasar van der Ast Fruitstilleven met schelpen

Balthasar van der Ast **3** | Fruitstilleven met schelpen

Middelburg 1593/1594 – Delft 1657

Paneel, 46 x 64,5 cm
Links onder: *.B. vander. Ast. fe. .1620.*
Inv.nr. 1066

Na de dood van zijn vader in 1609 maakte hij deel uit van het gezin van zijn zuster Maria en Ambrosius Bosschaert de Oude, die zijn leermeester was tot in 1615, toen ze in Bergen op Zoom woonden. In 1619 werd Van der Ast meester in het gilde te Utrecht en in 1632 in dat van Delft, waar hij sindsdien heeft gewerkt. Hij schilderde stillevens met bloemen, vruchten en schelpen in een gedetailleerde stijl, aanvankelijk in een symmetrische compositie in de trant van Bosschaert. Toevoegingen van allerlei klein gedierte (favoriet waren hagedis en sprinkhaan) verraden invloed van Roelant Savery vanaf ongeveer 1620. In de jaren twintig werden de composities samengesteld uit bloemvazen en fruitmanden met veel bijwerk tegen een lichte achtergrond. In de Delftse periode ontstonden nieuwe types stillevens, zoals los liggende bloemen met schelpen, simpele 'portretten' van exotische schelpen en vrij in de ruimte staande, los gecomponeerde boeketten.

Herkomst
Veiling Amsterdam (F. Muller), 1946
Kunsthandel N. van Bohemen, Den Haag, 1947
Kunsthandel Douwes, Amsterdam, 1963
Collectie H. Girardet, Kettwich, Essen, 1963
Kunsthandel P. de Boer, Amsterdam, 1983
Koninklijk Kabinet van Schilderijen 'Mauritshuis', 1983 (aangekocht met steun van de Vereniging Rembrandt)

Bibliografie
Bol 1955, p. 141, noot 21a, p. 144, afb. 5 en p. 153, nr. 23
Bol 1960, p. 77, nr. 60
Keulen/Rotterdam 1970, nr. 1 en afb.
Hoetink 1983, p. 94–95 en afb.
Segal 1983, p. 53 en 108, nr. 12 en afb.
Hoetink 1984, p. 151–152, 154 en afb.
Segal 1984, p. 49, 56–57, afb. 11–12
Hoetink e.a. 1985, p. 124–125, nr. 3 en afb., p. 332, nr. 1066 en afb.
Broos 1986, p. 120–124, nr. 4 en afb.

Zuidelijk van aard zijn de stillevens van Balthasar van der Ast door de frivole composities met veel 'bijwerk', zoals exotische schelpen en rondkruipende insekten, maar noordelijk door de gedempte kleurstelling en de stramme compositie. Aldus, zij het in andere woorden, Sam Segal.[1] Deze karakteristiek is van toepassing op dit *Fruitstilleven met schelpen*, één van de recente aanwinsten van het Mauritshuis.

Het is een overzichtelijke compositie die door strenge symmetrie te vermijden een zekere natuurlijkheid beoogt. Op een rood tafelkleed staat – niet precies in het midden – een Ming-schaal met een zeer grote gele kweepeer en een al even buitenissige citroen. Verder liggen er twee granaatappelen op, waarvan de ene geopend, abrikozen en twee trossen, witte en blauwe, druiven. Op de kweepeer kruipen een waterjuffer en een vlieg en op een wijnrank zit een sprinkhaan, die wel beschouwd wordt als het handelsmerk van Van der Ast.[2] Wie goed kijkt, ontwaart tussen de druiven een oorworm.

Op het tafellaken liggen peren, abrikozen en een oranjeappel. Links zijn drie kostbare schelpen uitgestald en rechts ligt een tulp. Langs de steel kruipt een vlinder, de 'Painted Lady'. Op de rand van de tafel lijkt zojuist een tweede vlinder neergestreken te zijn, die te herkennen is als een Atalanta.[3] De signatuur rechts onder is voorzien van de datering 1620, die pas tevoorschijn kwam toen het paneel, vóór de aankoop door het Mauritshuis, werd schoongemaakt. Vroeger werd dit jaartal steeds als 1626 gelezen, maar 1620 blijkt veel beter te passen in het beeld dat we inmiddels hebben van het oeuvre van Van der Ast, vooral dankzij de publikaties van L.J. Bol en Segal.[4]

Verschillende elementen uit de aanwinst van het Mauritshuis zijn terug te vinden in stillevens van Balthasar van der Ast uit 1620 of daaromtrent. Het kleed op de tafel, een mogelijk aan Frans Snijders ontleend motief[5], is ook te

1

Bartholomeus van der Ast
Stilleven met fruit en een vaas bloemen
Paneel, 40 x 70 cm
Links onder: *B. van der Ast. 1620*, rechts onder:
B. van der Ast. fe. 1621
Amsterdam, Rijksmuseum, inv.nr. A 2152

2

Bartholomeus van der Ast
Fruitstilleven
Paneel, 34 x 47 cm
Links onder: *.B.V.A.* (ca. 1619)
Kopenhagen, Statens Museum for Kunst,
inv.nr. 1519

zien op een 1621 gedateerd *Stilleven met fruitmand* (particuliere collectie)[6] en op een tweemaal gesigneerd en gedateerd (1620 en 1621) *Stilleven met fruit en een vaas bloemen* (Amsterdam, Rijksmuseum)[1].[7] Op dit laatste werk is een 'Painted Lady' te zien op een tulp die met de bloemkelk naar rechts ligt, evenals op een '.B.V.A.' gesigneerd eenvoudig *Fruitstilleven* (Kopenhagen, Statens Museum for Kunst) [2].[8] De signatuur in de vorm van een monogram komt voornamelijk voor op het vroege werk van de schilder, omstreeks 1619.[9] Het Kopenhaagse stuk vertoont op de tafelrand dezelfde vlinder, de Atalanta, als het stilleven in het Mauritshuis (zij het in spiegelbeeld), terwijl de grote schelp, de Pica, vrijwel identiek is aan het exemplaar op het Haagse schilderij.[10] Door deze overeenkomsten wordt dit werk overtuigend opgenomen in de reeks schilderijen uit de vroege jaren twintig en is als enige met de datum 1620 zelfs een uitgangspunt gebleken voor de reconstructie van

Van der Asts chronologie.[11] In de stillevens tot ongeveer 1630 zou allengs de horizon lager komen te liggen en werd de achtergrond lichter, terwijl de composities weelderiger werden met meer verhalende details. Die zijn hier in bescheiden mate al aanwezig.

In de zeventiende eeuw was nog weinig teloor gegaan van het inzicht dat de voorstelling van een appel kon verwijzen naar Eva's appel van de boom der kennis en dus naar de keuze tussen goed en kwaad. Het besef van de ijdelheid der dingen werd wel in beeld gebracht door fruit of bloemen, waarvan het kortstondig bestaan geen nadere toelichting behoeft.[12] Als vanzelf wees Van der Ast in zijn stillevens op deze vanitasgedachte door – zoals hier – het fruit te tonen met rotte plekjes en door insekten aangevreten bladeren weer te geven. Vergangelijkheid gaat samen met gedachten over een bestaan na de dood, dat de beloning is voor een deugdzaam leven. Dit wordt wel gesymboliseerd door de vlinder of de waterjuffer. In tegenstelling daarmee zijn de vlieg en de oorworm symbolen met een negatieve boodschap en bedoeld als een verwijzing naar de zondeval of, meer algemeen, de kortheid van het leven.[13]

3
Hendrick Goltzius
Portret van Jan Govertsen
Doek, 107,5 x 82,7 cm
Links boven: *A.º 1603*, recht midden: HG (ineen)
Rotterdam, Museum Boymans-van Beuningen, inv.nr. BR. P. 1

Haast demonstratief liggen op het tafelblad links en rechts de exotische schelpen en een tulp, die herinneren aan een typisch zeventiende-eeuws verschijnsel, namelijk een haast maniakale verzamelwoede en zucht naar het uitzonderlijke (zie cat.nr. 13). De hier getoonde schelpen zijn door zeelieden meegebracht van verre kusten. Ze werden vooral in het begin van de zeventiende eeuw hartstochtelijk verzameld en uitgestald in speciaal daarvoor ingerichte vertrekken.[14] Hendrick Goltzius schilderde de schelpenverzamelaar Jan Govertsen (Rotterdam, Museum Boymans- van Beuningen) [**3**][15] die voor een tafel zit waarop zulke fraaie schelpen zijn te zien als bij Balthasar van der Ast, terwijl hij trots een pronkstuk toont aan de toeschouwer. Uiteraard werd in die tijd gewaarschuwd tegen de uitwassen die voorkwamen bij de handel in schelpen. In zijn *Sinnepoppen* (Amsterdam 1614) nam Roemer Visscher een afbeelding op van grillig gevormde schelpen met het niet mis te verstane opschrift 'Tis misselijck waer een geck zijn gelt aan leyt'. Het kommentaar: 'Het is te verwonderen datter treffelijcke lieden zijn die groot gelt besteden aen Kinckhorens en Mosselschelpen, daer niet fraeys aen en is als de selsaemheyd'. Een ijdel bedrijf, zoals men kon zien aan Lodewijk XI: 'De Koninck Lodewijck van Vranckrijck de elfde van dier name, dede selsame dieren komen uyt zijn nabuer Koninckrijcken, om hem een naem te maken dat hy noch groote lust in zijn leven hadde, nochtans was hy doe ter tijt van lichaem seer swak'.[16]

1 *Segal 1984*, p. 46. Een korte karakteristiek van zijn werk gaf ook *Bol 1981*, p. 578–580, terwijl een inmiddels verouderde lijst van de werken van Van der Ast voorkomt in *Bol 1960*, p. 69–87, nr. 1–126.
2 Volgens *Bol 1981*, p. 578
3 De elementen op het schilderij zijn geïdentificeerd en schriftelijk medegedeeld door Sam Segal.
4 1626 is als datering aan te treffen in alle publikaties voor *Segal 1983* (zie bibliografie), waar de afbeelding dit jaartal ook weergeeft (kleurenafb. 12).
5 Volgens *Segal 1984*, p. 56 en 61, noot 33
6 *Bol 1960*, p. 78, nr. 67 (foto RKD)
7 *Bol 1960*, p. 82, nr. 96 en afb. pl. 45b. Overeenkomstig met het Haagse schilderij liggen de oranjeappel en de schelp dicht bij de tafelrand.
8 *Bol 1960*, p. 78–79, nr. 70 en afb. pl. 43b

9 Aldus *Segal 1984*, p. 49–50; een afwijkende mening over het vroege werk van Van der Ast had *Bergström 1983–84*, p. 69–71, alwaar ook een qua compositie zeer verwant stilleven met zo'n monogram 'B.V.A.' is afgebeeld (ibid., p. 70, afb. 6; in de kunsthandel).

10 Deze schelp was in het bezit van de familie Bosschaert: hij komt ook voor op een stilleven van Ambrosius Bosschaert de Oude, zie: *Bergström 1983–84*, p. 70, afb. 5

11 *Segal 1984*, p. 49

12 Over de symbolische betekenis van bloemen, zie: *Segal 1982*, p. 12–25; over de symbolische betekenis van fruit, zie: *Segal 1983*, p. 14–43

13 *Segal 1983*, p. 40 en 53

14 *Von Schlosser 1908;* afbeeldingen daarvan in *Speth-Holterhoff 1957*

15 *Hirschmann 1916*, p. 75–76, nr. 6; zie: *Reznicek 1983*, p. 209–212 en afb. 1

16 *Roemer Visscher/Brummel 1616/1949*, p. 4, nr. IV; zie ook: *De Jongh 1967*, p. 69–71

Hendrick Avercamp

bijgenaamd 'De stomme van Kampen'

4 | IJsvermaak

Amsterdam 1585 – Kampen 1634

Paneel, 36 x 71 cm
Links op de boom: HA (ineen)
Inv.nr. 785

In 1586 werd Barent Avercamp stadsapotheker in Kampen, waarheen hij verhuisde met zijn familieleden, onder wie de doofstom geboren zoon Hendrick. Nadat zijn vader overleden was in 1602, bleef Hendrick bij zijn moeder wonen. Hij werd als kunstenaar opgeleid door Pieter Isaacsz in Amsterdam, waar hij directe invloed onderging van het werk van Vlaamse landschapschilders als Gillis van Coninxloo en David Vinckboons, die naar Amsterdam waren gevlucht. De vroegste (winter)landschappen van Avercamp (voor 1608) waren zeer Vlaams in schildertechniek en compositie: een hoog verschiet, veel figuren en een toneelmatige opbouw van het tafereel. Tussen 1610 en 1620 kwam de horizon van zijn schilderijen steeds lager te liggen, reducerende hij het aantal decorstukken en verspreidde hij de figuren in groepen over het paneel. Omstreeks 1615 evolueerde het thema 'Winterlandschap met schaatsers' in 'IJsvermaak', waarbij de nadruk geheel op de figuren op het ijs werd gelegd. Na 1620 onderging hij alsnog de invloed van Esaias van den Velde en Jan van Goyen, wat resulteerde in atmosferische taferelen, waarin de figuren als het ware opgaan in het landschap.

Herkomst
Veiling P. Opperdoes Alewijn (Hoorn), Amsterdam, 1875
Veiling jonkvrouw M.M. Snouck van Loosen, Enkhuizen, 1886
Rijksmuseum, Amsterdam, 1886
Koninklijk Kabinet van Schilderijen 'Mauritshuis', 1924 (in bruikleen van het Rijksmuseum)

Bibliografie
Bredius 1886, kol. 644
Amsterdam 1920, p. 54, nr. 391
Welcker 1933, p. 204, nr. s 16, p. 206, nr. s 30, p. 220, nr. s 231 en afb. pl. IV, nr. 16
Martin 1935, p. 431–432, nr. 785
Kampen 1949, nr. 6
Den Haag 1954, p. 4, nr. 785
Haverkamp Begemann 1958, p. 1a-b en afb.
Breda/Gent 1960–61, nr. 4 en afb.
Plietzsch 1960, p. 86, afb. 144
Bernt 1948–62, dl. 1, afb. 36
Van Thiel e.a. 1976, p. 91, nr. A 1320 en afb.
Welcker/Hensbroek-van der Poel 1979, p. 206, nr. s 16, p. 208, nr. s 30, p. 226, nr. s 231 en afb. pl. IV, nr. 16
Duparc 1980, p. 4, nr. 785 en afb. p. 146
Blankert e.a. 1982, p. 27, 80–81, nr. 5 en afb.
Keyes 1984, p. 48–49
Hoetink e.a. 1985, p. 126–127, nr. 4 en afb., p. 332, nr. 785 en afb.
Broos 1986, p. 125–129, nr. 5 en afb.

Wanneer het vriest in Holland, gaan jong en oud het ijs op. De kleurrijkste en meest anecdotische verbeelder van het zeventiende-eeuwse ijsvermaak was en blijft Hendrick Avercamp. Op zijn panelen zien wij deftige burgers naast gewoon werkvolk op bevroren rivieren en vaarten op de schaats, op de prikslee, kolf spelend of handig gebruik makend van deze tijdelijke overweg: zo maakte men van de nood een deugd. Het feit dat Avercamps vrolijke taferelen omstreeks 1609 ontstonden, is wel in verband gebracht met het toen gesloten Twaalfjarig Bestand, dat het de stedeling weer mogelijk maakte zich zonder gevaar buiten de stadswallen te begeven.[1] Maar deze verklaring suggereert dat Avercamp naar de werkelijkheid zou hebben gewerkt, wat hooguit voor enkele van zijn tekeningen geldt. Bovendien is 1608 als vroegste datering aangetroffen op een van zijn schilderijen (Bergen, Noorwegen, Bergen Billedgalleri)[2], terwijl enkele (nog zeer Vlaams geörienteerde) panelen zelfs uit de jaren daarvóór lijken te zijn.[3]

Het genre 'winterlandschap' werd in het noorden geïntroduceerd door Vlaamse schilders die na de val van Antwerpen naar Holland waren gevlucht. Het had zich ontwikkeld uit geschilderde series van de twaalf maanden van het jaar, de seizoenen of uit de context van religieuze voorstellingen. Terwijl de Vlaamse traditie bleef voortleven in gefantaseerde (berg)landschappen, zijn typisch Hollands daarentegen de 'realistische' vlakke vergezichten met een horizon, die allengs steeds lager werd geplaatst. De compositie van het schilderij *IJsvermaak* in het Mauritshuis, met een afgesloten achtergrond en huizen als zetstukken links en rechts en een boom als repoussoir op de voorgrond, doet sterk denken aan de toneelmatige opzet

Hendrick Avercamp IJsvermaak

van een winterlandschap van David Vinckboons, dat door een anonymus in prent werd gebracht en gepubliceerd onder het opschrift *Winter* (Kopenhagen, Statens Museum for Kunst) [1].[4]

Wie nooit een Hollandse winter heeft meegemaakt, zal niet direct begrijpen wat er allemaal gebeurt op Avercamps schilderij. Zoals op alle vroege werken staat een groep figuren terzijde het tafereel in ogenschouw te nemen.[5] Twee heren met hoge hoeden en een dame in het zwart tussen hen in kijken naar een druk gebarende groep mensen, zichtbaar achter de op zijn achterkant gezette en vastgevroren roeiboot. Ouders verhinderen dat hun kinderen verder het ijs op gaan naar een wak waar al drie mensen in het water liggen. Op zijn buik schuift van rechts een helper nabij en links gebaart een man voort te maken tegen een ander, die met een ladder komt aanzetten, het redmiddel bij uitstek als iemand door het ijs is gezakt.

Maar zo'n ongeluk hoort er nu eenmaal bij. Zonder zichtbare belangstelling voor de drukte links zetten schaatsers onverstoorbaar op een rij koers naar een ophaalbrug midden achter die toegang geeft tot een ruim water voor een stad die nauwelijks zichtbaar is in de nevelige verte. Paartjes gaan hand in hand en van de drie vriendinnen achteraan bij de brug is er één gevallen, zodat haar blote billen zichtbaar worden. Iets links daarvan loopt een oude man met een stok gebogen onder een bundel rijshout en rechts spelen enkele jongens een soort ijshockey met kolfstokken. Een man zit stijf rechtop op een priksleetje. Rechts kijken oudere echtparen toe hoe kinderen zich de schaatsen onderbinden en daar wijst een heer met een hoge zwarte hoed in de richting van de drenkelingen in het wak. Zo zijn we weer terug bij het uitgangspunt van Avercamps vertelling.

Toch mogen we vooral één figuur op de voorgrond niet vergeten te bekijken, want de schilder heeft hem expres zó naar ons toegekeerd dat we

zijn zwierige uitmonstering goed kunnen zien. De jongeman draagt een hoed met een grote zwarte pluim, een geel zijden jak met een wijd uitstaande kraag en een oranje sjerp; hij heeft een wijd uitstaande broek met oranje strikken en gele kousen. Maar ook hij houdt zich overeind op de gladde ijzers. Het is zo'n

2
Willem Buytewech
'Du(i)ts Eedel Man'
Ets, 197 x 73 mm
Onder: *WB.W. fecit. Dirck: Lons: excu:*
(ca. 1615)
Rotterdam, Museum Boymans-van
Beuningen, inv.nr. L. 1952/8 (VdK 22)

3
Hendrick Avercamp
Wintergezicht
Paneel, 20 x 43 cm
Onder, iets links van het midden: HA (ineen)
(ca. 1620)
Dublin, National Gallery of Ireland,
inv.nr. 496

dandy-achtige jonker, die Willem Buytewech omstreeks 1615 in ietwat
ironische prenten uitbeeldde [**2**][6] en die een anonieme rijmelaar toen een
spottend vers in de pen gaf:
'Stroojonckers, opgesmuckt, getooid als halve vrouwen,
Met wintvangbroecken trots 't groot bramzeil van Obdam,
Gestrikt, gequikt, gesiert gelijk een offerlam
Of zulke die men op tooneelen kan beschouwen'.[7]
De toneelmatige opzet, vooral de grote boom links op de voorgrond, is
sterotiep voor de vroegste werken van Avercamp. Later verdwijnen de
coulissen en is de aandacht geheel gericht op de acteurs op schaatsen. Het
ongedateerde Haagse paneel zal omstreeks 1610 zijn geschilderd. De grote
boom met de zwarte vogels in de takken en de toeschouwers aan zijn voet, de
dandy midden op het ijs in een licht kostuum, de oude man met de bos takken
op zijn rug: al deze verhalende elementen werden al toegepast in het eerder
genoemde schilderij uit 1608 in Bergen. In een *Wintergezicht* uit 1609
(particuliere collectie)[8] komt de op zijn achterkant gezette roeiboot voor en –
natuurlijk – de grote boom, maar eveneens de 'stroojoncker' in een geel
kostuum. Op grond van zulke overeenkomsten is men geneigd het schilderij
in Den Haag niet veel later te dateren.[9]
Toch bestaat er ook motiefovereenkomst met schilderijen uit een later
periode, al moet er bij gezegd worden dat een letterlijke herhaling eerder
uitzondering dan regel is bij Avercamp. In voorkomende gevallen dient men
beducht te zijn voor een van de vele kopieën of vervalsingen: van dit schilderij
bestaan zelfs vier niet eigenhandige versies.[10] De ophaalbrug op de
achtergrond heeft Avercamp herhaald in een *Wintergezicht* (Dublin, National
Gallery or Ireland) [**3**][11], dat algemeen ná 1620 wordt gedateerd. Maar

gezegd moet worden dat het ook een aardig gegeven is in de compositie, omdat dit het voortoneel weliswaar afsluit, maar tegelijkertijd uitzicht biedt op een ruimte daarachter. Zeer waarschijnlijk heeft de schilder de tekening waarop hij deze ophaalbrug eerder had vastgelegd, opnieuw gebruikt (Rotterdam, Museum Boymans-van Beuningen) [**4**].[12] Van de figuren op deze schets had hij alleen de man die rechts tegen een schutting staat te plassen in het vroegere schilderij overgenomen.

Blankert achtte de compositie met de brug in het midden een originele vondst van Avercamp, die Jan Vermeer later toepaste ('in a more sophisticated way') in zijn *Gezicht op Delft* (cat.nr. 65).[13] Bruggen zijn natuurlijk ook en voor de hand liggend motief in een Hollands of Vlaams landschap, zodat deze suggestie niets ter zake doet. Men vergelijke bijvoorbeeld de prent van Frans Huys naar Pieter Bruegel, *IJsvermaak voor de Sint Jorispoort te Antwerpen* [**5**][14] uit 1553. Als verklarende titel staat boven het tafereel: 'De slibberachtigheyt van 'smenschen leven' en het onderschrift luidt:

'Aij leert hier aen dit beeldt, hoe wij ter wereldt rijen,
En slibb'ren onsen wegh, d'een mal en d'ander wijs,
Op dees vergancklijkheijt veel brooser als het ijs'.

Hetgeen niet aantoont dat ook Avercamp zo'n vermanende boodschap had met zijn taferelen met wintervermaak (en -verdriet), maar het is wèl denkbaar.[15]

---

1 *Van Straaten 1977*, p. 53
2 *Welcker 1933*, p. 203, nr. s 3; *Blanckert e.a. 1982*, p. 72–782, nr. 1 en afb.
3 *Blankert 1982-A*, p. 27: 'c. 1605–1608'
4 *Nagler*, dl. xx (1850), p. 353, Vinckboons, nr. 5. Over deze schaarse prent, zie: *Keyes 1982*, p. 39–40 en p. 54, noot 9
5 Zie ook: *Blankert 1982*, p. 24–25
6 *Hollstein*, dl. iv, p. 70–71, nr. 28–34 (29); *Haverkamp Begemann 1985*, p. 168–169, nr. vG 10–16 (11), zie ook ibid., p. 54
7 *Brom 1957*, p. 190
8 *Welcker 1933*, p. 203, nr. s 4 en afb. pl. viii, nr. 21; *Blankert e.a. 1982*, p. 74–75, nr. 2 en afb.
9 *Bredius 1886*, kol. 644: 'Sehr früher Avercamp, etwas schwache Winterlandschaft'; *Blankert e.a. 1982*, p. 80: 'To be dated about 1609–1610'.
10 *Duparc 1980*, p. 4
11 *Welcker 1933*, p. 207, nr. s 45; *Dublin 1971*, p. 2, nr. 496; *Blankert 1982-A*, p. 27, afb. 9
12 *Welcker 1933*, p. 245, nr. t 50 en afb. pl. xiii, nr. 28
13 *Blankert 1982-A*, p. 27
14 *Hollstein*, dl. iii, p. 299, nr. 205[II] en afb., dl. ix, p. 163, nr. 28
15 Over de betekenis van wintervoorstellingen, zie: *Van Straaten 1977*, p. 43–48.

4
Hendrick Avercamp
Landschap met ophaalbrug
Tekening, 110 x 177 mm
Niet gesigneerd, niet gedateerd (ca. 1610–15)
Rotterdam, Museum Boymans-van Beuningen, inv.nr. h. 95

5
Frans Huys naar Pieter Bruegel
De slibberachtigheyt van 's menschen leven
Gravure, 232 x 298 mm
Links onder: *P. Breugel delineavit et pinxit ad vivum 1553*
Brussel, Koninklijke Bibliotheek

Jacob Backer

Harlingen 1608 – Amsterdam 1651

Paneel, 51 x 39,5 cm
Links, onder het midden: *JAB.* (ineen)
Inv.nr. 1057

Bibliografie
Madsen 1917, p. 48–49 en afb.
Bauch 1926, p. 37 en 84, nr. 86 en afb. pl. 35
Gerson 1952, p. 21, afb. 48
Emmens 1968, p. 148
Hoetink 1979, p. 193–194, afb. 3
Blankert e.a. 1983, p. 92–93, nr. 1 en afb.
McNeil Kettering 1983, p. 78 en afb. 101
Rome 1983, p. 8 en 21, nr. 1 en afb. p. 87
Sumowski 1983, p. 136, 197 en 239, nr. 36 en
afb.
Raupp 1984, p. 189, 223 en 427, afb. 89
Hoetink e.a. 1985, p. 128–129, nr. 5 en afb.
p. 333, nr. 1057 en afb.
Broos 1986, p. 130–133, nr. 6 en afb.

Vanaf zijn derde jaar woonde en werkte Backer in Amsterdam, afgezien van een leertijd bij Lambert Jacobsz in Leeuwarden van ongeveer 1627 tot 1630, en van een kort verblijf in Vlissingen in 1638. Hij is nooit bij Rembrandt in de leer geweest, in tegenstelling tot wat vaak wordt beweerd. Toen hij met Govaert Flinck omstreeks 1633 naar Amsterdam trok, werd de laatste alsnog leerling bij Rembrandt, terwijl Backer toen al zijn eerste grote opdracht ontving om een groepsportret voor het Burgerweeshuis te schilderen. Zijn vroegste werken vertonen coloristische en compositorische invloeden uit Vlaanderen, vermoedelijk dank zij Lambert Jacobsz. Backer schilderde bijbelse en mythologische taferelen en (groeps)portretten. Na 1640 werd zijn koloriet helderder en de vormgeving meer classicistisch, met een steeds minder zichtbare rembrandtieke penseelstreek. Hij werd al in de zeventiende eeuw zeer geprezen als schilder.

Onder verwijzing naar de biograaf Arnold Houbraken wordt Jacob Backer nog steeds ingelijfd in de gelederen van Rembrandts leerlingen, maar hier blijkt sprake van een hardnekkig misverstand. In de eerste complete monografie over Rembrandt schreef C. Vosmaer (vermoedelijk misleid door Thoré-Bürger) in 1877: 'Jacob Backer et Govaert Flinck, après leur apprentissage chez Lambert Jacobsz à Leeuwarde, sont entrés ensemble dans l'atelier de Rembrandt'.[1]

In feite staat bij Houbraken in Flincks biografie niets anders te lezen dan dat de twee vrienden na hun opleiding in Leeuwarden bij Lambert Jacobsz naar Amsterdam togen toen zij 'zo veer gevorderd waren dat zy op eigen wieken konden vliegen'.[2] Hij voegde er aan toe dat Flinck (en dus niet Flinck èn Backer) het vervolgens geraden vond zich nog een jaar bij Rembrandt verder te bekwamen. Vosmaer las dit verkeerd en verspreidde het valse gerucht waardoor Jacob Backer in 1926 in een monografie door K. Bauch gehuldigd kon worden als 'ein Rembrandtschüler aus Friesland'.[3] W. Sumowski heeft in zijn recente publikaties over de tekeningen en schilderijen van leerlingen uit de Rembrandt-school nog steeds geen kritisch standpunt ingenomen tegenover deze legendevorming.[4]

Al in 1633 kreeg Jacob Backer, vrij snel na zijn aankomst in Amsterdam, zijn eerste grote officiële opdracht, een groepsportret van *De regenten en regentessen van het Burgerweeshuis* (Amsterdam, Amsterdams Historisch Museum).[5] Zijn stijl was allesbehalve rembrandtiek, eerder sterk Vlaams georiënteerd, zoals blijkt uit het grote doek *Johannes berispt Herodes en Herodias* (Leeuwarden, Fries Museum), waarvan de signatuur en datering tamelijk recent juist gelezen werd: 'I. Debacker A° 1633'.[6] Uit dit schilderij blijken op zijn minst Backers grote compositorische en coloristische kwaliteiten: van Rembrandt had hij in 1633 weinig meer te leren, het omgekeerde is eerder waar.

Jacob Backer 'Zelfportret' als herder

Het Mauritshuis was met een eenvoudig portret, *Jongen in het grijs* uit 1634[7], al een vroeg werk van Backer rijk, maar kon daaraan in 1977 dit *'Zelfportret' als herder* toevoegen. Het dateert uit de tweede helft van de jaren dertig, is zeer lang in Deens particulier bezit geweest en is in uitstekende staat bewaard gebleven.[8] Het is opvallend dat de schilder in dit 'vrije' onderwerp een veel persoonlijker, losse toets (à la Frans Hals) hanteerde dan in het portret uit 1634.

Het *'Zelfportret' als herder* behoort tot een reeks van schilderijen uit dezelfde periode, waarin Backer zichzelf als model gebruikte in allegorische voorstellingen of in een pastorale uitmonstering. De schilderijen *De Smaak* (Berlijn, Staatliche Museen)[9] en *Het Gehoor* (Boedapest, Szépmüveszéti Museum)[10] zijn dergelijke allegorieën. Als een herder heeft Backer zich uitgedost in twee andere werken buiten dat in het Mauritshuis, een in particulier bezit (verblijfplaats onbekend, vroeger Londen, collectie Ronald Cook)[11] en een in het Fries Museum (Leeuwarden) [**1**].[12] In dit werk heeft hij een soortgelijke uitmonstering als in het nieuw verworven Haagse schilderij: een wingerdkrans op het hoofd en een fluit in de hand. De compositie is echter totaal verschillend.

Raupp wees er terecht op dat in de Haagse versie een opzet is gekozen met een zeer lange voorgeschiedenis. De wending van het hoofd en het kijken uit de ooghoeken gaat via een reeks voorbeelden terug op een al meer dan honderd jaar eerder geschilderd prototype van Gerolamo Savoldo.[13] Zelfportretten met de kunstenaar als fluitspelende herder werden in Italië vaker geschilderd. Door de Utrechtse Caravaggisten werden deze halffiguren geïntroduceerd in de Nederlandse kunst en Backer heeft ze ongetwijfeld gekend. Vooral een prent van Cornelis Bloemaert naar een *Fluitspelende herder* van Dirck van Baburen uit 1625 [**2**] heeft bijgedragen tot de bekendheid van dit type.[14] De overeenkomst met het Haagse *'Zelfportret' als herder* is misschien niet toevallig.

Sumowski veronderstelde dat Backer in de genoemde travestie-portretten slechts voortborduurde op het door Rembrandt als 'tronie' op ruime schaal geschilderde soort werken. Te simpel en zelfs onjuist is zijn vaststelling: 'Backer ahnt diesen Typus naiv nach; er verkleidet sich bloss'.[15] Natuurlijk kan Jacob Backer bij zijn leermeester Lambert Jacobsz zulke 'tronies' van Rembrandt hebben gezien en er later op hebben voortgeborduurd. Maar zeker in het hier besproken werk heeft Backer er een typisch Caravaggistische wending en allure aan gegeven. Net als Rembrandt diende hij zichzelf als model, waarbij het portretmatige minder van belang was dan het schilderachtige effect. Toch is het niet uitgesloten dat Backer voor de spiegel is gaan zitten toen hij het Haagse schilderij maakte. Men vergelijke een in zwart krijt getekend *Zelfportret* uit 1638 (Wenen, Albertina) [**3**].[16]

De uitbeelding van een herder met een fluit hangt uiteraard ten nauwste samen met het in de eerste helft van de zeventiende eeuw zeer populaire pastorale thema in de dicht- en schilderkunst. Naar aanleiding van Rembrandts bekende ets *De fluitspeler* (B. 188) uit 1642 wees Alison McNeil Kettering erop hoe in de jaren dertig ook in Amsterdam de Utrechtse voorbeelden navolging vonden, zoals de herders en de herderinnen van Bloemaert, Van Bijlert, Honthorst en Moreelse.[17]

Naar aanleiding van de vermomde zelfportretten van Backer in Den Haag en Leeuwarden merkte Sumowski nog op dat de fluit behalve als esthetisch motief ook wel als een erotische pikanterie bedoeld kon zijn.[18] Iedere hint in deze richting ontbreekt echter en het was McNeil Kettering, die reeds constateerde dat buiten Utrecht voorstellingen van herderinnen meestal een minder erotisch voorkomen hadden en dat 'the shepherd type ... tended toward the lyrical and pensive'.[19]

Het gegeven dat Backer zich in een zelfportret als herder afbeeldde, verleende dit schilderij volgens Emmens juist een dichterlijke context. De fluit was immers het welbekende symbool van de inspiratie en de inspiratie was de voornaamste bron van het herdersdicht.[20] Emmens veronderstelde zelfs dat Backers *'Zelfportret' als herder* en (bijvoorbeeld) Govaert Flincks *'Portret' van Rembrandt als herder* (Amsterdam, Rijksmuseum)[21] 'waarschijnlijk als toespelingen op het dichterschap van de afgebeelden (moeten) worden beschouwd'.[22] Immers, een poëtische geest was volgens de theoretische opvattingen van die tijd een eerste vereiste voor een goed (historie)schilder.[23]

3
Jacob Backer
Zelfportret
Tekening in zwart krijt, 143 x 147 mm
Links onder: *Jacob Abacker fecit 1638. In Vlissingen*
Wenen, Albertina, inv.nr. 9038

1 *Vosmaer 1877*, p. 139; zie ook: *Broos 1983*, p. 57, noot 74 (+ lit.). *Thoré-Bürger 1858–60*, dl. II, p. 15–16, maakte deze fout, hoewel hij in 1857 nog de juiste gang van zaken vermeldde (*Scheltema/Thoré-Bürger 1857*, p. 502–503 en noot 1); zie ook: *Scheltema 1855*, p. 132
2 *Houbraken 1718–21*, dl. II, p. 20
3 *Bauch 1926*
4 *Sumowski 1979–81* en *Sumowski 1983*. Zie daarentegen *Broos 1983*, p. 48–49 en *Broos 1984*, p. 176
5 Inv.nr. B 4842; *Sumowski 1983*, p. 203 en 277, nr. 74 en afb.
6 Inv.nr. FM 1983-58; *Sumowski 1983*, p. 193 en 208, nr. 5 en afb.; de signatuur is afgebeeld in *Broos 1984*, p. 186, noot 93.
7 Inv.nr. 747; *Sumowski 1983*, p. 200 en 255, nr. 52 en afb.
8 Zie: Herkomst en *Hoetink 1979*, p. 193–194
9 Inv.nr. 935 A; *Sumowski 1983*, p. 196 en 226, nr. 23 en afb.
10 Inv.nr. 68.11; *Sumowski 1983*, p. 196 en 227, nr. 24 en afb.
11 *Sumowski 1983*, p. 197 en 238, nr. 35 en afb.
12 *Sumowski 1983*, p. 197 en 236, nr. 44 en afb.
13 *Raupp 1984*, p. 189. Zie aldaar voor meer voorbeelden (p. 182–193 en afb. 82–92) en de beschrijving van deze houding in de kunsthistorische literatuur (p. 190–191)
14 *Hollstein*, dl. II, p. 79, nr. 284; *Slatkes 1969*, p. 135–136, nr. B 1 en afb. 39
15 *Sumowski 1983*, p. 136
16 *Sumowski 1979–81*, dl. I, p. 22–23, nr. 4. *Bruyn 1984*, p. 160, noot 13 meende dat niet gebleken was dat deze 'tronies' zelfportretten konden zijn.
17 *McNeil Kettering 1977*, p. 22 e.v.
18 *Sumowski 1983*, p. 136: 'wenn die Ikonographen recht haben', naar aanleiding van *Klessmann e.a. 1978*, p. 48–51, nr. 3. Maar: 'Uit deze gegevens mogen we niet concluderen dat elke fluit en elke luit in de 17de eeuwse kunst een erotische (bij)betekenis heeft' (*De Jongh 1971*, p. 175).
19 *McNeil Kettering 1977*, p. 22
20 *Emmens 1968*, p. 147–148; zijn interpretatie werd geaccepteerd o.a. door *Blankert e.a. 1983*, p. 92, nr. 1.
21 Inv.nr. A 3451; zie *Van Thiel e.a. 1976*, p. 228–229 (+ lit.)
22 *Emmens 1968*, p. 148, noot 266
23 *Emmens 1968*, p. 30 e.v., p. 45 e.v., p. 109–110

Nicolaes Berchem

6 | Zeus als kind op Kreta

Haarlem 1620 – Amsterdam 1683

Doek, 202 x 262 cm
Rechts onder: *CBerrighem. 1648* (CB ineen)
Inv.nr. 11

Bibliografie
Steengracht van Oostkapelle 1826–30, dl. III, p. 16–
17, nr. 59 en afb.
A. 1828, p. 75–85
Smith 1829–42, dl. V, p. 78–79, nr. 243
Thoré-Bürger 1858–60, dl. I, p. 262–263
De Stuers 1874, p. 10–11, nr. 9
Bredius 1895, p. 23–24, nr. 11
HdG 42 (dl. IX, p. 62, nr. 42)
Den Haag 1914, p. 15–16, nr. 11
Von Sick 1930, p. 18–19
Martin 1935, p. 14–15, nr. 11
Martin 1936, dl. II, p. 353–354
Den Haag 1954, p. 8, nr. 11
Schaar 1958, p. 28–30
Stechow 1965, p. 114
Rosenberg/Slive/Ter Kuile 1966, p. 176
Parijs 1970–71, p. 11, nr. 9
Pigler 1973, dl. II, p. 141
Den Haag 1977, p. 38, nr. 11 en afb.
Frerichs/Schatborn 1978, p. 7, nr. 7
Amsterdam/Detroit/Washington 1980–81, p. 199
Robels 1983, p. 80, nr. 103
Hoetink e.a. 1985, p. 336, nr. 11 en afb.

Hij was de zoon en leerling van de stillevenschilder Pieter Claesz; hij werd ook opgeleid, dan wel beïnvloed door Amsterdamse/Haarlemse schilders als Jan van Goyen, Nicolaes Moeyaert, Pieter de Grebber en Jan Baptist Weenix. In 1642 werd hij meester in het gilde van Haarlem, waar hij voornamelijk heeft gewerkt. Op het eind van zijn leven werd hij ook in Amsterdam vermeld, waar hij zich in 1677 metterwoon vestigde. Berchems oeuvre bestaat vrijwel uitsluitend uit landschappen, die sinds lang erkend worden als belangrijke voorbeelden van de Nederlandse Italianiserende schildertrant. Zijn werk vertoont van meet af aan invloed van Pieter van Laer, die in Haarlem de bekendste Rome-ganger was toen Berchem er het vak leerde. Pas onlangs werd vastgesteld dat hij ook in Italië is geweest; vermoedelijk was hij daar in 1651–1653. Na 1660 ontstonden zijn meest rijpe werken (beïnvloed door Jan Asselijn en Jan Both), die afwisselend groots of eenvoudig van opzet zijn, met een zeer levendige stoffering.

Zeus (in de Romeinse mythologie: Jupiter) was de zoon van Cronus en Rhea. De kinderen van Rhea werden door de vader uit nijd verslonden, zodat de kleine Zeus door zijn moeder op Kreta in de Dikte-grot (volgens sommigen: op de berg Ida) werd verborgen. Daar werd hij opgevoed door nymfen, onder wie Adrastea, een dochter van de Kretenzische koning Melisseus die hem voedde met honing, en Amalthea, een geit die hem haar eigen melk te drinken gaf.[1] Niet dat in de zeventiende eeuw de bronnen zo eenduidig waren over de identiteit van deze nymfen. Karel van Mander sprak in zijn *Wtlegghingh op den Metamorphosis* van Ovidius over Amalthea, de geit die *'Iuppiters* moeder / gaf den dochteren *Melissi*, Cretische Coningh / om met de melck heymlijck haren *Iuppiter* op te voeden: dese dochters hieten *Milissa*, en *Amalthea* ... Eenighe seggen / dat dees twee Nymphen hieten *Hega*, en *Melice*, die *Iuppiter* voedden met honingh ...'.[2]

Nicolaes Berchem maakte een keuze uit de beschikbare visuele en literaire bronnen en schilderde in 1648 de bergnymf Adrastea als een halfnaakte schone jonge vrouw en Amalthea als een geit, die door Melisseus' dochter gemaand wordt het jongetje Zeus in haar schoot te laten slapen. Een schaap, een ezel en een grote liggende koe vormen met een grijnzende faun de idyllische entourage. Voor het naakte kind heeft de schilder eerst een voorstudie gemaakt in geoliede kool (Keulen, Wallraf-Richartz-Museum) [1], waarin hij twee standen voor het liggende jongetje uitprobeerde.[3] Als voorbeeld gebruikte hij daarbij een beeldje van Artus Quellinus de Oude, *Een slapende putto*, bekend uit een eigenhandige variant in ivoor die 1641 is gedateerd (Baltimore, The Walters Art Gallery) [2].[4] Deze ontlening zal wel een opzettelijke zijn geweest, omdat de verhoopte koper van het doek niemand minder was dan Frederik Hendrik, een groot bewonderaar van de

Nicolaes Berchem Zeus als kind op Kreta

1
Nicolaes Berchem
Twee studies van een slapende putto
Tekening, 264 x 384 mm
Niet gesigneerd, niet gedateerd (ca. 1648)
Keulen, Wallraf-Richartz-Museum,
inv.nr. z 4459

2
Artus Quellinus
Een slapende putto
Ivoor, lengte 11,6 cm
Gesigneerd, en gedateerd: *1641*
Baltimore, The Walters Art Gallery

3
Jan de Visscher
Zeus als kind op Kreta
Gravure, 310 x 387 mm (de plaat)
Links onder: *Joannes de Visscher fecit.*; midden:
Nicolaus P. Berchem pinxit
Amsterdam, Rijksprentenkabinet

Antwerpse beeldhouwer.[5] Thomas Willeboirts Bosschaert heeft in één of meer stukken voor de stadhouder hetzelfde beeldje van Quellinus als model gebruikt.[6]

Berchem herhaalde de figuur van de slapende Zeus in een schilderij, dat nu alleen nog bekend is van een prent die Jan de Visscher er naar heeft gemaakt [**3**].[7] Op deze voorstelling ligt ook Adrastea te slapen, terwijl de geit Amalthea en een faun toekijken. Het landschap is daarin weids weergegeven, net als in een derde versie van *Zeus als kind op Kreta* (Londen, Wallace Collection) [**4**].[8] Dit tafereel laat zien dat de schilder uiteindelijk koos voor een op de beeldtraditie en literaire bronnen geënte versie, omdat hij het kleine ventje aan haar uier liet drinken. In de houding van de nymf Adrastea valt enige overeenkomst te bespeuren met de versie uit 1648, die niet lang tevoren is ontstaan. Mogelijk werd hierbij eveneens een (niet meer bekende) voorstudie gebruikt.[9] De datering van het doek uit de collectie Wallace moet niet als 1654 worden gelezen, meende Stechow, maar als 1650.[10]

De identificatie van de voorstelling op het Haagse schilderij blijkt minder vanzelfsprekend te zijn geweest dan hier wordt gesuggereerd. Het meest recent is het tafereel nog als *De jeugd van Bacchus* betiteld.[11] Deze verwisseling, overigens geen verbazingwekkende, heeft uiteraard te maken met de levensgrote aanwezigheid van de faun met zijn spitse oren en wijnranken op het hoofd. Toch is het geen druivesap dat over de rand klotst van het grote vat dat hij torst, maar melk. Op een Amsterdamse veiling in 1763 werd het kapitale doek *Pan en Siringa* genoemd, terwijl in 1791 merkwaardig genoeg sprake was van druiven die de nymf aan het jongetje zou geven.[12] Voor koning Willem I werd het schilderij in 1827 verworven als een 'Italiaansch landschap' met een herder en een herderin bij 'een bevallig slapend Kindje'. Deze aankoop lokte toen wel openbare kritiek uit: 'de ophef, dien men van dit stuk

4
Nicolaes Berchem
Zeus als kind op Kreta
Doek, 65 x 85 cm
Midden voor: *CPBerghem 1654*
Londen, Wallace Collection, inv.nr. P 256

5
Schelte à Bolswert naar Jacob Jordaens
Zeus als kind op Kreta
Gravure, 355 x 465 mm
Links onder: *Iac: Iordaens invent.*; rechts
onder: *S. à Bolswert sculpsit.*
Amsterdam, Rijksprentenkabinet

gemaakt (heeft), en de prijs, dien men er voor besteed heeft, (is) veel te groot, en te hoog', schreef een anonymus in 1828.[13] Thoré-Bürger was dus niet de eerste met zijn zure commentaar; over het onderwerp meende hij: 'C'est une sorte de pastorale qu'il a voulu faire'.[14] *Pastorale* bleef de titel van het schilderij, totdat Hofstede de Groot er hetzelfde verhaal in herkende dat Berchem onder andere op de twee vermelde varianten heeft uitgebeeld: *Zeus (Jupiter) als kind op Kreta*.[15]

6
Nicolaes Berchem
Portret van een koe
Doek, 99 x 81,5 cm
Rechts onder: *C Berighem 1650*
Engeland, particuliere collectie

Dit thema is natuurlijk vooral bekend van schilderijen van Jordaens (die op hun beurt ontleend zijn aan voorbeelden uit de klassieke kunst), die wel de voornaamste inspiratiebron zijn geweest voor Berchem. Zijn halfnaakte grijnzende faun is een herinnering aan Pan, die in de opvatting van Jordaens een van de opvoeders van Zeus was. Zo treedt deze figuur met bokkepoten op in een schilderij uit omstreeks 1635 (Parijs, Musée du Louvre)[16] dat door Schelte à Bolswert in prent is gebracht [**5**].[17] Met een tamboerijn leidt Pan de aandacht af van het jongetje Zeus, dat van honger huilt. Een van de kwaliteiten van Jordaens was zijn 'neiging aan het goddelijke een alledaags accent te verlenen', schreef d'Hulst, en daartoe leende zich natuurlijk bij uitstek het verhaal van de jeugd van Zeus (Jupiter).[18] Op een variant in Kassel (Gemäldegalerie)[19] liet hij de geit Amalthea de kannen met melk omstoten, wat een luidkeels geschreeuwd protest van de kleine Zeus tot gevolg heeft.

Kennelijk op eigen initiatief bedacht Berchem dat het aardig zou zijn als de nymf Adrastea de geit Amalthea zou beletten het jongetje te voeden, omdat het lekker ligt te slapen. Een reminiscentie aan Jordaens is niet alleen deze geestige enscenering, maar tevens het toepassen van levensgroot geschilderde dieren. Op dezelfde manier waarop Jacob van Campen in zijn *Mercurius, Argus en Io* (cat.nr. 16) zijn runderen ontleende aan (een prent van Schelte à Bolswert naar) Jordaens, moet Berchem zijn koe in navolging van Jordaens hebben geschilderd.[20]

In schampere termen (de anonymus in 1828 en Thoré-Bürger in 1858), maar later ook in lovende bewoordingen (Schaar in 1958) is beweerd dat Berchem met dit levensgrote figuurstuk met dieren bewust concurreerde met *De jonge stier* van Paulus Potter (cat.nr. 45) uit 1647.[21] Een voor de hand liggende gedachtengang, die nog versterkt wordt door het tot dusver onbekende gegeven dat de schilder van de kop van zijn koe in 1650 een eigenhandige repliek maakte, als een *Portret van een koe* (Engeland, particuliere collectie) [**6**].[22] Haak noemde deze dierstudie als voorbeeld van een 'dierlandschap', een minder bekend specialisme, waarin ook Aelbert Cuyp en Adriaen van de Velde uitblonken.[23]

De levensgrote figuren in *Zeus als kind op Kreta* zijn door sommigen weinig geslaagd genoemd en uiteraard hebben ze menig schrijver verbaasd omdat ze voor Berchem tamelijk uitzonderlijk zijn. Men heeft van hem het beeld van een schilder van geïdealiseerde landschappen met stoffage, zoals hij de twee andere versies van dit mythologisch verhaal had geconcipieerd [**3,4**]. Niet eerder had hij het landschap zo'n ondergeschikte rol laten spelen in een voorstelling en dergelijke figuurstukken van hem waren lange tijd nauwelijks bekend. Maar zijn oeuvre heeft soms verrassende kanten en ondanks de publikaties van Schaar (1958) en Blankert (1965) is het totaalbeeld daarvan nog lang niet compleet.[24] Nog steeds worden nieuwe feiten en zelfs volslagen onbekende kunstwerken (cat.nr. 7) aan het licht gebracht. Het Haagse schilderij blijkt van een onvermoede documentaire waarde te zijn.

Van meet af aan is Pieter van Laer het lichtend voorbeeld geweest voor Berchem. In 1642 vertrok deze landschapschilder opnieuw naar Italië, na drie jaar in Haarlem gewerkt te hebben en hij keerde er nooit meer terug. Ook bij Berchem rijpte het verlangen naar het zuiden te gaan.[25] Maar in de jaren veertig bleef hij in Haarlem werken, in tegenstelling tot wat wel werd gedacht. In 1642 werd het 'incoomgelt' van Claes Pietersz (Berchem) geregistreerd in het Sint Lucasgilde en er meldden zich wat later enkele leerlingen bij hem aan.[26] In 1646 trouwde hij aldaar.[27] 1644 blijkt als datering te moeten worden gelezen van het schilderij *Rustende herders* (New York, Metropolitan Museum of Art)[28], waarin landschap en lichtval sterk aan Pieter van Laer doen denken. In dit vroege schilderij is de kern van *Zeus als kind op Kreta* – namelijk een zittende moeder met een kind, met schapen, een geit en een toekijkende koe – al duidelijk aanwezig, maar dan in een omgeving zoals we die van Berchem kennen: een zonbeschenen landschap.[29]

In 1648 had Berchem inmiddels een reeks van indrukken ondergaan: in zijn figuren was de invloed van de zogenaamde pre-Rembrandtisten merkbaar aanwezig. Dat geldt voor twee 1648 gedateerde werken, *Laban verdeelt de arbeid* (München, Bayerische Staatsgemäldesammlungen)[30] en *Jacob en Rachel* (Frankfurt, Historisches Museum).[31] Dit zijn bijbelse histories in een ruime landschappelijke setting, vergelijkbaar met de twee versies van *Zeus als kind op Kreta* [3,4]. Er moet een reden zijn geweest waarom de variant uit 1648 op zo'n uitzonderlijk groot formaat werd geschilderd en uitgevoerd werd als een zuiver figuurstuk.

De allure van dit, door Martin in 1936 al terecht als 'wanddecoratie' bestempelde schilderij wordt slechts geëvenaard door het bijna drie meter brede doek *De ontvoering van Europa* (Leningrad, Hermitage), dat 1649 is gedateerd.[32] Von Sick merkte op dat Berchem voor Adrastea in het Haagse schilderij en voor de figuur van Europa hetzelfde model moet hebben gebruikt.[33] De invloed van Jordaens is ook in dit spektakelstuk evident. Toch had Berchem in deze 'Vlaamse' periode tevens belangstelling voor de Utrechtse Caravaggisten, zoals mag blijken uit een derde op levensgroot formaat uitgevoerd historiestuk: *Vertumnus en Pomona* (Braunschweig. Herzog Anton Ulrich-Museum).[34] Dit werk is niet gedateerd, maar wel 'C Berghem' gesigneerd en deze schrijfwijze (met een g) kwam volgens Stechow in ieder geval na 1655 niet meer voor. De datering zal omstreeks 1650 zijn.[35] De conclusie uit dit alles is dat Berchem zich in de periode 1648–1650 duidelijk profileerde als een internationaal georiënteerde historieschilder. Het waarom ligt eigenlijk voor de hand.

Met in zijn achterhoofd kennelijk deze uitzonderlijke grote doeken met mythologische voorstellingen, wees Blankert (in het spoor van Von Sick en Schaar) op een onderneming die omstreeks 1648 de gemoederen van veel Nederlandse schilders moet hebben beziggehouden, namelijk de op stapel staande decoratie van de Oranjezaal in Huis ten Bosch in 's-Gravenhage.[36] Constantijn Huygens en Jacob van Campen hadden in 1649 ieder voor zich een inventarisatie gemaakt van de schilders die in aanmerking kwamen voor een opdracht. Op het lijstje van Huygens kwam de naam voor van de vergulder Pieter Claesz, de vader van Nicolaes Berchem, maar Van Campen noteerde Claes Pietersz (Berchem) zelf als een van de geschikte kandidaten onder de 'Schilders van holland'.[37]

Ongetwijfeld moet zo'n kapitaal figuurstuk als *Zeus als kind op Kreta* de eventuele opdrachtgever overtuigd hebben dat Berchem een goede keus zou zijn. Het is zelfs zeer aannemelijk dat het niet bij voornemens is gebleven. Immers, een 'Berghem f. 1648' gedateerde en gesigneerde schets in rood krijt met *Venus en Adonis* (Amerongen, collectie H. van Leeuwen) [7] wordt beschouwd als een ontwerp voor een decoratie in een van de woonvertrekken van Amalia van Solms.[38] Het staande formaat is ongebruikelijk voor Berchem en de (op Rubens geïnspireerde) voorstelling was bedoeld als een allegorie op 'De Jacht', een bij uitstek vorstelijk tijdverdrijf.[39] Het desbetreffende schilderij is nooit uitgevoerd en de Haarlemse schilder heeft in ieder geval ook voor de Oranjezaal geen werk geleverd, dan wel mogen leveren.

In 1649 maakte hij samen met zijn vrouw zijn testament op. Dat wees destijds veelal op ziekte of op een gevaarvolle onderneming.[40] Het laatste bleek het geval te zijn, want Berchem trof kennelijk voorbereidingen voor de kunstreis naar Italië. Over zijn Italiaans verblijf is uitvoerig gespeculeerd: niet alleen over het aantal malen dat hij in het zuiden zou zijn geweest (van helemaal niet tot drie keer), maar ook over de periode waarin hij gereisd zou hebben.[41] Dat moet van 1651 tot en met 1653 zijn geweest. Een onlangs ontdekte datering '1651' op een gesigneerd Italiaans landschap (Milaan, Museo d'Arte Antica)[42] leidde tot de conclusie dat hij in of vlak na 1650 zijn plannen werkelijkheid heeft laten worden.[43]

Helaas valt niet meer na te gaan of Berchem uiteindelijk geen hofopdracht kreeg omdat hij naar Italië wilde vertrekken, dan wel dat hij teleurgesteld naar Italië was gegaan omdat hij inmiddels van de lijst was afgevoerd. Indien het schilderij *Zeus als kind op Kreta* een verwijzing inhield naar een van de thema's in de Oranjezaal, had Berchem geen rekening gehouden met het decorum. De 'jeugd van Jupiter' lijkt geen geschikte referentie aan de opvoeding van Frederik Hendrik die daar had kunnen worden uitgebeeld.[44] Tenminste niet, als men daarbij dezelfde gedachten koesterde als de dichter, die het onderschrift maakte bij de prent van Schelte à Bolswert naar Jordaens (in vertaling):

'Is het verwonderlijk dat Jupiter zich laat leiden door de liefde
En afdwaalt naar onwettige bedsteden?
Ziet hoe hij tussen Saters met geitemelk wordt gevoed
Hij heeft de geile geite-aard ingezogen en doet als hen'.[45]

7
Nicolaes Berchem
Venus en Adonis
Tekening, 285 x 235 mm
Rechts boven: *Berghem f. 1648*
Amerongen, collectie H. van Leeuwen

1 *Lavedan 1931*, p. 1029; *Graves 1960*, dl. 1, p. 39–41, nr. 7b (+ lit.), p. 42, nr. 7/3
2 *Mander 1604-A*, fol. 73a-b
3 Inv.nr. z 4459; *Robels 1983*, p. 79–80, nr. 103 en afb.
4 *Fremantle 1959*, p. 148, noot 3 en afb. 170
5 In 1634 werkte Quellinus voor Frederik Hendrik in Honselaarsdijk, zie: *Gabriels 1930*; *Neurdenburg 1948*, p. 174
6 Behalve de voorbeelden die *Robels 1983*, p. 80 noemde, komt deze putto voor in het schilderij dat Frederik Hendrik aan de schutters van de Haagse Sebastiaansdoelen schonk, *De vlucht naar Egypte* (Den Haag, Haags Gemeentemuseum, inv.nr. 527), zie: *Knuttel 1935*, p. 281, nr. 125 en *Van Gelder 1949*, p. 43–44 en 50, afb. 5
7 HdG 46; *Hollstein*, dl. 1, p. 278, nr. 296 (Wess. 72)
8 Inv.nr. P 256; HdG 43; *Londen 1979*, p. 7, nr. P 256 en afb.
9 De overeenkomst werd al vastgesteld door *De Steurs 1874*, p. 10, noot 1. Over Amalthea, zie: *Lavedan 1931*, p. 38–39. Een tekening die misschien wel als voorstudie gebruikt werd voor het schilderij is *Een staande ezel* (Moskou, Poesjkin Museum, inv.nr. 4648, zie *Moskou 1974*, nr. 34 en afb.)
10 *Stechow 1965*, p. 114: 'die letzte Ziffer sieht eher wie eine beschädigte o als wie eine 4 aus'.
11 *Hoetink e.a. 1985*, p. 336, nr. 11; voor het eerst werd deze titel gebezigd in *Den Haag 1954*, p. 8, nr. 11; maar al *Thoré-Bürger 1858–60*, dl. 1, p. 263 beschreef de man als 'un compagnon de Bacchus dans les Bacchanales du Titien'. In *Parijs 1970–71*, p. 11, nr. 9 werd zelfs verondersteld dat zich in het Mauritshuis twee schilderijen van Berchem zouden bevinden, een met *De jeugd van Jupiter* en een met *De jeugd van Bacchus*.
12 *Veiling de Leth e.a. 1763*. Van een veiling in 1791 wordt melding gemaakt op het opzetvel van de tekening met de putti (noot 3), waarbij als bod op het schilderij 200 gulden wordt genoemd, zie: *Robels 1983*, p. 79–80
13 *A. 1828*, p. 75–76. Ik dank Guido Jansen voor de verwijzing naar dit merkwaardige artikel.
14 *Thoré-Bürger 1858–60*, dl. 1, p. 262
15 HdG 43–46; HdG 43, zie noot 8; HdG 44 (Schloss Schleissheim, inv.nr. 3865) werd afgebeeld in *Von Sick 1930*, afb. 35; HdG 45 (Praag, Národní Galerie, inv.nr. DO 4567); HdG 46, zie noot 7
16 Inv.nr. 1405; *Jaffé 1968–69*, p. 99 en 276, nr. 49 en afb. (+ lit.)

17 *Hollstein*, dl. III, p. 85, nr. 283; *Jaffé 1968–69*, p. 244 en 408, nr. 300 en afb.

18 *d'Hulst 1982*, p. 155

19 Inv.nr. GK 103; *Herzog 1969*, p. 84, nr. 31 en afb.; zie ook *d'Hulst 1982*, p. 155–156 en afb. 121

20 Zie cat.nr. 16, noot 12–14

21 *A. 1828*, p. 79: 'dat de jonge *Berchem* door … *Potter* op het denkbeeld is gekomen, om zich ook in dat vak te beproeven'; *Thoré-Bürger 1858–60*, dl. I, p. 262: 'C'était peut-être *le taureau* de Paul Potter qui l'empêchait de dormir'; *Schaar 1956*, p. 30: 'Aus der inhaltlich unbestimmten "Idylle" wurde jetzt die Mythe'.

22 HdG 844; volgens Guido Jansen (die ik dank voor zijn verwijzing naar dit schilderij) is de datering 1650; *Smith 1829–42*, dl. V, p. 92, nr. 290: 'dated 1650'.

23 *Haak 1984*, p. 147, afb. 308

24 *Schaar 1958*, p. 1–33; *Blankert 1965*, p. 149–152

25 *Houbraken 1718–21*, dl. I, p. 363; *Hoogewerff 1932*, p. 7–17; *Blankert 1965*, p. 93, noot 9

26 *Miedema 1980*, dl. II, p. 525, 527 en 543

27 *Van Hasselt/Blankert 1966*, p. 16, noot 1 (volgens een aantekening van A. Bredius, zonder bronvermelding)

28 Inv.nr. 71.125; HdG 618

29 *Schatborn 1974*, p. 6–8 en afb. 5. Een tekening van *Een staande herder* (Amsterdam, Rijksprentenkabinet, inv.nr. 57:259) is door Schatborn als een eigenhandige voorstudie van Berchem herkend (zie *Schatborn 1974*, p. 3–4 en afb. 1). Deze tekening stond voorheen op naam van Van Laer, waarmee de invloed van diens figuurstudies op Berchem kon worden aangetoond.

30 HdG 7; *Blankert 1965*, p. 150–152, nr. 74 en afb. 77: '1648–50'; *Brochhagen 1965*, p. 180: '1648'; *Blankert 1978-A*, p. 261, nr. 45: '1648'

31 Inv.nr. B 1024; niet bij HdG; *Frankfurt 1956*, p. 8, nr. 5 en afb. 22: gesigneerd 'C Berrighem 1648'

32 Inv.nr. 1072; HdG 40; *Leningrad 1895*, p. 10, nr. 1072; *Von Sick 1930*, afb. 8; *Martin 1936*, dl. II, p. 353

33 *Von Sick 1930*, p. 19

34 Inv.nr. 359; HdG 53; *Klessmann 1983*, p. 23, nr. 359 en afb.: 'um 1650'

35 *Von Sick 1930*, p. 19: 'Ende der vierziger Jahre'; zie de voorbeelden bij *Stechow 1965*, p. 114

36 *Von Sick 1930*, p. 18–20; *Schaar 1958*, p. 27–28; *Blankert 1965*, p. 151

37 *Van Gelder 1948–49*, p. 126–128: de lijsten dateren van 'vóór Augustus 1649 (en van ná 1648)'.

38 Inv.nr. A 1128; *Frerichs/Schatborn 1978*, p. 7, nr. 7 en afb.

39 Zie: *Frerichs/Schatborn 1978*, p. 7

40 *Van Hasselt/Blankert 1966*, p. 16, noot 1; *Blankert 1978-A*, p. 261, nr. 42 (volgens een notitie van A. Bredius, zonder bronvermelding)

41 Zie bijvoorbeeld *Hoogewerff 1931* en *Blankert 1978-A*, p. 148–149, noot 10–12 en p. 261, nr. 42

42 Inv.nr. 375; *Jansen 1985*, p. 13–14 en afb. 2

43 *Jansen 1985*, p. 16

44 *Peter-Raupp 1980*, p. 15, nr. B en afb. 22

45 Quid mirum natura Iovis si cedat Amori
   et vaga per thalamos ambulet illicitos
   Ecce inter Satyros nutritur lacte caprino
   Naturam capre, suxerat et sequitur.

Nicolaes Berchem en Jan Baptist Weenix De roeping van Matteüs

Nicolaes Berchem en Jan Baptist Weenix

Haarlem 1620 – Amsterdam 1683
Amsterdam 1621 – Huis ter Mey,
Maarsseveen 1660/1661

Paneel, 94,2 x 116 cm
In het opengeslagen boek: *Berchem gemaek(t) Weenix (ge)daen*
Inv.nr. 1058
Biografie Nicolaes Berchem, zie cat.nr. 6 | Jan Baptist Weenix, zie cat.nr. 67

Herkomst (zie ook noot 5)
Collectie Lambert van Haeren, Dordrecht, 1718
Veiling Van Hairen, Dordrecht, 1718
Veiling C. van Lill, Dordrecht, 1743
Collectie Willem Lormier, Den Haag, 1743–1763
Veiling Lormier, Den Haag, 1763
Veiling Amsterdam, 8 mei 1769
Veiling Amsterdam, 6 augustus 1810
Collectie Hendrik Muilman, Haamstede, 1810–1813
Veiling Muilman, Amsterdam, 1813
Collectie Comtesse ....
Veiling G. Tournier e.a., Parijs, 1977
Kunsthandel R. Noortman, Londen/Hulsberg, 1979
Koninklijk Kabinet van Schilderijen 'Mauritshuis', 1979 (verworven met steun van de Vereniging Rembrandt)

Bibliografie
Houbraken 1718–21, dl. II, p. 113
Weyerman 1729–69, dl. II, p. 195
Hoet 1752–70, dl. II, p. 91, nr. 1
Hofstede de Groot 1893, p. 97 en 177
Floerke 1905, p. 146
HdG 24 (dl. IX, p. 58, nr. 24)
Von Sick 1930, p. 15 en 68–69, noot 16
Pigler 1974, dl. I, p. 281
Hoetink 1979-A, p. 25–26 en afb.
Londen 1979-B, nr. 6 en afb.
Duparc 1980-A, p. 37–42 en afb. 1–4 en 6
Amsterdam/Detroit/Washington 1980–81, p. 199
Hoetink 1981-A, p. 151, 154 en afb. 2
Schloss 1982, p. 12
Hoetink e.a. 1985, p. 132–133, nr. 7 en afb.; p. 280 en 337, nr. 1058 en afb.

1a–b
Details van cat.nr. 7

'Berchem gemaek(t) Weenix (ge)daen'[1a] staat geschreven in het boek op de schoot van de naar Christus opkijkende Matteüs in dit schilderij, dat een bijzonder staaltje van artistieke samenwerking biedt. Houbraken heeft dit paneel vermoedelijk gezien toen het zich in Dordrecht bevond in de nalatenschap van Lambert van Haeren (Hairen), voormalig raadslid en 'Raet ten Admiralitijdt in Zelandt': '(het is) vol beelden woelig, en groots van ordonnantie en gebouwen, als ook sierlyk door het bywerk en verschiet'.[1] Aangezien de uit Den Haag afkomstige, Dordtse verzamelaar stierf op 9 maart 1718 en zijn schilderijen op 18 oktober dat jaar verkocht werden èn omdat Houbraken schreef dat het 'stuk jegenwoordig in handen der erfgenamen van den Konstlievenden Heer Lamb. van Hairen (is)', moet hij het schilderij in de zomer van 1718 hebben gezien.[2] Zijn tekst werd gedrukt in 1719 en desondanks faalde op zo'n korte termijn zijn geheugen, dan wel zijn waarnemingsvermogen. De tweevoudige signatuur herinnerde hij zich wel, maar de voorstelling niet zo goed: 'Alleen heb ik opgemerkt dat hy in zeker groot stuk (daar Mattheus van den tol geroepen word tot het Apostels ampt) tot de doode Jachtdieren en Vogelen zig van *Gio. Babtista Weeningx* penceel heeft bediend'.[3] Er is immers maar één pauw en één dood hert te zien. Blijkbaar herinnerde de kommentator zich de prachtig geschilderde honden niet, noch de liggende dieren aan de linkerkant. Een schaap, een geit en een lam komen op dezelfde wijze gegroepeerd voor op een schilderij van Weenix: *Een landschap met herders* (verblijfplaats onbekend) [2].[4] Dit is afdoende als

2
Jan Baptist Weenix
Een landschap met herders
Doek, 109 x 146 cm
Links onder: *Weenix* (ca. 1657)
Verblijfplaats onbekend

bewijs dat hij ook verantwoordelijk was voor het vee in het Haagse historiestuk.

Op de veiling Van Hairen in 1718 bracht *De roeping van Matteüs* het hoogste bedrag op en bleek een veelbegeerd werk te zijn geweest in de achttiende eeuw, toen het nog verschillende malen geveild werd in Amsterdam en Den Haag.[5] Juist die eendrachtige samenwerking van twee vermaarde kunstenaars moet aan het resultaat een bijzondere charme hebben verleend. Die waardering blijkt uit de lovende beschrijving van zo'n coproductie waarbij Jan Baptist Weenix de stoffering met dieren had geleverd. In de inventaris die Vincent Willem, baron van Wittenhorst, van 1651 tot 1659 van zijn collectie maakte, beschreef hij Nicolaes Knüpfers *De roof van Contento* (Schwerin, Staatliche Museen)[6]: 'Het contentement van *Nicolaus Knipfert* seer curieuselick uutgebeelt ende is het lantscap gescildert van Jan Both, de beesten van Jan Weyninxs ende voorts al de rest van hem selfs gemaeckt tot verwondering van allen diegenigen die het sien, ende heb hem daer voor betaelt drie hondert g. dog wort wel up twee mael soo veel geestimeert ... Is gecogt int iaer 1651'.[7]

De gezamenlijke inspanning van specialisten leidde tot fraaie resultaten, zoals in het schilderij *Het aardse paradijs met de zondeval van Adam en Eva* (cat.nr. 54), dat opgevat kan worden als een door Rubens gestoffeerd landschap van Jan Brueghel de Oude, maar ook als een door Brueghel omlijst figuurstuk van Rubens. Het stofferen was geen zeldzaam verschijnsel en genoot zeker aanzien. De hertog van Toscane wenste bijvoorbeeld een schilderij van Jan van der Heyden te kopen, mits het door Adriaen van de Velde van figuren was voorzien.[8] Jan Weenix, de zoon van Jan Baptist, herinnerde zich hoe hij als stoffeerder zijn vaders praktijken voortzette, zoals hij vertelde aan Houbraken: 'Den Konstschilder *Johan Weeninks* nog in leven, heeft my verhaalt, dat hy hem (= Antoni Waterlo) in het byzonder gekent, en omgang met hem gehad heeft over 45 Jaren, by gelegenheit dat hy eenige van zyne stukken met beeltjes en beesjes heeft opgeziert'.[9]

Wanneer het aandeel van de figuurschilder als aanzienlijk werd beschouwd, mocht hij kennelijk het schilderij mede signeren. In het Mauritshuis bevindt zich daarvan een minder bekend voorbeeld, *Het Binnenhof, gezien van het Buitenhof* (cat.nr. 8, afb. 1), waarin de gebouwen van de hand van Gerrit Berckheyde zijn en de stoffering van de specialist in ruiterstukken, Johan van Hugtenburgh.

Schilderijen waarin Jan Baptist Weenix de mede-ondertekenaar was, zijn bijvoorbeeld een *Landschap met een grot en een ruiterstandbeeld* (verblijfplaats onbekend)[10] van Dirck Stoop en *Een zeehaven met een hoge toren* (Wenen, Akademie der bildenden Künste) [3] van Jan Asselijn.[11] Dit laatste werk is 'JAsselijn f' gesigneerd en 'Giō. Battā: Weenix'. Eerstgenoemde schilder was de bedenker van de compositie en gaf dat aan met de toevoeging: 'f(ecit = heeft het gemaakt)'. Het rechterdeel van dit schilderij met de schepen wordt wegens de meer virtuoze penseelstreek aan Weenix toegeschreven.[12] Als specialist in het schilderen van schepen zal Jan Baptist in het Haagse

3
Jan Asselijn en Jan Baptist Weenix
Een zeehaven met een hoge toren
Doek, 127 x 167 cm
Op de rots rechts naast de toren: *JAsselijn f.*
en midden onder: *Giō Battā Weenix* (ca. 1650)
Wenen, Akademie der bildenden Künste, inv.nr. 761

schilderij ook wel de achtergrond met het havengezicht op zich genomen hebben.

Duparc toonde aan waarom ook de boogvormige omlijsting van het tafereel en het Romeinse tempelfragment bedenksels kunnen zijn van Weenix. Een vergelijkbare compositie van hem is bekend uit een verloren gegaan(?) schilderij, waarnaar nog wel een negentiende-eeuwse prent bestaat.[13] Het gebouw met de koepel midden achter is wellicht bedoeld als de tempel van Jeruzalem (die was immers rond), maar is duidelijk geïnspireerd op de Romeinse Sint Pieterskerk. De kleine piramide ernaast verwijst naar die van Gaius Cestius te Rome, die ook als achtergrondmotief diende in Weenix' *Een landschap met herders* [2].[14]

De inbreng van Jan Baptist Weenix in het schilderij betreft kennelijk alle

4
Nicolaes Berchem
Cartouche met wapen van de familie Berg
Anoniem naar Berchem
Portret van Nicolaes Berchem
Tekening, 209 x 180 mm
Niet gesigneerd, niet gedateerd (ca. 1650–60)
Amsterdam, Rijksprentenkabinet, inv.nr. A
3010

tot dusver beschreven onderdelen. Het stuk ontbeerde nog slechts een onderwerp, maar dat zou uitgevoerd worden door Nicolaas Berchem. De gevolgde werkwijze, van achteren naar voren, vertoont frappante overeenkomst met de werkmethode die Rembrandt toepaste in zijn vroege schilderijen.[15] Dat was een aanbevolen manier, die Gerard de Lairesse aldus onder woorden gebracht: 'Hierin komt my voor, de allerwiste en zekerste wyze te zyn, het van achteren te beginnen, inzonderheid wanneer het Landschap meest te zeggen heeft ... Hier moet men, om de beste manier te volgen, van achter beginnen, te weeten de lucht, en dus allengs naar vooren toe, zo behoud men altoos een bekwame en vogtige grond achter de Beelden, om den uiterste omtrek daar in te doen verdwynen, het welk, anders begonnen ondoenelyk is'.[16]

Het opschrift in Matteüs' boek is dus bedoeld als: Weenix fecit, Berchem heeft het afgemaakt. De twee verschillende handen zijn in het schilderij nauwelijks te onderscheiden, zodat hier de penseelvoering niet verraadt wat het aandeel van Berchem is geweest. Dat hij stoffage in landschappen van anderen aanbracht, wordt wel vaak vermoed, maar is voor zover bekend nooit door een signatuur bevestigd.[17] In een samen met Gerard Dou gesigneerd *Portret van een echtpaar (Adriaan Wittert van der Aa en zijn vrouw?)* (Amsterdam, Rijksmuseum)[18] is het fijn geschilderde duo door Dou gedaan en het landschap door Berchem. Het maakte Berchem kennelijk niets uit of hij bij zo'n gezamenlijk werk de figuren, dan wel de landschappen moest schilderen. In *De roeping van Matteüs* zou hij derhalve heel goed mede-verantwoordelijk kunnen zijn voor een deel van de architectuur en de achtergrond, omdat ook hij bij tijd en wijle zulke oriëntaalse havengezichten schilderde. Een fraai voorbeeld daarvan is *Een moor geeft een dame een papegaai* (Hartford, Conn., Wadsworth Atheneum).[19] Berchem schilderde dit en vergelijkbare stukken pas ná 1660 (na het Haagse schilderij), terwijl de vroegste oosterse haven van Weenix al van 1649 dateert (Londen, Wallace Collection).[20]

Wat Berchem schilderde, moet langs andere weg beredeneerd worden. Welnu, een van de meest opvallende toeschouwers op het podium is een jongeman met lang, zwart haar die nadrukkelijk uit het schilderij kijkt [**1b**]. Er bestaat een niet te miskennen overeenkomst met Berchems eigen bolle hoofd met de zwarte, priemende ogen dat ons bekend is van enkele prenten. Een daarvan is gemaakt naar een (verloren gegaan?) *Zelfportret* en was op zijn beurt het voorbeeld voor een tekening die een anonymus maakte in een cartouche dat door Berchem jaren eerder ontworpen was (Amsterdam, Rijksprentenkabinet) [**4**].[21] Door zich te scharen onder de toeschouwers lijkt Berchem zichzelf aan te wijzen als de schilder van het verhalend gedeelte. Overigens heeft het als een 'ipse fecit' opnemen van een zelfportret in (bijbelse) histories een al zeer oude voorgeschiedenis: er zijn voorbeelden bekend van Rafael, Dürer, Goltzius, Rembrandt en nog veel andere kunstenaars.[22]

Er is nog een tweede manier waarop Berchem zijn aandeel lijkt te verraden, namelijk in de keuze, maar vooral ook de vormgeving van het onderwerp. In de bijbel staat geschreven: 'En vandaar verder gaande zag Jezus iemand bij het tolhuis zitten, Matteüs genaamd, en Hij zeide tot hem: Volg Mij. En hij stond op en volgde Hem' (Matteüs 9:9). Hoewel in de bijbel dus niet staat dat Matteüs een tollenaar was, wordt hij in de beeldtraditie toch altijd afgebeeld als een geldgaarder. Het ging de kunstenaars er juist om

Matteüs in zijn geminachte ambt te kunnen afschilderen in contrast met de goedheid van Christus die hem desondanks tot apostel verkoos.[23] Bekende Nederlandse voorbeelden zijn die van Hendrick ter Brugghen, in een schilderij uit 1621 (Utrecht, Centraal Museum)[24] en een wat eerder ontstane versie (Le Havre, Musée des Beaux-Arts André Malraux).[25] Duparc veronderstelde dat er een (formele?) relatie kon zijn tussen Ter Brugghen en Berchem.[26]

Toch was het uitgangspunt voor Berchems tafereel niet Ter Brugghen. Hij verwerkte hierin namelijk opzettelijk *De roeping van Matteüs* (Braunschweig, Herzog Anton Ulrich-Museum) [5] van Nicolaes Moeyaert, dat in 1639 werd geschilderd.[27] Berchem kende dit schilderij van zijn leermeester zeer goed, omdat hij er – vermoedelijk in de vroege jaren veertig – een getekende kopie naar had gemaakt (New Haven, Yale University Art Gallery) [6], die het opschrift vertoont: 'Berchem apres son Maitre Moyart'.[28] In het Haagse schilderij herinnert de silhouet-figuur van Matteüs sterk aan het voorbeeld van Moeyaert, onder andere in de half opgerichte houding en het boek in zijn schoot. Behalve de op een elleboog leunende man die geld telt achter de tafel, is vooral ook het jongetje dat vooraan op het podium zit bij enkele windhonden op Moeyaert geïnspireerd. Als niet Berchem verantwoordelijk was voor dit gedeelte, dan bracht het duo samen een hulde aan Moeyaert, die immers tevens de leermeester van Weenix is geweest.

Ook de datering van het paneel kan beredeneerd worden. Jan Baptist Weenix stierf op Huis ter Mey in Maarsseveen op 39-jarige leeftijd, dat wil zeggen in 1660 of 1661. Nicolaes Berchem schreef zijn naam pas sinds 1656 zoals dit schilderij is gesigneerd, dus met *ch*.[29] *De roeping van Matteüs* is in de tussenliggende periode ontstaan, vermoedelijk nog voordat Weenix zijn laatst bekende werk maakte en signeerde: 'Gio Batt(ist)a Weenix f. A° 1658 10 m(aanden)/ 20 d(agen) in het huis ter Mey' (Den Haag, Mauritshuis).[30] Dit schilderij van twee meesters moet daarom omstreeks 1657 zijn ontstaan.

Terecht veronderstelde Duparc ter gelegenheid van de aankoop van dit werk door het Mauritshuis, dat het 'voor de studie van de zeventiende eeuwse historie- en landschapschilderkunst een belangrijk document (zal) blijken te zijn'.[31] Een zeer vroeg en curieus commentaar in de van hem bekende 'humoristische' toonzetting leverde Jacob Campo Weyerman in 1720 over dit door Houbraken vermelde schilderij. Hij kende meer van dergelijke door meerdere kunstenaars vervaardigde werken: 'want daar is doorgaans zo veel houding op zo een tafereel, als er Harmonie is op een Concert van *Duyvelshoeks* Muziekanten, dewyl elk Schilder voor zyn hoofd de Hoofdrol poogt te speelen op het geplemuurt Schouwburg van dat Tafereel'.[32] Weyerman heeft het schilderij uiteraard zelf nooit gezien, waardoor zijn opmerking volkomen misplaatst is. De samenwerking tussen beide schilders heeft geleid tot een wel degelijk harmonieus resultaat, ongetwijfeld tot genoegen van de opdracht-gever.

Doorgaans is alleen uit verhalen bekend dat kunstenaars zich daad-werkelijk lieten prikkelen door zo'n speciale opdracht. Burgemeester van der Hulk uit Dordrecht had destijds om strijd Nicolaes Berchem en Jan Both een landschap laten schilderen, waarna bleek dat de een niet voor de ander onder deed. Conclusie van Houbraken: 'Dit is het rechte middel om den yver in de Konstenaars op te wekken'.[33]

---

1 *Houbraken 1718–21*, dl. II, p. 113

2 Gegevens over Lambert van Haeren werden verstrekt door mevr. M.S. Jansen, Gemeentelijke Archiefdienst Dordrecht.

3 *Houbraken 1718–21*, dl. II, p. 113. Het tweede deel van Houbrakens 'Konstschilders' verscheen in 1719.

4 *Duparc 1980-A*, p. 37 en 42, afb. 8

5 *Duparc 1980-A*, p. 38, noot 9 noemde geen prijzen; dat waren ƒ 392,– (1718), ƒ 580,– (1743), ƒ ?? (1754), ƒ 1205,– (1763) en ƒ 1015,– (1769). In 1977 werd het schilderij geveild als een werk van Jacob de Wet.

6 Inv.nr. 1690; *Schwerin 1962*, nr. 176; *Kuznetzow 1974*, p. 194–195, nr. 92 en afb. 11

7 *De Jonge 1932*, p. 130; zie ook: *Willnau 1952*, p. 210

8 *Wagner 1971*, p. 17. Over samenwerkende kunstenaars zie bijvoorbeeld: *Floerke 1905*, p. 138–147

9 *Houbraken 1718–21*, dl. II, p. 59–60: de 76-jarige Jan Weenix gaf mondelinge informatie aan

Houbraken over zijn vader, die in het algemeen wel betrouwbaar is, behalve toen hij meende dat Jan Baptist de leermeester van Berchem was *(Houbraken 1718–21*, dl. II, p. III). De oorzaak van dit misverstand is wellicht gelegen in een mededeling van Jan Weenix over samenwerking tussen twee meesters.

10 *Veiling Foucart 1898*, p. 65, nr. 104 gesigneerd op het beeld 'D. Stoop' en op een rots 'J.B. We(n)nix'; *Trautscholdt 1938*, p. 113

11 Inv.nr. 761; *Trnek 1982*, p. 67–70 en afb. 21

12 *Steland-Stief 1971*, p. 88–89 en 159, nr. 212

13 *Duparc 1980-A*, p. 41, afb. 5. Onder verwijzing naar het schilderij, genoemd in noot 19, meende *Schloss 1982*, p. 12 dat Berchem een groot deel van de architectuur en de schepen schilderde. Bij een restauratie in 1979 is boven en rechts een strook toegevoegd aan het schilderij, zodat de maten nu corresponderen met de oudste opgaven daarvan.

14 *Duparc 1980-A*, p. 37

15 Uitvoerig beschreven door E. van de Wetering in *Bruyn e.a. 1982–86*, dl. II, p. 28–30

16 *Lairesse 1707*, dl. I, p. 12–14

17 Bijvoorbeeld in de voorbeelden van samenwerking met Ruisdael, genoemd door *Duparc 1980*, p. 37, noot 2 (HdG 499, nu in het museum van Douai; HdG 703; nu in The National Gallery of Scotland, Edinburgh. Zie ook: *Von Sick 1930*, p. 15

18 Inv.nr. A 90; HdG 90; *Martin 1901*, p. 205–206, nr. 155; *Van Thiel e.a. 1976*, p. 198, nr. A 90 en afb.

19 The Ella Gallup Sumner and Mary Catlin Sumner Collection, inv.nr. 1961.29; HdG 71; *Hartford 1978*, p. 116

20 Inv.nr. P 117; *Londen 1968*, p. 369–370, nr. P 117 en afb. Het schilderij, genoemd in noot 19, werd door C. Brown ca. 1665 gedateerd in: *Berlijn/Londen/Philadelphia 1984*, p. 90–91, nr. 5, alwaar ook de Weenix-connectie werd toegelicht.

21 Inv.nr. A 3010; *Von Sick 1930*, p. 63, nr. 242 en afb. 1 (afb. 2 is de prent van Fiquet die als voorbeeld diende, zie ook: *Van Hall 1963*, p. 18, Berchem, nr. 5 en *Blankert 1965*, p. 148–149, noot II. De prent, afgebeeld bij *Duparc 1980-A*, p. 42, afb. 7, lijkt naar hetzelfde voorbeeld gemaakt te zijn.

22 *Pirchan 1940*, p. 74–78

23 *Pigler 1974*, dl. I, p. 279–282; voor de interpretatie van de bijbelinhoud, zie: *Halewood 1982*, p. 22–33; het aldaar afgebeelde schilderij van Pynas (p. 32, afb. 10) toont aan dat de situering van het verhaal in de buitenlucht niet ongewoon is, zoals *Duparc 1980-A*, p. 37 dacht.

24 Inv.nr. 5088; *Utrecht 1952*, p. 25, nr. 51 en afb. 27; *Nicholson 1958*, p. 99–101, nr. A 69 en afb. pl. 26–27; *Blankert/Slatkes e.a. 1986–87*, p. 90–92, nr. 5 en afb.

25 Inv.nr. 77-7; *Nicholson 1958*, p. 71–72, nr. A 36 en afb. pl. 3–4; *Blankert/Slatkes 1986–87*, p. 88–89, nr. 4 en afb.

26 *Duparc 1980-A*, p. 37

27 Inv.nr. 228; *Klessmann 1983*, p. 137, nr. 228 en afb.; *Tümpel 1974*, p. 34 en 259–260, nr. 114 en afb. 35

28 Inv.nr. 1961.64.77; *Haverkamp Begemann/Logan 1970*, dl. I, p. 187, nr. 341, dl. II, afb. 200; *Schatborn 1974*, p. 7–8, afb. 6

29 *Stechow 1965*, p. 114

30 Inv.nr. 901; *Hoetink e.a. 1985*, p. 462, nr. 901 en afb.; *Blankert 1965*, p. 183–184, nr. 105 en afb. 106

31 *Duparc 1980-A*, p. 41

32 *Weyerman 1729–69*, dl. II, p. 195–196, met de noot: '(Duyvelshoek is) een beruchte plaats binnen Amsterdam bewoont by een slegt en gevaarlyk Kanaille'. *Floerke 1905*, p. 146–147 nam Weyermans kritiek in zoverre serieus, dat hij er uitvoerig aan refereerde.

33 *Houbraken 1718–21*, dl. II, p. 113–114

Gerrit Berckheyde Een jachtstoet bij de Hofvijver in Den Haag

Haarlem 1638 – Haarlem 1698

Doek, 58 x 68 cm
Links onder: *gerret Berk Heyde*
Inv.nr. 796

In 1650 maakte hij samen met zijn acht jaar oudere broer Job (zie cat.nr. 9) een reis stroomopwaarts langs de Rijn, die hen tot Heidelberg bracht, waar ze werkten voor de Keurvorst van de Palts. In 1653 waren de broers terug in Haarlem, waar ze hun leven lang bleven samenwonen. Gerrit schilderde uitsluitend architectuurstukken met als onderwerp Amsterdam, Haarlem of Duitse steden, waarin hij topografische elementen – een herinnering aan het verblijf in 1650–1653 – verwerkte in een vaak gefantaseerde omgeving. Het opvallendste kenmerk van zijn schilderijen zijn de sterk belichte naast in diepe schaduwen gehulde delen van gebouwen die voor een bijna onhollandse contrastwerking zorgen. De vele herhalingen van bijvoorbeeld zijn Haagse gezichten tonen aan dat zijn specialisme zeer werd gewaardeerd. In een enkel geval is gebleken dat hij zijn werk door anderen liet stofferen (zie afb. 1).

Een jachtstoet trekt door de Haagse Gevangenpoort op het Buitenhof, langs de Hofvijver, de door bomen omzoomde Lange Vijverberg op. Op de achtergrond zijn de daken van de huizen aan de Korte Vijverberg te zien en, in het midden van de compositie, de achtergevel van het Mauritshuis waar

Herkomst
Collectie John Hope, Amsterdam, gekocht van I. Teuk in 1783
Collectie Hope, Amsterdam, Londen sinds 1795
Collectie Sir Henri Thomas Hope, Deepdeene, Surrey, tot 1862
Veiling Hope Heirlooms, Londen, 1917
Kunsthandel F. Muller, Amsterdam, 1918
Veiling F. Muller, Amsterdam, 1925
Collectie jonkheer W.A. van den Bosch, Doorn en Vught, 1925
Koninklijk Kabinet van Schilderijen 'Mauritshuis', 1958 (bruikleen vanaf 1928)

Bibliografie
Martin 1935, p. 18, nr. 796
Den Haag 1954, p. 8, nr. 796
Delft 1956, p. 17, nr. 47
De Vries 1957, p. 123 en afb.
Warschau 1958, p. 27–28, nr. 12 en afb.
Delft 1964, p. 18, nr. 12 en afb. 8
Den Haag 1970, nr. 48 en afb.
Den Haag 1977, p. 39, nr. 796 en afb.
Niemeijer 1981, p. 151 en 174, nr. 22
Hoetink e.a. 1985, p. 337, nr. 746 en afb.
Broos 1986, p. 138–142, nr. 8 en afb.

1
Gerrit Berckheyde
Gezicht van het Buitenhof op het Binnenhof
Doek, 53,7 x 63,3 cm
Links onder: *Gerrit Berkheyde. Hughtenburg* (ca. 1690)
Den Haag, Mauritshuis, inv.nr. 690

het schilderij tegenwoordig hangt. Vanaf het (Thorbecke)torentje (uit 1479) aan het water is naar rechts het gebouwencomplex te zien van het Stadhouderlijk kwartier, dat zich koestert in de late namiddagzon. Hier, in het hart van de residentie, bevinden zich thans de regerings- en parlementsgebouwen. De stichting van een slot waar de graven van Holland lange tijd hun verblijf hadden, dateert uit de dertiende eeuw. Nog voordat Graaf Willem II Rooms-Koning werd, begon de bouw op de plaats waar Floris IV in 1229 een hof had aangekocht.[1] Zoals te zien is op een tweede schilderij van Berckheyde in het Mauritshuis [1][2], was het Stadhouderlijk kwartier aanvankelijk omgracht. Omdat die grachten nu grotendeels zijn verdwenen en er tot de dag van vandaag gebouwd en herbouwd is aan het complex, is het middeleeuwse karakter goeddeels verdwenen en slechts in de grafelijke zalen bewaard gebleven.

De jagersstoet wordt voorafgegaan door twee hoornblazers te paard, die gevolgd worden door een drijver en een valkenier met honden. Het jachtgezelschap van vijf ruiters (en twee achterblijvers bij de Gevangenpoort) stapt kalm keuvelend voort: een van de heren laat nog wat aan zijn tuig verschikken. Ter hoogte van de twee bomen zien we hoe de valkenier zijn vogels op een stok heeft gezet en er één op zijn gehandschoende vuist draagt: hij is in gesprek met een drijver met een stok en weitas. Rechts is een knaap met de jachthonden bezig. Een vrouw die met haar baby bij wat spullen naast de poort zit, accentueert het elitaire van de jacht als tijdverdrijf.

Destijds is dit 'topografisch' stadsgezicht zelfs als een historiestuk geduid: 'le stathouder Guillaume III, partant pour la chasse au faucon', heette het in de catalogus van de veiling Muller in 1925, maar dat bleek een reclamepraatje dat door niemand serieus is genomen.[3] De ruiters zijn immers niet portretmatig afgebeeld, maar zij illustreren meer in het algemeen het vermaak aan het hof. Aan de noordzijde van het Buitenhof (rechts achter de Gevangenpoort) hadden de prinsen van Oranje, volgens stadsbeschrijver Gysbert de Cretser (1711) 'altyt haar Jagt, of zoo genaamt Valkhuis, gelyk ook aan de west zyde van 't zelve Buiten hof hare Stallingen en Koetshuizen'.[4] In de beschrijving van Den Haag door Jacob van der Does uit 1668 is een vogelvluchtkaart van het Binnen- en Buitenhof opgenomen, waaruit blijkt dat in ons schilderij eigenlijk links van de Gevangenpoort twee panden met dwarsgevels stonden.[5] Deze werden later vervangen door een huis voor de Procureur van 't Hof van Justitie, zoals De Cretser meldde.[6] Op een *Gezicht op 't Binnenhof* (Den Haag, Haags Gemeentemuseum) [2][7], heeft Gerrit Berckheyde dit gebouw wèl geschilderd, zodat de conclusie overblijft dat hij het in de versie in het Mauritshuis bewust heeft weggelaten.

Deze weglating geschiedde natuurlijk om redenen van compositie. Waar nu twee hoge bomen voor een fraai diepte-effect zorgen, zou anders een groot huis het uitzicht verstoren. Er is nog een versie met een jachtstoet (Den Haag, Haags Gemeentemuseum)[8], waarin de Gevangenpoort rechts is weggelaten, maar links het Groene Zoodje met de galg als vervangend decorstuk is te zien. Een derde variant in het Haags Gemeentemuseum is interessant, omdat die voorzien is van een datering: '1692'.[9] Gerrit Berckheyde heeft het gebied rond de Hofvijver zeer vaak geschilderd, zowel vanaf de Korte als de Lange Vijverberg gezien, daarnaast ook de Ridderzaal als centrum van het Binnenhof, en het Buitenhof. In meerdere gevallen zijn deze schilderijen als pendanten geconcipiëerd, dan wel later als zodanig ingelijst. De vroegste datering, 1687, komt voor op een tweetal dat zich destijds in de collectie van

2
Gerrit Berckheyde
Gezicht op het Binnenhof
Doek, 100 x 84 cm
Niet gesigneerd, niet gedateerd (ca. 1690)
Den Haag, Haags Gemeentemuseum, inv.nr.
HH 1–1889

3
Jan van Call
De Hofvijver met gezicht op het Binnenhof
Tekening en aquarel, 199 x 392 mm
Niet gesigneerd, niet gedateerd (ca. 1691)
Den Haag, Gemeentearchief, inv.nr.
Vijverzijde kl. 125

de Duke of Leeds bevond.[10] De laatste dateringen, 1694 en 1695, komen voor op een *Gezicht op het Binnenhof* en een *Gezicht vanaf de Korte Vijverberg*, die lange tijd in de collectie Hope waren, maar in 1938 verworven werden door de firma Pierson, Heldring en Pierson (Den Haag).[11] Met een ruime marge kan deze hele groep Haagse gezichten daarom omstreeks 1690 worden gedateerd.[12]

Zoals Knuttel al opmerkte in 1935, is het gevelfront van de gebouwen aan het Binnenhof in alle drie vermelde versies in het Haags Gemeentemuseum (en dus ook die in het Mauritshuis) niet geheel conform de werkelijkheid.[13] Een vergelijking met een zeer nauwkeurige weergave van het complexe gebouw door de technisch tekenaar Jan van Call uit ongeveer 1691 (Den Haag, Gemeentearchief) [**3**][14] toont dat ook aan. Een bouwhistorisch onderzoek zou aan het licht kunnen brengen wat de schilder wèl topografisch juist weergaf en wat niet.[15] Maar het is niet heel verbazingwekkend dat Gerrit Berckheyde, die als specialist van het stadsgezicht bekend is, soms een loopje nam met de werkelijkheid.

In 1650, zodra dat na de Vrede van Münster in 1648 weer mogelijk was, trokken de twintigjarige Job Berckheyde en zijn acht jaar jongere broer Gerrit langs de Rijn.[16] In Keulen verhandelden ze schilderijen en ze hebben er goed om zich heen gekeken en topografische tekeningen gemaakt. Ze werkten voor de Keurvorst van de Palts in Heidelberg en waren in 1653 in Haarlem terug, waar ze vermoedelijk tot hun dood bij een ongetrouwde zuster bleven wonen.[17] Ze hebben kennelijk een atelier gedeeld en bedienden zich van elkaars materiaal, vooral van de schetsen van de Duitse reis. Schilderijen met gezichten in Keulen en andere Duitse steden van Gerrit Berckheyde hebben dateringen van 1672 tot 1690. Veel van deze stadsgezichten vertonen wel herkenbare kerken, maar vaak in een gefantaseerde omgeving of met eigenhandig toegevoegde architectonische elementen, terwijl ook motieven uit verschillende steden in één schilderij voorkomen. Een Duits stadsgezicht was meer een type dan een 'vedute'.[18]

De Haagse gezichten zijn overduidelijk gebaseerd op meermalen toegepaste studies, waarin topografische onjuistheden voorkwamen. In de hier besproken versie mag het Binnenhof dan niet geheel juist zijn weergegeven, het is daarentegen wèl als zodanig herkenbaar. Door het weglaten van het gebouw naast de Gevangenpoort overtroeft de schilder als het ware de werkelijkheid, die hij op zijn manier wèl wilde weergeven. Zo is de gevelsteen met de rode leeuw in het wapen en daarboven het woord 'HOL(L)ANDIA' boven de doorgang van de Gevangenpoort daar nog altijd zó te zien. Maar Jan van Calls koele registratie is zeer modern in vergelijking met Gerrit Berckheyde, die tenslotte een ouderwetse zeventiende-eeuwer blijkt als hij nog een allegorie toevoegt. Want de ooievaar op zijn nest op de top van de gevel van de Gevangenpoort is natuurlijk een verwijzing naar het wapen van Den Haag, dat deze vogel als teken voert.[19]

1 *Janson 1971*, p. 13–18; zie ook de afbeeldingen in: *van gelder 1943*
2 *Den Haag 1977*, p. 39, nr. 690 en afb.
3 *Veiling Lek 1925*, p. 2, nr. III en afb.
4 *De Cretscher 1711*, p. 19
5 *Van der Does 1669*, voor fol. 1: 'op de afbeeldingh van 's-Gravenhage'
6 *De Cretscher 1711*, p. 19
7 *Knuttel 1935*, p. 19, nr. 57
8 Inv.nr. 1–1893; *Knuttel 1935*, p. 19, nr. 56
9 *Knuttel 1935*, p. 19, nr. 55
10 *Veiling Londen 1961*, p. 13–14, nr. 21–22 en afb.
11 *Veiling Mensingh 1938*, p. 2, nr. 6–7 en afb.
12 De datering in *Den Haag 1970*, nr. 48 ('omstreeks 1680') is dus onjuist.
13 *Knuttel 1935*, p. 19, nr. 55–57
14 *Dumas 1984*, p. 41, nr. 9 en afb.
15 Er zijn geen tekeningen van Berckheyde met Haagse topografie bekend.
16 Over het reizen langs de Rijn, zie cat.nr. 28, noot 1–3
17 Aldus *Houbraken 1718–21*, dl. III, p. 195
18 *Dattenberg 1967*, p. 18–40, nr. 6–36 gaf een duidelijke beschrijving van de gefantaseerde elementen in Berckheydes schilderijen; zie ook aldaar, p. 16.
19 Dit werd ook opgemerkt door F. Duparc (manuscript-catalogus Mauritshuis).

Job Berckheyde

9 | De Oude Gracht te Haarlem

Haarlem 1630 – Haarlem 1693

Paneel, 43,5 x 39,3 cm
Links op het trapje: *J Berckheyd: 1666*
Inv.nr. 746

In 1650 maakte hij met zijn jongere broer Gerrit (zie cat.nr. 8) een artistieke trektocht langs de Rijn, waar hij topografische tekeningen maakte. In Neurenberg werkte hij vervolgens voor de Keurvorst van de Palts. De archieven van het Haarlemse gilde vermeldden hem in 1653 als lid en gaven als zijn leermeester Jacob de Wet. Jobs werk vertoont een grotere variatie in onderwerpen dan dat van zijn broer: burgerlijke interieurs en bijbelse histories, stadsgezichten en kerkinterieurs. Zijn favoriete onderwerp was vooral de Sint Bavo te Haarlem, bevolkt met veel figuren. Net als Gerrit had hij grote aandacht voor de werking van licht en schaduw in en buiten gebouwen, die hij echter in subtielere nuances weergaf.

De ongebruikelijke compositie en de opmerkelijke voorstelling van dit schilderij hebben veel verwarring gesticht en zelfs aan de echtheid van de signatuur is wel getwijfeld: 'Quoique ce tableau est signé *Berkheiden*, nom mis vraisemblablement après coup, on le tient généralement pour un *Van der Meer*', heette het in de veilingcatalogus Van der Pals in 1824.[1] Men doelde hier kennelijk op de 'Haarlemse Vermeer': Jan II van der Meer die net als Job Berckheyde in 1653 lid werd van het Haarlemse gilde.[2] Toen het stadsgezicht vervolgens in de Haagse collectie Steengracht terecht kwam, heeft men misschien gedacht dat er een toeschrijving aan Jan Vermeer van Delft werd beoogd. Dat zou kunnen blijken uit het feit dat op de veiling Steengracht de identificatie van de voorstelling als de Oude Gracht te Haarlem werd gewijzigd: 'nous croyons plutôt qu'il s'agit d'ici d'une vue d'un *canal* à *Delft*'.[3]

Jan II van der Meer was een landschapschilder, terwijl Job Berckheyde meer bekend was als een schilder van architectuur, vooral van interieurs van kerken en openbare gebouwen met talrijke figuren. Voorbeelden daarvan zijn twee stukken met een *Gezicht in de Sint Bavo*, het ene met de vroegst aangetroffen datering op zo'n kerkinterieur, 1665 (Dresden, Gemäldegalerie)[4], terwijl het andere 1668 is gedateerd (Haarlem, Frans Halsmuseum).[5] Het Haagse gezicht op een gracht zou tussen deze data zijn geschilderd.

Dat Job Berckheyde zich (voor zover bekend) niet zeer intensief met het stadsgezicht heeft beziggehouden, mag dan waar zijn, maar hij heeft het onderwerp niet geheel gemeden. Helaas ongedateerd is bijvoorbeeld zijn *Bakenessergracht met bierbrouwerij te Haarlem* (Rotterdam, Nederlands Belastingmuseum).[6] Daarenboven is Job Berckheyde als topografisch tekenaar begonnen, toen hij samen met zijn broer Gerrit in 1650 langs de Rijn reisde. Tekeningen met gezichten in Kleef en Keulen herinneren aan deze tocht, waarvan *De markt te Kleef* (Leipzig, Museum der bildenden Künste)[7] 1650 is gedateerd en de andere ongedateerd bleven, zoals een *Gezicht op de Sint Gereon te Keulen* (Besançon, Musée des Beaux-Arts et d'Archéologie) [1].[8] Job zal wel de maker zijn geweest van deze bladen, omdat zijn broer in 1650 pas

Herkomst
Veiling G. van der Pals, Rotterdam, 1824
Collectie Steengracht van Duivenvoorde, Den Haag, 1824(?)–1913
Veiling Steengracht, Parijs, 1913
Koninklijk Kabinet van Schilderijen 'Mauritshuis', 1913 (aangekocht met steun van de Vereniging Rembrandt)

Bibliografie
Geffroy 1900, p. 130 en afb.
Amsterdam 1913, nr. 13 en afb.
Martin 1914, p. 10 en 12–14 en afb.
Fritz 1933, p. 84
Martin 1935, p. 19, nr. 746
Martin 1936, dl. II, p. 395–396, afb. 208
Haarlem 1946, p. 11, nr. 10 en afb. omslag
Martin 1950, p. 105, nr. 269 en afb.
Parijs 1950–51, p. 19, nr. 10 en afb. 1
Bernt 1948–62, dl. I, nr. 74 en afb.
Den Haag 1954, p. 8, nr. 746
Den Haag 1964, p. 86, nr. 279
Baard 1965, p. 33a-b en afb.
Stechow 1968, p. 127 en afb. 257
Von Criegern 1971, p. 12, noot 10
Wagner 1971, p. 23–24 en 35
Groningen 1976, p. 35
Den Haag 1977, p. 39, nr. 746 en afb.
Amsterdam/Toronto 1977, p. 210–211, nr. 107 en afb.
De Vries 1977, stelling 7
Washington enz. 1982–83, p. 52–53, nr. 4 en afb.
Haak 1984, p. 392–393, afb. 842
De Vries 1984, p. 17–18, afb. 7
Hoetink e.a. 1985, p. 136–137, nr. 9 en afb. p. 337, nr. 746 en afb.
Broos 1986, p. 143–147, nr. 9 en afb.

1
Job Berckheyde
Gezicht op de Sint Gereon te Keulen
Tekening, 147 x 196 mm
Niet gesigneerd, niet gedateerd (ca. 1650–54)
Besançon, Musée des Beaux-Arts et
d'Archéologie de Besançon, inv.nr. D 463

twaalf lentes telde en zich nog moest ontwikkelen als kunstenaar. Wèl hebben ze later alletwee het vergaarde studiemateriaal gebruikt. Vooral Gerrit bleef tot het einde van de zeventiende eeuw Duitse motieven schilderen.[9]

De vraag is aan de orde of ons schilderij uit 1666 een (toen) bestaand stadsgezicht weergeeft. Ter gelegenheid van de verwerving door het Mauritshuis schreef W. Martin dat het niet een grachtje in Delft voorstelde, maar de Oude Gracht te Haarlem bij het Klein Heiligland zoals het ook beschreven was op de veiling Van der Pals.[10] Als zodanig is het bijvoorbeeld in Haarlem tentoongesteld geweest, waar men kennelijk geen moeite had met deze identificatie, ook al is de situatie ter plaatse door het dempen van de gracht sinds lang onherkenbaar veranderd. H.P. Baard, die als directeur van het Frans Halsmuseum als het ware 'om de hoek' woonde, gaf de meest gedetailleerde beschrijving van wat Berckheyde volgens hem had voorgesteld.[11]

Het hoogst gelegen punt van de stad Haarlem is het Verwulft, zodat het geen perspectivische vertekening hoeft te zijn dat dit punt midden achter nog zo goed is te zien. De fraaie brug met de drie bogen daarvoor is die tussen het Klein Heiligland links, hier afgebeeld in de gloed van de zon die in het zuiden staat, en de Frankestraat rechts. Het gedeelte van de Oude Gracht is gezien vanaf de Scaghebrug, die de verbinding was tussen het Groot Heiligland (waar zich het Frans Halsmuseum bevindt) en de Schaggelstraat. Deze lommerrijke gracht werd in 1859 gedempt en doet tegenwoordig vooral als parkeerplaats dienst. Een foto van L. Slotemaker die vlak voor de demping werd gemaakt, toont dit gedeelte van de Oude Gracht en de brug met de drie bogen, in de richting van het Verwulft (Haarlem, Gemeente-archief) [2]. De definitieve identificatie wordt toch nog bemoeilijkt door het feit dat de bomen de huizenrijen links en rechts grotendeels verbergen.[12]

Job Berckheyde heeft mogelijk wel ter plaatse een tekening gemaakt als basis voor zijn compositie, waarin hij – door geen voorgrond te schilderen en

2
L. Slotemaker Pz.
De Oude Gracht te Haarlem, naar het Verwulft gezien
Foto, 1859
Haarlem, Gemeente-archief

Job Berckheyde De Oude Gracht te Haarlem

3
Hans Vredeman de Vries
Architectuurfantasie
Gravure, 209 x 215 mm
Uit een serie, waarvan bladen met het
opschrift: *(H.) VRIESSE (INVENTOR H. COCK
EXCUDEBAT.)* (ca. 1560–62)
Rotterdam, Museum Boymans-van
Beuningen, inv.nr. BdH /b 25

een hoger oogpunt te kiezen dan menselijkerwijs mogelijk was – een zeker vogelvluchtperspectief realiseerde, zoals Jacob van Ruisdael dat ook vaak kunstmatig aanbracht.[13] Het resultaat is verrassend, maar wellicht ook wat bevreemdend en zelfs enigszins naïef. De commentaren zijn uiteenlopend van aard: 'the daring frontality of its main motif and its rather broad execution remain somewhat exceptional'[14] en 'In seinem sonst so atmosphärischen Grachtenbild im Mauritshuis hat man trotz der Bootspartie das Gefühl, eine leere Stadt vor sich zu sehen'.[15] De ongewone compositie bracht L. de Vries tot de overtuiging dat Berckheyde een prent van Hans Vredeman de Vries tot voorbeeld had genomen uit een serie voorbeelden voor Intarsia-werk [**3**].[16] Van Mander kende deze reeks als: 'Ovalen/ Perspecten met de Puncten in 't midden/ voor de Inlegghers'.[17]

Natuurlijk kan Berckheyde een perspectiefprent hebben gebruikt toen hij zijn compositie ontwierp met een verdwijnpunt in het midden. Dat betekent niet dat dit Haarlem niet kan zijn, zoals De Vries bovendien stelde: 'De Gracht van Job Berckheyde stelt niet een indentificeerbare gracht in Haarlem of elders voor. Het is een genretafereel dat laat zien hoe feestvierende stedelingen in een versierde boot de stad verlaten voor dagtochtje'.[18] Dit lijkt een variant op de gedachtengang van A. von Criegern, die het Haagse schilderij in verband bracht met genretaferelen waarin een boottocht de symbolische uitbeelding is van de levensreis.[19] Dit als terzijde bij een artikel waarin hij schilderijen van Jan Steen met beschonken en vrijende mannen en vrouwen interpreteerde als illustraties van het gezegde: 'Kaart, kous en kan, maken menig arm man' (Amsterdam, Rijksmuseum; Stuttgart, Staatsgalerie).

Inderdaad is het gezelschap in de boot bij Berckheyde uitgerust voor een plezierig uitstapje. Naast de bomende man rechts die een laatste passagier ophaalt, houdt een man met een viool de stemming er in. Midden in het vaartuig staat een zwaaiende man tussen zittende paartjes met de arm om elkaars schouder. Op de linkerpunt naast de bootsman ligt een ton waaruit bier(?) wordt getapt en er is een grote boomtak vastgebonden. Is dit gedaan tegen de zon, of moeten we denken dat Berckheyde hiermee een *Narrenschip* vorm heeft gegeven, naar analogie van het beroemde schilderij van Jeroen Bosch (Parijs, Musée du Louvre)?[21] Maar het tafereel is daarvoor toch te onduidelijk: van onmatigheid en dronkenschap à la Jan Steen is allesbehalve sprake. Daarom lijkt de oudst bekende beschrijving van het stuk nog de meest adequate: 'il passe une barque chargée de nombre de tisserans avec leurs femmes pour aller de réjouir, selon leurs usage (le Hartjesdag) dans les Dunes aux environs de Haarlem'.[22] 'Hartjesdag' was een feestdag (op de eerste maandag na 15 augustus), die veelal door de lagere bevolking van Haarlem en Amsterdam werd gevierd met min of meer losbandig vermaak, onder andere uitstapjes naar de duinen.[23]

1 *Veiling Van der Pals 1824*, p. 10, nr. 25
2 *Miedema 1980*, dl. II, p. 617 en 638: in 1653 is Job geld schuldig aan het gilde; idem, p. 1036: in 1653 wordt hij (en Jan van der Meer) voor het eerst als gildelid vermeld. Zie ook *Van der Willigen 1870*, p. 218 (Jan van der Meer). Blijkens *Van Eijnden/Van der Willigen 1816–20*, dl. I, p. 164 kende men toen het onderscheid tussen de Delftse, Haarlemse en Utrechtse Vermeer (of Van der Meer).
3 *Veiling Steengracht 1913*, p. 14, nr. 5. Zie ook: *Geffroy 1900*, p. 130: 'un canal à Delft, de Berck-Heijde'.

4 Inv.nr. 1511; *Woermann 1908*, p. 485, nr. 1511 en afb. signatuur

5 Inv.nr. 18; *Haarlem 1969*, p. 16, nr. 18 en afb. 66

6 *Den Haag 1964*, p. 98, nr. 373 (foto RKD); volgens een notitie in deze catalogus (handexemplaar RKD) gemonogrammeerd: 'HB F'.

7 Inv.nr. 394; *Dattenberg 1967*, p. 46–47, nr. 48 en afb.

8 *Gernsheim 16 380; Broos 1984*-B, p. 30, afb. 13 en p. 35, noot 71; de overige bladen zijn in Amsterdam (Amsterdams Historisch Museum, inv.nr. A 10127), nog een in Besançon (Musée des Beaux-Arts et d'Archéologie, inv.nr. D 464) en Keulen (Stadtgeschichtliches Museum).

9 Zie cat.nr. 8, noot 18

10 *Martin 1914*, p. 10-14

11 *Baard 1965*, p. 33a

12 Bruggen met drie bogen waren typisch voor de voormalige verbindingen over de Haarlemse Oude Gracht, zie '*Haerlem' 1980*, p. 24, afb. 13 (foto van L. Slotemaker in 1859: de Oude Gracht naar het Verwulft), p. 32, afb. 16 (H. Spilman, 1780), p. 36, afb. 17 (foto ca. 1858) (beide laatste afbeeldingen: de Oude Gracht bij het Groot Heiligland). Ik dank F. Tames (Gemeente-archief, Haarlem) hartelijk voor de ter beschikking gestelde informatie en voor zijn conclusie, dat (onder andere door het gebrek aan oude afbeeldingen van de Oude Gracht) de identificatie van Berckheydes schilderij niet voor 100% zeker is.

13 Zie cat.nr. 55

14 *Stechow 1968*, p. 127

15 *Wagner 1971*, p. 35. Toch is de stad niet werkelijk leeg; hier en daar wandelen mensen. De verlaten indruk ontstaat doordat de luiken overal gesloten zijn.

16 *Mielke 1967*, p. 24, nr. VI(I): 'um 1560/62' (H. Cock excudebat)

17 *Van Mander 1604*, fol. 266a

18 *De Vries 1977*, stelling 7

19 *Von Criegern 1971*, p. 12 en 24–25

20 Inv.nr. A 389; HdG 657; *Braun 1980*, p. 109, nr. 166 en afb. Inv.nr. 2721; HdG 48 = 660 = 683h; *Braun 1980*, p. 110–111, nr. 177 en afb.

21 Inv.nr. RF 2218; *Brejon de Lavergné e.a. 1979*, p. 30 en afb.; voor diverse interpretaties van deze voorstelling, zie: *Den Bosch 1967*, p. 134–135, nr. 37 (+ lit.)

22 *Veiling van der Pals 1824*, p. 10, nr. 25

23 Over 'Hartjesdag': WNT, dl. VI (1912), kol. 79

Abraham van Beyeren Pronkstilleven

Den Haag 1620/1621 – Overschie 1690

Doek, 99,5 x 120,5 cm
Rechts op de rand van de tafel: *AVB f* (AVB ineen)
Inv.nr. 1056

Hij was vermoedelijk een leerling van de Haagse schilder Pieter de Putter, in wiens trant hij aanvankelijk visstillevens maakte, die een trefzekere toets vertonen en een groot talent voor een overtuigende stofuitdrukking. In 1640 was hij lid van het gilde in Den Haag. Hij trouwde daar voor de tweede maal in 1647 met de dochter van de society-portretschilder Crispiaen van den Queborn en werd vaker vermeld als dubieuze debiteur dan als succesvol schilder. In 1657 werd hij lid van het Delftse gilde, in 1663 was hij weer in Den Haag, waarna hij zich in 1669 in Amsterdam vestigde, in 1674 in Alkmaar en in 1678 uiteindelijk in Overschie. Behalve visstillevens schilderde hij vanaf 1650 bloem- en pronkstillevens en als een opvallend neven-specialisme zeestukken. Door de schaarste aan jaartallen op zijn werk is het lastig een chronologie daarin aan te brengen. Een constant kenmerk is niettemin de knappe weergave van de materie, van zilveren bokalen en spiegelend glaswerk tot de vochtig glanzende tekening van een aangesneden ham. Uiteraard kon hij zich in de pronkstillevens helemaal uitleven in zijn technische virtuositeit.

Herkomst
Particuliere verzameling, Zuid-Afrika
Newhouse Gallery, New York
Kunsthandel S. Nystad, Den Haag,
voor 1962
Koninklijk Kabinet van Schilderijen
'Mauritshuis', 1977 (aangekocht met steun
van de Vereniging Rembrandt)

Bibliografie
Hoetink 1977, p. 46–48 en afb.
Hoetink 1979, p. 192–193 en afb. 2
Cleveland 1982, p. 221, nr. 93
Washington enz. 1982–83, p. 54–55, nr. 5 en afb.
Hoetink e.a. 1985, p. 140–141, nr. 11 en afb.
p. 339, nr. 1056 en afb.
Broos 1986, p. 148–151, nr. 10 en afb.

1
Detail van cat.nr. 10

Tot het Mauritshuis in 1977 dit *Pronkstilleven* van Abraham van Beyeren verwierf, was het een vrijwel onbekend werk.[1] Hoewel: 'onbekend' is bij Van Beyeren een relatief begrip, aangezien hij zoveel onderling vergelijkbare composities maakte. Ook als dit schilderij niet 'AVB' was gesigneerd, zou het meesterlijk geschilderde stilleven onmiddellijk als een werk van Van Beyeren kunnen worden herkend aan allerlei details die ook in andere schilderijen voorkomen. Vooral de weerspiegeling van de kunstenaar zelf aan zijn ezel in de zilveren kan op tafel [**1**] is stereotiep. Dit motief komt voor op een tiental van dergelijke stillevens. Zelfs precies dezelfde zilveren vaas met een handgreep in de vorm van een kariatide is te zien in pronkstillevens in Cleveland, Ohio (The Cleveland Museum of Art) [**2**][2], Oxford (The Ashmolean Museum) [**3**][3] en Rotterdam (Museum Boymans-van Beuningen) [**4**].[4] De herhaling van dit element in deze composities zou men als een cliché kunnen opvatten, maar toch blijkt de weerkaatsing van het arrangement op tafel in ieder schilderij opnieuw geobserveerd te zijn.

Dat geldt eveneens voor de hammen op een zilveren schaal die op een gevlochten mand staat. Dit beeldelement komt in alle vier genoemde schilderijen voor (en alleen in de versie in Cleveland vrijwel identiek aan dat in Den Haag), maar Van Beyeren kopieerde zichzelf daarbij allesbehalve. De diepe porseleinen kom met de drie vruchten is viermaal geschilderd, maar in ieder schilderij vanuit een iets andere hoek gezien. Ook het horloge met het opengeslagen glazen deksel en de citroen met de krullende schil zijn telkens terugkerende motieven. Alleen de kostbare gouden vaas die de top vormt van de piramidale opstapeling in het Haagse schilderij lijkt een unicum te zijn.

◄ 2
Abraham van Beyeren
Pronkstilleven
Doek, 99,7 x 82,5 cm
Links, onder het tafelblad: *AVB f.* (AVB
ineen) (na 1655)
Cleveland, Ohio, The Cleveland Museum of
Art, Mr. and Mrs. William H. Marlatt Fund,
inv.nr. CMA 60.80

▶ 3
Abraham van Beyeren
Pronkstilleven
Doek, 102 x 85 cm
Niet gesigneerd, niet gedateerd (na 1655)
Oxford, The Ashmolean Museum, inv.nr.
534

Dit pronkstuk is niet van andere schilderijen bekend.[5]

Abraham van Beyeren was een productieve schilder en moest dat om den brode ook wel zijn. Stillevens behoorden in de zeventiende eeuw tot het goedkoopste soort schilderijen (zie cat.nr. 13). Het is bekend dat Van Beyeren, die zijn fortuin achtereenvolgens beproefd heeft in Den Haag, Delft, wederom Den Haag, vervolgens in Amsterdam, Alkmaar en Overschie, voortdurend geldgebrek heeft geleden; in dit geval liep de praktijk parallel met de theorie.[6] In zijn hoofdstuk 'Van de drie graeden in de Schilderkunst' stelde Samuel van Hoogstraten vast dat het stilleven tot de eerste, dus de laagste graad gerekend moest worden: 'Echter staet dit vast, dat hoe overaerdig eenige bloemen, vruchten, of andere stillevens, gelijk wy 't noemen, geschildert zijn, deeze Schilderyen evenwel niet hooger, als in den eersten graed der konstwerken moogen gesteld worden', ook al waren ze zo bedriegelijk echt als die van Zeuxis en Parrhasios, voegde de theoreticus er aan toe. Hij stelde vast dat stillevens in dezelfde categorie thuishoorden als de gangbare portretten.[7]

Ondanks de geringe waardering en povere verdiensten schilderde Van Beyeren zijn pronkstillevens met liefde en plezier, waarbij het wellicht een wat wrange gedachte is dat de uitgestalde overvloed geen beeld geeft van zijn dagelijkse dis. Maar als een echte zeventiende-eeuwer hield de schilder zijn publiek voor dat deze overdadigheid maar ijdelheid is. Niet voor niets ligt hier een horloge op het tafelblad. Immers, de regelmaat van het uurwerk verwijst naar de matigheid in het algemeen en dat is geen overbodige vermaning in dit somptueuze geheel.[8] Het omgevallen glas – een roemer – op de schaal in het midden is in vanitasstillevens een niet ongebruikelijk beeld om te wijzen op de tijdelijkheid van aardse genoegens.[9]

Zo'n tafel biedt dus een een beeld van weelde, die men wèl moest weten te dragen.[10] Had Van Beyeren Roemer Visschers *Sinnepoppen* gelezen? Daarin komt een prent voor van zulk zilverwerk als op zijn schilderij wordt vertoond

4
Abraham van Beyeren
Pronkstilleven
Doek, 102,5 x 88 cm
Niet gesigneerd, niet gedateerd (na 1655)
Rotterdam, Museum Boymans-
van Beuningen, inv.nr. VdV 2

5
Illustratie uit: Roemer Visscher, *Sinnepoppen*
(1614), nr. LIII

[**5**] met als commentaar: 'Groote silvere vergulden Schalen, koppen, Beckens,
Lampetten, dienen niet tot de dagelijcxse nooddruft', maar gaf aanleiding tot
tweedracht en twist en het werd om die reden als slecht voorteken in de
tragedies der oudheid gebruikt.[11]

1 *Hoetink 1977*, p. 46; het dateert uit de periode na 1655, toen de achtergronden van Van
Beyerens pronkstillevens neutraal werden.
2 *Sullivan 1974*, passim; *Cleveland 1982*, p. 220–221, nr. 93 en afb. Het zelfportret in spiegelend
vaatwerk is een 'topos' in stillevens geworden; *Vorenkamp 1933*, p. 59, noot 1, gaf daarvan een lijst.
3 *Van Gelder 1950*, p. 44–45, nr. 10 en afb.
4 *Rotterdam 1972*, p. 99 en 204 en afb.
5 *Sullivan 1974*, p. 278 dacht dat Van Beyeren telkens dezelfde 'voorstudies' gebruikte; *Van Gelder
z.j.*, p. 34 gaf een opsomming van repeterende motieven bij Van Beyeren.
6 *Van Gelder z.j.*, p. 21–25
7 *Van Hoogstraten 1678*, p. 87
8 *Bergström 1947/1956*, p. 189–190. Ook als vanitassymbool te interpreteren, zie cat.nr. 1, noot 3
9 *Leiden 1970* geeft voorbeelden. Over 'Vanitas' bij Van Beyeren, zie: *Sullivan 1974*, p. 278–282
10 Aangaande waarschuwingen tegen overdaad, zie: *De Jongh e.a. 1982*, p. 80–83
11 *Roemer Visscher/Brummel 1614/1949*, p. 53, nr. 53. Over pronkstillevens in allegorische context
(vergankelijkheid), zie: *Klessmann e.a. 1978*, p. 174–177, nr. 41

Abraham Bloemaert Het godenmaal bij de bruiloft van Peleus en Thetis

Gorinchem 1564 – Utrecht 1651

Doek, 193,7 x 164,5 cm
Links onder: *A. Bloemaert fe. 1638*
Inv.nr. 17

Hij was een leerling van Joos de Beer te Utrecht en ging in 1580 voor omstreeks drie jaar naar Parijs en Fontainebleau. Hierna bleef hij in Utrecht wonen en werken, afgezien van een kort verblijf in Amsterdam (1591–1593), waar zijn vader Cornelis Bloemaert stadsbouwmeester was. Zijn stijl was aanvankelijk sterk maniëristisch van vormgeving, vooral onder invloed van Italiaanse prenten. Naast portretten maakte hij bijbelse en mythologische voorstellingen en allegorieën, maar hij was ook een bekwaam tekenaar, onder andere van ontwerpen voor glas-in-loodramen en tapijten. Na 1610 ging hij breder schilderen en toen zijn leerling Gerrit van Honthorst in 1620 uit Italië was teruggekeerd, onderging Bloemaert alsnog via hem de invloed van Caravaggio, hetgeen vooral merkbaar is in een krachtig clair-obscur. Toch heeft het Caravaggistisch realisme bij Bloemaert nooit zijn voorkeur voor het decoratieve verdrongen. Dat de schilder zich tot op hoge leeftijd bleef vernieuwen, tonen zijn landschappen aan: omstreeks 1600 ietwat onrustige composities met maniëristisch beweeglijke figuren die na 1630 steeds minder overladen, bedaarder werden en minder bont gekleurd, met het accent op het idyllisch landleven. Bloemaert heeft veel leerlingen gehad (vier van zijn zoons, Andries en Jan Both, Jan van Bijlert, Gerard van Honthorst) en hij mag dan ook de vader van de zeventiende-eeuwse Utrechtse schilderschool worden genoemd.

Herkomst
Veiling J.B. Krauth e.a., Amsterdam, 1771
Collectie stadhouder Willem V,
Den Haag, 1771–1795
Het Louvre, Parijs, 1795–1815
Koninklijk Kabinet van Schilderijen,
Den Haag, 1815
Koninklijk Kabinet van Schilderijen
'Mauritshuis', 1821

Bibliografie
Steengracht van Oostkapelle 1826–30, dl. IV,
p. 1–2, nr. 76 en afb.
Thoré-Bürger 1858–60, dl. I, p. 284
De Stuers 1874, p. 15–16, nr. 14
Riegel 1882, p. 168–169
Bredius 1895, p. 31–32, nr. 17(31)
Den Haag 1914, p. 23–24, nr. 17
Delbanco 1928, p. 77, nr. 47
Von Schneider 1933, p. 55, noot 12
Martin 1935, p. 23–24, nr. 17
Martin 1936, dl. I, p. 123, afb. 71, p. 125
Bernt 1948–62, dl. I, nr. 87 en afb.
Den Haag 1954, p. 9, nr. 17
Bardon 1960, p. 32
Rosenberg/Slive/Ter Kuile 1966, p. 17 en afb. 3B
Drossaers/Lunsingh Scheurleer 1974–76, dl. III,
p. 205, nr. 11
Pigler 1974, dl. II, p. 100, dl. III, p. 191, afb. 200
Grootkerk 1975/1983, p. 105, nr. 4 (2)
Brenninkmeyer-de Rooij 1976, p. 162,
nr. 11 en afb.
Den Haag 1977, p. 43, nr. 17 en afb.
Brenninkmeyer-de Rooij 1982, nr. 44 en afb.
Hoetink e.a. 1985, p. 34 en 340, nr. 17 en afb.
Sluijter 1986, p. 19, 21 en 209 en afb. 14

Carel van Mander roemde in 1604 twee schilderijen van Abraham Bloemaert met een typisch maniëristisch thema, *De maaltijd der goden*: 'een uytnemende schoon Goden bancket/ wel gheordineert/ en gheschildert wesende/ en een treflijck goet werck. Een ander Goden bancket/ vroegher van hem gedaen/ en minder... dat oock uytnemende is'.[1] Het eerstgenoemde stuk is vermoedelijk dat in München (Alte Pinakothek) [1][2] en het 'vroegher gedaene' stuk mogelijk de 1598 gedateerde rosaille in het Mauritshuis (Den Haag).[3] Omstreeks 1600 ontstonden veel van dit soort historiestukken. De belangrijkste beweegreden tot het uitbeelden van deze taferelen was natuurlijk de mogelijkheid om de hele godenfamilie met alle attributen, hebbelijkheden en onhebbelijkheden en in volle glorie te kunnen etaleren. Het meest nagevolgde voorbeeld van zo'n onderwerp was de befaamde prent van Goltzius uit 1587, naar een tekening van Bartholomeus Spranger (die op zijn beurt refereerde aan Rafael): *De bruiloft van Amor en Psyche*.[4]

Alleen in het Münchense schilderij is ook zo'n specifieke episode uit de godengeschiedenis bedoeld, namelijk *De bruiloft van Peleus en Thetis*. Het is weliswaar moeilijk te zien, maar het is wel degelijk Tweedracht (Discordia of Eris) die de gouden twistappel op de bruiloftstafel zal gooien. Ditzelfde thema herhaalde Bloemaert veertig jaar later in het hier te bespreken, allesbehalve maniëristische en compositorisch volslagen anders opgezette schilderij.

Bij de bruiloft van Peleus en Thetis waren alle goden uitgenodigd op de berg Pelion, behalve Eris, de godin van de tweedracht. Uit wraak wierp zij een gouden appel tussen de gasten met het opschrift (volgens Van Mander): 'Desen gulde Appel schoon/ zy de schoonste hier te loon'.[5] Juno, Minerva en Venus meenden in aanmerking te komen, maar Jupiter durfde geen beslissing te nemen. Hij liet het oordeel over aan de herder Paris. Deze koos Venus, die hem de schone Helena had beloofd: het gevolg was de Trojaanse oorlog. Het is veelzeggend dat Van Mander zijn relaas begint met een commentaar op de verschrikkelijke afloop: 'Wt dees Houwelijcksche weerdtschap/ is ontstaen d'oorsaeck van een *Illiade*, dat is/ een oneyndtlijck quaet/ verdriet/ en ellende/ het welcke den Griecken/ en Barbaren heeft overvallen/ en vervult'.[6] Krijgsgeweld was voor Van Mander en Bloemaert bepaald geen theorie. Abraham Bloemaert heeft zo lang geleefd dat hij zelfs het begin èn het einde van de Tachtigjarige Oorlog heeft meegemaakt.

In tegenstelling tot zijn eerder in Spranger-stijl uitgevoerde taferelen is de compositie overzichtelijk in dit (schoorsteen?)stuk met grote figuren in classicistische trant: de hoofdrolspelers zijn duidelijk herkenbaar. Thoré-Bürger heeft destijds enkele misprijzende woorden aan Bloemaerts historiestukken in het Mauritshuis gewijd: 'ce n'est pas la peine de s'arrèter à ces insignificantes peintures'.[7] Dit lokte wel onmiddellijk protest uit, maar toch pas sinds kort is een kentering waarneembaar in de opvatting die sinds Thoré-Bürger gemeengoed werd, namelijk dat bevattelijke kunst (realisme of Rembrandt) de maatstaf diende te zijn. De tentoonstelling *God en de goden* in 1980–81 was daarop een duidelijk antwoord.[8]

Het meest opvallende in Bloemaerts schilderij is het ontbreken van een bruidspaar, dus van Peleus en Thetis. Het eigenlijke onderwerp is het verstoorde feest van de goden. Links en rechts voor de tafel richten Hercules en Cupido de ogen op de beschouwer. Zij symboliseren deugd en ondeugd.[9] Verder wordt de aandacht gevraagd door de met aren bekranste Ceres, die nadrukkelijk wijst op Venus midden voor. Voor háár staat de uitspraak van

Paris al vast. De vormgeving van de naakte Venus was voor Bloemaert een routinekarwei. Hij kon putten uit zijn rijke voorraad atelierstudies, die steeds bij de hand was. Hier maakte hij gebruik van een studie naar een op de rug gezien naaktmodel, waarvan overigens slechts een kopie in spiegelbeeld bewaard bleef, die vervaardigd werd door zijn zoon Frederik Bloemaert (Cambridge, Fitzwilliam Museum) [2].[10] Deze kopie werd gemaakt voor het beroemde 'tekenboek van Abraham Bloemaert', het *Artis Apellae liber*, dat voor het eerst in 1650 verscheen als een 'magazijn met vorminventies' tot voorbeeld van de kunstenaars.[11] Bloemaert zelf had de naaktfiguur al eens toegepast in een gesigneerd, maar niet gedateerd schilderij, *Venus en Amor* (Praag, voorheen Galerie Nostitz) [3].[12]

De centrale figuur achter de tafel is Jupiter, die verstoord opkijkt door wat er achter zijn rug gebeurd. Aan zijn rechterhand krijgt de godin van het huwelijk, Juno, iets ingefluisterd van Mercurius met zijn gevleugelde helm. De met lauweren bekranste Apollo uiterst links lijkt een nymf aan te roepen, die met vers fruit toesnelt. Naast de verontrust fronsende Minerva met de helm zit een niet direct te herkennen godin die het deksel van een vaas wil

2
Frederik Bloemaert naar Abraham Bloemaert
Naaktstudie
Tekening, maten onbekend
Niet gesigneerd, niet gedateerd (ca. 1650?)
Cambridge, Fritzwilliam Museum, inv.nr. PD 166:1963[95]

3
Abraham Bloemaert
Venus en Amor
Doek, 37 x 51 cm
Links onder: *ABloemaert fe.* (ca. 1638?)
Praag, voorheen Galerie Nostitz

tillen. Onder het door een putto opgehouden velum door ziet men boven een donkere wolk de verstoorder van de vrede: Discordia. Zij is afgebeeld als een lelijke vrouw met slappe borsten en slangeharen. Hiermee heeft zij feitelijk het bekende uiterlijk van de Afgunst of de Nijd (Invidia) gekregen. Het is waarschijnlijk dat Bloemaert hier een prent van Jacob de Gheyn II naar Chrispijn van den Broeck uit 1589 als voorbeeld heeft gebruikt [4].[13] In het onderschrift bij deze gravure wordt Discordia zelfs met Invidia geïdentificeerd, zodat Afgunst in plaats van Tweespalt als veroorzaker van de ellende wordt aangewezen.[14]

De bruiloft van Peleus en Thetis vond men in de zeventiende eeuw een geschikt thema in de huwelijksallegorie. Zo schreef jonker Jan van der Noot in 1589 een hymne ter ere van de echtverbintenis tussen Willem van Nassau en Charlotte van Bourbon in 1575, waarin de volgende regels voorkwamen:

4
Jacob de Gheyn II naar Chrispijn van den Broeck
De bruiloft van Peleus en Thetis
Gravure, 328 x 477 mm
Links onder: *CVBroeck. Invent. A° 1589* en
IDGheyn sculptor
Amsterdam, Rijksprentenkabinet

'So was oock in die golden Jaeren
Van Charlotte en Wilhelmus;
Welcke als Peleus en Thetis
Elkaer so suet beminden'.[15]

Volgens een tamelijk recente theorie zou het ontstaan van de talrijke uitbeeldingen van *De bruiloft van Peleus en Thetis* in de Nederlandse kunst te maken hebben met de politieke gevolgen van dit huwelijk.[16] Deze simplificatie is terecht bekritiseerd.[17]

Inderdaad is door het weglaten van het bruidspaar een toespeling op welk huwelijk dan ook hier waarschijnlijk uitgesloten. Bovendien is de nadruk die op Discordia wordt gelegd niet alleen een iconografische uitzondering, maar uiteraard niet van toepassing op eventuele huwelijkssymboliek.[18] Er is eerder sprake van een politieke allegorie. Van Mander speelde al met deze gedachte toen hij zijn verhaal van de bruiloft van Peleus en Thetis koppelde aan het Parisoordeel als een vermaning voor regeerders in het algemeen. Zij moesten niet Paris navolgen, maar juiste en wijze beslissingen nemen, waar geen ellende uit kon voortvloeien.[19] In de voorstelling van Abraham Bloemaert lijkt Jupiter zich welbewust te zijn van Tweedracht of Nijd, als de gevaren die elke vorst bedreigen. Het is daarom zeer goed denkbaar dat een vorstelijke opdracht geleid heeft tot het ontstaan van dit schilderij. De bijna vijfenzeventigjarige Bloemaert heeft dit kapitale stuk zeker niet op eigen initiatief geschilderd.[20]

1 *Van Mander 1604*, fol. 297b
2 Inv.nr. 6526; *München 1983*, p. 72–73, nr. 6526 en afb.; *Amsterdam/Detroit/Washington 1980–81*, p. 88–89, nr. 5
3 Inv.nr. 1046; *Hoetink e.a. 1985*, p. 340, nr. 1046 en afb. Een variant hierop bevindt zich te Hampton Court, zie: *Delbanco 1928*, p. 74, nr. 6
4 B. 277; *Hollstein*, dl. VIII, p. 111, nr. 322 en afb. Over de invloed van deze prent, zie *Sluyter 1986*, p. 16 en 348–349, noot 16–3
5 *Van Mander 1604-A*, fol. 90b
6 *Van Mander 1604-A*, fol. 90b

7 *Thoré-Bürger 1858–60*, dl. I, p. 284. Zijn opmerking werd aangevochten door *Riegel 1882*, p. 168–169, *Martin 1936*, dl. I, p. 123 en *Blankert 1985*, p. 34

8 *Amsterdam/Detroit/Washington 1980–81*, p. 9

9 *Sluijter 1986*, p. 209. *Bardon 1960*, p. 32 identificeerde de figuur links voor als Peleus.

10 Inv.nr. PD 166:1963[95]

11 *Bolten 1979*, p. 26–29; *Hollstein*, dl. II, p. 86, nr. 36–155

12 *Bergner 1905*, p. 5, nr. 20 (158); foto RKD

13 *Hollstein*, dl. VII, p. 174, nr. 336 en afb.

14 *Sluijter 1986*, p. 202 en 487, noot 202–3

15 *Grootkerk 1975/1983*, p. 58; over de niet traceerbare herkomst van dit gedicht, zie: *Sluijter 1986*, p. 486–487, noot 200–4

16 *Grootkerk 1975/1983*, p. 58–68

17 *Sluijter 1986*, p. 487–488, noot 203–4

18 *Sluijter 1986*, p. 21

19 *Van Mander 1604-A*, fol. 90b, 91a en 94a

20 *Sluijter 1986*, p. 209 meende dat de voorstelling 'op een meer specifieke situatie kan slaan'. Idem, p. 19: het thema was al 'verouderd' in 1638 en is na dat jaar ook niet meer geschilderd in Holland.

Zwolle 1617 – Deventer 1681

Paneel, 33,5 x 29 cm
Op de rugleuning van de stoel: *GTB* (?, nauwelijks zichtbaar)
Inv.nr. 744

Herkomst
Veiling J. van Bergen van der Grijp e.a.,
Zoeterwoude, 1784
Veiling H. Rottermond, Amsterdam, 1786
Veiling barones De Pagniet, Utrecht, 1836
Collectie Steengracht van Duivenvoorde,
Den Haag, 1836–1913
Veiling Steengracht, Parijs, 1913
Koninklijk Kabinet van Schilderijen
'Mauritshuis', 1913 (aangekocht door de
Vereniging Rembrandt)

Bibliografie
Geffroy 1900, p. 127–130 en afb.
Amsterdam 1913, nr. 6 en afb.
Veiling Steengracht 1913, p. 16–17 en afb.
Martin 1913-A, p. 10–11
Martin 1914, p. 10–12 en afb.
HdG 46 (dl. v, p. 22–23, nr. 46)
Martin 1935, p. 31, nr. 744
Plietzsch 1944, p. 43, nr. 37
Bernt 1948–62, dl. I, nr. 147 en afb.
Martin 1950, p. 102, nr. 256 en 260 en afb.
Bruyn 1959, p. 6a-b en afb.
Gudlaugsson 1959, p. 88 en afb. 95
Gudlaugsson 1960, p. 106–107, nr. 95
Den Haag 1974, p. 33 en 104–105, nr. 24 en afb.
Amsterdam 1976, p. 41, nr. 3 en afb.
Den Haag 1977, p. 47, nr. 744 en afb.
Durantini 1983, p. 29
Berlijn/Londen/Philadelphia 1984, p. 96 en 116
Hoetink e.a. 1985, p. 146–147, nr. 14 en afb.,
p. 342, nr. 744 en afb.
Broos 1986, p. 162–165, nr. 13 en afb.

Hij was de zoon van de artistiek aangelegde Zwolse belastingontvanger Gerard ter Borch de Oude, die zijn kinderen (ook zuster Gesina en broer Moses) tot de kunstbeoefening aanzette. Gerard werd in 1633 in Amsterdam opgeleid door Pieter Molijn en werd in 1635 meester in het gilde te Haarlem. In dat jaar maakte hij een reis naar Engeland, in 1637 ook naar Italië en in 1639 naar Spanje, vanwaar hij in 1640 via Frankrijk terugkeerde naar Holland (Haarlem en Amsterdam). Het verblijf in Italië heeft geen merkbare invloed gehad op zijn stijl. Hij maakte naam als portrettist, vooral van burgers die hij ten voeten uit op klein formaat schilderde. In 1646 begeleidde hij de Hollandse delegatie naar de vredesconferentie in Münster, waar hij portretten van diplomaten schilderde, alsmede het moment van het sluiten van de Vrede van Münster in 1648. Na gewerkt te hebben in Amsterdam, Zwolle, Den Haag en Kampen, trouwde hij in 1654 in Deventer en bleef daar wonen en werken. De portretten en de taferelen uit het dagelijks leven van de (gegoede) burgerij die hij sinds 1654 schilderde vormen het meest bewonderde deel van zijn œuvre, door de weergaloze stofuitdrukking, de subtiele lichtwerking en de delicate schildertrant. De interieurstukken uit omstreeks 1660 vormen een hoogtepunt. Caspar Netscher was zijn belangrijkste leerling, maar Ter Borchs invloed strekte zich uit tot een bredere kring van navolgers, ook in latere generaties.

Toen dit schilderij van Gerard ter Borch in de radioserie *Openbaar Kunstbezit* besproken werd door J. Bruyn, maakte de inleider enig bezwaar tegen de traditionele titel *Moederlijke Zorgen*.[1] Het is waar dat in de zeventiende en achttiende eeuw een beeldbeschrijvende betiteling meer gebruikelijk was dan een verklarende. In 1784 heette dit paneel op een veiling in Zoeterwoude nog: 'Een Vrouwtje zittende op een Stoel, zy heeft een zwart kapje op haar Hooft, en een Jakje aan … voor haar staat een aartig Meisje, die een Appel in de handen heeft, terwijl haar hoofd gepaleerd word … (etc.)'.[2] Op de veiling Steengracht, waar de Vereniging Rembrandt het paneel in 1913 verwierf voor 305.000 franc, werd de in Frankrijk geïntroduceerde omschrijving *Soins maternels* gebezigd, die Bruyn terecht deed denken aan dergelijke titels uit de late romantiek (zoals *Alleen op de wereld*) met hun sentimentele bijbetekenis.[3] De door de criticus hieraan gekoppelde bewering dat bij Gerard ter Borch slechts 'de belangstelling voor de zichtbare wereld (was) ontwaakt (en) de gevoeligheid voor de schoonheid in het "gewone"', zou de indruk kunnen wekken dat de schilder een soort 'l'art pour l'art' beoogde.[4] Dat lijkt bij nader inzien tamelijk onwaarschijnlijk.

Het Haagse schilderij, waarop een moeder haar kind (waarschijnlijk een jongen, naar de boezeroen te oordelen) zorgvuldig ontluist, heeft een soort tegenhanger in het paneel *De spinster* (Rotterdam, Museum Boymans-van

Gerard ter Borch De luizenjacht

1
Gerard ter Borch
De spinster
Paneel, 34,5 x 27,5 cm
Niet gesigneerd, niet gedateerd (ca. 1652–53)
Rotterdam, Museum Boymans-
van Beuningen, inv.nr. VdV 4

Beuningen) [**1**],[5] dat door velen zelfs als een pendant wordt beschouwd. Bij alle overeenkomsten valt een groot verschil op: de vrouw in het Rotterdamse stuk is veel lager in beeld is gezet, zodat van symmetrie tussen deze werken geen sprake is.[6] Toch vertonen beide taferelen hetzelfde concept. In een simpel aangeduide ruimte zit een vrouw (Ter Borch liet zijn stiefmoeder poseren) aan haar dagelijkse arbeid; zij is tot onder de knieën afgebeeld en vult een groot deel van het beeld. De compositie van de hoofdfiguur is gevat in een driehoek, die in het Haagse schilderij zeer nadrukkelijk werkt door het vooroverbuigen van de moeder en het gewillig achteroverleunen van de jongen.

De zorgvuldige schildertrant met de brede, laag voor laag aangebrachte kleurvlakken – steenrood in de rok, blauw in de schort van het kind en een onbestemde tint (oorspronkelijk blauw?) in het fluwelen jak, tegen een egaal grijsgroene achtergrond – is wel in verband gebracht met Ter Borchs bedachtzame aard. Zo zouden zijn onderwerpen ook wijzen op een gevoelig karakter.[7] Hoezeer dit in overeenstemming kan zijn geweest met wat uit bronnen over de schilder bekend is, men moet toch waken voor topos, volgens welke de werkwijze en onderwerpen van de schilder de spiegel zouden zijn van zijn ziel. Zo was de ruig schilderende Frans Hals daarom nog geen losbol, noch Jan Steen een paljas.[8]

De luizenjacht en *De spinster* zijn beide geschilderd in 1652–1653, toen Ter Borch weer in Zwolle woonde na een langdurig verblijf in het buitenland en in de periode vóór zijn huwelijk en blijvende vestiging in Deventer in 1654.[9] Ondanks zijn kennismaking met onder andere de Italiaanse kunst, is de aard van zijn werken toch typisch Hollands gebleven. Het onderwerp van het Haagse schilderij is geïnspireerd op voorbeelden van Quirijn van Brekelenkam uit 1648 (Leiden, Stedelijk Museum 'De Lakenhal')[10] of van Gerard Dou uit omstreeks 1650 (München, Bayerische Staatsgemälde-sammlungen)[11], terwijl ook een Nederlandse bambocciant als Michiel Sweerts omstreeks deze tijd in Rome ditzelfde onderwerp schilderde (Straatsburg, Musée des Beaux-Arts).[12]

Zoals gezegd is het model in zowel *De spinster* als *De luizenjacht* de ongeveer 45-jarige stiefmoeder van Gerard ter Borch geweest, Wiesken Matthys, de derde vrouw van Gerards vader, die belastingontvanger was te Zwolle.[13] Uit de omvangrijke famielienalatenschap zijn portretten van haar bewaard gebleven, zoals enkele zwart-krijt tekeningen door Mozes ter Borch uit omstreeks 1660 (Amsterdam, Rijksprentenkabinet).[14] Onder verwijzing naar getekende zelfportretten van Mozes ter Borch, wordt wel gesteld dat het kind dat ontluisd wordt deze jongste halfbroer van Gerard moet zijn.[15] Maar tekeningen die Gerard ter Borch in 1652–1653 van Mozes maakte (Amsterdam, Rijksprentenkabinet)[16] laten zien dat de benjamin van de familie het profiel van zijn moeder had met een wipneus en een terugwijkende kin. Deze karakteristieke gelaatstrekken zijn in het schilderij niet zo geprononceerd weergegeven. Dit jongetje met de rode appel lijkt ook jonger dan de zeven of acht jaren die Mozes toen moet zijn geweest.[17]

Maar het portretmatige is hier ongetwijfeld bijzaak. In het Haagse en in het Rotterdamse schijlderij is een deugd uitgebeeld, namelijk die van de huiselijkheid. Er moet verband bestaan met het slot van de Spreuken van Salomo (31: 10–31), waarin 'De lof der degelijke huisvrouw' wordt gezongen.[18] In het genoemde schilderij van Brekelenkam is het spinnen en het ontluizen in één schilderij te zien, naast verwijzingen naar andere huishoudelijke taken van de vrouw.[19] Als men de twee schilderijen van Ter Borch niet als pendanten beschouwt, ligt in *De luizenjacht* de nadruk op één van deze taken die in de emblematiek ook als symbolisch gepresenteerd wordt.

'Purgat et ornat' (hij reinigt en siert) is het opschrift boven de afbeelding van een (luizen)kam in Roemer Visschers *Sinnepoppen* uit 1614 [**2**].[20] Orde en netheid zijn de kenmerken van de deugdzame huisvrouw, maar iedereen kan zich spiegelen aan dit ideaal. Zoals Jacob Cats het zijn publiek voorhield in zijn *Spiegel van den ouden en de nieuwen tijdt ...* (1632):

'De kam is wonder nut, de kam is wonder net,
De kam is die het hooft in beter order set'.[21]
Onder verwijzing naar de eerste brief aan de Korintiërs (11,31) gaf Cats elders bovendien als moraal, dat ieder mens 'door het lichamelijke kemmen indachtich werde mede alsdan sich inwendelick te suyveren'.[22]

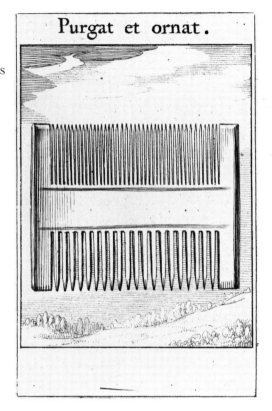

2
Illustratie uit: Roemer Visscher, *Sinnepoppen* (1614), nr. IX

1 *Bruyn 1959*, p. 6a
2 *Veiling Van Bergen van der Grijp 1784*, p. 23, nr. 133
3 *Veiling Steengracht 1913*, p. 16–17. De titel *Soins maternels* werd voor het eerst gebruikt in *Geffroy 1900*, p. 130, waar overigens ook (p. 127) als titel *La toilette* voorkwam. Martin introduceerde in Nederland de titel *Moederlijke zorgen* in 1913, zie *Martin 1913-A*, p. 10–11
4 *Bruyn 1959*, p. 6a
5 *Gudlaugsson 1960*, p. 107, nr. 96
6 *Gudlaugsson 1960*, p. 107, nr. 96: 'Gegenstück zum vorigen Bild' (nr. 95); *Den Haag 1974*, p. 106, nr. 25: 'pendant': evenwel tonen de tegenover elkaar geplaatste kleurenafbeeldingen aldaar (p. 24 en 25) aan dat er kennelijk geen sprake is van pendanten.
7 *Bruyn 1959*, p. 6b
8 *Broos 1977-B*, p. 27; zie ook: cat.nr. 14, noot 2
9 *Gudlaugsson 1960*, p. 106, nr. 95: 'Entstanden gewiss erst nach 1650, doch wohl schwerlich später als 1652/53'.
10 Inv.nr. 47; *Leiden 1983*, p. 83–84, nr. 47 en afb.
11 Inv.nr. 579; *Martin 1913*, p. 96 en 184 en afb.
12 Inv.nr. 1881; *Rotterdam 1958*, p. 40–41, nr. 14 en afb.; *Parijs 1970–71*, p. 214–216, nr. 207 en afb. (+ lit.)
13 Over Ter Borchs familie, zie *Gudlaugsson 1960*, p. 44–45
14 Inv.nr. A 1041 en A 1049; *Gudlaugsson 1960*, p. 106, nr. 95 en afb. pl. IX, nr. 1; *Den Haag 1974*, p. 242–243, nr. 119 en afb.
15 Volgens *Gudlaugsson 1960*, p. 106, nr. 95 en p. 108, nr. 98; de zelfportretten van Mozes ter Borch zijn afgebeeld in *Den Haag 1974*, p. 243, nr. 121–122 (inv.nr. A 1048 en A 1052); voor de toeschrijving, zie: *Schatborn 1981–82*, p. 87, afb. 2 en p. 131–132, nr. 22.
16 Inv.nr. A 1202 en A 1047; *Den Haag 1974*, p. 228, nr. 96–97 en afb.
17 Mozes werd gedoopt op 19 juni 1645, zie: *Gudlaugsson 1960*, p. 45.
18 Het spinnen wordt in de Spreuken specifiek genoemd als bezigheid van de deugdzame huisvrouw, zie: *De Jongh 1967*, p. 65 en p. 96, noot 89–90; zie ook: *Amsterdam 1976*, p. 40–43, nr. 3 (+ lit.)
19 Een analyse van dit schilderij in: *Berlijn/Londen/Philadelphia 1984*, p. 116–118, nr. 17 (+ lit.)
20 *Roemer Visscher/Brummel 1614/1949*, p. 9, nr. IX; aangaande kammen en reinigen, zie: *Snoep-Reitsma 1973*, p. 288 en *Amsterdam 1976*, p. 196–199, nr. 49 (+ lit.)
21 *Cats 1632*, dl. III, p. 115, nr. 37
22 *Cats 1632*, dl. III, p. 149, nr. 45

Antwerpen 1573 – Den Haag 1621

Paneel, 64 x 46 cm
Links onder: .AB. (ineen)
Inv.nr. 679

Herkomst
Collectie A.A. des Tombe, Den Haag,
voor 1881–1903
Koninklijk Kabinet van Schilderijen
'Mauritshuis', 1903 (legaat van A.A. des
Tombe)

Bibliografie
Den Haag 1881, p. 11, nr. 69
Brussel 1882, p. 39, nr. 27
Granberg 1886, p. 265
Utrecht 1894, p. 8, nr. 19
Bredius 1913, p. 137
Den Haag 1914, p. 31, nr. 679
Bremmer 1916, p. 122–124 en afb. 82
Warner 1928, p. 32–33 en afb. pl. 11d
De Boer 1934, p. 20, nr. 6
Martin 1935, p. 32, nr. 679
Martin 1936, dl. 1, p. 290–291 en afb. 169
Bergström 1947/1956, p. 62, 64, afb. 50, p. 67
en 69 en afb. 53
Haarlem 1947, p. 18, nr. 5
Utrecht 1948, p. 40, nr. 31
Bernt 1948–62, dl. 1, nr. 117 en afb.
Gerson 1950, p. 52 en afb. 139
Parijs 1952, p. 39–40, nr. 19 en afb. pl. XIII
Sterling 1952, p. 45 en afb. 25
Den Haag 1954, p. 11, nr. 679
Bol 1955, p. 104–105 en afb. 9, p. 107–108
Hairs 1955, p. 90 en 197 en afb. pl. III
Van Guldener 1957, p. 27a–b en afb.
Bol 1960, p. 18, 21–22, 32 en 65, nr. 37
en afb. pl. 24
Wilenski 1960, dl. 1, p. 216, 244 en 504, dl. 11,
afb. pl. 552
Dordrecht 1962, p. 19–20, nr. 27 en afb. 1
Gammelbo 1963, p. 26, afb. 5
Laren 1963, p. 10, nr. 20 en afb. 3
Rosenberg/Slive/Ter Kuile 1966, p. 196 en 165
en afb.
Bol 1969, p. 25
Bergström e.a. 1977, p. 179 en afb.
Den Haag 1977, p. 48, nr. 679 en afb.
Berral 1978, p. 34–35, afb. 34
Langemeyer 1979–80, p. 20–24, nr. 1 en afb.
Bergamo 1981, p. 14–15, afb. 5
Bol 1981-A, p. 524 en 526 en afb. 7
Walsh/Schneider 1981–82, p. 18 en afb. 3
Bergström 1982, p. 178
Bol 1982, p. 48 en 51, afb. 7
Segal 1984, p. 36 en 39
Hoetink e.a. 1985, p. 148–149, nr. 15 en afb.
p. 343, nr. 679 en afb.
Ter Kuile 1985, p. 39 en afb. 19

Zijn ouders weken in 1587 om geloofsredenen uit van Antwerpen naar Middelburg, waar Ambrosius in 1593 'beleeder' was van het Sint Lucasgilde. In 1597 werd hij daar voor het eerst als deken van het gilde vermeld en in 1612 voor de laatste keer. Meer dan twintig jaar was hij werkzaam als schilder van 'blommen en fruyten', zoals zijn dochter Maria in een familiekroniek noteerde. Uit verschillende documenten blijkt dat hij tevens kunsthandelaar was. In 1604 trouwde hij met Maria van der Ast, de dochter van een niet onbemiddelde Middelburgse koopman en de zuster van Balthasar van der Ast (cat.nr. 3). Zij woonden sinds 1611 achter de Oude Kerk in een eigen huis. In Middelburg kwamen drie zonen ter wereld die eveneens schilder werden: Ambrosius (1609), Johannes (1610/1611) en Abraham (1612/1613). De familie blijkt in 1615 verhuisd te zijn naar Bergen op Zoom, terwijl op 21 maart 1616 'Sr. Ambrosius Bosschaert' als 'residerende binnen Utrecht' wordt vermeld. Drie jaar later woonde Bosschaert echter weer in het zuiden, in Breda, waar hij zich voor eind augustus 1619 moet hebben gevestigd. Van daaruit is hij naar Den Haag gegaan om een schilderij af te leveren bij de vader van Anna Maria Schuurman: hij overleed tijdens deze reis en is in de hofstad begraven. Pas onlangs werd als vroegste datering 1605 op een van zijn bloemstukken aangetroffen en vermoedelijk is het beeld van zijn œuvre nog niet compleet. Bosschaert was gespecialiseerd in boeketten met symmetrische arrangementen van bloemen die te vergelijken zijn met de vroege groepsportretten waarin de koppen stuk voor stuk, en goed gelijkend, zonder overlappingen zijn weergegeven. In zijn precieze natuurobservatie wist hij zich verwant aan Albrecht Dürer, wiens befaamde monogram AD hij parafraseerde: AB.

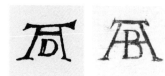

In zijn 'Voor-reden' op het *Schilder-Boeck* spoorde Carel van Mander in 1604 de jonge schilders aan om in navolging van de oude meesters zich te bekwamen in historiestukken, maar 'ist niet de volcomenheyt in beelden en Historien/ soo mach het wesen Beesten/ keuckenen/ fruyten/ Bloemen/ Landtschappen …'.[1] Van Mander had in beginsel een afkeer van dergelijke beperkingen in de themakeuze van een schilder, maar hij erkende af en toe bijzonder knappe staaltjes van specialisatie te hebben gezien. Bij zijn vriend Melchior Wijntgis in Middelburg had hij stillevens bewonderd van ene Lodewijck van den Bos, 'die seer fraey was van fruyten en ghebloemt/ die hy t'somtijt maeckte als staende in een glas met water/ en gebruyckter grooten tijt/ ghedult/ en suyverheyt in/ dat alles scheen natuerlijck te wesen:

Ambrosius Bosschaert Een vaas met bloemen

makende oock op de Bloemkens en Cruydekens den hemelschen dauw: daer beneffens oock eenighe Beestgens/ Vijfwouters (= vlinders)/ Vlieghkens/ en derghelijcke'.[2] Het is alsof hij *Een vaas met bloemen* van Ambrosius Bosschaert in het Mauritshuis beschreef, compleet met dauwdruppels en insecten. Maar dat boeket werd pas omstreeks 1618/1619 geschilderd, zoals we zullen zien.[3]

Melchior Wijntgis, die Van Mander zijn mecenas noemde, was sinds 1601 muntmeester van Zeeland te Middelburg, waar Ambrosius Bosschaert deken van het Sint Lucasgilde was toen het *Schilder-Boeck* gepubliceerd werd. In 1609 was Bosschaert als een vriend van de familie getuige bij de doop van een kind van de muntmeester/verzamelaar.[4] Het werk van Van den Bos is ons thans volslagen onbekend, maar Bosschaert moet diens enthousiast beschreven stilleven wel hebben gezien. Wellicht stimuleerde het hem bij zijn keuze om een specialist in bloemstillevens te worden. De oudste datering die aangetroffen is op zijn gesigneerde werk is 1605 op *Bloemen in een Wan-Li vaas* (Europa, particuliere collectie).[5] Hoe dan ook moet zijn bekwaamheid hem geen windeieren hebben gelegd. Zijn allerlaatste schilderij was een 'blompot' die hij had gemaakt voor de kamenier van Prins Maurits, jonkheer Frederik Schuurmans. Hij zou er duizend gulden voor ontvangen. Helaas overleed hij in 1621 toen hij in Den Haag dit boeket bij de jonkheer kwam afleveren.[6] Het honorarium was zeer aanzienlijk: van dat bedrag kon de schilder met zijn familie gemakkelijk een half jaar leven.[7] Het werk van Ambrosius Bosschaert is een van de sprekendste voorbeelden uit de directe omgeving van Carel van Mander van het verschil tussen ideaal en werkelijkheid in de kunst.

De populariteit van het bloemstuk in sommige steden van Holland is terecht in verband gebracht met de groeiende belangstelling voor botanie bij geleerden en leken en met de bloeiende handel in tulpen en andere bolgewassen die aangewakkerd werd door het fanatisme van sommige verzamelaars. In 1592 werd Carolus Clusius beheerder van de Hortus Botanicus in Leiden en men neemt aan dat hij de eerste was die de uit Turkije afkomstige 'tulipan' kweekte in de Nederlanden. Hij fungeerde als vraagbaak voor amateurbotanici en hij distribueerde geïmporteerde of zelf gekweekte zaden of bollen.[8] Al dan niet uit eigen verkiezing werd Clusius een

hoofdpersoon in de nationale klucht die als 'tulpomanie' bekend is geworden.
De handel in bollen nam zo'n ongekende vlucht in Holland, dat als belegging
vaak duizenden (omgerekend, nu: honderdduizenden) guldens werden
betaald voor één enkele tulpebol. Aan deze 'bollenrazernij' kwam in 1637
abrupt een einde, toen men inzag dat dit pure windhandel was. Uiteraard is
met deze gekte wel de draak gestoken, zoals in een schilderij van Jan Brueghel
de Jonge waarin de handel in tulpen is uitgebeeld met apen in de rol van de
slimme verkopers, maar ook als het domme kopersvolk (Haarlem, Frans
Halsmuseum) [**1**].[9]

In Middelburg woonden veel tuinliefhebbers en doe-het-zelf botanisten. In
1597 stuurde Johan Somer vandaar aan Carolus Clusius in Leiden een
'conterfeytsel' van de gele kievietsbloem *(Fritillaria latifolia)* die in de
voorafgaande zomer in zijn tuin had gebloeid, zoals hij met trots meedeelde.[10]
L.J. Bol achtte het zeer waarschijnlijk dat dit 'bloemportret' geschilderd was
door Ambrosius Bosschaert.[11] Immers, deze 'Fritillaria' kwam in diens œuvre
minstens driemaal voor: in het *Bloemstuk in een nis* uit 1618 (Kopenhagen,
Statens Museum for Kunst) [**2**][12], in het *Bloemstuk voor een landschap* uit 1619
(Los Angeles, collectie E.W. Carter) [**3**][13] en in het niet gedateerde schilderij
in Den Haag [**4**, nr. 25].

Het is inderdaad een karakteristiek kenmerk van de boeketten van
Bosschaert, dat daarin tot in het kleinste detail identiek vormgegeven
bloemen voorkomen, soms met een tussenpauze van vele jaren. De schilder
werkte kennelijk naar zelfgemaakte studies die hij telkens weer raadpleegde.
Het idee dat hij de boeketten naar de werkelijkheid schilderde heeft men al

4
Schema van cat.nr. 13
Research en tekening door Sam Segal

1 Holandse roos *Rosa (x) gallica* L. cv. *Batava*
2 Klein afrikaantje *Tagetes patula* L. *luteo-marginata*
3 Tulp *Tulipca clusiana* Vent x cf. *T. schrenkii Reg.*
4 Driekleurig viooltje *Viola tricolor* L.
5 Witte roos *Rosa x alba* L. *semiplena*
6 Lelietje van dalen *Convallaria majalis* L.
7 Tuinanemoon *Anemone coronaria* L. *rubro-alba striata*
8 Amethyst hyacint *Hyacinthus amethystinus* L.
9 Tulp *Tulipa praecox* Ten. x cf. *T. Schrenkii Reg.*
10 Roosmarijn *Rosmarinus officinalis* L.
11 Akelei *Aquilegia vulgaris* L. *coeruleo-alba striata*
12 Kievitsbloem *Fritillaria meleagris* L.
13 Siberische Lis *Iris sibirica* L.
14 Tulp *Tulipa cf. clusiana* Vent. x *T. schrenkii Reg.*
15 Kooltje vuur *Adonis flammea* Jacq.
16 Klein afrikaantje *Tagetus patula* L. *rubiginosa*
17 Bonte lis *Iris variegata* L.
18 Groot afrikaantje *Tagetes erecta* L.
19 Trosnarcis *Narcissus tazetta* L. x *N. poeticus* L.
20 Tulp *Tulipa cf. agenensis* DC. x *T. stellata* Hook.
21 Akelei *Aquilegia vulgarius* L. *duplex*
22 Tuinanemoon *Anemone coronaria* L. *rubra plena*
23 Toscaanse roos *Rosa (x) gallica* L. cv. *Tuscany*
24 Druifjes *Muscari botryoides* (L.) Mill.
25 Gele kievitsbloem *Fritillaria latifolia* W.
26 Cypressekruid *Santolina chamaecyparissus* L.
27 Cyclamen *Cyclamen hederifolium* Ait.

vroeg verlaten omdat er meestal bloemen uit alle seizoenen in voorkomen. Bergström toonde aan dat Bosschaert ook wel keek naar andermans werk. In het Haagse schilderij komt bijvoorbeeld een witte trompetnarcis voor [**4**, nr. 26] die ontleend kan zijn aan *Een vaas met bloemen* uit 1605 van Jan Brueghel de Oude (Londen/New York, kunsthandel Noortman & Brod, 1982).[14] In 1607 kwam deze bijzondere narcis al in deze vorm voor in een bloemstuk van Bosschaert (Engeland, particuliere verzameling).[15] Deze ontleningen zijn een indicatie voor de artistieke verwantschap die de schilder uit Middelburg gevoeld moet hebben met Bloemen-Brueghel.

Overeenkomstige details zijn in Bosschaerts hele œuvre aan te wijzen en die zijn dus geen betrouwbare indicatie voor de datering. Desondanks zijn de overeenkomsten tussen het Haagse en het Kopenhaagse schilderij te frappant om ze onvermeld te laten. In beide werken komen een Siberische lis en een paarse, gestreepte tulp voor [**4**, nr. 13 en 14] links boven in de compositie, die zo sterk elkaars evenbeeld zijn dat men zelfs in de tekening van de tulpekelk met moeite verschillen kan ontdekken. Hetzelfde geldt voor de rode en gele tulp daaronder [**4**, nr. 9], die in het schilderij uit 1618 rechts van de hoofdas van de compositie is geplaatst. Precies identiek is tenslotte het takje lelietjes-van-dalen [**4**, nr. 6].[16] Het lijkt er daarom op dat beide schilderijen kort na elkaar gemaakt zijn, zodat het exemplaar in Den Haag omstreeks 1618 gedateerd mag worden en derhalve geschilderd werd toen Bosschaert in Utrecht woonde. Segal noemde als bijkomende argumenten voor zijn datering (1618 of 1619) de dauwdruppels en de gaten in de bloembladen (voor het eerst in 1617), de nis waarin het boeket is geplaatst (sinds 1618) en het voorkomen van bepaalde bloemenvariëteiten, zoals bijvoorbeeld de bonte lis (*Iris variegata*) [**4**, nr. 17] en het cypressekruid (*Santolina chamaecyparissus* L.) [**4**, nr. 26] die beide in zijn composities verschenen vanaf 1618/1619.[17]

In de drie hier afgebeelde bloemstukken uit 1618 en 1619 speelt zich, zo men wil, een zekere ontwikkeling af. In 1618 is de nis met het boeket nog gesloten, in het schilderij in Den Haag wordt het venster geopend en in 1619 kijken we met de schilder ongehinderd de wijde wereld in. Maar deze wereld heeft slechts vage contouren, in tegenstelling tot de scherp geobserveerde bloemen. Het is alsof het ontdekken van de macrokosmos begint bij de microkosmos. Als symbolen van verre, nog onbekende werelden liggen hier rechts naast de vaas twee schelpen van tropische kusten: een Nerita uit de Indische oceaan en een Hexaplex uit de Molukken of de Philippijnen.[18]

Kostbare schelpen, zeldzame tulpen en zorgvuldig gekweekte bloemsoorten wekken de begeerte op. Een waarschuwing is dan op zijn plaats en die wordt hier gegeven door middel van de aangevreten bladeren waarvan de gaten zich tegen de lichtblauwe hemel aftekenen. In het midden van de bos bloemen begint een witte roos te verwelken, of wordt aangevreten door een boktor [**4**, nr. 5 en a]. De (keizers)vlieg op de plint heeft een negatieve betekenis en verwijst naar de kortstondigheid van het bestaan.[19] In de zeventiende eeuw werd een boeket dan ook gezien als een vanitassymbool. Een prent van Jan Theodoor de Bry naar een bloemstuk van Jacob Kempener kreeg in 1604 als onderschrift: 'Flos speculum vitae modo vernat et interit aura' (= de bloem is de spiegel van het leven, ze bloeit, maar vergaat in de wind) [**5**].[20] Een prachtige ruiker in een glazen vaas, geschilderd in de trant van Bosschaerts vroegste werken, maar toegeschreven aan Jan Brueghel de Oude (Londen, kunsthandel Richard Green)[21] geeft een zeer eigentijdse vermaning, in een onderschrift dat door een vieze vlieg wordt begeleid:

'Wat kyckt ghy op dees blom die v soo schone schynt
En door des sonnen cracht seer lichtelyck verdwi(j)ndt
Ledt op godts woordt alleen dwelck eeuwich bloeyen siet
Waerin verkeert de rest des werelts dan, In niet'.

1 *Van Mander 1604*, z.p.
2 *Van Mander 1604*, fol. 217a; over Wijntgis, zie *Miedema 1973*, dl. II, p. 323 en noot 3–6 (aldaar literatuur)
3 Vóór *Granberg 1886* werd cat.nr. 13 toegeschreven aan 'Balthus' van der Ast *(Den Haag 1881*, p. 11, nr. 69) en aan Abraham Brueghel *(Brussel 1881*, p. 39, nr. 27)
4 *Bol 1960*, p. 18, noot 34
5 *Bakker e.a. 1984*, p. 120–121, nr. 2 en afb. Over Bosschaerts œuvre, zie: *Bol 1960*, p. 58–68, nr. 1–50
6 *Bredius 1913*, p. 138
7 *Bol 1960*, p. 26
8 *Amsterdam 1975*, p. 166–184
9 Inv.nr. 75–699; *Haarlem 1974*, p. 8, nr. 22; *De Vries 1975-A*, p. 302–303 en afb.; *Ertz 1984*, p. 395, nr. 233 en afb. Taf. 49; over de 'tulpomanie' werd in Haarlem een tentoonstelling gehouden in 1974; de catalogus daarbij gaf enige literatuur *(Haarlem 1974*, p. 7 en 19); een goed historisch overzicht met meer verwijzingen is nog steeds *Janse 1966*.
10 *Hunger 1925*, p. 127
11 *Bol 1960*, p. 18; immers: Bosschaert was al vanaf 1593 actief in Middelburg en was voor het eerst in 1597 deken in het schildersgilde, zie *Bol 1955*, p. 17. *Hunger 1925*, p. 111–112 suggereerde dat Bosschaert degene was die in 1596 vermeld werd als de schilder van 'een seeckere soorte van Tulipan'.
12 Inv.nr. Sp. 211; *Kopenhagen 1951*, p. 35, nr. 88; *Bol 1960*, p. 64–65, nr. 33 en afb. pl. 21
13 *Bol 1960*, p. 67, nr. 46 en afb. pl. 30; *Walsh/Schneider 1981–82*, p. 15–19, nr. 4 en afb.
14 *Bergström 1982*, p. 178; *Segal 1982-A*, p. 491 en afb.: de trompetnarcis is nr. 59 in het schema op p. 496.
15 *Bergström 1982*, p. 178, afb. 4
16 Zie ook de vergelijkingen in *Bergström 1947/1956*, p. 69, afb. 53
17 *Segal 1984*, p. 32 (dauwdruppels), 35 (bloemsoorten) en 38 (nis)
18 Zeer uigebreid over de mogelijke betekenis van het landschap was *Langemeyer 1979–80*, p. 20–24
19 *Segal 1983*, p. 40 en 53
20 *Hollstein*, dl. IV, p. 43, nr. 451–456¹ en afb.; zie ook: *Bergström 1982*, p. 175 en 179, afb. 9
21 *Münster/Baden Baden 1979–80*, p. 318–321, nr. 167 en afb.; *Segal 1982*, p. 12–25 besprak uitvoerig de symbolische betekenis van bloemen, in het bijzonder ook de vanitassymboliek.

28 Witte trompetnarcis *Narcissus pseudonarcissus* L. var. *albus*
29 Vergeet-mij-nietje *Myosotis scorpiodes* L.
30 Anjer *Dianthus caryophyllus* L. *albo-rubrus plenus*

A Nerita (Indische Oceaan) *Nerita textilles* Gmel.
B Hexaplex (Mol./Phil.) *Hexaplex cichoreus* (Gmel.) = *Murex endiv*. La.

a Boktor *Strangalia bisfasciata* Müll.
b rups Bonte Bessevlinder *Abraxas grossulariata* (L.)
c Waterjuffer *Coenagrion puella* (L.)
d Keizersvlieg *Lucilia caesar* (L.)

5
Jan Theodor de Bry naar Jacob Kempener
Vaas met bloemen
Gravure, 302 x 228 mm
Links onder: *Jacobus kempener pinxit*
Amsterdam, Rijksprentenkabinet

Adriaen Brouwer De roker, ofwel De Reuk

Adriaen Brouwer   14 | De roker, ofwel De Reuk

Oudenaerde 1605/1606 – Antwerpen 1638

Paneel, 29,4 x 21,3 cm
Niet gesigneerd, niet gedateerd
Inv.nr. 962

Hij was de zoon (en leerling?) van een ontwerper voor tapijtkartons te Oudenaarde en kwam als twintigjarige naar de Noordelijke Nederlanden, waar documenten hem vermeldden in Amsterdam (1626) en Haarlem (1626/1627). Houbraken dacht dat hij bij Frans Hals in de leer is geweest. Zeker is dat hij in 1627 'Beminnaer' was van de Haarlemse rederijkerskamer 'In Liefd Boven Al' en dat toen een toneelstuk werd opgedragen aan 'Den Constrijken en Wijtberoemden Jongman Adriaen Brouwer, Schilder van Haerlem'. In 1631 of 1632 werd hij vrijmeester in het schildersgilde te Antwerpen, waar hij wederom lid was van een rederijkerskamer, de 'Violieren' (sinds 1634). Hij woonde toen ten huize van de graveur Paulus Pontius, een medewerker van Rubens. Brouwer stierf jong, slechts 32 jaar oud. Zijn onderwerpen waren taferelen uit het boerenleven in de beste Bruegel-traditie, bij voorkeur in interieurs in de trant van de gezelschappen van de vroege Haarlemse 'genre' schilders. Roken, drinken, kaartspelen of vechten was bij hem favoriet en hij wist meesterlijk de grimassen weer te geven die deze laag-bij-de-grondse bezigheden opwekten. Wellicht zijn Rembrandts studies van gelaatsexpressie door Brouwer beïnvloed. In 1635 kocht hij diens tekeningen, waarvan hij in 1656 een heel boek bezat (nu zijn deze nauwelijks meer bekend). Net als Rubens had Rembrandt een aanzienlijke collectie schilderijen van Adriaen Brouwer, wat een goede indicatie is voor zijn reputatie, die door Houbrakens gedateerde 'biografie' wat leek te zijn aangetast.

Herkomst
Collectie Dalton, Brodsworth Hall, Doncaster
Kunsthandel P. & D. Colnaghi, Londen, 1936
Collectie De Bruijn-Van der Leeuw, Muri-Bern, 1936–1961
Rijksmuseum Amsterdam, 1961 (legaat De Bruijn-Van der Leeuw)
Koninklijk Kabinet van Schilderijen 'Mauritshuis', 1963 (bruikleen van het Rijksmuseum)

Bibliografie
Jaffé 1944, p. 45 en afb.
Cleveringa 1961, p. 63, nr. 3
Meijer 1961, p. 46 en 51, afb. 3
Knuttel 1962, p. 140–141, afb. 92
Van Schendel 1963, p. 14 en afb. t.o. p. 13
De Vries 1965, p. 210
Parijs 1969, nr. 149
De Jongh 1973-A, p. 205–206, noot 41
Amsterdam 1976, p. 54–57, nr. 7 en afb.
Van Thiel e.a. 1976, p. 152, nr. A 4040 en afb.
Den Haag 1977, p. 52, nr. 962 en afb.
Klinge 1982, p. 13–15, afb. 5
Liedtke 1984, dl. 1, p. 8, noot 15
Hoetink e.a. 1985, p. 152–153, nr. 17 en afb., p. 345, nr. 962 en afb.

De Vlaming Adriaen Brouwer, die ook in Holland heeft gewerkt, werd zowel hier als daar gewaardeerd door de meest prominente kunstenaars. Rubens rekende het zich tot een eer persoonlijk te zorgen voor zijn plechtige (her)begrafenis en hij ontwierp zelfs een praalgraf voor Brouwer, hoewel diens levenswandel net zo los was geweest als zijn wijze van schilderen. Aldus Houbraken, die de biografie van Brouwer samenvatte in twee zinnen: 'Potsig was zyn penceelkonst, potsig zyn leven. Zoo de man was, was zyn werk'.[1] Zelden lieten de oudere biografen de gelegenheid onbenut om de onderwerpen of werkwijze te vereenzelvigen met het – veronderstelde – karakter van de kunstenaar.[2] En waarom zouden zij anders denken, als Brouwer zichzelf afbeeldde in een gezelschap kroeglopers die genieten van ondeugdelijk vermaak als roken en drinken (New York, The Metropolitan Museum of Art) [1]?[3] Kennelijk besefte Houbraken niet meer dat een slecht voorbeeld een opwekking kon zijn om het goede te doen.

Rubens bezat bij zijn overlijden maar liefst veertien schilderijen van Adriaen Brouwer, onder andere taferelen met vechtende boeren.[4] Zulke onderwerpen waren vooral amusant en de maker ervan werd zeker geen minder achtenswaardig man gevonden. Eerder zelfs het tegendeel, zoals zou

1
Adriaan Brouwer
Rokend en drinkend gezelschap (met zelfportret)
Paneel, 46 x 36,5 cm
Links onder: *A. Brouwer* (ca. 1636)
New York, The Metropolitan Museum of
Art, inv.nr. 32.100.21

mogen blijken uit Bolswerts gravure naar *Het portret van Adriaen Brouwer* door
Anthonie van Dyck[5], waarvan het onderschrift hem ietwat plechtstatig
betitelt als 'Gryllorum Pictor Antverpiae': de Antwerpse schilder van 'grillen'
of 'grollitjes', een soort komische taferelen die volgens Plinius al in de
Oudheid als 'grylli' bekend waren.[6] In de zeventiende eeuw hief men daarbij
ook graag de vermanende vinger, want lachend de waarheid zeggen kon geen
kwaad ('Ridentem dicere verum, quid vetat?', Horatius, *Satirae*, I, I, 24).

Rembrandt was geen verzamelaar van eigentijdse kunst, maar hij had een
hoge achting voor de iets oudere generatie Nederlandse/Vlaamse schilders.
Van Brouwer had hij volgens de inventaris van zijn failliete boedel in 1656
niet minder dan zeven schilderijen (naast tekeningen).[7] Na de openbare
veiling van zijn collectie wist hij toch weer de hand te leggen op zo'n werk van
de befaamde schilder van 'grillen'. Het werd in de inventaris van de
nagelaten bezittingen van Magdalena van Loo, de vrouw van Titus, in 1669
omschreven als 'Een toback drincker van dito (= Adriaen Brouwer)'.[8] Dit is
de zeventiende-eeuwse terminologie voor de voorstelling op het hier te
beschrijven schilderijtje van Brouwer, dat men net als het genoemde
schilderij in New York dateert in zijn laatste jaren, dus omstreeks 1636–1638.[9]
Het koloriet en de geestige vormgeving ervan werden alom bewonderd.
Knuttel noemde het een belangrijk werk en Klinge sprak zelfs van 'superb'.[10]

Brouwer maakte een speciale studie van de merkwaardige grimassen die
mensen maakten bij het gebruiken van tabak. De man met de groene broek

houdt zijn hoofd een beetje achterover, hij laat de rook uit zijn mond kringelen en zuigt deze naar binnen door zijn opengesperde neusgaten, terwijl hij gelukzalig zijn ogen half dichtknijpt. Hij geniet, maar is geen toonbeeld voor de jeugd met zijn broek half open, een bierpul in de hand en een kapot glas tussen zijn benen. Zijn maten geven zeker aanstoot: één ligt er dronken op tafel te slapen en de ander heeft juist zijn gevoeg gedaan en maakt nog zijn broek vast.[11] Zo'n detail is komisch bedoeld. Houbraken vertelde hoe Brouwer eens een soldatengezelschapje schilderde, met 'een die in 't verschiet zat te kakken, waar in het drukken, als wilde het zich niet gemakkelyk ontlasten, zoo natuurlyk en potzig vertoont was, dat men 't zelve zonder te lachen niet konde aanzien'.[12]

Maar naast vermaak is er ook sprake van lering. Het 'toback drincken' was een uit de Nieuwe Wereld geïmporteerde bezigheid, waaraan men aanvankelijk een heilzame werking toeschreef. Al gauw werd het een populair genotmiddel, waar derhalve tegen gewaarschuwd diende te worden. Kort en krachtig deed Roemer Visscher dat in zijn *Sinnepoppen* uit 1614 bij het plaatje van een rokende man: 'Veeltijdt wat nieuws, selden wat goets'.[13] In 1630 verscheen in Haarlem (dus toen Brouwer daar nog werkte) een geleerd tractaat van Petrus Scriverius onder de titel 'Saturnalia, ofte poëtisch Vasten-avond-spel, vervat(t)ende het gebruyk ende misbruyk van den taback'.[14] Op het titelblad prijkt een vignet met (onder meer) een doodskop met twee dampende pijpen tussen zijn tanden. Natuurlijk is rook als symbool van de vergankelijkheid tot cliché geworden in vanitasvoorstellingen.[15] De genietende roker in het Haagse schilderij is bijna het evenbeeld van zo'n figuur op een prent van Hendrick Bary naar de monogrammist AVE [**2**][16], waarvan het bijschrift geen nadere verklaring nodig heeft:

'Terwijl ik ÿrig rook Verinis, kleijn gesneen,
Denk ik vast bij mij self; soo vliegt de weerelt heen'.

Een tweede verklaring van de voorstelling lijkt even geldig. Een roker aan een tafel, een pijpstoppende man en een derde die de tabak aansteekt zijn het onderwerp van een tafereel in München (Alte Pinakothek).[17] Hier is geen vanitas bedoeld, maar een uitbeelding van De Reuk. Het schilderij behoort namelijk tot een serie van vijf zintuigen, waarvan Het Gevoel en Het Gehoor eveneens bewaard bleven in de Alte Pinakothek.[18] Het laatste schilderij werd in prent gebracht door Cornelis Visscher, die er het bijschrift bij bedacht: 'Trahit sua quemque voluptas' ('Ieder zijn meug', Vergilius, *Bucolica* II, 65).[19] Dit blijkt dus een goed voorbeeld van een meervoudige duiding van één en dezelfde voorstelling in de zeventiende eeuw. In de daaropvolgende periode is het besef van enigerlei bijbetekenis overigens verloren gegaan, omdat het toen simpel omschreven werd als 'Een Boeren Muzykje', zonder meer.[20] Voor ons is de dubbele bodem weer interessant.

Een zeer nauw aan het hier besproken werk verwant paneeltje is *De rokers* (eveneens München, Alte Pinakothek) [**3**][21], waarin houding en mimiek van de rokende hoofdfiguur slechts een lichte variatie vertonen. Men neemt aan dat het De Reuk is uit een (niet meer intacte) reeks zintuigen. Dientengevolge mag men stellen dat in het schilderij in Den Haag naast het roken als een ijdele bezigheid, De Reuk het eigenlijke onderwerp is. Het bijwerk is in die zin te begrijpen, want de man die zo openlijk zijn broek ophijst verwijst nog sterker dan de roker naar (in dit geval kwalijke) geuren. Dit alles samengevat – dus scatologie en vergankelijkheid – zag De Jongh als de gecombineerde boodschap van Adriaen Brouwer. Hij vermoedde een parallel met een motto

2
Hendrick Bary naar de monogrammist AVE
De roker
Gravure, 165 x 228 mm
Links onder: *AVE pinx*; rechts onder:
H. Bary fe.
Wenen, Albertina, inv.nr. HB 73(2)

3
Adriaen Brouwer
De rokers
Paneel, 21,4 x 19 cm
Niet gesigneerd, niet gedateerd (ca. 1635)
München, Alte Pinakothek, inv.nr. 2095

in Johan de Brunes *Emblemata* (1624), bij de afbeelding van een moeder die het achterwerk van haar kind schoon maakt: 'Dit lijf, wat ist, als stanck en mist?'.[22]

1 *Houbraken 1718–21*, dl. I, p. 318. De (vermeende) losbandige levenswijze is de leidraad van zijn biografie van Brouwer, wiens nalatenschap slechts bestond uit 'morsige peneelen, En Ezel, en Palet ...' (ibid., p. 332)

2 *Kris/Kurz 1934*, p. 117–118

3 Inv.nr. 32.100.21; HdG 113; *Baetjer 1980*, dl. I, p. 20, dl. II, p. 383 en afb.; *Liedtke 1984*, dl. I, p. 5–10, dl. II, afb. 34; volgens *Klinge 1982*, p. 9 zou Brouwer hierbij ook zijn collega's Craesbeeck, Cossiers en De Heem hebben afgebeeld; volgens *Renger 1986*, p. 51 en 123, noot 22 alleen De Heem.

4 *Denucé 1932*, p. 68, nr. 272–288; *Renger 1986*, p. 72

5 *Mauquoy-Hendrickx 1956*, dl. I, p. 184–185, nr. 21ᵛ, dl. II, afb. 21, v; *Hollstein*, dl. III, p. 91, nr. 333; *Ruurs 1974*, p. 87–88

6 Zie over 'grillen', cat.nr. 43, noot 3; over 'grollitjes', *Amsterdam 1976*, p. 256–257, noot 7–8

7 *Strauss/Van der Meulen 1979*, p. 349–388, nr. 1656/12: 1, 2, 4, 5, 49, 55 en 82

8 *Hofstede de Groot 1906*, p. 368–370, nr. 310

9 *Klinge 1982*, p. 13

10 *Knuttel 1962*, p. 140; *Klinge 1982*, p. 13. Een variant van deze compositie (HdG 152) was in de kunsthandel, zie *Parijs 1969*, nr. 149 en afb.

11 Over een dronken slapende figuur als afschrikwekkend voorbeeld, zie: cat.nr. 42, noot 14–15.

12 *Houbraken 1718–21*, dl. I, p. 330

13 *Roemer Visscher/Brummel 1614/1949*, p. 132, nr. x. Over de geschiedenis van de tabak, zie: *Brongers 1964*; over het thema 'Tabakdrinker', zie: *Renger 1986*, p. 35–38 (alwaar ook literatuur wordt vermeld)

14 *Scriverius 1630*, titelpagina

15 *Brongers 1964*, p. 61 ('vita est fumus', leven is rook), p. 248

16 *Hollstein*, dl. I, p. 110, nr. 16

17 Inv.nr. 626; HdG 22; *München 1983*, p. 99–100, nr. 626 en afb.: als 'De Smaak'; het roken kon dienst doen bij zowel De Reuk als De Smaak, zoals te zien is bij Jan Miense Molenaar (Den Haag, Mauritshuis, inv.nr. 575–576, *Hoetink e.a. 1985*, p. 405, nr. 575–576 en afb.).

18 Inv.nr. 581 en 629; HdG 18 en 19; *München 1983*, p. 99–100, nr. 581 en 629 en afb.; *Renger 1986*, p. 39–41 en 132, nr. 8–10 en afb. Taf. 7, 8 en 10

19 *Hollstein*, dl. III, p. 248, nr. 105

20 *Broos 1987*, (in druk) noot 125

21 Inv.nr. 2095; HdG 119; *München 1983*, p. 103, nr. 2095 en afb.; *Renger 1986*, p. 133, nr. 17 en afb. 4

22 *De Brune 1624*, nr. 17; *De Jongh 1973-A*, p. 205–206, noot 41; zie ook: *Amsterdam 1976*, p. 54–57, nr. 7

Hendrick ter Brugghen   15 | De bevrijding van Petrus

Den Haag(?) 1588 – Utrecht 1629

Doek, 105 x 85 cm
Links achter de schouder van de engel: *HTBrugghen/ 24* (HTB ineen)
Inv.nr. 966

Hij werd opgeleid door een onbekende meester in Den Haag, of wellicht door Abraham Bloemaert in Utrecht. Hij maakte een reis (naar eigen zeggen: van 'ettelicke jaeren') naar Italië en bevond zich in 1614 in Milaan. In oktober 1614 was hij terug in Utrecht. Het beeld van zijn vroege werk blijft zeer vaag: de oudste datering is 1616 op *De maaltijd te Emmaus,* een schilderij dat een Italiaanse licht-donker-werking vertoont. Toch waren caravaggistische invloeden het krachtigst na 1620 toen Gerard van Honthorst en Dirck van Baburen uit Italië waren teruggekeerd en hij zelf mogelijk voor de tweede keer naar het zuiden was geweest (zomer 1619–zomer 1621). Zijn onderwerpen waren bijbelse en mythologische taferelen, halffiguren in arcadische vermomming, spelende en muziekmakende gezelschappen (eveneens halffiguren). Het koloriet en de belichting bij Ter Brugghen hebben al met al een sterk persoonlijk karakter, dat latere meesters, vooral die uit de Delftse school, niet onberoerd heeft gelaten.

In 1778 maakte Johann Martin Preisler een gravure naar dit schilderij, dat zich toen in de collectie van de Deense graaf Von Moltke bevond. Uit het bijschrift blijkt dat het toen bewonderd werd als een werk van 'Guido Reny' [**1**].[1] Pas in de loop van de negentiende eeuw werd de toeschrijving gewijzigd in die aan Hendrick ter Brugghen, de Utrechtse navolger van Caravaggio, wiens werk in de twintigste eeuw werd herontdekt en beschreven. De monografie over deze kunstenaar door Nicolson uit 1958 blijkt achteraf allerminst afdoende te zijn geweest.[2] Van Thiel bijvoorbeeld heeft in 1971 het vroege oeuvre van Ter Brugghen, uit de jaren 1616–1623, aan een kritisch onderzoek onderworpen en systematisch gerangschikt.[3] Recent bronnenonderzoek leidde tot de conclusie dat de schilder niet in Deventer en niet in Utrecht is geboren, maar in Den Haag en dat hij niet katholiek is geweest, maar protestant – wat voor de interpretatie van zijn veelal bijbelse onderwerpen niet zonder belang is.[4] Ook wordt thans aangenomen dat – voor zover bekend – *De maaltijd te Emmaus* (Toledo, Ohio, The Toledo Museum of Art)[5] uit 1616 zijn eerste gedateerde werk is.

Nicolsons datering van *De bevrijding van Petrus* op grond van stilistische argumenten en vormovereenkomsten is evenmin houdbaar gebleken. Hij concludeerde tot de periode 1628–1629 en meende dus dat het een van de laatste schilderijen van de Utrechtse Caravaggist moest zijn geweest.[6] Bijna stilzwijgend werd later het feit geaccepteerd dat, toen het Mauritshuis het doek verwierf in 1963, bij een grondige restauratie de signatuur 'HTBrugghen' en het jaartal '(16)24' tevoorschijn kwamen.[7] Het is dus geschilderd vlak na de periode waarin de zogenaamd vroege werken zijn ontstaan, van 1619 tot en met 1623. Het Haagse schilderij blijkt eerder aan te sluiten bij dit vroege oeuvre dan bij het latere.

Herkomst
Collectie Von Moltke, Kopenhagen, voor 1778
Veiling Von Moltke, Kopenhagen, 1931
Collectie A. Andersen, Kopenhagen, 1931–1954
Collectie erven Andersen, 1954–1963
Kunsthandel G. Cramer, Den Haag, 1963
Koninklijk Kabinet van Schilderijen 'Mauritshuis', 1963 (aangekocht met steun van de Vereniging Rembrandt)

Bibliografie
Von Schneider 1933, p. 39 en afb. 17b
Van Regteren Altena 1935, p. 108–109
Nicolson 1956, p. 109–110
Nicolson 1958, p. 59–60, nr. A 19 en afb. 97
De Vries 1963, p. 33 en afb.
De Vries 1965, p. 206–208 en afb. p. 205
San Francisco enz. 1966, p. 41, nr. 9 en afb.
Den Haag 1970, nr. 14 en afb.
Van Thiel 1971, p. 109 en 115
Nicolson 1973, p. 239
Den Haag 1977, p. 55, nr. 966 en afb.
Nicolson 1979, p. 99
Van de Watering 1982, p. 82–83, nr. 22 en afb.
Washington enz. 1982–83, p. 66–67, nr. 11 en afb.
Hoetink e.a. 1985, p. 156–157, nr. 19 en afb., p. 346–347, nr. 966 en afb.
Broos 1986, p. 166–169, nr. 14 en afb.
Blankert/Slatkes e.a. 1986–87, p. 45–46 en p. 123–125, nr. 18 en afb.

Hendrick ter Brugghen De bevrijding van Petrus

Kenmerkend voor de indruk die Caravaggio op Ter Brugghen heeft gemaakt, is zijn keuze voor levensgrote halffiguren in een theatraal zoeklicht, dat de vormen scherp doet uitkomen, en een realistische mimiek. Overigens is het licht in het schilderij een bijbels gegeven, want er staat geschreven: 'En zie, een engel des Heren stond bij hem en er scheen licht in het vertrek, en hij stootte Petrus in zijn zijde om hem te wekken en zeide: Sta snel op! En de ketenen vielen van zijn handen' (Handelingen 12: 7). De verbouwereerdheid van Petrus met zijn warrige grijze haarbos, de opengesperde tandeloze mond en de verdwaasd starende ogen, heeft de schilder haast overdreven vormgegeven.

De weergave van de schouderpartij van de engel met diens kleed is het resultaat van een nauwkeurige draperie-studie, die doet denken aan schilderijen uit 1621, zoals de *Vier evangelisten* (Deventer, Stadhuis)[8] of de *Fluitspeler* (Kassel, Gemäldegalerie).[9] De tegenstellingen tussen de jonge engel en de oude apostel zijn sterk benadrukt door de schilder: de blanke huid van de ene figuur naast het donkere gerimpelde vel van de ander en een mollige hand van de hemelse boodschapper naast de stramme vissershanden van Petrus. Ter Brugghen maakte vaker gebruik van dit contrast, zoals bijvoorbeeld in het schilderij *De Gokkers* (Minneapolis, The Minneapolis Institute of Arts)[10] uit 1623, waarin eveneens een jonge man en een grijsaard de hoofdfiguren zijn.

Hendrick ter Brugghen heeft het thema *De bevrijding van Petrus* nog twee keer geschilderd, waarvoor hij nieuwe compositorische oplossingen bedacht. Het tussen 1625 en 1629 te dateren doek in Tokyo (Museum of Western Art) [**2**][11] toont de figuren ten voeten uit en toegevoegd zijn twee slapende wachters. Hiermee refereerde hij aan de bijbeltekst, die zegt: 'Petrus (lag) die nacht te slapen tussen twee soldaten, geboeid met twee ketenen' (Handelingen 12: 6).

1
Johann Martin Preisler
De bevrijding van Petrus
Gravure, 335 x 250 cm
Onderaan: *Peint de grandeur naturelle par Guido Reny* en *Gravé par Jean Martin Preisler, 1778*
Kopenhagen, Statens Museum for Kunst, Den kongelige Kobberstiksamling, geen inv.nr.

2
Hendrick ter Brugghen (?)
De bevrijding van Petrus
Doek, 136 x 170 cm
Niet gesigneerd, niet gedateerd
(ca. 1625–1629)
Tokyo, Museum of Western Art

Bij deze gelegenheid lijkt Ter Brugghen het bijbelverhaal als voorwendsel gebruikt te hebben om lichtreflecties op een glimmend harnas te kunnen schilderen en de ingewikkelde plooival van het kleed van de engel.[12] De hoofdgroep herinnert nog sterk aan de Haagse versie en vooral identiek is de engel (in spiegelbeeld) die de schrikkende, terugdeinzende Petrus bij de schouder grijpt en die op de goddelijke boodschap wijst met een omhooggestoken hand.

3
Hendrick ter Brugghen
De bevrijding van Petrus
Doek, 152 x 210 cm
Links onder het blok: *H T Brugghen 1629*
Schwerin, Staatliches Museum, inv.nr. 913

Vijf jaar na voltooiing van het Haagse schilderij pakte Ter Brugghen het thema andermaal op (Schwerin, Staatliches Museum) [**3**].[13] Ook hierin viel de keuze op figuren ten voeten uit, maar het tafereel is weer teruggebracht tot twee figuren. De engel heeft wederom zijn wijsvinger geheven en de geboeide Petrus kijkt naar hem om. Het licht is in deze versie in een bundel geconcentreerd, die de witte baard van de apostel en het bleke bovenlijf van de engel doet oplichten. Dit schilderij is 1629 gedateerd, het jaar waarin Hendrick ter Brugghen op 1 november overleed na een korte carrière, die hem de eretitel opleverde de enige echte schilder van zijn generatie te zijn geweest (zoals Rubens zou hebben verklaard).[14]

1 *Nicolson 1958*, p. 59, nr. A 19; over J.M. Preisler (1715–1794), zie *Thieme/Becker*, dl. 27, p. 374
2 *Nicolson 1958*, p. 39–42 (over het Ter Brugghen-onderzoek)
3 *Van Thiel 1971*, p. 91–116; een reactie hierop is *Nicolson 1973*, p. 237–241
4 *Bok/Kobayashi 1985*, p. 18
5 Inv.nr. 83.1; *Blankert/Slatkes e.a. 1986–87*, p. 76–77, nr. 1
6 *Nicolson 1956*, p. 109–110: 'c. 1628-October 1629'; zie ook *Nicolson 1958*, p. 60
7 De eerste twee cijfers van het jaartal zijn niet goed te lezen, zie: *De Vries 1963*, p. 33 en *De Vries 1965*, p. 206–208. *Nicolson 1973*, p. 239 vermeldde de datering 1624 zonder commentaar; *Nicolson 1979*, p. 99: 'S(igned) & D(ated) 1624'.
8 *Nicolson 1958*, p. 61–62, nr. A 21–24 en afb. pl. 15–19; *Blankert/Slatkes e.a. 1986–87*, p. 93–98, nr. 6–9 en afb.
9 Inv.nr. 179; *Nicolson 1958*, p. 55, nr. A 15 en afb. pl. 20; *Blankert/Slatkes e.a. 1986–87*, p. 100–102, nr. 11 en afb.
10 The William Hood Dunwoody Fund (60.17); *Nicolson 1958*, p. 84–85, nr. A 52 en afb. pl. 34; *Minneapolis 1971*, p. 123–124, nr. 65 en afb.
11 *Nicolson 1958*, p. 78–79, nr. A 48 en afb. pl. 41c; de in *Broos 1986*, p. 168–169, afb. 2 geuite twijfel aan de authenticiteit van dit schilderij achtte L.J. Slatkes niet gerechtvaardigd (mondelinge mededeling).
12 Over dit harnas als terugkerend motief bij Ter Brugghen (en andere Utrechtse Caravaggisten), zie: *De Jong 1980*, p. 5–8 en p. 30, noot 32
13 Inv.nr. G 913; *Nicolson 1958*, p. 92, nr. A 61 en afb. pl. 102; *Blankert/Slatkes e.a. 1986–87*, p. 164–165, nr. 31 en afb.
14 *Bok/Kobayashi 1985*, p. 30, doc.nr. 36; *Blankert/Slatkes e.a. 1986–87*, p. 67

Jacob van Campen

16 | Mercurius, Argus en Io

Haarlem 1595 – Amersfoort 1657

Doek, 204 x 194 cm
Niet gesigneerd, niet gedateerd
Inv.nr. 1062

Hij werd als schilder opgeleid door Frans de Grebber in Haarlem, waar hij in 1614 meester werd in het gilde en naam verwierf met schilderijen die ons nu geheel onbekend zijn. Hij bracht een lange periode door in Italië (1615–1621), waar hij onder de indruk kwam van de bouwwerken van onder andere Palladio. Hij legde zich sindsdien vooral toe op de bouwkunst. Palladiaans is zijn voorgevel van het huis van Balthasar Coymans in Amsterdam (1626) en karakteristiek voor zijn classicistische stijl zijn de ontwerpen voor het Mauritshuis (1633) en een woonhuis voor Huygens (1635), beide in Den Haag. Hij leverde ook een aandeel voor de (her)bouw van paleizen voor Frederik Hendrik (Honselaarsdijk, Ter Nieuburch). Pieter Post (cat.nr. 46) assisteerde hem bij de bouw van het Mauritshuis en bij het maken van ontwerpen voor het Huis ten Bosch (1645). Hij bracht enkele kerken op zijn naam (Hoge Zwaluwe, 1639–41; Renswoude, 1641; Haarlem, 1645), maar het vermaardst is het naar zijn ontwerpen uitgevoerde nieuwe stadhuis van Amsterdam (nu Paleis op de Dam), waarvan de bouw in 1648 begon. In de in 1652 gereed gekomen Oranjezaal van Huis ten Bosch waren ook decoraties van Van Campen opgenomen. Overigens blijft het beeld van zijn geschilderde oeuvre vooralsnog tamelijk vaag.

Herkomst
Kunsthandel Hoogsteder, Den Haag
Koninklijk Kabinet van Schilderijen
'Mauritshuis', 1981

Bibliografie
Slatkes 1981–82, p. 176, noot 56
Hoetink 1982, p. 167 en 171, afb. 2
Van de Watering 1982, p. 84–85, nr. 23 en afb.
Haak 1984, p. 257–258 en afb. 546
Hoetink e.a. 1985, p. 160–161, nr. 21 en afb.
p. 348, nr. 1062 en afb.
Broos 1986, p. 170–171, nr. 15 en afb.

Deze *Mercurius, Argus en Io* werd in 1981 verworven door het Mauritshuis, niet zozeer omdat het de kwaliteit heeft van een 'In het licht van Vermeer' geschilderd werk, maar omdat het – terecht – toegeschreven werd aan Jacob van Campen.[1] Van Campen was een vriend van Constantijn Huygens, de secretaris van stadhouder Frederik Hendrik. Hij adviseerde Huygens bij het ontwerpen van een huis in Den Haag ten behoeve van graaf Johan Maurits van Nassau, dat tegenwoordig beter bekend is als het Mauritshuis.[2] Een bijkomend argument bij de verwerving was dat het doek precies bleek te passen in één van de door Pieter Post ontworpen schoorstenen in het Mauritshuis.[3]

Jacob van Campen is natuurlijk vooral befaamd als architect van paleizen voor de stadhouder, op de eerste plaats als de bouwer van het nieuw Amsterdamse stadhuis (het paleis op de Dam) dat door Huygens als *'s Werelts Achtste wonder* werd bezongen.[4] Als schilder geniet Van Campen voornamelijk bekendheid vanwege de door hem ontworpen en deels ook zelf uitgevoerde decoraties voor de Oranjezaal in Huis ten Bosch (omstreeks 1650).[5] Maar voordat deze grootschalige projecten Van Campen bezighielden, was hij niet zonder succes actief als schilder. In 1614 werd hij als 'meester-schilder' ingeschreven in het Sint Lucasgilde te Haarlem, waar hij zeer werd gewaardeerd. De Haarlemse stadsbeschrijver Samuel Ampzing dichtte op hem de regels:

'Van Kampen en behoefd voor niemand ook te wijcken,
Ja mag de kroon van 't hoofd van alle schilders strijcken'.[6]

Dit werd geschreven in 1628, het jaar waarin Van Campen zijn vroegst bekende schilderij signeerde en dateerde, *Diogenes zoekt een mens* (Utrecht, Centraal Museum).[7] Dit werk wordt alom gezien als een bewijs dat de schilder goed bekend was met de vernieuwende tendensen in het werk van de Utrechtse Caravaggisten. Het feit dat hij in 1626 het landgoed Randenbroek bij Amersfoort erfde en hij zich sindsdien 'heer van Randenbroek' mocht noemen, waarbij hem tevens een aanzienlijk fortuin in de schoot viel, maakte

hem onafhankelijk van het penseel.[8] Waarschijnlijk heeft hij veel tussen zijn landhuis, het nabij gelegen Utrecht, Amsterdam en Haarlem gependeld. Nog onlangs heeft Slatkes erop gewezen dat de rol van Van Campen als verspreider van de Caravaggistische stijl in Haarlem tot nu toe zeer onderschat is.[9]

Het schilderij *Mercurius, Argus en Io* vertoont de licht-donker-effecten van de volgelingen van Caravaggio en hun realistische verteltrant. Tamelijk ongebruikelijk is de lichtval van rechts, wat de veronderstelling lijkt te wettigen dat het een schoorsteenstuk is geweest en dus op een vaste plaats hing met een belichting uit een bepaalde richting.

Het uitgebeelde verhaal is bekend uit Ovidius' *Metamorfosen* (1, 622–638). Om niet betrapt te worden door zijn gade Juno, had Jupiter zijn geliefde Io haastig veranderd in een koe. Juno stelde het prachtige witte beest onder de hoede van Argus met de honderd ogen. Jupiter stuurde Mercurius, de meest listige van de goden, om Io te bevrijden. Mercurius wiegde Argus met zijn fluitspel in slaap, doodde hem met een kei en sloeg zijn hoofd af.[10] De moraal van dit verhaal kon men onder andere lezen in Van Manders 'Wtleggingh op den Metamorphosis' (1604): de aandachtige rede (met de honderd ogen)

94

Jacob van Campen Mercurius, Argus en Io

wordt door wellust bedreigd en eenmaal van zijn redelijkheid beroofd, leidt de mens een ijdel bestaan.[11] Of deze uitleg nog van toepassing was op de actualiteit, zal pas opgehelderd kunnen worden als we weten waar het schilderij heeft gehangen.

Jacob van Campen heeft het moment geschilderd waarop Argus (al) zijn ogen heeft gesloten en in slaap is gevallen. De stilistische principes mogen dan ontleend zijn aan de Utrechtse Caravaggisten, het tafereel heeft een meer internationale inspiratiebron. Het voorbeeld is kennelijk geweest het schilderij van Jacob Jordaens, *Mercurius, Argus en Io* (Lyon, Musée des Beaux-Arts) [**1**][12], uit ongeveer 1625. Schelte à Bolswert heeft er omstreeks 1630 een prent naar gemaakt, die Van Campen hoogstwaarschijnlijk heeft gebruikt [**2**].[13] Hij ontleende daaraan de gebogen kop van de in slaap vallende Argus en de grote runderen op de achtergrond, die zo typisch zijn voor het werk van Jordaens.[14] Een bijna letterlijk citaat is de zittende hond rechts onder. In plaats van Mercurius die zijn moordtuig pakt, schilderde Van Campen hem bij het fluitspel. Het landschap (dat Van Campen meestal liever door anderen liet schilderen)[15] is gereduceerd tot een met gras begroeide helling rechts en een grote boomstam links, wellicht de olijfboom bij Nemea, waarover Ovidius spreekt.

Het dateren van dit schilderij is door gebrek aan gegevens niet eenvoudig. In afwachting van een broodnodige herziening èn herwaardering van zijn geschilderde œuvre vóór de decoraties in het Huis ten Bosch, kan men slechts stellen dat Van Campen het mogelijk in de jaren dertig heeft gemaakt.[16]

---

1 Met dit argument werd bijvoorbeeld Ter Brugghens *Bevrijding van Petrus* (cat.nr. 15) verworven in 1963. *In het licht van Vermeer* was de titel van een tentoonstelling in Den Haag, waar de relatie Caravaggio-Caravaggisten-Vermeer aan de orde werd gesteld, zie: *Den Haag 1966*, nr. 13 en 15.
2 *Swillens 1961*, p. 41 e.v. Zie ook: *Kamphuis 1962*, p. 151 e.v.
3 *Hoetink 1982*, p. 167
4 *Swillens 1961*, p. 223; zie ook *Fremantle 1959*, passim
5 *Van Gelder 1948–49*; *Brenninkmeyer-de Rooij 1982*
6 *Ampzing 1628*, p. 371
7 Inv.nr. 12383; *Swillens 1961*, p. 261, nr. 1 en afb.; *Blankert/Slatkes e.a. 1986–87*, p. 247–248, nr. 52 en afb.
8 *Swillens 1961*, p. 20
9 *Slatkes 1981–82*, p. 174
10 *Graves 1960*, dl. I, p. 190, nr. 56a. Voor de uitbeelding van dit thema, zie: *Pigler 1974*, dl. II, p. 139
11 *Van Mander 1604-A*, fol. 9a
12 *Parijs 1977–78*, p. 107–108, nr. 68
13 *Hollstein*, dl. III, p. 85, nr. 284, dl. IX, p. 227, nr. 5
14 *d'Hulst 1982*, p. 106
15 *Slatkes 1981–82*, p. 175
16 *Haak 1984*, p. 257 noemde het 'terecht aan Van Campen ... toegeschreven'. Blankert gaf een lijst van de schilderijen van Van Campen in *Amsterdam/Detroit/Washington 1980–81*, p. 188, noot 21; een aanvulling daarop gaf *Blankert 1978*, p. 39, noot 29 en *Slatkes 1981–82*, p. 174–176 (+ lit.)

Jan van de Cappelle   **17** | Schepen aan de kust

Amsterdam 1616 – Amsterdam 1679

Doek, 72,5 x 87 cm
Onder, rechts van het midden: *I V CAPelle 1651*
Inv.nr. 820

Hij was een gefortuneerd karmozijnverver en koopman, die het schilderen wel voor zijn plezier beoefende en daarin uitzonderlijk begaafd bleek. Volgens een eigentijds bericht was hij autodidact. Zijn zee- en riviergezichten vertonen een aan Simon de Vlieger verwante stijl, terwijl zijn sfeerrijke winterlandschappen (gedateerd 1652–1653) tot ware hoogtepunten in dat genre worden gerekend. Zijn œuvre is niet zeer omvangrijk (ongeveer 200 schilderijen, gedateerd 1644–1663). Hij was tevens een van de belangrijkste kunstverzamelaars van zijn tijd, vooral van tekeningen, onder andere van Hendrick Avercamp (900 bladen), Jan van Goyen (400 bladen), Rembrandt (500 bladen) en van Esaias van den Velde (300 bladen). Simon de Vlieger was het best vertegenwoordigd met negen schilderijen en 1300 tekeningen, volgens de schatting in de inventaris van zijn collectie in 1680.

Herkomst
Collectie R.G. Wilberforce, Londen, 1887
Veiling Ch.T.D. Crews, Londen, 1915
Collectie M. Onnes van Nijenrode, Breukelen
Kunsthandel C.J. Goudstikker, Amsterdam, 1920
Collectie H.E. ten Cate, Almelo, voor 1930
Koninklijk Kabinet van Schilderijen 'Mauritshuis', 1936 (geschenk van Sir Henri W.A. Deterding)

Bibliografie
HdG 133 (dl. VII, p. 214, nr. 133)
Londen 1929, p. 137–138, nr. 289
Martin 1936, dl. II, p. 387 en afb. 206
Martin 1950, p. 82, nr. 166 en afb.
Den Haag 1954, p. 15, nr. 820
Stechow 1968, p. 106–107, 117, 207, noot 28 en afb. p. 212
Bol 1973, p. 225 en 227, afb. 232
Russel 1975, p. 22, 28 en 81, nr. 133 en fig. 19
Den Haag 1977, p. 59, nr. 820 en afb.
Duparc 1980, p. 19–20, nr. 820 en afb. p. 159
Walsh/Schneider 1981–82, p. 31, afb. 3
Washington enz. 1982–83, p. 68–69, nr. 12 en afb.
Haak 1984, p. 476–477, afb. 1051
Hoetink e.a. 1985, p. 162–163, nr. 22 en afb., p. 349, nr. 820 en afb.
Broos 1986, p. 174–177, nr. 16 en afb.

Het komt niet dagelijks voor dat een kunsthistorische theorie wordt bevestigd door later aan het licht gebrachte feiten. Een aardig voorbeeld levert het schilderij van Jan van de Cappelle, *Schepen aan de kust*. Wolfgang Stechow publiceerde in 1965 lijsten met signaturen van zeventiende-eeuwse Nederlandse schilders, waarin hij wetmatigheden herkende die verband bleken te houden met de chronologie. Zo ontdekte hij dat de schilderijen van Jan van de Cappelle tot in het jaar 1650 'J. (of: I.) V Capel:' zijn gesigneerd, waarna in 1650 en 1651 de schrijfwijze 'J V Capelle' was (met één p) en in en na 1651 definitief 'J V Cappelle' (met twee p's).[1] Bovendien kon hij vaststellen dat alle vóór 1651 gedateerde schilderijen op paneel waren en dat Van de Cappelle sindsdien uitsluitend op doek schilderde. In haar monografie over de Amsterdamse landschapschilder concludeerde Margarita Russel dat een enkele uitzondering deze regels bevestigt.[2]

In 1979–1980 werd in Den Haag het schilderij *Schepen aan de kust* schoongemaakt. Onder vergeelde vernislagen kwam toen de signatuur 'I V CAPelle' en het jaartal 1651 tevoorschijn.[3] Dit bleek precies te passen in het door Stechow geschetste beeld, dat aangaf dat de schrijfwijze met één p alleen in 1650 en 1651 voorkwam. En inderdaad is het schilderij op doek, zoals te doen gebruikelijk vanaf 1651. Onbedoeld toonde Stechow tevens aan hoe hachelijk een datering soms kan zijn als deze alleen gebaseerd is op een stilistische analyse of motiefovereenkomsten. 'Comparison with the scanty dates on Jan van de Cappelle's seascapes suggests the years around 1655/60', schreef hij destijds in zijn standaardwerk over het Hollandse landschapschilderij.[4]

Russel daarentegen plaatste het schilderij, eveneens voordat het jaartal 1651 aan het licht was gekomen, in een groep zeegezichten uit 1650 en vroeger.[5] Deze werken vertonen kalme waters die de schrijfster meende te kunnen identificeren als de Westerschelde bij Vlissingen. Immers, net als

Jan van de Cappelle Schepen aan de kust

1
Jan van de Cappelle
Een kalme zee
Doek, 55 x 74 cm
Rechts onder: *i. v. cappelle 1651*
Courtesy of the Art Institute of Chicago,
inv.nr. 33.1068

rechts op het Haagse schilderij, zijn daarop bruinvissen te zien die alleen voorkwamen in de ondiepe wateren in Zeeland.[6] Maar dartelende bruinvissen zijn eerder een kwestie van stoffering dan een topografisch gegeven. Zo lijkt de compositie ook eerder bedacht dan naar de werkelijkheid geschilderd te zijn (wat Russel veronderstelde).[7] Een verhoogde voorgrond met donkere figuren als repoussoir is een (onder andere van Van Goyen) bekend arrangement, evenals het wijkende verschiet rechts en de in de verte verdwijnende schepen die de vaarroute aanduiden. Dit soort composities heeft Van de Cappelle (en Simon de Vlieger) gepopulariseerd en is – onder andere via Ludolf Bakhuizen en zijn navolgers – standaard geworden in de marineschilderkunst.[8]

Het Haagse schilderij is van een type waarin veel aandacht wordt gegeven aan het anecdotische element. Tot in 1650 overheersen veelal de schepen met de wijd uitstaande zeilen het hele beeld, terwijl hier de zeilschepen in actie klein in de verte verdwijnen. Onder de toeschouwers op de voorgrond valt een echtpaar op, zij met een witte kraag en zwarte hoofddoek met de rug naar ons toe en hij met een zwarte hoed op naar haar toe gekeerd. Zij staan bij hun bagage, terwijl twee mannen een zware koffer door de branding sjouwen. Een passagier wordt op de rug van een schippersknecht naar het strand gedragen – op het schip wordt de fok geborgen. Een vergelijkbaar 'genre'-achtig tafereel is het schilderij *Een kalme zee* (Chicago, Art Institute) [1][9], dat ook 1651 is gedateerd. Hierin zijn de twee mannen die een mand tussen zich in dragen zelfs als centraal gegeven herhaald.

Typerend voor veel werken van Jan van de Cappelle is dat hij nauwelijks oorlogsbodems weergaf op zijn marines, maar vooral vissersschepen en kleinere schuiten die bij de binnenvaart horen. Hij had meer oog voor het drukke gedoe van mensen op en rond het water, dan voor 'sLands vloot of de retourschepen van de Verenigde Oostindische Compagnie. Hij schilderde ook eerder de Hollandse atmosfeer dan portretten van driemasters in herkenbare havens. Daarin lijkt hij op Bakhuizen (die overigens wèl veel bestaande schepen portretteerde) en daarin verschilt hij wezenlijk van de Van de

2

Jan van de Cappelle
Een windstilte
Paneel, 47,5 x 59 cm
Links onder: *i v cappelle* (ca. 1652)
Keulen, Wallraf-Richartz-Museum, inv.nr.
2535

Veldes.[10] De biograaf Houbraken (die vreemd genoeg Van de Cappelle
nergens vermeldde) gaf van een dergelijke opvatting van het onderwerp een
aardige omschrijving. Bakhuizen liet zich volgens dit verhaal bij zwaar weer
naar de monding van het IJ brengen: 'En wel inzonderheit deed hy zulks,
wanneer hy voornemens was iet dergelyks te verbeelden op paneel; op dat hy
daar van een levendig denkbeeld zoude meedragen, of het denkbeeld dat hy
daar van had ververschen'.[11] Ook Van de Cappelle schilderde eerder een
weersgesteldheid – bij voorkeur van het rustige type – dan scheeps-
manoeuvres.

Wat vooral indruk maakt in het Haagse schilderij is de machtige lucht met
de blauwgrijze tot zilverwitte wolkenpartijen. De licht kabbelende zee gaat
haast onmerkbaar over in een schittering van licht en nevel in de lucht. De
dampige atmosfeer, de zacht spiegelende watervlakte en een machtige
wolkenlucht boven nietige figuren die druk doende zijn bij hun schepen, zijn
ook bepalend voor het 'denkbeeld' van Van Cappelle in *Een windstilte*
(Keulen, Wallraf-Richartz-Museum) [**2**][12], dat niet veel later dan 1651 is
geschilderd. In de museumcatalogus wordt het met trots – en wellicht
terecht – omschreven als het eerste Hollandse schilderij waarin de zon is
voorgesteld.[13]

---

1 *Stechow 1965*, p. 115. Hierbij dient aangetekend te worden, dat Stechow geen onderscheid
maakte in gebruikte hoofd- of kleine letters (bijvoorbeeld J of j, die ook als een i gelezen kan
worden). Afbeeldingen van signaturen in *Russel 1975*, p. 113
2 *Russel 1975*, p. 20–21; zie ook noot 12
3 *Duparc 1980*, p. 19. Er bevindt zich een fotografische vergroting van de signatuur in de het
documentatie-archief van het Mauritshuis.
4 *Stechow 1968*, p. 207, noot 28
5 *Russel 1975*, p. 21–22
6 *Russel 1975*, p. 21 en 59, noot 6
7 *Russel 1975*, p. 22 meende dat de schilderijen (of de olieverfschetsen) ter plaatse ontstonden.
8 Voorbeelden van werk van Bakhuizen in: *Broos/Vorstman/Van de Watering 1985*
9 HdG 110; *Russel 1975*, p. 77, nr. 110 en afb. 8
10 *Broos 1985*, p. 76–77
11 *Houbraken 1718–21*, dl. II, p. 238
12 HdG 54; *Russel 1975*, p. 68, nr. 54 en afb. 12; dit is zo'n uitzondering op Stechows regel, omdat
het schilderij 'i v cappelle' is gesigneerd en dus in of na 1651 te dateren is, maar toch op paneel
is geschilderd.
13 *Vey/Kesting 1967*, p. 28, nr. 2535

Amsterdam 1599 – Amsterdam 1670

Paneel, 43 x 35 cm
Boven de deur: *16 PC 34* (PC ineen)
Inv.nr. 857

Herkomst
Collectie graaf Bentinck von Waldeck-
Limpurg, Middachten
Stichting Nederlands Kunstbezit, 1946
Koninklijk Kabinet van Schilderijen
'Mauritshuis', 1960 (bruikleen vanaf 1948)

Bibliografie
Brandt 1947, p. 33–34 en 35, afb. 10
Den Haag 1954, p. 16, nr. 857
Den Haag 1977, p. 63, nr. 857
Smith 1982, p. 122, afb. 52
Smith 1982-A, p. 265, afb. 9
Washington enz. 1982–83, p. 72–73, nr. 14
Hoetink e.a. 1985, p. 166–167, nr. 24 en afb.
Broos 1986, p. 178–181, nr. 17 en afb.

Hij schilderde voornamelijk interieurs met veel figuren, zoals elegante dames en heren in feestende of muziekmakende gezelschappen en soldaten in wachtlokalen. Ook bijbelse en mythologische taferelen zijn er van hem bekend. Hij had een voorkeur voor kleine formaten en een minutieuze weergave van de details. Niettemin achtten de opdrachtgevers van het groepsportret van de schutters van de Voetboogdoelen in Amsterdam hem bekwaam genoeg om het grote, breed geschilderde doek (bekend als *De Magere Compagnie)* in 1637 te voltooien toen Frans Hals daartoe niet bereid of in staat bleek. Als portrettist combineerde hij een rake typering van de individuen met een knappe stofuitdrukking in vaak ongedwongen composities.

Wie in de jaren dertig van de zeventiende eeuw zijn portret wilde laten schilderen in Amsterdam, kon kiezen uit ervaren specialisten zoals Nicolaas Eliasz, genaamd Pickenoy, of Thomas de Keyser, maar ook uit een groot aantal nieuwe talenten, zoals Rembrandt en zijn leerlingen. Toch wendden de schutters van de voetboogdoelen zich in 1633 tot de Haarlemmer Frans Hals met het verzoek een groepsportret van hen te maken. Het werd een affaire die vier jaar gesleept heeft, omdat Hals het schilderij niet wilde of kon voltooien. Via de notaris probeerden de opdrachtgevers Hals te dwingen naar Amsterdam te komen, en zo niet, dan zouden ze het 'alhier door een ander goet meester (...) laeten voltrecken'.[1] Zo is het ook gebeurd, want het schuttersstuk, de zogenaamde *Magere Compagnie* (Amsterdam, Rijksmuseum)[2] is in 1637 voltooid door Pieter Codde. Codde beoordeelde men dus als een even 'goet meester', waarbij het er kennelijk niet toe deed dat zijn stijl allesbehalve die van Frans Hals was. In *De Magere Compagnie* is nu nog duidelijk waarneembaar dat de Haarlemmer de schilder was met de ruige toets (toen 'rou' genoemd) en dat de Amsterdammer schilderde met een welhaast onzichtbare penseelstreek (betiteld als 'net').[3]

In 1634 vervoegde zich bij Codde een ons onbekend verloofd stel ofwel een vrouw en een jonge man die vrijage met elkaar hadden. We weten dat ze nog niet getrouwd zijn, omdat de jongedame aan de rechterzijde van haar vrijer is afgebeeld. In getrouwde staat zou hij zelf deze plaats hebben ingenomen.[4] Portretten uit de verlovingstijd zijn tamelijk schaars: Isack Elyas maakte er een in 1620 (Amsterdam, Rijksmuseum) [1], dat een combinatie is van een portret en een 'genre'stuk met personificaties van de zintuigen.[5] Ook in Coddes schilderij is zo'n leerrijk exempel aangebracht, zoals we zullen zien.

De man en de vrouw wilden samen afgebeeld worden op een paneel van geringe afmetingen vanwege het beperkte budget, maar wèl helemaal ten voeten uit geportetteerd. Pieter Codde schilderde het paar hand in hand in een ietwat onhandig weergegeven ruimte, de man frontaal opgesteld en haantje-de-voorste, terwijl de vrouw een beetje achter hem is weggemoffeld.

Onwillekeurig krijgt men de indruk dat de opdrachtgevers of de schilder wisten welk soort portretten er op dat moment op Rembrandts atelier gemaakt werden. Het idee van een dubbelportret in een duidelijk weergegeven ruimte (en niet met een neutrale achtergrond), kan ontleend zijn aan Rembrandts *Portret van Jan Pietersz Bruyningh en zijn vrouw* (Boston, Isabella Stewart Gardner Museum)[6] uit 1633. De houding van het onbekende paar vertoont voorts frappante overeenkomsten met het in 1634 door

Rembrandt geschilderde *Portret van Maerten Soolmans* en het pendant, het *Portret van Oopjen Coppit* (Parijs, collectie erven baron A. de Rothschild) [**2,3**].[7] Pieter Codde lijkt erin geslaagd te zijn iets van de allure van levensgrote portretten van de steenrijke Soolmans en zijn vrouw te vertalen naar zijn eigen bescheiden schaal.

De pose van de man is practisch identiek aan die van Soolmans en vindt zo via dit voorbeeld haar oorsprong bij prototypes van Van Dyck: één voet is recht vooruit geplaatst en de andere staat er vrijwel haaks op – de ene arm is in de zij gestut met de mantel eroverheen gedrapeerd. In 1634 was de mode voor mannen nogal uniform. Het kostuum van de heren is volkomen identiek, alleen heeft Maerten Soolmans een gestreepte stof gekozen en de onbekende een genopte. Wat bijzonder opvalt is dat de strikken om het middel, de kanten flossen aan de knieën en de grote rozetten op de schoenen bij Soolmans wit zijn en bij de ander zwart. Wellicht was de laatste een doopsgezinde en dus wars van al te uitbundige opschik.

Oopjen Coppit had niet dezelfde smaak als de onbekende jongedame die met haar molensteenkraag een wat conservatieve keuze deed. De waaier met zwarte struisvogelveren aan een gouden ketting heeft Codde wellicht aan het voorbeeld ontleend. Eén detail onderstreept onbedoeld het verschil in status: het echtpaar Soolmans staat op een kostbare marmeren vloer, de anderen op een vloer van planken.

Het gordijn achter Oopjen Coppit dat doorloopt tot halverwege het portret

Pieter Codde Portret van een aanstaand echtpaar

2
Rembrandt
Portret van Maarten Soolmans
Doek, 209,8 x 134,8 cm
Links onder: *Rembrandt f. 1634*
Parijs, collectie erven baron A. de Rothschild

3
Rembrandt
Portret van Oopjen Coppit
Doek, 209,4 x 134,3 cm
Niet gesigneerd, niet gedateerd (1634)
Parijs, collectie erven baron A. de Rothschild

van haar man, verleent deze schilderijen een sfeer van voornaamheid: dit zijn staatsieportretten.[8] Het schilderij van Codde suggereert op het eerste gezicht een natuurlijke omgeving door de openstaande deur en de handschoenen die op een tafeltje zijn neergelegd. Het lijkt of het fraai uitgedoste koppel zojuist (bij de schilder?) is binnengetreden. Toch is het mogelijk dat die open deur een diepere betekenis heeft en een vanitasgedachte verwoordt. Althans, in het *Portret van een heer* uit 1658 of daaromtrent van Ferdinand Bol (Braunschweig, Herzog Anton Ulrich-Museum)[9] werd een open deur op de achtergrond wel in verband gebracht met het motto: 'So oft der Thor sich wend, O Mensch bedenk das End'.[10] Pieter Codde heeft in 1625 zo'n open deur als versterking van de ijdelheidssymboliek toegepast in *Een vrouw met een spiegel* (Londen, National Gallery) [4].[11] De voorstelling is dezelfde als die van een bekend embleem uit Roemer Visschers *Sinnepoppen* (1614), die onder het motto 'Ick geeft haer weder' als commentaar leverde: 'soo haest zy vertrecken, vergaet haer ghedachtenis'.[12] Zo verging het ook het in 1634 vereeuwigde paar: zij zullen misschien voorgoed anoniem blijven.

4
Pieter Codde
Een vrouw met een spiegel
Paneel, 38,1 x 33,7 cm
Links onder op het landschap: *P Codde. Anno*
1625
Londen, National Gallery, inv.nr. 2584

1 Zie: *Bredius 1913*, p. 83; zie ook: *Van Eeghen 1974*
2 Inv.nr. c 374; zie: *Slive 1970–74*, dl. II, p. 48–50, nr. 80, dl. III, afb. pl. 129 en 132–134
3 *Broos 1978–79*, p. 122–123
4 In alle literatuur (van *Brandt 1947* tot en met *Broos 1986*, zie Bibliografie) werd dit tweetal als
een echtpaar geïdentificeerd; sinds *De Jongh 1986*, p. 66–95 talloze voorbeelden gaf van verloofde
stellen, is wel duidelijk hoe onjuist dit is, tenzij de ring aan de rechterwijsvinger van de vrouw
tóch een trouwring zal blijken te zijn. Over het gebruik van trouw- of verlovingsringen is nog te
weinig bekend (ibid., p. 138 en 140, noot 9).
5 Inv.nr. A 1754; *Van Thiel e.a. 1976*, p. 220, nr. A 1754 en afb.; het 'genre'-element werd toegelicht
in *Amsterdam 1976*, p. 112–115, nr. 23
6 Inv.nr. P 21 s 9; zie: *Gerson/Bredius 1969*, p. 319 en 583, nr. 405 en afb.; voor de identificatie van
het echtpaar, zie: *Strauss/Van der Meulen 1979*, p. 259–260, nr. 1648/1 en *Schwartz 1984*, p. 147–148
7 Zie: *Gerson/Bredius 1969*, p. 162, 269, 564 en 576, nr. 199 en 342 en afb.
8 Zie de afbeeldingen in: *Jenkins 1947*
9 Inv.nr. 245; zie: *Blankert 1982*, p. 131, nr. 102 en afb. pl. III
10 *Klessmann e.a. 1978*, p. 52–53, nr. 4 (+ lit.)
11 Inv.nr. 2584; *Maclaren 1960*, p. 80, nr. 2584; *Londen 1976*, p. 32–33, nr. 23 en afb.
12 *Roemer Visscher/Brummel 1614/1949*, p. 30, nr. XXX; zie ook: *De Jongh 1967*, p. 76–78

Lucas Cranach de Oude Maria en kind met druiventros

Lucas Cranach de Oude 19 | Maria en kind met druiventros

Kronach 1472 – Weimar 1553

Paneel, 62,7 x 42 cm
Links onder: gekroonde slang met vleermuisvleugels en ring in de bek, niet gedateerd
Inv.nr. 917

Van zijn vader erfde hij het artistieke talent, dat omstreeks 1500 van een groter individueel karakter bleek te zijn. Hij drukte met zijn expressionistische landschappen en beweeglijke figuren een sterk stempel op de zogenaamde Donauschool. In 1504 vroeg keurvorst Frederik de Wijze van Saksen hem als hofschilder naar Wittenberg te komen, waar hij ook werkzaam was voor Johan de Standvastige en Johan Frederik de Grootmoedige. In 1508 maakte hij een reis door de Nederlanden en wellicht ook door zuidelijk Europa. Dat verklaart wellicht invloeden uit de Italiaanse renaissance-kunst die daarna in zijn werk zichtbaar zijn. Sinds hij in 1508 in de adelstand werd verheven gebruikte hij de gevleugelde slang met de ring in de bek, die hij in zijn wapen voerde, ook als signatuur op zijn schilderijen. Na 1520 introduceerde hij in zijn figuren een zekere maniëristische sierlijkheid. Zijn onderwerpen zijn traditionele bijbelse voorstellingen, veel madonna's en portretten, maar ook typisch renaissancistische scènes met naaktfiguren: *Adam en Eva, Lucretia, Het oordeel van Paris,* of *Judith.* Hij had een groot atelier, waar onder andere zijn zoons Hans en Lucas werkten, dat aan de lopende band zorgde voor de produktie van door de meester ontworpen taferelen. Het is vaak moeilijk te zeggen of dit nog eigenhandig werk mag heten. Cranach werd de rijkste burger van Wittenberg genoemd: hij had een uitgeverij met een boekhandel, een apotheek, hij zat in de raad en werd in 1537 burgemeester van de stad. In 1547 volgde hij de keurvorst in ballingschap naar Augsburg en Innsbruck en woonde als tachtigjarige tenslotte in diens nieuwe residentie in Weimar, waar hij ook stierf.

Herkomst
Collectie prins Lichnowsky, Kuchelna, Silezië, voor 1906
Kunsthandel P. Cassirer, Berlijn, 1926, 1929
Collectie Hans Tietje, Amsterdam, 1932
Collectie Dienststelle Mühlmann (verkocht aan E. Göpel via W.A. Hofer), 1940
Collectie Stichting Nederlands Kunstbezit, 1945
Koninklijk Kabinet van Schilderijen 'Mauritshuis', 1955 (bruikleen vanaf 1953)

Bibliografie
Berlijn 1906, p. 9, nr. 19
Friedländer/Rosenberg 1932, p. 51, nr. 111 en afb.
Den Haag 1960, p. 27, nr. 917
Tóth-Ubbens 1968, p. 20, nr. 917 en afb.
Koepplin/Falk e.a. 1974–76, dl. II, p. 526, nr. 372, p. 533–534, nr. 383 en afb. 283
Den Haag 1977, p. 68, nr. 917 en afb.
Friedländer/Rosenberg 1978, p. 95, nr. 130 en afb.
Hoetink e.a. 1985, p. 354, nr. 917 en afb.

In 1607 beschreef Carel van Mander in zijn *Schilder-Boeck* een werk van Lucas van Leyden uit 1522, voorstellend *Maria met kind, een stichter en Maria Magdalena* (München, Alte Pinakothek) [1].[1] Hij prees het 'Wel gedaen Marybeeldt' en vervolgde: 'Het kindeken was oock seer lieflijck, hebbende in zijn handen een Wijn-druyf met een ranck tot beneden hangende/ schijnende te hebben willen uytbeelden/ dat *Christus* den rechten Wijnstock is'.[2] Natuurlijk verwees Van Mander hier naar de bekende bijbelpassage, waarin Jezus zegt: 'Ik ben de ware wijnstok, en mijn Vader is de landman … ik ben de wijnstok, gij zijt de ranken. Wie in Mij blijft, gelijk Ik in hem, die draagt veel vrucht, want zonder Mij kunt gij niets doen' (Johannes 15, 1–5). De aarzeling die uit Van Manders formulering spreekt, geldt vermoedelijk de juiste connectie tussen beeld en citaat en niet het feit óf er wel sprake was van een verwijzing naar een diepere betekenis van dit detail.

In het hier te bespreken tafereel dat Lucas Cranach de Oude in dezelfde periode schilderde als Lucas van Leyden het zijne, is de druiventros een belangrijk verhalend detail dat voortspruit uit een eeuwenlange traditie in

1
Lucas van Leyden
Maria met kind, een stichter en Maria Magdalena
Paneel, 50,5 x 67,8 cm
Midden, op de ballustrade: *L 1522*
München, Alte Pinakothek, inv.nr. 742

het uitbeelden van Christus, zijn moeder of van beiden tezamen. De voorstelling in mystieke geschriften van Christus als goddelijke druif die groeide in de heilige wijngaard (Maria) heeft wellicht nog te maken met de druiventros als vruchtbaarheidssymbool in de oudheid.[3] Augustinus vergeleek Christus aan het kruis al met de hangende druiventros van Kanaän (Numeri 13, 23) en voorstellingen van Christus in de wijnpers (Jesaja 63, 2–3) verwijzen naar het veranderen van wijn in zijn bloed tijdens de eucharistie en de kruisdood.[4]

Van de laatgotische meesters heeft vooral Lucas Cranach de symboliek van de druiventros vele malen toegepast, meestal in *Maria met kind*-voorstellingen. Opvallend daarbij is dat de speelsheid van het kind wordt aangegrepen om de druiven onder de aandacht te brengen en daarmee hun betekenis te benadrukken. Een enkele maal houdt het kind de tros alleen maar vast (Kopenhagen, Statens Museum for Kunst)[5], soms geeft het de hele tros aan Maria (Moskou, Poesjkin Museum)[6] en soms een enkele druif (München, Alte Pinakothek) [**2**][7], dan weer plukt Christus een druif zoals in het Haagse schilderij (Berlijn, Kaiser Friedrich Museum, verloren gegaan)[8] of eet hij een druif (Washington, National Gallery of Art).[9]

Ter gelegenheid van de grote Cranach-herdenking in 1974 in Basel werd het ongedateerde en zelden tentoongestelde Haagse paneel in verband gebracht met een 1519 gedateerd en aan Hans Süss von Kulmbach toegeschreven schilderij: *Maria met kind* (voorheen Leipzig, collectie U. Thieme).[10] De merkwaardige vollemaansgezichten vertonen inderdaad overeenkomst, maar op zijn minst even verhelderend is de vergelijking met een groep werken van Cranach zelf, waarin hij keer op keer zijn ideale madonna schilderde met een hoog rond voorhoofd en een liefelijk poppegezichtje. Tot deze groep behoren een *Maria met kind* te Karlsruhe (Staatliche Kunsthalle)[11] en een 1518 gedateerd paneel in Keulen (Wallraf-Richartz-Museum)[12], waarin details als de met een fijn penseel getekende haren, de gebouwen en bomen in de achtergrond op identieke wijze zijn aangebracht. Op grond van deze overeenkomsten is de door Friedländer en Rosenberg voorgestelde datering – omstreeks 1520 – van het hier besproken schilderij wel acceptabel.[13]

Van al deze voorstellingen staat die van de vermoedelijk enkele jaren later ontstane 'Traubenmadonna' te München (Alte Pinakothek) [2][14] het Haagse het meest nabij. In beide werken zit (staat) Christus op een kussen, moeder en kind worden beschut door engeltjes die een kleed ophouden en de

achtergrond bestaat uit een fantastisch landschap. Deze elementen zijn stuk voor stuk gebonden aan een traditie. Het kleed is bedoeld als een baldakijn ter afscherming van de plaats waar Maria en Christus zich bevinden en ter beschutting van het pasgeboren kind.[15] Cranach gebruikte graag dit motief, dat in wezen terug te voeren is op veertiende-eeuwse Italiaanse en vroeg-Duitse voorbeelden, en dat bijvoorbeeld ook door Jan van Eyck werd gebruikt in *De Madonna aan de fontein* uit 1439 (Antwerpen, Koninklijk Museum voor Schone Kunsten) [3].[16] Een geheel eigen vondst was het echter om Maria met haar kind op deze manier in een omringend landschap te plaatsen.[17] In feite heeft Cranach te pas en te onpas blijk gegeven van zijn voorliefde voor het fantastische landschap, een voorliefde die al in 1504 tot volle wasdom kwam in zijn *Rust op de vlucht naar Egypte* (West-Berlijn, Staatliche Museen).[18]

Dat Cranach zich internationaal moet hebben georiënteerd, leek volgens Suida een uitgemaakte zaak. Hij heeft in 1508 door de Nederlanden gereisd en uit het verschijnen van zekere Lombardische motieven in zijn werk zou afgeleid kunnen worden dat hij daarna in het zuiden verbleef. Vooral het type

4
Detail van cat.nr. 19: merkteken van Lucas
Cranach

Maria dat hij sindsdien schilderde is Leonardesk van aard, evenals het
Christuskind. Het kussentje dat op de beeldrand ligt als zitplaats voor het
kind zou zelfs direct ontleend kunnen zijn aan diverse werken van Andrea
Solario.[19] Wellicht hebben beide kunstenaars contact gehad toen de Italiaan
van 1507 tot 1509 in Frankrijk werkte, maar Cranach kan ook in Wittenberg
Italiaanse werken hebben bestudeerd.[20]

Tenslotte: Cranachs merkteken, de slang met de vleermuisvleugels, is wel
degelijk aanwezig op het Haagse schilderij. Het staat enigszins links van het
midden onderaan naast de met een koord dichtgehouden opening in het
kussen [**4**].[21]

1 Inv.nr. 742; *München 1983*, p. 289–290, nr. 742 en afb.; *Vos 1978*, p. 188, nr. 203a en afb.
2 *Van Mander 1604*, fol. 213b
3 *Jung 1964*, p. 8; *De Jongh 1974*, p. 184–185
4 *Jung 1964*, p. 12–15; over de symboliek van de druif in de kunst: *Timmers 1947*, p. 295–296,
nr. 613–614, p. 404–407, nrs. 888, 893–895; *Thomas 1965*, kol. 994–995; *De Jongh 1974*, p. 182–186
5 Inv.nr. 3674; *Kopenhagen 1951*, p. 60, nr. 140 en afb.; *Friedländer/Rosenberg 1978*, p. 77, nr. 38 en afb.
6 Inv.nr. 2630; *Friedländer/Rosenberg 1978*, p. 102, nr. 162 en afb.
7 Inv.nr. 1023; *München 1983*, p. 150, nr. 1023 en afb.; *Friedländer/Rosenberg 1978*, p. 102,
nr. 163 en afb.
8 *Friedländer/Rosenberg 1978*, p. 148, nr. 392 en afb.
9 Inv.nr. 1173; *Washington 1965*, p. 33, nr. 1173; *Friedländer/Rosenberg 1978*, p. 147, nr. 390 en afb.
10 *Winkler 1942*, nr. A 9 en afb.; *Koepplin/Falk e.a. 1974–76*, dl. II, p. 533, nr. 383. De vergelijking die
Friedländer/Rosenberg 1978, p. 95, nr. 130 maakten met een schilderij te Polin lijkt minder relevant.
11 Inv.nr. 108; *Karlsruhe 1966*, p. 89, nr. 108; *Friedländer/Rosenberg 1978*, p. 87, nr. 87 en afb.
12 Inv.nr. 3207; *Hiller e.a. 1969*, p. 43, nr. 3207 en afb. 41; *Friedländer/Rosenberg 1978*, p. 87,
nr. 89 en afb.
13 *Friedländer/Rosenberg 1932*, p. 27, nr. 917; *Friedländer/Rosenberg 1978*, p. 95, nr. 130; zie ook:
Koepplin/Falk e.a. 1974–76, p. 533, nr. 383
14 Deze titel is ontleend aan de iconografische studie over dit onderwerp door *Jung 1964*.
15 *Sigel 1977*, p. 106–112
16 Inv.nr. 411; *Antwerpen 1959*, p. 83, nr. 411; *Braun e.a. 1976*, p. 100, nr. 29 en afb.; *Koepplin/Falk e.a.
1974–76*, dl. II, p. 531–532, nr. 380 gaven daarvan talrijke voorbeelden bij Cranach en oudere
kunstenaars.
17 *Koepplin/Falk e.a. 1974–76*, dl. II, p. 532, nr. 380
18 Inv.nr. 564a; *Berlijn 1975*, p. 116, nr. 564a en afb.; *Friedländer/Rosenberg 1978*, p. 67–68, nr. 10 en
afb. Over Cranach en het landschap, zie: *Schade 1974*, p. 59–62
19 *Suida 1929*, p. 255. Bijvoorbeeld *Maria met het kind op een kussen* in het Louvre, Parijs (inv.nr.
673; *Brejon de Lavergnée/Thiebaut 1981*, p. 239, nr. 673 en afb.; *Cogliati Arano 1965*, p. 78, nr. 34 en
afb. 62)
20 *Koepplin/Falk e.a. 1974–76*, dl. II, p. 526, nr. 372
21 Op de tot dusver gepubliceerde afbeeldingen van het schilderij was de onderrand van het
paneel niet te zien; *Koepplin/Falk e.a. 1974*, dl. II, p. 533 en afb. 283 en *Friedländer/Rosenberg 1978*,
p. 95, nr. 130 publiceerden het kennelijk daarom als niet gemerkt. De gevleugelde slang komt
voor op schilderijen uit 1509–1537, zie: *Flechsig 1900*, p. 12.

Gerard Dou

20 | De jonge moeder

Leiden 1613 – Leiden 1675

Paneel, 73,5 x 55,5 cm
In het raam links boven: *GDOV 1658* (GD ineen; het laatste cijfer over een ander)
Inv.nr. 32

De biografie die de Leidse stadsbeschrijver I.I. Orlers in 1641 van 'Gerrit' Dou publiceerde, is zo accuraat gebleken, dat veel ervan uit de mond van de schilder moet zijn opgetekend. Hij was de zoon van de glazenmaker Douwe Jansz, die hem in 1662 als elfjarige in de leer deed bij Bartholomeus Dolendo, om hem de eerste beginselen van de tekenkunst bij te brengen. Daarna kreeg hij een opleiding tot 'Glasschrijver' en hij heeft dat vak ook bij zijn vader uitgeoefend, maar in 1628 (op 14 februari, vertelde Dou) deed hij zijn intrede op het atelier van Rembrandt omdat hij schilder wilde worden. Hij werd een 'uytnemend Meester/ insonderheydt in cleyne/ subtile/ ende curieuse dingen', aldus Orlers, die opmerkte dat zijn werk zeer gezocht was en duur. Zijn faam bezorgde hem het verzoek van Karel II om hofschilder in Engeland te worden, maar hij heeft vermoedelijk Leiden nooit verlaten. Tekenend voor zijn roem is ook dat nog tijdens zijn leven de verzamelaar Johan de Bye zevenentwintig schilderijen van Dou onderbracht in een speciaal gehuurde ruimte, die hij aan belangstellenden toonde. Men beschouwt hem als de nestor van de 'Leidse fijnschilders' en hij noemde Frans van Mieris 'de prins van zijn leerlingen'. Gabriel Metsu en Godfried Schalcken hoorden tevens tot de bekendste van zijn leerlingen en navolgers.

Toen de Staten van Holland en West-Friesland in 1660 besloten hadden om de nieuwe koning van Engeland, Karel II, gunstig te stemmen met een diplomatiek geschenk, kwam direct aan de orde wat bij de vorst in de smaak zou vallen.[1] Over een 'kostelyck geborduert Ledicant' ter waarde van 100.000 gulden was men het snel eens, maar over andere kostbaarheden werd informatie ingewonnen. Van de curator van het koninklijk kabinet werd vernomen 'dat sijnne Maj(estei)t niet soo veel gesint is op schilderijen van moderne meesters, als wel deselve particuliere speculatie heeft op Antique stucken, ende van Italiaense meesters'.[2] Derhalve werd op advies van de beeldhouwer Artus Quellinus en de kunsthandelaar Gerrit Uylenburgh een keuze gemaakt van vierentwintig Italiaanse schilderijen en twaalf antieke beelden uit de befaamde verzameling Reynst, die toen te koop stond.[3] De stad Amsterdam voegde hieraan het jacht 'Mary' toe en de Staten van Holland en West-Friesland ronden het geschenk af met nog eens vier schilderijen: een kerkinterieur van Saenredam uit de collectie van burgemeester Andries de Graeff, dat getaxeerd werd door Gerard Dou, en drie stukken uit de collectie van de Leidse fijnschilder zelf: twee eigen werken en een *Ceres* van Elsheimer.[4]

Zo werd *De jonge moeder*, nu in het Mauritshuis, een onderdeel van de 'Dutch Gift'. Onder de 'moderne meesters' was Gerard Dou kennelijk een hooggewaardeerde uitzondering. Op 19 oktober 1660 gaven de 'Gecommitteerde Raeden' opdracht aan Gerrit Uylenburgh om de 'bewuste

Herkomst

Van de schilder gekocht door de Staten van Holland en West Friesland, 1660
Collectie koning Karel II, Londen, 1660
Collectie koning Jacobus II, Whitehall, Londen, 1685–1688
Collectie koning-stadhouder Willem III, Het Loo, Apeldoorn, na 1695–1702
Collectie Johan Willem Friso, Het Loo, Apeldoorn, 1702–1711
Het Loo, Apeldoorn, 1712, 1713
Collectie Maria Louisa van Hessen-Kassel, Princessehof, Leeuwarden, na 1718–1731
Collectie stadhouder Willem IV, Het Loo, Apeldoorn, na 1734, 1747(?), 1757–1763
Collectie stadhouder Willem V, Den Haag, 1763–1795
Het Louvre, Parijs, 1795–1815
Koninklijk Kabinet van Schilderijen, Den Haag, 1815
Koninklijk Kabinet van Schilderijen 'Mauritshuis', 1821

Bibliografie

Evelyn, p. 413
Houbraken 1718–21, dl. II, p. 4
Terwesten 1770, p. 695, nr. 32
Steengracht van Oostkapelle 1826–30, dl. I, p. 29–31, nr. 14 en afb.
Smith 1829–42, dl. I, p. 30, nr. 90
Immerzeel 1842, dl. I, p. 191
Kramm 1857–64, dl. II, p. 362
Den Haag 1874, p. 30–32, nr. 28
Hofstede de Groot 1893, p. 114–115
Bredius 1895, p. 95–97, nr. 32 en afb.
Bredius 1895-A, p. 98–101
Martin 1901, p. 56, 64–67 en 232, nr. 305
Martin 1902, p. 135–136, nr. 164 en afb. pl. 26
HdG 110 (dl. I, p. 376, nr. 110)
Wurzbach, dl. I, p. 418
Martin 1911, p. 66–67 en afb., p. 190, nr. 165
Martin 1913, p. XVII en 90 en afb.
Den Haag 1914, p. 72–73, nr. 32
Martin 1935, p. 76–77, nr. 32
Martin 1936, dl. II, p. 216–217 en afb. 113
Mahon 1949, p. 304, noot 21
Mahon 1949-A, p. 350, nr. (A)
Den Haag 1954, p. 21, nr. 32
Leiden 1956, p. 26, nr. 29
Plietzsch 1960, p. 42 en afb. 50
Londen 1964, p. 24 en 30, nr. 7
Amsterdam 1965, p. 14–15, nr. 3 en afb.
Rosenberg/Slive/Ter Kuile 1966, p. 86 en afb. 65B
Lunsingh Scheurleer 1967, p. 17
Drossaers/Lunsingh Scheurleer 1974–76, dl. I, p. 679, nr. 897, p. 695, nr. 4, p. 700, nr. 6; dl. II,

p. 398, nr. 293, p. 643, nr. 86, p. 652, nr. l; dl.
III, p. 18, nr. 1, p. 42, nr. 281, p. 209, nr. 32
Den Haag 1977, p. 73, nr. 32 en afb.
Logan 1979, p. 73, afb. 23, p. 78–85, noot 88,
91–93, 96 en 102
Naumann 1981, dl. 1, p. 57–58, noot 42 en afb.
56
Sumowski 1983, p. 499 en 531, nr. 275, p. 533,
nr. 284, p. 537, nr. 302, p. 581, afb. 284
Berlijn/Londen/Philiadelphia 1984, p. 35, afb. 54
en p. 152
Haak 1984, p. 47 en afb. 41
Hoetink e.a. 1985, p. 172–173, nr. 27 en afb.,
p. 358, nr. 32 en afb.

stucken schilderye behoorlyck ingepackt' in Leiden op te halen en naar Rotterdam te transporteren, vanwaar ze verscheept werden naar Engeland.[5] De gezanten Van Nassau en Van Hoorn berichtten aan het thuisfront in een schrijven van 16/26 november 1660 hoe de 'Dutch Gift' een genadige ontvangst ten deel was gevallen. In het Banqueting House werden de schilderijen uit de kisten gehaald voor de koning, zijn hele hofhouding en veel buitenlandse gasten en in een particuliere audiëntie zei Karel II dank aan de 'Heeren Staten … sich voorts extenderende op verscheyde particuliere schilderijen, die S. Maj. wel de meeste scheenen te behagen, als dat van Titiaen, sijnde een marienbeeld met een kind, die van Douw ende Elshamer, alshoewel de Conink toonde, dat hijse in 't generael altemael hooch achte'.[6]

De hoge achting die Karel II had voor Gerard Dou, blijkt ook uit zijn poging om de Leidse schilder op te nemen in zijn hofhouding. De dichter Dirck Traudenius vervaardigde naar aanleiding van dit eervolle aanbod in 1662 dit poëem:

'Aan de Heer Gerard Dou,
Toen hy, door last des Konings, verzocht was in Engeland te komen schilderen.
Hoe, Dou! zal Stuart u, de vuurbaeck der pinceelen,
Naer Withal sleepen? ay! gae niet in Karels Hof.
Verkoop uw vryheyt niet voor roock, voor windt, voor stof.
Wie Vorsten-gunst zoekt, moet voor slaef en vleijer speelen'.[7]

Dou heeft aan het verzoek van het 'thuisfront' gehoor gegeven en is niet naar Engeland gegaan.[8] Zijn met speciale waardering ontvangen schilderij *De jonge moeder* werd in de inventaris van de collectie van Karel II in 1666–1667 betiteld als 'Dow. A Dutch woman at worke her childe in ye cradle, her maid by with fowle & severall other things. Dutch Present'.[9] De collectie van zijn opvolger, Jacobus II, werd ook beschreven tijdens diens regering (1685–1688) en in het manuscript kreeg het schilderij van Dou het inventarisnummer 'Whitehall No. 501'.[10] Het nummer '501' in witte verf staat nog steeds rechts onder op het paneel, al heeft men tot dusver geen verband gezien met de collectie van Jacobus II te Whitehall. Het neemt ook de laatste twijfels weg over de herkomst van het schilderij.[11]

Nadat stadhouder Willem III in 1688 koning van Engeland was geworden, heeft 'Dutch William' menig schilderij uit Engeland overgebracht naar zijn nieuw gebouwde paleis Het Loo (zie bijvoorbeeld cat.nr. 37). Zo keerde *De jonge moeder* terug naar Holland, waar het in 1712 werd geïnventariseerd in de collectie van de in 1711 jammerlijk verdronken Johan Willem Friso, de erfgenaam van de kinderloos gestorven Willem III.[12] De Engelse Koningin Anna eiste het daaropvolgende jaar de weggevoerde werken weer op, waartoe een lijst werd opgesteld van de schilderijen 'die volgens het zeggen van den kunstbewaerder Du val door Hare Maj(estei)t de coninginne van Groot-Brittanniën zijn gereclameert geworden als tot de croon behorende'.[13]

Tot een teruggave is het niet gekomen. Tijdens het voogdijschap van Maria Louisa van Hessen Kassel over Johan Willem Friso's posthuum geboren zoon Willem Carel Hendrik Friso werden de stukken uit de collectie van Willem III – voor zover niet geveild in 1713 – overgebracht naar het Princessehof te Leeuwarden. Daar hing het schilderij van Dou in 1731 'in de kleyne slaapkamer'.[14] Inmiddels had Houbraken in *De grote schouburgh* (1718–1721) geschreven: 'Dit stukje is … door Koning Willem uit Engelant vervoert en op 't Loo geplaatst, maar waar het thans is weet ik niet'.[15] De overige informatie

Gerard Dou De jonge moeder

die de biograaf gaf over dit 'beste van zyne konstwerken' was gebaseerd op elkaar tegensprekende bronnen, waardoor in latere literatuur nogal wat verwarring is ontstaan.[16] In ieder geval blijkt uit de hier aangehaalde bronnen duidelijk dat het schilderij gekocht is door de Staten van Holland en West-Friesland en niet door de voc (zoals Houbraken dacht); bovendien werd het verworven van de schilder zelf en niet uit het 'kabinet van den Heer de Bie' – hetgeen niet zonder belang is voor de interpretatie van de voorstelling.[17]

In 1731 aanvaarde Willem Carel Hendrik Friso het stadhouderschap over Friesland en in 1747 over alle gewesten (zie cat.nr. 60) onder de naam Willem IV. In 1734 trouwde hij met Anna van Hannover en dat had tot gevolg dat Dou's schilderij teruggebracht werd naar Het Loo, waar het kwam te hangen in het 'schilderijcabinet' van de prinses, als pendant van een pas verworven werk van Rembrandt, *Het loflied van Simeon* (cat. nr. 47).[18] De twee werken hingen aan weerszijden van een tafereel van Cornelis van Poelenburch, *De aankondiging aan de herders* (Gray, Musée baron Martin)[19], waardoor een ensemble werd gevormd met als centrale thema de geboorte.[20] In 1748 kreeg Anna haar eerste kind, de latere Willem v. Zij stierf in 1759 en vier jaar later werden schilderijen uit haar kabinet overgebracht van Het Loo naar Den Haag. Zo werden de Dou en de Rembrandt in hun 'gesneede en vergulde lijsten' overgebracht naar het stadhouderlijk hof, waar ze kwamen te hangen in het 'schilderijkabinet van zijne hoogheit'.[21] Afgezien van het verblijf in Parijs (1795–1815) was *De jonge moeder* van Gerard Dou voorgoed in Den Haag terecht gekomen.

Het valt moeilijk te zeggen of het schilderij van al die omzwervingen geleden heeft. Vast staat dat sommige partijen storende verschijnselen vertonen, zoals vrij brede craquelures (in de lamp) en omzettingen in de verf (vooral het blauw). Daardoor komen ietwat amorfe partijen voor, bijvoorbeeld in het kleed van de moeder en de dekens over de wieg, naast uiterst gave gedeelten. Het meesterschap van Dou's fijne penseel is het duidelijkst in het tenen wiegje, het glanzend vaatwerk, maar vooral het gezicht van de jonge vrouw [1]. Een bewonderend ooggetuigenverslag roemde in 1660 de emaille-achtige kwaliteit van de schildertrant van Dou. Op

2
Gerard Dou
De jonge moeder
Paneel, 49,1 x 36,5 cm
Niet gesigneerd, niet gedateerd (ca. 1660)
West-Berlijn, Staatliche Museen, inv.nr.
KFMV 269

6 december van dat jaar bracht de kunstcriticus John Evelyn met zijn broer en zuster een bezoek aan het Engelse hof, speciaal om de twee werken van de Leidse fijnschilder te zien: 'Now were presented to his Majestie those two rare pieces of Drolerie, or rather a Dutch Kitchin, painted by *Douce*, so finely as hardly to be at all distinguished from *Enamail*'.[22] Waardering is uiteraard een tijdgebonden zaak, zoals mag blijken uit een commentaar van W. Martin uit 1936, die schreef over Dou's 'overdreven detaillering' en die daarbij over *De jonge moeder* ietwat meesmuilend opmerkte: 'hij heeft het meer dan eens klaargespeeld … om, ondanks miniatuurachtige verzorgdheid, toch een zacht en aangenaam licht, een mooien toon en een gedistingeerd koloriet te handhaven op een manier die bewondering afdwingt'.[23]

Het dagboek van John Evelyn is de enige plaats waar in de oude beschrijvingen melding gemaakt wordt van een vermakelijke inhoud ('a piece of Drolerie') van het schilderij, hoewel hij er meteen op liet volgen dat het eigenlijk (slechts?) een Hollands huisgezin voorstelde. Net als de inventaris van Karel II waren die van de Oranjes soms zeer summier en steeds louter beschrijvend, geen van alle interpreterend. In 1712 heette het: 'Een binnehuysje van Gerard Douw met een vroutje, meysje en kind in de wieg, de fraeyste so bekent is'.[24] De vraag naar een diepere betekenis van de voorstelling is bij een schilderij van Dou niettemin meestal relevant.

Op het eerste gezicht lijkt er verband te bestaan met enkele andere voorstellingen van Dou van een interieur met een jonge moeder bij de wieg: een in West-Berlijn (Staatliche Museen) [2][25] en een, destijds in het befaamde 'cabinet Braamcamp', die alleen nog bekend is van een kopie die Willem Joseph Laqui er naar gemaakt heeft (Amsterdam, Rijksmuseum).[26] Het laatste tafereel was het middenluik van een triptiek, dat door Emmens geïnterpreteerd is als de uitbeelding van de Aristotelische trits 'Natuur, onderwijzing en oefening', onontbeerlijk bij een succesvolle opvoeding.[27] In beide taferelen zou de moeder een afbeelding van 'Moeder Natuur' zijn, in zoverre dat zij het actieve leven symboliseert door haar baby de borst te geven, waarbij als contrast op de achtergrond een patiënt onder doktersbehandeling het passieve leven uitbeeldt.[28] Juist deze wezenlijke beeldelementen ontbreken in het Haagse schilderij: de moeder tornt een kleed los en op de achtergrond zijn gedienstigen bezig in de keuken.

Het is een nog onuitgemaakte zaak in hoeverre het bijwerk in het schilderij een diepere betekenis heeft. Het meest opvallende zijn natuurlijk de engeltjes in reliëf op de zuil in het midden. Precies zo'n kolom met putti dient als achtergrond in het *Portret van Johan Wittert van der Aa* (Amsterdam, Rijksmuseum) [3][29] uit 1646 en *Een oude schilder in zijn atelier* (Engeland, particuliere collectie)[30] uit 1649. De zuil lijkt in geen van deze voorstellingen anders dan als decorstuk bedoeld te zijn. Een tweede in het oog springend detail is de jas en de sabel die naast de putti zijn opgehangen. Zij duiden op het ontbreken van de echtgenoot in dit interieur, tot wiens attributen wellicht ook de wereldbol boven op de kast, de inktkoker en de folianten gerekend mogen worden. In hoeverre hier het *vita comtemplativa* versus het *vita activa* (de

3
Gerard Dou
Portret van Johann Wittert van der Aa
Paneel, 28 x 24 cm
Op de voet van de zuil: *GDov 1646*
Amsterdam, Rijksmuseum, inv.nr. A 686

naaiende moeder, werkzaamheden in de keuken) wordt verbeeld, zal in het midden worden gelaten.[31] In het algemeen verwijst het beeld van een vrouw aan het werk naar de Spreuken van Salomo (31: 10–11), waarin haar lof wordt gezongen onder de aanhef:

'Een degelijke huisvrouw, wie zal haar vinden?
haar waarde gaat koralen ver te boven.
Op haar vertrouwt het hart van haar man,
het zal hem aan voordeel niet ontbreken'.[32]

Eén detail van het schilderij geeft tot slot aanleiding tot een gedurfder speculatie. Het gaat om het wapenschild in het glas-in-loodraam links boven [4] dat al door Bredius in zijn catalogus van het Mauritshuis werd afgebeeld en geïdentificeerd als dat van de Van Adrichems, een Delftse regentenfamilie.[33] Magdalena van Adrichem trouwde in 1652 met Dirck van Beresteyn, advocaat voor het Hof van Holland.[34] Wellicht voorafgaande aan dit huwelijk liet hij zijn portret in miniatuur schilderen door Gerard Dou (Vierhouten, collectie Douairière Van Beresteyn-Fromein).[35] Het is niet onmogelijk dat het wapen van Van Adrichem verwijst naar een tweede opdracht aan Dou door Dirck van Beresteyn voor zijn jonge bruid.

Als dit zo is, laat het volgende zich raden. Nog voordat ze een jaar waren getrouwd, stierf Dirck van Beresteyn, ruim drie maanden later gevolgd door zijn posthuum geboren zoon, die in 1654 slechts vijf uren geleefd heeft.[36] Onder deze omstandigheden was er alle reden om het schilderij bij Dou af te bestellen. Microscopisch onderzoek toonde aan dat het laatste cijfer in het jaartal veranderd is, van een 2(?) in een 8, door de schilder zelf(?) [4].[37] Heeft Dou wellicht deze 'winkeldochter' opgefrist, toen de heren van de Staten van Holland en West-Friesland in 1660 enkele werken kwamen uitzoeken? Hij moet toen wel uit zijn ateliervoorraad geput hebben, omdat de levering binnen een maand moest plaatsvinden.[38]

4
Detail van cat.nr. 20

1 Over de zogenaamde 'Dutch Gift' publiceerde het eerst *Leupe 1876*, p. 184–186 en *Leupe 1878*, p. 82–83; er werd een tentoonstelling aan gewijd: *Amsterdam 1965*; de beste recente samenvatting en transcriptie van van (hier geciteerde) documenten gaf *Logan 1979*, p. 75–86.
2 *Logan 1979*, p. 77, noot 84
3 *Logan 1979*, p. 75
4 *Logan 1979*, p. 79 en 82, noot 94
5 *Logan 1979*, p. 81, noot 91
6 *Logan 1979*, p. 83–84, noot 96
7 *Traudenius 1662*, p. 33; geciteerd in *Houbraken 1718–21*, dl. III, p. 33
8 *Martin 1901*, p. 68–71
9 *Mahon 1949-A*, p. 350
10 *Mahon 1949-A*, p. 350
11 Slechts *Bredius 1895-A*, p. 99 heeft dit inventarisnummer gepoogd te interpreteren, maar hij beschikte toen niet over de juiste informatie. *Mahon 1949*, p. 304, noot 21 en *Mahon 1949-A*, p. 350 identificeerde het Haagse schilderij definitief als behorend tot de 'Dutch Gift'.
12 *Drossaers/Lunsingh Scheurleer 1974–76*, dl. I, p. 695, nr. 4
13 *Drossaers/Lunsingh Scheurleer 1974–76*, dl. I, p. 699–700
14 *Drossaers/Lunsingh Scheurleer 1974–76*, dl. II, p. 398, nr. 293
15 *Houbraken 1718–21*, dl. II, p. 4–5. Houbraken kende de schilderijen van Het Loo die in 1713 in Amsterdam geveild waren, zie: cat.nr. 54, noot 8–9
16 Tot en met *Hoetink e.a. 1985*, p. 358, nr. 32, waar omzekerheid heerst over de vroegste verwerving van het schilderij.
17 *Houbraken 1718–21*, dl. II, p. 5: de biograaf heeft het schilderij nooit gezien (zoals hij ook toegaf), zodat zijn onjuiste beschrijving van de voorstelling van weinig gewicht is.
18 *Drossaers/Lunsingh Scheurleer 1974–76*, dl. II, p. 643, nr. 86–88
19 Inv.nr. 1694; *Parijs 1970–71*, p. 160, nr. 162 en afb.
20 Zie cat.nr. 47

21 *Drossaers/Lunsingh Scheurleer 1974–76*, dl. III, p. 18

22 *Evelyn*, p. 413

23 *Martin 1936*, dl. II, p. 217

24 *Drossaers/Lunsingh Scheurleer 1974–76*, dl. I, p. 695

25 Inv.nr. KFMV 269; *Sumowski 1983*, p. 500, 533 en p. 583, nr. 286 en afb.

26 Inv.nr. A 2320; *Van Thiel e.a. 1976*, p. 198, nr. A 2320 en afb.

27 *Emmens 1963-A*, p. 5–22

28 *Emmens 1963-A*, p. 13–16; zie ook *Berlijn/Londen/Philadelphia 1984*, p. 150–153, nr. 34

29 Inv.nr. A 686; *Sumowski 1983*, p. 537 en 599, nr. 302 en afb.

30 *Londen 1980*, p. 24–25, nr. 7 en afb.; *Sumowski 1983*, p. 531 en 572, nr. 275 en afb.

31 Naar analogie van *Emmens 1963-A*, p. 16; overigens heeft Emmens *De jonge moeder* niet in zijn 'speculaties (willen) betrekken … bij gebrek aan context' (schrijven aan het Mauritshuis, d.d. 14 november 1966).

32 Zie cat.nr. 12, noot 18 (aldaar literatuurverwijzingen)

33 *Bredius 1895*, p. 96 en afb.

34 *Beresteyn/Del Campo 1954*, dl. I, p. 262–264

35 HdG 293; *Beresteyn/Del Campo 1954*, dl. II, p. 72–74, nr. 51 en afb.

36 *Beresteyn/Del Campo 1954*, dl. I, p. 262

37 Het onderste cijfer vertoont een ander pigment dan het bovenste. Röntgenfoto's tonen aan dat het gezicht van het meisje overgeschilderd is: zij keek eerst naar links.

38 Op 23 september 1660 werd besloten Gerard Dou als taxateur aan te trekken, op 16 oktober daaropvolgend werd hem opgedragen drie schilderijen te leveren die in de tussentijd waren gekocht, zie: *Logan 1979*, p. 78–81, noot 88–91.

Anthonie van Dyck

21 | Portret van Anna Wake

Antwerpen 1599 – Londen 1641

Doek, 112,5 x 99,5 cm
Op het basement van de zuil links: *AET. SVAE. 22. AN 1628 Ant.° van dyck fecit.*
Inv.nr. 240

Zijn artistieke loopbaan was kort, maar briljant. Al op tienjarige leeftijd ging hij in de leer bij Hendrick van Balen en op zijn eerste *Zelfportret* (omstreeks 1614) kijkt de jonge schilder ons zelfbewust aan. In februari 1618 werd hij ingeschreven als meester in het het Sint Lucasgilde en in dat jaar noemde Rubens hem zijn beste leerling. Thomas Howard, graaf van Arundel, beval hem aan als hofschilder bij Jacobus I. Na slechts enkele maanden in Engeland gewerkt te hebben ging hij voor lange tijd naar Italië: in november 1621 arriveerde hij in Genua, vertrok in februari 1622 naar Rome, verbleef in de zomermaanden in Florence en werkte in 1623 weer in Genua. Een jaar later voerde hij opdrachten uit in Palermo (Sicilië), hij kreeg in 1624/1625 wederom talrijke portretten te schilderen in Genua, maar besloot toch terug te keren naar het noorden. Tussen 1627 en 1632 was hij (met onderbrekingen) werkzaam in Antwerpen, en vertrok toen voorgoed naar Engeland, waar hij tot ridder werd geslagen en leefde als een vorst. Hij bleef echter zijn vaderland bezoeken om er portretten te schilderen, onder andere van kardinaal-Infante Ferdinand. In 1639 trouwde hij op verzoek van de koning met de Engelse hofdame Mary Ruthven, die hem een kind schonk. Naar zijn tekeningen en schilderijen maakten diverse graveurs prenten, die – inclusief 16 eigenhandig geëtste portretten – uitgroeiden tot een reeks van 80 bladen, die bekend geworden is als de *Iconografie* van Van Dyck (1636–1641). Hoewel hij ook veel altaarstukken heeft geschilderd, berust zijn faam toch vooral op zijn magistrale portretten. Daarin zijn drie stadia te onderscheiden. In Genua ontstonden staatsieportetten à la Rubens van vertegenwoordigers van belangrijke families, die hij met grandeur en waardigheid afbeeldde. Door een bewust laag gekozen horizon verhoogde hij het monumentale effect. In tegenstelling tot deze portretten ten voeten uit (de heren vaak te paard, de dames in hun deftigste gewaad) waren de in Brussel geschilderde portretten meestal ten halven lijve, eenvoudiger en traditioneler. In Engeland tenslotte, waar zo'n vierhonderd portretten ontstonden, creëerde hij zijn ideaaltype waarmee hij generaties portrettisten aan zich verplichtte, tot ná de uitvinding van de fotografie.

Lionel Wake was een goede vriend van Rubens. Hij was de tussenpersoon bij transacties met Engelse klanten, zoals in 1618 bij de levering van schilderijen aan de Britse gezant in Den Haag, Sir Dudley Carleton. Hij was een vermogende katholiek (hij weigerde trouw aan Jacobus I te zweren en was medeoprichter van het klooster van de Engelse Theresianen in Antwerpen) en leende grote sommen geld aan aartshertog Albert.[1] Omstreeks 1607 had Wake zich in Antwerpen gevestigd, waar hij een voornaam lid was van de Engelse 'Court des Marchands aventuriers', de kolonie buitenlandse

Herkomst

Collectie Peeter Stevens, Antwerpen, 1628–1668
Collectie G. van Slingelandt, Den Haag, 1752–1768
Collectie stadhouder Willem V, Den Haag, 1768–1795
Het Louvre, Parijs, 1795–1815
Koninklijk Kabinet van Schilderijen, Den Haag, 1815
Koninklijk Kabinet van Schilderijen 'Mauritshuis', 1821

Bibliografie

Hoet 1752–70, dl. II, p. 104
Terwesten 1770, p. 694
Pommereul 1798, p. 290
Steengracht van Oostkapelle 1826–30, dl. I, p. 46–48, nr. 25 en afb.
Smith 1829–42, dl. III, p. 38, nr. 135
De Stuers 1874, p. 223–224, nr. 204
Bredius 1895, p. 106–107, nr. 240 (79)
Cust 1900, p. 58 en 261, nr. 126
Schäffer 1909, p. 225 en 504–505 en afb.
Brussel 1910, p. 64, nr. 99
Leveson Gower 1910, p. 74–76
Den Haag 1914, p. 80, nr. 240
Van Thienen 1930, afb. 41
Glück 1931, p. 284 en 550 en afb.
Martin 1935, p. 84, nr. 240
Martin 1936, dl. I, p. 82–84 en afb. 47
Antwerpen 1949, p. 35, nr. 47 en afb. 29
Van Puyvelde 1950, p. 30, 114 en 148 en afb. V
Den Haag 1954, p. 23, nr. 240
Speth-Holterhoff 1957, p. 15 en 197, nr. 2
Van Gelder 1959, p. 47–48
Lunsingh Scheurleer 1967, p. 24
Boyer 1972, p. 154, nr. 57
Drossaers/Lunsingh Scheurleer 1974–76, dl. III, p. 207, nr. 23
Brenninkmeyer-de Rooij 1976, p. 162, nr. 23 en afb.
Den Haag 1977, p. 81, nr. 240 en afb.
Larsen 1980, p. 93, nr. 589 en afb.
Larsen 1980-A, p. 142–143, nr. 595 en afb.
Smith 1982, p. 87–88 en 114 en afb. 35
Hoetink e.a. 1985, p. 174–175, nr. 28 en afb. p. 360, nr. 240 en afb.
Larsen 1985, p. 179–180 en afb. 133

Anthonie van Dyck Portret van Anna Wake

koplieden die daar was neergestreken. Tussen 1607 en 1624 werden tien van zijn kinderen gedoopt in de Sint Walburgiskerk.[2] De oudste, Anna Wake, was de enige die gedoopt werd in de Onze Lieve Vrouwe Zuid, op 19 februari 1606. Op haar portret in het Mauritshuis, dat Anthonie van Dyck schilderde in 1628, wordt haar leeftijd vermeld: 'AET(ATIS) SVAE 22'. Op 12 maart 1628 trouwde zij in de Sint Walburgis met Peeter Stevens. Zij kregen acht kinderen: Adrianus (1628), Anna (1630), Adrianus (1632), Maria (1634), Petrus (1636), Leo (1637), Catharina (1639) en Francisca (1641). In de archieven van de stad Antwerpen is geen datum van haar overlijden bewaard gebleven.[3]

Toen stadhouder Willem v dit prachtige portret samen met het pendant, het *Portret van Peeter Stevens* (Den Haag, Mauritshuis) [1][4] verwierf als onderdeel van de collectie van Govert van Slingelandt was de identiteit van zowel de man als de vrouw volslagen onbekend. De man werd lange tijd aangezien voor een Sheffield, hertog van Buckingham, totdat zijn ware naam in 1910 werd ontdekt door Arthur Leveson Gower, secretaris van de Britse ambassade in Den Haag die al lang het idee koesterde dat het gelaatstype en de kleding niet Engels konden zijn.[5] De naam van Anna Wake was al veel eerder onthuld door John Smith in zijn *Catalogue Raisonné* (1831), die het schilderij vergeleek met de prent die de Vlaamse graveur Pieter Clouwet (Clouet) er in de zeventiende eeuw naar had gemaakt [2].[6] Deze identificatie is sindsdien algemeen aanvaard.

Anna Wake, die geschilderd werd naar aanleiding van haar huwelijk met Peeter Stevens, is modieus gekleed en een toonbeeld van welstand. In haar opgestoken haar draagt zij een gouden sieraad, op haar borst een crucifix en om haar middel een zwaar gouden lendenketting. Om haar polsen en hals heeft Anna parelsnoeren en haar gouden oorhangers zijn met parels afgezet. Zonder dat er opzettelijk naar wordt verwezen – zoals in de zeventiende-

D. ANNA WAKE.

eeuwse portretkunst vaak gebeurde – zouden de parels bedoeld kunnen zijn als symbool voor de deugdzaamheid, vooral de kuisheid, van de voorgestelde.[7] De tweeëntwintigjarige Anna draagt een driedelig satijnen kleed, met een wijde mantel over een lijfje en een rok met opengespleten overmouwen die aan de ellebogen bijeen gehouden worden door een strik. De schuin opstaande waaierkraag is afgezet met fijne kant, evenals de omgeslagen manchetten. De voorkeur voor de frivole Franse mode, die de strengere ouderwetse kostuums in Spaans-Vlaamse stijl langzaam zou verdringen, is duidelijk zichtbaar.[8] Anthonie van Dyck wist in de lijnen van het fraaie kostuum een elegante zwier te leggen, die de jonge dame als het ware tot leven brengen.

Hier is een vergelijking nuttig tussen het *Portret van Anna Wake* en het slechts een jaar eerder geschilderde *Portret van een onbekende dame* (Den Haag, Mauritshuis) [**3**] door Paulus Moreelse.[9] De stijve, schematische weergave van het vrijwel identieke kostuum in Moreelses stuk toont aan wat het verschil is tussen begenadigd en bekwaam schilderen. De levendigheid van Anna's portret doet het welhaast vergeten dat Van Dyck zich niettemin bediende van een veel voorkomende pose. De vergelijking maakt tevens duidelijk dat de schilder afweek van de traditie door de compositie het spiegelbeeld te laten zijn van wat te doen gebruikelijk was. De verklaring daarvoor moet gezocht worden in de voorgeschiedenis van de opdracht.

Vrijwel direct na zijn terugkeer uit Genua kreeg Van Dyck in 1627 het portret te schilderen van de rijke lakenkoopman Peeter Stevens (1590–1668) [**1**]. Stevens behoorde tot de elite van Antwerpen, die gevormd werd door magistraten, geleerden en kunstenaars: humanisten, rederijkers en kunstliefhebbers.[10] Op het befaamde *Kunstkabinet van Cornelis van der Geest* (Antwerpen, Rubenshuis) (cat.nr. 29, afb. 1) is zo'n elitair gezelschap bijeen:

de aartshertog en -hertogin Albrecht en Isabella, Vladislas Sigismund, de latere koning van Polen, burgemeester Rockox, de schilders Rubens en Van Dyck en andere kunstenaars. Onder de connoisseurs bij de tafel herkent men Peeter Stevens, die een miniatuurportret bekijkt. De schilder van *Het kunstkabinet*, Willem van Haecht, heeft als voorbeeld kennelijk het portret van Van Dyck uit 1627 gebruikt.[11]

In het jaar waarin hij zijn portret liet schilderen was Peeter Stevens nog ongetrouwd en, volgens het opschrift op het doek, zevenendertig jaar oud. Hij liet zich bijna levensgroot afbeelden, met aan zijn linkerhand zeer ostentatief een bewerkte lederen handschoen, wat een zelden voorkomend motief is. Vermoedelijk is dit niet slechts een statussymbool, maar verwijst het naar een specifieke functie.[12] Daarover is uit het jaar 1627 niets bekend. Hij was onder andere (in 1635) provisor van verschillende Antwerpse kerken, maar hij heeft de stad sinds 1632 gedurende een lange periode vooral gediend als aalmoezenier. Het betekende dat hij als bewindvoerder van de 'Tafels van de H. Geest en de Camer van den huysarmen' verantwoordelijk was voor de stedelijke armlastigen, hetgeen zware financiële verplichtingen met zich meebracht. Hij werd dan ook beschreven als een man van grote vroomheid en liefdadigheid.[13]

Niettemin is de echtgenoot van Anna Wake meer bekend als een liefhebber van de kunst dan als een weldoener voor de armen. Onlangs werd op een *Kunstkabinet* van Frans Francken en David Teniers de Jonge (Londen, Courtauld Institute Galleries) [4][14] een deel van de collectie van Peeter Stevens herkend. Dank zij deze geschilderde inventaris, maar vooral dank zij de bewaard gebleven gedrukte lijst van zijn in 1668 nagelaten verzameling, weten we dat hij een bijzondere belangstelling had voor de oude Nederlandse meesters: Jan van Eyck, Lucas van Leyden, Quinten Metsijs en Pieter

4
Frans Francken en David Teniers de Jonge
Kunstkabinet met schilderijen uit de collectie van Peeter Stevens (ca. 1640)
Paneel, 58,5 x 79 cm
Rechts onder: D. TENIERS (ca. 1640)
Londen, Courtauld Institute Galleries, inv.nr. 47

Bruegel.[15] De verzamelaar deelde met Carel van Mander diens liefde voor de Vlaamse Primitieven. Uit de notities die hij schreef in zijn exemplaar van *Het Schilder-Boeck* blijkt onder andere dat hij een beroemd verloren gegaan werk van Jan van Eyck bezat, *Het vrouwenbad* (de 'batstove', zoals hij het zelf noemde).[16] Hij had dit schilderij gekocht uit de nalatenschap van zijn vriend

Cornelis van der Geest, die in 1638 geveild werd. In dat jaar heeft hij ook interessante stukken verworven uit de collecties Rockox en Rubens. Het *Kunstkabinet van Francken en Teniers* moet geschilderd zijn voor 1642 (toen stierf Francken) en het bewijst dat de kern van Stevens' verzameling ook voor dat jaar was gevormd.

Het is niet bekend hoe de collectie van Peeter Stevens er uit zag, toen hij in 1628 trouwde met de vijftien jaar jongere Anna Wake. Ongetwijfeld als aandenken hieraan liet Peeter toen een portret schilderen van zijn jonge bruid, dat aan moest sluiten bij dat van hemzelf uit 1627. Het is onwaarschijnlijk dat in 1627 al gedacht werd aan een pendant. In dat geval zou Peeter Stevens zich heraldisch rechts, dat is vanuit de beschouwer gezien links, hebben laten afbeelden (zie: cat.nr. 31). De rechterkant is namelijk de ereplaats die volgens de toen geldende normen was voorbehouden aan de man. Deze regel gold voor pendantportretten, voor dubbelportretten en zelfs in groepsportretten was het de maatstaf. Zo was het al in de middeleeuwen bij stichtersportretten en zo was het nog in Rembrandts *Joodse bruidje* (Amsterdam, Rijksmuseum).[17]

Nood breekt wetten. Omdat ze moeilijk met de rug naar elkaar afgebeeld konden worden, moest Anna wel links komen te hangen. Om haar gezicht toch in volle belichting te kunnen laten zien was een tweede aanpassing noodzakelijk: de lichtval gaat van rechts naar links, terwijl het omgekeerde meestal het geval is.[18] Door deze gang van zaken valt ook te begrijpen waarom Peeter Stevens zijn vrouw niet echt aankijkt. Toch werd min of meer toevallig het wat loze gebaar van Peeters linkerhand betekenisvol, omdat hij daarmee nu lijkt te wijzen op Anna. Dat hij hier de nederig door haar aangeboden waaier accepteert, zoals een recente interpretatie luidt, kan dus niet door de schilder in eerste aanleg bedoeld zijn.[19]

In 1629 heeft Anthonie van Dyck ook de schoonouders van Anna Wake geschilderd, namelijk *Adriaen Stevens* (1561–1640) en *Maria Bosschaerts* (1566–1637) (Moskou, Poesjkin Museum)[20] in een strenge, conservatieve vormgeving. In 1640 overleed Adriaen Stevens en toen heeft zijn zoon deze portretten waarschijnlijk geërfd. In zijn nalatenschap bevonden zich in 1668 onder de topstukken, slechts voorafgegaan door een schilderij van Rubens: 'd'*Antoine van Dyck*, Chevalier, Quatre Portraicts'.[21] Dit moeten de portretten van zijn ouders zijn geweest, dat van Stevens zelf en het mooiste van de vier, dat van zijn echtgenote Anna Wake.

1 *Rooses 1886–92*, dl. III, p. 290–291; *Maqurn 1955*, p. 64 (brief van 20 mei 1618), p. 67–68 (brief van 1 juni 1618), p. 442

2 *Génard 1877*, p. 59, noot 2: Richard (1607, Leo (1609), Robert (1610), Maria (1612), Robert (1613), Joanna (1616), Margaretha (1617), Joannes (1618 of 1619), Susanna (1621) en Brigitta (1624)

3 Alle hier vermelde gegevens dank ik aan de welwillendheid van de Antwerpse stadsarchivaris J. van den Nieuwenhuizen en het speurwerk van mevr. D. Reyniers-Defourny (schrijven d.d. 19 november 1986). *Gérard 1877*, p. 59. noot 2 vermeldde nog dat de in 1637 geboren Leo Stevens in 1690 burgemeester van Antwerpen werd.

4 Inv.nr. 239; *Glück 1931*, p. 285 en 550 en afb.; *Hoetink e.a. 1985*, p. 360, nr. 239 en afb.

5 *Leveson Gower 1910*, p. 73–76. Een samenvatting van de voorafgaande opinies omtrent de indentiteit van de voorgestelden gaf *Martin 1935*, p. 83.

6 *Mauquoy-Hendrickx 1956*, dl. I, p. 334–335, nr. 171; *Hollstein*, dl. IV, p. 174, nr. 37. *Smith 1829–42*, dl. III, p. 38, nr. 135; zonder bronvermelding overgenomen door *De Stuers 1874*, p. 223–224, nr. 204

7 *De Jongh 1975–76*, p. 69–97; *De Jongh 1986*, p. 83–86, nr. 8 en p. 93–95, nr. 10

8 *Van Thienen 1930*, p. 68–82; *Van Thienen 1967*, p. 77–78

9 Inv.nr. 655; *Hoetink e.a. 1985*, p. 407, nr. 655 en afb.; de vergelijking werd eerder gemaakt door *Martin 1936*, dl. 1, p. 82–84, afb. 47–48.

10 Biografische gegevens over Stevens werden samengevat door *Speth-Holterhoff 1957*, p. 14–15 en *Briels 1980*, p. 164–168.

11 Volgens *Speth-Holterhoff 1957*, p. 211, noot 119

12 Over de symboliek van de handschoen , zie: *Schwineköper 1938;* ook: *Smith 1982*, p. 72–81, die in dit verband merkwaardig genoeg Stevens' handschoen niet als een verwijzing herkende.

13 *Briels 1980*, p. 164; *Speth-Holterhoff 1957*, p. 15 meldde abusievelijk dat Stevens in 1652 aalmoezenier werd.

14 Inv.nr. 47; *Londen 1981*, p. 19, nr. 28 en afb.; *Briels 1980*, p. 165–166 en afb. 14 identificeerde enkele afgebeelde schilderijen als werken uit de collectie van Stevens.

15 De veilingcatalogus uit 1668 is naar een origineel (te Londen) afgeschreven door *Speth-Holterhoff 1957*, p. 197–199; *Briels 1980*, p. 223–226 gaf daarvan een verbeterde versie.

16 *Briels 1980*, p. 172–175 en afb. 17; zie ook *Held 1982*, p. 4354 en afb. v.9 en v.13. De notities van Stevens in een exemplaar van Van Manders *Schilder-Boeck* (Rome, Bibliotheca Herziana) werden door E.K.J. Reznicek ontdekt en gepubliceerd door *Briels 1980*, p. 203–222.

17 Inv.nr. c 216; *Gerson/Bredius 1969*, p. 330 en 586, nr. 416 en afb. Over heraldisch links-rechts, zie: *Slive 1970–74*, dl. 1, p. 51; *Broos 1986*, p. 236; *De Jongh 1986*, p. 36–40. Uitzonderingen die de links-rechts regel bevestigen gaf *De Jongh 1986*, p. 195, nr. 40, p. 231–235, nr. 52 en p. 236–237, nr. 53.

18 Over de lichtval op vrouwenportretten bestonden zelfs theoretische verhandelingen, zie: *De Jongh 1975*, p. 585 en *Broos 1986*, p. 238, noot 2.

19 *Smith 1982*, p. 87–88: de schrijver ging er ten onrechte van uit dat de portretten als pendanten ontworpen zijn.

20 Inv.nr. 2605 en 2609; *Glück 1931*, p. 300–301 en 552 en afb. De portretten behoren tot de collectie van de Hermitage te Leningrad, maar zijn uitgeleend aan het museum te Moskou, zie: *Varshavskaya 1963*, p. 145–146, nr. 1-11 en afb. (+ lit.).

21 *Speth-Holterhoff 1957*, p. 197 en *Briels 1980*, p. 223

Groningen ca. 1610 – Groningen 1665

Papier op paneel, 30,5 x 51 cm
Niet gesigneerd, niet gedateerd
Inv.nr. 957

Herkomst
Kunsthandel Goudstikker, Amsterdam, 1936
Collectie J.C.H. Heldring, Oosterbeek, 1942
Veiling Heldring, Londen, 1963
Koninklijk Kabinet van Schilderijen
'Mauritshuis', 1963

Bibliografie
Bruyn 1951, p. 50
Hannema 1955, p. 32–33, nr. 18 en afb. pl. 11
Dordrecht 1959, p. 10, nr. 22 en afb.
Van Gelder 1960, p. 5–15
Parijs 1960, p. 19, nr. 78
Utrecht 1960, p. 17–18, nr. 22 en afb. 11
De Vries 1965, p. 203 en afb. p. 206
Bol 1966, p. 57a-b en afb.
Bol 1969, p. 200, afb. 194
Den Haag 1970, nr. 23 en afb.
Den Haag 1977, p. 84, nr. 957 en afb.
Kleef 1979, p. 329, nr. B 11 en afb.
Den Haag 1979–80, p. 172, nr. 207 en afb.
Hoetink e.a. 1985, p. 176–177, nr. 29 en afb.
p. 361, nr. 957 en afb.
Broos 1986, p. 188–191, nr. 19 en afb.

In 1637 reisde hij in het gevolg van Johan Maurits van Nassau naar Brazilië, waar hij de opdracht kreeg mensen, planten en dieren te tekenen en te schilderen. Deze opdracht voerde hij uit met een grote waarheidsliefde, waarbij bij zich niet liet verleiden tot artistieke franje. Van zijn werk bleven grote ensembles bewaard, zoals de schilderijen met Braziliaanse mensen en fauna in Kopenhagen, de Braziliaanse dieren die als voorbeeld dienden voor een serie gobelins (Les Indes) en een gigantische collectie tekeningen (veel in olieverf op papier) naar de levende wereld van Brazilië (de *Libri Picturati*, thans in Krakow). Zijn studies en herinneringen verwerkte hij ook in de plafondschilderingen van het jachtslot Hoflössnitz van de Prins-keurvorst van Saksen, bij wie hij in 1653 in dienst trad als hofschilder.

Na de verovering van Olinda en Recife in 1630 beheerde de West Indische Compagnie tot 1654 een reeks nederzettingen aan de noordoostkust van Brazilië. Johan Maurits van Nassau-Siegen (1604–1679) werd in 1636 door de Heren XIX benoemd tot 'gouverneur, capiteyn- en Admiraal-Generaal' van de kolonie, waarover hij tot 1644 heerste als een (verlichte) vorst, die een universele belangstelling aan de dag legde voor deze nieuwe wereld.[1] In het gevolg van 'Maurits de Braziliaan' bevonden zich wetenschapsmensen en kunstenaars. Zo waren er Georg Markgraf, de auteur van *Historiae Rerum Naturalium Brasiliae* en de lijfarts van Maurits, Willem Piso, die *De Medicina Brasiliensi* schreef; in 1648 werden deze werken onder de gezamenlijke titel *Historia Naturalis Brasiliae* in Amsterdam uitgegeven.[2]

Van de zes kunstenaars die hij meegenomen had, zijn er twee thans algemeen bekend: Frans Post, wiens Braziliaanse landschappen de naïeve charme hebben van Rousseau le Douanier, en Albert Eckhout, die ons nog steeds frappeert door het onbevangen realisme waarmee hij de mensen en de flora en fauna van Brazilië schilderde.[3] Een fraai voorbeeld daarvan is deze uitgewerkte schets in olieverf op papier van twee Braziliaanse schildpadden, die in hun kennelijke agressie ten opzichte van elkaar belemmerd worden door hun dikke schilden.[4]

Dat deze dieren van het type *Testudo denticulata* zijn, is niet aleen voor biohistorici interessant. Immers, totdat dit gegeven door Van Gelder werd gepubliceerd in 1960, werden voor de identiteit van de (onbekende) schilder zulke uiteenlopende voorstellen gedaan als Albrecht Dürer, Pieter Bruegel de Oude, Cornelis Cornelisz, Hendrick Goltzius, Jacob de Gheyn en Pieter Claesz, schilders die ruimschoots dan wel af en toe aandacht hebben besteed aan het dier in hun werk.[5] Maar de *Testudo denticulata* hadden zij geen van allen gezien, omdat dit een Zuidamerikaanse schildpad is die op deze tekening voor het eerst is vereeuwigd en die tot Maurits' expedities onbekend was in Europa. Georg Markgraf beschreef dit ook 'Jaboti' of 'Cagado de Terra

Albert Eckhout Twee Braziliaanse schildpadden

1
Titelblad van Georg Markgraf, *Historia Naturalis Brasiliae* (1648)

Lusitania' genoemde dier in zijn deel van de *Historia Naturalis Brasiliae*, zonder het apart af te beelden. Op het titelblad daarvan is de schildpad wèl vaag te herkennen als armsteun voor een stroomgod [**1**].[6] Er is geen twijfel aan dat de bekwaamste dierenschilder uit het gevolg van Johan Maurits deze *Twee Braziliaanse schildpadden* heeft gemaakt: Albert Eckhout. Aldus de alom aanvaarde conclusie van Van Gelder.[7]

In 1644 keerde Johan Maurits uit Brazilië terug met een schat aan wetenschappelijk materiaal, dat spoedig werd gepubliceerd. Helaas heeft hij dit rijke bezit ook beschouwd als geschikt voor diplomatieke giften. Zo kreeg de koning van Denemarken in 1654 een reeks grote schilderijen ten geschenke met voorstellingen van Braziliaanse indianen en stillevens van inheemse vruchten, die nu de trots zijn van de etnografische afdeling van het Statens Museum for Kunst te Kopenhagen.[8] In 1652 verkocht Johan Maurits schilderijen en andere kunstwerken uit zijn Braziliaanse collectie aan de Grote Keurvorst, waaronder 800 krijttekeningen, olie- en waterverftekeningen met voorstellingen van vissen, reptielen, vogels, insekten, zoogdieren, indianen, mulatten, vruchten en planten.[9] Deze collectie werd door de lijfarts van de Grote Keurvorst, Christian Mentzel, geordend, geannoteerd en in zeven boeken gebonden onder de titel *Libri Picturati*, waarvan vier delen met ruim vierhonderd olieverfschetsen en tekeningen onder de titel *Theatrum Rerum Naturalium Brasiliae*. Deze bevonden zich tot 1945 in de Staatsbibliotheek te Berlijn en werden sindsdien als vermist opgegeven. Vlak voordat in 1979 twee grote tentoonstellingen in Den Haag en Kleef, begeleid door uitvoerige catalogi, aan Maurits de Braziliaan werden gewijd, werd bekend dat de *Libri Picturati* zich thans bevinden in een Pools klooster, in de Jagiello-bibliotheek te Krakow.[10]

Hoewel geen van de 800 bladen is gesigneerd, neemt men op grond van overeenkomstige motieven en details in de schilderijen en op stilistische gronden aan dat Albert Eckhout het merendeel van deze tekeningen heeft gemaakt.[11] Zijn registraties zijn van niet te onderschatten betekenis als botanisch, etnografisch en zoölogisch bronnenmateriaal, maar blijken ook bijzonder schilderachtig en oogstrelend. De tekeningen zijn slechts mondjesmaat gepubliceerd. Qua formaat blijkt *Twee Braziliaanse schildpadden* (die rechts waarschijnlijk afgesneden is) goed aan te sluiten bij diverse bladen uit het *Theatrum*.[12] Wellicht is de olieverftekening bij de ordening door Mentzel uit het bestand verwijderd, zoals dat ook gebeurde met vijf andere schetsen die zich nu in Berlijn bevinden (Kupferstichkabinett).[13] Van Gelder dacht echter dat ze behoord kon hebben tot de 'braziliana' die door Johann Maurits in 1679 aan Lodewijk XIV zijn geschonken en die onder andere als voorbeeld gediend hebben voor de tapijtenreeks 'Les Indes'.[14]

Hoe dat ook zij: het Haagse dierstuk is beslist niet een van de simpelste natuurstudies van Eckhout. Door de agressieve houding van de schildpadden en de schaduwpartijen bracht hij actie aan in het tafereel. De weergave van het pantser en de geschubde huid doet wel nauwkeurig aan, maar de penseelstreek blijft nadrukkelijk zichtbaar. Dat is ook het geval in een van de mooiste bladen uit de *Libri Picturati*, *Rivierkreeften en een hagedis* [**2**].[15] Om zijn extra piturale kwaliteit is het blad met de schildpadden wellicht al lang geleden uit de collectie tekeningen verwijderd en als schilderij opgeplakt en ingelijst.

2

Albert Eckhout

Rivierkreeft en een hagedis

Olieverf op papier, 381 x 176 mm

Niet gesigneerd, niet gedateerd (ca. 1640–44)

Krakow, Jagiellobibliotheek, Libri Picturati

A 32

1 Alle hier niet verantwoorde gegevens zijn terug te vinden via de index van de catalogus *Kleef 1979*.

2 Zie: *Den Haag 1979*, p. 173, nr. 208 en *Kleef 1979*, p. 335, nr. B 27

3 *Larsen 1962*, *De Sousa-Leão 1948* (Frans Post) en *Thomsen 1938* (Albert Eckhout). Minstens tot 1641 maakten de kunstenaars deel uit van de privéhofhouding van Johan Maurits, zie: *De Moulin 1979*, p. 36. Zie ook: *Lemmens 1979*, p. 266

4 Deze agressie is het bloemrijkst beschreven door *Hannema 1955*, p. 32–33 en *Bol 1966*, p. 57a-b.

5 *Bruyn 1951*, p. 47 en 50 noemde Cornelis Cornelisz omdat een inventaris van zijn nalatenschap een 'schiltpat' vermeldde; voor de overige identificaties, zie: *Hannema 1955*, p. 33; ook: *Dordrecht 1959*, p. 10, nr. 22

6 *Van Gelder 1960*, p. 7–9

7 *Van Gelder 1960*, p. 5–15

8 *Lemmens 1979*, p. 268–270

9 *Thomsen 1938*, p. 79–99; *Lemmens 1979*, p. 265–268; *De Moulin 1979*, p. 45, noot 59

10 *Den Haag 1979–80*, p. 270–286; *Kleef 1979*, p. 330, nr. B 13

11 *Thomsen 1938*, p. 79–89, afb. 39–44 gaf daarvan voorbeelden.

12 *Van Gelder 1960*, p. 13: veel van de bladen daaruit zijn in olieverf en op papier, zie: *Den Haag 1979–80*, p. 274–277 en 280–281 en afb.

13 *Klessmann 1965*, p. 50–55

14 *Thomsen 1938*, p. 126–156; *Lemmens 1979*, p. 271–290

15 Libri Picturati A 32, Theatrum I, p. 323; zie: *Den Haag 1979*, p. 281

Caesar van Everdingen Diogenes zoekt een mens

Caesar van Everdingen

23 | Diogenes zoekt een mens

Alkmaar ca. 1617 – Alkmaar 1678

Doek op paneel, 76 x 103,5 cm
Op de ingangspartij links: *ANNO 1652 CVE* (ineen)
Inv.nr. 39

Hij was de oudere broer van de landschapschilder Allaert van Everdingen en een leerling van Jan van Bronchorst te Utrecht, althans volgens Houbraken. In 1632 werd hij vermeld in de archieven van het schildersgilde te Alkmaar. Hij woonde met zijn broer in Haarlem van 1648 tot 1657, waarna hij met zijn vrouw definitief naar Alkmaar terugkeerde – op een kort verblijf na in Amsterdam in 1661. Grote opdrachten vormden de decoraties (samen met andere kunstenaars) in de Oranjezaal van Huis ten Bosch bij Den Haag (1648–1650), evenals de schuttersstukken die hij in Alkmaar uitvoerde (1641, 1657 en 1659). Naast portretten schilderde hij historiestukken in een vloeiende penseeltechniek met een sterk plastische vormgeving van de figuren.

Herkomst

Collectie Pieter Steyn, Haarlem, tot 1772
Collectie Douairière Steyn-Schellinger, Haarlem, 1772–1783
Collectie stadhouder Willem v, Den Haag, 1783–1795
Het Louvre, Parijs, 1795–1815
Koninklijk Kabinet van Schilderijen, Den Haag, 1815
Koninklijk Kabinet van Schilderijen 'Mauritshuis', 1821

Bibliografie

Thoré-Bürger 1858–60, dl. 1, p. 284
Bredius 1895, p. 112–113, nr. 39
Den Haag 1914, p. 85–86, nr. 39
Plietzsch 1915, p. 108
Bloch 1936, p. 258
Den Haag 1954, p. 24, nr. 39
De Jongh 1962, p. 113
Wishnevsky 1967, p. 91–93, 222 en 267
Bruyn 1970, p. 44–45 en afb. 19
Parijs 1970–71, p. 70, nr. 75
Drossaers/Lunsingh Scheurleer 1974–76, dl. iii, p. 210, nr. 36
Brenninkmeyer-de Rooij 1976, p. 163–164, nr. 36 en afb.
Londen 1976, p. 41–42, nr. 38 en afb.
Den Haag 1977, p. 85, nr. 39 en afb.
Jansen 1979, p. 23–29
Amsterdam/Detroit/Washington 1980–81, p. 214–215, nr. 56 en afb.
Schloss 1982, p. 155, noot 56
Hoetink e.a. 1985, p. 178–179, nr. 30 en afb., p. 362, nr. 39 en afb.
Broos 1986, p. 192–195, nr. 20 en afb.

Thoré-Bürger was in 1858 geïntrigeerd door *Diogenes zoekt een mens* van Caesar van Everdingen. Hij vond de voorstelling wel origineel, maar de figuren wat grotesk.[1] Dit enigszins merkwaardige schilderij heeft de meest uiteenlopende reacties opgeleverd, natuurlijk vooral omdat het verhaal uit de oudheid in een allesbehalve klassieke omgeving is gesitueerd en daarenboven portretten zou bevatten van brave Haarlemse burgers. Het heeft verbazing gewekt dat de geportretteerden acteren als de niet-mensen die zij volgens Diogenes zouden zijn. 'Was mag wohl die Familie Steyn bewogen haben, ihre Bildnisse in einem solchen Gedankenzusammenhang zu hinterlassen?', vroeg Wishnevsky zich af.[2] Bruyn herkende terecht hierin het *exemplum*, dat al voorkwam in de late middeleeuwen, bijvoorbeeld in de gerechtigheidstaferelen van Gerard David, zoals *Het oordeel van Cambyses* (Brugge, Stedelijke Musea)[3] uit 1498. Bruyn noemde echter het resultaat rampzalig als historiestuk.[4]

De anecdotes over de beroemde filosoof Diogenes van Sinope (vierde eeuw v. C.), bijgenaamd Cynicus, zijn overgeleverd door de biograaf Diogenes Laërtius (vi, 20–81). In zijn filosofie viel de nadruk op een sobere en deugdzame levenswijze, die hij zelf in het openbaar demonstreerde. Links op het schilderij van Van Everdingen ziet men hoe met een kruiwagen rapen worden aangevoerd, die het eenvoudige voedsel van de filosoof vormen. Diogenes zit in een ton. Voor dit 'woonhuis' buigt zich een man met een tulband naar hem over, Alexander de Grote, die hem belooft al zijn wensen in vervulling te doen gaan. Maar de asceet vraagt hem slechts uit zijn zon te gaan staan. In zijn *Gulden Winckel* (1613) haalde Vondel deze anecdote aan en gaf als moraal:

'Dus is hij waerlijck rijck, die zich in niets bedroevet,
Die in al(le)s is te vreen, en weynigh nooddrufts hoevet'.[5]

Zijn bijnaam 'hondse' (cynicus) droeg Diogenes met ere. De twee honden op de voorgrond links verwijzen wellicht naar deze naam, of herinneren zelfs speciaal aan een cynische uitspraak van de filosoof, overgeleverd door

1
Jan Victors
Diogenes zoekt een mens
Doek, 106 x 88 cm
Niet gesigneerd, niet gedateerd (ca. 1650–60)
Amsterdam, kunsthandel K. & V. Waterman

2
Caesar van Everdingen
Socrates, zijn twee vrouwen en Alcibiades
Doek, 210 x 198 cm
Niet gesigneerd, niet gedateerd (ca. 1650–55)
Straatsburg, Musée des Beaux-Arts, inv.nr.
1337

Laërtius, na een vraag wat voor soort hond hij was: 'Als ik honger heb, een Malteser, als ik volgevreten ben, een Molossiër'.[6] De achtergrond van het tafereel wordt gevormd door een kerkgebouw dat volgens de oudste beschrijvingen (waaraan ook Thoré refereerde) de Sint Bavo van Haarlem zou voorstellen. In details komt de Sint Bavo te weinig met de kerk in dit schilderij overeen, om exact dezelfde te kunnen zijn. Trouwens, de schilder heeft geen topografische registratie beoogd, omdat hij op de plaats waar Lieven de Key's Vleeshal dan zou moeten staan, een fantasiegebouw schilderde met klassieke zuilen en pilasters. Dus is hier eerder *de* Kerk bedoeld, dan *een* Kerk, zoals Blankert meende.[7] De verwijzingen naar matigheid en godvrucht zijn dus nadrukkelijk in het bijwerk verstopt.

Maar het hoofdmotief van het schilderij is het verhaal van Diogenes, die op klaarlichte dag naar de markt van Athene is gegaan met een brandende lamp. Toen men hem naar de zin van zijn handelen vroeg, zei hij op zoek te zijn naar een mens. Vondel haalde deze episode aan in zijn *Gulden Winckel* en schreef dat de filosoof op zoek was naar 'redelijcke Menschen' en toen tot de omstanders zei:

'U beestlijck leven tooght dat ghy (het welck ick haet)
Zijt Menschen met den naem, maer Beesten inder daed'.[8]

Van Everdingen heeft natuurlijk geen belediging bedoeld van de geportretteerden (wat Wishnevsky suggereerde), maar eerder een waarschuwing of lichtend voorbeeld. De calvinistische mens was zich welbewust van zijn eigen zondigheid en had behoefte aan aanmaningen tot een deugdzaam en godvrezend leven. Het verhaal was juist vanwege de soberheid van Diogenes bijzonder populair in de literatuur zowel als in de schilderkunst.[9]

Diogenes zoekt een mens is als onderwerp in Antwerpen in de kring rond Rubens omstreeks 1620 ontstaan, waarna het thema ook bij de Utrechtse Caravaggisten voorkwam.[10] De vroegste datum op zo'n schilderij in de noordelijke Nederlanden is 1628 op een doek van Jacob van Campen (Utrecht, Centraal Museum).[11] Van Campen werd recent omschreven als een belangrijke schakel tussen het Utrechtse Caravaggisme en de Haarlemse schilderschool.[12] Maar ook in Amsterdam, waar Rembrandt en zijn leerlingen de toon aangaven, is dit verhaal geschilderd. Niet gedateerd, maar vermoedelijk uit de jaren vijftig is *Diogenes zoekt een mens* van Jan Victors (Amsterdam, kunsthandel K. & V. Waterman) [1].[13] Net als bij Caesar van Everdingen lijken de klassieke gebouwen een artificiëel decor voor een eigentijds markttafereel.

Waarom kozen de opdrachtgevers juist Van Everdingen uit voor dit schilderij? In de eerste plaats omdat hij in Haarlem woonde, tevens omdat hij daar bekend moet zijn geweest als 'hofleverancier' (tussen 1648 en 1650 had hij enkele grote doeken geleverd voor Huis ten Bosch), maar wellicht ook omdat zij van hem al zo'n 'klassiek' tafereel kenden: *Socrates, zijn twee vrouwen en Alcibiades* (Straatsburg, Musée des Beaux-Arts) [2].[14] Socrates draagt daarop net zo'n uitmonstering als Diogenes op het stuk in Den Haag.

Toen prins Willem V het schilderij in 1773 erfde van de weduwe Steyn-Schellinger moet daarbij vermeld zijn geweest dat het een groepsportret was van de voorouders van Pieter Steyn (1706–1772), die bij zijn leven raadpensionaris van Holland was geweest en een persoonlijke adviseur van de prins. De eerste catalogus van de collectie van de prins in 1795 meldde dit gegeven dan ook.[15] De familie Steyn hoorde in Haarlem tot de regentenstand.

Van Kretschmar heeft een poging gedaan de in 1652 (het jaartal op het schilderij) levende leden van deze familie te identificeren met de figuren op de 'Atheense' markt.[16] De centrale figuur achter Diogenes' lamp zou de zestien jaar oude Augustijn Steyn (1636–1669) kunnen zijn. Het kleine meisje rechts was dan zijn achtjarige zuster Maria en het kind in de armen van de vrouw zijn broertje Pieter. Zij is een min en de dame links van Diogenes is zijn moeder Maria Deyman (1611–1688). De overige figuranten, vooral de jongeheren met de grote zwarte hoeden, leveren nog identificatie-problemen op.

Omdat de samenstelling van de familie Steyn in 1652 niet precies die is van de groep op het schilderij, stelde Jansen een alternatieve oplossing voor. Hij dacht dat wellicht de voorouders van de weduwe Steyn-Schellinger konden zijn voorgesteld en dat dit dus een groepsportret van de Schellingers is – een Amsterdamse familie met relaties in Haarlem.[17] Dat blijft echter speculatie, omdat dat feit dan bij de vererving aan Willem v bewust zou zijn verdraaid. Van belang lijkt daarom in deze discussie ook het gegeven dat Van Everdingen niet alleen portetten van levende personen heeft geschilderd, maar ook enkele posthume. Het paar rechts is gekleed in zestiende-eeuwse kostuums en stelt volgens Van Kretschmar de overgrootvader van Augustijn Steyn met zijn vrouw voor, namelijk Jacob Steyn (1545 – vóór 1585) en Maritje de Witte. Hij was de eerste van de familie die burgemeester in Haarlem zou worden.[18] Hoe het ook zij – de Steyns en Schellingers waren net als Caesar van Everdingen calvinisten.

1 *Thoré-Bürger 1858–60*, dl. 1, p. 284
2 *Wishnevsky 1967*, p. 93
3 Inv.nr. o. 40–41; *Brugge 1973*, p. 43 en afb.
4 *Bruyn 1970*, p. 44
5 *Vondel*, dl. 1, p. 346–347, nr. xxxvi
6 *De Jongh 1962*, p. 113
7 A. Blankert in *Amsterdam/Detroit/Washington 1980–81*, p. 214
8 *Vondel*, dl. 1, p. 350–351, nr. xxxviii met als onderschrift bij de afbeelding van Diogenes met de lamp: 'Diogenes leert hier, dat zy tot geenen dagen/ Niet alle Menschen zijn, die wel den name dragen'.
9 Diogenes in de literatuur, zie: *De Jongh 1962*, p. 111–112; in de beeldende kunst: G.Jansen in *Blankert e.a. 1983*, p. 218; *Pigler 1974*, dl. ii, p. 389–390; dial 41 b 33:95
10 *De Jongh 1962*, p. 112
11 Inv.nr. 12383; *Blankert/Slatkes e.a. 1986–87*, p. 247–248, nr. 52 en afb.
12 Zie cat.nr. 16
13 *Blankert e.a. 1983*, p. 218–219, nr. 63 en afb.
14 *Parijs 1970–71*, p. 69–70, nr. 75 en afb.
15 *Brenninkmeyer-de Rooij 1976*, p. 163–164, nr. 36
16 *Londen 1976*, p. 41–42, nr. 38
17 *Jansen 1979*, p. 28–29 en 33, noot 37–39 (+ lit.); zie ook: *Amsterdam/Detroit/Washington 1980–81*, p. 214. De uitvoerige omschrijving in de catalogus van de collectie van Willem v meldde over de identificatie van de voorgestelden: 'allen zijnde van de Familie, van den Wel Edelen Heere *Stein*, of anderen als toen in Regeering' en 'zo men zegd (is Diogenes) een der Voorouders van den Heer Raadpensionaris Stein' *(Drossaers/Lunsingh Scheurleer 1974–76*, dl. iii, p. 210, nr. 36)
18 *Londen 1976*, p. 41–42, nr. 38

Carel Fabritius

Midden-Beemster 1622 – Delft 1654

Paneel, 33,5 x 22,8 cm
Midden onder: *C FABRITIVS 1654*
Inv.nr. 605

Herkomst

Collectie Chevalier Joseph-Guillaume-Jean
Camberlyn, Brussel, vóór 1859
Collectie E.J. Théophile Thoré (W. Bürger),
Parijs, ca. 1865
Erven Thoré, Parijs, 1869
Veiling Thoré, Parijs, 1892
Veiling Martinet, Parijs, 1896
Koninklijk Kabinet van Schilderijen
'Mauritshuis', 1896

Bibliografie

Thoré-Bürger 1859, p. 29
Thoré-Bürger 1865, p. 81
Havard 1879–81, dl. IV, p. 61
HdG 16 (dl. I, p. 547, nr. 16)
Den Haag 1914, p. 87, nr. 605 en afb.
Parijs 1921, p. 2, nr. 9 en afb.
Londen 1929, p. 154, nr. 325
Valentiner 1932, p. 218 en afb. 16
Martin 1935, p. 91–92, nr. 605
Martin 1936, dl. II, p. 180, 182 en afb. 91
Heppner 1938, p. 73, 75 en afb. 6
Bredius 1939, p. 11–12
Schuurman 1947, p. 54–55 en afb.
Boström 1950, p. 81–83 en afb. 1
Martin 1950, p. 91, nr. 206 en afb.
Swillens 1950, p. 174 en afb. pl. 80
Den Haag 1954, p. 24, nr. 605
Plietzsch 1960, p. 48 en afb. 61
Bloch 1963, p. 16–17
De Vries 1964, p. 33a-b en afb.
Den Haag 1966, nr. 22 en afb.
Rosenberg/Slive/Ter Kuile 1966, p. 116, 201 en afb. 86a
De Jongh 1967, p. 46, 49 en afb. 33
Bol 1969, p. 299
Tóth-Ubbens 1969, p. 155–159, 348 en afb. 8–9
Wurfbain 1970, p. 233–239 en afb. 1
Broos 1971-A, p. 25
Blankert 1975, p. 26, 28 en afb. 12
Den Haag 1977, p. 86, nr. 605 en afb.
Brown 1981, p. 47–48, 81–82, 126–127, nr. 7 en afb. pl. III en 7
Washington enz. 1982–83, p. 76–77, nr. 16 en afb.
Haak 1984, p. 440–441 en afb. 970
Hoetink e.a. 1985, p. 180–181, nr. 31 en afb., p. 362, nr. 605 en afb.
Broos 1986, p. 196–202, nr. 21 en afb.

Na zijn huwelijk in 1641 verhuisde hij naar Amsterdam, waar hij in 1642 met Samuel van Hoogstraten leerling was bij Rembrandt. In 1643 reeds overleed zijn echtgenote en liet een aantal schilderijen na, voornamelijk 'tronies', kennelijk leerlingenwerk van Carel. In 1650 hertrouwde hij en vestigde zich in Delft. Uit de voorafgaande periode zijn slechts een enkel historiestuk en enkele (zelf)portretten bekend, waarvan de sterke licht-donkerwerking en de brede penseelvoering aan Rembrandt ontleend waren. In 1654 kwam hij bij de ontploffing van het buskruitmagazijn in Delft voortijdig om het leven. In dit jaar signeerde hij nog een drietal schilderijen, waaruit zijn veelbelovend talent blijkt. Hij had inmiddels gekozen voor een bonter koloriet en heldere tonen, maar hij handhaafde de rembrandtieke, virtuoze penseelvoering. Vermeer werd (en wordt) beschouwd als een voortzetter van Fabritius' baanbrekende werk. Overigens zijn de schilderijen met illusionistische effecten (behalve *Het puttertje*) slechts uit de overlevering bekend. Thans resten ons enkel nog acht als authentiek beschouwde schilderijen.

Abraham Bredius had een uitgesproken voorkeur voor schilderijen met een aparte dimensie, zoals werken van zeldzaam voorkomende meesters of andere stukken van documentair belang. Zijn eigen collectie is daar een sprekend voorbeeld van.[1] *Het puttertje* van Carel Fabritius was door het opmerkelijke onderwerp en de in het oog vallende signatuur en datering zo'n bijzonder schilderij. Als directeur van het Mauritshuis kocht Bredius het in 1896 in Parijs uit de voormalige collectie Thoré.[2] De als Thoré-Bürger bekende Franse criticus bleek al veel eerder geobsedeerd te zijn door het paneeltje van Fabritius, die hij in zijn reisverslagen introduceerde als een hem totaal onbekende meester. Immers, in zijn tijd waren nog nauwelijks de bronnen onderzocht die de namen onthulden van Rembrandts leerlingen, van wie deze schilder wel de meest geniale genoemd mag worden. Thoré schreef in 1859 nog verbaasd over het unieke *Puttertje:* 'un petit morceau de rien, mais excellent'. Hij zag een relatie met Vermeers koloriet en herkende het jaartal 1654 als dat van de ontploffing van het kruithuis in Delft.[3]

Waarschijnlijk niet veel later wist de criticus het kleinood te verwerven als een geschenk van de Brusselse eigenaar, die kennelijk niet zo gehecht was aan het simpele 'stilleven'. Hoewel Thoré-Bürger vooral bewondering leek te hebben voor de piturale kwaliteiten van het schilderij en Bredius wellicht speciaal gevoelig was voor het documentaire belang ervan, is de spontane waardering later algemeen geworden, zodat *Het puttertje* een van de trekpleisters werd van het Mauritshuis. Pas in tamelijk recente tijden zijn de kunsthistorici gaan nadenken over de vorm, de functie en de inhoud van dit curieuze paneeltje.[4]

Voorgesteld is een vogeltje aan een ketting voor zijn voederbak. Het heeft

Carel Fabritius Het puttertje

een zwart-wit kopje met een scharlakenrood 'gezicht', een bruine rug met een witte stuit, een zwarte staart en vleugels met opvallende heldergele strepen. Dit zijn de onmiskenbare trekken van de distelvink (Carduelis carduelis), die in Nederland putter wordt genoemd.[5] Deze benaming is ontleend aan zijn handigheid om zelf drinkwater te kunnen putten. Daarom was het een geliefd huisdier, dat al bij de Romeinen gewaardeerd werd om zijn schier menselijke eigenschappen, en dat door kunstenaars vaak is afgebeeld. Middeleeuwse

1
Gerard Dou
Een meisje met een druiventros
Paneel, 38 x 29 cm
Boven het venster, in het œil de bœuf:
G. DOV 1662
Turijn, Galleria Sabauda, inv.nr. 377

▶ **2**
Cornelis Lelienbergh
Stilleven met dode vinken
Doek, 41,5 x 31,5 cm
Links onder: *C. Lelienbergh ft: 1654*
Philadelphia, Philadelphia Museum of Art,
W. P. Wilstach Collection

miniaturisten vereeuwigden het schrandere vogeltje, maar ook Rafael beeldde het symbolisch af als speelgoed voor Christus en Johannes in zijn bekende *Madonna del Cardellino* (Florence, Galleria degli Uffizi).[6]

In veel Hollandse interieurstukken is het huisdier te zien, zoals in het schilderij van Gerard Dou, *Een meisje met een druiventros* (Turijn, Galleria Sabauda) [**1**].[7] Dit toont hoe de putter was gehuisvest. Het vogeltje zat op een stokje voor zijn voederbak, die bevestigd was aan een lange achterplank, aan de bovenkant waarvan een huisje was geknutseld met een trapgevel. Onderaan de plank bevond zich een houten platform met een rond gat waardoor een emmertje ter grootte van een vingerhoed neergelaten moest worden in een waterglas. Het puttertje kwam zo aan zijn drinkwater en het diende ook de klep van zijn voederbak zelf op te lichten. Het kon ook andere kunstjes met poten en snavel en daarvoor bedacht men later allerlei kooiconstructies, waarvan Tóth-Ubbens in 1969 een goed overzicht gaf.[8]

Deze schrijfster concludeerde dat Fabritius zijn vogeltje uit diens omgeving had gelicht en er een portret van had gemaakt.[9] Anderen meenden dat het schilderij in de categorie stillevens viel. Toch lijkt dit geen individueel portret van een (huis)dier, zoals dat wel voorkwam (cat.nr. 45, afb. 3 en 4).[10] Ook als stilleven valt het buiten de traditie, omdat daarin als hoofdmotief uitsluitend dode vogels voorkomen, zoals Jan Baptist Weenix ze schilderde (cat.nr. 67). Een variant op de composities van Weenix is Cornelis Lelienberghs *Stilleven met dode vinken* (Philadelphia Museum of Art) [**2**][11], dat net als *Het puttertje* 1654 is gedateerd. De schilder verkreeg hierin een 'trompe-l'oeil'-effect door een dramatische belichting en druppend bloed. W. Martin was de eerste die de vruchtbare suggestie deed dat ook het schilderij van Fabritius bedoeld kon zijn als zo'n bedriegelijke afbeelding van de werkelijkheid.[12]

Op deze gedachtengang voortbordurend heeft Boström in 1950 het schilderij aan een nauwkeurig onderzoek onderworpen, waarbij diverse interessante details aan het licht kwamen.[13] Het paneel bleek van ongebruikelijke dikte te zijn en niet afgeschuind aan de zijkanten, zodat het niet gemaakt was om op traditionele wijze ingelijst te worden. Bovendien bevonden zich spijkergaatjes in de onder- en bovenkant van het paneel. Boström dacht daarom dat het voorzien kon zijn geweest van scharnieren en een knop en dat het dienst had gedaan als een deurtje om zo op speelse wijze een muurnis af te sluiten.[14]

Een zingevende verklaring van de voorstelling die niet zozeer uitging van de toestand van het paneel, is inmiddels ook voorgesteld. Tóth-Ubbens wees er op dat de distelvink meer dan eens gebruikt is in de embleemliteratuur.[15] Het handige beestje werd tot voorbeeld gesteld door Joannes Sambucus in zijn *Emblemata* (Antwerpen 1564) [**3**] onder het opschrift: 'Den noot maect goede leer kinderen'.[16] Op de bijbehorende afbeeldingen geeft een volwassene aan een jongetje uitleg over dit epigram met de woorden:

'By desen leert u altijt wijsselick spoen,
Om wat den tijt en plaets eyscht wel bevroe(de)n'.[17]

In dezelfde geest liet De Jongh zich uit, maar hij plaatste de voorstelling in een reeks uitbeeldingen van de liefde tot God (zoals bij Rafael), dan wel als een symbool voor de aardse liefde en specifiek als de graag aanvaarde gevangenschap die de liefde vaak biedt.[18] Maar – en De Jongh gaf dat ook toe – zo'n interpretatie houdt slechts stand als blijkt dat de kunstenaar in aanvullende details deze diepere betekenis kracht heeft bijgezet. Zulk bijwerk ontbreekt ten enenmale bij Fabritius.

Wat eenvoudiger verklaringen gaven Wurfbain en Brown. De eerste veronderstelde dat het paneeltje gediend kon hebben als een uithangbord, zoals die destijds wel geschilderd werden door gerenommeerde kunstenaars. De opdrachtgever zou dan de Haagse boekverkoper en wijnhandelaar Pieter de Putter zijn geweest, waarvoor Wurfbain wel vernuftige, maar ook wat vergezochte argumenten aandroeg.[19] Brown stelde als vaag omklede variant op deze 'oplossing' Abraham de Potter (of De Putter?) voor als opdrachtgever.[20] Beide interpretaties missen overtuigingskracht, al was het alleen maar omdat door die uitvoerige signatuur van de schilder het paneel er niet uitziet als een uithangteken of een naambord. Vooral de naamsverwantschap klinkt te gewild.

Voor een meer bevredigende verklaring lijkt het 'trompe-l'oeil'-effect toch de kern van de zaak te zijn. De echte 'schijnbedriegertjes' zoals die in de zeventiende eeuw werden gemaakt, zijn schaars. Houbraken schreef in zijn biografie van Samuel van Hoogstraten dat deze truc-schilderingen destijds zeer populair waren. 'Ik heb daar van nog overblyfzelen aan zyn huis gezien', meldde Houbraken, 'daar een Appel, Peer, of Limoen in een schotelrak: ginder een muil, of schoen op een uitgehakt plankje geschilderd, en geplaatst

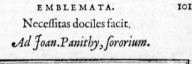

3
Illustratie uit J. Sambucus, *Emblemata* (1564), p. 101

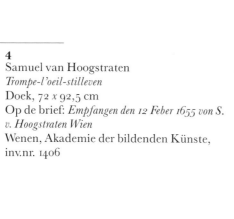

4
Samuel van Hoogstraten
Trompe-l'oeil-stilleven
Doek, 72 x 92,5 cm
Op de brief: *Empfangen den 12 Feber 1655 von S. v. Hoogstraten Wien*
Wenen, Akademie der bildenden Künste, inv.nr. 1406

in een hoek van de Kamer of onder een stoel, als mede zoute gedroogde schollen, die op een gepluimurt doek geschildert, en uitgesneden, hier of daar agter een deur aan een spyker ophingen, die zoo bedrieglyk geschildert waren, dat men zig licht daar in zou hebben vergist, en die voor eygentlyke gedroogde schollen aangezien'.[21] Zo'n 'oogbedrieger' is het *Trompe-l'oeil'-stilleven* (Wenen, Akademie der bildenden Künste) [**4**][22] dat 1655 is gedateerd.[23]

Van Hoogstraten was samen met Fabritius in 1642 leerling geweest bij Rembrandt en ze deelden elkaars interesse in de 'Deurzichtkunde' en optische trucs. In zijn *Inleyding op de Hooge Schoole der Schilderkonst* (Rotterdam 1678) schreef Van Hoogstraten zelf over de voor een bekwaam schilder onmisbare perspectiefleer, gecombineerd met een geraffineerde weergave van licht en schaduw, waardoor men de 'platte schilderijen voor een verheven en half rondt beeldt zoude hebben aangezien ... (zo)dat zelfs die van de konst daer door bedrogen wierden, en niet konden gelooven, dat het geschildert was, voor dat zij daer van door 't aentasten verzekert waren. En hoe heerlijk *Fabritius* zich hier in gedragen heeft, is noch hier te lande te zien'.[24] Van de acht nu aan Fabritius toegeschreven 'platte schilderijen' is er slechts één waarin het beschreven optisch bedrog beoogd werd, namelijk *Het puttertje*.[25]

Het 'trompe-l'oeil'-effect van dit schilderijtje komt tegenwoordig niet goed tot zijn recht omdat het is ingelijst achter glas. Wie kan reconstrueren hoe het oorspronkelijk heeft gefunctioneerd, heeft waarschijnlijk de sleutel voor het stuk gevonden. Daartoe wordt hier een poging ondernomen. Als dit namelijk een kant en klaar schilderij is (en dat lijkt het te zijn op grond van de signatuur), dan is er iets aan de hand met de voorstelling. Waarom ontbreken dan de drinkbak en het emmertje waaraan de vogel zijn naam en faam heeft ontleend? Wellicht was daarom, als op een echte vinkenkooi [1], oorspronkelijk onderaan de dikke plank een platform met waterput-inrichting bevestigd en bovenaan een vogelhuisje. Een unieke constructie weliswaar, maar dat waren de nep-schollen van Van Hoogstraten ook. In folkloristische musea ziet men nog wel eens op uitgezaagde plankjes geschilderde huisdieren, waarvan het illusionistisch effect voor ons eigenlijk miniem is.[26]

Hier ging het erom dat men zich liet beetnemen op het eerste gezicht om vervolgens te merken dat de vogel voor zijn voederbak geschilderd was. Samuel van Hoogstraten en Carel Fabritius moeten zich gevoeld hebben als de schilders uit de klassieke oudheid, Zeuxis en Parrhasios, die elkaar met illusionistische schilderijen beconcurrerden. Zeuxis had zulke 'echte' druiven geschilderd, dat de duiven er naar pikten. Parrhasios vroeg zijn rivaal een werk te bekijken, waarvan Zeuxis het geschilderde voorhang wilde wegtrekken: zo was zelfs een ingewijde (net als bij Fabritius: 'die van de konst') bedrogen (Plinius, *Naturalis Historia*, xxxv, 36).[27]

De kern van de zaak is dat de kunstenaar zijn aangenaam bedrog bereikt had met olieverf en penseel. De signatuur van Fabritius in lichte verf is alleen van dichtbij duidelijk leesbaar. Maar de toeschouwer moest op een afstand staan van het tafereel, dat bewust is uitgevoerd in een brede toets. De verfopbreng is zo meesterlijk, dat zich vlak voor het oog alleen maar abstracte kleurvlakken vertonen. Deze manier van schilderen ('rou' geheten) werd toen beschouwd als het waarmerk van de echte grootmeester. In 1654 waren het Rembrandt in Amsterdam en Frans Hals in Haarlem die deze stijl hanteerden en in Delft zou Frabritius vele meesterwerken in deze trant hebben gemaakt als hij niet door de buskruitramp vroegtijdig om het leven was gekomen.[28]

1 De collectie Bredius is gecatalogiseerd door *Blankert 1978*; zie ook: *Broos 1978*, p. 25
2 *Havard 1879–81*, dl. IV, p. 61: 'le fameux *Chardonneret* qui, après avoir appartenu à Bürger, est passé entre les mains de Mme Lacroix'. *Bredius 1939*, p. 11–12: Bredius liet een handlanger bieden omdat hij bang was dat anders de prijs werd opgedreven (met 3000 gulden op zak verwierf hij het voor 6200 francs, toen ca. 3300 gulden).
3 *Thoré-Bürger 1859*, p. 29
4 Zie bibliografie, vooral: *Boström 1950*, *Tóth-Ubbens 1969* en *Wurfbain 1970*
5 *Bierens de Haan 1933*. De naam 'putter' was in de zeventiende eeuw algemeen gebruikelijk, zie: WNT, dl. XII², kol. 4991–4992
6 Inv.nr. 1447; *Florence 1979*, p. 442, nr. P 1300 en afb. Andere afbeeldingen van de putter bij *Tóth-Ubbens 1969*, p. 346–349, afb. 1–14
7 HdG 173; *Bernardi 1968*, p. 224–225 en afb. 49
8 *Tóth-Ubbens 1969*, p. 159 en 349, afb. 13–16
9 *Tóth-Ubbens 1969*, p. 158
10 Over 'vogelportretten', zie: *Wurfbain 1970*, p. 234–235 en *Brown 1981*, p. 47 en afb. fig. 36
11 Voor het eerst in verband met *Het puttertje* afgebeeld door *Brown 1981*, p. 47 en afb. fig. 37, die beweerde dat Lelienbergh (een Haagse schilder) het net als Fabritius in Delft heeft vervaardigd.
12 *Martin 1936*, dl. II, p. 182: 'Als trompe l'œil opgevat'
13 *Boström 1950*
14 Zie ook: *De Vries 1964*, p. 33a: '(een) deurtje van een wandkastje'.
15 *Tóth-Ubbens 1969*, p. 157; zie ook: *Henkel/Schöne 1967*, p. 876–877
16 *Sambucus 1564*, p. 103–104
17 Het volledige vers is afgedrukt bij *Tóth-Ubbens 1970*, p. 157
18 *De Jongh 1967*, p. 42–49; op p. 47 vergeleek De Jongh de distelvink (bij Rafael) 'met de menselijke ziel die telkens bij Jezus terugkeert'.
19 *Wurfbain 1960*, p. 236–239. Zo noemde *Houbraken 1718–21*, dl. II, p. 211, Vincent van de Vinne de 'Rafael in het schilderen van Uithangborden'.
20 *Brown 1981*, p. 127, nr. 7: Abraham de Potter liet zijn portret schilderen door Fabritius in 1648(?) (Amsterdam, Rijksmuseum, inv.nr. A 1591); *Brown 1981*, p. 122, nr. 2 en afb. pl. 2

21 *Houbraken 1718–21*, dl. ii, p. 157

22 *Wenen 1964*, p. 25–26 en afb.

23 *Blankert 1975*, p. 26 noemde het 'het eerste echte 'trompe l'oeil'-schilderij dat bekend is', maar gaf (p. 26 en 29) ten onrechte 1654 als datering; zie ook aldaar, p. 114, noot 24.

24 *Hoogstraten 1678*, noemde Fabritius speciaal in zijn hoofdstukken over de 'Deurzigtkunde' (p. 273–276) en over 'verkorting' (p. 306–309); het citaat staat op p. 308.

25 Het *Gezicht op Delft met een vioolverkoper* (Londen, National Gallery, inv.nr. 3714; *Brown 1981*, p. 123–126, nr. 5 en afb. pl. 6) uit 1652 behoort tot de categorie 'perspectiefkasten', waarvan er van Samuel van Hoogstraten ook enkele bewaard gebleven zijn (o.a. Londen, National Gallery, inv.nr. 3832; *Maclaren 1960*, p. 192–195, nr. 3832). Zie ook: *Koslow 1967*, p. 35–56 en *Wheelock 1973*, p. 63–83

26 Over het 'trompe l'œil' (met afbeeldingen): *Lammers 1979–80*, p. 493–507; literatuur over dit onderwerp gaf *De Mirimonde 1971*, p. 223–271 (speciaal p. 224–225).

27 Zie onder andere: *Gombrich 1960*, p. 206–207; *Kris/Kurz 1934*, p. 70–71 met talloze voorbeelden van hoe dit verhaal later een topos werd in de kunstenaarsbiografie.

28 Over 'net' en 'rou' schilderen, zie ook: *Broos 1978–79*, p. 121–123. Fabritius werd in 1666 in Delft tot de belangrijkste schilder van zijn tijd gerekend, die als zodanig werd opgevolgd door Vermeer, zie: *Blankert 1975*, p. 91–92

Govaert Flinck

25 | Een meisje bij een kinderstoel

Kleef 1615 – Amsterdam 1660

Doek, 114,2 x 87,3 cm
Op de rand van de stoel rechts: *G. flinck. f 1640*
Inv.nr. 676

In Leeuwarden leerde de uit Kleef afkomstige Flinck de eerste beginselen van het schildersvak bij Lambert Jacobsz, waarna hij in 1633 met zijn medeleerling Jacob Backer (cat.nr. 5) naar Amsterdam vertrok. Hier werkte Flinck in de zogeheten 'academie' van de kunsthandelaar Gerrit Uylenburgh als leerling van Rembrandt, die hij daar later vermoedelijk als docent en contractschilder opvolgde. Hij signeerde voor het eerst als zelfstandig schilder in 1636. Zijn vroege werk is zeer rembrandtiek in de verfbehandeling, maar na 1640 heeft hij deze manier afgeleerd ('met veel moeite', volgens Houbraken). Hij legde zich toe op een heldere, meer gelikte schilderwijze in de geest van Van der Helst, die toen – in ieder geval voor portretten – als de meest profijtelijke werd beschouwd. Hij had zoveel succes dat hij naast particuliere (portret)opdrachten ook grote werken kreeg uit te voeren, zoals enkele schutterstukken. Een jaar voor zijn dood werd hem opgedragen historieschilderingen te ontwerpen voor het nieuwgebouwde stadhuis van Amsterdam. Daarvan heeft hij echter niet veel meer kunnen realiseren.

Herkomst
Veiling Huis met de Hoofden, Amsterdam, ca. 1860
Collectie H.W. Cramer, Amsterdam en Kleef, ca. 1860–1867
Collectie A.A. des Tombe, Den Haag, 1867
Koninklijk Kabinet van Schilderijen 'Mauritshuis', 1903 (bruikleen vanaf 1890)

Bibliografie
Havard 1872, p. 297–298
Den Haag 1914, p. 89, nr. 676
Hofstede de Groot 1916, p. 100
Londen 1929, p. 170, nr. 365
Martin 1935, p. 94, nr. 676
Martin 1950, p. 53, nr. 21 en afb.
Den Haag 1954, p. 25, nr. 676
Amsterdam 1955–56, p. 13
Amsterdam 1958, nr. 5 en afb.
Gudlaugsson 1960, p. 68–69, nr. 30 en afb. pl. III, nr. 3
Plietzsch 1960, p. 177–178 en afb. 323
Kleef 1965, p. 34, nr. 44 en afb.
Von Moltke 1965, p. 22 en 152, nr. 413 en afb. pl. 46
Montreal/Toronto 1969, p. 89–90, nr. 60 en afb.
Parijs 1970–71, p. 73, nr. 77
Den Haag 1977, p. 90, nr. 676 en afb.
Sumowski 1983–A, p. 1037 en 1123, nr. 691 en afb.
Hoetink e.a. 1985, p. 182–183, nr. 32 en afb., p. 363, nr. 676 en afb.
Broos 1986, p. 203-206, nr. 22 en afb.

Een meisje van hooguit drie jaar staat naast een kinderstoel en houdt zich vast aan het blad daarvan – bij haar hand ligt wat suikergoed.[1] Ze is gekleed in een wit, gesteven jurkje met een brede kraag en een schort voor. Op haar hoofd draagt ze een wit kapje met een krans van rode, roze en gele bloemen en een groene sluier en om haar hals en polsen heeft ze kralenkettingen. Ze draagt een korfje en heeft in haar rechterhand een koekje. Aan een band hangt een zogenaamde rinkelbel met aan het uiteinde een halfedelsteen, mogelijk een bergkristal. Dit was een veel voorkomend en vaak afgebeeld stuk kinderspeelgoed, dat in het volksgeloof tevens een belangrijke functie had: het was een amulet dat bescherming bood tegen ziekte en ongeluk. De kindersterfte was destijds immers zeer hoog.[2]

    Het is onbekend hoe dit meisje heet. Govaert Flinck schilderde haar in 1640, in hetzelfde jaar waarin hij een wat oudere jongen portretteerde, vermoedelijk David Leeuw, eveneens ten voeten uit (Birmingham, Barber Institute of Fine Arts) [1].[3] Het meest opvallende verschil tussen beide portretten is de achtergrond: bij het meisje neutraal (een grijze stenen vloer, die overgaat in een bruin-zwarte achtergrond), bij de jongen een landschap. Er is vaak op gewezen hoe sterk dit landschap geïnspireerd is op voorbeelden van Rembrandt, Flincks voormalige leermeester, zoals het omstreeks 1638 te dateren *Landschap met een obelisk* (Boston, Isabella Stewart Gardner Museum).[4] De verrassend contrastrijke penseelbehandeling maakt de vraag naar het uiterlijk van de landschappen van Flinck, die alleen uit oude vermeldingen bekend zijn, des te intrigerender.[5] In het meisjesportret is de rembrandtieke toets beperkt gebleven tot vooral de rugleuning van de kinderstoel.

Govaert Flinck Een meisje bij een kinderstoel

Flinck zou zich in de jaren veertig onttrekken aan de invloed van Rembrandt en zich de gladde schilderstijl en elegante composities van Bartholomeus van der Helst (cat.nr. 33) eigen maken. Houbraken formuleerde het aldus: 'dat verscheiden van zyne stukken voor echte penceelwerken van Rembrant wierden aangezien en verkocht. Doch hy heeft die wyze van schilderen naderhant met veel moeite en arbeid weer afgewent; naardien de Waerelt voor 't overlyden van Rembrant, de oogen al geopent wierden, op 't invoeren der Italiaansche penceelkonst door ware Konstkenners, wanneer het helder schilderen weer op de baan kwam'.[6] 'Die wyze van schilderen' was een kwestie van keuze voor de leerlingen van Rembrandt, die niet steeds in zijn voordeel is uitgevallen.[7]

In *Een meisje bij een kinderstoel* mag dan enerzijds de wegebbende stilistische invloed van Rembrandt merkbaar zijn, anderzijds ontbeert de compositie nog de zwier die Flincks latere dubbel- en groepsportretten kenmerkt en die hem terecht de opdracht hebben bezorgd voor de decoratie van het Amsterdamse stadhuis.[8] Het geheel doet zelfs archaïserend aan: men vergelijke bijvoorbeeld het *Portret van Elisabeth vanNassau op vierjarige leeftijd* (collectie H.M. de Koningin) [**2**], dat Wybrand de Geest in 1625 schilderde.[9] Als een stijve pop staat dit prinsesje naast een kist, waarop ze een hand heeft gelegd. Het lijkt wel of Flinck de pose van zijn meisje aan dit werk heeft ontleend (en een detail, zoals de bloemen op het hoofd). Uiteraard had Flinck inmiddels van Rembrandt geleerd wat een natuurlijke plooival en een redelijk perspectief was.

De vergelijking met De Geest en de suggestie dat Flinck diens portret van Elisabeth van Nassau heeft gekend, ligt meer voor de hand dan men in eerste instantie zal denken. Wybrand de Geest, die sinds zijn verblijf in Rome door

◄ **1**
Govaert Flinck
Portret, vermoedelijk van David Leeuw
Doek, 129,5 x 102,5 cm
Rechts onder: *G. flinck f 1640*
Birmingham, Barber Institute of Fine Arts

► **2**
Wybrand de Geest
Portret van Elisabeth van Nassau op vierjarige leeftijd
Doek, 130 x 99 cm
Links onder: *Anno Aetatis 4 Menses. 5 1623*
Collectie Stichting Historische Verzamelingen van het Huis Oranje Nassau

de bentgenoten 'De Friese Adelaar' werd genoemd, werd na zijn terugkeer in Leeuwarden in 1620 een succesvol portretschilder, vooral bij het stadhouderlijk hof. In 1622 trouwde hij met een achternicht van Saskia van Uylenburg, die de vrouw van Rembrandt zou worden.[10] Toen Jacob Backer (zie cat.nr. 5) en Govaert Flinck in de vroege jaren dertig in Leeuwarden bij Lambert Jacobsz in de leer waren, hebben zij ongetwijfeld kennisgemaakt met de portretten van hun gevierde stadgenoot De Geest.

Een relatie met Govaert Flinck is niet eerder gelegd, maar in de portretten van Jacob Backer is definitief invloed van Wybrand de Geest vastgesteld, terwijl zelfs Rembrandt een voorbeeld van zijn verre verwant lijkt te hebben nagevolgd.[11] Er bestaat een zeer frappante vormovereenkomst tussen twee schilderijen, die elk 1634 zijn gedateerd: het *Portret van Maerten Soolmans* (Parijs, collectie erfgenamen baron A. de Rothschild)[12] door Rembrandt en het *Portret van Wytze van Cammingha* (Beetsterzwaag, Harinxma State)[13] door Wybrand de Geest. Maar het is ook goed mogelijk dat de pose van de geportretteerde in beide gevallen teruggaat op een gezamenlijk voorbeeld, wellicht een prototype van Van Dyck.[14]

Portretten ten voeten uit werden tot dan toe weinig geschilderd in Nederland. Wybrand de Geest heeft dit soort op klein en groot formaat gepopulariseerd (onder andere in reeksen portretten voor de Nassau's in de vroege jaren dertig), hierin gevolgd door Amsterdamse schilders als Rembrandt en Flinck.[15] Bij portretten is het overigens zeer goed denkbaar dat de opdrachtgever de meeste invloed had op de wijze van weergeven (zie ook cat.nr. 18), waardoor een traditionele compositie het gevolg was van specifieke eisen in dat opzicht. Wellicht had Flinck in het *Portret van een jongen* in 1640 wat meer de vrije hand dan in *Een meisje bij een kinderstoel* uit hetzelfde jaar.

---

1 Het is niet 'a kind of washstand', zoals *Von Moltke 1965*, p. 22 meende, maar een van buiten afsluitbare kinderstoel met deurtjes, wellicht op wieltjes; een afbeelding van zo'n meubel gaf bijvoorbeeld: *Muller/Vogelsang 1909*, p. 21 en Taf. xxxiv.

2 Zulke rinkelbellen zijn afgebeeld in: *Amsterdam 1958*; *Keijzer 1958*, z.p., wees op de betekenis die aan dit voorwerp werd gehecht.

3 *Von Moltke 1965*, p. 22 en 151, nr. 407 en afb. pl. 47; *Sumowski 1983-A*, p. 1037 en 1124, nr. 692 en afb. *Duduk van Heel 1980*, p. 121 meende de jongen te kunnen identificeren als (de negenjarige) David Leeuw (zie ook noot 5).

4 Inv.nr. p21w24; *Gerson/Bredius 1969*, p. 353 en 589, nr. 443 en afb.

5 Dergelijke landschappen waren in het bezit van de familie Leeuw, zie: *Dudok van Heel 1980*, p. 119–120; *Schwartz 1984*, p. 249 opperde dat landschappen zoals het in noot 4 genoemde, wel eens van Flinck zouden kunnen zijn.

6 *Houbraken 1718–21*, dl. ii, p. 21

7 *Broos 1983*, p. 41–42 en p. 56, noot 34–36

8 Zie bijvoorbeeld *Haak 1984*, p. 284–285, afb. 602–603

9 *Wassenbergh 1967*, p. 30, 34 en 97, nr. 51 en afb.

10 *Wassenbergh 1967*, p. 31; over de relatie met de Uylenburgs, zie: *White/Wijnman 1964*, p. 142–143, noot 13–16 (en lit.); *Van der Meer 1971* en *De Vries 1982*, p. 10 en 24, noot 22

11 *Bauch 1926*, p. 8–10

12 *Gerson/Bredius 1969*, p. 162 en 564, nr. 199 en afb.; cat.nr. 18, afb. 2

13 *Wassenbergh 1967*, p. 31, 36 en 107, nr. 77 en afb.

14 *Wassenbergh 1967*, p. 31 en 107, afb. 75; wellicht houdt het veronderstelde contact tussen beide schilders verband met Rembrandts Friese betrekkingen, zie bijvoorbeeld: *Schwartz 1984*, p. 183–185; in 1634 trouwde hij in Friesland met Saskia.

15 Zie: *Haak 1984*, p. 222; voorbeelden van werk van De Geest uit de periode 1628–1638, zie: *Wassenbergh 1967*, p. 100–106, afb. 57, 64–71; het vroegst gedateerde portret van Flinck, het *Portret van Dirck Leeuw* (1636) is van het staande type, zie: *Von Moltke 1965*, p. 108–109, nr. 211 en afb. pl. 39; zie ook: *Dudok van Heel 1980*, p. 109 en afb.

Aert de Gelder

26 | Juda en Tamar

Dordrecht 1645 – Dordrecht 1727

Doek, 80 x 97 cm
Rechts onder, op een rol papier: *ADe Gelder f* (AD ineen)
Inv.nr. 40

Herkomst
Collectie baron van Leyden van
Westbarendrecht, Warmond
Collectie graaf H. van Limburg Stirum
Koninklijk Kabinet van Schilderijen
'Mauritshuis', 1874 (geschenk)

Bibliografie
Bredius 1895, p. 121–122, nr. 40
Wurzbach, dl. 1, p. 573
Den Haag 1914, p. 96–97, nr. 40
Lilienfeld 1914, p. 43, 45, 67, 74, 86, 89 en 131,
nr. 13, p. 135
Martin 1935, p. 99, nr. 40
Den Haag 1954, p. 26, nr. 40
Chicago 1969, p. 69–70, nr. 64
Milwaukee 1976, p. 48, afb. 10
Den Haag 1977, p. 95, nr. 40 en afb.
Blankert e.a. 1983, p. 166–167 en afb.
Sumowski 1983-A, p. 1157 en 1168, nr. 758,
p. 1218 en afb.
Schatborn 1985, p. 160, noot 2
Hoetink e.a. 1985, p. 184–185, nr. 33 en afb.,
p. 365, nr. 40 en afb.
Broos 1986, p. 207–211, nr. 23 en afb.

Hij was omstreeks 1660 leerling bij zijn stadgenoot Samuel van Hoogstraten, die hem moet hebben aangespoord zich verder te bekwamen bij Rembrandt in Amsterdam, die ook zijn leermeester was geweest. Hij was Rembrandts laatste leerling (tot ca. 1663) en hij bleef bij terugkeer in Dordrecht in diens late brede stijl werken, ook al werd die manier toen als ouderwets ervaren. Tussen de alom glad en gelikt schilderende klassicisten bleef De Gelder onverzettelijk rembrandtiek werken in donkere bruine en rode tinten en een ruige schildertrant waarbij hij een paletmes en de achterkant van zijn penseel gebruikte. Zijn onderwerpen waren dezelfde als die van zijn leermeester: naast portretten vooral bijbelse en historische taferelen. Ook de vorm is aan Rembrandt ontleend: grote halffiguren, of kleine, veelfigurige voorstellingen.

Vaak wordt voetstoots aangenomen dat een leerling van Rembrandt in zijn stijl is blijven werken. Maar van zijn lessen trok ieder op eigen wijze profijt. Zijn eerste leerling, Gerard Dou, ontwikkelde een eigen manier die als 'fijnschilderen' bekend is geworden. Zijn laatste discipel Aert de Gelder bleef zijn brede toets roerend trouw, tot in de achttiende eeuw toen deze trant al lang impopulair was geworden. Diens stadgenoot Houbraken merkte over De Gelder op dat hij, na een poosje bij Samuel van Hoogstraten (ook een Dordtenaar) gewerkt te hebben, 'mede naar Amsterdam vertrok om Rembrants wyze van schilderen te leeren, 't geen hem zoodanig toeviel en gelukte, dat ik tot zynen roem zeggen moet, dat geen van alle hem zoo na gekomen is in die wyze van schilderen'.[1] Het oordeel van Houbraken was gebaseerd op schilderijen als dit zeer breed, haast achteloos geschilderde doek *Juda en Tamar*, dat in Dordrecht omstreeks 1700 moet zijn ontstaan.[2] De Gelder gaf geen beter beeld van zijn verering voor zijn leermeester dan in een geschilderd *Zelfportret* (Leningrad, Hermitage)[3], waarop hij Rembrandts *'Honderdguldenprent'* in de hand houdt.[4] Hij imiteerde Rembrandt niet alleen in zijn artistieke uitingen, maar hij legde ook een verzameling aan die Houbraken beschreef als 'een voddekraam van allerhande soort van kleederen, behangsels, schiet- en steekgeweer, harnassen, enz ...'.[5] Deze atelier-attributen gebruikte hij net als Rembrandt in de bijbelse voorstellingen, die immers het belangrijkste deel van zijn repertoire uitmaakten. In *Juda en Tamar* zouden de tulband en de verdere uitmonstering van de figuren met behulp van zulke rekwisieten kunnen zijn geschilderd.

De Gelder bouwde in deze compositie voort op een type historiestukken met grote halffiguren, dat Rembrandt op het eind van de jaren vijftig had ontwikkeld, zoals *Ahasverus, Haman en Harbona* (Leningrad, Hermitage)[6], *David speelt de harp voor Saul* (Den Haag, Mauritshuis)[7] of *'Het Joodse bruidje'* (Amsterdam, Rijksmuseum).[8] Met één oog naar deze of dergelijke werken

Aert de Gelder Juda en Tamar

heeft De Gelder van Rembrandt leren schilderen. Over zijn techniek maakte Houbraken de treffende opmerking, van toepassing op *Juda en Tamar*: 'Somwylen smeert hy ook de verf wel, als hy by voorbeeld een franje of borduursel op eenig kleed wil schilderen, met een breet tempermes, op het paneel of doek, en krabt de gedaante van het borduursel, of de draden der franje daar uit met zyn penceelstok' en de biograaf prees verder het resultaat als natuurlijk en krachtig, mits van een afstand bekeken.[9]

Onder de grote schilderijen met halffiguren valt een categorie bijzonder op, namelijk die van de bijbelse paren: *Lot en zijn dochter, Ester en Mordekai, Ruth en Boas* en *Juda en Tamar*. Voor de ongetrouwd gebleven Aert de Gelder is dit wellicht een opmerkelijke voorkeur.[10] Het laatstgenoemde thema heeft hij zeker drie keer geschilderd, waarbij enige verwarring bestaat over welke bijbeltekst hij in deze gevallen interpreteerde.

In het boek Genesis (38: 1–30) wordt verteld hoe na de dood van Juda's oudste zonen Er en Onan hij zijn schoondochter Tamar opdroeg in het huis van haar vader te gaan wonen onder het mom dat zij dan later met de derde zoon, Sela, mocht trouwen. Toen Juda zich niet aan deze belofte leek te willen

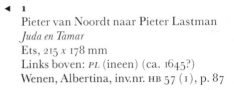

◄ **1**
Pieter van Noordt naar Pieter Lastman
Juda en Tamar
Ets, 215 x 178 mm
Links boven: *PL* (ineen) (ca. 1645?)
Wenen, Albertina, inv.nr. HB 57 (1), p. 87

houden, zorgde Tamar voor een confrontatie. Omdat zij gesluierd was, werd ze niet door haar schoonvader herkend maar voor een hoer aangezien: 'Daarop zeide zij: Wat zult gij mij geven, wanneer gij tot mij komt?' (Genesis, 38: 16). Juda beloofde een geitebokje, maar Tamar eiste dan wel een onderpand in de vorm van zijn zegelring, zijn snoeren en staf. 'Toen gaf hij het haar, en hij kwam tot haar en zij werd zwanger van hem' (Genesis 38: 18). Veelal wordt de bijbelse passage geïllustreerd, waarin Tamar het onderpand al bemachtigd heeft. Het bekendste voorbeeld daarvan is de ets van Pieter van Noordt naar Pieter Lastman (Rembrandts leermeester), waarop te zien is hoe Juda de borsten betast van Tamar die zijn staf in haar hand houdt als buit [1].[11] Rembrandts leerlingen hebben deze prent bestudeerd, getuige bijvoorbeeld het schilderij van Ferdinand Bol uit 1644 (Boston, Museum of Fine Arts).[12]

▶ **2**
Aert de Gelder
Juda en Tamar
Doek, 64 x 86 cm
Rechts boven: *A. de Gelder 168 (4 of 7)*
Den Haag, kunsthandel Hoogsteder

Aert de Gelder putte niet zozeer uit de beeldtraditie, maar hij las de bijbeltekst zorgvuldig. In weerwil tot wat Sumowski (in navolging van Jansen) beweerde, zijn de illustraties van dit pikante bijbelverhaal door De Gelder in ieder van de drie versies geënt op het eerst vermelde citaat (Genesis, 33: 16). De schilder toonde immers telkens hoe Juda de eerste toenaderingspoging doet, waarbij hij nog in het bezit is van zijn staf en juwelen.[13] De 1681 gedateerde versie (Milwaukee, collectie A. Bader)[14] zou men de meest lieflijke uitvoering kunnen noemen. Deze laat Tamar zien in vol ornaat terwijl Juda haar onder de kin strijkt. Zijn ietwat ongunstige gelaatstrekken benadrukte De Gelder nog iets duidelijker in een omstreeks 1685 te dateren variant (Den Haag, kunsthandel Hoogsteder) [2].[15] De compositie van dit schilderij komt in grote lijnen overeen met het stuk in het Mauritshuis, dat ongeveer vijftien jaar later is geschilderd.

In het vroege en in het late werk duikt Juda van links op, met over zijn rug een geborduurde mantel waaraan zijn staf is vastgegespt. De Gelder heeft zich in zijn uiteindelijke versie zeer goed ingeleefd. Tamar in haar roze-rode jurk deinst achteruit. In plaats van de poging om van Tamar een kus te stelen, heeft de schilder Juda een greep laten doen in haar kruis. Om dit niet al te openlijk te hoeven tonen werd de linkerknie van het meisje voor zijn tastende hand geschilderd. Daarbij moest De Gelder zich in anatomisch opzicht wat forceren. De mimiek van de vermeende hoer is wel heel overtuigend: enerzijds weert zij Juda's greep af, terwijl ze anderzijds een onderhandelend gebaar maakt. De zwarte sluier die haar hoofd nu helemaal bedekt, moet duidelijk maken dat zij inderdaad onherkenbaar moet zijn geweest voor haar schoonvader.[16]

In dit realistische tafereel (en vergelijkbare werken) toont De Gelder zijn voorkeur voor menselijke dramatiek, die de bijbelstof vaak oplevert.[17] Zijn interpretatie is een hoogst persoonlijke, ver doorgevoerde variant van Rembrandts 'meeste ende die naetureelste beweechgelickheijt'.[18] Hij stond ver af van Lastmans wat deftige, 'Italiaanse' stijl, die inmiddels weer modern werd gevonden met de duidelijk omlijnde figuren, de heldere kleuren en de klassieke poses. Alle in Dordrecht werkende oud-leerlingen van Rembrandt (Samuel van Hoogstraten, Jacob Levecq en Nicolaas Maes) hadden diens stijl en thematiek al lang de rug toegekeerd. Het is geen wonder dat Houbraken Aert de Gelder voor een zonderling hield.[19]

1 *Houbraken 1718–21*, dl. III, p. 206
2 *Lilienfeld 1914*, p. 131, nr. 13 achtte het een laat werk ('kaum vor 1700'), wegens bleke kleuren en de weinig specifieke stofuitdrukking. *Sumowski 1983–A*, p. 1168, nr. 728: 'Um 1700'
3 Inv.nr. 790; *Sumowski 1983–A*, p. 1179, nr. 811 en afb. p. 1271
4 *Broos 1983*, p. 41–2
5 *Houbraken 1718–21*, dl. III, p. 207; ten onrechte liet *Haak 1984*, p. 423 de kwalificatie 'voddenkraam' weg uit dit citaat, terwijl Houbraken hier juist refereerde aan Rembrandts verzameling, die door Pels als 'schilderachtige' rommel was gekwalificeerd; zie ook: *Pels 1681*, p. 35–37 en *Slive 1953*, p. 91 en 102–103
6 Inv.nr. 752; *Gerson/Bredius 1969*, p. 442 en 602–603, nr. 531 en afb.; voor de interpretatie van de voorstelling, zie *Schwartz 1984*, p. 276, nr. 312
7 Inv.nr. 621; *Gerson/Bredius 1969*, p. 435 en 602, nr. 526 en afb.
8 Inv.nr. C 216; *Gerson/Bredius 1969*, p. 330 en 586, nr. 416 en afb.; voor de jongste interpretatie van de voorstelling, zie *Schwartz 1984*, p. 328
9 *Houbraken 1718–21*, dl. III, p. 207
10 *Houbraken 1718–21*, dl. III, p. 208 wist hem in 1715 nog in goede gezondheid en ongetrouwd.
11 *Hollstein*, dl. X, p. 35, nr. 1 en afb.; dl. XIV, p. 183, nr. 3. Voor de iconografie van de voorstelling, zie *Pigler 1974*, dl. I, p. 78–79 en DIAL. 71 C 63.35

12 Inv.nr. 17.3268; *Blankert 1982*, p. 92, nr. 7 en afb. pl. 6

13 Guido Jansen beweerde in *Blankert e.a. 1983*, p. 166 dat Juda in de overige voorstellingen (zie noot 14 en 15) zijn ring aan Tamar geeft, hetgeen onjuist is; zie ook: *Sumowski 1983–A*, p. 1168, nr. 758. Het overhandigen van de staf en ring (Genesis 38: 18) is het motief in het schilderij van Bol (zie noot 12), van G. van den Eeckhout (Moskou, Poesjkin Museum; *Sumowski 1983–A*, p. 727, nr. 401) en van een onbekende leerling in een tekening (Amsterdam, Rijksprentenkabinet, inv.nr. 1971:88; *Schatborn 1985*, p. 160–161, nr. 73 en afb.). *Schatborn 1985*, p. 160, noot 2 gooide al deze Juda en Tamar-afbeeldingen (zie ook noot 12) op één hoop (wat in iconografisch opzicht onjuist is).

14 *Sumowski 1983–A*, p. 1161, nr. 729 en afb. p. 1189

15 *Sumowski 1983–A*, p. 1161, nr. 728 en afb. p. 1188

16 In de Rembrandt-'school' komt zo'n geheel bedekt hoofd van Tamar alleen voor in een tekening in Rotterdam (Museum Boymans-van Beuningen, inv.nr. R 9), door *Benesch 1973*, dl. VI, p. 393, nr. A 113 toegeschreven aan Rembrandt, door *Sumowski 1979–81*, dl. III, p. 1222–1223, nr. 560* aan Willem Drost.

17 Zie ook: *Amsterdam/Detroit/Washington 1980–81*, p. 178, nr. 43

18 Een bekend citaat uit een brief van Rembrandt uit 1639; zie: *Gerson 1961*, p. 34–35 en 39–40; een samenvatting van de meningen over dit citaat gaf *Tümpel 1969*, p. 116–117, noot 29

19 *Houbraken 1718–21*, dl. III, p. 206 nam als leidraad van De Gelders biografie diens hardnekkig vasthouden aan de verouderde rembrandtieke stijl, die niet profijtelijk was; zie ook: *Broos 1983*, p. 43

Jan Gossaert

Maubeuge 1478 – Antwerpen 1532

Paneel, 39 x 29,5 cm
Rechts, boven de schouder: *L*
Inv.nr. 841 (Amsterdam, Rijksmuseum, A 217)

Herkomst

Kasteel Buren, 1675, 1712 (zie noot 5 en 7)
Nationale Konst-Gallery, Den Haag,
Huis ten Bosch, 1800–1805, Het Buitenhof,
1805–1808
Koninklijk Museum, later Rijksmuseum,
Amsterdam, Paleis op de Dam, 1808–1815,
Trippenhuis, 1815–1885
Rijksmuseum, Amsterdam, 1885–1948
Koninklijk Kabinet van Schilderijen
'Mauritshuis', 1948 (bruikleen van het
Rijksmuseum)

Bibliografie

Amsterdam 1880, p. 185–186, nr. 198
Bredius 1885, p. 28–29, nr. 198
Bredius 1887/1901, p. 50, nr. 403 (198)
Obreen 1887/1893, p. 58, nr. 403
Justi 1895, p. 199 en afb.
Brugge 1902, p. 68, nr. 161
Gossart 1902, p. 61, nr. 403 en p. 70, nr. 161
Moes 1903–04, p. 113
Amsterdam 1904, p. 195, nr. 1498
Moes/Van Biema 1909, p. 40, nr. 22, p. 68, nr. 1,
p. 99, nr. 3, p. 105, nr. 30, p. 116, nr. 2, p. 161,
nr. 175 en p. 206
Wurzbach, dl. II, p. 82
Amsterdam 1911, p. 230, nr. 1498
Amsterdam 1912, p. 166, nr. 1498
Weisz 1913, p. 79–80 en 114, noot 62, p. 117 en
afb. pl. XVII, nr. 49
Winkler 1921, p. 412
Segard 1923, p. 141 en afb. p. 179, nr. 15
Amsterdam 1926, p. 116, nr. 1498
Friedländer 1930, p. 160, nr. 54
Der Kinderen-Besier 1933, p. 58–59, 64–65,
75–76, 80–81 en afb. 19
Winkler 1933, p. 321, nr. a
Amsterdam 1934, p. 172, nr. 1498
Den Haag 1945, p. 43–44, nr. 54
Arnhem 1949, p. 19, nr. 62
Den Haag 1954, p. 27, nr. 841
Mechelen 1958, p. 5, nr. 48
Von der Osten 1961, dl. I, p. 455 en 465, noot 25,
dl. II, p. 154, afb. 4
Brugge 1962, p. 154–155, nr. 80 en afb.
Bruyn 1965, p. 467
Herzog/Hoetink/Pauwels 1965, p. 128–130,
nr. 17 en afb., p. 224
Wescher 1965, p. 157–158 en 165, afb. 9
Friedländer 1967–76, dl. VIII (1972), p. 98,
nr. 54 en afb. pl. 45
Herzog 1968, p. 240–241, nr. 15, p. 477
en afb. 19
Tóth-Ubbens 1968, p. 23–24, nr. 841 en afb.
Brugge 1969, p. 281, nr. 79

De jonge schilder uit Henegouwen kreeg zijn opleiding ergens in Vlaanderen, zoals zijn verfijnde olieverftechniek aantoont. In 1503 was hij meester in het Sint Lucasgilde te Antwerpen en zijn talent werd opgemerkt door Philips van Bourgondië, bastaardzoon van Philips de Goede. Zij reisden naar Rome, waar Gossaert voor zijn opdrachtgever de 'eerbiedwaardige documenten der oudheid' natekende. In 1509 vestigde hij zich in Middelburg, in de buurt van de residentie van Philips van Bourgondië, Souburg. Renaissancistische elementen deden zich in zijn werk niet onmiddellijk voor. Wel blijkt Gossaerts belangstelling voor het lineaire perspectief en aan de oudheid ontleende motieven. Aan het hof op Souburg verbleven kunstenaars en geleerden, die elkaar wederzijds beïnvloedden. Men bestudeerde de geschriften van Plinius en Vitruvius, waaruit inspiratie werd geput voor een neo-antieke kunst, die in Gossaerts werk leidde tot opvallende onderwerpen: vooral mythologische voorstellingen met naaktfiguren (Hercules en Deianira, Neptunus en Amphirite). Philps van Bourgondië werd in 1517 bisschop van Utrecht en verhuisde zijn hofhouding naar kasteel Wijk bij Duurstede, waar Gossaert bij hem inwoonde. Overigens schilderde hij ook voor anderen dan zijn broodheer altaarstukken en portretten, welke laatste een uniek en scherp geobserveerd beeld geven van een zelfbewuste generatie hoge edelen uit het begin van de zestiende eeuw. Na de dood van Philips in 1524 keerde hij terug naar Middelburg, waar hij uit dezelfde kring zijn opdrachten bleef krijgen. Tijdens zijn reis door de Nederlanden bezocht Dürer in 1520 Middelburg om er de grote Kruisafneming van Gossaert in de abdij te bewonderen. Hij noteerde, dat hij het in hoofdlijnen wat zwak vond, 'maar wel fraai geschilderd'.

Op 13 augustus 1517 schreef Philips van Bourgondië, bisschop van Utrecht, een brief aan de Staten van het Nedersticht om tekst en uitleg te geven over de ontvangst die hij op zijn kasteel Wijk bij Duurstede bereid had aan Hendrik III van Nassau, heer van Breda, aan Maximiliaan van Hoirnes, heer van Gaasbeek en aan Floris van Egmond, heer van IJsselstein. Op tamelijk verongelijkte toon gaf hij toe dat 'onse neve van Nassou, van IJsselstein ende van Gaesbeke, alhier tot Duersteden bij ons geweest zijn myt omtrent XIII offte XIV peerden, sonder meer, begerende met ons een soppe te eten …', hetgeen niet veel langer had geduurd dan anderhalf uur en waarbij de paarden niet eens op stal waren gegaan. Als Karel van Gelre hem zo'n bezoek zou brengen, schreef Philips, zou hij hem uit 'guede vruntschap ende nabuerschap' ook zo ontvangen.[1] Karel van Gelre en de stad Utrecht waren vanouds vijanden van vooral Floris van Egmond, die daarentegen een vriend voor het leven was van Philips van Bourgondië, de pas geïnstalleerde bisschop van de Domstad.

Jan Gossaert Portret van Floris van Egmont

Von der Osten/Vey 1969, p. 190
Dek 1970, afb. 11
Drossaers/Lunsingh Scheurleer 1974–76, dl. 1,
p. 528 en noot 151
Van Thiel e.a. 1976, p. 245, nr. A 217 en afb.
Den Haag 1977, p. 97, nr. 841 en afb.
Marks 1977, p. 137 en afb. 5
Sterk 1980, p. 125 en 186, noot 129
Van Thiel 1981, p. 191, nr. 49 en afb.
Van Tongerloo 1982, p. 21 en afb. 1
Hoetink e.a. 1985, p. 186–187, nr. 34 en afb.,
p. 367, nr. 841 en afb.

1
Jan Gossaert
Portret van Philips van Bourgondië (?)
Paneel, 63 x 47 cm
Niet gesigneerd, niet gedateerd (ca. 1520–24)
Williamstown (Mass.), S. & F. Clark Art
Institute, inv.nr. 941

Deze jongste bastaardzoon van Philips de Goede was in de zomer van 1517 de 'nabuer' geworden van Floris van Egmond, die veel op IJsselstein verbleef. De Utrechtse bisschop voerde in Wijk bij Duurstede een hofhouding zoals dat tijdens de renaissance in Italie gebruikelijk was, kompleet met inwonende geleerden, schilders en beeldhouwers. Zijn hofschilder was de beroemde Jan Gossaert van Mabuse.[2] Veel vrienden en familieleden van Philips van Bourgondië blijken van Gossaerts diensten gebruik gemaakt te hebben, vooral als portretschilder. Van het selecte gezelschap dat in augustus 1517 van een eenvoudige maaltijd genoot op kasteel Wijk bij Duurstede zijn met min of meer zekerheid geïdentificeerd: het *Portret van Philips van Bourgondië*(?) (Williamstown, Clark Art Institute) [**1**][3], het *Portret van Hendrik III van Nassau* (Fort Worth, The Kimbell Art Museum) [**2**][4] en het hier te bespreken *Portret van Floris van Egmond*.

2
Jan Gossaert
Portret van Hendrik III van Nassau
Paneel, 57,2 x 45,8 cm
Niet gesigneerd, niet gedateerd (ca. 1520)
Fort Worth, The Kimbell Art Museum

3
Anoniem
Portret van Floris van Egmond
Paneel, 46 x 27,5 cm
Niet gesigneerd, niet gedateerd (na 1505)
Verblijfplaats onbekend

Lange tijd is het portret van 'Fleurken dunbier' (zoals zijn bijnaam was)
aangezien voor dat van zijn gastheer op kasteel Wijk bij Duurstede, terwijl
meer recent werd verondersteld dat het identiek zou zijn aan een van de twee
pendant-portretten die vermeld werden in 1755 in de inventaris van slot
Honselaarsdijk als 'de portretten van den eerste graeff en gravin van Buren,
door Jan de Mabuze'.[5] Om twee redenen kan dit evenmin juist zijn. Frederik
van Egmond (ca. 1440–1521), die als eerste de heerlijkheid Buren verwierf,
zou in een portret van Gossaert als een oude man moeten zijn afgebeeld.[6] Ook
als de inventarisschrijver zich vergiste en de tweede graaf van Buren (Floris
van Egmond) bedoelde, kan de vermelding nog niet slaan op het Haagse
portret. Dat heeft namelijk geen pendant gehad, omdat Floris dan wel naar
rechts kijkend zou zijn afgebeeld met het gezicht naar zijn vrouw aan zijn
linkerzijde, waar ze volgens heraldische wetten hoorde (zie cat.nr. 31). Een en
ander leidt tot de conclusie dat dit een van de acht voorouderportretten was
op slot Buren, dat daar in 1675 werd geïnventariseerd als: 'Graef Floris van
Egmondt'.[7] Het ligt voor de hand te veronderstellen dat het in de
Oranjecollectie kwam dankzij het huwelijk van Anna Van Buren, de
kleindochter van graaf Floris, met Willem van Oranje in 1550. Het
vermoeden dat de herkomst van dit schilderij aldus rechtstreeks terug te
voeren is op de opdrachtgever, blijkt consequenties te hebben voor de
interpretatie van de voorstelling.

De voorgestelde is niet alleen geïdentificeerd als Philips van Bourgondië,

4
Roelant Roghman
Het kasteel IJsselstein
Tekening , 337 x 430 mm
Niet gesigneerd, niet gedateerd (1646–47)
Haarlem, Teylers Museum, inv.nr. o**35

maar eerder ook als Philips de Schone en, vrij recent nog, als hertog Johann van Brandenburg.[8] Van cruciaal belang bleek de grote tentoonstelling te zijn geweest van Vlaamse Primitieven en Oude Kunst in Brugge in 1902. Daar was een aan Gossaert toegeschreven *Portret van Philips van Bourgondië* te zien uit de collectie van Percy Macquoid, Esq., te Londen, dat sindsdien uit het oog verdwenen is [**3**].[9] In zijn handexemplaar van de bijbehorende catalogus noteerde prof. Willem Vogelsang bij die gelegenheid: 'volgens den heer Moes Floris van Egmont, die toen ridder v.h. Gulden Vlies was, de eenige die F E heet. Initiaal in de hoed'.[10] In 1903–1904 publiceerde Moes zelf deze vondst in zijn bespreking van de eerste monografie over Gossaert door Maurice Gossart, die het bij de traditionele benaming 'Philips van Bourgondië' hield. Moes' terechte bezwaar was dat Philips zijn voornaam nooit tot een 'F' zou afkorten en dat de 'B' uit het initiaal een omgedraaide 'E' was.[11] Alle toenmalige commentatoren waren ervan overtuigd dat de gelijkenis tussen het portret van Percy Macquoid en het Amsterdamse (later Haagse) exemplaar treffend was. In de catalogi van het Rijksmuseum werd na aanvankelijke aarzeling (in 1911, 1912 en 1926) pas in 1934 van harte met de nieuwe identiteit van de geportretteerde ingestemd.[12] De hier veronderstelde herkomst van kasteel Buren zou de laatste twijfels daaromtrent kunnen wegnemen.

Floris van Egmond, graaf van Buren en Leerdam, heer van IJsselstein, Maartensdijk enz. was een geducht militair die evenals zijn vader Frederik met een Bourgondische legermacht oorlog voerde tegen Utrecht en Gelre, later ook tegen de Fransen.[13] In 1505 werd hij in de Orde van het Gulden Vlies opgenomen, naar aanleiding waarvan wellicht het nu verdwenen portret werd gemaakt [**3**].[14] De Staten van het Nedersticht besloten in 1511 tot een oorlog tegen Floris van Egmond, waarna de versterking IJsselstein werd belaagd door de Utrechters en Floris ten strijde trok tegen de stad Utrecht. In het najaar was hij alweer legeraanvoerder van de Habsburgse troepen die het beleg voor Venlo hadden geslagen. Het wapengekletter verplaatste zich in de daarop volgende jaren naar de Tieler- en Bommelerwaard en toen hij in 1515 stadhouder was geworden van Friesland moest hij de opstandige Friezen in bedwang houden, die in 1516 waren opgestookt door zijn oude vijand Karel van Gelre. In 1518 werd Floris van Egmond voor Karel v stadhouder van Holland, Zeeland en West-Friesland en hij kreeg in 1522 de titel van kapitein-generaal in het leger van de keizer. In deze functie heeft hij nog Parijs belegerd. De rust was allengs weergekeerd in eigen land en als adviseur van onder andere Maria van Hongarije bleef Floris tot op hoge leeftijd een invloedrijk man. Hij trouwde in 1500 met Margaretha van Bergen (na 1481 – na 1551) uit het huis Glymes, met wie hij drie kinderen kreeg, Maximiliaan (150?–1548), Walburga (1506–1536) en Anna van Egmond (15??–1540). Hij overleed op 25 oktober 1539, ruim zeventig jaar oud.[15]

Niet in het minst dankzij graaf Floris bleef de naam van het huis Egmond verbonden met de Hollandse vrijheidsstrijd. Hun nationale betekenis wordt wellicht het best gesymboliseerd door het huwelijk van Anna van Buren met Willem van Oranje in 1550 en de onthoofding van Egmond en Hoorne in 1568, een daad waarmee Philips II vooral deze machtige familie wilde treffen.[16] Voor de kunst van zijn tijd heeft Floris ook een zekere betekenis gehad, al was hij als mecenas niet zo'n avant-gardist als Philips van Bourgondië. Carel van Mander verhaalde in 1604 dat hij een groot bewonderaar was van Jan Mostaert, die hij in Haarlem had opgezocht en daarna feestelijk zou hebben onthaald.[17] Als opdrachtgever van gebrandschilderde ramen heeft Floris in de Zuidelijke Nederlanden een zekere faam verworven en voor het IJsselsteinse klooster van de Cisterciënzers heeft hij een reeks van zulke vensters via schenkingen weten te verwerven.[18] Na de kroning van Karel V tot keizer in Bologna reisde in 1530, in het gevolg van Floris en Maximiliaan van Egmond, de Italiaanse goudsmid Alessandro Pasqualini mee naar het noorden. Deze ontwierp plannen voor de kastelen van de graven van Buren en bouwde in zuivere renaissance-stijl tussen 1532 en 1535 de toren van de kerk van IJsselstein.[19] In deze kerk liet Floris bovendien de graftombe oprichten voor zijn moeder, Aleid van Culemborg (overleden 1471), met beeldhouwwerk van Jean Mone uit Metz (1535).[20] Van het kasteel van IJsselstein, waar Floris van Egmond veel geweest moet zijn toen hij de hofschilder van zijn vriend Philips uit het naburige Wijk bij Duurstede zijn portret liet schilderen, rest tegenwoordig niet meer dan een vierkante toren. Roelant Roghman tekende het huis in 1646–1647 nog in redelijke welstand (Haarlem, Teylers Museum) [4].[21]

Het portret van Gossaert toont de heer van IJsselstein niet als ijzervreter, wel als een man in de kracht van zijn leven. Hij is opvallend rijk gekleed, maar zonder overdadige opschik. Een fraai kledingstuk is vooral de 'paltrock' die door speels geknipte spleten een brokaten ondergrond zichtbaar maakt. Zijn bonnet is er een voor aanzienlijke heren, gemaakt van dik vilt met ingesneden randen die met gouden spelden (spannekes genaamd) bijeen worden gehouden.[22] Deze kleding beantwoordde kennelijk aan het modebeeld in die dagen, want zowel de hoed, de 'paltrock' met spleten en de mantel met bontkraag komen herhaaldelijk voor in portretten uit het tweede decennium van de zestiende eeuw. Een *Portret van een man* (Dijon, Musée des Beaux-Arts) [5][23] door de Meester van de Magdalenalegende, een anonymus die vooral in hofkringen werkzaam was, toont dat onder andere aan. Het laat ook zien waarin het meesterschap van Gossaert besloten ligt. Door de schaduwpartijen in Floris' gezicht en op de hals onder de fluwelen band, de onregelmatige uitsnijdingen in de 'paltrock', de natuurlijke plooival van de mantel en de hand op de lijst van het schilderij is het illusionistische effect ontstaan, waaraan Gossaert een deel van zijn roem dankt. Vertelde Van Mander immers niet dat hij een tabbaard van papier zo realistisch had beschilderd dat het echt damast leek?[24]

Om zijn hals draagt Floris van Egmond het Gulden Vliesjuweel, met de vacht, de vuursteen en de vuurslag aan een band van fluweel. Pas sinds 1516 was het de ridders toegestaan de ketting (zie ook [3]) te vervangen door een lint.[25] Dit attribuut vormt dus een *terminus post quem* voor de datering van het portret. Die datering varieert van 1516 tot 1519: als argument voor het vroegste jaartal werd gesteld dat Gossaert vanaf 1517 een marmeren plaat als achtergrond voor portretten zou zijn gaan toepassen [2].[26] Maar een tweede *terminus post quem* is het moment waarop Jan Gossaert zich met Philips van Bourgondië in Wijk bij Duurstede vestigde, dus de zomer van 1517. Wellicht heeft de heer van IJsselstein tijdens het eten van de 'soppe' kennis gemaakt met de hofschilder. Ten derde blijkt de hier vermoede herkomst van het portret een nadere precisering mogelijk te maken. De letter 'L' rechts van Floris' hoofd is wel aangezien voor het monogram van Lucas van Leiden en – nadat eerst door Bredius en Obreen in 1885 en 1887 Jan Gossaert als schilder was herkend – als een vervalst monogram van Lucas.[27] Maar als het portret steeds in familiebezit is geweest, lijkt zo'n falsificatie weinig voor de hand te

5
Meester van de Magdalenalegende
Portret van een man
Paneel, 21 x 18 cm
Niet gesigneerd, niet gedateerd (ca. 1515–20)
Dijon, Musée des Beaux-Arts, inv.nr. 115–1883

liggen. Technisch onderzoek wees uit dat het 'monogram' dezelfde craquelures vertoont als de verf waar het zich op bevindt. Het is derhalve van oude datum. De conclusie luidt vervolgens dat het geen signatuur is, maar de vermelding van de leeftijd van de voorgestelde: vijftig. Het *Portret van Floris van Egmond* moet dus in 1519 zijn geschilderd.[28]

1 *Van Asch van Wijck 1851*, p. 227–228; zie ook: *Sterk 1980*, p. 39

2 Voor de biografie van Floris van Egmond raadplege men: *Obreen 1914*, kol. 324–325 en *Drossaers 1955*, p. 177–179; voor Philips van Bourgondië als mecenas, zie: *Sterk 1980*, p. 95–152; aldaar (p. 86) werd beschreven hoe Philips van Bourgondië Floris van Egmond als eerste executeur van zijn testament aanwees.

3 Inv.nr. 941; *Herzog 1968*, p. 253–255, nr. 22 en afb. pl. 28; *Friedländer 1967–76*, dl. VIII, p. 98, nr. 57 en afb. pl. 47. Vroeger werd de voorgestelde geïdentificeerd als David van Bourgondië, die echter al overleed in 1496. *Wescher 1965*, p. 159–160 stelde de nieuwe identificatie voor, die hier onder voorbehoud wordt vermeld: goede portretten van Philips van Bourgondië zijn niet bekend; voor zijn iconografie, zie: *Sterk 1980*, p. 88–89 en afb. 4, 48 en 49.

4 Inv.nr. AP 79.30; *Herzog 1968*, p. 252–253, nr. 21 en afb. pl. 27; *Friedländer 1967–76*, dl. VIII, p. 97, nr. 52 en afb. pl. 44. Over de identificatie van de voorgestelde, zie *Staring 1952*, p. 144–156 en afb. 1.

5 *Drossaers/Lunsingh Scheurleer 1974–76*, dl. I, p. 528, nr. 151–152, en noot; dl. II, p. 520, nr. 287–288

6 *Obreen 1914-A*, kol. 325–326

7 *Drossaers/Lunsingh Scheurleer 1974–76*, dl. I, p. 555, nr. 13²; zie ook: ibid. p. 528, noot 151

8 *Moes/Van Biema 1909*, p. 68, nr. 1 en *Wescher 1965*, p. 157. Het bezwaar tegen Weschers identificatie is vooral dat Gossaert zich al in Wijk bij Duurstede bevond vanaf mei 1617 (zie: *Sterk 1980*, p. 38–39), toen Johann van Brandenburg zich door hem in Middelburg zou hebben laten schilderen (augustus 1617).

9 *Brugge 1902*, p. 68, nr. 161; *Friedländer 1967–76*, dl. VIII, p. 97–98, nr. 53 en afb. pl. 45

10 Kunsthistorisch Instituut, Utrecht; signatuur: YE Brugge 1902–2

11 *Moes 1903–04*, p. 113, contra *Gossart 1902*, p. 70, nr. 161. Vreemd genoeg werd door *Friedländer 1930*, p. 160, nr. 54 als initialen 'B–B' gelezen, wat hersteld werd in *Friedländer 1967–76*, dl. VIII, p. 121, noot 75: 'The letters are more likely FE'.

12 *Amsterdam 1911*, p. 230, nr. 1498: 'Selon E.W. Moes le portrait représente *Floris van Egmond*'; *Amsterdam 1912*, p. 166, nr. 1498 en *Amsterdam 1926*, p. 116, nr. 1498: 'Mogelijk ook het portret van Floris van Egmond'; *Amsterdam 1934*, p. 172, nr. 1498: 'Vroeger ten onrechte beschouwd als een portret van Philips van Bourgondië'. Twijfel over zijn identiteit werd later alleen nog geuit door *Bruyn 1965*, p. 467: 'so-called Floris van Egmond'.

13 *Obreen 1914*, kol. 324

14 *Brugge 1962*, p. 38, nr. 124

15 *Obreen 1914*, kol. 324; de binnenlandse troebelen (de IJsselsteinse oorlog) vindt men uitgebreid beschreven bij *Van Kalveen 1974*, p. 168–218 en *Sterk 1980*, p. 23–93; voor de data en genealogische gegevens van de Egmond-familie, zie: *Dek 1970*, p. 65–67.

16 *Beelaerts van Blokland 1960*, p. 33–34 (zie ook de bijgevoegde stamboom)

17 *Van Mander 1604*, fol. 229a

18 *Van Tongerloo 1982*, p. 21–22, 33–36 en afb. 4–5: op een glas in de Sint Maarten te Luik staat Floris van Egmond als schenker afgebeeld, maar door ingrijpende restauraties is zijn portret onbruikbaar op het punt van de gelijkenis.

19 *Leeman/Vos 1986*, p. 46–48

20 *Leeman/Vos 1986*, p. 47–48, afb. 9

21 Inv.nr. 0**35; *Scholten 1904*, p. 120–121, nr. 0**35

22 *Der Kinderen-Besier 1933*, p. 80–81

23 Inv.nr. 115–1883; *Brugge 1969*, p. 149 en 281–182, nr. 79 en afb. Een identiek kostuum is ook te zien in het *Portret van Karel V* (Parijs, Musée du Louvre, inv.nr. 2031, *Brejon de Lavergnée e.a. 1979*, p. 99 en afb.) naar een verloren werk van Barend van Orley.

24 *Van Mander 1604*, fol. 226a

25 *Brugge 1962*, p. 154, nr. 80

26 *Herzog 1968*, p. 134 en 241

27 *Bredius 1885*, p. 28–29, nr. 198: 'verscheidene kunstcritici geloven dat Lucas van Leiden *niet* de schilder van No. 198 is'; *Obreen 1887/1893*, p. 58, nr. 403: 'Jan Gossaert, gezegd Jan van Mabuse'; *Bredius 1887/1901*, p. 50, nr. 403: 'Gossaert'.

28 *Von der Osten 1961*, dl. I, p. 455: 'L, vermutlich Lebensalter der Dargestellten'; zie ook ibid., p. 465, noot 25. Het technisch onderzoek werd verricht door J. Goppelt in 1965 (restauratie-archief Mauritshuis).

Jan van Goyen

Leiden 1596 – Den Haag 1656

Doek, 81 x 152 cm
Op de veerboot: *VG 1653*
Inv.nr. 838

De enige leermeester die werkelijke invloed op hem heeft uitgeoefend was Esaias van den Velde in Haarlem (ca. 1617), door wiens toedoen hij een helder oog voor het Hollands eigene in het landschap kreeg. Van 1619 tot 1631 werkte hij in Leiden en vanaf 1634 definitief in Den Haag, waar hij het tot hoofdman van het gilde bracht. Dank zij zijn schetsboeken is bekend dat hij graag tekenend rondtrok: in Noord- en Zuidholland (ca. 1647), in Brabant (1648) en langs de Rijn (1650–1651). Onfortuinlijke speculaties ruïneerden hem, zodat hij berooid stierf. Zijn leerling Jan Steen was toen tevens zijn schoonzoon. Van Goyen was een van de belangrijkste landschapschilders van Holland. Zijn vroegste werken vertonen een bont koloriet en veel figuren. Na 1627 werd zijn palet meer monochroom en vereenvoudigde hij zijn composities door een consequent schema van langgerekte driehoeken met afwisselend lichte en donkere vlakken. Topografische elementen zijn vaak, maar tamelijk willekeurig in zijn landschappen aanwezig. Op het eind van zijn leven schilderde hij louter meesterwerken. Daarin lag de horizon zeer laag, de voorgrond werd bevolkt door enkele donkere figuren die voor diepte zorgden, terwijl hoge luchten de stemming in het landschap bepaalden: dreigend, vrolijk of somber, maar altijd groots. Hij was tevens een briljant tekenaar die de essentie van wat hij zag in enkele lijnen wist te vangen. Zijn schetsen vormden de basis voor de op het atelier geschilderde composities of uitgewerkte tekeningen, bestemd voor de verkoop.

Herkomst
Veiling Londen, 1931
Kunsthandel R.M. Ward, Londen, 1932
Kunsthandel F. Schleif, Berlijn; J. Bier, Haarlem; Katz, Dieren
Collectie C. ten Horn, Kasteel Loon op Zand, voor 1947–1975
Koninklijk Kabinet van Schilderijen 'Mauritshuis', 1975 (bruikleen vanaf 1947)

Bibliografie
De Vries 1949, p. 50
Düsseldorf 1953, p. 18, nr. 58 en afb.
Den Haag 1954, p. 28, nr. 838
Dobrzycka 1966, p. 57, noot 13, p. 122, nr. 230 en afb. 104
Dattenberg 1967, p. 145, nr. 150 en afb.
Parijs 1970–71, p. 82, nr. 87
Beck 1972–73, dl. II, p. 158, nr. 321 en afb.
Hoetink 1976, p. 172–173 en afb. 1
Den Haag 1977, p. 99, nr. 838 en afb.
Duparc 1980, p. 36–37, nr. 838 en afb. p. 169
Hoetink e.a. 1985, p. 188–189, nr. 35 en afb., p. 368, nr. 838 en afb.
Broos 1986, p. 222–226, nr. 27 en afb.

Na de Vrede van Munster in 1648 kon men weer ongestoord door Duitsland reizen en veel kunstenaars deden dat ook. Vincent van der Vinne die met twee Haarlemse kunstbroeders in 1652 de reis langs de Rijn maakte gaf dit als exclusieve reden op in zijn dagboek:

'De vreede synde nu aldaer in haeren fleur,
heeft myn de lust geport om reijsen eens daer deur'.[1]

Hij was voorafgegaan door twee andere Haarlemmers, de schilder Job Berckheyde en zijn jongere broer Gerrit, getuige de tekening *De markt te Kleef* (Leipzig, Museum der bildenden Künste)[2] uit 1650. In 1650 en 1651 trok de Hagenaar Jan van Goyen met zijn schetsboek door het gebied van de Nederrijn, gevolgd door de Dordtenaar Aelbert Cuyp in 1651/1652. Daarna tekenden Amsterdamse kunstenaars de streek van Utrecht tot Emmerik en verder, zoals Antoni Waterlo omstreeks 1665, Willem Schellinks in 1661 en in 1663 Lambert Doomer en het drietal samen reizende tekenaars Gerbrand van den Eeckhout, Jacob Esselens en Jan Lievens.[3]

Dit door Jan van Goyen in 1653 gedateerde *Gezicht over de Rijn naar de Eltense berg* is ongetwijfeld een souvenir aan zijn tocht langs de Rijn. In de tweede helft van de jaren veertig had hij al een schetsboek volgetekend op een

Jan van Goyen Gezicht over de Rijn naar de Eltense berg

zwerftocht door Noord- en Zuidholland, van Delft tot Haarlem (Monaco, collectie Bredius/Kronig)[4] en omstreeks 1648 was hij verder zuidwaarts getrokken, via Brabant naar Antwerpen en Brussel, waaraan een intact gebleven schetsboek te Dresden herinnert (Staatliche Kunstsammlungen).[5] 'Den 7 juni 1650' schreef Jan van Goyen op het titelblad (New York, collectie Mr. & Mrs. Carel Goldschmidt)[6] van een derde schetsboek, dat gezichten bevat van allerlei plaatsen langs de Rijn, van Emmerich tot Leiden. Het titelblad vertoont een gezicht op Kleef, een van de belangrijkste attracties op de Rijnreis. Van Goyens reis werd onlangs opnieuw in beeld gebracht door de reconstructie van het tekenboek door H.U. Beck.[7] De bundel was namelijk door de verzamelaar/handelaar A.W. Mensing na 1918 uiteengenomen en vervolgens, in 1957 en later, door een New Yorkse kunsthandelaar blad voor blad verkocht. Gelukkig zijn de schetsboekbladen genummerd, zodat we de tekenaar op de voet kunnen volgen.

Blad 30 (Northampton, Mass., Smith College Museum of Art) [1][8] bestaat uit twee panoramatekeningen in zwart krijt: de bovenste met een gezicht op de Eltense berg uit de richting van Kleef met twee zittende figuurtjes op de zuidelijke oever van de Rijn; de onderste wat dichterbij en wat meer naar links gezien met Laag-Elten met de kerk, de windmolen rechts daarvan en Hoog-Elten met de abdij op de berg.[9] Tussen deze panorama's en het volgende blad in het schetsboek, nr. 31 (New York, collectie Mr. & Mrs. Carel Goldschmidt)[10], zat een flinke wandeling westwaarts. Jan van Goyen zag toen achter het plaatsje Lobith (met een molen en het kasteel) de Eltense berg met de abdij hoog oprijzen boven de Rijn. Aan de overzijde van de rivier heeft hij nog allerlei situatieschetsen gemaakt: van de kloostergebouwen in close-up, van de berg zelf, het uitzicht over de Rijn en van Laag-Elten.[11]

Beck heeft aangetoond dat Van Goyen zijn reis commercieel heeft

1
Jan van Goyen
Blad 30 uit het schetsboek van 1650
Tekening, 99 x 157 mm
Niet gesigneerd, niet gedateerd (ca. 1650)
Northampton, Mass., Smith College
Museum of Art, inv.nr. 1963:43

uitgebuit. Hij vervaardigde namelijk van de schetsen uitgewerkte versies voor de verkoop.[12] Van het gezicht op de Eltense berg (blad 30) maakte hij een iets grotere variant in zwart krijt met grijze wassingen (Bremen, collectie K.E. Momm) [2].[13] De voorgrond werkte hij nader uit met vissers in een bootje, drie mannen die toekijken en een hondje. Hij dateerde het blad 1651.

2
Jan van Goyen
Gezicht op de Eltense berg
Tekening, 114 x 200 mm
Midden onder: *VG 1651*
Bremen, collectie K.E. Momm

3
Jan van Goyen
Gezicht op de Eltense Berg
Paneel, 35 x 57 cm
Links onder: *VG. 1652*
Châteauroux, Musée Bertrand, inv.nr. 1182

Zulke voorgrondfiguren zijn natuurlijk aan de fantasie ontsproten en er
waren zelfs niet weinig landschapschilders die dit stofferen aan andere
specialisten overlieten. Voor onze opvatting van (fotografisch) realisme is het
wellicht wat storend als een zeventiende-eeuws 'topografisch' landschap niet
alleen opgesierd is, maar ook nog gemanipuleerd blijkt. Op de terugreis uit
Duitsland tekende Jan van Goyen bijvoorbeeld een vlotte schets van *De
Haarlemmerpoort te Amsterdam* (New York, kunsthandel K. Lilienfeld).[14] In 1653
(of 1655?) gebruikte hij deze tekening voor een schilderij (Haarlem, Frans
Halsmuseum)[15], waarin hij de poort plaatste in een volkomen gefantaseerde
omgeving met een breed water en een stad in het verschiet.

Het zeventiende-eeuwse landschap heeft vaak iets van 'Wahrheit und
Dichtung'. Bij Jan van Goyen is een topografisch vrij nauwkeurige
voorstelling al dan niet dominant aanwezig als achtergrond voor in het atelier
bedachte taferelen. Zo gebruikte hij het panorama vanaf de zuidelijke
Rijnoever naar Hoog-Elten als decor voor een schilderij uit 1652
(Chateauroux, Musée Bertrand) [3].[16] Aan de oever liggen op de voorgrond

platbodems en bij een pier komt een veerboot aan met onder andere een voorgespannen koets aan boord. Rechts staan koeien aan het water. Een jaar later gebruikte Van Goyen dezelfde achtergrond andermaal voor een doek van een fors formaat, de hier besproken versie van 1653, waarin de schilder allerlei verhalende details kwijt kon. Links aan de meerplaats liggen nu veel meer schepen van diverse typen en grootte, die volgepakt zijn met mensen en goederen. Van de zeilen zijn als beschutting tegen de regen tenten gemaakt. Op de oever wordt in een grote ketel eten gekookt. De veerboot (het Spijkse veer?) steekt nu van wal en heeft aan boord een open kar met twee paarden en passagiers met bagage – daarachter zitten nog wat reizigers in de boot die voortgeboomd wordt, omdat de rivier hier kennelijk zeer ondiep was. In plaats van de koeien rechts zijn daar mannen in een roeibootje te zien. Op de Rijn is druk scheepvaartverkeer en midden achter liggen schepen bij de Schenkenschans afgemeerd. Op de achtergrond vertoont zich het vergezicht zoals Van Goyen dat inmiddels bijna kon dromen. Geheel links is Lobith te zien met het Huis te Lobith, in het midden de stompe toren van de Sint Martinuskerk van Laag-Elten, gebouwd in 1450, en rechts daarvan de molen. Op de heuvel ligt de stiftskerk met de kloostergebouwen van de kanunniken, die in 1585 door de Hollandse troepen was verwoest, waarna een deel in 1660 werd afgebroken en weer gedeeltelijk herbouwd in 1671–1677.[17] Van de in de Tweede Wereldoorlog opnieuw verwoeste en thans andermaal gerestaureerde kerk is de twaalfde-eeuwse toren nog grotendeels bewaard gebleven: het is nog steeds een markant punt in het grensgebied tussen Nederland en Duitsland.

1 *Sliggers 1979*, p. 22 en 42–43

2 Inv.nr. 394; *Dattenberg 1967*, p. 46–47, nr. 48 en afb.

3 Zie cat.nr. 64, noot 18; over Van den Eeckhout, Esselens en Lievens, zie: *Broos 1981*, p. 121–124, nr. 32

4 *Beck 1972–73*, dl. I, p. 265–270, nr. 845/1–105 en afb.

5 *Beck 1972–73*, dl. I, p. 271–283, nr. 846/1–143 en afb.

6 *Beck 1972–73*, dl. I, p. 286, nr. 847/1 en afb.

7 *Beck 1972–73*, dl. I, p. 285–315, nr. 1–290 en afb.

8 *Beck 1972–73*, dl. I, p. 290, nr. 847/30 en afb.

9 De topografische elementen zijn in andere voorstellingen terug te vinden via de index in *Dattenberg 1967*, p. 364 (Elten).

10 *Beck 1972–73*, dl. I, p. 291, nr. 847/31 en afb.

11 *Beck 1972–73*, dl. I, p. 290–296, nr. 847/29, 43, 47, 56–66 en afb.

12 *Beck 1957*, p. 246

13 *Beck 1972–73*, dl. I, p. 89, nr. 248

14 *Beck 1972–73*, dl. I, p. 307, nr. 847/163; zie ook: *Beck 1957*, p. 242–245, afb. 13

15 Bruikleen van J.C. van der Waals, Heemstede; *Beck 1972–73*, dl. II, p. 325, nr. 712 en afb.

16 HdG 102; *Parijs 1970–71*, p. 81–82, nr. 87 en afb.; *Beck 1972–73*, dl. II, p. 158, nr. 320

17 *Binding 1980*, p. 66; aldaar (p. 60–105) ook talrijke afbeeldingen van Elten.

Antwerpen 1593 – Antwerpen 1637

Paneel, 105 x 149,5 cm
Niet gesigneerd, niet gedateerd
Inv.nr. 266

Herkomst

Collectie Cornelis van der Geest,
Antwerpen, 1637–1638
Veiling Friedrich August II, keurvorst van
Saksen, Augustus III, koning van Polen,
Amsterdam, 1765
Collectie stadhouder Willem V, Den Haag,
1765–1795
Het Louvre, Parijs, 1795–1815
Koninklijk Kabinet van Schilderijen,
Den Haag, 1815
Koninklijk Kabinet van Schilderijen
'Mauritshuis', 1821

Bibliografie

Hoet 1752–70, dl. III, p. 432
Terwesten 1770, p. 696
De Stuers 1874, p. 256–262, nr. 227
Von Frimmel 1896, p. 6
Bredius 1895, p. 454–460, nr. 227 (403) en afb.
Martin 1908, p. 36–39 en afb.
Brussel 1910, p. 77–78, nr. 207
Den Haag 1914, p. 106–112, nr. 266 en afb.
Winkler 1916, p. 35, noot 5, p. 38–41, afb. 2
Zoege von Manteuffel 1922, p. 424
Martin 1935, p. 108–116, nr. 266
Lugt 1936, p. 128 en afb. 60
Lugt 1948, p. 45–47 en afb. 2–3
Den Haag 1954, p. 29, nr. 266
Reznicek 1954, p. 43
Hairs 1955, p. 234
Della Pergola 1955, p. 28, nr. 31, p. 132, nr. 235
Van Puyvelde 1955, p. 160
Held 1957, p. 61, noot 18, p. 68, noot 30c, p. 84
Speth-Holterhoff 1957, p. 104–107, 155 en afb. 38
Winner 1957, p. 3–4, 23, 33–34 en 126
Delen 1959, p. 70
Speth-Holterhoff 1958, p. 57 en afb. 7
Rotterdam 1959–60, p. 56, nr. 44
Taverne 1964, p. 35
Delft/Antwerpen 1965, p. 63, nr. 58 en afb. 9
Hairs 1965, p. 104, 311, noot 310, p. 404
Genaille 1967, p. 92 en afb. 11
Baudouin 1969, p. 167, noot 11
De Poorter 1971, p. 16a–b en afb.
Baudouin 1972, p. 274, noot 20
Pigler 1974, dl. II, p. 582
Millner Kahr 1975, p. 233–235 en afb. 10
Brenninkmeyer-de Rooij 1976, p. 164, nr. 37 en afb.
Den Haag 1977, p. 101, nr. 266 en afb.
Muller 1977, p. 567, noot 36
Parijs 1977–78, p. 178–179, nr. 131
Ertz 1979, p. 391 en afb. 464a
Briels 1980, p. 192

Hij was de zoon van Tobias van Haecht (Verhaecht) (1561–1631), de eerste leermeester – tevens familie – van Rubens. Wellicht werd hij vernoemd naar de broer van zijn grootvader, de rederijker en prentuitgever Willem van Haecht (1527–na 1583). Op 24 augustus 1615 vertrok hij naar Parijs (om de taal te leren), maar keerde voor onbepaalde tijd terug naar Antwerpen vanwaar hij in 1619 andermaal op reis ging, toen met als doel Italië. In 1626–1627 was hij vrijmeester in het Antwerpse schildersgilde en blijkt dan als conservator in dienst getreden te zijn bij Cornelis van der Geest, de vooraanstaande kunstverzamelaar en mecenas van Rubens. In diens huis overleed hij op 12 juli 1637 als vrijgezel. Zijn œuvre bestaat uit een drietal 'kunstkamers' (waarin vooral schilderijen uit de collectie Van der Geest te zien zijn), een aantal prenten (vooral kopieën naar Italiaanse schilderijen), terwijl in zijn testament ook sprake is van een *Jozef en Potifar* ('wesende een constcamerken') en van enkele tekeningen.

Van Willem van Haecht is slechts één gesigneerd en gedateerd werk bekend, *Het kunstkabinet van Cornelis van der Geest* (Antwerpen, Rubenshuis) [1], dat midden onder, op een afgebeeld paneeltje met Danaë, gemerkt is: 'G(illiam) v. Haecht 1628'.[1] Het tafereel roept de herinnering op aan het bezoek dat de aartshertog Albert en de aartshertogin Isabella op 23 augustus 1615 hadden gebracht aan het kabinet van de vermaarde Antwerpse mecenas en promotor van Rubens, Cornelis van der Geest. Van Haecht kan het bezoek van de aartshertogen hebben meegemaakt maar toen hij dit historiestuk dertien jaar later schilderde, ging hij eerder af op zijn fantasie dan op zijn geheugen.[2] Na een verblijf in Italië was hij in 1626–1627 teruggekeerd in de Scheldestad, werd vrijmeester in het Sint Lucasgilde en nam zijn intrek bij Van der Geest, die hem als conservator over zijn fameuze kunstverzameling had aangesteld. 'VIVE L'ESPRIT' schreef Van Haecht, geestig gebruik makend van de naam van zijn opdrachtgever, boven de deur van deze zogeheten 'constcamere'.[3] Wij bevinden ons hier in een intellectueel, humanistisch milieu.

Vooraan op tafel in het midden van het schilderij ligt ostentatief een tekening met *Apelles schildert Campaspe* van Johan Wierix (Antwerpen, Museum Mayer van den Bergh) [2].[4] Deze voorstelling werd het onderwerp van twee nieuwe kunstkamers, één op klein formaat (Château de Groussay, Montfort-l'Amaury, collectie Ch. de Beïstegui)[5] en de grootste van de drie, nu in het Mauritshuis. In dit schilderij, dat ook *Het atelier van Apelles* wordt genoemd, zijn alle items uit de collectie Van der Geest, zoals schilderijen, beelden en curiosa, ter opluistering gebruikt, in enkele gevallen ook om de beeldinhoud kracht bij te zetten.

In beide versies van *Apelles schildert Campaspe* is het verhaal uit de oudheid gesitueerd in een denkbeeldig museum, met kunstschatten die de

Willem van Haecht Apelles schildert Campaspe

1

Willem van Haecht
Het kunstkabinet van Cornelis van der Geest
Paneel, 102,5 x 137,5 cm
Midden onder op het Danaë-schilderij:
G. V. Haecht 1626
Antwerpen, Rubenshuis, inv.nr. RH S 171

conservator/schilder dagelijks om zich heen zag, maar ook met werken van Annibale Carracci, Correggio, Domenichino, Sebastiano del Piombo en Titiaan waarvan de originelen zich zeker niet in Antwerpen bevonden. Vooral het Haagse schilderij verrast door de ongewone beeldrijkdom en de liefdevolle weergave van ieder detail, maar niet minder door de talloze dubbele bodems die de kunstenaar heeft ingebouwd.[6]

De kern van het verhaal is onder andere door Plinius de Oude (Naturalis

Cast 1981, p. 188 en afb. 57
Brenninkmeyer-de Rooij 1982-A, nr. 9 en afb.
Held 1982, p. 51, 60, noot 18, p. 61, noot 31
Spear 1982, dl. I, p. 193, nr. 52
Pepper 1984, p. 254, nr. 106
Silver 1984, p. 237, nr. 61 en afb. 181
Tijs 1984, p. 115–116 en 236 en afb.
Gregori e.a. 1985, p. 308, nr. 2.14.1
Hoetink e.a. 1985, p. 190–191, nr. 36 en afb., p. 369, nr. 266 en afb.
Sluijter 1986, p. 219 en 495, noot 219

Historia, XXXV, 10, 85) overgeleverd. De hofschilder van Alexander de Grote werd verteerd door liefde toen hij Campaspe, de mooiste bijzit van de koning, naakt als Venus moest schilderen. Alexander bemerkte zijn verliefdheid en gaf hem Campaspe tot vrouw. Van Mander noemde dit in zijn biografie van Apelles een bijzonder staal van zelfoverwinning en een uitzonderlijk bewijs van hoogachting voor de kunstenaar, en dus voor de kunst: 'Wy lesen wel van veel Const-beminders/ die menichte van Talente om de Schilder-const wille gegeven hebben/ jae de stucken tegen louter goudt opgheweghen en betaelt: Maer wis *Alexander* heeftse in de cracht al te boven ghegaen'.[7]

Behalve de tekening van Wierix uit 1600 kende Van Haecht misschien ook de interpretaties van het verhaal door Jodocus van Winghe, die de oudste zijn

2

Johan Wierix
Apelles schildert Campaspe
Tekening op perkament, 251 x 316 mm
Links onder: *Johan Wiricx + inventor. 1600*
Antwerpen, Museum Mayer van den Bergh,
inv.nr. 748

3
Detail van afb. 1

4

Marcantonio Raimondi naar Rafael
Het oordeel van Paris
Gravure , 292 x 433 mm
Ongesigneerde druk (ca. 1517–18)
Amsterdam, Rijksprentenkabinet

in de kunst boven de Alpen. Naar een van deze in opdracht van Rudolf II te
Praag geschilderde taferelen maakte Van Winghe een spiegelbeeldige
tekening, vermoedelijk als ontwerp voor een prent (Parijs, Fondation
Custodia).[8] Hieraan ontleende Van Haecht wellicht een detail, namelijk het
door een bediende laten onthullen van de schone gestalte van Campaspe.
Deze onthulling is ook het tafereel dat Apelles bij Van Haecht zit te
schilderen. De kleding en deels de houding van Campaspe is nadrukkelijk
overgenomen van een Italiaans schilderij uit de collectie Van der Geest, dat

in het stuk uit 1628 het derde schilderij rechts boven is [1]. Het origineel daarvan is niet meer bekend, maar het wordt toegeschreven aan Bernardino Licinio [3].[9]

Campaspe is niet geheel naakt, wat indruist tegen de beeldende en literaire traditie. Een eigen variant is ook het poseren van de vrouw van Alexander als de mooiste van een drietal beeldschone courtisanes, wier blankheid contrasteert met de donkere huid van een oude en een jongere dienster. Een van de vrouwen houdt een prent vast, die te herkennen is als *Het oordeel van Paris* van Marcantonio Raimondi naar Rafael [4].[10] De schilder weefde dus een extra verhaal uit de oudheid in. Paris moest uit drie godinnen, Juno, Minerva en Venus, de mooiste kiezen. De verkiezing van Venus betekende tevens een keuze voor de wellustige liefde. Het was ook de liefde waardoor Apelles verteerd werd. Daarom is het wellicht geen toeval dat hij in Van Haechts schilderij de houding heeft gekregen van Paris uit Marcantonio's prent. De moraal van *Het oordeel van Paris* was dat deugd onmogelijk was zonder het goede oordeel, dat in de humanistische filosofie een fundamenteel vereiste was. Wat men bij Van Haecht kan zien, kan men bij Van Mander lezen. De schrijver achtte het vanzelfsprekend dat de kunstenaar beter over schoonheid kon oordelen dan zijn opdrachtgever, dus dat Apelles beschouwd werd als een alter-Paris.[11] *Het oordeel van Paris* is een vast onderdeel geworden van de iconografie van de kunstkamer, vooral als die een allegorie is op de Schilderkunst (Pictura), zoals in een tafereel van Gonzales Coques (Den Haag, Mauritshuis).[12]

Campaspe is ontleend aan Licinio, Apelles aan Raimondi/Rafael en een derde ontlening completeert als het ware deze demonstratie van Van Haechts kennis van de klassieke, de Italiaanse en de eigentijdse kunst. Alexander de Grote is namelijk een openlijke navolging van de figuur van Perseus in een compositie van Rubens uit 1615–1620, *Perseus bevrijdt Andromeda* (Leningrad, Hermitage) [5], die Willem van Haecht in originalis moet hebben gezien.[13]

De hoofdgroep, met zijn veelheid aan literaire verwijzingen en beeldcitaten, vond de schilder zo geslaagd in het schilderij in de collectie De Beïstegui, dat hij deze herhaalde in het grootste tafereel. Ook door een beter uitgewogen compositie overtreft de Haagse *Apelles schildert Campaspe* beide eerdere stukken. In het 'bijwerk' handhaafde hij de acht toeschouwers links en de twee vrouwen rechts bij de kast die kostbaar oosters aardewerk bewonderen. De schaal en de kan met het lichtblauwe decor maakten kennelijk deel uit van de collectie kunstnijverheid van Van der Geest, althans ze waren al te zien in het schilderij uit 1628 in de kast midden achter. Als contrast met deze twee vrouwen wordt nu links achter een groepje mannen vertoond, dat is gewikkeld in een geleerd dispuut, terwijl ze over een aardkloot gebogen staan. Het lijkt wel of deze tegenstelling in activiteiten verwijst naar de verdeling van de kosmos in een *mundus sensibilis* en een *mundus intelligibilis*. Immers: de kunstkamer is een microkosmos, zeker in de vorm waarin sommmige – Antwerpse – schilders dit genre gestalte hebben gegeven.[14]

Over taferelen met kunstkamers is verschillend geoordeeld. Het zijn verbeeldingen van eigentijdse collecties, bekend als 'Kunst- und Wunderkammer' (Von Schlosser, 1908); het zijn allegorieën op *Pictura* (Winner, 1957) of geschilderde encyclopedische collecties ter afspiegeling van de status en de universele curiositas van de verzamelaar (Scheller, 1969); het zijn complexen van symbolische verwijzingen, ontleend aan de filosofie van het Neostoïcisme (Briels, 1980).[15] Het Haagse 'atelier van Apelles' heeft iets van al deze kenmerken. Het verbeeldt kortom een tastbare wereld, maar ook een wereld van ideeën. Bijvoorbeeld: de mannen bij de globe vertegenwoordigen (als de Drie Koningen) Afrika, Azië en Europa – het vierde werelddeel Amerika was nog niet ontdekt in Alexanders tijd en wordt hier gesymboliseerd door een vierde man, een gehelmde soldaat. Zo'n 'Griekse' figurant op strategische plaatsen (bij het schilderij van Gerard Seghers, *De verloochening van Petrus*, en bij de deur in het achtervertrek) benadrukt subtiel dat we ons in de wereld van Apelles bevinden. Blijkbaar was dat geen bezwaar om zijn 'atelier' uit te rusten met kunstwerken uit de omgeving van Van Haecht zelf.

In menig onderdeel lijkt de schilder zich te vermeien in betekenissen en dwarsverbanden. Een voorbeeld daarvan is mogelijk de prent midden op de tafel tegen de achterwand, die te herkennen is als *Drie boeren in gesprek* van Albrecht Dürer.[16] Vermoedelijk zou de schilder ingestemd hebben met de veronderstelling dat die prent daar ligt vanwege de contrastwerking met de 'drie Gratieën' die voor Apelles poseren.

Voordat een uitspraak gedaan mag worden over de betekenis van het geheel, zal vastgesteld moeten worden wat we in detail voor ons zien. Zeker in het voorvertrek bestaan de objecten uit een zichtbare wereld van toen bestaande schilder-, beeldhouw-, teken- en prentkunst, zij het dat dit ensemble nooit in deze vorm bijeen is geweest. In zijn catalogus van het Mauritshuis heeft Victor de Stuers in 1874 al verregaand succes geboekt met het identificeren van de kunstvoorwerpen in dit 'atelier van Apelles'.[17] Zijn bevindingen werden door Bredius (1895) en Martin (1935) nog bijgeschaafd, terwijl Speth-Holterhoff in haar boek over het geschilderde kunstkabinet (1957) vrijwel uitsluitend Martins catalogus citeerde.[18] In verspreide publicaties en niet gepubliceerde mededelingen aan het museum werden belangrijke nieuwe suggesties gedaan, zodat het beeld thans voldoende kompleet is.[19]

Aan de hand van het schema dat steeds werd afgedrukt in de catalogi van het Mauritshuis [**6**], kunnen we een snelle rondgang maken door dit gedroomde museum. Links boven hangt een *Jachtstilleven met dode zwaan* van Frans Snyders (1)[20], daarnaast Titiaans *Opvoeding van Amor* (Rome, Palazzo Borghese) (2), daaronder *De gevangenneming van Simson* van Anthonie van Dyck (Wenen, Kunsthistorisches Museum) (3) en Domenichino's *Jacht van Diana* (Rome, Palazzo Borghese) (4). Aan deze muur zien we voorts *Een gevecht tussen een pauw en een haan* van Paul de Vos (Londen, collectie C. Quilter) (5), *Cleopatra* door Guido Reni (Potsdam, Sanssouci) (6) en *Een landschap met een schaapherder* dat steeds toegeschreven werd aan Maerten Ryckaert (7). Het origineel, van de hand van Willem Nieulant, is echter bewaard gebleven in een particuliere verzameling (Brussel, collectie J. de Sejournet).[21]

Op de onderste rij hangen bij elkaar *Apollo en Daphne* van Albani (Parijs, Musée du Louvre) (8), een ongeïdentificeerd *Landschap met jagers* (9) en een *Gothisch kerkinterieur* (10) van Pieter Neeffs. Het pièce de résistance op deze wand is natuurlijk *De Amazonenslag* (11), die Rubens kort na 1615 geschilderd had voor Cornelis van der Geest (München, Alte Pinakothek). Het kleine schilderijtje tegen de lijst van het kapitale paneel van Rubens bevond zich ook in de collectie Van der Geest: het staat op de *Kunstkamer* uit 1628 midden op de vooraan geplaatse tafel. Held schreef het tafereel, *De Lente* (of *De Jeugd*) (11a), terecht toe aan Rottenhammer.[22] In het schetsboek op de tafel (14) is een tekening in rood krijt te zien, een kopie naar de figuur van Sint Laurentius uit *Het Laatste Oordeel* van Michelangelo in de Sixtijnse kapel (door Rubens?).[23] Naast *De Amazonenslag* hangt een *Suzanna en de ouderlingen* van een onbekende Vlaming uit de vroege zestiende eeuw (12) en er onder *Venus in Vulcanus' smidse* (13), vermoedelijk een – nu niet meer bekend – schilderij van Otto van Veen. Het werd vermeld in een vroeg-zeventiende-eeuwse inventaris en is ook te zien op *Het kunstkabinet van Cornelis Van der Geest*.[24] Het paneel dat naast het astrolabium staat is een van de varianten die Frans Francken II schilderde van *De doortocht door de Rode Zee* (Frankfurt, Städelsches Kunstinstitut) (15).[25]

Op de voorgrond zijn tegen twee stoelen vier schilderstukken uitgestald: *Een Venetiaans liefdespaar*, in de trant van of naar een schilderij van Palma Vecchio (18), *Diana met haar nymfen* van Jan Brueghel de Oude en Rubens (Parijs, Musée de la Chasse et de la Nature) (17), *Een marktscène in een havenstad* van Joachim Beuckelaer (19), waarvan een zeer uitgewerkte voor(?)studie door Lugt werd gepubliceerd[26], en *Een boeket in een glazen vaas* (20), dat door verschillende auteurs herkend werd als een werk van Daniël Seghers (München, Bayerische Staatsgemäldesammlungen), zodat de oude toeschrijving aan Ambrosius Bosschaert kwam te vervallen.[27]

Een van de topstukken in dit imaginaire museum is natuurlijk *De geldwisselaar en zijn vrouw*, van Quinten Metsijs (Parijs, Musée du Louvre) (21) rechts onder, waarin Willem van Haecht zelf de weerspiegeling van de man in het venster in de bolle spiegel op tafel in miniatuur wist na te schilderen. Op de grond staan verder naar achteren *De ontvoering van Proserpina* van Hendrick van Balen (22)[28] en een evenmin bewaard gebleven *Verloochening van Petrus* (23), waarvan Gerard Seghers wel de maker zal zijn geweest. Naast de poortdoorgang hangen *Een soldaat met een zwaard*, dat eveneens te zien is op *Het kunstkabinet van Cornelis van der Geest* en dat toegeschreven wordt aan Domenico Mancini (24) en een niet geïdentificeerde *Zondvloed* (25). Enkele werken op de onderste rij konden nog niet aan een kunstenaar worden toegeschreven: *Een allegorie op de liefde* (van een Italiaan of een Caravaggist?) (31), een *Berglandschap met een waterval* (32) en een *Winterlandschap* in de trant van Joos de Momper (34). Het ronde schilderijtje is *De vijf zintuigen* van Simon de Vos (Kortrijk, collectie Goethals) (30)[29], waarvan meerdere varianten bestaan. Het belangrijkste werk aan deze wand is *Het portret van Jean Carandolet* van Sebastiano del Piombo (Lugano, collectie Thyssen-Bornemisza) (33). Net als de andere topstukken in dit vertrek kon het met een gordijn worden afgedekt.

Onder de architraaf zijn voorts links twee werken van Adam Elsheimer te zien, waarvan de voorstellingen geïdentificeerd werden als *Ceres en Stellion* (26) en *Judith en Holofernes* (27), echter in uitvoeringen die nu niet meer van hem bekend zijn. Het laatstgenoemde werk bevond zich in de collectie Van der Geest en beide (?) stukken werden vermeld in de nalatenschap van Rubens, die zoveel moeite heeft gedaan om Elsheimer in het noorden populair te maken.[30] Een ereplaats is hier ingeruimd voor *Het portret van een onbekende man* (Frankfurt, Städelsches Kunstinstitut) (28) van Quinten Metsijs en de rij wordt gesloten door een soortgelijk werk van Hendrick van Balen als er op de grond staat, namelijk *De roof van Europa* (Valenciennes, Musée des Beaux-Arts) (29).[31]

Vier grote schilderijen bedekken tenslotte de muur rechts tot aan de zoldering: *Alexander verjaagt de schoenmaker*(?)[32], toegeschreven aan Barent van Orley (Leipzig, Museum der bildenden Künste) (36), *Jupiter en Antiope* van Correggio (Parijs, Musée du Louvre) (37) en *De dronken slapende sater* van Rubens (Wenen, Akademie der bildenden Künste) (38). Het helemaal bovenaan geplaatste schilderij is geen werk uit de school van Jordaens, zoals wel werd gedacht, maar *Het bonenmaal* van Vincenzo Campi (39). Daarvan bestaan verschillende geschilderde versies, maar alleen een getekende voorstudie (Bassano, Museo Civico) wordt nu nog als eigenhandig beschouwd.

De rondleiding door het voorvertrek kan niet compleet zijn zonder dat we een paar woorden wijden aan de uitgestalde beelden, zo te zien stuk voor stuk (kopieën naar) werken uit de Griekse en Romeinse oudheid. Boven de zuilen

7
Deur in het Rubenshuis, Antwerpen
Anno 1938

naast de poortdoorgang herkennen we de Apollo van Belvedere (B) en een Muze (C), die beide ook naast de deur van de kunstkamer van Van der Geest stonden. Tussen deze beelden staat een afgietsel van de buste van de Hercules Farnese (D) in een nis. Het arrangement met de bloemfestoenen is duidelijk geïnspireerd op de ornamentiek boven de deur(en) van Rubens' huis in Antwerpen, die daar in 1938 nog te zien was [7].[33] De beelden op de porseleinkast werden al door Victor de Stuers beschreven als borstbeelden van Lucius Verus en van Venus en Jupiter naast kleine statuetten (Ceres, Bacchus) die gegroepeerd staan tussen twee Romeinse standbeelden: een naakte man en een geklede vrouw.

Onder de beelden in het achtervertrek met het tonggewelf herkent men direct de Laokoon (E). Op de tafel staan daar kleine bronzen plastieken die ook waren uitgestald midden voor in *De kunstkamer van Cornelis van der Geest* (A). Het zijn de bekende sculpturen van Giovanni da Bologna, die bijzonder gezocht werden door de verzamelaars destijds: *Hercules verslaat de centaur*, *Jupiter en Antiope* en een bronzen stier en een paard (a). De laatste twee dierplastieken had Van der Geest wellicht verworven op een veiling in Antwerpen in 1621: 'Twee figuren van peerden, een van stier ... van Meester Jan de Boulogne'.[34]

De schilderijen in deze ruimte zijn weer van Vlaamse en Italiaanse meesters. *Een landschap met ruïnes* van Adriaan van Nieulant(?) boven de deur (41) wordt geflankeerd door *Perseus bevrijdt Andromeda* links (42) en *Polyphemus en Acis* rechts (40). De voorbeelden werden tot dusver niet herkend, maar dat blijken de fresco's van Annibale Carracci in het Palazzo Farnese te Rome [8] te zijn geweest.[35] Willem van Haecht beschikte dus over kopieën daarnaar, die hij misschien zelf had gemaakt. Het achterste schilderij bovenaan is *Tarquinius en Lucretia* (43) van Rubens (Potsdam, Sanssouci). Naast vier onherkenbare werken hangen hier enkele nog niet geïdentificeerde stukken: *Het offer van Abraham* (44), *Mozes bij het brandend braambos* (45) en tenslotte *Een brandende stad* (46). Het schilderij *Loth en zijn dochters* (47) dat bij de tafel omhoog gehouden wordt voor enkele kunstkenners, is mogelijk van Frans Floris.

De halfronde nis die het achtervertrek afsluit is een reproductie van het oudste museum in Vlaanderen, het 'mouseion' van Rubens aan de tuinzijde van zijn huis in Antwerpen.[36] Hier stonden in nissen boven elkaar de antieke sculpturen die hij in 1618 had verworven, verlicht door een oculus in de kruin van het gewelf. De enige afbeelding die ervan bestaat – een prent van Jacob Harrewijn uit 1692 – toont aan dat Van Haecht dit museum vrij nauwkeurig heeft weergegeven.[37]

De wereld van Rubens, de 'Vlaamse Apelles', is in dit tafereel wel bijzonder goed vertegenwoordigd. We zien zijn 'mouseion', details uit zijn huis, zijn schilderijen (de *Amazonenslag*, *Tarquinius en Lucretia* en *Een dronken slapende sater*), werk van zijn leerlingen en door hem bewonderde oudere schilders en de gestalte van Alexander die ontleend is aan een van zijn historiestukken. Martin heeft in de gelaatstrekken van de schilderende Apelles zelfs die van Rubens willen herkennen. Maar dié stap heeft Willem van Haecht kennelijk bewust niet gezet.[38] Niet voor niets zijn ereplaatsen in dit 'Atelier van Apelles' ook ingeruimd voor panelen van Quinten Metsijs, die beschouwd werd als de grondlegger van de Antwerpse schilderschool en recent werk van Van Dyck. Dus als Van Haecht een hommage bracht aan de schilderkunst van zijn tijd en aan die van zijn vaderstad en Rubens in het

8
Annibale Carracci
Polyphemus en Acis
Fresco
Niet gesigneerd, niet gedateerd (ca. 1598)
Rome, Palazzo Farnese

bijzonder, deed hij dat in het besef van de banden met het Vlaamse verleden. Vanzelfsprekend wees hij daarbij op de oorsprong van de kunst in de oudheid en de voortzetting van de traditie door de illustere Italianen. Het zal wel geen toeval zijn dat de keuze van onderwerpen in dit denkbeeldige museum vooral bestaat uit bijbelse en mythologische histories. Het historieschilderen genoot immers de hoogste status in de rangorde van de mogelijke specialisaties in de kunst.[39]

Apelles was de verpersoonlijking van *Pictura*. De schilders van het Antwerpse Sint Lucasgilde waren zijn geestelijke discipelen, ofwel zoals ze in 1619 werden geprezen: 'Apelles const-baer trou scholieren'.[40] De hoge dunk die de schilders van hun ambacht hadden blijkt uit het feit dat al in 1580 hun gilde zich aansloot bij de rederijkerskamer der Violieren, want: *ut pictura poesis*.[41] De Dichtkunst die de Schilderkunst inspireert is ook in Van Haechts schilderij in beeld gebracht met het Apollo-beeld, dat refereert aan de in die tijd gebruikelijke woordspelingen op Apelles/Apollo.[42] De schilder en de rederijker zagen in de mikrokosmos van deze kunstkamer een denkwereld gevisualiseerd, die hen zeer vertrouwd moet zijn geweest.

Relevant is hier een vergelijking met het rebusblazoen van de Violieren, dat in 1618 geschilderd werd door Hendrick van Balen, Jan Brueghel, Frans II Francken en Sebastiaan Vrancx (Antwerpen, Museum voor Schone Kunsten).[43] De eerste strip vertoont een schilder, poserend achter zijn ezel als Van Haechts Apelles, vervolgens een kunstenaar die door een gelauwerde poëet wordt geïnspireerd en een tekenende Sint Lucas, herkenbaar aan zijn attribuut, de stier, en tenslotte een vuurtje. De oplossing van deze eerste rebus-regel luidt dan: Apelles scholieren, die Sint Lucas vieren … .[44] Het doet ons beseffen hoezeer men Apelles als een eigentijds alternatief moet hebben gezien voor de middeleeuwse Sint Lucas, de patroonheilige van de schilders. Zo blijkt *Apelles schildert Campaspe* een moderne variant te zijn van een

9
Maarten van Heemskerck
Sint Lucas schildert de Madonna
Paneel, 200 x 143 cm
Midden onder: *Mtinus Heem... Fecit* (ca. 1553)
Rennes, Musée des Beaux-Arts, inv.nr.
801.1.6

eeuwenoud thema, namelijk *Sint Lucas schildert de Madonna*. Vooral de vorm waarin Maerten van Heemskerck dit thema heeft uitgebeeld in een befaamd schilderij (Rennes, Musée des Beaux-Arts) [9][45], roept sterke associaties op met de Haagse kunstkamer. Lucas zit daar immers ook te werken voor het decor van een bestaande kunstcollectie, namelijk die in het Casa Sassi te Rome.

Op 11 juli 1637 dicteerde Willem van Haecht, 'sieck te bedde liggende', zijn testament. Nog voordat hij zijn familieleden bedacht, vermaakte hij zijn fraaiste kunstwerk aan zijn broodheer: 'aen Sr Cornelis van der Geest, eerst de grootste constcamere by den testateur geschildert'.[46] In 1638 overleed Van der Geest, maar pas in 1765 werd *Apelles schildert Campaspe* weer gesignaleerd op een veiling. In dat jaar werd het verworven uit de collectie van de koning van Polen voor stadhouder Willem v. De schilderijengalerij Willem v aan het Buitenhof in Den Haag is een van de weinige musea waar nog bewust de typische manier van exposeren van schilderijen (in rijen boven elkaar) wordt gehandhaafd, die al in Van Haechts tijd gebruikelijk was.

172

1 Inv.nr. RH. S 171; *Baudouin 1969*, p. 158–173 (+ bibl.); *Held 1982*, p. 38 e.v., p. 60, noot 19 (+ bibl.) en afb. v, 3–6. Het *Danaë*-schilderij is wellicht een werk van Van Haecht; over diens oeuvre, zie: *Baudouin 1972*, p. 274–275, noot 20 (+ bibl.); over Van der Geest, zie: *Deelen 1959*

2 *Zoege von Manteuffel 1922*, p. 424 (+ bibl.); *Baudouin 1972*, p. 197–209 (+ bibl.)

3 *Held 1957* (herdrukt in *Held 1982*, p. 35–64, met nawoord), *Speth-Holterhoff 1957*, p. 100–104 en *Baudouin 1969* gaven een uitvoerige analyse van dit tafereel.

4 Inv.nr. 748; *De Coo 1966*, p. 206–207, nr. 748 en afb.: gedateerd 1600; zie ook: *De Coo 1959*

5 Afgebeeld in kleur in: *Speth-Holterhoff 1957*, pl. IV; het sleutelstuk is hier *Achilles bij de dochters van Lycomedes*, echter niet van Rubens (zoals *Speth-Holterhoff 1957*, p. 107–108 dacht), maar van Anthonie van Dyck, in de versie die verworven werd door Frederik Hendrik in 1628–29 (Pommersfelden, collectie Graf Schönborn), zie: *Larsen 1980*, p. 95, nr. 610 en afb.

6 *Winner 1957*, p. 3–40 nam het schilderij tot uitgangspunt van zijn helaas nooit in druk verschenen dissertatie over 'die Quellen der Pictura-Allegorien'.

7 *Van Mander 1604*, fol. 79a

8 Inv.nr. 6845; *Boon 1980–81*, p. 227–228, nr. 158 en afb. pl. 84; zie ook: *Poensgen 1970*, p. 507–508 en 514, afb. 4, 5 en 14

9 In *Delft/Antwerpen 1965*, p. 63, nr. 58 werd onder verwijzing naar *Lugt 1936*, p. 109, afb. 38, verondersteld dat de figuur van Campaspe ontleend was aan de kopie van Rubens naar Titiaans portret van Isabella d'Este.

10 B. 245; *Schoemaker/Broun 1981–82*, p. 146–147, nr. 43 en afb. Over de invloed van deze prent op de Hollandse/Vlaamse kunst, zie: *Sluijter 1986*, p. 25–29

11 *Van Mander 1604*, loc. cit. (noot 7). *Sluijter 1980–81*, p. 5658 en *Sluijter 1986*, p. 210–224

12 Inv.nr. 238; *Den Haag 1977*, p. 63–64, nr. 238 en afb.; *Reznicek 1954*, p. 43–46 en *Speth-Holterhoff 1958*, p. 58–62. Over het Parisoordeel als afbeelding van Pictura, in het bijzonder in kunstkabinetten, zie *Sluijter 1986*, p. 219 en voorbeelden daarvan op p. 494–495, noot 219-4.

13 Inv.nr. 461; *Leningrad 1981*, p. 62–64, nr. 461 en afb. 121; *Rooses 1886–92*, dl. III, p. 146–147, nr. 666 en afb. pl. 205 kende geen zeventiende-eeuwse prent naar het schilderij. *Winner 1957*, p. 3, noot 4 herkende de ontlening aan Rubens; *Millner-Kahr 1975*, p. 234 en afb. 11 opperde een ontlening aan een houtsnede van Hans Burgkmair.

14 *Scheller 1969*, p. 110–114 (+ bibl.)

15 *Von Schlosser 1908*, p. 125; *Winner 1957*, p. 3–40; *Scheller 1969*, p. 113; *Briels 1980*, p. 149

16 B. 86; *Strauss 1976–77*, p. 58–59, nr. 17 en afb.

17 *De Stuers 1874*, p. 256–262, nr. 227

18 *Bredius 1894*, p. 454–460, nr. 227 (403) en *Martin 1935*, p. 108–116, nr. 266; *Speth-Holterhoff 1957*, p. 105–107

19 Door de gecompliceerdheid van het materiaal zal hier slechts een beperkt overzicht kunnen worden gegeven van alle nieuwe gegevens en voorbijgegaan worden aan algemeen bekende zaken.

20 Het opgehangen hert komt ook voor op een schilderij in Gothenburg en de zwaan en pauw op een stilleven te Dresden (foto's RKD).

21 Meegedeeld door W.L. van de Watering

22 *Held 1957*, p. 65; een versie van deze voorstelling bevond zich in de kunthandel (J. Singer, Londen, 1947) (foto RKD); het behoort tot een serie op koper geschilderde afbeeldingen van seizoenen.

23 Rubens tekende in de Sixtijnse kapel, zie: *Jaffé 1977*, p. 1922 en afb. pl. 10

24 *Held 1982*, p. 52–53

25 Het astrolabium komt ook voor op *De kunstkamer van Cornelis van der Geest*, links onder het open raam.

26 *Lugt 1948*, p. 44–47, afb. 1

27 *Hairs 1955*, p. 234 en *Speth-Holterhoff 1957*, p. 107

28 Een pendant van het schilderij uit Valenciennes (29)?

29 Een foto in het Mauritshuis (een variant op een foto in het RKD, zonder hond) vertoont een compositie op een rechthoekig formaat.

30 *Held 1982*, p. 61, noot 31; zijn onjuiste identificaties werden herroepen door *Andrews 1977*, p. 144, nr. 12 en p. 152–153, nr. 23 en afb. pl. 36 en 82. De laatste schrijver hield er onvoldoende rekening mee dat Van Haecht mogelijk wèl thans niet meer bestaande eigenhandige varianten van Elsheimer schilderde.

31 Cat. 1931, nr. 28; foto RKD

32 Dit zeldzame onderwerp (een episode uit het verhaal *Apelles door de schoenmaker bekritiseerd?*) werd besproken door *Taverne 1964*, p. 35.

33 *Tijs 1984*, p. 236 en afb.

34 *Denucé 1932*, p. 35

35 Alleen de vliegende Perseus op zijn paard is van links naar rechts verplaatst, zie: *Martin 1965*, afb. 77

36 *Muller 1977*, p. 571–582, toonde aan dat het antieke voorbeeld voor Rubens' museum het pantheon te Rome was, dat daarmee indirect model stond voor het 'ideale museum' in menige

kunstkamer; zie ook: *Briels 1980*, p. 147–148.

37 *Muller 1977*, p. 577, afb. 2 en *Briels 1980*, p. 147, afb. 3

38 Het portret van Rubens schilderde hij wèl in *De kunstkamer van Cornelis van der Geest*, zie: *Held 1982*, pl. V, 3, nr. K. Onjuist is dus de suggestie van *Martin 1908*, p. 38, dat Apelles 'veel op Rubens gelijkt'.

39 Zie bijvoorbeeld: *Broos 1978–79*, p. 117–118

40 *Donnet 1907*, p. 40 en afb.; zie ook: *Baudouin 1972*, p. 208

41 *Taverne 1964*, p. 39–40. Over 'ut pictura poesis', zie: *Lee 1967*, passim.

42 *Winner 1957*, p. 15

43 Inv.nr. 366; *Speth-Holterhoff 1957*, afb. 1

44 De oplossing van de complete rebus is ontleend aan *Antwerpen 1959*, p. 19, nr. 366:

'Apelles' scholieren, die Sint Lucas vieren

Wilt helpen versieren de Olijftak snel

Met onze violieren ende Apollo's laurieren

Vlucht Nijd, na(a)r edel manieren willig houdt Vrede wel'

45 Inv.nr. 801.1.6; *Rennes 1974*, p. 58–61, nr. IV, 70 en afb.

46 *Van Puyvelde 1955*, p. 162; *Held 1957*, p. 84 (ook: *Held 1982*, p. 51) meende dat hiermee het schilderij in het Mauritshuis moest zijn bedoeld (zijnde 'de grootste') in tegenstelling tot wat *Speth-Holterhoff 1958*, p. 57 meende; *Baudouin 1972*, p. 275, noot 20, citeerde meer auteurs over dit onderwerp en meende dat Held het bij het rechte einde moest hebben.

Frans Hals

30 | Een lachende jongen

Antwerpen tussen 1581/1585 – Haarlem 1666

Paneel, diameter 29,5 cm
Links onder, boven de schouder: *FHF* (ineen)
Inv.nr. 1032

De familie Hals was uit Mechelen afkomstig en vluchtte uit Vlaanderen naar Haarlem, waar zij voor het eerst in 1591 werd vermeld. In 1618 werd Frans Hals in een biografie van Van Mander genoemd als diens leerling en als een specifieke portretschilder. Toch blijkt er geen invloed van Van Mander aanwezig te zijn in zijn vroege werk. Hals is in wezen nooit anders geweest dan een pure portrettist: zelfs in zijn 'genre'-stukken schilderde hij vooral koppen (met enig bijwerk). Het vroegst gedateerde portret is uit 1611, terwijl hij in 1616 het eerste van een reeks imposante groepsportretten (schuttersoptochten en -maaltijden) schilderde, die nu nog de trots zijn van het Frans Halsmuseum in Haarlem. Deze officiële opdrachten vertoonden nog lang traditionele houdingen en composities, terwijl hij zijn virtuoze penseeltoets tot 1630 reserveerde voor het kantwerk of de veelkleurige borduursels aan de kostuums. In zijn vrije stukken, voornamelijk portretten van volkse typen, paste hij toen al in gezichten en handen de brede schildertoets toe, waaraan hij (sinds de negentiende eeuw) zijn faam ontleende. Van 1630 tot 1640 ontstonden belangrijke portretten, die een toenemende monochrome kleurstelling laten zien. In de laatste fase van zijn leven (na 1640) gebruikte hij de losse schildertrant ook voor portretkoppen. Zijn kleuren werden donkerder en de contrasten met de witte partijen steeds groter. Van Manders bezwaar tegen het portretspecialisme gold niet alleen de geringe eer die er mee viel te behalen, maar evenzeer de povere verdiensten ervan. Hals heeft dat geweten. Hij kende voortdurend geldzorgen en kreeg vanaf 1662 van het Haarlemse stadsbestuur een bescheiden jaarlijkse toelage. Zijn laatste grote regentenportretten die hij op meer dan tachtigjarige leeftijd maakte, vertonen niettemin een verbluffende vitaliteit.

Herkomst

Collectie baron Albert von Oppenheim, Keulen
Veiling Von Oppenheim, Berlijn, 1918
Collectie mevr. Friedländer-Fuld, Berlijn
Collectie mevr. M. von Kühlmann, Berlijn
Collectie Goldschmidt-Rothschild, Parijs
Koninklijk Kabinet van Schilderijen 'Mauritshuis', 1968

Bibliografie

HdG 28 (dl. III, p. 11, nr. 28)
Valentiner 1923, p. 31 en 307 en afb.
Haarlem 1937, p. 34, nr. 22 en afb. 24
Haarlem 1962, p. 35, nr. 11 en afb. 21
De Vries 1969, p. 24a–b
Den Haag 1970, nr. 15 en afb.
De Vries 1970, p. 217–219 en afb.
Slive 1970–74, dl. I, p. 75, dl. II, afb. pl. 49, dl. III, p. 1819, nr. 29
Grimm 1972, p. 57 en 200, nr. 18 en afb. 26
Den Haag 1977, p. 104, nr. 1032 en afb.
Washington enz. 1982–83, p. 80–81, nr. 18
Hoetink e.a. 1985, p. 192–193, nr. 37 en afb., p. 371–372, nr. 1032 en afb.
Broos 1986, p. 227–231, nr. 28 en afb.

In de tweede helft van de negentiende eeuw werd Frans Hals in Frankrijk bijzonder populair. Het Louvre in Parijs kocht zijn *Zigeunermeisje*[1] in 1869 en in datzelfde jaar kopieerde Gustave Courbet *Malle Babbe* (Berlijn, Staatliche Museen en Hamburg, Kunsthalle).[2] De bewondering gold toen uiteraard zijn ruige verfbehandeling en de persoonlijke schildertrant met de zichtbare penseelstreek, die als eigentijds werd ervaren: 'Frans Hals est un moderne. Son esthétique, son coloris, son dessin, ses procédés, apartiennent à notre époque', was het enthousiaste commentaar dat men in 1883 in het kunsttijdschrift *L'art moderne* kon lezen.[3]

Een van de gelukkigste aanwinsten van het Mauritshuis is dit ronde paneeltje, *Een lachende jongen*, dat geschilderd is in de virtuoze brede stijl. Er bestaat een drietal kopieën van dit schilderij, waarvan er minstens één in de directe omgeving van Hals is ontstaan – de andere zijn latere, povere navolgingen.[4] Ze tonen eigenlijk twee dingen aan: al in de zeventiende eeuw werd zijn aparte techniek bewonderd en bovendien blijkt zijn 'handschrift' nauwelijks navolgbaar.

De datering van de 'tondo' zal omstreeks het midden van de jaren twintig zijn.[5] Het is daarom nuttig een vergelijking te maken met de twee 1625 gedateerde schilderijen, het *Portret van Jacob Pietersz Olycan* (cat.nr. 31) en het pendant ervan, het *Portret van Aletta Hanemans* (cat.nr. 31, afb. 1). Die zijn namelijk veel preciezer geschilderd met hooguit in de handen wat bredere toetsen. Hals hanteerde toen dus twee stijlen tegelijk: één voor portretten en één voor vrije onderwerpen. In zijn latere werk zou hij dit onderscheid steeds

◀ **1**
Frans Hals
Lachende jongen met een glas (de Smaak)
Paneel, diameter 38 cm
Rechts boven: *FHF* (ineen) (ca. 1627)
Schwerin, Staatliche Museen, inv.nr. 2476

▶ **2**
Frans Hals
Lachende jongen met een fluit (het Gehoor)
Paneel, diameter 37,3 cm
Niet gesigneerd, niet gedateerd (ca. 1627)
Schwerin, Staatliche Museen, inv.nr. 2475

minder maken en ook portretten in zijn hoogst persoonlijke trant gaan uitvoeren, zoals aangetoond wordt door een werk uit omstreeks 1660, het *Portret van een man*, dat zich eveneens in de collectie van het Mauritshuis bevindt.[6] De geschiedenis met de *Magere Compagnie* (zie cat.nr. 18) toont aan dat men brede en fijne toetsen in één schilderij zelfs niet gek vond. De leermeester van Frans Hals, de schilder/theoreticus Carel van Mander, had in 1604 uitgebreid geschreven over beide mogelijkheden om een schilderij te maken ('Tweederley, doch welstandighe manieren'), die als sinds Horatius van elkaar werden onderscheiden. Van Mander noemde ze 'net' en 'rouw', waarbij hij ervoor waarschuwde dat de schildertechniek met de losse, brede toets niet aanbevelenswaardig was voor de beginnende leerling.[7] De rouwe manier was volgens hem slechts voorbehouden aan de grootste meesters: Van Mander gaf Titiaan als voorbeeld. Hetzelfde gold voor het 'alla prima' schilderen, zoals Hals het deed: 'Ten eersten schier sonder teyckenen schilderen, wil hem met yeder niet schicken'.[8] Ondanks de geringe bijval die de *onderwerpen* van Frans Hals moeten hebben gehad – het waren nu eenmaal merendeels 'slechts' portretten –, is zijn *stijl* wel al vroeg bewonderd. Arnold Houbraken sprak zeker niet alleen voor zichzelf toen hij beweerde: 'want dat hy zyn weerga niet kende, die 't penceel zoo tot zyn wil had, dat hy, na hy een Pourtret had aangeleid, de vaste wezenstrekken, hoogsels, en diepsels met een penceelzet, zonder verzagtinge of verandering zoo hun behoorlyke plaats wist te geven. Men zegt, dat hy voor een gewoonte had, zyn Pourtretten vet, en zachtsmeltende aan te leggen, en naderhand de penceeltoetsen daar in te brengen, zeggende: *Nu moet 'er het kennelyke van den meester noch in*'.[9]

Frans Hals Een lachende jongen

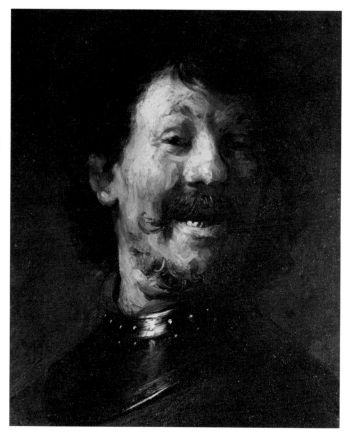

3
Rembrandt
Een lachende man
Koper, 15,3 x 12,2 cm
Niet gesigneerd, niet gedateerd (ca. 1629–30)
Den Haag, Mauritshuis, inv.nr. 598

Hals moet zich bewust zijn geweest van het 'kennelyke' in dit schilderij, want hij signeerde het ostentatief met zijn monogram 'FHF' (Frans Hals Fecit). Slive veronderstelde dat Hals het voor zijn eigen genoegen had geschilderd en koppelde daaraan het idee dat er een betekenisvol attribuut aan werd toegevoegd, toen dergelijke privéstukken later toch van de hand werden gedaan.[10] Zo zou in twee even grote tondo's van lachende jongens in het ene geval een fluit zijn bijgeschilderd (Storrington, Sussex, collectie Lady Munro)[11], waardoor een allegorie op Het Gehoor ontstond[12], en in het andere geval een zeepbel (Hollywood, Cal., collectie Hans Cohn)[13] om er een vanitasstuk van te maken. Omstreeks 1627 ontstonden twee dergelijke tondi (van een reeks zintuigen?), waarin de attributen van meet af aan in de compositie waren opgenomen: *Een lachende jongen met een glas (de Smaak)* [**1**][14] en *Een lachende jongen met een fluit (het Gehoor)* [**2**] (beide Schwerin, Staatliche Museen).[15]

Aangezien in het Haagse paneel (kwalitatief veruit het beste van de drie) geen extra's zijn aangebracht, blijft het simpelweg een studie van een gelaatsexpressie, die te vergelijken is met studies die Rembrandt maakte tussen 1625 en 1630, in schilderijen en etsen.[16] Een voorbeeld daarvan is het (niet algemeen als authentiek beschouwde) schilderij *Een lachende man* (Den Haag, Mauritshuis) [**3**].[17]

Tenslotte: misschien heeft Hals (en Rembrandt) zelfs in beeld gebracht wat Van Mander in zijn hoofdstuk over de 'Wtbeeldinghe der Affecten' beschreef onder het opschrift *'Om vrolijckheyt des ghemoedts uyt te beelden'*:
'Dus een blijd'herte/ dat druck is verstroylijck/
Op dat wy dat wel uyt te beelden wisten/
Wy sullen d'ooghen half toe maken moylijck/
Den mondt wat open/ soet/ lachende/ vroylijck'.[18]

1 Inv.nr. M.I. 926; *Slive 1970–74*, dl. II, afb. 100–101, dl. III, p. 38, nr. 62

2 Inv.nr. 801C; *Slive 1970–74*, dl. II, afb. 120–122, dl. III, p. 45–46, nr. 75. Courbet: inv.nr. 316, zie: *Slive 1970–74*, dl. I, p. 148, afb. 149

3 *L'art moderne 1883*, p. 203; over de herwaardering van Frans Hals en vooral de rol die Thoré-Bürger daarin speelde, zie: *Jowell 1974*, p. 101–117.

4 *Slive 1970–74*, dl. III, p. 19 en afb. 13–15; zie ook: *Grimm 1972*, p. 57: 'in der übergrossen Zahl von überlieferten Bildern lachender Kinder aus der Hals-Werkstatt steht dieses vereinzelt in der Leichtigkeit und Frische der Malweise und im strahlenden Ausdruck'.

5 *Slive 1970–74*, dl. II, afb. 49: 'About 1620–25'; *Grimm 1972*, p. 57: '1624–26'

6 Inv.nr. 928; *Slive 1970–74*, dl. II, afb. 323–324, dl. III, p. 107–108, nr. 210

7 *Van Mander 1604*, fol. 48b; zie ook: *Broos 1978–79*, p. 121–123

8 *Van Mander 1604*, fol. 47a

9 *Houbraken 1718–21*, dl. I, p. 92. Over het verschil in waardering voor de onderwerpen van Hals ten opzichte van de appreciatie van zijn stijl, zie: *Broos 1978–79*, p. 117–123

10 *Slive 1970–74*, dl. I, p. 75–76

11 Diameter 29 cm; *Slive 1970–74*, dl. II, afb. 50, dl. III, p. 18, nr. 27

12 Bijvoorbeeld passend in een serie 'Zintuigen', zoals afgebeeld door *Slive 1970–74*, dl. I, p. 78–79, afb. 54–57

13 Diameter 28 cm; *Slive 1970–74*, dl. II, afb. 51, dl. III, p. 18, nr. 28

14 *Slive 1970–74*, dl. II, afb. 91, dl. III, p. 35, nr. 58: in 1654 werd in een Amsterdamse inventaris al zo'n reeks zintuigen van Frans Hals vermeld.

15 *Slive 1970–74*, dl. 2, afb. 92, dl. 3, p. 35–36, nr. 59

16 Bijvoorbeeld de ets *Zelfportret met open mond*; B 13, *Hollstein*, dl. XVIII, p. 6, nr. 13, dl. XIX, p. 6 en afb.

17 *De Vries e.a. 1978*, p. 48–55 (authentiek); *Bruyn e.a. 1982*, p. 427–430: 'cannot be rejected with certainty as not being original'

18 *Van Mander 1604*, fol. 25a; voor de invloed van Van Manders teksten betreffende de 'Affecten' bij Rembrandt, zie: *Reznicek 1975*, p. 116–117 en afb. 5

Frans Hals Portret van Jacob Pietersz Olycan

Antwerpen tussen 1581/1585 – Haarlem 1666

Doek, 124,6 x 97,3 cm
Niet gesigneerd, rechts boven: *AETAT SVAE. 29 A⁰ 1625*
Inv.nr. 459

Herkomst

Familie Olycan, familie Van der Horn,
familie Van Sypesteyn (zie noot 9)
Veiling Amsterdam, 1877 (teruggekocht door
de familie Van Sypesteyn)
Aangekocht door het Rijk, 1880
Koninklijk Kabinet van Schilderijen
'Mauritshuis', 1880

Bibliografie

De Stuers 1881, p. 44
Bredius 1895, p. 137–138, nr. 459 en afb.
Geffroy 1900, p. 89
HdG 208 (dl. III, p. 62, nr. 208)
Den Haag 1914, p. 117–118, nr. 459 en afb.
Valentiner 1923, p. 42 en 309 en afb.
Van Thienen 1930, afb. 39
Martin 1935, p. 122–123, nr. 459
Erasmus 1939, p. 239
Trivas 1941, p. 30, nr. 18 en afb. pl. 30
Den Haag 1954, p. 30, nr. 459
Slive 1970–74, dl. I, p. 50 en 123–124, dl. II,
afb. pl. 58, dl. III, p. 21–22, nr. 32
Grimm 1972, p. 63 en 200, nr. 19
Den Haag 1977, p. 103, nr. 459 en afb.
Smith 1982, p. 96–101 en afb. 39
Hoetink e.a. 1985, p. 194–195, nr. 38 en afb.,
p. 371, nr. 459 en afb.
Broos 1986, p. 232–235, nr. 29 en afb., p. 236,
nr. 30

1
Frans Hals
Portret van Aletta Hanemaus
Doek, 124,2 x 98,2 cm
Links boven: *AETAT SVAE. 19 AN.⁰ 1625*
Den Haag, Mauritshuis, inv.nr. 460

Het niet door de schilder Frans Hals aangebrachte wapenschild links boven
op dit portret van de Haarlemse brouwerszoon Jacob Pietersz Olycan vertelt
in een notedop een verhaal over de voorgestelde. Erop afgebeeld zijn een
struisvogel met een hoefijzer in zijn bek en een kan met twee oren. Dit laatste
beeld verwijst natuurlijk naar de naam Olycan, die herinnert aan het feit dat
zijn grootvader, die ook Jacob Pietersz was geheten en in 1593 kwam te
overlijden, koopman was in granen, olie en andere waren in 'de Olycan' in de

2
Frans Hals
Officieren van de Sint Jorisdoelen
Doek, 179 x 257,5 cm
Niet gesigneerd, niet gedateerd (1627)
Haarlem, Frans Halsmuseum, inv.nr. 124

2a
Detail van afb. 2: Jacob Pietersz Olycan

Kalverstraat te Amsterdam.[1] Zijn vader, Pieter Jacobsz Olycan (1572–1658), werd door zijn huwelijk in 1595 met Maritge Voogt Claesdr in Haarlem brouwer in 'De Vogel Struys', later ook in ''t Hoeffijser', in welk bedrijf Jacob Pietersz jr. hem opvolgde: dit leverde het beeldteken op van de struisvogel met het hoefijzer in zijn bek.[2]

Jacob was de oudste zoon van de Haarlemse bierbrouwer, die overigens later ook schepen, burgemeester en gecommiteerde in de Staten Generaal was. Hij werd geboren op 9 juli 1596 en hij trouwde in 1624 de tien jaar jongere Zwolse Aletta Hanemans (Den Haag, Mauritshuis) [1].[3] Hoewel Jacob Olycan in 1624, 1625 en 1626 in Haarlem vermeld werd als luitenant van de Sint Jorisdoelen en hun portretten aldaar in 1625 geschilderd werden, kwam hun eerste kind in augustus 1625 in Zwolle ter wereld en het werd Lucretia genoemd, naar Aletta's moeder. Zij leefde slechts enkele maanden: in Zwolle werden voorts in 1627 Johanna en in 1629 Maria Olycan geboren.[4] In het jaar 1627 voltooide Frans Hals het grote groepsportret van de officieren van de Haarlemse Sint Jorisdoelen (Haarlem, Frans Halsmuseum) [2].[5] Aan zijn donkere haar en martiale snor herkennen we hierin Jacob Olycan achter de tafel in een ongedwongen pose [2a]. Hij is in gesprek met vaandrig Dirck Dicx, die net als hij bierbrouwer was (in de 'Halve Maan').[6]

Tot en met 1630 woonde de familie Olycan-Hanemans in Overijssel waar nog in 1629 een dochter Maria werd geboren. Daarna keerde Jacob naar Haarlem terug, waar hij in 1631 een zoon Pieter kreeg, die slechts enkele weken heeft geleefd. Hij werd weer regelmatig vermeld in diverse openbare functies: van 1632 tot 1638 was hij regent van het Elisabethgasthuis en van 1633 tot 1636 luitenant van de Cluveniersdoelen. In 1634 kwam weer een zoon Pieter ter wereld, die ruim een half jaar heeft geleefd en in 1635 voor de derde keer een Pieter, die zeventig jaar oud zou worden. Een zoon Jacob volgde in 1636 (of 1637) en Johannes maakte in 1638 het achttal vol. Een half jaar later echter overleed Jacob Olycan, die op 4 december 1638 werd begraven.[7] Aletta Hanemans hertrouwde drie jaar later met Nicolaes Loo, een weduwnaar, die net als haar eerste man brouwer was in ''t Hoeffijser', tevens regent en officier van de Sint Jorisdoelen.[8]

De levensgrote portretten van Jacob Pietersz Olycan jr. en zijn vrouw uit 1625 zullen wel naar aanleiding van hun huwelijk zijn geschilderd. Frans Hals kreeg daarna van de familie Olycan een reeks opdrachten. In 1631 vervaardigde hij twee dergelijke portretten van een oom en een tante (de zuster van zijn moeder) van Jacob: het *Portret van Cornelia Voogt Claesdr* en het *Portret van Nicolaes van der Meer* (beide Haarlem, Frans Halsmuseum).[9] Ook Nicolaes van der Meer (1595–1636) was brouwer, tevens raad, schepen en burgemeester van Haarlem.[10] Toen in 1638 een jongere zuster van Jacob Pietersz Olycan, Maria (1607–1659), in het huwelijk trad met de Haarlemse regent Andries van der Horn (1600–1677), die eveneens raad, schepen en vele malen burgemeester is geweest, was het andermaal Frans Hals die hen portretteerde (beide São Paulo, Museo de Arte).[11] In 1639 liet ook de 'pater familias', Pieter Jacobsz Olycan, zich vereeuwigen door Hals. In dit indrukwekkende portret (Sarasota, The John and Mable Ringling Museum of Art)[12] – dat des te meer aanspreekt omdat de voorgestelde een krachtige persoonlijkheid lijkt – is duidelijk te zien dat de penseelvoering van de schilder sinds zijn eerste opdracht in 1625 breder en ruiger was geworden. Dat geldt in wat mindere mate voor het pendant, het *Portret van Maritge Voogt Claesdr* (Amsterdam, Rijksmuseum)[13], waarvan wellicht het meest opvallende is dat zij precies zo poseert als haar zuster Cornelia acht jaar daarvoor. Behalve voor deze portretten hebben de vermelde en ook andere directe verwanten van de Olycannen (zoals de tweede echtgenoot van Aletta Hanemans en diens vader) geposeerd voor verschillende schutterstukken, waarmee Frans Hals tussen 1625 en 1640 in totaal minstens tien leden van de familie heeft geportretteerd.[14]

Hoewel de schildertrant van Frans Hals in deze periode evolueerde en later zelfs nog veel ruiger zou worden, kan men niet zeggen dat hij zich tevens een vernieuwer van de compositie toonde.[15] Zijn leven lang heeft de schilder levensgrote kniestukken geproduceerd, met man en vrouw in aparte pendanten zonder een duidelijke interactie. Pas nadat de Italiaans beïnvloede portrettypen van Anthonie van Dyck omstreeks 1630 in Holland bekend raakten, kwamen ook bij Hals minder traditionele poses voor. Het best geslaagde voorbeeld daarvan is natuurlijk het *Portret van Stephanus Geraerdts* (Antwerpen, Museum voor Schone Kunsten)[16] en het pendant ervan, het *Portret van Isabella Coymans* (Parijs, collectie baron E. de Rothschild).[17]

Hals kijkt in zijn *Portret van Jacob Pietersz Olycan* (en het pendant) eerder achterom dan vooruit. De reeks portretten van de familie Olycan wekt de indruk dat de opdrachtgevers dat ook liever zo zagen. Au fond blijkt de compositie van Jacobs portret op zeer ouderwetse voorbeelden te berusten. Men vergelijke bijvoorbeeld het in 1573 door Pieter Pourbus geschilderde *Portret van Olivier van Nieulant* (Antwerpen, Koninklijk Museum voor Schone Kunsten) [3].[18] Beiden poseren frontaal, het hoofd iets naar rechts gewend, met één hand in de zij en in de andere hand een hoed of handschoenen. Frans Hals heeft de symmetrie in zijn pendanten zelfs nog versterkt door de armhoudingen van Jacob Olycan en Aletta Hanemans elkaars spiegelbeeld te laten zijn. Ondanks het toepassen van zo'n oude formule is hij niettemin veel minder gestileerd en schematisch in de vormgeving dan de zestiende-eeuwse schilder. Hals is erin geslaagd binnen het kader van de traditionele opdracht een grote mate van plasticiteit en natuurlijkheid te bereiken. De leermeester van Frans Hals, Carel van Mander, die het portretschilderen als een 'sijd-wegh der Consten' afkeurde, zou hebben moeten toegeven 'datme van een Conterfeytsel ooc wel wat goets can maken'.[19]

3
Pieter Pourbus
Portret van Olivier van Nieulant
Paneel, 49,5 x 35,7 cm
Links boven: *AN° DNI. 1573. A. 26. M. 10.*
Antwerpen, Koninklijk Museum voor Schone Kunsten, inv.nr. 5074

1 *Backer van Leuven 1879*, p. 372–373; over het familiewapen: *Muschart 1947*, p. 123

2 *Backer van Leuven 1879*, p. 374–375; *Van Valkenburg 1962*, p. 51

3 *Broos 1986*, p. 236–238, nr. 30 en afb.

4 *Backer van Leuven 1879*, p. 375

5 *Slive 1970–74*, dl. II, afb. pl. 83–85, dl. III, p. 29–31, nr. 46

6 *Van Valkenburg 1962*, p. 53 (zie ook noot 14)

7 *Backer van Leuven 1879*, p. 375–376

8 *Broos 1986*, p. 236–238

9 Inv.nr. 132 en 131; *Slive 1970–74*, dl. II, afb. pl. 123–124, dl. III, p. 46–47, nr. 77–78; zie ook: *De Jongh 1986*, p. 134–136, nr. 22 en afb.

10 *Van Valkenburg 1959*, p. 67

11 Inv.nr. 185–186; *Slive 1970–74*, dl. II, afb. pl. 188–189, dl. III, p. 62–63, nr. 117–118. Over de vele functies van Van der Horn, zie: *Erasmus 1939*, p. 236. Maria Olycan-van der Horn trouwde in 1662 voor de tweede maal, nu met Cornelis Ascanius van Sypesteyn, waardoor de Olycan-portretten in de Sypesteyn-collectie terecht kwamen, zie: *Van Kretschmar 1969*, p. 123–124.

12 Inv.nr. (cat. 1949, nr. 251); *Slive 1970–74*, dl. II, afb. pl. 206, dl. III, p. 68–69, nr. 128

13 Inv.nr. 1088; *Slive 1970–74*, dl. II, afb. pl. 207, dl. III, p. 69–70, nr. 129

14 In navolging van *Erasmus 1939*, p. 239 en van *Slive 1970–74*, dl. I, p. 123–124 houdt men dit getal op negen, maar waarschijnlijk zijn het er nog meer. Bijvoorbeeld: in 1631 trouwde Jacobs broer Nicolaas met een dochter van Dirck Dicx, de officier met wie Jacob in gesprek is op het schilderij uit 1627 (genoemd in noot 4 en 5), zie: *Backer van Leuven 1879*, p. 379.

15 Zie: *Broos 1978–79*, p. 117 (aangaande traditionele composities bij Hals)

16 Inv.nr. 674; *Slive 1970–74*, dl. II, afb. pl. 290, dl. III, p. 97–98, nr. 188

17 *Slive 1970–74*, DL. II, afb. pl. 291, dl. III, p. 98–99, nr. 189

18 *Huvenne 1984*, p. 241–242, nr. 25 en afb. Vergelijk tevens aldaar p. 243–246, nr. 26 en afb.

19 *Van Mander 1604*, fol. 281a; zie ook: *Broos 1978–79*, p. 117 en 121

Jan Davidsz de Heem   32 | Stilleven met boeken

Utrecht 1606 – Antwerpen 1684

Paneel, 36,1 x 48,4 cm
Links onder, op een boekje: *Johannes. de./ Heem./ .1628.*
Inv.nr. 613

Hij werd opgeleid door zijn vader, de stillevenschilder David de Heem, en wellicht door Balthasar van der Ast (cat.nr. 3) in Utrecht. Van 1625 tot 1632 werkte hij in Leiden, waar hij eenvoudige stillevens schilderde in bruine en grijze tonen. Ze bevatten veelal een moraliserende inhoud, zoals vergankelijkheidsgedachten die opgeroepen worden door doodskoppen, versleten boeken en gedoofde kaarsen. Nadat hij zich in 1636 in Antwerpen had gevestigd, wijzigde zijn stijl zich drastisch. De composities werden ingewikkelder met een piramidale of naar één zijde oplopende stapeling van vruchten, schaaldieren, vis, bloemen – en zeer karakteristiek – soms een aangesneden ham. Zijn palet werd dienovereenkomstig ook uitbundiger. De Heem is van groot belang geweest voor de ontwikkeling van het stilleven in de Noordelijke Nederlanden, waarmee hij contact is blijven houden: van 1669 tot 1672 werkte hij weer in Utrecht, maar hij vluchtte wegens de dreigende oorlog in het laatste jaar naar Antwerpen, waar hij ook stierf.

Herkomst
Collectie douairière J.K.H. de Jonge-de Kok, Den Haag, vóór 1881
Bruikleen aan het Mauritshuis, vanaf 1897
Vereniging Rembrandt, 1910–1912
Koninklijk Kabinet van Schilderijen 'Mauritshuis', 1912

Bibliografie
Utrecht 1894, p. 31, nr. 83
Hofstede de Groot 1895-A, p. 34–35
Den Haag 1914, p. 127, nr. 613
Vorenkamp 1933, p. 103–104
Martin 1935, p. 132, nr. 613
Den Haag 1954, p. 32, nr. 613
Bergström 1947/1956, p. 163–165, afb. 39
Greindl 1956, p. 172
Bernt 1948–62, dl. 11, nr. 355
Seifertová-Korecká 1962, p. 59–60 en afb. 4
Leiden 1970, p. 13–14, nr. 14 en afb.
De Mirimonde 1970, p. 250–254, afb. 3
Leiden 1976–77, p. 81, afb. d
Den Haag 1977, p. 108, nr. 613 en afb.
Nihom-Nijstad 1983, p. 60–61, noot 5
Haak 1984, p. 267, afb. 567
Hoetink e.a. 1985, p. 200–201, nr. 41 en afb., p. 373, nr. 613 en afb.
Broos 1986, p. 239–243, nr. 31 en afb.

Het lijkt erop dat Jan Davidsz de Heem zich in zijn stillevens liet inspireren door zijn omgeving. In zijn eerste Antwerpse periode (1636–1647) schilderde hij tafelbladen, beladen met weelderig opgetaste uitstallingen van exotische vruchten in de trant van Daniel Seghers en Frans Snyders. Joachim von Sandrart lichtte dit nader toe: 'Der berühmte Künstler Johan de Heem begabe sich … nach Antorf/ weil ihn nicht unbillich bedunket/ dass man alldorten die seltsame Früchte von allerley grossen Pflaumen/Pfersingen/ Marillen/ Pomeranzen/ Citronen/ Weintrauben/ und andere/ in bässiger *perfection* und Zeitigung haben könte/ Selbiger nach dem Leben zu contrafäten …'.[1]

   In zijn geboortestad Utrecht had De Heem bloem- en fruitstukken geschilderd in de trant van Balthasar van der Ast en Ambrosius Bosschaert, dus eenvoudig gecomponeerde, ietwat gestileerde stillevens (cat.nr. 3 en 13). In 1625 ging De Heem naar Leiden, waar hij trouwde (in 1626) en de daar zo populaire vanitasstukken schilderde.[2] De naam van deze stillevens is ontleend aan een uitgebreide passage in het boek Prediker (1:2 en 12:8), waarin de gedachte verwoord is: 'IJdelheid der ijdelheden, het is al ijdelheid' (Vanitas vanitatum, omnia vanitas). De vergankelijkheid van de wetenschap en kunsten is het onderwerp van veel Leidse vanitasschilderijen met boeken en men heeft dit wel in verband gebracht met het intellectuele klimaat in deze universiteitsstad.[3] Er zijn evenwel geen opdrachtgevers uit universitaire kringen bekend voor zulke werken, en we weten dat het schilderen van eenvoudige (vanitas)stillevens ook tot de oefenopdracht van beginnende schilders behoorde.[4] Bovendien is het wellicht opvallend dat deze stillevens met boeken veelal opgebouwd waren uit eigentijdse literatuur of muziekboeken en niet uit religieuze werken.[5] Toch was de vanitasgedachte

Jan Davidsz de Heem Stilleven met boeken

ontleend aan de bijbel, waar de calvinisten (die toen een meerderheid
vormden in Leiden) mee opstonden en naar bed gingen.

In 1628 schilderde Jan Davidsz de Heem dit *Stilleven met boeken*, dat zich
sinds 1912 in de collectie van het Mauritshuis bevindt. Naast de oude boeken
is er ook een viool op afgebeeld, die de tijdelijkheid van de muziek
symboliseert, net als een luit op een dergelijk, doch ongedateerd
boekenstilleven van De Heem (Amsterdam, Rijksmuseum).[6] Op een
soortgelijk stilleven met het jaartal 1625 (voorheen Aken, Suermondt-Ludwig
Museum)[7], onderstrepen een schedel en een globe de vergankelijkheid van de
mens en de wereld. De schedel is ook een onheilspellend teken op een
Boekenstilleven uit 1628 (Leipzig, Museum der bildenden Künste)[8] en op een
'JDHeem F:A°:1629' gesigneerd schilderij (Liberec, Oblastni Galerie). Op dit
jongste werk uit de 'reeks' hangt aan de muur een dichtbeschreven document
met het opschrift: 'VANITAS VANITATIS'.[9]

Van het Haagse boekenstilleven uit 1628 bestaat een variant, die in
sommige onderdelen een herhaling blijkt en waarvan de boeken (voorzover
te identificeren) dezelfde zijn (Parijs, Fondation Custodia) [**1**].[10] Omdat uit
de genoemde voorbeelden blijkt dat het Jan Davidsz de Heem toch niet aan
fantasie ontbrak, moet óf de Haagse, óf de Parijse versie in opdracht zijn
gemaakt. Het linkerdeel van deze composities is nagenoeg identiek en ook de
belichting is ongewijzigd. De belangrijkste leesbare tekst is hier de signatuur
van de schilder op een gebonden boekje dat half over de tafelrand uitsteekt:
'Johannes.de.Heem. 1628' (Den Haag), en 'Johannes.de Heem. Fecit A° i628'
(Parijs).

De rechterhelft wordt in beide versies voornamelijk in beslag genomen
door twee literaire werken. Min of meer in het midden ligt, met beduimelde
bladzijden en zonder band, 'G.A. BR(E)DEROOS Treur-spel van RODD'RICK ende
ALPHONSUS', een uitgave van Cornelis Lodewijcksz van der Plasse
(Amsterdam 1620) [**2** en **3**].[11] Het toneelstuk was de eersteling van Gerbrand

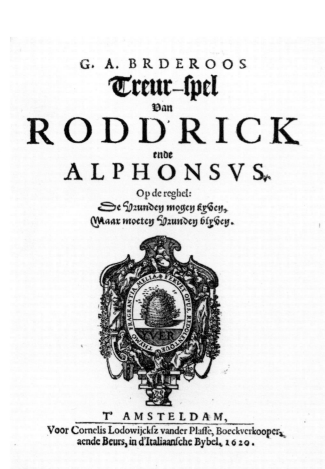

3
Detail van cat.nr. 32

2
Titelpagina van: G.A. Bredero, *Treur-spel van RODD'RICK ende ALPHONSUS* (1620)

Adriaensz Bredero (1585–1618) met als hoofdthema de nauwe vriendschaps-band tussen de twee titelhelden die op de proef wordt gesteld door beider liefde voor dezelfde edelvrouw, Elisabeth. Het loopt slecht af: Alphonsus wordt per ongeluk gedood door zijn vriend en 'Sluytelijc/ sy (= Elisabeth en Roderick) trouwen; maar leven niet langh t'samen'.[12] De inhoud van het stuk is ontleend aan de Spaanse ridderroman *Palmerin d'Oliva*, die verwant was aan de Amadis-romans. Naar laatstgenoemde populaire romans verwijst zelfs een tekst op het Parijse stilleven: 'Van Amadis de (Galles of Gaule)'.[13]

Het tweede afgebeelde boekwerk – op de achtergrond – was in 1628 nog niet in de getoonde editie gedrukt. De rechterpagina (op het Haagse schilderij) laat een titel zien en de naam van de auteur: 'I. WESTERBAENS. KVSIENS. CLACHTEN'. 'Kusjes' is de Nederlandse bewerking van de *Basia* van de Hollandse renaissancedichter Janus Secundus (Joannes Nicolai) (1511–1536), wiens verzameld werk in 1619 in Leiden door Petrus Scriverius werd uitgegeven.[14] De vertaling door Westerbaen van dertien van de negentien liefdesgedichten was opgenomen in zijn *Minne-dichten* (Den Haag 1624), maar verscheen pas in 1631 in een aparte editie. Jacob Westerbaen (1599–1670) was een Haagse dichter die in Leiden theologie gestudeerd had en die later arts werd. Het meest gewaardeerd worden zijn satirisch-polemische werken, terwijl zijn vertalingen zoals die van de *Basia* (daarnaast van Erasmus, Ovidius en Seneca) eveneens van belang zijn.[15]

Er is een opvallend verschil tussen de twee op het oog zo verwante stillevens. In het Parijse werk is de viool weggelaten en een ganzeveer ostentatief bij de inktpot neergelegd, een lessenaar is toegevoegd en een boekwerk is nader gespecificeerd als een van de Amadis-romans. Met andere woorden: de literaire context is in dit geval wel speciaal benadrukt, vermoedelijk op last van de opdrachtgever. Het is denkbaar dat dit Westerbaen zelf was, dan wel iemand die zó goed met hem bevriend was, dat hij wist dat de dichter een complete en (door Cornelis Padbrué) getoonzette editie van de 'KVSIENS' voorbereidde.[16]

Ten slotte wordt niet duidelijk wat de mogelijke opdrachtgever of de schilder met het opschrift 'NOTA BENE' op de linkerbladzijde van 'KVSIENS. CLACHTEN', boven een met 'I. W(esterbaen)' ondertekende tekst kan hebben bedoeld. Als het Parijse stilleven inderdaad een verbeterde versie is van dat in Den Haag, dan valt vooral op dat het werk van Westerbaen een wat bescheidener plaats op de achtergrond heeft gekregen. Immers: 'Vanitas vanitatis, omnia vanitas'.

1 *Von Sandrart 1675*, dl. II, p. 313

2 *Bergström 1947/1956*, p. 162–165, 191–194

3 Zie hierover: *Vorenkamp 1933*, p. 103–104; *Wurfbain 1970-A*, z.p.

4 Zie bijvoorbeeld: *Broos 1983*, p. 40–41

5 *Wurfbain 1970-A*

6 Inv.nr. 2565; *Van Thiel e.a. 1976*, p. 263, nr. 2565 en afb. (+ lit.); *Leiden 1976–77*, p. 83–84, nr. s 37 en afb. (+ lit.)

7 Inv.nr. 190 (verloren gegaan in 1945); *Bergström 1947/1956*, p. 163–165, afb. 138

8 Inv.nr. 1022; *Thiele 1973*, p. 56–57, nr. 22 en afb.

9 *Seifertová-Korecká 1962*, p. 58–60 en afb. 1–2; *Leiden 1976–77*, p. 80–81, afb. c. Het 'document' is ondertekend 'He(i)nsius', verwijzend naar de Leidse hoogleraar grieks en geschiedenis, Daniel Heinsius (1580–1655).

10 *Nihom-Nijstad 1983*, p. 59–61, nr. 35 en afb. pl. 93

11 *Bredero 1620:* alleen in deze editie is het vignet met de bijenkorf te zien; *Bredero 1616* heeft als vignet het wapen van Amsterdam. Opvallend is, dat op beide schilderijen van De Heem de zetfout 'BRDERO' is overgenomen uit de editie van 1620.

12 *Bredero 1616*, z.p.; de moraal van het verhaal staat als volgt op het titelblad: 'De vrunden moghen kyven, maar moeten vrunden blyven'; zie ook: *Kruyskamp 1973*, p. 22

13 *Amsterdam 1968*, p. 36, nr. 36 en p. 49–50; zie ook: *Nihom-Nijstad 1983*, p. 59–61, nr. 35

14 NNBW, dl. X, kol. 431–433 (Janus Secundus); zie ook: *Leiden 1970*, p. 13–14, nr. 14

15 *Westerbaen 1624*, z.p. (13 gedichten naar de *Basia*); *Westerbaen 1631/1641*, op muziek gezet door Cornelis Th. Padbrué. Over de diverse edities van de KUSIENS, zie: NNBW, dl. X, kol. 1178

16 *Leiden 1970*, p. 14: 'Wellicht is het afgebeelde boek de autograaf'.

Bartholomeus van der Helst Portret van Paulus Potter

Bartholomeus van der Helst

33 | Portret van Paulus Potter

Haarlem 1613 – Amsterdam 1670

Doek, 99 x 80 cm
Links boven: *B.vander.helst./ 1654*
Inv.nr. 54

Herkomst
Collectie Adriana Balkeneynde, weduwe van
P. Potter, Den Haag, 1654–1687
Collectie Nicolaes van Reenen, Den Haag,
1687–na 1718
Veiling Laurens Lamoraal van Reenen, Den
Haag, 1820
Koninklijk Kabinet van Schilderijen
'Mauritshuis', 1821

Bibliografie
Steengracht van Oostkapelle 1826–30, dl. II,
p. 19–20, nr. 38 en afb.
Thoré-Bürger 1858–60, dl. I, p. 220–221
De Stuers 1874, p. 46, nr. 42
Bredius 1895, p. 149–150, nr. 54 en afb.
Geffroy 1900, p. 98–99 en afb.
Meder 1908, p. 18–20 en afb.
Den Haag 1914, p. 130–131, nr. 54 en afb.
De Gelder 1921, p. 23 en 92, nr. 116–117
Martin 1935, p. 134, nr. 54
Den Haag 1954, p. 52, nr. 54
Van Hall 1963, p. 254, nr. Potter 3
Den Haag 1977, p. 109, nr. 54 en afb.
Washington enz. 1982–83, p. 82–83, nr. 19 en afb.
Raupp 1984, p. 203, 215–216 en 436 en afb. 106
Hoetink e.a. 1985, p. 374, nr. 54 en afb.
Broos 1986, p. 244–247, nr. 32 en afb.

1
Illustratie uit A. Houbraken, *De groote
schouburgh der Nederlandsche konstschilders…*
(1718–21), dl. II, afb. F 1

**Hij ging in Amsterdam bij de portretschilder Nicolaes Eliasz in de leer
(voor 1636), zoals men zou kunnen opmaken uit zijn vroegste werken die
aanvankelijk ook Rembrandts invloed vertoonden. Na 1640 ontwikkelde
hij een eigen stijl met als kenmerken elegantie, een onzichtbare
penseelstreek, heldere kleuren en een gelijkmatige belichting. Zo werd
hij tegen het midden van de zeventiende eeuw de gevierde en
veelgevraagde portretschilder van de Amsterdamse patriciërs. Zijn
gladde techniek, minutieuze stofuitdrukking en meesterschap in het
goed gelijkend portret voldeed uitstekend aan de wens van de steeds
rijker wordende burgerij om uiterlijk vertoon. De imposante
Schuttersmaaltijd uit 1648 (naar aanleiding van het sluiten van de Vrede
van Munster) werd wel hoger geprezen dan Rembrandts *Nachtwacht*.**

Voor informatie over de schilder Paulus Potter wendde de biograaf Arnold
Houbraken zich tot de stiefzoon (uit het tweede huwelijk) van diens weduwe,
Nicolaes van Reenen. Deze wist hem onder andere te vertellen dat dr.
Nicolaes Tulp in 1652 Potter had overgehaald om van Den Haag naar
Amsterdam te komen.[1] Daar vervaardigde hij in 1653 onder meer het
kolossale portret van Nicolaes' zoon, *Dirck Tulp te paard* (Amsterdam, collectie
Six)[2], het eerste ruiterportret in Nederland van internationale allure. Na een
zeer actief leven overleed de jonge schilder al in 1654: 'Men gelooft (ik niet)
dat hy door te naarstig schilderen in een Teeringziekte verviel, en daar aan

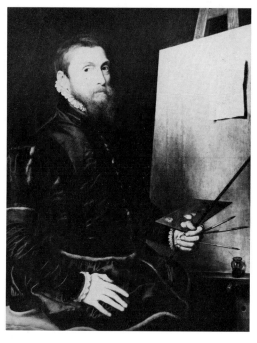

2
Paulus Pottter
Zelfportret
Tekening, 190 x 146 mm
Niet gesigneerd, niet gedateerd (ca. 1650–52)
Stockholm, Nationalmuseum, inv.nr. NMH
1872/1863

3
Antonio Moro
Zelfportret
Paneel, 113 x 87 cm
Op de richel van de ezel: *Ant. Morus Philippi
hisp. reg. Pictor sua ipse depictus manu 1558*
Florence, Galleria degli Uffizi, inv.nr. 1637

stierf in Loumaand 1654 pas 29 jaaren oud', aldus Houbraken.[3] De begrafenis vond plaats op 17 januari 1654 toen de schilder achtentwintig jaar oud was.[4] Bij de familie Van Reenen heeft Houbraken waarschijnlijk ook het *Portret van Paulus Potter* door Bartholomeus van der Helst gezien. Dit werd namelijk gebruikt als voorbeeld voor de prent die hij bij Potters biografie liet afdrukken [**1**].[5] Het schilderij is in ieder geval steeds in deze familie gebleven, tot 1820, toen koning Willem I het op de veiling van L.L. van Reenen liet kopen voor het 'Mauritshuis'.[6]

Wellicht het meest intrigerende van dit schilderij is de datering: 1654. Dit is immers het jaar waarin Paulus Potter is overleden aan een slopende ziekte. Dit feit heeft menig schrijver verlokt tot gevoelige commentaren op de veronderstelde gemoedstoestand van de voorgestelde.[7] Maar het zou onjuist zijn te veronderstellen dat Potter nog leefde toen dit portret werd voltooid. Mogelijk is Van der Helst er in 1653 aan begonnen en signeerde hij het in de loop van het daaropvolgende jaar (waarin Potter nog maar twee weken had te leven). Als voorbereiding zou een tekening zijn gemaakt: J. Meder ondekte in 1908 de overeenkomst met een tot dan toe aan Cornelis Visscher toegeschreven krijttekening van een onbekende jongeman, die hij identificeerde als een *Portret van Paulus Potter* door Bartholomeus van der Helst (Stockholm, Nationalmuseum) [**2**].[8]

Over het bezwaar dat van Van der Helst geen andere tekeningen bekend zijn (zoals bij veel andere grote portrettisten, men denke aan Frans Hals), wordt meestal al te gemakkelijk heen gestapt.[9] Toch is het merkwaardig dat dit getekende portret een geoefende, ja zelfs virtuoze hand laat zien. Zo'n virtuoos met het krijt was bijvoorbeeld Paulus Potter zelf. Het is daarom eerder waarschijnlijk dat dit een zelfportret van de dierenschilder is, getekend voordat zijn ziekte zich openbaarde. Dezelfde krachtige krijtbehandeling laat bijvoorbeeld de tekening *Herten in een park* (Amsterdam, Rijksprenten-kabinet)[10] zien, die 'P. Potter f 1647' is gemerkt.

We gaan er daarom vanuit dat Meder de verkeerde conclusie heeft getrokken. Het was Potter zelf, die voor de spiegel is gaan zitten en zichzelf tekende met het hoofd abrupt omgewend, een pose die hij ongetwijfeld van enkele voorbeelden kende. Het prototype daarvan was een van de zelfportretten van Anthonie van Dyck uit de jaren dertig, zoals het zogenaamde Holford-portret dat door de prent van Lucas Vorsterman een ruime bekendheid kreeg en dat dan ook in de zeventiende eeuw veel is nagevolgd.[11]

Aangenomen dus dat Potter de maker was van de portrettekening, dan laat het vervolg zich makkelijk raden. Zijn weduwe, Adriana Balckeneynde, heeft na de vroegtijdige dood van de schilder de meest succesvolle en productieve portrettist van dat moment in Amsterdam, Bartholomeus van der Helst, de tekening ter hand gesteld. Van der Helst maakte vervolgens een posthuum portret, waarbij hij Potter levendig en fier afbeeldde, met de elleboog naar de toeschouwer toe. Deze compositie zou zó ontleend kunnen zijn aan het beroemde *Zelfportret voor de schildersezel* van Antonio Moro uit 1558 (Florence, Galleria degli Uffizi) [**3**].[12] Moro zit eveneens voor een leeg schilderij, met één hand in de zij gestut en in de andere het palet met de penselen. De zestiende-eeuwse kunstenaar poseert als de zelfbewuste grootmeester, zoals ook blijkt uit een gedicht in de Griekse taal van Lampsonius dat op een briefje op het schilderij prijkt (in vertaling): 'Van wie, o goden, is deze beeltenis? Van de beroemdste onder de schilders, die Apelles achter zich liet, zowel de ouden als de modernen, onder het afbeelden van zichzelf, turende in een metalen spiegel. O, grote kunstenaar! Mor staat hier afgebeeld. Wacht nog even en hij spreekt'.[13]

Evenmin als Moro is Paulus Potter aan het werk, hetgeen enerzijds wel kan samenhangen met 'das Bewusstsein der hohen Würde seiner Kunst' (zoals Raupp dacht), maar wat anderzijds mogelijk ook te maken heeft met het feit dat het een posthuum portret is.[14] Het lege doek op de ezel doet haast denken aan een vanitassymbool.[15]

De hier veronderstelde gang van zaken lijkt geen ruimte te bieden aan speculaties over de mate waarin de ziekte van Potter in het portret zichtbaar is, evenmin als aan de veronderstellingen over de relatie tussen beide schilders. Die hoeft er niet geweest te zijn.[16] Waarmee niet gezegd is dat Van der Helst zijn pas overleden Amsterdamse confrater niet met medegevoel portretteerde.

1 *Houbraken 1718–21*, dl. II, p. 129; op 2 januari 1653 maakten Paulus Potter en Adriana Balkeneynde 'echteluyden, wonende jegenwoordigh binnen deeser steede Amsterdam' aldaar hun testament, zie: *De Vries 1885*, p. 308. *Six 1906*, p. 7–8 meende dat niet de medicus (later burgemeester) Nicolaes Tulp de schilder naar Amsterdam liet komen, maar diens zoon Dirck.

2 *Six 1906*, passim en afb.; *Dumas 1979–80*, p. 18–19 en afb. 20, p. 117, nr. 248

3 *Houbraken 1718–21*, dl. II, p. 129

4 *Van Westrheene 1867*, p. 72

5 *Houbraken 1718–21*, dl. II, tegenover p. 126, nr. F 1 (de prent is gemaakt door Jacob Houbraken)

6 *Van Westrheene 1867*, p. 134–135: Adriana Balkeneynde trouwde in 1661 met Dirck van Reenen, die een zoon Nicolaes uit een eerder huwelijk had; zij legateerden aan hem in 1687 hun huisraad en schilderijen, op voorwaarde dat deze niet verkocht zouden worden. Mr. Laurens Lamoraal (overleden 1820, zie herkomst) was een kleinzoon van Nicolaes van Reenen.

7 Zie bijvoorbeeld: *Thoré-Bürger 1858–60*, dl. I, p. 119: 'peint, dit-on, trois jours avant son mort'; zie ook: *Van Westrheene 1867*, p. 71–72: 'respire la mélancolie profonde …'; meer citaten bij: *De Gelder 1921*, p. 91–92

8 *Schönbrunner/Meder 1896–1908*, dl. VIII, nr. 920 en afb.: 'Bestimmung von J. Meder'; *Meder 1908*, p. 18–20 en afb.

9 *Bernt 1957–58*, dl. I, nr. 289: er zijn geen gesigneerde tekeningen van Van der Helst bekend.

10 Inv.nr. 31:179; zie: *Van Gelder 1958*, p. 39 en 96, nr. 114 en afb.

11 *Hollstein*, dl. VI, p. 128, nr. 785; *Wibaral 1877*, p. 102, nr. 79; *Raupp 1984*, p. 208–220 en 439, afb. 114 (Van Dyck) en p. 441–445, afb. 116–124 ('Van Dyck-Typus')

12 *Florence 1979*, p. 939, nr. A 621 en afb.; *Hymans 1910*, p. 100–102 en 168, afb. omslag. Over Van der Helst als portretschilder in de jaren vijftig, zie: *Haak 1984*, p. 371–372

13 De vertaling is ontleend aan *Delft/Antwerpen 1964–65*, p. 79, nr. 84

14 *Raupp 1984*, p. 203

15 Een iconografische parallel is mij niet bekend. Het *Zelfportret* van Frans van Mieris (*Naumann 1981*, dl. II, p. 80–81, nr. 66 en afb.) vormt een tweede voorbeeld van een leeg doek op een portret van een schilder; vergankelijkheid is er niet expliciet. Er zijn wel voorbeelden bekend van vanitastaferelen op schilderijen in ateliervoorstellingen, zie: *Raupp 1984*, p. 348–350, p. 501, afb. 224–226

16 Over de relatie tussen beide schilders, zie bijvoorbeeld *De Gelder 1921*, p. 23. Ibid., p. 201, nr. 450 en 453, p. 241–242, nr. 870 verwees naar schilderijen die eveneens Potter (en zijn familie) zouden voorstellen, wat De Gelder tegensprak. *Van Hall 1963*, p. 254–255, nr. 4–7 voerde deze schilderijen weer als portretten van Potter op.

Jan Sanders van Hemessen

Hemiksem (bij Antwerpen) omstreeks 1500
– Antwerpen 1556/1557

Herkomst
Collectie Lord Northbrook(?)
Veiling Alan G. Fenwick, Londen, 1950
Arcade Gallery, Londen, 1950
Collectie Th.A. Heinrich, Toronto, Ontario,
1950–1951
Veiling Christie's East, New York, 1982
Kunsthandel Hoogsteder, Den Haag, 1982
Koninklijk Kabinet van Schilderijen
'Mauritshuis', 1984 (verworven met steun
van de Vereniging Rembrandt en de
Stichting Johan Maurits van Nassau)

Bibliografie
Burlington Magazine 1950, 'Supplement' en afb.
pl. VI
Winternitz 1958, p. 48–55 en afb. 12
Bandmann 1960, p. 111–118 en afb. 54
Winternitz 1962, p. 167
Winternitz 1967, p. 47–48, 202–210 en afb. pl. 91
Emmens 1968, p. 137 en afb. 15
Wescher 1970, p. 42–43 en afb. 7
Wallen 1983, p. 24–25, 114, 314–315, nr. 43 en
afb. 131
Hoetink 1984, p. 90–91 en afb.
Bruyn 1985, p. 17, noot 3
Hoetink 1985, p. 175, 178 en afb.
Hoetink e.a. 1985, p. 202–203, nr. 42 en afb.,
p. 375, nr. 1067 en afb.

34 | Een allegorie op de harmonie in het huwelijk

Paneel, 159 x 189 cm
Niet gesigneerd, niet gedateerd
Inv.nr. 1067

In 1519 was hij in Antwerpen in de leer bij Hendrick van Cleve (een beeldsnijder?) en hij werd in 1524 ingeschreven als vrijmeester in het schildersgilde. Van dit Sint Lucasgilde was hij in 1548 deken. Hij trouwde de gefortuneerde Barbara de Fevere, wiens in 1528 geboren dochter Catharina schilderes van (vooral dames)portretten werd. Een natuurlijke zoon van Jan Sanders was ook schilder, al kent men zijn werk niet meer. Hij moet een reis naar Italië hebben gemaakt omstreeks 1530 en bezocht vermoedelijk ook Fontainebleau in de vroege jaren veertig. Berichten over zijn vestiging in Haarlem omstreeks 1551 zijn even hardnekkig als onjuist: in 1552 en 1555 werd hij nog in Antwerpen vermeld. Zijn werk (steeds gesigneerd met *De* in plaats van *Van* Hemessen) heeft dateringen van 1525 tot en met 1556: naast traditionele, bijbelse onderwerpen heeft hij bij voorkeur de hoofdzonden (*Avaritia* en *Luxuria*) in beeld gebracht in vaak bewogen, gedurfde vormen en composities op groot formaat.

In 1950 werd dit schilderij geveild als *De Muziek* van Giorgione.[1] Deze toeschrijving werd later vrij unaniem gewijzigd in die aan Jan Sanders van (of: de) Hemessen, maar omtrent de voorstelling bestaat nog steeds geen communis opinio. Men noemde het *De inspiratie van de musicus* (Winternitz 1958), *De strijd tussen Corydon en Thyrsis* (Bandmann 1960), *De poëzie en de dichter* (Emmens 1968), *Apollo en de muze* (Wescher 1970) en *Een allegorisch huwelijksportret, mogelijk van Catharina de Hemessen en Chrétien de Morien* (Wallen 1983).[2]

Voorgesteld is een landschap met een meisje met een lauwerkrans op het hoofd, die met haar eigen melk de *lira da braccio* van een tegenover haar zitttende jongeman besprenkelt. Als de voedende moeder werden destijds Juno, Maria of de Natuur afgeschilderd met spuitende borsten die symbolisch zijn voor de inspiratie of de levenskracht. In de kunst werd dit motief populair in bijvoorbeeld *Maria's lactatio van Sint Bernardus* en als begrip leeft het voort in de benaming van de universiteit als *alma mater*.[3] Hier is de gedachte aan een voorstelling van de muziek of de lyrische poëzie met haar inspiratiebron dus wel begrijpelijk.

Toch bestaat er een interpretatie van de voorstelling die dateert uit de zeventiende eeuw en die niet de nadruk legt op de moedermelk, maar op het snareninstrument. In 1676 werd dit schilderij vanuit Antwerpen via Keulen naar Wenen verzonden en in de paklijst werd het betiteld als: '1 stuck van Floris, naeckte vrouw ende man met een vioel ende boogh in de handt uytbe(e)ldinghe van de overeencominghe van de nattuer'.[4] Dit betekent vrij vertaald dat men er toen een afbeelding van de Harmonie of de Eendracht (Concordia) in zag. In de schilderkunst en embleemliteratuur was de viool of de luit het instrument dat de harmonie symboliseert en dan vooral de eensgezindheid binnen het huwelijk (zie cat.nr. 41).[5]

Jan Sanders van Hemessen Een allegorie op de harmonie in het huwelijk

1
Jan Sanders van Hemessen
Madonna met kind
Paneel, 129 x 99 cm
Niet gesigneerd, niet gedateerd (ca. 1555)
Wassenaar, particuliere collectie

Deze vermelding is bovendien interessant, omdat men de maker van het niet gesigneerde paneel kennelijk niet in Italië zocht, maar in de kring van de Antwerpse Romanisten, waarvan zowel Frans Floris als de iets oudere Jan van Hemessen tot het spraakmakende deel behoorden. Hemessen is vooral bekend om zijn monumentale werken met levensgrote figuren die veelal hoogst karakteristieke gelaatsuitdrukkingen vertonen en een soms wat bizarre mimiek. Burr Wallen, die recent een monografie over Hemessen schreef, dateerde de allegorie in de eindfase van diens artistieke loopbaan, die in 1556 afgesloten werd met een spektakelstuk: *De uitdrijving van de wisselaars uit de tempel* (Nancy, Musée des Beaux-Arts).[6]

Uit de periode 1551–1556 dateren enkele schilderijen met een motief dat ook domineert in het Haagse stuk, namelijk een met klimop begroeide boom die als een zuil oprijst achter de hoofdfiguur: *Madonna met kind* (Wassenaar, particuliere collectie) [**1**][7] en *De heilige familie* (Krakau, staatscollectie slot

Wawel).[8] Typerend voor deze werken is tevens de minutieuze weergave van de haren en de zachte rondingen van het vlees met de gedoezelde schaduwpartijen. In het Wassenaarse stuk biedt vooral ook het monochrome blauwgroen en het berglandschap op de achtergrond overeenkomst met het paneel in Den Haag. De figuur van de herder rechts achter in de Haagse allegorie vertoont een voor Hemessen hoogst moderne, maniëristische vormgeving. Dankzij prenten kan hij van de meest recente ontwikkelingen in Frankrijk en Italië op de hoogte zijn geweest, maar vermoedelijk bezocht de schilder daadwerkelijk Fontainebleau. Wallen meende zelfs zo'n bezoek te kunnen dateren in de tweede helft van de jaren veertig, omdat het idee voor de spuitende borst ontleend zou zijn aan de figuur van de voedende Aarde op het befaamde zoutvat van Cellini, dat in 1543 voor François I werd gemaakt (Wenen, Kunsthistorisches Museum).[9]

Maar Jan van Hemessen getuigt hier niet van zijn mogelijke kennis van één voorbeeld, omdat hij met zijn compositie aansluit bij een reeks voorstellingen, op de eerste plaats uiteraard de zogenaamde *concerts champêtres* van Giorgione en zijn navolgers. Dit versterkt het vermoeden dat Hemessen

2
Titiaan (en Giorgione?)
Concert champêtre
Doek, 138 x 110 cm
Niet gesigneerd, niet gedateerd (ca. 1511)
Parijs, Musée du Louvre, inv.nr. 71

3
Palma Vecchio (toegeschreven aan)
Concert champêtre
Doek op paneel, 119 x 102 cm
Niet gesigneerd, niet gedateerd (ca. 1510–20)
Ardencraig, collectie Lady Colum Crichton-Stuart

ook in Italië moet zijn geweest. Bijna alle schrijvers maakten de vergelijking met Titiaans *De drie leeftijden van de mens* (Edinburgh, National Gallery of Scotland)[10], enkelen bovendien met het *Concert champêtre* van Titiaan (en Giorgione?) in het Louvre (Parijs) [**2**].[11] De faam van het laatste schilderij vond wel zijn beslag in de interpretatie ervan door Edouard Manet, die beroemd werd als *Le déjeuner sur l'herbe* (Parijs, Musée du Louvre).[12] De beboste heuvels en de schaapherder rechts achter in Hemessens allegorie zouden best een herinnering kunnen zijn aan Titiaans *Concert champêtre*.

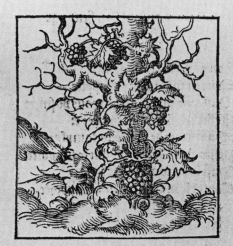

4
Illustratie uit: Andrea Alciato, *Emblematum libellus* (1536)

Wellicht is het aldus de vroegst bekende *aemulatio* van de befaamde compositie. De achtergrond is overigens niet slechts decoratie, maar speelt een belangrijke rol in de arcadische entourage. Vanouds was immers bekend dat het (bos)landschap de geëigende plaats was om inspiratie op te doen.[13]

Men krijgt sterk de indruk dat de Vlaamse schilder in Italië zeer onder de indruk geraakt is van de Venetiaanse schilderkunst uit de vroege zestiende eeuw. De grootste verwantschap met de compositie van Hemessen vertoont namelijk een *Concert champêtre* (Ardencraig, collectie Lady Colum Chrichton Stuart) [3], dat aan Palma Vecchio wordt toegeschreven.[14] De zittende jongeman aan de voet van de boom lijkt zonder meer een ontlening aan dit schilderij, terwijl de Vlaming ook de licht melancholieke oogopslag en de hoofdhouding van de dichter/musicus navolgde, mogelijk puttend uit zijn visuele herinnering.[15]

Deze al dan niet directe ontlening – en er zijn er meer voorgesteld[16] – lossen helaas de vraag niet op naar de betekenis van de voorstelling. Enerzijds bestaat de mogelijkheid dat Hemessen slechts de bedoeling had een Giorgionesk tafereel te schilderen, dat doordrenkt was van een sfeer van melancholie. Maar anderzijds is het niet uitgesloten dat hij anecdotische details heeft beoogd, omdat dat nu eenmaal in de aard van de noordelijke schilderstraditie lijkt te liggen.[17] De betiteling van het tafereel als 'overeencominghe van de nattuer' bewijst dat men althans ruim honderd jaar na het ontstaan ervan zich nog bewust was van een diepere betekenis of een filosofisch concept. Ondanks de duidelijke overeenkomsten met de Italiaanse *concerts champêtres*, is er één groot verschil: bij Hemessen wordt geen muziek gemaakt (en de 'muzikant' houdt zijn strijkstok ook weinig vakkundig vast). Dientengevolge moet men zich afvragen of de Harmonie, en meer speciaal die in het huwelijk, niet inderdaad het eigenlijke onderwerp van het schilderij is.

Een interessante vergelijking biedt een houtsnede met de voorstelling van een sirene die met moedermelk een *lira* besprenkelt.[18] Dit was het embleem van de stad Napels, dat onder andere in 1592 in een boek over beeldtekens werd afgedrukt, waarbij de uitleg luidde dat het instrument Concordia betekende.[19] Eendracht en Harmonie werden vaak door snaarinstrumenten verbeeld, zoals in een gravure van Lucas van Leyden uit 1524, *Een musicerend paar*.[20] Van Mander legde de huwelijkssymboliek ervan als volgt uit: dat zij 'natuerlijck hun Musijck-instrumenten oft speel-tuygh op malcander accorderen/ oft gelijckstemmich over een brenghen/ wel schijnende uyt den Philosooph *Plutarchus* te wesen ghenomen/ daer hy schrijft van de Houwelijcke Wetten …'.[21]

Men zou zich kunnen afvragen of de inspirerende moedermelk vooral getoond wordt ter zegening van het symbool van het harmonische huwelijk. In dat geval moet de schilder zich ook bediend hebben van andere huwelijkssymboliek. En die blijkt wel degelijk aanwezig te zijn, onder andere in de klimop rond de boom. Immers: vanouds was een (al dan niet verdorde) boom (es, olm of populier) in de de omstrengeling van een klimplant (of druif) het geijkte beeld van huwelijkstrouw, de liefde of de vriendschap. Wellicht kende Hemessen het embleem uit Andrea Alcatio *(Emblematum libellus,* 1534) met de voorstelling van een druivestruik rond een boomstam [4].[22] Het latijnse opschrift verklaart daarbij: 'Amicitia etiam post mortem durans' (liefde duurt ook voort na de dood).[23] Zonder zich bewust te zijn van de verwijzing naar Concordia en Amicitia wees Wallen erop dat de lauwerkrans rond het hoofd van de 'muze' vermoedelijk doelt op de

5
Giorgione
'Portret van (Petrarca's) Laura'
Doek (op paneel overgebracht), 41 x 33,6 cm
Niet gesigneerd, niet eigenhandig '1506'
gedateerd (in dorso)
Wenen, Kunsthistorisches Museum, inv.nr.
219

deugdzaamheid en kuisheid binnen het huwelijk. In Ripa's *Iconologia* is *Castita matrimoniale* immers ook voorzien van een lauriertak.[24]

Wallen vermeldde in dit kader het huwelijksportret van *Messer Marsilio en zijn bruid* (Madrid, Museo del Prado)[25] van Lorenzo Lotto uit 1523, waarin een met laurierbladen gekroonde amor een juk uit laurierhout legt op de schouders van het echtpaar. Maar de bekranste halfnaakte jonge vrouw is natuurlijk het meest verwant aan Giorgiones zogenaamde *Portret van (Petrarca's) Laura* (Wenen, Kunsthistorisches Museum) [**5**][26], door de met grote nadruk in beeld gebrachte laurierbladen en de ontblote borst. Verheyen heeft omstandig aangetoond dat dit geen portret in de eigenlijke betekenis van het woord is, maar een allegorische voorstelling van een jonge bruid, op de eerste plaats vanwege de laurier als verwijzing naar de Virtus (Deugdzaamheid).[27] In deze zin is ook een lauriertak gebruikt op de achterzijde van het bekende *Portret van Ginevra de' Benci* (Washington, National Gallery of Art)[28] door Leonardo, met als devies 'VIRTUTEM FORMA DECORAT'. Verheyen meende voorts dat een (half) ontblote borst niet ongebruikelijk was in bruidsportretten, zoals van 'Laura', omdat het de gedachte aan *Pudicitia* (kuisheid) opwekte.[29] Kortom: Eendracht, Harmonie, Liefde, Kuisheid en Deugd blijken componenten van Hemessens schilderij te zijn, dat beschouwd mag worden als een allegorie op het huwelijk.

Wallen waagde het in het jonge paar in deze allegorie personen te zien in

6
Catharina de Hemessen
Zelfportret
Paneel, 31 x 25 cm
Links boven: *EGO CATERINA DE HEMESSEN ME*
PINXI 1548
Basel, Kunstmuseum Basel, inv.nr. 1361

plaats van personificaties. Hij ging zelfs zo ver een relatie te leggen met de echtverbintenis van de dochter van de kunstenaar, Catharina de Hemessen, met Chrétien de Morien (of Morijn), een succesvolle musicus die onder andere werkzaam was aan het hof van Maria van Hongarije. Dit huwelijk vond op 23 februari 1554 plaats.[30] Van Chrétien bestaat geen portret, maar wel van Catharina. Zij was als schilderes opgeleid door haar vader en vervaardigde in 1548 een *Zelfportret* (Basel, Kunstmuseum Basel) [**6**], met het opschrift 'EGO CATERINA DE/ HEMESSEN ME/ PINXI'.[31] Dit sluit wel niet uit dat Catharina poseerde voor de gelauwerde vrouw, maar de plaatsing van de figuren en profil, ook hun kleding en de entourage tonen aan dat er niet primair aan portretten is gedacht. Al eerder stelden Bandmann en Winternitz dat de jongeman ook geen eigentijdse musicus kon zijn, omdat de combinatie van een gewone sterveling met een muze ondenkbaar was.[32] De charme van de voorstelling is wellicht de natuurlijkheid ervan, die bij nader inzien desondanks aan de fantasie ontsproten blijkt te zijn. Zo is de kleding van de musicus niet bepaald eigentijds en zijn *lira da braccio* heeft met die merkwaardige klankgaten alleen oppervlakkig het uiterlijk van een bestaand instrument [**7**].[33] Als we hier het snaarinstrument (en niet de spuitende borst) naar analogie van de zeventiende-eeuwse interpretatie beschouwen als het hoofdmotief in het schilderij, is een vergelijking relevant met een werk van een Vlaamse anonymus. In dit 1534 gedateerde *Portret van een echtpaar* (Philadelphia, Museum of Art)[34] is een luit eveneens levensgroot in beeld gebracht als symbool voor Concordia. Van Jan van Hemessen bestaat een dergelijk dubbelportret uit 1532 (voorheen Balcarres, Schotland, collectie Earl of Crawford and Balcarres)[35], waarin als opmerkelijk symbool een triktrakbord tussen de man en de vrouw is geplaatst. Daarbij legt de vrouw haar hand op de schouder van haar echtgenoot. Dit is het bekende gebaar van Concordia, dat dubbele aandacht krijgt door de opzettelijke tegenstelling met Discordia, die verbeeld is door het speelbord.[36] Overigens toont dit schilderij

7
Lira da braccio
Bologna, ca. 1550

ook aan wat het verschil is tussen een portret en een allegorie. Niettemin is het geenszins uitgesloten dat Hemessens allegorie in Den Haag gemaakt is naar aanleiding van het huwelijk van hem bekende personen.[37] Maar het voert te ver om de modellen te identificeren als Chrétien en Catharina, net zoals Giorgione's 'Laura' geen portret hoeft te zijn of zoals bijvoorbeeld Rembrandt's *Joodse bruidje* (Amsterdam, Rijksmuseum) pas op de laatste plaats een portret is (van zijn zoon Titus met diens bruid, werd wel gedacht!) en op de eerste plaats een historiestuk of een allegorie op de liefde.[38]

1 *Veiling Fenwick 1950*, p. 8, nr. 43: 'Giorgione, Music: A muse, seated nude, wearing a laurel wreath and looking at a youth who sits under a tree holding a violin ...' (voor 273 pond gekocht door de Arcade Gallery)
2 *Winternitz 1958*, p. 48–55 (herdrukt in *Winternitz 1967*, p. 202–210), *Bandmann 1960*, p. 112–114 (zie het commentaar van *Winternitz 1962*, p. 167); *Emmens 1968*, p. 137 en afb. 15; *Wescher 1970*, p. 43; *Wallen 1983*, p. 24–25 en 114
3 Voorbeelden van de voedende Maria werden gegeven in: *Pigler 1974*, dl. 1, p. 516–517
4 *Denucé 1931*, p. 149 (13 november 1676); zie ook: ibid., p. 191 (19 november 1676), waar de nadere omschrijving 'de antepattie ofte overeencominghe van de nattuer' gebezigd wordt; de betekenis daarvan (het tegenovergestelde lijkt bedoeld) is niet duidelijk. De verwijzing naar deze bronnen dankt het Mauritshuis aan prof. dr. J. Bruyn; zie ook: *Bruyn 1985*, p. 17, noot 3
5 *De Jongh 1986*, p. 40–45 en 285–288 gaf daarvan recent talrijke voorbeelden, met literatuurverwijzingen.
6 Geen inv.nr.; *Parijs 1965–66*, p. 130–131, nr. 166 en afb.; *Wallen 1983*, p. 317–318, nr. 48 en afb. 140
7 *Friedländer 1967–76*, dl. XII, p. 110, nr. 200 en afb. pl. 110; *Wallen 1983*, p. 328, nr. 66a en afb. 129: 'Hemessen, copy after': deze kwalificatie lijkt na autopsie van het schilderij volkomen ten onrechte (Wallen heeft het schilderij nooit in werkelijkheid gezien).
8 Inv.nr. 117; *Brussel 1963*, p. 111–112, nr. 130 en afb. 128; *Wallen 1983*, p. 312–314, nr. 40 en afb. 127
9 *Planiscig & Kris 1935*, p. 89, nr. 25 en afb. 59; *Avery/Barbaglia 1981*, p. 91, nr. 39 en afb.; *Wallen 1983*, p. 114
10 Duke of Sutherland loan 1946; *Brigstoke 1978*, p. 156–160; *Wethey 1975*, p. 182–184, nr. 36 en afb. pl. 13–16. Voor de datering van het verblijf van Hemessen in Italië, zie *Wallen 1971*, p. 77, noot 9 EN *Wallen 1983*, p. 9–14, 33 en 342, noot 26
11 *Brejon de Lavergnée/Thiébaut 1981*, p. 245, nr. 71 en afb.
12 Inv.nr. RF 1668 (Musée d'Orsay/Galeries du Jeu de Paume); *Parijs/New York 1983*, p. 165–173, nr. 62 en afb.

13 Aldus *Van Mander 1604*, fol. 34a–42a, zie: *Miedema 1973*, dl. II, p. 535, 539 en 555

14 *Mariacher 1968*, p. 46–47, nr. 5 en afb.

15 Er bestond toen geen prent naar het schilderij van Palma.

16 Zie bijvoorbeeld: *Winternitz 1958*, p. 53, afb. 13–14 en *Bandmann 1960*, p. 116 en afb. 56

17 Zie bijvoorbeeld: *McNeil Kettering 1977*, p. 30–32. Het is hier niet de plaats om uit te weiden over de betekenis van de *concerts champêtres*, waarover nog lang geen uitsluitsel bestaat, zie bijvoorbeeld: *De Mirimonde 1966*, p. 277–281.

18 *Winternitz 1958*, p. 52, afb. A

19 *Winternitz 1958*, p. 52, noot 9

20 B. 155; *Filedt Kok 1978*, p. 136 en 161, nr. B 155 en afb.

21 *Van Mander 1604*, fol. 214a. Over het snaarinstrument als symbool van de harmonie, zie bijvoorbeeld: *Hollander 1961*, p. 43–51

22 *Alciato 1534*, nr. 16

23 *De Jongh 1986*, p. 126–127; zie ook: *De Jongh/Vinken 1961*, p. 120–125

24 *Ripa 1644*, p. 263–264; *Wallen 1983*, p. 25

25 Inv.nr. 240; *Pallucchini/Canova 1974*, p. 98, nr. 71 en afb.; *Wallen 1983*, p. 25

26 *Pignatti 1969*, p. 99–100, nr. 10 en afb. 44

27 *Verheyen 1968*, p. 222–223

28 Ailsa Mellon Bruce Fund, 1967; *Goldschneider 1959*, p. 155, nr. 23 en p. 174–175, nr. 88 en afb.; *Walker 1967*, p. 1–27 en afb.

29 *Verheyen 1968*, p. 223–224 en 227, afb. 9

30 *Van den Branden 1883*, p. 100, noot 1; *Brussel 1963*, p. 110

31 *Brussel 1963*, p. 110, nr. 126 en afb.; *Basel 1966*, p. 119 en afb.

32 Zie de discussie in *Bandmann 1960*, p. 115, noot 281, *Winternitz 1962*, p. 167 en *Winternitz 1967*, p. 210, noot 1. Voor uitbeeldingen van *De dichter en de muze*, zie: *Kleiner 1949*, afb. 1–20 en *Pigler 1974*, dl. II, p. 586

33 *Munrow 1976*, p. 89–90 en afb.

34 Inv.nr. 392; *Philadelphia 1972*, p. 88, nr. 392 en afb. pl. 176; zie ook: *De Jongh 1986*, p. 285, afb. 70a

35 *Wallen 1983*, p. 288, nr. 11 en afb. 45

36 *Wallen 1971*, p. 75–76 en *Wallen 1983*, p. 47–51

37 Het lijkt erop dat *Wallen 1983*, p. 24 het schilderij ietwat opportunistisch 'ca. 1554' dateerde, in verband met zijn portrettheorie. Andere dateringen zijn 1535–1540 *(Wescher 1970*, p. 43) en vóór 1554 *(Hoetink 1984*, p. 91).

38 Inv.nr. C 216; *Gerson/Bredius 1969*, p. 330 en 586, nr. 416 en afb.

Jan van der Heyden

Gorkum 1637 – Amsterdam 1712

35 | Gezicht op de Oudezijds Voorburgwal met de Bierkaai en de Oude Kerk

Paneel, 41,2 x 52,5 cm
Links onder: *VHeiden*
Inv.nr. 868

Het begin van zijn loopbaan als schilder is nogal duister: bij zijn huwelijk in 1661 noemde hij zichzelf als zodanig, terwijl de vroegst bekende datum op een schilderij 1664 is. Hij was vooral uitvinder. In 1668 ontwierp hij een nieuw plan voor de stadsverlichting van Amsterdam (die met 2556 lampen in functie bleef tot 1840). In 1672 bouwde hij de eerste slangen-brandspuit, die hij vanaf 1681 in fabrieksmatige produktie bracht en later beschreef in het door hemzelf geïllustreerde 'brandspuitenboek' (1690). Toch is hij vooral ook bekend om zijn gefantaseerde en topografische stadsgezichten en landschappen met buitenhuizen. Karakteristiek voor Van der Heyden is de minutieuze detaillering, waarbij hij zelfs iedere baksteen in de muren afzonderlijk weergaf. De weergaloze materiaalschildering en sfeervolle lichtwerking doen dermate aan fotografisch realisme denken dat het een verrassing is te constateren dat sommige stadsgezichten volkomen aan de fantasie van de schilder ontsproten zijn. Hij liet zijn werk door anderen stofferen – tot 1672 door Adriaen van de Velde – hoewel hij zelf geen onbekwaam figuurtekenaar was, blijkens voorstudies voor de illustraties in het 'brandspuitenboek'. Op het eind van zijn leven schilderde hij ook interieurs met stilleven-elementen.

In 1713 kocht de Delftse verzamelaar Valerius Röver in een herberg in Maassluis dit schilderij van Jan van der Heyden voor 175 gulden. Hij was er zeer mee in zijn nopjes, omdat hij wist dat het eerder op een veiling in Amsterdam voor 500 gulden was verkocht. In zijn aantekeningen valt bovendien te lezen dat Röver er later bij herhaling zelfs 100 ducatons en meer voor geboden is.[1] Tevergeefs, want het schilderij was na de dood van de verzamelaar in 1739 nog in de Delftse collectie. Dat duurde tot 1750, toen de weduwe Cornelia Röver-van der Dussen, via bemiddeling door de Haagse kunsthandelaar Gerard Hoet, de schilderijencollectie in haar geheel verkocht voor 40.000 gulden aan de landgraaf Wilhelm VIII van Hessen te Kassel. In 1806 hebben de Franse troepen de Kasselse Hochfürstliche Gemälde-Sammlung geplunderd, zodat het stadsgezicht van Jan van der Heyden verhuisde naar het paleis van de Franse keizerin Josephine de Beauharnais, Malmaison bij Parijs.[2] Na de dood van de keizerin kocht de Russische Tsaar Alexander I alle in Kassel gestolen schilderijen, zonder zich druk te maken over eventuele reclame uit Duitsland.[3]

Sindsdien hing het gezicht op de Oudezijds Voorburgwal in de Hermitage te Leningrad, waar het onder andere door Waagen geprezen werd als 'In jedem Betracht eines der schönsten Werke des Meisters (mit) ungemein geistreiche Staffage des A. van de Velde'.[4] In de jaren voor en na 1930 hield de Hermitage 'uitverkoop' uit de gigantische collectie: in 1928 werden in Berlijn en Leipzig schilderijen geveild, waarna in 1930 en 1931 grafiek en in 1932

Herkomst

Veiling Amsterdam, voor 1713
Collectie Valerius Röver, Delft, 1713 (gekocht in Maassluis)
Collectie prins Wilhelm VIII van Hessen, Kassel, 1750 (gekocht van de weduwe Röver)
Hochfürstliche Gemälde-Sammlung, Kassel, tot 1806
Collectie Josephine de Beauharnais, Malmaison, 1806–1815
Collectie tsaar Alexander I, Hermitage, Leningrad, 1815
Collectie F. Mannheimer, Amsterdam, ca. 1935
Collectie 'Sichergestellte Kunstwerke', ca. 1942–1945
Stichting Nederlands Kunstbezit, 1946
Koninklijk Kabinet van Schilderijen 'Mauritshuis', 1961 (bruikleen vanaf 1948)

Bibliografie

Hoet 1752–70, dl. II, p. 394
Waagen 1862, dl. II, p. 240
Waagen 1864, p. 253, nr. 1211
Somof 1895, p. 130–131, nr. 1211
Moes 1913, p. 6, 10–11 en 19, nr. 44
HdG 25 (dl. VIII, p. 366, nr. 25)
Wenen 1942, p. 3 en afb. 1
Den Herder 1949, p. 88 en afb.
De Vries 1949-A, p. 60, nr. 11 en afb.
Martin 1950, p. 108, nr. 285 en afb.
Parijs 1950–51, p. 28, nr. 38 en afb. 27
Den Haag 1954, p. 34, nr. 868
Delft 1956, nr. 163 en afb. 7
Bernt 1948–67, dl. II, nr. 378
Descargues 1967, p. 56
Wagner 1970, p. 113, noot 5
Wagner 1971, p. 18, 31–32, 60 en 68, nr. 6 en afb.
Amsterdam/Toronto 1977, p. 214–215, nr. 112 en afb.
Den Haag 1977, p. 112, nr. 868 en afb.
De Vries 1984, p. 12–14 en afb. 4
Hoetink e.a. 1985, p. 204–205, nr. 43 en afb., p. 377, nr. 868 en afb.
Broos 1986, p. 248–252, nr. 33 en afb.

1
Detail van cat.nr. 35

tekeningen werden verkocht.[5] Ook langs minder openbare weg werd door verkopen de staatskas gespekt en zo belandde de Van der Heyden met zijn beladen herkomst weer in Amsterdam, waar het geschilderd was, in de collectie Mannheimer. Andermaal werd het schilderij oorlogsbuit. Na de inval van de Duitsers in Nederland werd de Amsterdamse collectie geconfisqueerd en in 1942 ondergebracht bij de 'Sichergestellte Kunstwerke', bestemd voor het nooit gerealiseerde Führer-Museum.[6] Na de Tweede Wereldoorlog kon de collectie Mannheimer niet meer aan de eigenaar worden teruggegeven en zo werd het schilderij staatseigendom: in 1948 werd het in bruikleen afgestaan aan het Mauritshuis en in 1961 definitief overgedragen.[7]

Jan van der Heyden schilderde de oudste stadsgracht van Amsterdam, de Oudezijds Voorburgwal, die de verbinding vormde tussen de Amstel in het zuiden en het IJ in het noorden, waar het water geloosd werd via de Oudezijdskolk, die gelegen was ter hoogte van het verdwijnpunt rechts in het schilderij.[8] Links is in beeld gebracht waar dit stuk stad zijn naam aan ontleende: de Bierkaai, waar het buitenlands bier in vaten werd aangevoerd. De man met de bierpul op de kade lijkt te doen wat aan de sjouwers verboden was, namelijk bierdrinken tijdens het werk. De bierdragers waren vermoedelijk ruige lui en geduchte knokkers, aan wie het bekende spreekwoord 'vechten tegen de bierkaai' is ontleend, wat staat voor een bij voorbaat verloren strijd.[9] Het Oudekerksplein rond de kerk was vanouds het hart van de Amsterdamse rosse buurt, ofwel de 'walletjes'. De houten Oudekerksbrug leidde naar de tegenover de Bierkaai gelegen (toen zo geheten) Beschuitmarkt, waar eens per week beschuit uit Jisp en Wormer werd aangevoerd. De stenen brug verderop in de gracht verbond de Lange met de Korte Niezel en daarachter zijn links langs de Voorburgwal de gevels te zien waarachter zich toen een katholieke schuilkerk bevond op de zuiderhoek van de Heintje Hoekssteeg, beroemd geworden als 'Ons' Lieve Heer op Solder', thans Museum Amstelkring.

Markant voor dit oudste stadsgedeelte is de Oude Kerk, gewijd aan Sint Nicolaas. Het is de eerste gotische hallenkerk in de noordelijke Lage Landen, waarvan het koor werd gebouwd in 1369, op de fundamenten van een vroeg veertiende-eeuwse kruiskerk. In de zestiende eeuw werd het middenschip verhoogd en kwamen er talloze kapellen bij, wat niet bijdroeg tot een harmonieus geheel. Een verrijking was echter de bouw van een nieuwe spits op de toren in 1565 met een klokkenspel. Het ontwerp was waarschijnlijk van Joost Jansz Bilhamer, terwijl François Hemony de beiaard in 1658 opnieuw gegoten heeft en uitgebreid – 35 van de 39 klokken uit dit carillon, dat tot een van de mooiste van Nederland gerekend wordt, zijn nog van Hemony. In 1659 goot hij ook vier luiklokken en boven in de toren kwam de oudste klok van Amsterdam uit omstreeks 1450. Op het schilderij van Van der Heyden is deze klok en het klokkenspel duidelijk zichtbaar [1].[10]

Hoewel de voorstelling topografisch helemaal juist lijkt te zijn, is de toren iets vervormd weergegeven. Zoals bijvoorbeeld een prent van Pieter van Liender naar Jan de Beyer uit Fouquets *Nieuwe Atlas van … Amsterdam* (1783)[11] laat zien, is de Oudekerkstoren in feite wat slanker. Ook een foto gemaakt vanaf dezelfde plek waar Jan van der Heyden en Jan de Beyer hun oogpunt hadden gekozen, toont dit aan [2], waarbij tevens opvalt dat de gracht breder is weergegeven dan hij in werkelijkheid was. Toch heeft Van der Heyden bewust een in onderdelen herkenbaar stadsgezicht gemaakt en geen gefantaseerd en geïdealiseerd beeld.[12] Alleen de compositie zou men

Jan van der Heyden Gezicht op de Oudezijds Voorburgwal met de Bierkaai en de Oude Kerk

kunstmatig kunnen noemen door het bewust laag gekozen blikpunt aan de overzijde van een gracht, waarvan de huizenrij een perspectivisch verloop heeft naar een verdwijnpunt rechts. Een identieke compositie vertonen bijvoorbeeld de schilderijen *Gezicht op de Keizersgracht en de Westerkerk* (New York, Metropolitan Museum of Art)[13] en *Gezicht op de Herengracht* (Parijs, Musée du Louvre).[14] Deze Amsterdamse stadsgezichten dateert men omstreeks 1670: de vroegste datum is 1667 op een *Gezicht op de Dam* (Florence,

◄ 2
De Oudezijds Voorburgwal met de Oude Kerk, 1986
Foto: Han Geene

──────────

► 3
Jan van der Heyden
Oudezijds Voorburgwal met Oude Kerk
Tekening (contre-épreuve), 289 x 405 mm
Niet gesigneerd, niet gedateerd (ca. 1670 of 1680–90)
Amsterdam, Koninklijk Oudheidkundig Genootschap, Atlas Amsterdam, portefeuille 14

──────────

Galleria degli Uffizi).[15] Na 1672 werd Van der Heyden zozeer in beslag genomen door zijn uitvindingen en openbare functies dat hem voldoende tijd om te schilderen wel ontbroken moet hebben.[16]

1672 was voor Jan van der Heyden ook een belangrijk jaar omdat toen Adriaen van de Velde stierf, die gewoonlijk de figuren schilderde in zijn landschappen en stadsgezichten. Daarvan zijn voorbeelden aanwijsbaar uit 1668 en 1669[17] en in oude inventarissen is van dit feit regelmatig melding gemaakt.[18] Toen Valerius Röver het Haagse schilderij kocht in 1713 (een jaar na de dood van de kunstenaar), wist of meende hij dat 'de Beeldjes (waren gemaakt) door ADRIAAN VAN DE VELDE'.[19] Daaraan is door niemand getwijfeld, al vermeldde Wagner het bij wijze van uitzondering niet speciaal in haar monografie.[20] Het vaststellen van een stoffering door Adriaen van de Velde is belangrijk, omdat het schilderij dan vóór 1672 valt te dateren.

Eén gegeven, tenslotte, brengt mogelijk de beredenering van de datering van het schilderij aan het wankelen. Er bestaat namelijk een voorbereidende studie, althans de 'contre-épreuve' van zo'n tekening in rood krijt (Amsterdam, Koninklijk Oudheidkundig Genootschap) [3].[21] Door het afwrijven van het origineel zijn enkele opschriften in spiegelbeeld komen te staan: het blijken kleurnotities te zijn, waaruit opgemaakt mag worden dat de originele tekening werd gemaakt als voorstudie voor het schilderij. Opvallend is het ontbreken van figuren, wat het strikt topografische karakter van het blad onderstreept.

Hier lijkt van toepassing wat Houbraken beweerde in zijn biografie (1721), namelijk dat Van der Heijden de gewoonte had om 'alles naar 't leven af te teekenen, om het naderhand op panneel te brengen'.[22] Ook als hij overdreef, blijft het merkwaardig dat daarvan geen ander voorbeeld bekend is dan het hier vermelde.[23] Van der Heyden heeft wel getekend. Wat daarvan overgebleven is, houdt allemaal verband met de uitgave van zijn in 1690 gepubliceerde brandspuitenboek.[24] In de jaren tachtig heeft hij daarvoor topografische tekeningen gemaakt op plaatsen waar in Amsterdam brand was uitgebroken, die we kennen van vlotte situatieschetsen, uitgewerkte versies en spiegelbeeldige werktekeningen voor de prenten in zijn boek.[25] De 'contre-épreuve' van de voorstudie voor *Gezicht op de Oudezijds Voorburgwal* in Den Haag lijkt een ontwerp voor een (niet gerealiseerde) prent. In stilistisch opzicht is deze tekening bovendien zeer verwant aan de voorstudie (Amsterdam, Amsterdams Historisch Museum)[26] en de spiegelbeeldige werktekening (Amsterdam, Rijksprentenkabinet)[27] voor de ets met de voorstelling van een *Brand op de Herengracht in 1683*.[28] Aldus komen we voor het dilemma te staan dat het Haagse schilderij door die tekeningen in de late jaren tachtig gedateerd lijkt te moeten worden, terwijl de figuren door Adriaen van de Velde op een ontstaan omstreeks 1670 wijzen.

1 *Moes 1913*, p. 11 en 19, nr. 44

2 *Hoet 1752–70*, dl. II, p. 393; *Moes 1913*, p. 5–6

3 *Somof 1895*, p. 129, nr. 1211; *Descargues 1967*, p. 56–58

4 *Waagen 1864*, p. 253, nr. 1211

5 *Descargues 1967*, p. 71–73; hoe Gulbenkian langs officieuze weg kunstwerken uit Rusland verwierf, kan men lezen in *De Azeredo Perdigão z.j.*, p. 101–122

6 Van de collectie Mannheimer bestaat een manuscript-catalogus door O. von Falke, Amsterdam 1936 (RKD).

7 *De Vries 1949–A*, p. 60, nr. 11

8 *Historische Gids 1974*, p. 162 en 191

9 *Huizinga 1965*, p. 544, nr. 9587

10 Gegevens werden ontleend aan *Noach 1939* en *Historische Gids 1974*, p. 45–54 (Oude Kerk), p. 111 (Oudekerksplein), p. 173–177 (Oudezijds Voorburgwal); zie ook: *Den Herder 1949*, p. 88–90

11 *Fouquet 1783*, p. 113–122 en afb. Het voorbeeld was (met enige wijzigingen in de stoffering) een tekening van Jan de Beyer (Amsterdam, collectie A. Schwarz), zie: *Veiling Oud Amsterdam 1925*, p. 8, nr. 54 en afb.; *Romers 1969*, p. 85, nr. 1030A

12 *Wagner 1971*, p. 85–92, nr. 79–115: 'Eklektische Stadtansichten'. *Haverkamp Begemann 1973*, p. 402 noemde hem de Hollandse 'uitvinder' van het imaginaire stadsgezicht.

13 Inv.nr. L. 51.35.1; HdG 11; *Wagner 1971*, p. 69, nr. 9 en p. 128, afb. 9

14 Inv.nr. R.F. 2340; HdG 33 en 206; *Wagner 1971*, p. 69, nr. 12 en afb.

15 Inv.nr. 1211; HdG 12; *Wagner 1971*, p. 67, nr. 1 en afb.

16 *Wagner 1971*, p. 60

17 *Wagner 1971*, p. 34, noot 80

18 *Van Eeghen 1973*, p. 130. Men dient echter te waken voor een door *Houbraken 1718–21*, dl. III, p. 81 in omloop gebracht gerucht dat alle schilderijen van Van der Heyden voor 1671 door Van de Velde zouden zijn gestoffeerd.

19 *Moes 1913*, p. 19, nr. 44

20 *Wagner 1971*, p. 68, nr. 6

21 Atlas Amsterdam, Portefeuille 14

22 *Houbraken 1718–21*, dl. III, p. 81

23 *Wagner 1970*, p. 113, noot 5. *Houbraken 1718–21*, dl. III, p. 81 beweerde tekeningen als voorstudies voor schilderijen van het Paleis op de Dam te kennen.

24 *Wagner 1970*, p. 112–113

25 *Wagner 1970*, afb. 3–31

26 Inv.nr. A 10189; *Bernt 1957–58*, dl. I, nr. 293 en afb.

27 Inv.nr. A 4211; *Wagner 1970*, p. 128, noot 44 en p. 132, afb. 14

28 *Hollstein*, dl. IX, p. 24, nr. 1–19[14]; *Van der Heyden 1690*, afb. 14

Amsterdam 1638 – Amsterdam 1709

Paneel, 53 x 71 cm
Links onder: *m. hobbema*
Inv.nr. 1061

Herkomst
Veiling Ch. Brind, Londen, 1849
Veiling William Delafield, Londen, 1870
Veiling J. Addington, Londen, 1886
Collectie Heywood-Lonsdale, Shavington
Hall, Shropshire, 1887
Walker Art Gallery, Liverpool, bruikleen
vanaf 1959
Veiling Mrs. James Hasson e.a., Londen,
1980
Kunsthandel R. Noortman, Londen, 1980
Koninklijk Kabinet van Schilderijen
'Mauritshuis', 1980 (aangekocht met steun
van de Vereniging Rembrandt)

Bibliografie
Londen 1880, p. 20, nr. 90
HdG 184 (dl. IV, p. 434, nr. 184)
Maclaren 1960, p. 170, nr. 995
Veiling Londen 1980, p. 76–77, nr. 80 en afb.
Hoetink 1980, p. 67–68 en afb.
Hoetink 1981, p. 168 en 171 en afb. 2
Hoetink e.a. 1985, p. 206–207, nr. 44 en afb.,
p. 377, nr. 1061 en afb.
Broos 1986, p. 253–257, nr. 34 en afb.

Als wees ging hij in de leer bij Jacob van Ruisdael, wiens compositieschema's en motieven hij soms erg nauwgezet overnam, vooral in de landschappen tot omstreeks 1662. Ruisdael was getuige bij zijn huwelijk in 1668. Kort daarna werd hij ijkmeester van het wijnkopersgilde te Amsterdam en daarna nam Hobbema's productie wel af, maar is niet gestopt zoals wel eens werd verondersteld. Al waren zijn landschappen aanvankelijk minder gevarieerd dan die van zijn leermeester, ze muntten toch uit door hun speelsheid en helderheid van toon. Karakteristiek is de sterk oplichtende achtergrond, waartegen enkele bomen scherp afsteken. In zijn latere werk waren de composities veel minder clichématig, zoals bijvoorbeeld het verrassende *Laantje van Middelharnis* (Londen, National Gallery) uit 1689 aantoont.

In 1980 verwierf het Mauritshuis dit boomrijk landschap van Meindert Hobbema dat een tamelijk obscuur bestaan heeft geleid in de collectie Heywood-Lonsdale op Shavington Hall in Shropshire. Nadat het in 1959 in bruikleen was gegeven aan de Walker Art Gallery te Liverpool, is er ook niet meer dan incidenteel aandacht aan besteed.[1] Hoewel er vóór deze aankoop bij sommige kunsthistorici enige aarzeling was omtrent de eigenlijke status, dan wel de datering van het schilderij, werd het in 1980 gepresenteerd als 'een uitstekend staal van Hobbema's kunst' uit zijn bloeitijd tussen 1660 en 1670, dat zich bovendien in een zeer goede conditie bevindt.[2] Hier mag ook uitdrukkelijk gewezen worden op het feit dat het paneel links onder eigenhandig is gesigneerd: 'm. hobbema'. Het lettertype en de schrijfwijze zijn identiek aan die van de signatuur van een van de pronkstukken uit de Wallace Collection (Londen), het *Landschap in stormachtig weer*, dat 1665 is gedateerd.[3]

Hobbema was een leerling van Jacob van Ruisdael en onderhield met hem later nog persoonlijke betrekkingen, maar hij was allerminst een epigoon. Zijn onderwerpen zijn dan wel grotendeels aan Ruisdael ontleend, zoals bospaden, watermolens en boerderijen tussen bomen, maar zijn stijl heeft een eigen karakter, zeker in de jaren na 1663 (na 1668 heeft Hobbema weinig meer geschilderd). De lichteffecten in Hobbema's landschappen vinden hun oorsprong bij Ruisdael, maar hij legt er nooit zo de nadruk op als zijn leermeester (zie cat.nr. 55) en hij zet voor een zonbeschenen plek in een bos altijd wat donkere boomstammen om het licht te temperen en diepte te creëren. Minder dan bij Ruisdael heeft men de indruk dat de schilder zijn landschap streng heeft gecomponeerd, terwijl ook zijn bomen niet zo 'gebeeldhouwd' zijn, maar van een natuurlijke woestheid. Waar men bij Ruisdael kan spreken van concentratie in de compositie, heerst bij Hobbema decentralisatie, aldus Rosenberg.[4] Hobbema probeerde de grilligheid van de natuur te verbeelden, waarbij hij toch niet 'naar de natuur' werkte (er zijn bijvoorbeeld nauwelijks tekeningen van hem bekend), maar zijn composities

Meindert Hobbema Vakwerkhuizen onder bomen

ontwierp in zijn atelier. Bij deze schilder komen opvallend vaak herhalingen voor van boompartijen, boerderijen of watermolens: de – meestal nauwelijks gedetailleerde – figuren werden vrij achteloos, als het ware op het laatste moment toegevoegd.[5]

Een op hetzelfde formaat als het doek in de Wallace Collection geschilderd *Bospad met boerderijen* (Berlijn, Staatliche Museen) [1][6] heeft een groep hoge bomen als centraal motief. Zo'n nadruk op de symmetrie is bij Hobbema in

1
Meindert Hobbema
Bospad met boerderijen
Doek, 97 x 128,5 cm
Niet gesigneerd, niet gedateerd (ca. 1665)
Berlijn, Staatliche Museen, inv.nr. 1984

2
Meindert Hobbema
Landschap met boerderijen
Doek, 99,5 x 130,5 cm
Niet gesigneerd, niet gedateerd (ca. 1665)
Londen, National Gallery, inv.nr. 995

deze periode (omstreeks 1665) een uitzondering. Rechts vertoont zich een vakwerkboerderij zoals op het Haagse schilderij met op dezelfde plaats een kromme boom, waarvan de kruin boven het dak uitsteekt en die dienst doet als repoussoir. Eigenlijk zijn de composities in wezen identiek: alleen zijn de hoge en de lagere bomen links en in het midden onderling van plaats verwisseld. Deze relatie werd nog niet eerder vastgesteld, wèl die met drie andere landschappen van Hobbema.

Voor een *Landschap met boerderijen* (Londen, National Gallery) [**2**][7] gebruikte de schilder een even groot doek (ongeveer 100 x 130 cm) als voor de landschappen in de Wallace Collection en Berlijn. De overeenkomst met het Haagse schilderij is zo groot, dat dit geïnterpreteerd is als een uitgewerkte studie voor het stuk in de National Gallery.[8] Verschillen bestaan alleen in de detaillering: hier en daar is een stuk boomkruin veranderd, er staan wat andere boompjes, de figuratie is beperkt tot een man, een vrouw en een kind en de voorgevel van de boerderij heeft een iets gewijzigde indeling.

Andermaal zette Meindert Hobbema zich achter zijn ezel. Nu om dezelfde compositie op te zetten op een formaat dat het midden hield tussen de grote doeken en dat van het Haagse schilderij (Washington, National Gallery) [**3**].[9] In dit geval zijn de kruinen van de bomen veel intensiever bewerkt en monumentaler, in het midden zijn wat belichte bladergroepen aangebracht, en de oplichtende kale tak links is verdwenen. In het algemeen heerst in dit werk een wat somberder sfeer.

Ook de versie in de Robarts-collectie (Londen) is op zo'n tussenformaat geschilderd.[10] De compositie is globaal dezelfde, maar opvallend is de doorbraak van de bladermassa in het midden, zodat een onbelemmerde blik geboden wordt op de achtergrond, waarheen rijtuigen koers zetten. De uitgebreide stoffering is een tweede kenmerk van dit stuk. Het is een vrolijk tafereel met zwaaiende mensen, in de kar met paarden, langs het zandpad en in de deuropening van de vakwerkboerderij. Hofstede de Groot dacht dat deze figuren door Johannes Lingelbach waren aangebracht, maar ze vertonen het achteloze in de schildering dat juist karakteristiek voor Hobbema is, zodat Broulhiet hier terecht tegen protesteerde.[11]

Deze onderling vergelijkbare composities hebben elk hun eigen kwaliteit. Christopher Wright constateert een soort ontwikkeling in de uitvoering, van de compacte Ruisdael-achtige compositie in Washington tot de lichte, uiteindelijke versie in de Robarts-collectie.[12] Het is ook denkbaar dat de schilder rekening hield met het publiek dat zijn wensen kenbaar kon maken op het punt van de stoffering (met veel of weinig 'beeldjes', zoals dat toen omschreven zou kunnen zijn). Het Haagse landschap is gesigneerd en moet dus voor de verkoop bestemd zijn geweest. Daarom, en omdat het op een paneel van fors formaat is geschilderd, was het ook geen voorstudie voor het bijna twee maal zo grote doek in Londen, maar een schilderij voor een klant die maar de helft te besteden had.

3
Meindert Hobbema
Landschap met boerderijen
Doek, 96,5 x 108 cm
Links onder: *M. Hobbema* (ca. 1665)
Washington, National Gallery, inv.nr. 626
(Widener Collection)

1 Zie herkomst en bibliografie
2 *Hoetink 1980*, p. 68 en *Hoetink 1981*, p. 168; zie ook de manuscript-catalogus, genoemd in noot 12
3 Inv.nr. P 75; HdG 167; *Londen 1968*, p. 149–150, nr. P 75 en afb.; de signatuur is afgebeeld in *Broulhiet 1938*, p. 373–374, nr. 186
4 *Rosenberg 1927*, p. 142
5 *Broulhiet 1938*, p. 96–371 gaf daarvan legio voorbeelden in een 'recueil iconographique'.
6 *Broulhiet 1938*, p. 195 en 401, nr. 187; *Berlijn 1975*, p. 202–203, nr. 1984 en afb.
7 HdG 162; *Broulhiet 1938*, p. 236 en 413, nr. 269 en afb.; *Maclaren 1960*, p. 170–171, nr. 995
8 *Maclaren 1960*, p. 170
9 HdG 181; *Broulhiet 1938*, p. 236 en 413, nr. 268 en afb.; *Washington 1948*, p. 60, nr. 626 en afb.
10 HdG 114; *Broulhiet 1938*, p. 206 en 404, nr. 209 en afb.
11 HdG 114 en *Broulhiet 1938*, p. 404: 'les personnages et les chevaux sont parmi les plus caractéristiques de Hobbema'.
12 Manuscript-catalogus (een afschrift is in het documentatie-archief van het Mauritshuis)

Hans Holbein Portret van Robert Cheseman

Hans Holbein de Jonge

37 | Portret van Robert Cheseman

Augsburg 1497/1498 – Londen 1543

Paneel, 59 x 62,5 cm
Niet gesigneerd, links en rechts boven: *ROBERTVS CHESEMAN* . *ETATIS* . *SVAE* . *XLVIII* . // *ANNO.* *DM͂* . *M* . *D* . *XXXIII* .
Inv.nr. 276

Zijn vader, Hans Holbein de Oude, leidde hem op tot schilder. Na diens vertrek naar Isenheim, werkte de zoon (evenals diens broer Ambrosius) in 1515 als schilder in Basel. Omstreeks 1518 versierde hij de gevel van een woonhuis te Luzern met muurschilderingen en hij maakte aansluitend een reis naar Italië. In Basel, waar hij in 1519 toetrad tot het schildersgilde en een jaar later burger van de stad werd, verkeerde hij in een intellectueel en kapitaalkrachtig milieu. Hij maakte daar ontwerpen voor gebrandschilderd glas, fresco's voor het stadhuis, bijbelillustraties en tekeningen voor de befaamde Dodendans en schilderde altaarstukken. In 1524 was hij in Frankrijk en twee jaar later arriveerde hij in Engeland met aanbevelingsbrieven van Erasmus op zak, die hem in contact brachten met Sir Thomas More. Hoewel hij in 1528 terug was in Basel, achtte hij het raadzaam wegens zijn nieuwe geloof de wijk te nemen naar Engeland, waar hij zich in 1532 definitief vestigde. Hij werd daar snel bekend als portrettist, aanvankelijk van rijke kooplieden te Londen, later van edelen aan het hof en in 1636 blijkt hij als hofschilder aangesteld te zijn door Hendrik VIII. Afgezien van muurschilderingen voor Whitehall maakte hij in Engeland voornamelijk portretten. Een reeks portrettekeningen bleef bewaard (Windsor Castle); soms dienden deze als voorstudies voor schilderijen. Ze tonen aan waaruit zijn unieke talent bestond: op de eerste plaats zijn haarscherpe oog en trefzekere hand, voorts zijn onnavolgbare psychologischre typering van het model en tenslotte de elegantie en waardigheid waarmee hij de hovelingen liet poseren, zonder in stijfheid te vervallen of zijn artistieke handschrift geweld aan te doen.

In 1781 bezocht Joshua Reynolds de schilderijengalerij van Prins Willem V, waar hij Rembrandt, Rubens en Van Dyck bewonderde en over dit portret van Holbein noteerde: 'admirable for its truth and precision, and extremely well coloured'. Dit realisme bewonderde hij ook in tal van Hollandse schilderijen uit de zeventiende eeuw. Reynolds had overigens één bedenking: 'The blue flat ground which is behind the head, gives a general effect of dryness to the picture: had the ground been varied, and made to harmonise more with the figure, this portrait might have stood in competition with the works of the best portrait-painters'.[1] Waarschijnlijk had de criticus andere portretten van Holbein in gedachten, waarin een uitvoerig gedetailleerde entourage de aandacht trekt. Het bekendste voorbeeld daarvan is het eveneens in 1533 geschilderde dubbelportret *De gezanten Jean de Dinteville en Georges de Selve* (London, National Gallery).[2] Neutrale achtergronden zijn kenmerkend voor latere portretten van Holbein, maar vermoedelijk had de opdrachtgever het meestal voor het zeggen. Hier is gekozen voor niet meer dan een mededeling over de naam van de geportretteerde, zijn leeftijd en het

Herkomst

Collectie (W.E.P.L.C., zie noot 1), Engeland, zestiende eeuw
Collectie koning Karel II, Whitehall, Londen, 1666/1667
Collectie koning Jacobus II, Londen, 1685–1688
Collectie koning-stadhouder Willem II, Londen, 1688, Het Loo, Apeldoorn, na 1695–1702
Collectie Johan Willem Friso, Het Loo, Apeldoorn, 1702–1711
Het Loo, Apeldoorn, 1712, 1763
Collectie stadhouder Willem V, Den Haag, 1774–1795
Het Louvre, Parijs, 1795–1815
Koninklijk Kabinet van Schilderijen, Den Haag, 1815
Koninklijk Kabinet van Schilderijen 'Mauritshuis', 1821

Bibliografie

Reynolds 1781, p. 69–70
Pommereul 1798, p. 294
Wöltmann 1866–68, dl. II, p. 237 en 457
De Stuers 1874, p. 270–271, nr. 238
Wöltmann 1874, p. 370–371
Bredius 1895, p. 158, nr. 276(122)
Phillips 1896/1903, p. 62
Voll 1903, p. XIII en 34 en afb.
Ganz 1912, p. 102 en 240 en afb.
Chamberlain 1913, dl. II, p. 54–57, 203, 206, 255, 355 en afb. pl. II
Den Haag 1914, p. 136–137, nr. 276
Christoffel 1924, p. 239–240, 242 en 254 en afb. 108
Stein 1929, p. 259–260 en 286
Martin 1935, p. 142–143, nr. 276
Swaen 1937, p. 121
Schmid 1945–48, dl. I–II, p. 13, 361, 364, 369 en 385, dl. III, afb. 82
Ganz 1950, p. 241, nr. 72 en afb. pl. 109–110
Londen 1950–51, p. 23–24, nr. 26
Pinder 1951, p. 86 en afb. 54
Schaffhausen 1951, p. 29, nr. 43a
Hoogeveen 1951–52, p. 47–48
Dam 1953, p. 124 en afb. pl. I
Den Haag 1954, p. 35, nr. 276
De Vries 1959, p. 19a
Millar 1963, dl. I, p. 57
Benger 1965, *p*. 252–253 en afb.
Tóth-Ubbens 1968, p. 24–25, nr. 276 en afb.
Salvini/Grohn 1971, p. 101, nr. 82 en afb. en pl. XXXVIII
Drossaers/Lunsingh Scheurleer 1974–76, dl. I, p. 679, nr. 887, p. 697, nr. 35, p. 699–700,

NR. 1, 4, 9, 15–17; dl. II, p. 639, nr. 9; dl. III,
p. 215, nr. 60

Berlijn 1975, p. 205, nr. 586D

Brenninkmeyer-de Rooij 1976, p. 165, nr. 60 en
afb.

Braun 1976, p. 108–109, nr. 82 en afb.

Den Haag 1977, p. 113–114, nr. 276 en afb.

New York 1979, p. 106, nr. 75 en afb.

Berlijn 1980, p. 177–178, nr. 27 en afb.

Sullivan 1980, p. 241, noot 26

Sullivan 1984, p. 89, noot 63

Hoetink e.a. 1985, p. 208–209, nr. 45 en afb.,
p. 377–378, nr. 276 en afb.

Rowlands 1985, p. 82 en 139, nr. 46 en afb.
pl. 80

jaar waarin hij zich liet schilderen, geschreven in gouden Romeinse kapitalen. Het getuigt van een stijlvolle soberheid. Joshua Reynolds las het opschrift overigens foutief: 'On it is written, – Henry Chesman, 1533'.[3]

'ROBERTVS CHESEMAN' is de naam van de man met de valk en zijn leeftijd ('ETATIS SVAE') is achtenveertig. In de meeste publicaties na 1900 leest men dat dit opschrift pas te voorschijn zou zijn gekomen na een restauratie door Hauser in Berlijn in 1891. Het is een van de diverse misverstanden over Cheseman en zijn portret. De oorzaak is een wat onhandige formulering door Abraham Bredius in de catalogus van het Mauritshuis in 1895.[4] Hauser heeft slechts het zwaar overschilderde opschrift opgeknapt en onder andere het grammaticaal onjuiste 'ETATES' vervangen door 'ETATIS'.[5] Uit niets blijkt dat men tot dan toe niet wist wat de naam van de valkenier was. Reynolds' geheugen faalde weliswaar en in de inventaris van de Oranje-collectie noteerde men wat slordig: 'Een pourtrait van Scheteman met een valk, van Holbeen', maar in 1874 was nog steeds de volledige naam 'ROBERTUS CHESEMAN' te lezen, ondanks de overschilderingen.[6] Niemand echter had toen onderzocht wie of wat deze man was, van wie nog in 1951 oppervlakkig geoordeeld kon worden: 'Dieser Robert Cheseman trägt eines von jenen prachtvollen rassigen Gesichtern, deren Besitz einer gewissen englischen Schicht zugehört'.[7]

In de lacune werd voor het eerst voorzien door A.B. Chamberlain die in 1913 een monografie publiceerde waarbij hij ruimschoots putte uit Engelse documenten.[8] Op zijn bevindingen leunden vrijwel alle latere publicisten, zij het bij dit portret te kritiekloos. Een tweede misverstand omtrent Cheseman was het gevolg: hij zou volgens Chamberlain geen valkenier des konings zijn geweest, omdat deze lieden geen inkomen hadden waarmee ze een portret konden laten maken. In de meest recente catalogus van het Mauritshuis blijkt deze bewering mythische vormen te hebben aangenomen: 'although he is depicted with a hawk on his wrist he was certainly not the royal falconer'.[9] Men diende kennelijk te geloven dat hier een particulier was voorgesteld met zijn eigen lievelingsvalk, alsof de valkenjacht niet vanouds een privilege van het hof was.

Enkele handboeken over het jachtbedrijf en de valkerij leren echter heel wat anders. Daarin wordt Robert Cheseman opgevoerd als de valkenier van Hendrik VIII.[10] Het begrip favoriete vogel was toen wellicht onbekend, omdat volgens oude bronnen in Engeland de valken na het jachtseizoen hun vrijheid werd teruggegeven.[11] Aan het Engelse hof bestond wel degelijk de functie van Grootvalkenier. Tijdens de regering van koningin Elisabeth liet Sir Ralph Sadler zich in die functie portretteren met een valk (verblijfplaats onbekend).[12] De ongegrondheid van Chamberlains mededeling bleek uit een artikel in een Engels heemkundig tijdschrift in 1965. Daarin werden nieuwe gegevens over Robert Cheseman gepubliceerd, met de verrassende vermelding dat hij 'one of the Yeoman Falconers to King Henry VIII' was geweest. Ongetwijfeld kende de schrijver van dit bericht uit 1824 Holbeins portret niet en putte hij zijn kennis uit andere, zij het helaas niet nader aangeduide, bron(nen).[13]

Afgezien van zijn ongelukkige interpretatie van het portret van Robert Cheseman waren de mededelingen van Chamberlain over diens leven zo betrouwbaar als maar mogelijk was. Aangevuld met nieuwe biografische feiten uit het onderzoek van 1965 geven ze een goed beeld van de functies van deze edelman en het hoge aanzien dat hij genoot aan het Engelse hof. Robert

1
Hans Holbein
Portret van een achtentwintigjarige valkenier
Paneel, 25 x 19 cm
Boven links en rechts: *15 42* (niet gesigneerd)
Den Haag, Mauritshuis, inv.nr. 277

2
Meester van de Vorstenportretten
Portret van Engelbert van Nassau
Paneel, 33,5 x 24 cm
Niet gesigneerd, gedateerd: *1487*
Amsterdam, Rijksmuseum, inv.nr. A 3140

Cheseman (1485–1547) was de zoon van de schatbewaarder van koning Hendrik VII, Edward Cheseman. De familie resideerde in het huis Dorman's Well in de heerlijkheid Southall in Middlesex. De Chesemans waren heren van Southall en Norwood en in de kerk van Norwood bevindt zich thans nog het graf van Robert.[14] Hij was getrouwd met een zuster van de hofdignitaris John Tawe, Eleanor, die kinderloos stierf. Zijn tweede vrouw werd Alice Dacres, de dochter van de in Londen gevestigde lakenkoopman Henry Dacres, 'alderman' van Fleet Street. Zij kregen een dochter Anne, die op nog jeugdige leeftijd en vóór de dood van haar vader in het huwelijk trad met Francis Chamberlayne. Alice Dacres overleefde Robert Cheseman tot 1557.[15]

Sinds het jaar 1523 werd in documenten regelmatig melding gemaakt van Cheseman's openbare functies, van zijn transacties met huizen en land en van zijn diensten aan de koning. Zo leverde hij manschappen als inzet tegen de rebellen in het noorden (in 1536) en tegen Vlaanderen (in 1543), waaruit blijkt dat hij een machtig en vermogend man moet zijn geweest.[16] In 1528 werd hij aangesteld tot vrederechter in Middlesex, hij had zitting in diverse door de koning ingestelde raden en hij incasseerde de tienden. Cheseman vertegenwoordigde Middlesex bij verschillende gelegenheden, zoals de ontvangst van Anna van Kleef als bruid van Hendrik VIII op 31 december

3
Titiaan
Valkenier
Doek, 109 x 94 cm
Links: *TICIANVS F.* (ca. 1520)
Omaha, Joslyn Art Museum, inv.nr. 1942.3

1539. Hij was ook betrokken bij het proces tegen Catherine Howard in 1541.[17] De veronderstelling ligt voor de hand, dat het feit dat hij in 1533 zijn portret liet schilderen door Holbein, waarna in 1534 de schatbewaarder van de koning, Thomas Cromwell, hetzelfde liet doen (New York, The Frick Collection)[18], diens benoeming tot hofschilder in of vlak voor 1536 heeft bevorderd.[19]

Robert Cheseman is gekleed naar de mode van zijn dagen in een met bont afgezette overmantel, waarvan de mouwen ter hoogte van de elleboog splitten hadden om de onderarm doorheen te steken.[20] Daaronder draagt hij een eenvoudige rode wambuis over een wit overhemd. De enige sieraden die hij draagt zijn een brede gouden ring aan zijn wijsvinger en een smalle aan zijn pink. Tot 1534 werd aan het hof het haar kort geknipt boven het voorhoofd en lang over de oren gedragen. In mei 1535 verordonneerde Hendrik VIII dat oudere mannen hun baard moesten laten staan en hun haar kort moesten knippen.[21] Een fraai voorbeeld van deze verplichte mode biedt een *Portret van een achtentwintigjarige valkenier* (Den Haag, Mauritshuis) [1], geschilderd door Holbein in 1542, dat eveneens uit Engels koninklijk bezit in de collectie van de Oranjes terecht kwam.[22]

De valk van Cheseman lijkt naar de werkelijkheid te zijn afgebeeld. Aan zijn bruine kleur herkent men de jonge slechtvalk, een om zijn krachtige klauwen en enorme snelheid voor de jacht bijzonder geschikte vogel. Hij draagt een leren kapje dat met veters achter de kop is vastgeknoopt. Tussen de vingers van Robert Cheseman ziet men de zogenaamde werpriem om de valk vast te houden. Het koperen belletje aan de poot van het dier dient om hem gemakkelijk te kunnen opsporen als hij zijn prooi gedood heeft.[23]

De uitbeelding van een man met een valk kent een lange traditie en wellicht was Holbein zich daarvan bewust. Niet steeds is er dan sprake van een portret, zoals dat het geval was in het *Portret van Engelbert van Nassau* uit 1487 (Amsterdam, Rijksmuseum) [2] door de Meester van de Vorstenportretten.[24] Er kon ook sprake zijn van een heilige met zijn attribuut, bijvoorbeeld *Sint Bavo met zwaard en valk* door een Noordnederlandse meester uit ongeveer 1530 (Berlijn, Staatliche Museen).[25] In de zeventiende eeuw werden op Rembrandts atelier nog valkeniers geschilderd als 'tronie' of als een historische figuur (de jager Aeneas).[26]

Als Holbein voor zijn compositie heeft teruggegrepen op een ouder voorbeeld, komt daarvoor allereerst Titiaans *Valkenier* uit omstreeks 1520 (Omaha, Joslyn Art Museum) [3] in aanmerking.[27] Het liefkozende gebaar waarmee Cheseman zijn valk aanraakt, zou daar een herinnering aan kunnen zijn. Maar het portret kan evengoed tot in onderdelen Holbeins eigen creatie zijn, los van enige beeldende of literaire conventie. Wat dit laatste betreft mag hier terloops gewezen worden op de rol die de valk in de poëzie en (embleem)literatuur heeft gespeeld.[28]

Het beeld van een gevangen en 'geblinddoekte' valk is op zeker moment synoniem geworden voor de slaafse hoveling. Zo beeldde Roemer Visscher in zijn *Sinnepoppen* in 1614 een jachtvalk op een gehandschoende hand af, met als commentaar: 'al hoe wel datse de ghebreecken des Hofs wel sien, konnen (dese Edel-luyden) daer nochtans niet van daen blyven: zijnde dees wilden Valck in al(le)s ghelijck, die met zijn eygen verdriet bekleedt de plaets van eeren by zynen Heere'.[29] In hoeverre deze gedachte al leefde in de zestiende eeuw of zelfs van toepassing is op Robert Cheseman, moet hier in het midden worden gelaten.[30]

1 *Reynolds 1781*, p. 69–70. Het schilderij was in de Oranjecollectie gekomen dank zij Willem III, die het uit Engels koninklijk bezit overbracht naar Holland, hetgeen vergeefse protesten opleverde van koningin Anne (zie cat.nr. 20). Daarvoor was het niet in de collectie van koning Karel I, zoals *Phillips 1896/1903*, p. 62 dacht. De letters 'W.E.P.L.C.' op de achterkant van het paneel in een, volgens *Chamberlain 1913*, dl. II, p. 206, zestiende-eeuwse hand komen ook voor op een portret van Holbein en van Willem Key in Berlijn (Staatliche Museen, inv.nr. 586D en 633A; *Berlijn 1975*, p. 205, nr. 586D en afb. en p. 214, nr. 633A en afb.).

2 Inv.nr. 1314; *Levey 1959*, p. 47–54, nr. 1314; *Salvini/Grohn 1971*, p. 102, nr. 83 en afb.

3 *Reynolds 1781*, p. 70

4 *Bredius 1895*, p. 158, nr. 276 (122): 'L'inscription originale, qui avait été grossièrement repeinte fut découverte en 1891 par M.A. Hauser de Berlin'.

5 Afbeeldingen van de staat vóór de restauratie (die ook een deel van de mantel links onder aan het licht bracht) werden gebruikt in *Voll 1903*, p. 34; *Ganz 1912*, p. 102 en zelfs nog in *Ganz 1950*, pl. 109; de onjuiste schrijfwijze 'ETATES' lokte kritiek uit van een latinist (*Hoogeveen 1951–52*, p. 47–48).

6 *Drossaers/Lunsing Scheurleer 1974–76*, dl. I, p. 679, nr. 887 en *De Stuers 1874*, p. 270–271, nr. 238

7 *Pinder 1951*, p. 86

8 *Chamberlain 1913*, dl. II, p. 54–57: de door hem veelal gebruikte bronnen waren de *Calendars of Letters and Papers, Foreign and Domestic, of the Reighn of Henry VIII.*

9 *Hoetink e.a. 1985*, p. 208, nr. 45; zie ook: *Ganz 1950*, p. 241, nr. 72 en *New York 1979*, p. 106, nr. 75; *Rowlands 1985*, p. 82 en 139, nr. 46 liet de kwestie in het midden.

10 *Swaen 1937*, p. 121 en *Dam 1953*, p. 124–125 (dit boek opent zelfs met Holbeins portret tegenover het titelblad)

11 *Dam 1953*, p. 124

12 *Dam 1953*, p. 125, zonder vermelding van de schilder; het werd niet vermeld in *Davies 1979–81*, dl. I, p. 121; *Lee 1885–1900*, dl. L, p. 112 noemde een portret van Sadler te Everley (Wiltshire), maar niet de maker.

13 *Benger 1965*, p. 253

14 *Benger 1965*, p. 253 en 255–256: op p. 254 werd een stamboom van de familie Cheseman van Dorman's Well afgedrukt.

15 *Benger 1965*, p. 256; dit in afwijking van *Chamberlain 1913*, p. 56 en *Martin 1935*, p. 142, noot 1 (die zich baseerde op een briefwisseling met Chamberlain), die als sterfjaar van Alice Dacres 1547 opgaven.

16 *Chamberlain 1913*, p. 55

17 *Chamberlain 1913*, p. 55 en *Benger 1965*, p. 256

18 Inv.nr. 15.1.76; *New York 1968*, p. 234–239 en afb.; *Salvini/Grohn 1971*, p. 103, nr. 90 en afb.

19 *Schmid 1954–48*, dl. II, p. 361

20 Zoals voorkomt op andere portretten van Holbein, zie bijvoorbeeld: *Londen 1978–79*, p. 74–75, nr. 40 en afb., p. 122–124, nr. 81 en afb.

21 *Chamberlain 1913*, dl. I, p. 330–331; op grond hiervan heeft men Holbeins portretten willen dateren, zij het niet steeds met succes (zie: *Schmid 1945–48*, dl. II, p. 364, noot 155).

22 *Hoetink e.a. 1985*, p. 378, nr. 277 en afb.; *Salvini/Grohn 1971*, p. 108–109, nr. 136 en afb.

23 De bij de valkerij gebezigde terminologie werd tot in de kleinste details beschreven door *Swaen 1937*, p. 33–53 (met afbeeldingen van het jachtgerei).

24 *Van Thiel e.a. 1976*, p. 636, nr. A 3140 en afb.

25 Inv.nr. (cat. 1929, nr. 644C); *Winkler 1924*, p. 285, 287, afb. 171

26 Zie bijvoorbeeld: *Blankert 1982*, p. 99, nr. 22 en afb. (en de daar gegeven voorbeelden). Onduidelijk is nog de betekenis van Rembrandts *Valkenier* (Göteborg, Göteborgs Konstmuseum, inv.nr. 698; *Gerson/Bredius 1969*, p. 245 en 574, nr. 319 en afb.)

27 *Wethey 1971*, p. 96–97, nr. 28 en afb. pl. 38. Deze relatie werd gelegd in *Berlijn 1980*, p. 177–178, nr. 27 naar aanleiding van een *Portret van een valkenier* door Frans Floris (Braunschweig, Herzog Anton Ulrich-Museum, inv.nr. 39).

28 Over de valkerij in de kunst, zie: *Swaen 1937*, p. 118–129 en *Sullivan 1980*, passim en p. 240–241 (valkeniers-portretten); over de valk in de iconografie, zie: *Swaen 1929*, passim

29 *Roemer Visscher/Brummel 1614/1949*, p. 87, nr. XXVI met als vertaling van het latijnse motto: 'Gij adellijken van verbasterd karakter wat zoekt gij toch de vorstenhoven' (ibid., p. 203).

30 Sinds de vijftiende eeuw kon een valk in een portret een status-symbool zijn, dat niet verwees naar het deelnemen aan het jachtbedrijf door de voorgestelde, zie: *Berlijn 1980*, p. 178, nr. 27; in de zeventiende eeuw werd het mode zich te omringen en/of te laten afbeelden met de parafernalia van de geprivilegieerde elite, waaruit het *Jagersportret* en het *Jachtstilleven* ontstond, zie: *Sullivan 1984* en *Broos 1986*, p. 112–114, nr. 2.

Gerard Houckgeest

Den Haag ca. 1600 – Bergen op Zoom 1661

Paneel, 56 x 38 cm
Midden onder, op de zuilbasis: *GH. 1651.*
Inv.nr. 58

Herkomst

Collectie P.H. Gelijs, Antwerpen
Collectie W. Lormier, Den Haag
Veiling Lormier, Den Haag, 1763
Veiling P.L. Neufville (Amsterdam), Den
Haag, 1764
Collectie stadhouder Willem v, Den Haag,
1764–1795
Het Louvre, Parijs, 1795–1815
Koninklijk Kabinet van Schilderijen, Den
Haag, 1815
Koninklijk Kabinet van Schilderijen
'Mauritshuis', 1821

Bibliografie

Terwesten 1770, p. 697
Van Eijnden/Van der Willigen 1816–20, dl. I,
p. 66–67
Steengracht van Oostkapelle 1826–30, dl. III,
p. 38–39, nr. 73 en afb.
Thoré-Bürger 1858–60, dl. I, p. 276
Waagen 1862, dl. II, p. 246
De Stuers 1874, p. 49–50, nr. 46
Bredius 1895, p. 183–184, nr. 58
Jantzen 1910, p. 98 en 162, nr. 169
Den Haag 1914, p. 160–161, nr. 58
Martin 1935, p. 158, nr. 58
Martin 1936, dl. I, p. 405 en afb. 212
Bernt 1948–62, dl. II, nr. 406 en afb.
Martin 1950, p. 109, nr. 287 en afb.
Den Haag 1954, p. 37, nr. 58
Utrecht 1961, p. 291, nr. 241 en afb.
Manke 1963, p. 19 en afb. 12
Delft 1974–75, z.p., nr. 18 en afb.
Drossaers/Lunsingh Scheurleer 1974–76, dl. III,
p. 28, nr. 190, p. 212, nr. 43
Groningen 1975, z.p., nr. 18 en afb. omslag
De Vries 1975, p. 26, 40–41, afb. 15, p. 52, nr. 14
Foucart 1975, p. 60
Wheelock 1975–76, p. 167–168, afb. 1, p. 182
Brenninkmeyer-de Rooij 1976, p. 164, nr. 43 en
afb.
Den Haag 1977, p. 120, nr. 58 en afb.
Wheelock 1977, p. 221–222, 226, 234, 242 en
afb. 38
Delft 1981, dl. I, p. 184, dl. II, nr. 221 en afb.
Walsh/Schneider 1981–82, p. 112, afb. 1
Liedtke 1982, p. 13, 18, 34–39, 41–45, 47 en 100,
nr. 6 en afb. 3a en IV
Washington enz. 1982–83, p. 86–87, nr. 21 en
afb.
Hoetink e.a. 1985, p. 216–217, nr. 49 en afb.,
p. 382, nr. 58 en afb.
Broos 1986, p. 258–264, nr. 35 en afb.

Hij was waarschijnlijk een leerling van Bartholomeus van Bassen, in wiens stijl hij tot 1650 fantasie-interieurs schilderde die gebaseerd waren op de studie van perspectiefprenten. In 1635 woonde hij in Delft, en werkte afwisselend daar en in Den Haag als schilder. In Delft was hij ook bierbrouwer en zijn door erfenissen toenemende welvaart stelde hem in staat een landgoed buiten Bergen op Zoom te kopen, waar hij omstreeks 1653 ging wonen. Vanaf ongeveer 1650 schilderde hij ook bestaande kerkinterieurs te Delft (Oude en Nieuwe Kerk), Den Haag (Sint Jacobskerk) en Bergen op Zoom (Grote Kerk).

In 1650 moeten de vele Oranjeharten in Delft heftig hebben geklopt. Twee jaar na de Vrede van Munster, midden in een conflict met de Staten-Generaal over de politieke houding tegenover Engeland, stierf Willem II, acht dagen voor de geboorte van de latere Willem III: het was het begin van het eerste Stadhouderloze Tijdperk. Delft was overwegend Oranjegezind. In die stad was immers Willem van Oranje, de Vader des Vaderlands, op 10 juli 1584 lafhartig vermoord: een dieptepunt in de vrijheidsstrijd van de bevolking van de Lage Landen. Na het sluiten van het Twaalfjarige Bestand in 1609 besloten de Staten-Generaal de leider van het eerste uur te eren met een groots grafmonument in de Nieuwe Kerk te Delft, waartoe een opdracht werd gegeven aan de Amsterdamse beeldhouwer en bouwmeester Hendrick de Keyser, niet de eerste de beste dus. Het graf werd voltooid in 1623 door Pieter de Keyser, twee jaar na de dood van zijn vader.[1] Het graf van Willem de Zwijger werd het nationale monument van de jonge republiek. Het werd in de zeventiende eeuw veel bezongen en uitgebeeld en uiteraard trok het een stoet bezoekers. In 1645 liet een onbekende familie zich door Dirck van Delen portretteren, staande naast het praalgraf (Amsterdam, Rijksmuseum) [1].[2] Gerard Houckgeest heeft dit praalgraf als onderwerp tot een artistiek hoogtepunt gevoerd in 1650 en 1651, waarna ook Hendrick van Vliet en Job Berckheyde dit motief gekozen hebben, naast Emanuel de Witte, die er zelfs een deel van zijn roem aan ontleende.[3]

De beslissende bijdrage van Houckgeest aan de ontwikkeling van het Hollandse kerkinterieur, waarvan het hier besproken werk uit 1651 een van de fraaiste voorbeelden is, werd lang onderschat. Zijn activiteiten als bierbrouwer en zijn door erfenissen toenemende welstand hebben hem niet tot een slaaf van het penseel gemaakt, wat in een klein geschilderd oeuvre resulteerde, met het gevolg dat hij weinig bekend was, zelfs bij de biografen.[4] Houbraken nam hem niet op in zijn *Groote Schouburgh* (1718–1721), maar wèl De Witte, die hij bejubelde als 'Emanuel de Wit, geroemt om zyn wetenschap in de Doorzichtkunde'.[5] Het schilderij uit 1651 en een tweede versie uit hetzelfde jaar (ook Den Haag, Mauritshuis) [2][6], hebben in niet geringe mate bijgedragen aan de herontdekking van Houckgeest. Deze Oranje-documenten kwamen haast als vanzelf in de achttiende eeuw in de

Gerard Houckgeest Het grafmonument van Willem van Oranje in Delft

1
Dirck van Delen
Een familie bij het graf van Willem van Oranje
Paneel, 74 x 110 cm
Midden onder het ligbeeld: *DvDelen Pinxt.*
Anno 1645.
Amsterdam, Rijksmuseum, inv.nr. A 2352

2
Gerard Houckgeest
De Nieuwe Kerk in Delft
Paneel, 65,5 x 77,5 cm
Op de voet van de voorste zuil: *GH 1651*
Den Haag, Mauritshuis, inv.nr. 57

stadhouderlijke verzameling terecht en later in het Koninklijk Kabinet, waar
ze in 1816 werden gesignaleerd door Van Eijnden en Van der Willigen (1816),
die daarnaast slechts één werk van de schilder Houckgeest kenden.[7] Toen
Thoré-Bürger in 1858 het Haagse Mauritshuis bezocht en beschreef,
betreurde hij daar het gebrek aan representatieve architectuurstukken: 'Cette
catégorie n'est pas brillante non plus … on ne trouve que deux maîtres dignes
d'attention: Hoekgeest, dont on ne sait peu de chose, et Dirk van Delen'. En
bijna onvermijdelijk was zijn opmerking: 'Hoekgeest a beaucoup d'analogie
avec Emanuel de Witte'.[8] Zo'n nevengeschikte rol naast de meer bekende De
Witte heeft Houckgeest steeds toebedeeld gekregen.[9] Slechts hier en daar kan

3
Gerard Houckgeest
Het grafmonument van Willem van Oranje in Delft
Paneel, 125,7 x 89 cm
Op de voet van de zuil rechts: *GH. 1650*
Hamburg, Kunsthalle, inv.nr. 342

men lezen dat het juist Houckgeest was die als eerste nieuwe wegen insloeg in de Hollandse architectuurschildering en dat De Witte en Van Vliet zijn navolgers waren. In 1975 hield Lyckle de Vries een krachtig pleidooi voor deze zienswijze.[10]

Tot 1650 was er eigenlijk maar één schilder in Nederland die topografisch nauwkeurige voorstellingen van kerken maakte: Pieter Saenredam. Drie karakteristieken vallen op in zijn werk. (Kerk)interieurs gaf hij weer met de blikrichting over de lengte- of breedte-as van het gebouw, hij schilderde in bruingele, lichte tonen en hij liet van het interieur zoveel mogelijk zien (en een exterieur bij voorkeur in zijn geheel).[11] De plotselinge vernieuwing die Houckgeest in 1650 doorvoerde, gold ieder van deze drie kenmerken: hij introduceerde het overhoekse perspectief, hij hanteerde een bont palet met een grote aandacht voor de lichtval en hij schilderde bij voorkeur slechts een hoek van een kerkgebouw.[12]

Tot 1650 had Houckgeest zich vooral toegelegd op fantasie-architectuur in de trant van zijn vermoedelijke leermeester Bartholomeus van Bassen. Het strak geconstrueerde perspectief is overduidelijk gebaseerd op voorbeelden, die hij in de prenten van onder andere Hans Vredeman de Vries in overvloed kon aantreffen.[13] De basis voor zijn gefantaseerde interieurs was meestal de zwartwitte tegelvloer die als het ware de functie heeft van ruitjespapier waarop de constructie gebouwd is. Sterk ruimtebepalend is zo'n vloer in gezichten in de Nieuwe Kerk te Delft, die vermoedelijk al van vóór 1650 dateren en waarin Houckgeest voor het eerst de overhoekse blik in een bestaande ruimte weergaf. Zo'n ongedateerd schilderij bevindt zich in Straatsburg (Musée des Beaux-Arts).[14] Het graf van Willem de Zwijger is hier gezien in westelijke richting. In 1650 en 1651 ontstonden twee versies, waarin het grafmonument werd gezien in zuidoostelijke richting, dus vanuit de linker kooromgang van de kerk.

Op fors formaat componeerde hij de versie uit 1650 te Hamburg (Kunsthalle) [3].[15] Door de zuil op de voorgrond bijna tegen de beeldrand te plaatsen, bereikte de schilder een optimale dieptewerking. De halfronde afsnijding van het tafereel aan de bovenkant is achteraf aangebracht, waardoor de zuil rechts nogal abrupt afgesneden wordt en men de indruk krijgt door een venster te kijken. Die halfronde afsnijding bleek een goed idee, dat op een al in die vorm gezaagd paneel andermaal werd toegepast in het hier besproken schilderij uit 1651. De forse zuil schilderde Houckgeest nu op een voor deze omlijsting logischer plaats, namelijk in het midden. De wand achter het graf komt hier ook veel beter in beeld, evenals de kooromgang links. Door de kapitelen met het oog te volgen kan men de ruimte eenvoudig aflezen. Aldus De Vries, die het Haagse schilderij een verbeterde versie van het meer dan tweemaal zo grote Hamburgse paneel noemde.[16] Als een gewaagd optisch experiment kan men het eveneens in 1651 en op een breed formaat geschilderde stuk uit het Mauritshuis beschouwen [2], waarin het perspectief geconstrueerd is zoals in voorbeelden van Vredeman de Vries.[17] Het groothoeklens-effect doet hierin wat overdreven aan, terwijl door de nadruk op de architectuur het graf van Willem de Zwijger achter de pilaren verloren gaat.[18] De vele kopieën en herhalingen die er naar het schilderij uit 1651 met de halfronde bovenkant zijn gemaakt, tonen aan dat anderen wellicht ook aanvoelden wat wij nu denken: dat dit de best geslaagde compositie is van al deze uitbeeldingen van *Het grafmonument van Willem van Oranje in Delft*.[19]

Houckgeest demonstreert dat nadenken over compositie, kleur en licht tot een schitterend resultaat kan leiden, waarbij het slechts vijf jaar eerder ontstane tafereeltje van Dirck van Delen [1] afsteekt als een steriel werkje. Toch streefde Houckgeest in eerste instantie ook naar een weergave van de werkelijkheid, die hij echter veel subtieler weergaf. Hoewel hij ten opzichte van de Hamburgse versie zijn blikpunt een stuk naar links voor verplaatste, bleef van de rouwborden aan de wanden van het koor precies zoveel te zien dat ze nog onderscheiden kunnen worden als die van de Oranjes. Midden boven hangt het rouwbord van Frederik Hendrik, daaronder links dat van Maurits, in het midden dat van Willem I en rechts dat van diens vierde vrouw Louise de Coligny. Deze borden zijn tijdens de Franse revolutie verdwenen.[20]

Oogstrelend realisme was niet het enige wat de schilder beoogde; hij bracht in zijn voorstelling tevens overduidelijke symboliek aan. De graffiti op de voorste zuil zou men kunnen opvatten als een scherp waargenomen stukje werkelijkheid, maar daarnaast verwijzen ze ook naar Houckgeests kennis van Saenredams schilderijen die zulke kindertekeningen vertonen, die volgens één interpretatie zelfs als een speels protest tegen de kale protestantse kerken zijn bedoeld.[21] Het is ook niet voor niets dat Houckgeest in de twee werken uit

1650 en 1651 de sculptuur aan deze zijde van het grafmonument toont. Hij deed dat in het halfronde Haagse paneel zelfs overdreven prominent, in een krachtige belichting met ostentatief een kijkend echtpaar met een kind voor het beeld van De Vrijheid.[22] Deze figuur symboliseert de onafhankelijkheid van iedere Hollander die een zelfbewust burger was van de jonge Republiek, die zich letterlijk vrijgevochten had van het buitenlands juk.[23]

Pas onlangs is grondig onderzoek verricht naar de iconografie, dus de betekenis van het monument van Willem de Zwijger. Er blijken denkbeelden over de grondslagen van de staat in te zijn verwerkt met personificaties, die tegelijkertijd verwijzen naar de politiek èn naar de deugdenleer. De architectuur van het graf was nogal traditioneel en doet vermoeden dat Hendrick de Keyser het praalgraf van Hendrik II en Catharina de Medicis in de abdijkerk van Sint Denis bij Parijs, ontworpen door Primaticcio en Denon (1563–1570), heeft gekend.[24] Willem de Zwijger is dood èn levend voorgesteld, liggend èn zittend (in het schilderij niet zichtbaar). Achter beide figuren rijst De Faam op, met twee bazuinen. Op de hoeken van de overhuiving staan deugden: op de ereplaats, rechts van de zittende Willem I, De Vrijheid met de vrijheidshoed waarop geschreven staat 'AUREA LIBERTAS' (gouden vrijheid), waarmee verwezen werd naar het 'gouden tijdperk' dat gevolgd was op de geslaagde vrijheidsstrijd. De andere deugden op de hoeken zijn Fortitudo (Kracht), Religio (Godsdienst) en Justitia (Rechtvaardigheid), die met haar weegschaal nog juist rechts zichtbaar is. De obelisken die het dak bekronen verwijzen per traditie naar de 'gloria de' principi'.[25]

Els Jimkes-Verkade demonstreerde de interpretatiemogelijkheden van de vele details van het grafmonument. Natuurlijk zal niet iedere zeventiende-eeuwer de symboliek zo begrepen hebben als de bedenkers ervan (verantwoordelijk voor het 'programma' waren de Staten-Generaal). Maar wat het graf van Willem de Zwijger en daarmee ook de uitbeelding van Houckgeest in zijn algemeenheid betekende voor de tijdgenoot, vatte Jimkes-Verkade aldus samen: 'Beschouwd in zijn geheel laat het monument als in een kaleidoskoop de elementen zien die – vanuit de gedachtenwereld van de zestiende en zeventiende eeuw – het beeld vormden, waarin Willem van Oranje in de herinnering voortleefde: zijn dood, zijn roem daarna op grond van zijn hoge geboorte, zijn idealen vormgegeven in zijn deviezen, zijn deugden en daden die uitmondden in het ontstaan van de Republiek'.[26]

1 *De Beaufort 1931*, p. 13–17
2 *Van Thiel e.a. 1976*, p. 190, nr. A 2352 en afb.
3 Na *Jantzen 1910*, p. 93–126 is aan de schilders van het Delftse (kerk)interieur pas onlangs ruime aandacht geschonken door *De Vries 1975*, p. 25–26, *Wheelock 1975–76*, p. 167–185, *Wheelock 1977* en *Liedtke 1982*. Alleen over De Witte verscheen een complete monografie: *Manke 1963*.
4 *Bredius 1888*, p. 84–86 publiceerde documenten betreffende Houckgeests bezittingen en activiteiten. Een beknopte oeuvrecatalogus gaf *Liedtke 1982*, p. 99–104
5 *Houbraken 1718–21*, dl. II, p. 81
6 *Den Haag 1977*, p. 119, nr. 57 en afb.; *Liedtke 1982*, p. 101, nr. 7 en afb. 23–23A
7 *Van Eijnden/Van der Willigen 1816–20*, dl. I, p. 66–67
8 *Thoré-Bürger 1858–60*, dl. I, p. 276
9 Uitgesproken bijvoorbeeld bij *Manke 1963*, p. 22: 'Houckgeest aber hat sich von der Idee und Erfindung de Wittes anregen lassen, nicht umgekehrt'.
10 *De Vries 1975*, p. 26 gaf een analyse van relevante literatuur.
11 De catalogus *Utrecht 1961* was tevens een 'catalogue raisonné' van Saenredams werk.
12 *De Vries 1975*, p. 26, zie ook: *Delft 1974–75*, z.p., hoofdstuk II
13 Zie bijvoorbeeld *Delft 1974–75*, z.p., hoofdstuk IV en afb. 46
14 Inv.nr. (cat. 1938, nr. 138); *De Vries 1975*, p. 52, nr. 12; *Liedtke 1982*, p. 104, nr. 26 meende dat de

signatuur GH op dit werk niet authentiek is. Voor de verwante werken, zie *De Vries 1975*, p. 36–38 en 52, nr. 11–12 en afb.; Liedtke schreef deze werken toe aan Van Vliet en Cornelis de Man, zie: *Liedtke 1982*, p. 103–104, nr. 24 en afb. 51, p. 102, nr. 13 en p. 123, nr. 298 en afb. 52. Dat in deze kwestie nog allerminst het laatste woord geschreven is, blijkt het best uit *Liedtke 1982*, p. 34–35.

15 *Hamburg 1966*, p. 83, nr. 342 en afb.; *Liedtke 1982*, p. 99, nr. 2 en afb. 1 en 1

16 *De Vries 1975*, p. 40; *Liedtke 1982*, p. 99, nr. 2 en p. 100, nr. 6 noemde het Hamburgse werk 'Houckgeest's most important painting' en het Haagse een variant daarop; zie ook aldaar, p. 35, noot 4 en p. 42, waar Liedtke de zienswijze van De Vries bestreed.

17 Zie bijvoorbeeld: *Liedtke 1982*, afb. 23, 23a en 37

18 *De Vries 1975*, p. 42 noemde het effect geforceerd.

19 Kopieën werden vermeld door *De Vries 1975*, p. 55, noot 50 en *Liedtke 1982*, p. 100, nr. 6a–c (kopieën) en 6d–e (herhalingen).

20 Volgens F. Duparc (manuscriptcatalogus Mauritshuis); zie ook *Hodenpijl 1900*, p. 161–162

21 *Schwartz 1966–67*, p. 91

22 Zulke toeschouwers hebben de functie te wijzen op een betekenisvol beeldelement, volgens *Schwartz 1966–67*, p. 69–93; zie ook: *Wheelock 1977*, p. 234 en 255, noot 37.

23 Volgens *De Vries 1975*, p. 40 is de figuur van De Vrijheid de kern van de voorstelling; *Wheelock 1975–76*, p. 179–181 achtte eerder een vanitasbetekenis van toepassing, aldus voorbijgaande aan de betekenis die het grafmonument van Willem de Zwijger in de zeventiende eeuw moet hebben gehad. Om hiervan enige indruk te krijgen is de bijdrage van *Jimkes-Verkade 1981*, p. 214–227 van grote waarde.

24 *Neurdenburg 1930*, p. 119; *Jimkes-Verkade 1981*, p. 215

25 *Jimkes-Verkade 1981*, p. 215

26 *Jimkes-Verkade 1981*, p. 227. Het bestek van het monument is afgedrukt door *De Beaufort 1931*, p. 89–91

Antwerpen 1593 – Antwerpen 1678

Paneel, 125,5 x 96 cm
Op het hengsel van de kan: *I. IOR*
Inv.nr. 937

In 1607 werd hij op veertienjarige leeftijd leerling bij Adam van Noort, wiens dochter Catharina (overleden 1659) hij trouwde in 1616. Een jaar eerder was hij ingeschreven in het Antwerpse Sint Lucasgilde als 'Jaques Jordaens, waterscilder'. Hoewel hij steeds in Antwerpen is blijven wonen en werken, was zijn faam internationaal: hij kreeg veel opdrachten en leidde tal van leerlingen op die van heinde en verre toestroomden. Hij werkte samen met Van Dyck en vooral Rubens: gedrieën kregen ze in 1628 een opdracht voor een altaarstuk in de Augustijnerkerk te Antwerpen. Onder andere dankzij een erfenis van zijn ouders kon hij in 1639 een huis laten bouwen, waarvoor hij de wand- en plafondschilderingen zelf ontwierp. Hij nam deel aan de decoraties voor de Blijde Intrede van kardinaal-infant Ferdinand in 1635 en in 1637–1638 voerde hij taferelen uit naar ontwerpen van Rubens voor de Torre de la Prada. Hij was na de dood van Rubens in 1640 de aangewezen man voor monumentale opdrachten. Zo werkte hij aan decoraties voor het Queen's House te Greenwich (1640–1641) en tekende in 1648 een contract voor de levering van vijfendertig schilderijen voor koningin Christina van Zweden. Ook in Holland was zijn faam doorgedrongen. In 1651–1652 voerde hij voor de Oranjezaal van Huis ten Bosch de imposante *Triomf van Frederik Hendrik* uit en diverse andere taferelen. In 1662 ontving hij de betaling voor de levering van drie stukken voor de grote galerij in het nieuwe stadhuis (Paleis op de Dam) van Amsterdam. Hij was een fervent aanhanger van het protestantisme, vermoedelijk al in de jaren dertig, maar na de Vrede van Munster in 1648 ook openlijk. Het belette hem niet voor katholieke opdrachtgevers te blijven werken. Jordaens was tot op hoge leeftijd actief, al schreef Constantijn Huygens in 1677 na een bezoek aan de bejaarde schilder dat zijn geestvermogens verzwakt waren. Hij stierf in Antwerpen en werd over de Nederlandse grens, op het calvinistische kerkhof in Putte begraven.

Herkomst
(?)Veiling Amsterdam, 1790
Collectie prins Lichnowsky, Kuchelna,
Silezië, voor 1905
Kunsthandel P. Cassirer & Co, Berlijn, 1927-
1928
Kunsthandel P. Cassirer, Amsterdam, 1928
Collectie P.R.H. Rhodius, Heemstede,
Bennebroek, 1953
Koninklijk Kabinet van Schilderijen
'Mauritshuis', 1959 (gekocht met steun van
de Stichting Johan Maurits van Nassau)

Bibliografie
Antwerpen 1905, nr. 4
Antwerpen 1905-A, nr. 4 en afb.
Bredius 1905, kol. 33
Buschmann 1905, p. 153 en 156
Hymans 1905, p. 248
Mourney 1906, p. 5 en afb.
Rooses 1906, p. 17, 190 en 265–266
Brussel 1928, p. 10, nr. 5, p. 11, nr. 6
Burchard 1928, p. 210
Held 1933, p. 221
Von Schneider 1933, p. 99 en 136
Delen 1943, p. 13, nr. 1
Utrecht/Antwerpen 1952, p. 67–68, nr. 106
Van Puyvelde 1953, p. 94, 175, noot 61, p. 179,
noot 135, p. 213
d'Hulst 1953, p. 136, noot 68
Gerson 1961-A, p. 14a–b en afb.
De Vries 1961, p. 152–153 en afb.
Den Haag 1960, p. 46, nr. 937
Den Haag 1968, p. 77, nr. 937
Jaffé 1968, p. 365
Jaffé 1968–69, p. 39 en 220–221, nr. 261
Den Haag 1970, p. 11 en afb.
Knipping 1974, dl. 11, p. 429 en afb. 418
Den Haag 1977, p. 129, nr. 937 en afb.
d'Hulst 1982, p. 331, noot 55
Hoetink e.a. 1985, p. 220–221, nr. 51 en afb.,
p. 385, nr. 937 en afb.

In 1905 werd dit schilderij door prins Lichnowsky te Kuchelna in Silezië uitgeleend voor de eerste grote overzichtstentoonstelling van Jordaens' werk in Antwerpen.[1] Van deze compositie kende men tot dan toe alleen de vrijwel identieke versie te Stockholm (Nationalmuseum) [1], die 'I. IORDAENS. FECIT 1618' is gemerkt.[2] Deze datering gold toen als de oudst bekende op een schilderij van de meester. In zijn monografie uit 1906 reageerde Max Rooses geestdriftig op de ook voor hem nieuwe Jordaens. Hij was van oordeel dat dit schilderij uit dezelfde periode moest dateren als het werk in Stockholm en hij schreef dat het gekenmerkt werd door 'glanzende hoge kleuren, sterke lichten, kruimige menschen en vaste emailachtige schildering. Het is geene kopie van het vorige stuk (= het Stockholmse); het is een tweede en prachtig exemplaar van hetzelfde onderwerp, het eerste overtreffende door zijn ongemeen schitterende uitvoering'.[3]

Jacob Jordaens De aanbidding van de herders

De aanbidding van de herders (nu in Den Haag) riep destijds meer spontane uitingen van enthousiasme op. Abraham Bredius bijvoorbeeld was zo ingenomen met het schilderij van prins Lichnowsky dat hij het tot de grootste verrassingen van de tentoonstelling rekende. In een recensie in *Kunstchronik* formuleerde hij het zo: '(het is) von einem viel kräftigeren Helldunkel, welches fast an Carravaggio erinnert, ist dabei die Malweise fast die des jungen van Dyck, das heisst in Rubensscher Art, aber mit sehr starken Impasto'. Hij maakte vergelijkingen met werken van Van Dyck uit 1617–1620 en verklaarde tenslotte: 'Jetzt will's mir nicht aus dem Kopf, dass dieses Bild *doch* ein früher van Dyck *sein könnte* – und das Stockholmer Bild, vielleicht eine Wiederholung durch Jordaens'.[4] De recensent bedoelde wat Rooses al had geschreven: het gesigneerde en 1618 gedateerde exemplaar was duidelijk het kwalitatief mindere van de twee. Bredius had toen niet kunnen bevroeden dat het door hem zo geprezen schilderij nog eens het eigendom zou worden van 'zijn' Mauritshuis, niet als een vroege Van Dyck, maar als een authentieke Jordaens. Bij de verwerving in 1959 werd onder vergeelde vernislagen op de handgreep van de kan de signatuur 'I. IOR' ontdekt.[5]

Jordaens heeft het thema *De aanbidding van de herders* vaak geschilderd, zowel in vroege als in late werken. De versie in Stockholm ging lange tijd door voor het eerste in de reeks, maar Burchard en d'Hulst hebben inmiddels het vroege oeuvre van de schilder zoveel beter gestalte weten te geven, dat we nu weten dat er een groot aantal bijbelstukken met levensgrote halffiguren aan vooraf gegaan is.[6] Hier van belang zijn vooral twee andere voorstellingen van *De aanbidding van de herders*, een in New York (The Metropolitan Museum of Art) [2][7] en een te Braunschweig (Herzog Anton Ulrich-Museum) [3].[8] Het

◄ 1
Jacob Jordaens
De aanbidding van de herders
Paneel, 124 x 93 cm
Op het handvat van de kan: *I. IORDAENS. FECIT 1618*
Stockholm, Nationalmuseum, inv.nr. 488

► 2
Jacob Jordaens
De aanbidding van de herders
Doek, 113 x 81 cm
Links boven: *I. IOR (of: J. JOR) fe/ 1618*
New York, The Metropolitan Museum of Art, inv.nr. 67.187.76

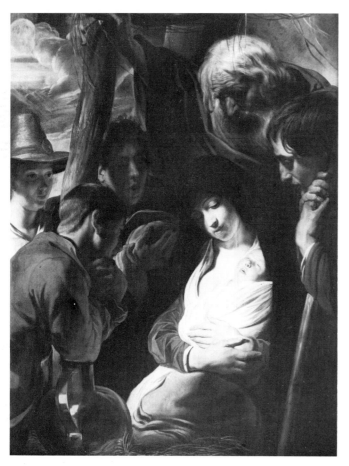

3
Jacob Jordaens
De aanbidding van de herders
Paneel, 125 x 79 cm
Niet gesigneerd, niet gedateerd (ca. 1618–19)
Braunschweig, Herzog Anton Ulrich-Museum, inv.nr. 116

4
Jacob Jordaens
De beproeving van Maria Magdalena
Paneel, 125 x 97 cm
Niet gesigneerd, niet gedateerd (ca. 1618)
Lille, Musée des Beaux-Arts, inv.nr. 77 (427)

tafereel in New York is '1.IOR' gesigneerd, op dezelfde manier dus als het werk in Den Haag, en bovendien is het gedateerd: '1616'. Hier is de lichtbron, een kaars in de hand van Jozef, nadrukkelijk in beeld gebracht als een motivering voor de sterke contrasten tussen belichte en beschaduwde partijen. Jordaens bracht aldus de vernieuwingen van Caravaggio in praktijk, waarbij voorbeelden van Rubens als schakel kunnen hebben gediend. In feite geldt dat voor veel vroege werken van Jordaens: Bredius signaleerde het al in het hier besproken schilderij uit Kuchelna, dat later door Von Schneider als een uitgesproken caravaggesk werk werd betiteld en dat dan ook niet ontbrak op de tentoonstelling *Caravaggio en de Nederlanden* in Utrecht en Antwerpen in 1952.[9]

In drie voorstellingen na 1616 (Den Haag, Stockholm en Braunschweig) komt het licht uit een niet zichtbare bron. Drie keer paste Jordaens dezelfde kunstgreep toe in de vorm van de koperen kan in de linker onderhoek, die dienst doet als repoussoir en als weerkaatser van het licht. Dergelijke effecten hebben misschien ook een Italiaanse oorsprong. Van Mander bewonderde ze zeer in de nachtstukken van Bassano, die hij roemde om zijn suggestieve taferelen, waarin 'Vlammen/ Toortsen/ brandende lampen hanghen/ En Potten en Ketels t'weerschijn ontfanghen', zoals men kan lezen in zijn hoofdstuk 'Van de Reflecty/ Reverberaty/ Teghen-glans oft weerschijn'.[10] Zulk weerspiegelend vaatwerk is ook te zien op *De beproeving van Maria Magdalena* (Lille, Musée des Beaux-Arts) [**4**][11], die qua compositie nauw verwant is met de *De aanbidding van de herders* in Den Haag en Stokholm. Vermoedelijk zijn Maria en Maria Magdalena naar hetzelfde model geschilderd en gebruikte Jordaens voor de oude vrouw en de jonge herder (respectievelijk engel) telkens dezelfde figuren uit zijn omgeving.[12] In ieder geval is het motief van de kop van de jongeman links, die van onder wordt belicht, zo'n goede vondst geweest in het schilderij uit 1616, dat Jordaens het herhaalde in de *Aanbidding* in Den Haag en in *De beproeving van Maria Magdalena*.

In de versies in Stockholm en Braunschweig is vooral de belichting veranderd. De schaduwen zijn donkerder en zwaarder aangezet, vooral in de gezichten van Maria en de jonge herders. De Haagse compositie is nog gekopieerd in het voluit gesigneerde en 1618 gedateerde stuk, maar die in Braunschweig vertoont nieuwe figuren en houdingen. De oude vrouw is een derde herder geworden en de jongeman links leunt op de kan, waarbij we hem vrijwel op zijn rug zien. Knipping zag in deze laatste compositie meer eenheid dan in de andere versies.[13] Hoe dat ook zij: de hier geschetste ontwikkeling is tevens een voorstel om de ongedateerde werken chronologisch te rangschikken. Dus: van *De aanbidding van de herders* uit 1616 [**2**] maakte Jordaens een nieuwe compositie met behoud van enkele elementen daarvan (het Haagse stuk); dit beviel hem kennelijk zo goed dat hij het vrij letterlijk herhaalde in 1618 [**1**], waarna hij nog eens een versie maakte met nieuwe figuren [**3**]. Het schilderij in Den Haag zou men dan in 1617 kunnen dateren.[14]

De ingreep in de figuratie in de eerste versie te Braunschweig vestigt tenslotte de aandacht op de iconografie van de voorstelling. Alleen Lucas (2: 8–20) vertelt dat er herders waren geweest die door een engel op de hoogte waren gesteld van de geboorte van de Heiland. De engelenkopjes links boven illustreren de passage: 'het geschiedde, toen de engelen van hen heengevaren waren naar de hemel, dat de herders tot elkander spraken: laten wij dan naar Betlehem gaan' (Lucas 2: 15). 'En zij gingen haastig en vonden Maria en Jozef, en het kind liggende in de kribbe' (Lucas 2: 16). Zulke karige gegevens over zo'n belangrijke episode in de bijbel heeft later niet alleen deskundige theologen, maar ook schrijvers en kunstenaars aan het fantaseren gebracht. Zo besloot men dat er drie herders moesten zijn geweest (naar analogie van de drie koningen), wat wellicht leidde tot de wijzigingen in het schilderij in Braunschweig. De herders zouden zijn begeleid door twee herderinnen en in de mysteriespelen kregen zij de namen Alison en Mahaut.[15] Zo kan de aanwezigheid van de oude en de jonge vrouw in Jordaens *Aanbidding van de herders* worden verklaard. Zelfs de kan heeft mogelijk een functie in het verhaal, want volgens de traditie kwamen de herderinnen met eieren en melk als geschenk voor het kind.[16] Er is dus in de kern al iets aanwezig van de aangenaam vertellende sfeer waarin het kerstgebeuren zich later zou afspelen in de Vlaamse kunst (en ook bij Jordaens) in taferelen met levensgrote figuren die een welhaast pastorale sfeer ademen. Desondanks bleef Jordaens graag teruggrijpen op oude motieven en geslaagde details. Zo schilderde hij in 1657 een *Aanbidding van de herders* (Raleigh, North Carolina Museum of Art)[17] op levensgroot formaat, waarin allerlei elementen uit het veertig jaar eerder ontstane schilderij herkenbaar zijn: de bolle koperen ketel, de strohoed van de herderin en de hoog boven alle aanwezigen uittorenende Jozef.

Ooit maakte Jordaens een getekende kopie naar het schilderij in Den Haag, of een voorstudie daarvan (Londen, British Museum) [**5**][18] die hij vervolgens opplakte en aan vier kanten vergrootte. Op de aangezette stukken maakte hij van de oorspronkelijke halffiguren hele figuren, kennelijk met het oog op een nieuw schilderij.[19] De herder met het schaap rechts op het schilderij in Raleigh komt ook voor op de tekening, die daardoor omstreeks 1657 valt te dateren. Dit is een merkwaardig voorbeeld van een zichtbare ommezwaai in het scheppingsproces, die met schaar en lijm tot stand kwam.

5
Jacob Jordaens
De aanbidding van de herders
Tekening, 458 x 486 mm
Niet gesigneerd, niet gedateerd (ca. 1657)
Londen, British Museum, inv.nr. Chambers Hall, Esq., 1852.6.12.199

1 *Antwerpen 1905*, nr. 4; over de herkomst van het schilderij zij opgemerkt dat het niet identiek kan zijn aan de 'Stal van Bethelèem' op de veiling Jordaens in Den Haag (1734), noch op de veiling Drabbe in Leiden (1743) (zie: *Hoet 1752–70*, dl. I, p. 402, nr. 34, dl. II, p. 75, nr. 1), zoals gesteld werd in *Brussel 1928*, p. 10, nr. 5.

2 *Stockholm 1958*, p. 102, nr. 488; *d'Hulst 1982*, p. 44, 87–88 en afb. 55

3 *Rooses 1906*, p. 17

4 *Bredius 1905*, kol. 33; Bredius' oordeel werd bekritiseerd door *Buschmann 1905*, p. 153, noot 2, die sprak over 'het slappere, weekere exemplaar uit Kuchelna'.

5 *De Vries 1961*, p. 153

6 *Burchard 1928*, p. 207–218; *d'Hulst 1953*, p. 89–136

7 *Baetjer 1980*, dl. I, p. 100, dl. III, p. 377 en afb.; *Jaffé 1968–69*, p. 75–76, nr. 10 vermoedde dat Rubens dit schilderij verworven heeft vóór 1640.

8 *Braunschweig 1976*, p. 36, nr. 116 en afb. 24; *Van Puyvelde 1953*, p. 94

9 *Von Schneider 1933*, p. 99; *Utrecht/Antwerpen 1952*, p. 67–68, nr. 106. Zie ook: *d'Hulst 1953*, p. 116 en *d'Hulst 1982*, p. 87. Jordaens moet de Caravaggio-stijl uit de tweede hand hebben bestudeerd, waarbij ook de invloed van Abraham Janssens niet onderschat moet worden (zie hierover: *Müller Hofstede 1971*, p. 277–292).

10 *Van Mander 1604*, fol. 32a

11 *Benoit 1909*, dl. I, p. 95–98, nr. 27 en afb. pl. 19; *Jaffé 1968–69*, p. 73, nr. 7 wees dit schilderij aan als een pregnant resultaat van de caravaggeske invloed van Abraham Janssens op Jordaens.

12 *Müller Hofstede 1971*, p. 279: 'Die thematische Sphäre der Familie dominiert in Jordaens' Frühwerk', en hij gaf daarvan talloze voorbeelden. Dezelfde Maria en een oude vrouw als in het schilderij in Den Haag zaten model voor de *Heilige familie met Anna* uit omstreeks 1616 (Detroit, The Detroit Museum of Art, inv.nr. 46.3; *Jaffé 1968–69*, p. 74 en 255, nr. 8 en afb.)

13 *Knipping 1974*, dl. II, p. 429

14 Volgens *Gerson 1961*, p. 14b is het schilderij in het Mauritshuis het ontwerp voor het doek in Stockholm; *De Vries 1961*, p. 153 stelde dat het ontbreken van repentirs in het Zweedse exemplaar overtuigend bewijst 'dat onze "Aanbidding" de eerste versie is'.

15 *Réau 1955–59*, dl. II^{II}, p. 233–234

16 *Réau 1955–59*, dl. II^{II}, p. 234, nr. 3

17 Inv.nr. G.55.7.1; *Jaffé 1968–69*, p. 136 en 310, nr. 110 en afb.

18 Inv.nr. Chambers Hall, Esq. 1852.6.12.199; *Hind 1923*, p. 110, nr. 1 en afb. pl. LVI; *Jaffé 1968–69*, p. 220–221, nr. 261 en afb.

19 Volgens *Held 1933*, p. 220 en *Jaffé 1968–69*, p. 221, nr. 261 diende de tekening als voorstudie voor een schilderij, destijds in de collectie Six (Parijs, collectie Lady Deterding, 180 x 179 cm; *Rooses 1906*, p. 201 en afb.).

Hans Memling

Seligenstadt (bij Frankfurt) 1435/1440 –
Brugge 1491

Paneel, 30,1 x 22,3 cm
Niet gesigneerd, niet gedateerd; achterzijde: wapenschild [3]
Inv.nr. 595

**Hoewel hij afkomstig was uit Duitsland, kreeg hij zijn opleiding tot
schilder in de Zuidelijke Nederlanden, wellicht van Rogier van der
Weyden in Brussel. In 1465, kort na de dood van Rogier kocht 'Jan van
Memmelinghe' het poorterrecht te Brugge, waar hij sindsdien werkzaam
was. Hij huwde omstreeks 1475 Anna de Valkenaere (overleden in 1475)
en kreeg drie kinderen. Het gegeven dat er in Brugge een museum naar
hem is genoemd, is tekenend voor zijn plaats in de cultuur van de stad in
verleden en heden. Zijn belangrijkste opdrachtgevers waren de rijke
Brugse burgers en de kooplieden van heinde en verre, voor wie hij
altaarstukken maakte, diptieken en portretten. Zijn aangename
naturalisme moet er bijzonder gewaardeerd zijn geweest, hetgeen vooral
blijkt uit de grote hoeveelheid portretopdrachten. De dateringen van zijn
werk lopen uiteen van 1472 tot 1489: door een zekere gelijkmatigheid in
zijn stijl is het niet gedateerde of dateerbare oeuvre moeilijk te
rangschikken tussen de overige schilderijen. Over de bijdrage van zijn
werkplaats aan de werken die in de loop der tijden aan hem werden
toegeschreven, is men het nog niet eens.**

De populariteit die Memling genoot als portrettist van de Brugse clerus,
notabelen en handelaren uit den vreemde, hing ongetwijfeld samen met zijn
gave om mensen als individuen te schilderen. Hij schuwde geen persoonlijke
trekjes zoals hier het litteken dwars over de brede neus van de nog steeds
onbekende man. Met zijn bruine ogen en donkere krullen lijkt hij een
zuiderling. Maar het landschap waarvoor hij poseert is Vlaams, te oordelen
naar de trapgevels in het dorpje links achter. In een *Portret van een onbekende man
met een munt* (Antwerpen, Koninklijk Museum voor Schone Kunsten) [1][1]
verwijst de achtergrond met zijn heuvels en palmboom vermoedelijk naar
zuidelijk Europa als het thuisland van de geportretteerde. De in Lyon
geslagen munt met op de beeldenaar het portret van keizer Nero is wellicht
een toespeling op zijn voor- of achternaam.[2]

Zulke aanwijzingen ontbreken in het Haagse portret. Panofsky plaatste het
echter in een reeks ongeïdentificeerde busteportretten van mannen voor een
decor met een weids panoramalandschap. Het gelaatstype, maar ook de
herkomst en huidige verblijfplaats van deze stukken sterkten hem in de
overtuiging dat zij allen Italianen waren geweest.[3] Hij meende dat die
panorama's geïnspireerd waren op voorbeelden uit de Italiaanse
schilderkunst met als prototype het befaamde diptiek van *Federico da
Montefeltro en zijn vrouw* door Piero della Francesca (Florence, Galleria degli
Uffizi).[4] Hij ging zelfs zo ver te veronderstellen dat Memling zo'n
achtergrond speciaal bestemde voor portretten van de leden van de
Italiaanse gemeenschap in Brugge. Een en ander zou betekenen dat we de
geportretteerde in dit milieu zouden moeten zoeken.[5]

Herkomst
Collectie Sir Andrew Fountaine, Harfold
Hall, Norfolk, voor 1850
Veiling Sir Andrew Fountaine, Londen, 1894
Koninklijk Kabinet van Schilderijen
'Mauritshuis', 1895 (aangekocht door de
Vereniging Rembrandt)

Bibliografie
Bredius 1895, p. 229, nr. 595
Bredius 1895–B, p. 62
Bode 1896, p. 4
Kämmerer 1899, p. 17, 19–20 en afb. 14
Weale 1901, p. 66–67 en 106
Brugge 1902–A, p. 18, nr. 73
Weale 1903, p. 335–336 en afb.
Voll 1909, p. 24 en 172 en afb.
Den Haag 1914, p. 203–204, nr. 595 en afb.
Amsterdam 1923, p. 15, nr. 1 en afb.
Friedländer 1928, p. 45 en 130, nr. 79 en afb.
Taf. XLIV
Martin 1935, p. 197–198, nr. 595
Brugge 1939, p. 78–79, nr. 42 en afb. 42
Schöne 1939, p. 28 en 102 en afb.
Von Baldass 1942, p. 28 en 42, nr. 55 en afb.
Amsterdam 1945, p. 14, nr. 58
Den Haag 1945, p. 50–51, nr. 69
Friedländer 1949, p. 53 en afb.
Parijs 1952–53, p. 46–47, nr. 51 en afb. X
Panofsky 1953/1964, dl. I, p. 349
Den Haag 1954, p. 49, nr. 595
Schaffhausen 1955, p. 33, nr. 64 en afb. 66
Bruyn 1961, p. 2a–b en afb.
Friedländer 1967–76, dl. VI–I, p. 29–30 en 55,
nr. 79 en afb. pl. 118
Tóth-Ubbens 1968, p. 37–38, nr. 595 en afb.
Corti/Faggin 1969, p. 111, nr. 109 en afb. 109A–B
McFarlane 1971, p. 14 en noot 64 en afb. 147
Den Haag 1977, p. 151, nr. 595 en afb.
Hoetink e.a. 1985, p. 228–229, nr. 55 en afb.,
p. 397, nr. 595 en afb.

1
Hans Memling
Portret van een onbekende man met een munt
Paneel, 29 x 22 cm
Niet gesigneerd, niet gedateerd (ca. 1585–87)
Antwerpen, Koninklijk Museum voor
Schone Kunsten, inv.nr. 5

In het Haagse paneel heeft de man zijn handen gevouwen en wendt hij zijn lichaam naar zijn rechterzijde. Zo poseerden veel 'stichters' van diptieken, waarvan het tweede luik dan meestal een Maria met kind vertoonde die het voorwerp zijn van de devotie. Rogier van der Weyden heeft deze huisaltaartjes bij herhaling geschilderd en Memling heeft dit type overgenomen. De neutrale achtergronden van Van der Weyden verving hij door interieurs, uitzichten uit een venster of de vermelde panorama's waarin hij zich soms uitputte in verhalende details (die hier nogal summier zijn). Omdat niet veel van deze tweeluiken intact zijn gebleven, dient onderzocht te worden welke portretten uit de vroeg-Nederlandse schilderkunst oorspronkelijk deel uitmaakten van zo'n diptiek.

Daartoe formuleerden Hulin de Loo en Panofsky enkele vuistregels, die zij als ijzeren wetten beschouwden.[6] Het kwam er kort gezegd op neer dat een portret deel uitgemaakt had van een devotie-altaar als het in aanbiddding gevouwen handen vertoonde. Als de geportretteerde zich naar zijn rechterzijde wendde, was dit de helft van een diptiek. Als hij daarentegen naar zijn linkerkant keek moet zo'n portret het rechterluik zijn geweest van een triptiek, waarbij de vrouw van de stichter op het derde paneel was afgebeeld. Volgens deze redenering was het Haagse portret oorspronkelijk een deel van een diptiek.[7]

De onaantastbaarheid van deze wetmatigheden is inmiddels ernstig in twijfel getrokken. McFarlane gaf als voorbeeld het *Diptiek van Jean Carandolet* van Jan Gossaert (Parijs, Musée du Louvre)[8], dat de opdrachtgever met gevouwen handen toont, kijkend naar de Madonna aan zijn 'foute' linkerzijde. Memling gebruikte volgens hem meer dan eens zo'n alternatieve

Hans Memling Portret van een onbekende Italiaan (?)

2
Hans Memling
Portret van een jongeman
Paneel, 39 x 25,5 cm
Niet gesigneerd, niet gedateerd (ca. 1475)
Londen, National Gallery, inv.nr. 2594

3
Achterzijde van cat.nr. 40

schikking. Diens *Portret van een jongeman* (Londen, National Gallery) [**2**][9] bijvoorbeeld, zou de helft van een diptiek zijn geweest, ook al poseert de jongeman dan in strijd met wat gebruikelijk was. Een opengeslagen kerkboek accentueert de biddende houding en dus de stichtersfunctie van de voorgestelde.

Zo'n extra devotioneel element ontbreekt in het Haagse paneel, waarin de gevouwen handen zo weinig mogelijk aandacht krijgen. Volgens McFarlane was het daarom de vraag of hier sprake is van een stichtersportret en dus of het inderdaad tot een diptiek heeft behoord.[10] Daarbij vroeg McFarlane zich niet af of portretten met gevouwen handen, zonder dat er sprake is van een religieuze context, wellicht tot de uitzondering behoren – en dus onwaarschijnlijk zijn.[11]

De identiteit van de man met de brede neus kon tot nu toe niet worden vastgesteld. De ringen aan zijn vinger en het halssierraad wijzen op een zekere welstand. De met parels bezette gouden hanger komt ook voor in het Londense jongensportret [**2**]. Een dergelijk juweel duidde volgens Warburg op een functie aan een of ander hof en het wekt de indruk dat de man niet behoorde tot de Brugse kleinburgerij, die zich niet graag liet afbeelden met vertoon van praal.[12] Men zou verwachten dat het wapenschild op de achterzijde van het paneel de naam kon opleveren van de geportretteerde, maar dat is niet het geval omdat het niet de oorspronkelijke toestand toont [**3**].[13] Het helmteken bestaat uit een toernooihelm met zes tralies, een wrong en een – fraai gedetailleerde – valk met belletjes aan zijn poten. Het dekkleed wordt gevormd door gestileerde (eike?)bladeren. Het schild is thans in drie banen gedeeld in de kleuren rood, wit (of zilver) en groen. Door de verf heen ontwaart men de contouren van een ouder wapenschild, waarvan een keper driekwart van het vlak vult. Niet waarneembaar zijn drie bollen in een dwarsbalk daarboven, die in oudere catalogi van het Mauritshuis werden gesignaleerd en geïnterpreteerd als valkenbellen.[14] Er zijn vermoedens gerezen, dat dit het wapen kon zijn van de familie Lespinette uit de Franche Comté.[15] Maar zolang de kleuren of de vorm van het oorspronkelijke wapen niet door restauratie of röntgenopnamen beter zichtbaar zijn gemaakt, blijft de naam van de geportretteerde in het duister.

Voor zover bekend is er nooit twijfel gerezen aan de juistheid van de toeschrijving van het portret aan Memling, nadat het in 1894 geveild was (ver onder de werkelijke waarde, vond Weale toen) als een Antonello da Messina.[16] Alleen Voll was een afwijkende mening toegedaan: 'Es hat weder in der Ausführung noch in der Auffassung die bei Memling gewöhnte Frische'.[17] Vermoedelijk was hem het schilderij niet uit eigen waarneming bekend. Friedländer bijvoorbeeld wees op de ongewoon meesterlijke tekening van het portret, de illusionistisch werkende schaduwpartijen en de modellering van het gelaat en op de suggestie van een krachtige persoonlijkheid, die de onbekende moet zijn geweest.[18] Volgens Von Baldass en Panofsky vormde dit met het Antwerpse paneel een toppunt in Memlings portretkunst.[19] Beide portretten rekende McFarlane tot de rijpste werken die we van hem kennen. Daartoe behoren tevens het *Diptiek van Martin van Nieuwenhove* (Brugge, Memlingmuseum)[20] en het *Portret van Benedetto Portinari* (Florence, Galleria degli Uffizi)[21], dat het rechterluik was van een uiteengevallen triptiek. Beide zijn 1487 gedateerd en dat is wellicht ook een indicatie voor het ontstaan van een *Portret van een onbekende Italiaan(?)* in Den Haag. McFarlane pleitte ervoor het hoogtepunt van Memlings ontwikkeling laat in zijn carrière te plaatsen.[22]

1 *Antwerpen 1959*, p. 170, nr. 5; *Corti/Faggin 1969*, p. 110, nr. 96 en afb.

2 *McFarlane 1971*, p. 14–15, noot 69 zette uiteen waarom de oudere identificaties van dit portret als de medailleurs Niccolo Spinelli of Giovanni Candida, noch die van een onbekende collectionneur waarschijnlijk waren; hij dacht aan iemand met de achternaam Nerone of Neroni.

3 Behalve het hier besproken portret en dat in Antwerpen (noot 1) noemde *Panofsky 1953/1964*, dl. 1, p. 507, noot 8–10, ook *Friedländer 1967–76*, dl. vi–1, p. 55–56, nr. 77, 82, 84, 86 en 89 en afb. pl. 117, 119, 120 en 122; tevens dl. vi–ii, p. 109, nr. Supp. 231 en afb. pl. 233

4 Inv.nr. p 1177–1178; *Florence 1979*, p. 410–411, nr. 1177–1178 en afb.

5 *Panofsky 1953/1964*, dl. 1, p. 349; *Schöne 1939*, p. 28 veronderstelde (ten onrechte) dat Memling door Perugino zou zijn beïnvloed; onderzocht zou kunnen worden of Botticelli's *Portret van een onbekende man met een medaille van Cosimo de Medici* (Florence, Galleria degli Uffizi, inv.nr. p 252; *Florence 1979*, p. 176, nr. p 252 en afb.) invloed gehad heeft op Memlings Antwerpse portret, bijvoorbeeld via de opdrachtgever. Over het Italiaanse milieu in Brugge schreef *Warburg 1902*, p. 187–206 en hij gaf tevens een lijst van daar gevestigde Italiaanse firma's (ibid., p. 203, noot 2).

6 *Hulin de Loo 1923*, p. 53–58 en *Hulin de Loo 1924*, p. 179–189; *Panofsky 1953/1964*, dl. 1, p. 294–295 en p. 479–480, noot 16

7 *Friedländer 1928*, p. 130, nr. 79: 'Das Wappen auf der Rückseite, sowie die Haltung der Hände beweisen, dass die Tafel ursprünglich die eine Hälfte eines Diptychons gewesen ist'.

8 Inv.nr. 1442–1443; *Herzog 1968*, p. 242–244, nr. 16 en afb. 2022; *Friedländer 1967–76*, dl. viii, p. 91, nr. 4 en afb. pl. 1011; *McFarlane 1971*, p. 14, noot 64

9 *Davies 1968*, p. 124, nr. 2594; *Corti/Faggin 1969*, p. 109–110, nr. 95 en afb.

10 *McFarlane 1971*, p. 14, noot 64

11 Zoals bijvoorbeeld *De memorietafel voor Elisabeth van Culemborg*, (Culemborg, Museum Elisabeth Weeshuis), zie: *De Jongh 1986*, p. 104–106, nr. 13 en afb. (waarbij in het midden wordt gelaten dat de voorbeelden mogelijk stichtersportretten waren)

12 *Warburg 1902*, p. 202–203

13 Bij de afbeeldingen van deze achterkant in *Friedländer 196776*, dl. vi–1, pl. 118 en *Corti/Faggin 1969*, p. 111, afb. 109b werd niet vermeld dat het een overschilderde toestand betreft.

14 *Den Haag 1914*, p. 203–204, nr. 595 en *Martin 1935*, p. 197–198, nr. 595 (beide met een reconstructie-tekening van het oorspronkelijke wapenschild)

15 *Tóth-Ubbens 1968*, p. 38; zie: *Rietstap/Rolland 1938*, dl. iv, pl. liii: de valkenbellen vertonen hier echter een klokvorm, geen bolvorm, zoals in de reconstructietekening (noot 14).

16 *Veiling Fountaine 1894*, p. 13, nr. 46. Volgens *Bode 1896*, p. 4 was het door Bredius verworven schilderij tot dan toe onbekend in de literatuur; *Weale 1903*, p. 335–336

17 *Voll 1909*, p. 24 en 172.

18 *Friedländer 1967–76*, dl. vi–1, p. 29–30. In zijn eigen exemplaar van de eerste editie (Kunsthistorisch Instituut Utrecht, Rar. eb 26 f 1/6) schreef Friedländer bij *Friedländer 1928*, p. 130, nr. 79: 'ausg(ezeichnet)'.

19 *Von Baldass 1942*, p. 42 en *Panofsky 1953/1964*, dl. 1, p. 349

20 *Corti/Faggin 1969*, p. 90, nr. 13 en afb.

21 Inv.nr. p 1054; *Florence 1979*, p. 380, nr. p 1054 en afb.; *Corti/Faggin 1969*, p. 90, nr. 14 en afb.

22 Alleen *Weale 1901*, p. 67 noemde het een 'early work'; *McFarlane 1971*, p. 13–15

Gabriël Metsu

41 | Een dame die muziek schrijft

Leiden 1629 – Amsterdam 1667

Paneel, 57,5 x 43,5 cm
Rechts op de deur: *G. Metsu*
Inv.nr. 94

Herkomst

Collectie G. Van Slingelandt, Den Haag, 1768
Collectie stadhouder Willem v, Den Haag, 1768–1795
Het Louvre, Parijs, 1795–1815
Koninklijk Kabinet van Schilderijen, Den Haag, 1815
Koninklijk Kabinet van Schilderijen 'Mauritshuis', 1821

Bibliografie

Terwesten 1770, p. 702–703
Steengracht van Oostkapelle 1826–30, dl. II, p. 21, nr. 39 en afb.
De Stuers 1874, p. 76, nr. 74
Bredius 1895, p. 231–232, nr. 94 en afb.
Geffroy 1900, p. 114–115 en afb.
Bredius 1901, p. 4–5
HdG 162 (dl. I, p. 299, nr. 162)
Wurzbach, dl. II, p. 150
Den Haag 1914, p. 205–206, nr. 94 en afb.
Wölfflin 1915, p. 3–5 en afb.
Martin 1935, p. 199–200, nr. 94
Martin 1950, p. 87, nr. 189 en afb.
Den Haag 1954, p. 50, nr. 94
Leiden 1966, p. 114–115, nr. 41 en afb.
Gudlaugsson 1968, p. 34–35 en 41, nr. 162
Schneede 1968, p. 60 en afb. 15
Den Haag 1974, p. 142
Robinson 1974, p. 39, 64 en 200, afb. 158
Drossaers/Lunsingh Scheurleer 1974–76, dl. III, p. 221, nr. 93
Fisher 1975, p. 96–97 en afb.
Brenninkmeyer-de Rooij 1976, p. 168, nr. 93 en afb.
Den Haag 1977, p. 152, nr. 94
New York 1979, p. 121, nr. 95 en afb.
Washington enz. 1982–83, p. 88–89, nr. 22 en afb.
Berlijn/Londen/Philadelphia 1984, p. 106, afb. 1, p. 231
Hoetink e.a. 1985, p. 230–231, nr. 56 en afb., p. 398, nr. 94 en afb.
Broos 1986, p. 265–269, nr. 36 en afb.

Oude biografische mededelingen over Metsu zijn onjuist of verwarrend: op vijftienjarige leeftijd (in 1644) zou hij bij de oprichters van het Leidse Lucasgilde zijn geweest. Waarschijnlijk verbleef hij omstreeks 1650 te Utrecht, omdat zijn vroegste werk bestaat uit religieuze en mythologische voorstellingen in de trant van Nicolaus Knüpfer en Jan Baptist Weenix, in een brede schildertrant. Omstreeks 1657 verhuisde hij naar Amsterdam, waar hij voornamelijk 'genre'-taferelen schilderde in een steeds fijnere, 'Leidse' verfbehandeling. Dit zijn voornamelijk binnenhuistaferelen met doorsnee-burgers, waarbij de alledaagse handeling veelal diepere (amoureuze of erotische) betekenissen heeft. In zijn groepsportretten bracht hij ook verhalende elementen aan, die in de achttiende eeuw als 'conversatiestukken' veel zijn nagevolgd.

In zijn *Kunstgeschichtliche Grundbegriffe* plaatste Heinrich Wölfflin dit schilderij van Metsu en het ruim zes jaar eerder geschilderde werk van Gerard ter Borch *Het concert* (Parijs, Musée du Louvre) [1][1] tegenover elkaar in zijn inleiding. Aldus probeerde hij de individuele stijl van beide schilders vast te stellen. Zijn analyse van Metsu luidde: 'das Gewebe ist mehr nach Seite des Schweren empfunden, des Schwerfallenden und Schwerfaltenden, der Grat hat weniger Feinheit, es fehlt der einzelnen Faltenkurve die Eleganz und der Faltenfolge die angenehme Lässigkeit, das Brio ist entwichen … Der entblösste Arm jener musizierenden Dame bei Terborch – wie fein ist er empfunden in Gelenk und Bewegung, und wie viel schwerer wirkt die Form bei Metsu, nicht weil sie schlechter gezeichnet wäre, sondern weil sie anders gefühlt ist. Die Gruppe dort ist leicht gebaut, und die Figuren behalten viel Luft, Metsu gibt das massiger Zusammengedränkte. Eine Häufung wie den zusammengeschobenen dicken Tischteppich mit dem Schreibzeug darauf würde man bei Terborch kaum finden'. Tegenover de Ter Borch ervoer Wölfflin het schilderij van Metsu als een 'Klischee'.[2] Hoetink oordeelde onlangs iets genuanceerder: 'Metsu achieved a beautiful compromise between the paintings of Ter Borch, which are entirely focused upon the figures, and the sedate and meticulously percieved interiors of the Leiden "fijnschilder" Gerard Dou'.[3] In *Een dame die muziek schrijft* uit 1662/1663 is de schildertrant die van Dou, terwijl het onderwerp zijn oorsprong vindt in het werk van Gerard ter Borch.

In vroegere schilderijen is de stijl van Metsu veel minder gelikt en gebruikte hij niet zulke statische figuren, zoals mag blijken uit twee thematisch verwante werken, *Een muziekmakend gezelschap* (New York, The Metropolitan Museum of Art)[4], dat 1659 is gedateerd, en *De bespiede briefschrijfster* (Londen, Wallace Collection)[5] uit hetzelfde jaar of iets later. In laatstgenoemd schilderij is het motief van de man die over de schouder van een schrijvend meisje gluurt kennelijk ontleend aan een voorbeeld van Ter

Gabriël Metsu Een dame die muziek schrijft

◄ **1**
Gerard ter Borch
Het concert
Paneel, 47 x 44 cm
Op de sport van de stoel: *G.T.B.* (ca. 1657)
Parijs, Musée du Louvre, inv.nr. 1901

▶ **2**
Gerard ter Borch
Het nieuwsgierige meisje
Doek, 76,3 x 62,3 cm
Niet gesigneerd, niet gedateerd (ca. 1660)
New York, The Metropolitan Museum of
Art, The Jules Bache Collection, 1949
(49.7.38)

Borch, namelijk *Het nieuwsgierige meisje*, ook uit de late jaren vijftig (New York, The Metropolitan Museum of Art) [**2**].[6] In vergelijking met deze vroegere werken doen de figuren in *Een dame die muziek schrijft* wat stijfjes aan, terwijl de als metaal gepolijste stoffen uiterst verfijnd geschilderd zijn en op sommige beschouwers mogelijk een gekunstelde indruk maken.[7] De compositie is volgens Gudlaugsson – via de genoemde schilderijen uit (omstreeks) 1659 – ontleend aan de eveneens vermelde schilderijen van Ter Borch: uit *Het concert* [**1**] nam Metsu het luitspelende meisje achter de tafel over en de zittende dame die met de rechterhand de maat slaat en uit *Het nieuwsgierige meisje* [**2**] nam hij het motief over van de stiekem toekijkende figuur achter de stoel.[8]

De schilderijen van Metsu zijn doorgaans rijk aan details, die vaak in onderling verband een boodschap bevatten die om een nadere uitleg vraagt. De eerste aanwijzing biedt het schilderij boven de schoorsteenmantel, dat een schip in een storm voor een rotsige kust voorstelt. De schilder bracht met dit tafereel een duidelijk contrast aan met de vredig ogende hoofdvoorstelling. In de embleemliteratuur is een schip in nood een vaak gebruikt beeld om verschillende begrippen uit te drukken.[9] Omdat de essentie van het schilderij het liefdes(?)lied lijkt dat het meisje noteert en waarvan de man nieuwsgierig de toonzetting of tekst probeert te achterhalen, ligt een amoreuze zingeving hier voor de hand. Dan lezen we in Kruls *Minne-Beelden*, dat in 1634 voor de 'lievende Jonckheyt' werd geschreven, bij de afbeelding van een schip de volgende verzen:

'De ongebonde Zee, vol spooreloose baren
Doet tusschen hoop en vrees, mijn lievend' herte varen:
De liefd' is als een Zee, een Minnaer als een schip,
U gonst de haven lief, u af-keer is een Klip'.[10]

Hier zou dus een waarschuwing bedoeld kunnen zijn tegen de gevaren die de liefde kunnen bedreigen, maar van belang lijkt tevens het gegeven dat de schrijvende jongedame de noten of de tekst bedenkt voor een lied dat zij zal zingen bij de klanken van een luit. Een luit is het instrument dat een putto ons toont op een illustratie in Gabriel Rollenhagens *Nucleus Emblematum* (1611), met het opschrift: 'amor docet musicam' (liefde leert zingen).[11]

In de schilderkunst en embleemliteratuur zijn veel voorbeelden te vinden van symboliek waarin de luit een rol speelt.[12] Dit was bij uitstek het instrument dat de harmonie symboliseert en de eenheid – meer in het bijzonder de eensgezindheid in het huwelijk.[13] Als het snaarinstrument hier ook deze betekenis heeft, zijn de schrijvende dame en de heer wellicht getrouwd en wordt er op een harmonieus huwelijk, of de wenselijkheid daarvan, gezinspeeld. Relevant is een vergelijking met twee prenten van Abraham Bosse uit omstreeks 1640 met de voorstelling van een luitspelende man en een vrouw die daarbij zingt en die (net als in Metsu's schilderij) met de rechterhand de maat slaat [**3,4**].[14] Het verklarende gedicht maakt duidelijk dat het dit paar ontbreekt aan harmonie, die voor de liefde essentieel is. Het eerste couplet luidt (in vertaling):

> 'Mooie Kloris, wat nu gedaan
> Om mijn stem met de jouwe overeen te laten stemmen?
> Als mijn ziel en die van jou
> Niet dezelfde muziek willen maken?'

3
Abraham Bosse
Gitaarspelende man
Gravure, 211 x 146 mm
Links onder: *ABosse fe* (ca. 1640)
Amsterdam, Rijksprentenkabinet

1 *Gudlaugsson 1960*, p. 140–141, nr. 126
2 *Wölfflin 1915*, p. 3–6
3 *Washington enz. 1982–83*, p. 88
4 Inv.nr. 1890, 91.26.11; *Robinson 1974*, p. 138 en afb. 68; *Berlijn/Londen/Philadelphia 1984*, p. 230–232, nr. 72 en afb.
5 Inv.nr. P240; *Londen 1968*, p. 201, nr. P240 en afb.; *Robinson 1974*, p. 143 en afb. 74
6 *Gudlaugsson 1960*, p. 168, nr. 164
7 *Gudlaugsson 1968*, p. 34 wees erop dat deze stijl geschikter was voor de weergave van satijnen stoffen dan de losse, vroegere schildertrant.
8 Over deze ontleningen: *Gudlaugsson 1968*, p. 35 en *Robinson 1974*, p. 39
9 Bijvoorbeeld: *Amsterdam 1976*, p. 120–121, nr. 25, p. 164–165, nr. 39; *Braunschweig 1978*, p. 44–47, nr. 2
10 *Krul 1634*, p. 2–3; zie ook: *De Jongh 1967*, p. 50 en 96, noot 72
11 *Rollenhagen 1611*, p. 70; zie ook: *Cats 1665*, dl. II, p. 7–8
12 Bijvoorbeeld: *De Jongh 1971*, p. 178 en 194, noot 130–132 (en lit.)
13 Cat.nr. 34, noot 14
14 *Blum 1924*, p. 55–56, nr. 1068–1069

4
Abraham Bosse
Zingende vrouw
Gravure, 214 x 146 mm
Links onder: *ABosse fe* (ca. 1640)
Amsterdam, Rijksprentenkabinet

Leiden 1635 – Leiden 1681

Paneel, 42,8 x 33,3 cm
Op de bovendorpel van de deur: *F van (M)ieris 165(.)*
Inv.nr. 860

Herkomst
(?) Veiling J. de Bosch, Amsterdam, 1780
Collectie Charles Bredel, Londen 1839–1872
Veiling Miss Bredel, Londen, 1875
Veiling A. Levy, Londen, 1876
Veiling Earl of Dudley, Londen, 1892
Collectie Edward Steinkopf, Londen, 1894
Collectie Lady Mary Seaforth, Londen,
1920–1935(?)
Kunsthandel Duits, Londen, 1935
Collectie F. Mannheimer, Amsterdam
Collectie 'Sichergestellte Kunstwerke',
1940(?)–1945
Dienst voor 's Rijks Verspreide
Kunstvoorwerpen, 1946 (in bruikleen aan
het Mauritshuis)
Koninklijk Kabinet van Schilderijen
'Mauritshuis', 1960

Bibliografie
HdG 102 (dl. x, p. 29, nr. 102)
Wenen 1942, p. 4
Den Haag 1946, p. 18, nr. 36
Martin 1950, p. 86–87, nr. 187 en afb.
Gerson 1952, p. 35–36, afb. 102
Den Haag 1954, p. 52, nr. 860
Plietzsch 1960, p. 51 en afb. 64
De Jongh 1968–69, p. 41
Van Thienen 1969, p. 28a–b en afb.
Renger 1970, p. 132, noot 273
Den Haag 1977, p. 156, nr. 860 en afb.
Naumann 1981, dl. I, p. 104–105, dl. II, p. 26–27,
nr. 23 en afb. pl. 23 en 23a–d
Hoetink e.a. 1985, p. 232–233, nr. 57 en afb.,
p. 401, nr. 860 en afb.
Broos 1986, p. 270–273, nr. 37 en afb.

1
Illustratie uit: Jan Harmensz Krul, *Pampiere
wereld ofte wereldsche oeffeninge* (1681), dl. IV, p.
381

**Hij was een leerling van Gerard Dou in Leiden, die hem de 'Prins van
zyne Leerlingen' noemde (volgens Houbraken). Met zijn technisch
perfect geschilderde interieurstukken en portretten is hij de
belangrijkste geweest van de 'Leidse fijnschilders' en vaker dan Dou
door hen als voorbeeld gebruikt. Van meet af aan oogstte hij
internationale faam en had hij belangrijke opdrachtgevers (aartshertog
Leopold Wilhelm uit Wenen en Cosimo III Medici uit Florence), die hem
vorstelijk beloonden. Ondanks het aanbod hofschilder te worden in
Wenen, bleef hij in Leiden wonen en werken. De kracht van zijn beste
werken is wellicht dat de minutieuze detaillering nooit saai wordt, maar
onder de oppervlakte zindert. Zijn schijnbaar alledaagse taferelen
blijken bij nader inzien een veelal diepere (amoreuze en/of vermanende)
betekenis blijken te hebben. In het laatste decennium van zijn leven
begon hij zichzelf wel te herhalen en overdreef hij soms zijn vaardigheid
met het penseel.**

Omdat Rembrandt twee parende honden had geschilderd in zijn *Prediking van
Johannes de Doper* (Berlijn, Staatliche Museen)[1], kreeg hij van zijn voormalige
leerling Samuel van Hoogstraten in 1678 het volgende commentaar: 'men
zach'er ook een hond, die op een onstichtelijke wijze een teef besprong. Zeg
vry dat dit gebeurlijk en natuerlijk is, ik zegge dat het een verfoeilijke
onvoeglijkheyt *tot deze Historie* is'.[2] Hij had dus wel begrip voor de
natuurlijkheid van het vertoonde, maar achtte het in strijd met het decorum,
speciaal in een bijbels tafereel. In deze *Bordeelscène* van Frans van Mieris is
zo'n tafereeltje juist zeer toepasselijk en verbeeldt het zelfs de kern van het
schilderij, waarin alles om de erotiek draait. De voorstelling heeft een parallel

Frans van Mieris Bordeelscène

in een illustratie bij de minnezang 'Lauraes Droom-Liedt' in Jan Kruls *Eerlycke tytkorting …* (Amsterdam 1634), waarin het meisje droomt van haar maagdelijkheid verlost te worden: 'So je wilt, soo meughje komen: Neen, ô neen! het krenckt mijn eer'.[3] Op het bijbehorende plaatje [1] ziet men Laura 'met haer boesem los gheregen' en terwijl de toegesproken minnaar over haar heen buigt, wordt op de achtergrond getoond hoe een ram een schaap bespringt.

In het Victoriaanse Engeland werden zulke vrijpostigheden niet op prijs gesteld, want toen het paneel zich aldaar in particulier bezit bevond, werd het achterste hondje weggeschilderd.[4] Zelfs in recente tijden kan men nog een zekere gêne waarnemen in teksten, zoals van Gerson in 1952: 'Maar eigenlijk doet het onderwerp hier weinig ter zake. Verleidelijk en fascinerend is de manier van schilderen'.[5] Het laatste is natuurlijk ongetwijfeld waar. Daarbij hoeft men alleen maar gewezen te worden op de prachtige stofuitdrukking van de glanzende rok van het meisje of op de sublieme weerspiegeling van de rode mantel van de soldaat in de tinnen kan. Maar anders dan Gerson meende, is het onderwerp hier wel degelijk van belang, al komt dat niet tot uitdrukking in de in de literatuur meestal gebezigde titel *Herbergscène*. Dit soort schilderijen was in de zeventiende eeuw immers bekend als 'bordeeltgens'.

In deze bordeelscène toont Van Mieris zich wel eleganter dan Jan Steen vaak is in dergelijke taferelen, zodat men des te meer geneigd is zich hierbij het aloude Hollandse gezegde voor de geest te halen: 'vóór herberg, achter bordeel'.[6] De subtiliteit waarmee Van Mieris zijn boodschap brengt, blijkt duidelijk uit een detail. Wie namelijk niet ziet hoe de soldaat met zijn rechterhand het gedecolleteerde dienstertje aan haar schort naar zich toe trekt, mist de essentie van wat er zich tussen beiden afspeelt. Naumann wees erop hoe Jan Steen dit motief onverhuld tot centraal gegeven maakte in het schilderij *Herbergscène* (verblijfplaats onbekend).[7] Maar een vergelijkbaar tafereel – in wat minder bruuske aankleding – kan men bij Van Mieris zelf vinden, die in de tekening *Amoureus paar* (Parijs, Fondation Custodia)[8] een ietwat aangeschoten jonge vrouw de jaspand van een welwillende jongeman laat beetpakken.

Verbanden met het overige werk van Van Mieris zijn er legio. In de man die zich achter de deur rechts onderhoudt met een jongedama, blijkt de schilder zelf herkend te kunnen worden.[9] Met zijn vollemaansgezicht en het dunne snorretje treedt hij vaker op in zijn eigen werk, zoals in de tekening *Het duet* (Amsterdam, Amsterdams Historisch Museum) [2][10], waarin hij zich met zijn vrouw Cunera van der Cock afbeeldde in een ietwat amoureuze context.[11] Een gewaagde pikanterie zit daarentegen verborgen in het schilderij *Een man die zijn pijp stopt* (verblijfplaats onbekend)[12], waarin Van Mieris uitging van een zelfportret, maar zich vermomde met een pruik en een valse snor en een vrolijk scheefstaande komediantenhoed. Dit schilderij is 1658 gedateerd, in hetzelfde jaar waarin de *Bordeelscène* in het Mauritshuis vermoedelijk geschilderd werd.[13]

Zoals de parende hondjes een niet verkeerd te begrijpen noot vormen in dit tafereel, zo herinnert de jongeman die met zijn hoofd op zijn armen aan tafel ligt te slapen aan de gevaren van dronkenschap (en het roken, want er ligt een pijp voor hem). Dat werd overduidelijk in beeld gebracht in een prent van Hendrick Bary naar een tekening van Van Mieris uit 1664, waarop een beschonken vrouw ook slapend aan een tafel wordt getoond onder het

2
Frans van Mieris
Het duet
Tekening, 220 x 178 mm
Links boven: *F. van Mieris* (ca. 1662–64)
Amsterdam, Amsterdams Historisch Museum, inv.nr. A 10218

opschrift 'De wijn is een spotter' [**3**].[14] Hier is sprake van een verwijzing naar de Spreuken van Salomo: 'De wijn is een spotter, de drank een luidruchtige, ieder die zich daaraan overgeeft, is onwijs' (Spreuken 20:1). De nogal drastische voorstelling met een breed grijnzende nar die een pispot boven het hoofd van de beschonkene omkeert, werd kennelijk best gewaardeerd. In het onderschrift werd deze als een bewijs van 'Mieris groote geest' gezien.[15]

Ook de *Bordeelscène* is een specimen van typisch zeventiende-eeuwse geestigheid en er is daarom alle reden om in verschillende details een veelbetekende verwijzing te zien. Het beddegoed rechts boven is uiteraard een visuele toespeling, terwijl de opgehangen luit herinnert aan het gezegde 'amor docet musicam'. De omgekeerde hoed op de grond kan het beeld zijn van het vrouwelijk schaamdeel. Het zijn stuk voor stuk beeldgrappen die het zeventiende-eeuwse publiek niet zal zijn ontgaan. Zelfs de gedoofde kaars voor het raampje naast de deur kan in deze context welhaast niet anders dan een gevisualeerde spreekwoord zijn: 'De kaars uit, de schaamte uit'.[16]

3
Hendrick Bary
'De wijn is een spotter'
Gravure, 290 x 193 mm
Links onder: *F. van Mieris figuravit 1664,*
midden: *HBary Sculps. 1670*
Amsterdam, Rijksprentenkabinet

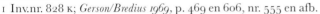

1 Inv.nr. 828 k; *Gerson/Bredius 1969*, p. 469 en 606, nr. 555 en afb.
2 *Van Hoogstraten 1678*, p. 183; over de traditie van parende honden in de schilderkunst, zie: *De Jongh 1968–69*, p. 41
3 *Krul 1634*, p. 70–71; de illustratie komt uit *Krul 1681*, dl. IV, p. 381.
4 HdG 102: 'Das Männchen eines Hundespaars ist übermalt'. Wellicht onwetend van dit gegeven beeldde *Plietzsch 1960*, p. 51, afb. 64 het schilderij in overschilderde staat af.
5 *Gerson 1952*, p. 35: 'Het gedurfde onderwerp is pikant geschilderd'. Hofstede de Groot was lange tijd de enige die het onderwerp duidelijk omschreef: 'Liebeswerbung' (HdG 102). *Naumann 1981*, dl. I, p. 104 noemde het 'Van Mieris's most deeply erotic painting'.
6 WNT, dl. III, kol. 527–528; zie ook *Grosjean 1974*, p. 138 en 143, noot 90. *Naumann 1981*, dl. I, p. 104, noot 94 zag in de mand naast het raam (ten onrechte) een vogelkooi, die een verwijzing naar een bordeel kan zijn.
7 HdG 795; *Naumann 1981*, dl. I, p. 104 en afb. pl. 147; *Braun 1980*, p. 124–125, nr. 272 en afb.
8 Inv.nr. 8232; *Naumann 1978*, p. 29, nr. 16 en afb. pl. 5
9 Volgens *Renger 1970*, p. 132, noot 273 die meerdere voorbeelden gaf van zelfportretten in bordeelscènes, waarvan het bekendste dat van Rembrandt is, die zich met Sakia afbeeldde als *De verloren zoon* (Dresden, Gemäldegalerie; *Gerson/Bredius 1969*, p. 26 en 549, nr. 30 en afb.)
10 *Naumann 1978*, p. 24–25, nr. 2 en afb. pl. 19
11 Hij trouwde met haar in 1657 (*Naumann 1981*, dl. I, p. 23 en p. 164); voor vergelijkbare portretten van haar, zie: *Naumann 1981*, dl. II, p. 33, nr. 30 en afb.; van hem: ibid., p. 32–33, nr. 29 en afb.
12 Cat.nr. 57, afb. 3; *Naumann 1981*, dl. II, p. 24, nr. 21 en afb.: 'Poking one's finger into a pipe was surely meant as an obscene gesture' (en lit.). In de inventaris van aartshertog Leopold Wilhelm, die het schilderij verwierf, werd het echter niet als een pikanterie omschreven, maar als 'ein Tobacktrinckher, so die Pfeiffen fühlt', zie: *Naumann 1981*, dl. I, p. 165
13 *Naumann 1981*, dl. II, p. 26, nr. 23 gaf enigszins verwarrende informatie over deze signatuur. Bij recente schoonmaak (1985) was de (deels beschadigde) signatuur in een goede belichting duidelijk leesbaar: 'F VAN (M)IERIS 165(.)'; het laatste cijfer liet de schilder zelf merkwaardig genoeg schuil gaan achter de rand van de openstaande deur.
14 *Hollstein*, dl. I, p. 108, nr. II²; zie ook: *Naumann 1978*, p. 12–14 en afb. pl. 16
15 Hier leend Barij de handt aen Mieris groote geest,
dus kan het Konings (=Salomo) woord 't gesigt als d'ooren raken,
de dronkenschap bespot sig selven altijd meest
hoewel z'op anderen haar overlast wil braken.
16 wnt, dl. VII, deel 1, kol. 680 (in de latijnse versie: 'Sublata lucerna nihil interest inter mulieres'); zie: *Broos 1971-A*, p. 25 (en lit.). Voor erotische symboliek, zie bijvoorbeeld: *De Jongh 1968–69* en *Amsterdam 1976*

Adriaen van Ostade Boeren in een herberg

Adriaen van Ostade   43 | Boeren in een herberg

Haarlem 1610 – Haarlem 1684

Paneel, 47,5 x 39 cm
Rechts onder: A*v. Ostade. / 1662*
Inv.nr. 128

Hij was een leerling van Frans Hals samen met (volgens Houbraken) Adriaen Brouwer, wiens belangstelling voor Bruegeliaanse thema's hij deelde. Op kleine schaal schilderden zij een populair genre, dat in de zeventiende eeuw 'grillen' werd genoemd: voornamelijk interieurs van (boeren)herbergen en andere taferelen uit het volksleven, tot omstreeks 1640 veelal met vechtende, zuipende of lallende figuren. In de jaren veertig werd het bijna monochrome koloriet van Adriaen van Ostade warmer en gebruikte hij (naar Rembrandts voorbeeld?) clair-obscureffecten. Na 1665 werden zijn voorstellingen minder woest en schilderde hij zorgvuldig, in heldere, transparante tinten, vooral buitentaferelen, waaraan vaak een reeks weloverwogen figuurstudies voorafging. Zijn visie op het boerenleven werd veel milder en was op het einde van zijn carrière welhaast idyllisch. Na 1672 ontstonden (vermoedelijk op aandrang van de Amsterdamse verzamelaar Sennepart) zijn befaamde aquarellen, in feite met waterverf gekleurde schilderijtjes. Deze werkwijze was toen tamelijk uniek en was wellicht bedoeld als een herleving van dergelijke tekeningen door Hendrick Avercamp.

In een ietwat rommelig interieur zitten drie mannen rond een tafeltje: de ene steekt de brand in zijn lange aardewerken pijp met de gloeiende kooltjes in een vuurtest, terwijl de tegenover hem zittende figuur met een voorschoot om en een kan in de linkerhand een proostend gebaar maakt en de derde zijn viool stemt. In een halfronde opening naar een binnenhof zit een meisje dat een keeshondje plaagt met een bot. Een vrouw (de waardin?) sleept een stoel aan en op de achtergrond zijn drie boeren met elkaar in gesprek bij een brandende haard. Links voert een trap naar een bovenverdieping en aan de muren en op schappen aan het plafond zijn potten en pannen en ander huisraad uitgestald. Dit vredige tafereel uit het volksleven is gesigneerd en gedateerd: 'A*v. Ostade. / 1662*'.

Adriaen van Ostade is de voortzetter geweest van een traditie in het uitbeelden van het boerenleven, die teruggaat op Pieter Bruegel en zijn navolgers.[1] Carel van Mander sprak in zijn *Schilder-Boeck* in 1604 zeer waarderend over 'Pier den Drol' (Bruegel), die 'dat wesen der Boeren/ in eten/ drincken/ dansen/ springen/ vryagien/ en ander kodden te sien/ welck dingen hy dan seer cluchtigh en aerdigh wist met der verwen nae te bootsen'.[2] Dit soort voorstellingen, waarin het boerenvolk in zijn domheid en ruwheid werd getoond en dat in de zeventiende eeuw met de term 'grillen' of 'grollitjes' werd aangeduid, heeft Van Ostade aanvankelijk ook getekend en geschilderd, in duidelijke navolging van Adriaen Brouwer.[3] Maar diens aggressieve voorstellingen kwamen niet goed overeen met Van Ostades karakter, volgens Schnackenburg.[4] Zijn latere werk kenmerkt zich inderdaad door een wat neutralere visie, waarin achteraf zelfs iets van een lofzang op het

Herkomst

Veiling C. van Dyk, Den Haag, 1713
Collectie F. van Bleyswyk, 1734 (gelegateerd aan diens nicht Maria Catharina van der Burch, die getrouwd was met de Haagse burgemeester H. van Slingelandt)
Collectie H. van Slingelandt, 1734–1759
Collectie Maria Catharina van der Burch, 1759–1761
Collectie erven Van Slingelandt, 1761–1768
Collectie stadhouder Willem v, Den Haag, 1768–1795
Het Louvre, Parijs, 1795–1815
Koninklijk Kabinet van Schilderijen, Den Haag, 1815
Koninklijk Kabinet van Schilderijen 'Mauritshuis', 1821

Bibliografie

Terwesten 1770, p. 704
Steengracht van Oostkapelle 1826–30, dl. 1, p. 26, nr. 11 en afb.
Smith 1829–42, dl. 1, p. 165–166, nr. 208
Gaedertz 1869, p. 83–84 en 154
De Stuers 1874, p. 103, nr. 106
Hofstede de Groot 1892, p. 230–231 en 235
Bredius 1895, p. 279–280, nr. 128
Geffroy 1900, p. 106
Rosenberg 1900, p. 54–55 en afb.
HdG 636 (dl. iii, p. 339, nr. 630)
Wurzbach, dl. ii, p. 277
Den Haag 1914, p. 258–259, nr. 128
Martin 1935, p. 241, nr. 128
Martin 1936, dl. i, p. 393–394, afb. 234
Martin 1950, p. 84, nr. 176 en afb.
Drossaers/Lunsingh Scheurleer 1974–76, dl. iii, p. 223, nr. 106
Den Haag 1977, p. 172, nr. 128 en afb.
Boyer 1982, p. 154, nr. 18 en afb.
Washington enz. 1982–83, p. 92–93, nr. 24 en afb.
Hoetink e.a. 1985, p. 412–413, nr. 128 en afb.
Broos 1986, p. 274–277, nr. 38 en afb.

1

Adriaen van Ostade
Boerengezelschap binnenshuis
Koper, 37 x 47 cm
Links onder: *A.V. Ostade 1661*
Amsterdam, Rijksmuseum, inv.nr. C 200

boerenleven valt te herkennen. Houbraken schreef in 1718: 'Herbergjes en kroegjes, met hun gantschen toestel, heeft hy zoodanig geestig en natuurlyk weten te verbeelden, als ooyt ymant gedaan heeft' en hij voegde er aan toe dat hij 'het gansche boere leven zoo natuurlyk door 't penceel, als L. Rotgangs door de pen (heeft) afgemaalt'.[5] Hij citeerde vervolgens deze schrijver van het boertige heldendicht Boerekermis (1708), die blijkt geeft van een licht spottende, maar ook vertederde kijk op het landvolk.[6]

Natuurlijk konden in de zeventiende eeuw taferelen met rokende, dringende en muziek makende personages aanleiding zijn tot bespiegelingen over de ijdelheid der dingen (muziek vergaat net als de rook) of de deugdzaamheid (tabak en drank waren tenslotte veel bekritiseerde genotmiddelen).[7] Maar of Adriaen van Ostade iets dergelijks bedoeld heeft met dit tafereel, blijft een onuitgemaakte zaak.

Vanaf 1672 ging hij zich vooral toeleggen op het maken van bontgekleurde aquarellen met dezelfde voorstellingen van herbergen en boereninterieurs.[8] Daarvóór, in de jaren vijftig en zestig, heeft Adriaen van Ostade zijn beste schilderijen gemaakt. Het Haagse paneel is kenmerkend voor deze periode, waarin sterke lokale kleuren – blauw en rood in de kleding – opvallen binnen een in wat meer monochrome tinten uitgevoerde omgeving. De verfbehandeling is minder breed dan in de jaren veertig en neigt zelfs naar een 'nette' trant.[9]

Het schilderij uit 1662 laat zien hoe de kunstenaar binnen een beperkt genre toch een grote fantasie aan de dag legde in de uitbeelding van zijn onderwerpen. Geen van de figuren kon direct in verband gebracht worden met één van de zeer talrijke tekeningen die hem meestal als voorstudie dienden.[10] De compositie en de detaillering van het interieur lijken speciaal voor dit schilderij bedacht te zijn. Men kan hooguit overeenkomst ontdekken in de globale opzet (boeren rond een tafel op de voorgrond en een kleiner groepje wat verder naar achteren) in bijvoorbeeld *Dorpskroeg met stamtafel* uit

1660 (Dresen, Gemäldegalerie)[11] of *Boeren in een herberg* uit 1663 (Brussel, Koninklijke Musea voor Schone Kunsten).[12] Ook ziet men wel de herhaling van een motief, zoals het meisje dat met een hondje speelt, bijvoorbeeld in *Boerengezelschap binnenshuis* uit 1661 (Amsterdam, Rijksmuseum) [**1**].[13] Mèt deze schilderijen uit 1660–1663 hoort het schilderij van het Mauritshuis uit 1662 tot de belangrijkste geschilderde werken van Adriaen van Ostade.[14]

---

1 *Schnackenburg 1981*, dl. I, p. 25–28

2 *Van Mander 1604*, fol. 233b

3 Over 'grillen' en 'grollitjes', zie (chronologisch): *Miedema 1974*, p. 74–75, *Bruyn 1974*, p. 82–84, *Miedema 1974–A*, p. 84–86, *Ruurs 1974*, p. 87–88; ook: *Amsterdam 1976*, p. 256–257 (en lit.)

4 *Schnackenburg 1981*, dl. I, p. 30

5 *Houbraken 1781–21*, dl. I, p. 347–348

6 *Rotgans/Strengholt 1708/1968*, p. 11 legde verband met de Frans-classicistische 'poème heroï-comique'. *Schnackenburg 1981*, dl. I, p. 57 meende dat bij Houbraken de gedachte aan een bijbetekenis al ontbrak; toch moet Houbraken niet ongevoelig zijn geweest voor de arcadische context waarin Rotgans het boerenleven plaatste, aangezien hij diens tekst citeert, waarin een boerenmeid vergeleken wordt met een 'veltgodin'.

7 Zie bijvoorbeeld: *Amsterdam 1976*, p. 54–55, nr. 7 (roken), p. 212–213, nr. 54 (muziek maken), p. 246–249, nr. 65 (drinken)

8 *Schnackenburg 1981*, dl. I, p. 41

9 *Schnackenburg 1981*, dl. I, p. 32. Over 'net' en 'rou' schilderen, zie cat.nr. 30, noot 7

10 Het motief van een man die zijn viool stemt, komt voor op twee tekeningen, zie: *Schnackenburg 1981*, dl. I, p. 89, nr. 46 en p. 140, nr. 295; dl. II, afb. pl. 25 en 139

11 Inv.nr. 1396; HdG 628; zie: *Dresden 1960*, p. 63, nr. 1396; foto RKD

12 Inv.nr. 341; HdG 624; zie: *Schnackenburg 1981*, dl. I, p. 114, nr. 172 en p. 264, afb. 37

13 HdG 620; zie: *Van Thiel e.a. 1976*, p. 430, nr. C 200 en afb.

14 *Smith 1829–42*, dl. I, p. 166: 'This superlative picture is dated 1662'; *Wurzbach*, dl. II, p. 277: 'Hauptwerk'

Isack van Ostade Reizigers voor een herberg

Isack van Ostade

44 | Reizigers voor een herberg

Haarlem 1621 – Haarlem 1649

Paneel, 75 x 109 cm
Midden onder gesigneerd en gedateerd: *Isack: van. Ostade 1645*
Inv.nr. 789

Hij was de veel jongere broer van Adriaen van Ostade (cat.nr. 43), die zijn leermeester was en aanvankelijk zijn belangrijkste inspiratiebron. In 1643 werd hij lid van het Haarlemse schildersgilde, hoewel al uit 1639 drie schilderijen dateren met verschillende onderwerpen, namelijk: een interieurstuk, een landschap en een genreschilderij. Het laatste type schilderde hij het liefste: dorpsfeesten, volksspelen en gezelschappen bij een herberg, bij voorkeur met veel figuren. Hij was ook een vruchtbaar tekenaar. Helaas zijn veel van zijn schetsbladen via Adriaen terecht gekomen bij diens leerling Cornelis Dusart, die ze heeft versneden en/of opgewassen.

De verwerving in 1925 van Isack van Ostades meesterwerk *Reizigers voor een herberg*, voor het (toen) aanzienlijke bedrag van 35.000 gulden was een transactie waarbij het Rijk, de Vereniging Rembrandt en enkele particulieren terecht fikse financiële offers brachten. Ietwat triomfantelijk deed Martin verslag van de aankoop: 'Het is een sinds jaren bekend werk, dat reeds in de beste kunstverzamelingen van de achttiende eeuw prijkte' en hij maakte melding van de indrukwekkende prijzen die er toen voor betaald waren (15.000 franc op de veiling Randon de Boisset in 1777 en 31.000 franc op de veiling van de Hertogin de Berry in 1837).[1] Hij wist kennelijk niet dat het schilderij zelfs deel had uitgemaakt van de befaamde collectie Wallace in Londen.[2] Op een foto uit het laatste decennium van de negentiende eeuw [1] hangt het schilderij van Van Ostade nog in galerij XVI in Hertford House onder het tot voor kort aan Rembrandt toegeschreven *Portret van Jan Pellicorne en zijn zoon Casper* (Londen, Wallace Collection).[3]

Min of meer tot verbazing van de schrijver van een catalogus van de Londense verzameling werd in 1968 onder verwijzing naar deze foto de afwezigheid van *Reizigers voor een herberg* vastgesteld: kennelijk had de auteur geen weet van de toenmalige (en huidige) verblijfplaats.[4] Dit gaaf bewaarde, eigenhandig 'Isack: van. Ostade' gesigneerde en 1645 gedateerde schilderij behoort tot zijn meest klassieke werken, door de combinatie van het monochrome groen en bruin van de bomen en gebouwen met de bonte kleuren van de talrijke figuren, het subtiele spel van licht en schaduw en de grote aandacht voor het verhalend detail.[5]

Houbrakens biografie van de begaafdste van de gebroeders van Ostade was als het ware zo kort als diens artistieke carrière: 'Izak van Ostade (was) een Leerling van zyn broeder; doch stierf eer hy de hoogte van den konstberg beklommen had, waar zyn broeder de laurieren voor zyn yver en moeite plukte'.[6] Het is wel duidelijk dat de biograaf geen notie had van het indrukwekkende oeuvre dat de jonggestorven Isack van Ostade in de ruim tien jaar van zijn werkzaamheid als kunstenaar heeft geschapen.[7] Vooral na 1643, toen hij zijn intrede deed in het Sint Lucasgilde te Haarlem, ontstond

Herkomst (zie noot 2)
(?) Kunsthandel P. Fouquet, Amsterdam
Veiling Randon de Boisset, Parijs, 1777
Collectie Radix Sainte-Foix, Parijs, 1777
Veiling Durney (D'Arney), Parijs, 1791
Collectie Robit, Parijs, 1791–1801
Veiling Séguin, Parijs, 1805
Veiling Duchesse de Berry, Parijs, 1837
Collectie Demidoff, San Donato, 1837–1868
Collectie Lord Ashburton, Londen, 1868
Collectie Wallace, Hertford House, Londen, vóór 1900
Collectie Alfred de Rothschild, Londen, na 1902(?), vóór 1910
Collectie Lady Almira Carnarvon, ná 1910
Kunsthandel Kleykamp, Den Haag, 1925
Koninklijk Kabinet van Schilderijen 'Mauritshuis', 1925 (gekocht met steun van de Vereniging Rembrandt en enkele particulieren)

Bibliografie
Smith 1829–42, dl. 1, p. 181, nr. 5
Blanc 1857–58, dl. 1, p. 359
HdG 22 (dl. III, p. 465, nr. 22 en p. 475, nr. 56)
Den Haag 1925, p. 15, nr. 36 en afb.
Jeltes 1926, p. 147 en afb. pl. XXIX
Martin 1926, p. 36–37 en afb. t.o. p. 56
Martin 1926-A, p. 24 en afb.
Gibson 1929, p. 2 en afb.
Londen 1929, p. 40, nr. 67
Londen 1929-A, p. 50, nr. 52 en afb.
Martin 1929, p. 73 en afb. VI
Martin 1935, p. 245–246, nr. 789
Martin 1936, dl. 1, p. 403–406 en afb. 244
Eindhoven 1948, p. 22, nr. 46a
Gerson 1952, p. 49 en afb. 142
Den Haag 1954, p. 61, nr. 789
Warschau 1958, p. 71, nr. 72 en afb. 67
Londen 1968, p. 228
Den Haag 1977, p. 174, nr. 789 en afb.
Duparc 1980, p. 66–68, nr. 789 en afb. p. 200
Schnackenburg 1981, dl. 1, p. 35
Haak 1985, p. 245 en afb. 514
Hoetink e.a. 1985, p. 242–243, nr. 62 en afb., p. 413–414, nr. 789 en afb.

een reeks karakteristieke taferelen, waarvan het in dat jaar gedateerde
schilderij *Boerenherberg met een paard aan de trog* (Amsterdam, Rijksmuseum)
[**2**][8] als prototype mag gelden. Hierin vond een gelukkige samensmelting
plaats van het landschap met het zogenaamde genrestuk, waarin Van Ostade
kortgezegd het boerenleven buitenshuis toonde.

De compositie werd opgezet volgens vaste patronen, zoals ze later ook door
andere schilders gebruikt werden.[9] Het beeldvlak werd grofweg ingedeeld
door de diagonalen met in het snijpunt een grote boom. De driehoek rechts is
steevast gevuld met huizen, bomen en beesten en uiteraard allerlei figuren.
Daarentegen is de linker driehoek schaars bevolkt en meestal voorzien van
een vergezicht. De zandpaden en daklijnen volgen de richting van de
diagonalen. Een steeds terugkerend motief is een paard – bij voorkeur een
schimmel – op een opvallende plaats in de compositie.

Het schilderij in Den Haag toont aan dat het talent van de jongste Van
Ostade vooral gelegen was in de grote natuurlijkheid waarmee hij zijn
bedachte compositie uitvoerde. Uiteraard dient het groepje figuren naast de
knotwilg als repoussoir om diepte te verlenen aan het tafereel. Als bewust

2

Isack van Ostade
Boerenherberg met een paard aan de trog
Paneel, 52 x 69 cm
Midden onder: *Isack van Ostade 1643*
Amsterdam, Rijksmuseum, inv.nr. 303

3
Detail van cat.nr. 44

contrast daarmee zijn de keuvelende mannen en de luisterende vrouw rechts
voor in het licht geplaatst. Zulke tegenstellingen zijn vaak de kracht van een
verhaal. Met opzet detoneert hier de deftige dame die met haar waaier wat
ongemakkelijk op de boerenkar troont. Een bedelaartje vraagt haar om een
aalmoes in zijn omgekeerde hoed. Een wat brutalere maat klimt al op het
achterwiel van de kar, terwijl een kreupele stakker met een wit hondje toeziet.
De heren te paard die de reizigster hebben begeleid, staan met de rug naar dit
tafereel te onderhandelen met de landlieden bij de tamelijk vervallen herberg.
Men kan zich verlustigen aan grappige details als het paard dat in zijn linker
voorbeen bijt [**3**] of het rondscharrelende harige varken.
    Een vergelijking met het 1646 gedateerde paneel *Rust voor de herberg*

4
Isack van Ostade
Rust voor de herberg
Paneel, 83 x 107 cm
Rechts op de molensteen: *Isack van Ostade.*
1646
Duisburg, collectie Henle

(Duisburg, collectie Henle) [**4**][10] illustreert de grote verbeeldingskracht van de schilder. Het onderwerp is wel identiek en de compositie vertoont het beschreven schema met diagonalen, links een verschiet en rechts een drukbevolkt toneel, maar de invulling van de details is hoogst origineel. In beide versies is in het centrum een paard met wagen geplaatst en rechts een tweetal boeren in gesprek met een meid, maar daarmee houden deze globale overeenkomsten op, alsof de schilder er een eer in legde om niet in herhalingen te vervallen. Het is mogelijk dat hij zijn figuren bedacht voor de ezel, want er zijn onder zijn tekeningen geen voorbereidende schetsen aangetroffen voor het schilderij in Den Haag.[11]

De vraag naar de betekenis van zijn als 'genre'stukken opgevatte landschappen is inmiddels relevant.[12] Zeker is dat de boeren, burgers en buitenlui bij Isack van Ostade niet zo'n opzettelijke rol 'tot lering en vermaak' spelen als zij dat doen in – om een bekend voorbeeld te noemen – Gerard Dou's *De kwakzalver* (Rotterdam, Museum Boymans-van Beunigen).[13] De uitbeelding van het leven op het platteland getuigt in het Haagse schilderij zeker niet van de grimmige, vaak spottende kijk op de minder bedeelde medemens die gebruikelijk was in die tijd.[14] Met zijn milde visie op het landvolk heeft Isack mogelijk de toon gezet voor zijn oudere broer Adriaen, die aanvankelijk de rauwe taferelen van Adriaen Brouwer navolgde (zie cat.nr. 43). De door Schnackenburg zelfs als een elegische stemming gekenschetste sfeer in zijn landschappen en dorpsgezichten is wellicht ontleend aan het populaire pastorale thema in de eigentijdse schilderkunst.[15] De ontspannen rustende en keuvelende boeren horen toch eerder thuis in een 'Hollands Arcadië' dan in Bruegeliaanse 'grillen' of 'grolletjes'.[16]

Ook de invloed van de Italianiserende landschapsschilders, die gewoon waren het buitenleven zonnig en lyrisch voor te stellen, lijkt voor de hand te liggen. Toch heeft pas onlangs Schnackenburg daar met de nodige nadruk op gewezen.[17] Gerson, en later Blankert, zagen in de 'genre'taferelen van Pieter van Laer, die zich afspeelden in veelal met pittoreske ruïnes verfraaide Romeinse landschappen, het grote voorbeeld voor al die schilders die Italië niet zelf bezocht hadden.[18] In 1638 was 'Bamboccio' terug in Haarlem, vanwaar hij in 1642 andermaal vertrok voor een reis die zijn laatste zou zijn (zelfmoord, beweren boze tongen).[19]

Philips Wouwermans kreeg zijn ateliernalatenschap in handen en hij heeft daarvan artistiek gebruik gemaakt. In dit verband is Wouwermans *Rust voor de herberg* (Londen, collectie Lady Assheton Bennett) uit 1646 wel beschouwd als een doorgeefluik voor ideeën van Pieter van Laer aan Isack Van Ostade.[20] De door iedereen als '1646' gelezen datering van het schilderij in het Mauritshuis blijkt achteraf '1645' te zijn. Derhalve is het eerder waarschijnlijk dat hij op veel directere wijze en vermoedelijk zelfstandig de voorbeelden van Van Laer en andere Italianisanten verwerkt heeft. Mogelijk is hij eerder het voorbeeld voor Wouwermans geweest, dan omgekeerd.[21]

1 *Martin 1926-A*, p. 24; zie ook: *Martin 1926*, p. 37. Correspondentie betreffende de financiering van de aankoop bevindt zich in het documentatie-archief van het Mauritshuis.
2 Op de aanwezigheid in de collectie Wallace wees E.K.J. Reznicek (schriftelijke aantekening bij *Martin 1935*, documentatie-archief Mauritshuis), onder verwijzing naar *Cox 1936*, afb. XXXV. *Duparc 1980*, p. 66 wees erop dat Alfred de Rothschild (zie: Herkomst) bevriend was met Lady Wallace, die in 1897 overleed; in dat jaar werd hij Trustee van de aan de Staat gelegateerde collectie. De gegevens over de herkomst dienen overigens nader geanalyseerd te worden, zie voorlopig: *Smith 1829–42*, dl. I, p. 181, nr. 5; *Blanc 1857–58*, dl. I, p. 359; *HdG*, dl. III, p. 465, nr. 22; *Den Haag 1925*, p. 15, nr. 36; *Martin 1926-A*, p. 24 en *Londen 1929*, p. 40, nr. 67.
3 Inv.nr. P 82; *Bredius/Gerson 1969*, p. 320 en 583, nr. 406 en afb.; *Bruyn e.a. 1986*, dl. II, p. 710–720, nr. C 65
4 *Londen 1968*, p. 228
5 *Schnackenburg 1981*, dl. I, p. 35
6 *Houbraken 1718–21*, dl. I, p. 347
7 Een (nog steeds voorlopig) overzicht van zijn werk gaf Hofstede de Groot in 1910: *HdG*, dl. III, p. 461–577, nr. 1–343 met een chronologie daarvan op p. 578–579.
8 *Van Thiel e.a. 1976*, p. 431, nr. A 303 en afb.
9 *Schnackenburg 1981*, dl. I, p. 35; eerder reeds: *Stechow 1968*, p. 28
10 HdG 79; *Keulen 1964*, nr. 27 en afb.; *Schnackenburg 1981*, dl. I, p. 275 en afb. 60
11 Zoals *Duparc 1980*, p. 67 al opmerkte
12 *Schnackenburg 1981*, dl. I, p. 55–59 analyseerde 'Het boere leven' als thema.
13 Inv.nr. St. 4; *Rotterdam 1962*, p. 45–46, nr. St. 4; *Amsterdam 1976*, p. 86–89, nr. 16 en afb.; *Sumowski 1983*, p. 532 en 577, nr. 280 en afb.
14 Cat.nr. 43, noot 2–4
15 *Schnackenburg 1981*, dl. I, p. 35; *McNeil Kettering 1983* kwam echter niet op het idee de 'realistische' boerentaferelen in verband te brengen met de arcadische.
16 Over 'grillen', zie: cat.nr. 43, noot 3
17 *Schnackenburg 1981*, dl. I, p. 36
18 *Gerson 1952*, p. 49; *Blankert 1965/1978*, p. 32–33
19 *Houbraken 1718–21*, dl. I, p. 363; zie ook: *Hoogewerff 1932*, p. 7–17; *Blankert 1965/1978*, p. 92–93, noot 9
20 *Londen 1952–53*, p. 86, nr. 454; *Duparc 1980*, p. 67, noot 3; foto RKD. Het eveneens door Duparc (noot 4) ter vergelijking vermelde schilderij van Pieter van Laer, *Rust voor de herberg* (Braunschweig, Herzog Anton Ulrich-Museum, inv.nr. 297) blijkt achteraf van de monogrammist AVE te zijn, volgens Duparc, zie: *Klessmann 1983*, p. 143, nr. 297.
21 Een fotografische vergroting van de signatuur bevindt zich in het archief van het Mauritshuis.

Paulus Potter

45 | De stier

Enkhuizen 1625 – Amsterdam 1654

Doek, 235,5 x 339 cm
Links op de plank van het hek: *Paulus Potter./f. 1647*
Inv.nr. 136

Herkomst
Veiling Willem Fabricius d'Almkerk, Haarlem, 1749
Collectie stadhouder Willem iv, Den Haag, 1749–1751
Collectie stadhouder Willem v, Den Haag, 1751–1795 (Binnenhof, vanaf 1754)
Het Louvre, Parijs, 1795–1815
Koninklijk Kabinet van Schilderijen, Den Haag, 1815
Koninklijk Kabinet van Schilderijen 'Mauritshuis', 1821

Bibliografie
Hoet 1752–1770, dl. ii, p. 263, nr. 1
Terwesten 1770, p. 704–705
Van Eijnden/Van der Willigen 1816–20, dl. i, p. 412–413
Steengracht van Oostkapelle 1826–30, dl. i, p. 19–20, nr. 8 en afb.
Kramm 1857–64, dl. v, p. 1308–1309
Thoré-Bürger 1858–60, dl. i, p. 211–217, p. 262
Van Westrheene 1867, p. 84 en 147–148, nr. 6
De Stuers 1874, p. 110–112, nr. iii
Bredius 1895, p. 291–293, nr. 136 en afb.
Geffroy 1900, p. 100 en afb.
Michel 1906, p. 47–51, afb. 25
HdG 48 (dl. iv, p. 635, nr. 48)
Den Haag 1914, p. 272–274, nr. 136 en afb.
Von Arps-Aubert 1932, p. 17 en 36, nr. 12
Martin 1935, p. 257–258, nr. 136
Martin 1936, dl. ii, p. 327–329 en afb. 179
Borenius 1942, p. 294
Martin 1950, p. 73, nr. 122–123 en afb.
Den Haag 1954, p. 65, nr. 136
Verbeek 1962, p. 8a
Rosenberg/Slive/Ter Kuile 1966, p. 160 en afb. 140a
Lunsingh Scheurleer 1967, p. 19
Bol 1969, p. 226–227
Brussel 1971, p. 96–97, nr. 76 en afb.
Boyer 1972, p. 153
Susijn 1973, p. 44–45 en afb. 1–2
Chu-ten Doesschate 1974, p. 27 en afb. 27
Drossaers/Lunsingh Scheurleer 1974–76, dl. ii, p. 480, nr. 31, dl. iii, p. 21, nr. 42, p. 224, nr. 114
Hoetink 1974, p. 216–217 en afb.
Reznicek 1975, p. 119–121 en p. 126, afb. 5
Brenninkmeyer-de Rooij 1976, p. 169, nr. 114 en afb.
Den Haag 1977, p. 186, nr. 136 en afb.
Heij/Van der Wal 1979, p. 118–119 en afb. 25
Duparc 1980, p. 80–84 en 209, nr. 136 en afb.
Alpers 1983, p. 19, afb. 8
Haak 1984, p. 147 en afb. 307, p. 329
Hoetink e.a. 1985, p. 250–251, nr. 66 en afb., p. 421, nr. 136 en afb.
Broos 1986, p. 278–284, nr. 39 en afb.

Hij was een leerling van zijn vader Pieter Potter en van Nicolaes Moeyaert in Amsterdam. In 1646 werd hij lid van het gilde in Delft, werkte vervolgens vanaf 1649 in Den Haag (waar hij een buurman was van Jan van Goyen) en keerde terug naar Amsterdam in 1652, waar hij het jaar voor zijn dood een unieke opdracht tot het schilderen van een levensgroot ruiterportret van Dirck Tulp uitvoerde. Potter was een specialist in het uitbeelden van dieren, die in zijn landschappen een belangrijker rol speelden dan de gebruikelijke stoffering en die hij zelfs het hoofdmotief van zijn taferelen maakte: dierportretten dus. In zijn landschappen heerst vaak een duidelijk waarneembare sfeer: somber dan wel zonnig. Zijn befaamde *Stier* is zowel geprezen als verguisd; dit lijkt tevens een barrière gevormd te hebben om zijn werk grondig te bestuderen, waardoor zijn (te jong afgebroken) talent – bijvoorbeeld als tekenaar – nog onvoldoende belicht is.

'J'ai entendu des Hollandais prétendre très-sincèrement que '*le fameux Taureau*' de Paul Potter surpasse tout ce que Raphaël *a pu faire*. Il est vrai qu'on ne connaît pas beaucoup en Hollande tout ce que Raphaël a fait', aldus Thoré-Bürger, niet geheel bezijden de waarheid.[1] Toch waren het de Fransen zelf die het geroofde schilderij in de periode 1795–1815 in het Louvre ophingen naast de Rafaels en de Titiaans. Zo beroemd was het schilderij toen al. Het ontzagwekkend vakmanschap dat Potter in dit meesterwerk tentoonspreidde is hoog geschat, maar – toen het kapitale doek weer terug was in Nederland – eveneens misprezen. Thoré-Bürger citeerde met instemming Théophile Gautier, die een artikel in 1858 had geschreven: 'Le *Taureau* de Paul Potter, toile d'un prix inestimable, dont, à notre regret, nous n'apprécions pas tout le mérite' en Thoré concludeerde zelf: 'Mais le portrait d'un gros boeuf ruminant, pendu contre le mur d'une salle, c'est inacceptable en peinture'.[2]

Tegengestelde reacties heeft de schilder van *De stier* altijd opgeroepen. Zo werd hij nog onlangs waarderend gepresenteerd als een 'alter Pausias'.[3] Pausias van Sicyon was een schilder uit de oudheid die als geen ander runderen kon schilderen. Van Mander haalde Plinius aan, die bewonderend had gesproken over het schilderij van Pausius met een os die de beschouwer weliswaar recht aankeek, maar wiens grote romp toch in de hele lengte te zien was: inderdaad zoals Potter zijn stier in beeld bracht.[4] Andere klassieke verhalen dringen zich op bij het bekijken van details in dit meer dan drie meter brede en twee meter hoge doek. De vliegen op de schoften van de stier en op de rug van de liggende koe zijn zo 'echt' als al die insekten die volgens oud ateliergebruik geschilderd zouden zijn door de leerlingen om hun meesters een poets te bakken. Illusionisme heeft de mens steeds geboeid: zo ging het verhaal dat Apelles een merrie had geschilderd die door een echte hengst zou zijn besprongen.[5] Het zijn allemaal anecdotes over de macht van

Paulus Potter De stier

1
Paulus Potter
Een jacht op een everzwijn
Tekening op perkament, 192 x 289 mm
Rechts onder: *Paulus Potter. f. out 14 jaer aº 1641*
Frankfurt, Städelsches Kunstinstitut, inv.nr.
2839

2
Paulus Potter
Vechtende runderen en rustend vee
Tekening op perkament, 200 x 279 mm
Rechts onder: *Paulus Potter. f. 1648.*
Parijs, Fondation Custodia (collectie F.
Lugt), Institut Néerlandais, inv.nr. 253

de kunstenaar om de grenzen te laten vervagen tussen zijn en schijn. Thoré-Bürger mag dan geen hoge dunk hebben gehad van het onderwerp van Potters schilderij, de kunstenaar zelf kan uit zijn 'bijbel', het *Schilder-Boeck* van Carel van Mander (1604), niet de indruk gekregen hebben dat het schilderen van dieren iets minderwaardigs was. Daarin was een apart hoofdstuk gewijd aan 'Beesten/ Dieren/ en Vogels', waarin niet alleen ruim aandacht werd besteed aan de klassieke uitbeeldingen van fraaie paarden, maar ook aan de ossen van Pausias tot en met de beroemde *Farnesische stier.*[6] In de meeste berichten werd wel op de een of andere manier de aandacht gevestigd op het feit hoe bijzonder natuurlijk aan deze dieren gestalte was gegeven. Dat moet ook Potters oogmerk zijn geweest toen hij in 1647 op tweeëntwintigjarige leeftijd dit meesterwerk schiep als een demonstratie van zijn buitengewoon scherpe waarnemingsvermogen. Men heeft hem wel wat jong gevonden voor zo'n krachttoer, maar hij was nu eenmaal een vroegrijp talent. Echt een groentje was Potter nog in 1641, het jaar waarin hij in grafietstift een tekening maakte op perkament met de voorstelling van *Een jacht op een everzwijn* (Frankfurt, Städelsches Kunstinstitut) [1].[7] Hij schreef er onder 'Paulus Potter. f(ecit).' en voegde er met gepaste trots aan toe: 'out 14 jaer aº 1641'.[8] In dit (en ander) jeugdwerk blijkt Potter een bijzondere aanleg te hebben gehad voor het minutieus getekende detail.[9] Maar dat is toch slechts één aspect van zijn kunst.

Juist in zijn tekeningen (die helaas veel te weinig bekend zijn) laat Potter ons zien dat hij naast pietepeuterig ook zeer los en schematisch kon tekenen.

Frappant is de tekening in zwart krijt, *Herten in een park* (Amsterdam, Rijksprentenkabinet)[10], die in de vormgeving van de dieren rembrandtiek virtuoos is.[11] Dit blad is gedateerd 1647, het jaar waarin Potter *De stier* schilderde. Dat hij inderdaad twee stijlen hanteerde, bewijst de één jaar later ontstane tekening *Vechtende runderen en rustend vee* (Parijs, Fondation Custodia) [2][12], die weer in de fijne techniek is uitgevoerd. De rechterhelft van dit blad is een spiegelbeeldige reprise van het tafereel links op *De stier*: een baardige boer die bij een wilg en een eik op een hek leunt, waarvoor een ram, een schaap en een koe liggen.

Een zekere tweezijdigheid kenmerkt ook het schilderwerk van Potter, want naast de overdonderende *Stier* ontstond, eveneens een jaar later, *Spiegelende koetjes* (Den Haag, Mauritshuis).[13] De bescheiden schaal en de anecdotische vormgeving (er zijn naakte zwemmers op afgebeeld), sprak Thoré-Bürger zeer aan: 'C'est un vrai chef-d'oeuvre, à mon avis, et non pas seulement un *hors-d'oeuvre*, comme le *Taureau*'.[14] Het zuidelijk zonlicht in dit schilderij, dat invloed verraadt van de Italianiserende landschapschilders, beviel de Fransman natuurlijk veel beter dan de sombere lucht in *De stier*. Die was zelfs aanleiding om over het weer in Nederland te klagen: 'La Hollande offre souvent cet effet-là, et c'est pourquoi elle est si triste durant plusieurs mois de l'année'.[15] In deze kille atmosfeer zag de criticus blijkbaar niet dat in *De stier* juist het weidelandschap rechts achter bijzonder fraai en los geschilderd is, en een contrast vormt met de uiterste detaillering in het 'landschap' dat de stierehuid biedt.[16]

Al met al weten we nog nauwelijks wat Potter met dit kolossale doek bedoelde, ook al omdat de naam van een opdrachtgever of koper onbekend is. Een tamelijk nuchtere verklaring is dat het een beeld geeft van de trots van het slagersgilde, het portret van hun beste fokstier, zoals men dat toen kon

3
Anoniem (toegeschreven aan Paulus Potter)
Portret van een witte stier
Doek, 77 x 61 cm
Niet gesigneerd, niet gedateerd (1ste helft 17de eeuw)
Dublin, National Gallery of Ireland, inv.nr. 56

aantreffen in de gildekamers of in de Vleeshal. Er is zo'n – mogelijk ten onrechte aan Potter toegeschreven – *Portret van een witte stier* (Dublin, National Gallery of Ireland) [3][17] bewaard gebleven, dat het dier toont met een bloemenkrans om de hals. Zo opgetuigd werden deze speciaal door de gildeleden gefokte en op hun kosten geweide dieren eens per jaar door de stad gevoerd. In 1564 schilderde een anonymus een *Prijsos* (Amsterdam, Amsterdams Historisch Museum) [4][18], die volgens het bijschrift 1912 pond

4
Anoniem
Een prijsos
Doek, 103 x 126 cm
Links onder (inscriptie): .A°15.64.
Amsterdam, Amsterdams Historisch Museum, inv.nr. A 3016

woog, en die 6 ½ voet hoog was, 10 voet breed en 12 voet lang, en die gewonnen was door de schutter Jacob Boon bij het papegaaischieten.[19] Maar zo'n prijsdier is Potters Stier niet en de entourage van het stuk doet zelfs afbreuk aan het portretmatige. In een portret van een gildestier zou zo'n sombere lucht en de vlaai, rechts voor, door de gildebroeders vermoedelijk nauwelijks zijn gewaardeerd.

Portretten van dieren heeft Potter inderdaad geschilderd en dat werd zelfs een van zijn specialismen. In 1652 is hij van Den Haag naar Amsterdam verhuisd om daar een (voor Hollandse begrippen) unieke opdracht uit te voeren, het *Portret van Dirck Tulp te paard* (Amsterdam, collectie Six).[20] In zijn laatste levensjaar – hij werd niet ouder dan 29 jaar – schilderde hij *De kettinghond* (Leningrad, Hermitage)[21], een wolfshond van een speciaal ras, die door Dirck Tulp uit Rusland zou zijn meegenomen. Echte dierportretten zijn ook twee 1653 gedateerde schilderijen, een *Portret van een Arabische hengst* (Hamburg, Kunsthalle)[22] en een *Portret van een patrijshond* (Amsterdam, Rijksmuseum).[23] Goed vergelijkbaar hiermee is het *Portret van een stier* (New York, collectie A. Porhownik, 1960) [5][24], dat 1647 is gedateerd en dat wel als

een voorstudie voor het Haagse schilderij werd beschouwd.[25] De relatie tussen beide werken is thans niet meer na te gaan, zodat hier volstaan moet worden met de verwijzing naar een verrassend feit dat bij de jongste restauratie (in 1972) aan het licht kwam. Het Haagse schilderij was oorspronkelijk opgezet zoals het stuk bij Alexander Porhownik, dus als een portret van de stier alleen. Vervolgens is het doek eigenhandig door de schilder aan drie zijden vergroot, waardoor het tafereel uitgebreid kon worden met verhalende elementen, zoals de boer met de schapenfamilie, het landschap rechts en de leeuwerik in de lucht.[26]

De conclusie zou kunnen zijn dat Potter een eigenhandig gemaakte repliek van een portret van een stier tot een zogenaamd genretafereel heeft omgevormd, dat op deze wijze beter verkoopbaar was. Waarschijnlijk moet

6
Lucas van Leyden
De melkmeid
Gravure, 114 x 154 mm
Midden onder op een tablet: *L 1510*
Amsterdam, Rijksprentenkabinet

daarom vooral worden nagegaan of speciaal in het bijwerk nog een boodschap is verwerkt. Een vernuftige associatie had Duparc, die dacht dat de kikker op de voorgrond verwijst naar een van Aesopus' fabels, die van de os en de kikvors.[27] De kikker wilde zo groot zijn als de os en blies zich op tot hij barstte. De moraal: spiegel je niet aan andermans rijkdom of macht. Deze fabel vertelde Vondel na in zijn *Vorstelijcke Warande der Dieren* (Amsterdam 1617).[28] De illustratie bij Vondel toont aan dat deze fabel *niet* door Potter is uitgebeeld, tenzij men het vervangen van een os door een stier van minder belang acht. Immers, de fabel waar het laatste dier wèl de hoofdrol in speelt is die van de stier en de muis. De stier, die zich wegens zijn kracht de koning der viervoetigen waande, werd gebeten door een muis die hij in zijn holletje niet te pakken kon krijgen. De moraal: wie niet sterk is, moet slim zijn.[29] Als Potter naar Aesopus' fabels had willen verwijzen, had hij wel een muis geschilderd.

De betekenis van allerlei details ontgaat ons vooralsnog. Is er wellicht een tegenstelling bedoeld tussen het helder belichte tafereel met de goed doorvoede beesten links en de sombere rechterhelft van het schilderij met de koeievlaai (gij zult tot stof vergaan)? Contrasteert de leeuwerik in de lucht met de kikker op de aarde? En waarom heeft Potter met nadruk een wilg en een eik geschilderd? Net zoals het zogenaamde prototype van de voorstelling, de gravure *De melkmeid* van Lucas van Leyden [**6**][30] zich niet overtuigend liet interpreteren, zo onttrekt *De stier* van Potter zich voorlopig aan een nadere verklaring. Men kan hoogstens constateren dat de landman in het schilderij van Potter minder als een boerenpummel is gekarakteriseerd dan in de gravure van Lucas het geval is. Met zijn strooien hoed en welverzorgde uiterlijk heeft deze figuur meer weg van de rustieke figuren bij Isack van Ostade (cat.nr. 44) dan van de domme boeren in de kluchtige taferelen van schilders als Pieter Bruegel en Adriaen Brouwer (cat.nr. 14).[31]

1 *Thoré-Bürger 1858–60*, dl. 1, p. 211
2 *Thoré-Bürger 1858–60*, dl. 1, p. 212, noot 1 en p. 213. Een goede samenvatting van de opinies van Franse schrijvers (onder andere Eugène Fromentin) over *De stier* gaf *Michel 1906*, p. 47–51. De invloed die het schilderij gehad heeft op het Franse realisme werd besproken en geïllustreerd in *Chu-ten Doesschate 1974*, p. 27 en afb. 28–30 (Jacques-Raymond Bracassat, Rosa Bonheur, Constant Troyon). De literatuur over Potter (tot 1942) werd samengevat door *Borenius 1942*, p. 290–291.
3 *Reznicek 1975*, p. 121 en p. 126, afb. 15. Niet 'Pausanias', zoals *Duparc 1980*, p. 82 dacht

4 *Van Mander 1604*, fol. 73a–b; zie ook: *Miedema 1973*, dl. II, p. 567, nr. IX, 37d

5 *Kris/Kurz 1934*, p. 69–73

6 *Van Mander 1604*, fol. 38a–42a

7 *Broos 1984-B*, p. 27, afb. 10

8 Hij overdreef (opzettelijk?) zijn jeugd, want in 1641 was hij al 15 jaar oud, omdat hij geboren is op 20 november 1625, zie: *Van Westrheene 1867*, p. 40

9 Deze en dergelijke jeugdwerken zal ik becommentariëren in deel IV van de reeks catalogi *Oude tekeningen in het bezit van de Gemeentemusea van Amsterdam waaronder de collectie Fodor* (in voorbereiding).

10 Inv.nr. 31:179; *Van Gelder 1958*, p. 39 en 96, nr. 114 en afb.; *Frerichs/Van Regteren Altena 1963*, p. 52–53, nr. 67 en afb.: 'Eén van de meest verrassende tekeningen van Paulus Potter'

11 Vergelijk ook de hier als een *Zelfportret* herkende tekening, afb. 2 bij cat.nr. 33

12 *Van Hasselt 1977–78*, p. 121–122, nr. 81 en afb. pl. 125

13 Inv.nr. 137; HdG 81; *Den Haag 1977*, p. 186, nr. 137 en afb. (+ lit.)

14 *Thoré-Bürger 1858–60*, dl. I, p. 217

15 *Thoré-Bürger 1858–60*, dl. I, p. 213

16 Het landschap van Potter wordt wel ten onrechte ondergewaardeerd, zoals door *Stechow 1968*, p. 80, die meende dat in het merendeel van diens schilderijen het vee 'steals the show'. Het vergezicht vertoont het dorp Rijswijk met de kerk en Huis Binckhorst (zie: *Duparc 1980*, p. 81), volgens *Martin 1950*, p. 73 gezien vanuit Potters woning in Den Haag: hij woonde echter pas in 1649 in Den Haag – in 1647 woonde hij in Delft (*Duparc 1980*, p. 80–81).

17 *Dublin 1971*, p. 131, nr. 56. Deze 'verklaring' gaf Petra Chu-ten Doesschate in een ongepubliceerde scriptie, zie: *Duparc 1980*, p. 82–83, noot 8

18 *Blankert 1975/1979*, p. 427, nr. 625

19 *Carasso-Kok 1975*, p. 33, afb. 39

20 Zie cat.nr. 33, noot 2

21 Inv.nr. 817; *Rotterdam 1985*, p. 68–69, nr. 21 en afb.

22 Inv.nr. 331; HdG 138; *Hamburg 1966*, p. 125, nr. 331 en afb. (+ lit.)

23 Inv.nr. C 279; HdG 131; *Van Thiel e.a. 1976*, p. 455, nr. C 279 en afb. (+ lit.)

24 HdG 51; foto RKD

25 HdG 51: 'Studie für den Stier im Haag'; het is geen voorstudie, maar een volledig voltooid schilderij op klein formaat (53,7 x 65 cm).

26 *Susijn 1973*, p. 44–45, afb. 1, vermeldde de oorspronkelijke afmetingen van het doek.

27 *Duparc 1980*, p. 82

28 *Vondel*, dl. I, p. 582, nr. 33: 'Den os en de vorsch' (+ afb.)

29 *Vondel*, dl. I, p. 674–675, nr. 79: 'Stier en 't muysken' (+ afb.)

30 B. 158; *Filedt Kok 1978*, p. 31–32, afb. 22 en p. 161, nr. B. 158. Een tamelijk vergaande (erotische) interpretatie gaf *Wuyts 1975*, p. 441–453.

31 Over de uitbeelding van het 'domme' boerenvolk, zie cat.nr. 43, noot 2–3. *McNeil Kettering 1983* geeft legio voorbeelden van Hollandse arcadische taferelen. Het is wellicht nuttig erop te wijzen dat de bekende reeks etsen van paarden uit 1652 (B. 9–13; *Hollstein*, dl. XVII, p. 216–218, nr. 9–13 en afb.) eigenlijk allegorische voorstellingen zijn van de vijf levensfasen, zie: *Verbeek 1962*, p. 8a–b. *Spicer 1983*, p. 251–256 onderzocht de uitbeelding van de koe als symbool voor de Aarde (Terra).

Haarlem 1608 – Den Haag 1669

Paneel, 53,3 x 79,5 cm
Rechts onder: *P. POST 163(.)*
Inv.nr. 970

Herkomst
Onbekende collecties, achttiende en
negentiende eeuw (zie noot 10)
Veiling Lombard, Keulen, 1866 (zie noot 10)
Kunsthandel C. Benedict, Parijs, 1938
Collectie W. Martin, Den Haag, 1938–1954
Collectie mevr. Martin-Visser van
IJzendoorn, 1954–1964 (bruikleen aan het
Mauritshuis van 1964 tot 1966)
Koninklijk Kabinet van Schilderijen
'Mauritshuis', 1975 (gekocht van de erven
Martin ter gelegenheid van de zeventigste
verjaardag van oud-directeur A.B. de Vries)

Bibliografie
Rotterdam 1938–39, p. 11, nr. 26 en afb. xv
Blok 1942, p. 130 en afb., p. 132
Eindhoven 1948, p. 22, nr. 47
De Sousa-Leão 1948, p. 37 en afb.
Den Haag 1953, p. 37, nr. 10 en afb.
Gudlaugsson 1954, p. 59, 64–65 en afb. 7
Plietzsch 1960, p. 113–114, afb. 191
Larsen 1962, p. 94, 131–133
De Vries 1966-A, p. 182
Bol 1969, p. 148 en 151, afb. 141
De Sousa-Leão 1973, p. 21 en 24, afb. A
Hoetink 1976, p. 172–173, afb. 2
Den Haag 1977, p. 185, nr. 970 en afb.
Duparc 1980, p. 79–80, nr. 970 en afb. p. 208
Nihom-Nijstad 1983, p. 104–105, nr. 63
Hoetink e.a. 1985, p. 248–249, nr. 65 en afb.,
p. 420, nr. 970 en afb.

Aanvankelijk was hij werkzaam als schilder: al in 1623 werd hij als zodanig vermeld, terwijl het handjevol schilderijen dat nu van hem bekend is, gedateerd is of moet worden in de vroege jaren dertig. Dit zijn ruitergevechten en – zeer charmante – landschappen. Tussen 1633 en 1644 bouwde hij samen met Jacob van Campen in Den Haag een woonhuis voor Johan Maurits van Nassau Siegen, het latere *Mauritshuis*, het eerste bouwwerk van belang van de klassicistische barok in de Noordelijke Nederlanden. In deze periode realiseerde hij tegenover het *Mauritshuis* een woning voor Constantijn Huygens, die alleen nog uit afbeeldingen bekend is. Frederik Hendrik betrok hem bij de bouw van zijn paleizen *Ter Nieuburch* en *Honselaarsdijk*. Voor Huygens ontwierp Post het buiten *Hofwyck* bij Voorburg in 1643, twee jaar later gevolgd door *Huis ten Bosch* nabij Den Haag voor Amalia van Solms (voltooid in 1652). Andere gebouwen naar zijn ontwerp zijn het Gemeenlandshuis van Rijnland (*Huis Swanenburch*) te Halfweg (1645), de fraaie Waag te Leiden (1657–1659), het *Hofje van Nieuwkoop* te Den Haag (1658–1662), het stadhuis van Maastricht (1659–1664) en de Waag te Gouda (1668), een variant op die van Leiden.

Omstreeks 1600 leed Hendrick Goltzius in Haarlem weer aan zijn oude kwaal, de tering, die hij onder andere trachtte te genezen met lange wandelingen: 'dan most veel tijt en zijn saken versuymen/ met daeghlijcx om hem verlustighen te wandelen', aldus Van Mander.[1] Vermoedelijk zijn toen een aantal tekeningen ontstaan van landschappen in het duingebied bij Haarlem, zoals het 1603 gedateerde *Hollands vergezicht* (Parijs, Fondation Custodia) [1].[2] Zij luidden een eeuw in, waarin de registratie van het specifiek Hollandse landschap – stranden, plassen, hofsteden en molens onder hoge luchten – een ongeëvenaard niveau zou bereiken als afzonderlijk thema in de teken- en schilderkunst. Carel van Mander wijdde zelfs een apart hoofdstuk aan dit genre en spoorde de aankomende schilder aan zelf de schoonheid van het vaderlandse landschap te ervaren:

   'En comt/ laet ons al vroech met t'Poort ontsluyten
   T'samen wat tijdt corten/ om s'gheests verlichten/
   En gaen sien de schoonheyt/ die daer is buyten/'.[3]

In twee lange gedichten op de stad Haarlem heeft Van Mander de fraaie ligging van stad en land beschreven (zie: cat.nr. 55). Het is bijna vanzelfsprekend dat hier de kiem is gelegd voor het loflied op het Hollandse landschap, zoals de schilders op hun manier dat in beeld hebben gebracht, want schilder- en dichtkunst gingen in dit geval hand in hand. Dat vanuit Haarlem de victorie begon van het Hollandse landschap, is niet met slechts één voorbeeld aan te tonen. Naast Willem Buytewech, Hendrick Goltzius, Jan van Goyen, Pieter de Molijn, Hercules Seghers en Cornelis Vroom heeft

1
Hendrick Goltzius
Hollands vergezicht
Tekening, 78 x 197 mm
Links boven: HG 1603
Parijs, Fondation Custodia (collectie F.
Lugt), Institut Néerlandais, inv.nr. 2628

Pieter Post een bescheiden, maar zeer oorspronkelijke bijdrage geleverd.[4]

De broer van Frans Post mag dan bekend zijn als bouwmeester, hij werd opgeleid als schilder en was sinds 1623 meester in het Haarlemse Sint Lucasgilde[5] – er zijn thans niet meer dan tien schilderijen van hem bekend. Totdat Martin in 1938 dit *Duinlandschap met een hooischelf* verwierf, kende men van Pieter Post slechts enkele voorstellingen met ruitergevechten in de trant van Esaias van den Velde: twee 1631 gedateerde pendanten (Den Haag, Mauritshuis)[6] en een ongedateerde variant (Keulen, Wallraf-Richartz-Museum).[7] Toen Lugt in 1950 een *Landschap bij Haarlem met de bleekvelden* (Parijs, Fondation Custodia) [**2**][8] had gekocht dat thematisch verwant is aan het Haagse *Duinlandschap*, bleek pas goed dat Post beschikte over een verrassend oorspronkelijke visie op het Hollandse landschap. Gudlaugsson beschreef vervolgens zijn geschilderde oeuvre in 1954, dat onder andere kon worden uitgebreid met enkele fantasielandschappen met ruïnes.[9] De vroegst bekende datering bleef 1631; dit jaartal komt ook voor op het schilderij van Lugt. Men houdt sindsdien 1633 voor het enige andere overgeleverde jaartal, dat voor zou komen op het *Duinlandschap* in Den Haag.[10] Ten onrechte: naast de signatuur 'P. POST' is inderdaad het restant van een jaartal te zien, waarvan echter het laatste cijfer onleesbaar is geworden.[11] Vermoedelijk is het wèl ontstaan voordat Post in 1633 in Den Haag betrokken raakte bij de bouw van het Mauritshuis.

Op grond van stilistische overeenkomsten met de gesigneerde werken, konden nog enkele niet gemerkte landschappen aan Pieter Post worden toegeschreven. Van belang is hier een vrij groot *Hollands vergezicht* (Den Haag, collectie erven W. Martin)[12], maar vooral een voorheen aan Esaias van den Velde toegeschreven *Landschap met ruiters op een zandweg* (Kopenhagen, Statens Museum for Kunst) [**3**].[13] Deze composities vertonen zoveel overeenkomst met speciaal het *Landschap bij Haarlem met de bleekvelden* [**2**], dat de toeschrijving aan Post overtuigend klinkt. Kenmerkend in deze drie werken is het weidse landschap met het ongewoon hoog gekozen blikpunt en rechts een boomgroep als repoussoir. De stoffering met figuren is niet overdadig, maar levendig en met fantasie gedaan. Het stofferen is kennelijk een specialisme van Pieter Post geweest, want hij heeft – volgens Keyes althans –

Pieter Post Duinlandschap met een hooischelf

▲ 2
Pieter Post
Landschap bij Haarlem met de bleekvelden
Paneel, 43,7 x 61,5 cm
Rechts onder: P.I. POST. 1631
Parijs, Fondation Custodia (collectie F. Lugt), Institut Néerlandais, inv.nr. 6331

▼ 3
Pieter Post
Landschap met ruiters op een zandweg
Paneel, 40,5 x 71,5 cm
Niet gesigneerd, niet gedateerd (ca. 1630–35)
Kopenhagen, Statens Museum for Kunst, inv.nr. 3359a

figuren geschilderd in het werk van Cornelis Vroom en later ook in de architectuurschilderijen van Pieter Saenredam, zoals Gudlaugsson omstandig beschreven heeft.[14]

In het *Duinlandschap met een hooischelf* bestaat de stoffering uit een paar koeien, een boer en een boerin die met hooi sjouwen en een kudde schapen die grazen in een duinpan, terwijl een herdersjongen een kluitje naar hen gooit. Hier is afgezien van de bomen als repoussoir, maar uit het schilderij van Lugt is de naar één kant oplopende voorgrond overgebleven. Vergelijkbaar met het *Landschap met ruiters op een zandweg* in Kopenhagen is de gesloten horizon en de hooischelf waarvan de palen tegen de lucht afsteken. Vanwege het dramatische effect heeft Pieter Post in het schilderij in Den Haag de donkere staken die boven de horizon oprijzen als het eigenlijke onderwerp gekozen. Een pittoreske hooischelf als hoofdmotief was zeer ongebruikelijk in de

264

landschapschilderkunst. Gudlaugsson meende al: 'In zijn soberheid van vormgeving en ingetogenheid van stemming is het een klein meesterwerk, uniek in zijn tijd en omgeving'.[15]

1 *Van Mander 1604*, fol. 284a

2 *Van Hasselt 1968–69*, dl. I, p. 65–66, nr. 90, dl. II, afb. pl. 10; *Reznicek 1961*, dl. I, p. 427–428, nr. 400, dl. II, afb. A 380

3 *Van Mander 1604*, fol. 34b

4 Over het vroege Hollandse landschap bestaat veel literatuur; het meest recente overzicht gaf *Brown 1986*, passim; voor Goltzius, zie recent: *Reznicek 1986*, p. 57–62; in meer algemene zin zie ook: *Stechow 1968*, p. 13–128 en *Amsterdam 1978*, p. 135–156

5 *Miedema 1980*, dl. II, p. 1038

6 Inv.nr. 765 en 766; *Hoetink e.a. 1985*, p. 420, nr. 765–766 en afb.; *Osinga 1933*, p. 299 kende geen landschappen van Post.

7 Inv.nr. 2374; *Vey/Kesting 1967*, p. 85, nr. 2374 en afb. 124

8 *Nihom-Nijstad 1983*, p. 104–105, nr. 63 en afb. pl. 15

9 *Gudlaugsson 1954*, p. 59–66 maakte daarbij gebruik van vondsten van J.G. van Gelder en R. van Luttervelt.

10 Met het blote oog is hooguit 16 te lezen; een vergrote opname toont van het jaartal bovendien een 3, zeker geen 33 (restauratie-archief Mauritshuis). Volgens een opgeplakte tekst op de achterzijde (door Martin?) las Benedict (zie herkomst) *1636*. Een tweede opgeplakte mededeling in dorso (in het Frans, door Benedict?) houdt zich bezig met de toeschrijving aan Pieter (of Frans?) Post (volgens Suermondt: Porcellis). Overigens vertoont de achterkant drie oude lakzegels van nog niet geïdentificeerde voormalige eigenaars.

11 *Duparc 1980*, p. 79 trof de signatuur ten onrechte links onder aan.

12 *Gudlaugsson 1954*, p. 62–63, afb. 4

13 *Kopenhagen 1951*, p. 331, nr. 739 en afb.; *Keyes 1982*, p. 203–204, nr. Rej. 61 schreef aan Pieter Post een tweede schilderij toe, dat voorheen op naam van Esaias van den Velde stond, *Een stadsplein met brandende kerk* (Malibu, The J. Paul Getty Museum, inv.nr. 72.PA.26).

14 *Keyes 1975*, dl. II, p. 176, nr. P 8; *Gudlaugsson 1954*, p. 66–70

15 *Gudlaugsson 1954*, p. 59; de hooischelf als hoofdmotief treft men ook aan in een tekening van Cornelis Saftleven (Amsterdams Historisch Museum, inv.nr. A 10311; *Schulz 1978*, p. 165, nr. 399 en afb. 83: ca. 1660).

Rembrandt Het loflied van Simeon

Leiden 1606 – Amsterdam 1669

Paneel, 61 *x* 48 cm
Rechts onder, op de zijkant van de stoel: *RHL. 1631* (RHL ineen)
Inv.nr. 145

Na een leertijd van drie jaar in Leiden, bekwaamde hij zich verder in het historieschilderen bij Pieter Lastman in Amsterdam. Uit zijn vroegste werken (1625–1626) blijkt dat hij Lastmans veelfigurige 'Italiaanse' composities goed had bestudeerd en diens bonte koloriet had overgenomen. Terug in Leiden schilderde Rembrandt echter in sombere bruine en grijze tinten met een sterke licht-donkerwerking. Huygens bewonderde deze geconcentreerde kracht meer dan de levensgrote formaten van zijn artistieke concurrent en ateliergenoot Lievens. Door zijn bemiddeling kreeg Rembrandt opdrachten van het hof (onder andere een serie passietaferelen).

Eind 1631 vertrok Rembrandt definitief naar Amsterdam om fortuin te maken met portretten. Die had hij tot dan toe niet gemaakt, omdat hij historieschilder wilde zijn. Via de kunsthandelaar Hendrick Uylenburgh (bij wie hij inwoonde) kreeg hij zeer veel portretopdrachten en leerde hij diens nichtje Saskia kennen, met wie hij in 1633 trouwde.

Na drie jonggestorven kinderen kregen zij een zoon, Titus, in 1641; in 1642 overleed Saskia. In datzelfde jaar voltooide Rembrandt de *'Nachtwacht'*, zijn grootste groepsportret, dat hij concipieerde als een historiestuk.

In de jaren veertig schilderde Rembrandt minder, en legde hij zich toe op het tekenen en etsen. Het koloriet van zijn historiestukken werd helderder en de toets breder. Een opvallend nieuw thema was het (fantasie)landschap, ook in etsen en tekeningen. In 1649 was Hendrickje Stoffels bij Rembrandt komen wonen, die hij beschouwde als zijn 'huysvrou'. Ze kregen een dochter Cornelia en zij bleef tot haar dood in 1663 lief en leed met Rembrandt en Titus delen. Hoewel zijn brede schildertrant omstreeks 1650 was ouderwets moet hebben aangedaan, leverde hem dat niet minder (portret)opdrachten op. Een nieuw type schilderij waren de bijbelstukken en historische potretten, bestaande uit grote halffiguren, waarvoor hij zelfs opdrachten kreeg van de Siciliaanse edelman Antonio Ruffo. Speculaties en achterstallige schulden leidden tot de noodgedwongen aanvraag van zijn boedelafstand in 1656, bij welke gelegenheid zijn kunstverzameling werd geïnventariseerd. In de uitgebreide collectie valt vooral de prentkunst op, die hem in staat stelde het werk van beroemde oude meesters te bestuderen. Hij voelde zich verwant aan Leonardo, Rafael en Titiaan: zo signeerde hij bijvoorbeeld (sinds 1633) net als deze Italianen slechts met zijn voornaam: Rembrandt.

Na de veiling van zijn collectie in 1658 werkte Rembrandt als vanouds door, hiertoe in staat gesteld door de kunsthandel van Hendrickje en Titus, waarvan hij het vruchtgebruik had. Zijn koloriet werd toen donker en eenvoudig met veel rood, geel en bruin en de verfopbreng was krachtig. Ook toen kreeg hij nog belangrijke (portret)opdrachten,

Herkomst
Veiling A. Bout, Den Haag, 1733
Collectie stadhouders Willem IV en Willem V, Het Loo, Apeldoorn, 1733–1763
Collectie stadhouder Willem V, Den Haag, 1763–1795
Het Louvre, Parijs, 1795–1815
Koninklijk Kabinet van Schilderijen, Den Haag, 1815
Koninklijk Kabinet van Schilderijen 'Mauritshuis', 1821

Bibliografie
Hoet 1752–70, dl. I, p. 391, nr. 82
Terwesten 1770, p. 708–709
Steengracht van Oostkapelle 1826–30, dl. III, p. 41–42, nr. 75 en afb.
Smith 1829–42, dl. VII, p. 26–27, nr. 64
Blanc 1859–64, dl. III, p. 379
Vosmaer 1868, p. 15–16 en 421
De Stuers 1874, p. 116–118, nr. 114
Vosmaer 1877, p. 101–103, 488 en 571
Dutuit 1885, p. 2, 36, 59 en 65, nr. 52
Michel 1893, p. 66 en afb. pl. 2, p. 565
Bredius 1895, p. 325–327, nr. 145 (289F) en afb.
Geffroy 1900, p. 91–92 en afb.
Valentiner 1909, p. 23 en 550 en afb.
Wurzbach, dl. II, p. 400 en 412
Den Haag 1914, p. 297, nr. 145
HdG 80 (dl. VI, p. 48, nr. 80)
Bauch 1933, p. 94–97 en afb. 85
Bredius 1935, p. 24, nr. 543 en afb.
Martin 1935, p. 273–275, nr. 145
Martin 1936, dl. II, p. 13 en afb. 8
Stechow 1940, p. 370–371, noot 7
Den Haag 1954, p. 68, nr. 145
Wischnitzer 1957, p. 226
Schulte Nordholt 1960, p. 40a–b en afb.
Bauch 1966, p. 122, 186 en 258
Lunsingh Scheurleer 1967, p. 18 en 206, afb. 15
Gerson 1968, p. 184–185 en 489, nr. 17
Haak 1968, p. 64–65 en afb. 96
Gerson/Bredius 1969, p. 456 en 605, nr. 543 en afb.
Tümpel 1969, p. 179, noot 143 en p. 189–190
Tümpel/Tümpel 1970, nr. 48
Drossaers/Lunsingh Scheurleer 1974–76, dl. II, p. 643, nr. 88, p. 652, nr. M, dl. III, p. 18, nr. 2, p. 227, nr. 129
Brenninkmeyer-de Rooij 1976, p. 170, nr. 129 en afb.
Broos 1977, p. 57, nr. Br. 543
Den Haag 1977, p. 197, nr. 145 en afb.
De Vries e.a. 1978, p. 12–13, 72–81, nr. V en afb. 37 en V–VI
Strauss/Van der Meulen 1979, p. 73

Broos 1981, p. 45 en 88, noot 6
Boyer 1982, p. 153, nr. 8
Bruyn e.a. 1982, p. 58, 149, 155, 331–337, nr. A 34 en afb.
Schwartz 1984, p. 105 en afb. 97, p. 260
Hoetink e.a. 1985, p. 258–259, nr. 70 en afb., p. 428–429, nr. 145 en afb.
Starcky 1985, p. 257 en afb. 6

schilderde hij zijn geliefden in historische vermomming en maakte hij zelfportretten waarin hij zich presenteerde als een zelfbewust en gerijpt kunstenaar.

Op 11 augustus 1733 werd in Den Haag de schilderijenverzameling geveild van Adriaan Bout, de zoon van een Leidse lakenkoopman die sinds 1714 agent was van Johann Wilhelm, keurvorst van de Palts. Hij had legers gefinancierd voor zijn broodheer en was voor hem actief op de kunstmarkt – zelf verzamelde Bout ook.[1] Op deze veiling liet de jonge stadhouder van Friesland, Willem Carel Hendrik Friso, de latere Willem IV (1711–1751), met succes bieden op onder andere het schilderij van Rembrandt, *Het loflied van Simeon*. Het was de eerste Rembrandt die in de achttiende eeuw opgenomen werd in de collectie van de Oranjes, nadat alle rechtstreeks van de schilder verworven werken in de daaraan voorafgaande periode successievelijk in andere handen waren overgegaan. Zo had bijvoorbeeld de keurvorst van de Palts omstreeks 1700 de befaamde reeks passiettaferelen die gemaakt waren in opdracht van Frederik Hendrik (München, Alte Pinakothek)[2], kunnen verwerven. Het is zelfs denkbaar dat dezelfde Adriaan Bout daarbij had bemiddeld.[3]

De veronderstelling is geopperd dat Willem IV dit schilderij kocht omdat het eveneens ooit deel had uitgemaakt van de collectie van Frederik Hendrik, maar daarvoor ontbreekt ieder bewijs.[4] De aanleiding tot het kopen van *Het loflied van Simeon* was vermoedelijk zelfs niet dat de stadhouder een speciale voorliefde voor Rembrandt had.[5] Het moet hem eerder te doen zijn geweest om het thema en de manier van schilderen. Van belang was kennelijk dat het juist niet rembrandtiek – in de betekenis van los en breed – was uitgevoerd, maar minutieus in de trant van Gerard Dou. Zo werd het ook aangeprezen in de catalogus van de collectie Bout: 'curieus en uytvoerig geschildert, vol Beelden, van zyn alderbeste en uytvoerigste tyd'.[6] Naar de smaak van die tijd werden 'uytvoerig' gepenseelde stukken, dus het werk van de Leidse fijnschilders, het meest gewaardeerd. Op de veiling Bout werd Rembrandts schilderij voor 830 gulden afgehamerd, maar de absolute topstukken waren daar *De muizeval* (Montpellier, Musée Fabre)[7] van Gerard Dou en *Het duet* (Schwerin, Staatliches Museum)[8] van Frans van Mieris. Ze brachten daar de ongehoorde bedragen van 2065, respectievelijk 3000 gulden op.[9] Dat was duidelijk te hoog gegrepen voor de stadhouder, die zich tevreden moest stellen met twee stukken van Dou's leerling Godfried Schalcken, *De nutteloze zedenles* en *Het doktersonderzoek* (beide Den Haag, Mauritshuis)[10], die hij samen voor 930 gulden wist te verwerven.

Vermoedelijk was Rembrandts bijbelstuk vanwege het onderwerp geschikt als geschenk van Willem IV aan zijn bruid. In het jaar na de aankoop (1734) trouwde hij met Anna van Hannover en in haar 'schilderijcabinet' op Het Loo kwam het toen (of niet veel later) te hangen als pendant van een schilderij van niemand minder dan Gerard Dou: *De jonge moeder* (Den Haag, Mauritshuis).[11] Dit werk (cat.nr. 20), dat ooit deel had uitgemaakt van de befaamde 'Dutch Gift' aan Karel II, werd voor Anna's kabinet overgebracht uit de Prinsessehof in Leeuwarden. De Rembrandt en de Dou flankeerden een tafereel van Cornelis van Poelenburch, *De verkondiging aan de herders* (Gray, Musée baron Martin)[12], een van de schilderijen die in 1815 niet door de Fransen werd teruggegeven aan het Koninklijk Kabinet.[13] In de inventaris van paleis Het Loo werden deze drie werken opgesomd alsof ze een ensemble

1
Reconstructie van het ensemble in de
slaapkamer van Anna van Hannover
a Gerard Dou *De jonge moeder* (cat.nr. 20)
b Cornelis van Poelenburch *De verkondiging
aan de herders* (Gray, Musée baron Martin)
c N. Heydeloff naar Rembrandt *Het loflied
van Simeon* (tekening, Den Haag,
Mauritshuis)

vormden [**1a-c**].[14] De gemeenschappelijke thematiek van dit ongewone
'triptiek' van profane en religieuze voorstellingen was kennelijk de geboorte
en het jonge leven. Pas in 1748 kwam Anna's eersteling ter wereld, de latere
Willem v.

Het formaat en de vorm van Rembrandts rechthoekige paneel werden
aangepast aan die van *De jonge moeder* van Gerard Dou door er een halfronde
toog aan toe te voegen, waarbij de beide bovenhoeken nogal grof werden
afgezaagd. Op het aangezette stuk hout werd de architectuur bijgeschilderd
en waarschijnlijk werden beide panelen in identieke lijsten gevat. Er is geen
aanwijzing dat de Haagse kunstenaar en handelaar Philips van Dijk (1680–
1752), die op de veiling Bout voor Willem IV was opgetreden, ook deze
aanpassingen heeft uitgevoerd.[15] In 1763 werden de schilderijen van Dou en
Rembrandt overgebracht naar het stadhouderlijk kwartier in Den Haag waar
ze weer naast elkaar kwamen te hangen, maar ditmaal zonder de
Poelenburch er tussenin.[16] Toen de nieuwe galerij van Willem v op het
Buitenhof werd ingericht in of na 1774, werden ze eindelijk van elkaar
gescheiden.[17]

De prenten die naar *Het loflied van Simeon* zijn gemaakt tijdens de confiscatie
door de Fransen, tussen 1795 en 1815, tonen het halfronde bovenstuk als een
integraal onderdeel van het schilderij en zo werd het nog gereproduceerd in
de eerste catalogus van het Koninklijk Kabinet in 1826 [**1c**].[18] Sindsdien
vermeldde de literatuur steeds vaker dat het een latere toevoeging betrof en
kort voor de publicatie van Bredius' catalogus van het Mauritshuis in 1895
werd de toog door een nieuwe lijst bedekt, die de afgezaagde bovenhoeken

2
Willem de Poorter
Het loflied van Simeon
Paneel, 60 x 48,5 cm
Links onder: wdp (ineen), niet gedateerd
(ca. 1631–32)
Dresden, Staatliche Kunstsammlungen,
inv.nr. 1391

met sierlijke krullen maskeerde.[19] Men bedenke dat het paneel oorspronkeljk rechthoekig was, zoals een oude kopie thans nog laat zien (Dresden, Staatliche Kunstsammlungen) [**2**][20]: dit is een product van Rembrandts atelier, gesigneerd door Willem de Poorter.

Rembrandts schilderij vertoont de oorspronkelijke signatuur en datering 'rhl. 1631'. Op het einde van het jaar 1631 ruilde de ambitieuze schilder voorgoed de saaie academiestad Leiden voor de van activiteiten bruisende koopmansstad Amsterdam. Daar was in ieder geval met portretschilderen goed geld te verdienen. *Het loflied van Simeon* was een soort afscheid van de Leidse periode, omdat het als het ware samenvat wat Rembrandt aan artistieke ambitie tot dan toe had ontwikkeld. Het was een historiestuk in de geest van Pieter Lastman. Men herkent het voorbeeld van zijn leermeester in de aandacht voor het detail en de doordachte compositie, die ondergeschikt zijn gemaakt aan het Rembrandts machtigste expressiemiddel, de geconcentreerde lichtval die de hoofdfiguren dramatisch doet oplichten.

Rembrandt heeft steeds een speciale voorliefde gehad voor het verhaal uit

3
Rembrandt
Het loflied van Simeon
Paneel, 55,4 x 43,7 cm
Niet gesigneerd, niet gedateerd (ca. 1627–28)
Hamburg, Kunsthalle, inv.nr. 88

het evangelie volgens Lucas, waarin verteld wordt van de ontmoeting met Simeon in de tempel. Een van zijn vroegste bijbelstukken uit omstreeks 1627–1628 (Hamburg, Kunsthalle) [3][21] behandelt dit thema, dat hij zelfs nog in zijn laatste levensjaar schilderde (Stockholm, Nationalmuseum).[22] In de tussenliggende jaren bracht hij het verhaal in beeld in schilderijen, tekeningen en etsen.[23] Een vergelijking met de Hamburgse versie toont aan dat hij in het Haagse tafereel teruggreep op de formule met een overdaad aan figuren, die hij in zijn vroegste werken onder invloed van Lastman vaak had toegepast. Tijdens zijn korte stage bij de historieschilder heeft Rembrandt trouwens niet alleen diens tastbare voorbeelden, maar ook de theoretische achtergronden daarvan bestudeerd.

Carel van Manders *Schilder-Boeck* (1604) was daarbij natuurlijk de belangrijkste bron. In diens hoofdstuk 'Van der Ordinanty ende Inventy der Historien' werden de meest fundamentele kenmerken van een goed historiestuk opgesomd en het blijkt dat die stuk voor stuk zijn terug te vinden in *Het loflied van Simeon*.[24] Allereerst moesten de hoeken van een compositie

◄ **4**
Rembrandt
Een baardige grijsaard in een leunstoel
Tekening, 104 x 91 mm
Midden onder: RHL *1631*
Parijs, collectie Alain Delon

_____

► **5**
Rembrandt
Een staande oosterling met een stok
Tekening, 150 x 48 mm
Niet gesigneerd, niet gedateerd (ca. 1629)
West-Berlijn, Kupferstichkabinet
inv.nr. KDZ 3100

_____

voorzien zijn van repoussoir-figuren.[25] Vandaar de oude man met de lange baard in de stoel rechts, die aldus zorgt voor de noodzakelijke diepte in het tafereel. Deze figuur vertoont enige overeenkomsten met een studietekening die Rembrandt eveneens in 1631 maakte van *Een baardige grijsaard in een leunstoel* (Parijs, collectie Alain Delon) [**4**].[26] Dit is weliswaar geen voorstudie voor het schilderij, maar het biedt een identiek vormprobleem. Dezelfde kalende, gebaarde man keert terug op talrijke schilderijen, tekeningen en etsen uit de periode tot en met 1631.[27]

Ten tweede moest de schilder, volgens Van Mander, de 'Scopus' van zijn verhaal temidden van een in een cirkel opgestelde groep omstanders plaatsen, als een 'Beeldt/ dat veel aensien oft bidden'.[28] Het kind Jezus is natuurlijk dit middelpunt, terwijl de kring omstanders als het ware gesloten wordt door de rijzige, staande figuur met de geheven armen. Aan een derde eis, die van 'copia' en 'varietas', dus veelheid en verscheidenheid vooral in de figuratie, is hier ook in ruime mate voldaan: W. Martin telde in 1935 in de menigte rechts op de trap maar liefst tweeënveertig figuren.[29] Door de toeschouwers op verschillende niveau's te plaatsen, werd een vierde effect nagestreefd, namelijk dat van een zogenaamde marktkraamcompositie: 'Soo maecktmen d'History beschouwers eenich/ Op heuvels/ boomen/ oft op trappen steenich'.[30] Om het effect van zo'n gestapelde schikking te verkrijgen, plaatste Rembrandt zijn figuren vaak op kunstmatige verhogingen, zoals de twee toekijkende mannen achter de hoofdgroep.

Dit tweetal heeft wel wat weg van de bedelaars of andere schilderachtige oude mannen, die Rembrandt omstreeks 1630 tekende en etste. Maar alleen in de achter Simeon weggedoken man in het duister zou men enig verband kunnen zien met een penstudie van *Een staande oosterling met een stok* (West-Berlijn, Kupferstichkabinett) [5].[31] Ondanks het 'copieuze' bijwerk en de grote 'varietas' in de schildering van de talrijke figuren, zijn er toch geen directe voorstudies aanwijsbaar, noch van details, noch van de totale compositie. De vormgeving van de ruimte lijkt geïnspireerd op de gotische bouwwerken van zijn geboortestad, zoals de Hooglandse kerk en de Pieterskerk. De architectuur drukt het begrip 'oud' uit, zoals destijds de Pieterskerk beschreven werd, met 'fraye pylaren op d'oude wijse gemaeckt …'.[32] Rembrandt heeft geen centraalbouw geschilderd, zoals hij later wel zou doen aan de hand van de talrijke voorbeelden die er van de tempel van Jeruzalem in omloop waren.[33]

Niet alleen wát, maar ook wíe Rembrandt heeft uitgebeeld, is nog onderwerp van discussie. In de bijbel leest men het volgende: na de besnijdenis gingen Maria en Jozef naar de tempel in Jeruzalem om hun eerstgeborene aan de heer op te dragen en het verplichte offer van twee jonge tortelduiven te brengen. 'Een zie, er was een man in Jeruzalem, wiens naam was Simeon, en deze man was rechtvaardig en vroom, en hij verwachtte de vertroosting van Israël, en de heilige Geest was op hem. Een hem was door de Heilige Geest een Godsspraak gegeven, dat hij de dood niet zou zien, eer hij de Christus des Heren gezien had. En hij kwam door de Geest in de tempel. En toen de ouders het kind Jezus binnenbrachten om met Hem te doen overeenkomstig de gewoonte der wet, nam ook hij het in zijn armen en hij loofde God en zeide: Nu laat Gij, Here, uw dienstknecht gaan in vrede, naar uw woord, want mijn ogen hebben uw heil gezien, dat gij bereid hebt voor het aangezicht van alle volken: licht tot openbaring voor de heidenen en heerlijkheid voor uw volk Israël. En zijn vader en moeder stonden verwonderd over hetgeen van Hem gezegd werd' (Lucas 2: 25–33).

Hier is het moment van Simeons loflied uitgebeeld. De oude man heeft het hoofd geheven in een lichbundel die wellicht de goddelijke inspiratie symboliseert. Links naast hem knielt Maria, die verrast opkijkt bij Simeons woorden, en naast haar zit Jozef met het koppel duiven in zijn handen. Tot dusver valt geen afwijking van de bijbeltekst te bespeuren en Tümpel wees er zelfs op dat Rembrandt de beeldtraditie corrigeerde door de ontmoeting met Simeon midden in de tempel te laten plaatsvinden en niet voor het altaar.[34] De gelovigen op de trappen, waar de hogepriester zetelt onder een groot baldakijn, zijn opzettelijk ruimtelijk gescheiden van het groepje rond de oude Simeon die in het kind de Heiland herkent. De verwijzing naar de bijbeltekst is relevant, omdat nogal eens verwarring optreedt bij de identificatie van enkele verwante thema's: de besnijdenis (in de stal) (Lucas 2:21), het loflied van Simeon (Lucas 2: 25–33), de lofzang van Hanna (Lucas 2: 36–38) en de opdracht in de tempel (voor de hogepriester) (Lucas 2:39).[35]

In het Haagse schilderij werd eerst door Bauch (1933), later door Stechow (1940), Tümpel (1969) en onlangs nog door de leden van het Rembrandt Research Project (1982) de staande figuur met de geheven handen geïdentificeerd als de profetes Hanna, ook al ontbreekt ieder attribuut dat dit idee bevestigt en doet de figuur allerminst denken aan een vierentachtigjarige profetes.[36] Men wees daarbij, begrijpelijkerwijs, naar het Hamburgse schilderij [3], waarin eigenlijk twee bijbelteksten zijn gecombineerd (Lucas 2: 25–33 en 36–38) en waarin Hanna's figuur eerder ontleend is aan de

6
Rembrandt
Het loflied van Simeon
Ets, 101 x 78 mm
Midden onder: RHL *1630*
Amsterdam, Rijksprentenkabinet

7
Willem de Poorter
Het loflied van Simeon
Paneel, maten onbekend
Niet gesigneerd, niet gedateerd (ca. 1631)
Heidelberg, Kurpfälzisches Museum, inv.nr.
G 523

beeldtraditie dan aan het verhaal in de bijbel.[37] Een uitzonderlijk beeldmotief
komt ook voor in een ets uit 1630, in de gedaante van een engel die Hanna op
het Christuskind wijst [**6**].[38] De tempelruimte uit deze ets herhaalde
Rembrandt in het schilderij in Den Haag, maar de hoofdvoorstelling niet.
Die blijft bestaan uit Simeon die met het kind in zijn armen God looft, voor
de ogen van zijn verwonderde ouders, zoals het in de bijbel staat. De rest is
bijwerk, repoussoir of figurant.[39]

De stelligheid waarmee dat hier wordt beweerd, is ontleend aan de manier
waarop een leerling Rembrandts compositie heeft vertaald. Willem de
Poorter heeft niet alleen een zeer nauwgezette kopie [**2**] vervaardigd naar het
schilderij in Den Haag, maar parafraseerde deze ook in twee eigen werken.
Eerst beeldde hij hetzelfde verhaal uit in een ongesigneerd schilderij, waarin
ook Hanna ontbreekt (Heidelberg, Kurpfälzisches Museum) [**7**].[40]
Vervolgens maakte hij een thematisch zeer verwante *Besnijdenis van Christus*
(Kassel, Staatliche Kunstsammlungen) [**8**],[41] die hij van een monogram
voorzag. In deze interpretaties is de staande man een toeschouwer of
fakkeldrager en bedoeld als een kuntgreep om diepte te verlenen aan het
tafereel, meer niet.

274

8
Willem de Poorter
De besnijdenis van Christus
Paneel, 61 x 49,3 cm
Rechts op de stoep: *WDP*, niet gedateerd (ca. 1635)
Kassel, Staatliche Kunstsammlungen, inv.nr. 260

1 *De Vries e.a. 1978*, p. 76 en 80–81, noot 4–6

2 Inv.nr. 393–398; *Gerson/Bredius 1969*, p. 461, 462, 471, 474, 475, 484 en p. 605–608, nr. 548, 550, 557, 560, 561, 574

3 Over de herkomst: *Brochhagen/Knüttel 1967*, p. 59; *Drossaers/Lunsingh Scheurleer 1974–76*, dl. 1, p. 285, nr. 1240 en noot

4 *De Vries e.a. 1978*, p. 12–13, 77–78; zie daarentegen: *Bruyn e.a. 1982*, p. 336. *Schwartz 1984*, p. 260 dacht dat dit schilderij in 1658 door Rembrandt verkocht werd aan Jan Six. In de collectie Six was echter een 'Simeon' van Jan Lievens, zie: *Strauss/Van der Meulen 1979*, p. 422–425, nr. 1658/18 en *Veiling Six 1702*, p. 5, nr. 48

5 *Lunsingh Scheurleer 1967*, p. 18 stelde dat de aankoop van Rembrandts schilderij veel belangrijker was dan die van twee werken van Schalcken (noot 10), maar dat lijkt een typisch twintigste-eeuwse visie.

6 *Veiling Bout 1733*, p. 9, nr. 82

7 *Joubin 1926*, p. 65–66, nr. 210 en afb. pl. XIX; *Martin 1913*, p. 124 en afb.

8 Inv.nr. 82; *Naumann 1981*, dl. II, p. 24–26, nr. 22 en afb.; *Jürss 1982*, p. 109, nr. 237 en afb. 1

9 *Veiling Bout 1733*, p. 6, nr. 47 en p. 7, nr. 51; *De Vries e.a. 1978*, p. 78 en *Bruyn e.a. 1982*, p. 336 vermeldden als bod op de Rembrandt ten onrechte 430 gulden; zie de geannoteerde catalogus op het RKD: *Veiling Bout 1733*, p. 9, nr. 82

10 Inv.nr. 160 en 161; *Hoetink e.a. 1985*, p. 439, nr. 160–161 en afb.; *Veiling Bout 1733*, p. 9, nr. 75–76

11 Inv.nr. 32; *Sumowski 1983*, p. 533 en 581, nr. 284 en afb.

12 Inv.nr. 1694; *Parijs 1970–71*, p. 160, nr. 162 en afb.

13 *Martin 1935*, p. XVII–XIX, nr. 47

14 *Drossaers/Lunsingh Scheurleer 1974–76*, dl. II, p. 643, nr. 86–88

15 Zoals werd verondersteld door *Bruyn e.a. 1982*, p. 336; over Van Dijk: *De Vries e.a. 1978*, p. 81, noot 8

16 *Drossaers/Lunsingh Scheurleer 1974–76*, dl. III, p. 18: 'In het schilderijkabinet van zijne hoogheit', nr. 1: 'Een vroutje met het kintje in de wieg etc. door Gerard Douw, in een gesnede vergulde lijst', nr. 2: 'Simon in den tempel met het kindeken door Rembrant, in een dito lijst'.

17 *Drossaers/Lunsingh Scheurleer 1974–76*, dl. III, p. 209, nr. 32 en p. 227, nr. 129

18 *Steengracht van Oostkapelle 1826–30*, dl. II, t.o. p. 41, nr. 75. De prenten naar het schilderij werden opgesomd in *Bredius 1895*, p. 327

19 *Smith 1829–42*, p. VII (1836), p. 26–27, nr. 64 noch *Blanc 1859–64*, dl. III, p. 379 merkten een aangezet stuk op. Dat werd het eerst gemeld door *Vosmaer 1868*, p. 421: 'la partie cintrée est ajoutée au panneau'. Voor het laatst werd het vermeld door *Michel 1893*, p. 565: 'la partie cintrée du haut a été ajoutée'. *Bredius 1895*, p. 326: 'La partie cintrée … est couverte maintenant pas le

cadre'. Dit stuk zit thans los van het originele paneel, dat gerestaureerd werd door J.J. Susijn (restauratierapport april 1983).

20 *Dresden 1930*, p. 160, nr. 1391; andere geschilderde kopieën werden vermeld door *De Vries e.a. 1978*, p. 80 en *Bruyn e.a. 1982*, p. 336, nr. 7

21 *Gerson/Bredius 1969*, p. 450 en 603–604, nr. 535 en afb.

22 Inv.nr. 4567; *Gerson/Bredius 1969*, p. 504 en 612, nr. 600 en afb.

23 Een opsomming daarvan in *Broos 1981*, p. 45, noot 2

24 Over de rol van Van Manders teksten op Rembrandts composities, zie: *Broos 1975–76*, p. 202–203

25 *Van Mander 1604*, fol. 16a, vers 11

26 *Benesch 1973*, dl. I, p. 8, nr. 20 en afb. 20

27 Een opsomming daarvan in: *Bruyn e.a. 1982*, p. 149

28 *Van Mander 1604*, fol. 17a, vers 23

29 *Van Mander 1604*, fol. 17a, vers 25; over 'copia' en 'varietas', zie: *Miedema 1973*, dl. II, p. 473. *Martin 1935*, p. 274

30 *Van Mander 1604*, fol. 18a, vers 34; over de 'marktkraamcompositie', zie: *Miedema 1973*, dl. II, p. 476–479

31 *Benesch 1973*, dl. I, p. 6, nr. 10 en afb. 15

32 *Blaeu 1648*, s.v. (Leyden), p. 7; geciteerd in: *De Jongh 1973*, p. 96

33 Onder verwijzing naar het schilderij stelde *Wischnitzer 1957*, p. 226 ten onrechte dat Rembrandt steeds koos voor de ronde of polygonale vorm als hij de tempel van Jeruzalem gestalte gaf.

34 *Tümpel/Tümpel 1970*, nr. 48

35 *Tümpel/Tümpel 1970*, nr. 44–52 brachten de desbetreffende thema's bij Rembrandt in relatie met de juiste bijbelteksten.

36 *Bauch 1933*, p. 96; *Stechow 1940*, p. 371, noot 7; *Tümpel 1969*, p. 179, noot 143 en p. 190; *Bruyn e.a. 1982*, p. 335

37 Haar houding is ontleend aan een prent van Marcantonio Raimondi, zie: *Broos 1977*, p. 57, nr. Br. 535 en *Bruyn e.a. 1982*, p. 155–157, afb. 9

38 B. 51; *Hollstein*, dl. XVIII, p. 26, nr. B. 51, dl. XIX, p. 40 en afb.; *Tümpel/Tümpel 1970*, nr. 48

39 *Schulte Nordholt 1960*, p. 40b identificeerde de figuur met het boek rechts op de trap als Hanna: dit is echter een man met een baard. Zo zag De Poorter hem al in zijn kopie [2].

40 *Vogel e.a. 1958*, p. 113, nr. 260 en afb.

41 *Heidelberg 1963*, p. 18, nr. II

Leiden 1606 – Amsterdam 1669

Doek, 169,5 x 216 cm
Rechts van de bovenste figuur: *Rembrant. f* : 1632
Inv.nr. 146

Bij Koninklijk Besluit van 19 juli 1828 werd de openbare verkoop van
Rembrandts *Anatomische les van Dr. Nicolaes Tulp* verboden.[1] Zo'n paardemiddel
was kennelijk de enige remedie tegen de kortzichtigheid van de toenmalige
eigenaar: strikt genomen was dat het Chirurgijns Weduwenfonds, maar de
stad Amsterdam was natuurlijk mede-verantwoordelijk. Burgemeester en
wethouders hadden immers toestemming gegeven voor de verkoop. De
affiches voor de veiling op 4 augustus waren al gedrukt.[2] Gemeentelijke
willekeur vormt nog steeds een bedreiging voor het 'openbaar' kunstbezit,
zoals dezer dagen weer pijnlijk duidelijk werd door de voorgenomen verkoop
van *Compositie met twee lijnen* (Amsterdam, Stedelijk Museum, in bruikleen
van de gemeente Hilversum) van Piet Mondriaan.[3] Dat het zo'n vaart
dreigde te lopen, blijkt uit het feit dat in 1841 het tweede anatomiestuk dat
Rembrandt schilderde, *De anatomische les van Dr. Deyman* (Amsterdam,
Rijksmuseum)[4] door het Weduwenfonds geveild werd en in handen kwam
van een Engelse kunsthandelaar. Dit schilderij is vervolgens geruime tijd
onvindbaar geweest en kon pas worden teruggekocht dankzij de
inspanningen van een oprechte Amsterdammer en eigenlijk tegen heug en
meug van het gemeentebestuur.[5]

Deymans *Anatomische les* is nu slechts fragmentarisch bewaard: in 1723 is
van het oorspronkelijke doek bij een brand driekwart verloren gegaan. Het
had overigens al bij de opdracht een zeer krappe plek toebedacht gekregen,
direct naast een raam en vlak onder de hanebalken van de gildekamer in de
Sint Anthoniespoort of Nieuwe Waag. Rembrandt maakte er een
situatieschets van, met een ontwerp voor de lijst (Amsterdam, Rijksmuseum)
[**1**].[6] In dit vertrek hing twee eeuwen lang *De anatomische les van Dr. Nicolaes
Tulp* ook op een zeer beroerde plek, 'waar het niet mogelijk was het zelve
genoegzaam te zien'. Aldus de ooggetuige C. Apostool in een schrijven van 25
juni 1817 aan de Commissaris Generaal voor het Onderwijs en voor de
Kunsten en Wetenschappen.[7] De directeur van 's Rijks Museum klaagde
erover dat het meesterwerk geplaatst was in een vertrek dat de gildeknecht tot
woonkamer en keuken diende, waar zelfs 's zomers gestookt werd, en dat het
doek inmiddels door regenwater geheel verteerd was. Als Jan Hulswit het niet
onlangs van een nieuw doek had voorzien, was het schilderij zeker reddeloos
verloren gegaan, schreef Apostool in 1817.[8] Hij meende dat de overheid de
Rembrandt onverwijld diende te kopen, ter plaatsing in het Rijksmuseum. De
verzamelaar Goll van Frankenstein had ongeveer tegelijkertijd een brandbrief
geschreven aan de burgemeester en wethouders van Amsterdam om het
schilderij te redden. De zaak moet echter in de doofpot zijn gestopt en werd
pas weer actueel toen in 1828 de veiling bekend werd gemaakt. Er zijn heel
wat epistels opgesteld over de kwestie en het meest opvallende daarin was het
algemeen gevoelen dat het anatomiestuk niet thuishoorde in een particuliere
collectie. Het onderwerp was daarvoor immers veel te onaangenaam, dacht
men.[9]

Herkomst
Chirurgijnsgilde, De Waag, Amsterdam,
1632, gekocht van de schilder
Chirurgijns Weduwenfonds, De Waag,
Amsterdam, 1798–1828
Koninklijk Kabinet van Schilderijen
'Mauritshuis', 1828

Bibliografie
Commelin 1693, p. 651
Von Uffenbach 1735–55, dl. III, p. 546
Wagenaar 1765, p. 385
Reynolds 1781, p. 76–77
Steengracht van Oostkapelle 1826–30, dl. IV, p. 31–
32, nr. 100 en afb.
Veiling Amsterdam 1828, p. 22–23, nr. 109
Smith 1829–42, dl. VII, p. 61–63, nr. 142
Thoré-Bürger 1858–60, dl. I, p. 194–195
Blanc 1859–64, dl. III, p. 380
Vosmaer 1868, p. 23–28 en 425
Vosmaer 1873, p. 17–18 en afb.
De Stuers 1874, p. 118–121, nr. 115
Vosmaer 1877, p. 108–114 en 492
Vosmaer 1877-A, p. 74, 77 en 108
Obreen 1888–90, passim
Michel 1893, p. 121–136 en afb., p. 565
Bredius 1895, p. 328–332, nr. 146 (289g)
Van Biema 1896, p. 560–564
Geffroy 1900, p. 90–94 en afb. t.o. p. 88
Riegl 1902, p. 202–205 en afb. 47
Geyl 1906, p. 38–40
Valentiner 1909, p. 69–71, 551 en afb.
Wurzbach, dl. II, p. 400
Den Haag 1914, p. 299–302, nr. 146
HdG 932 (dl. VI, p. 387–388, nr. 932)
Jantzen 1926, p. 313–314 en afb.
Drost 1928, p. 58
Nuyens 1928, p. 64–66 en afb. 9
Riegl 1931, p. 133, 181–196, 200–204, 207, 213–
217, 220, 221, 228, 229, 235, 236, 240, 247,
257, 289, 296
Benesch 1935, p. 11–12
Bredius 1935, p. 17, nr. 403 en afb.
Martin 1935, p. 275–278, nr. 146
Martin 1936, dl. II, p. 63–64
Schrade 1939–40, passim
Van Eeghen 1948, p. 34–35 en afb.
Den Haag 1954, p. 68, nr. 146
Van Eeghen 1956-A, p. 36–37
Lunsingh Scheurleer 1956, p. 28–30
Heckscher 1958, passim
Cetto 1958, p. 74
Kellet 1959, p. 150–152 en afb. 40
Judson 1960, p. 305–310
Rosenberg 1964, p. 132–136, afb. 120, p. 350,
noot 42a

Bauch 1966, p. 27, nr. 530 en afb.
Wolf-Heidegger/Cetto 1967, p. 308–310, nr. 257 en afb.
Querido 1967, p. 128–136 en afb. 1, 3b
Fuchs 1968, p. 25–29 en afb. 35
Gerson 1968, p. 50–51 en 492–493, nr. 100 en afb.
Haak 1968, p. 72–74 en afb. 105
Van Eeghen 1969, p. 1, 4–11 en afb.
Gerson/Bredius 1969, p. 317 en 582–583, nr. 403 en afb.
Schouten 1970, p. 176–177 en afb., p. 180–183
Van Eeghen 1971, p. 171
Haak 1972, p. 40–43 en afb.
Schussmann 1976, p. 19–21 en afb.
Broos 1977, p. 42, nr. Br. 403
Duparc 1977, p. 129–134 en afb. 43
Den Haag 1977, p. 197–198, nr. 146 en afb.
Reznicek 1977, p. 80–88 en afb. 5
Campbell 1978, p. 8–9 en afb.
Carpentier Alting/Waterbolk 1978, p. 43–47 en afb.
De Vries e.a. 1978, p. 82–113, nr. VI en afb. 49–57, 63–73, 77–79, 81, 83 en pl. VII
Strauss/Van der Meulen 1979, p. 92–94, nr. 1632/5 en afb.
Laurentius e.a. 1980, p. 344 en 355
Broos 1981, p. 72 en 74
Schupbach 1982, passim en afb. pl. 1–2, 9, 16 en fig. 1
Haak 1984, p. 113–114 en afb. 205
Schwartz 1984, p. 143–146 en afb. 127
Hoetink e.a. 1985, p. 260–261, nr. 71 en afb., p. 429, nr. 146 en afb.
Schatborn 1985, p. 98
Bruyn e.a. 1986, p. 172–189, nr. A 51 en afb. fig. 1–9

1
Rembrandt
Situatieschets met 'De anatomische les van Dr. Deyman'
Tekening, 109 x 131 mm
Niet gesigneerd, niet gedateerd (1656)
Amsterdam, Rijksmuseum (bruikleen van de Gemeente Amsterdam), inv.nr. A 7395

Apostool had niet zulke gemeenplaatsen nodig, maar hij had oprecht waarderende argumenten: 'Dit stuk is zodanig uitmuntende in waarheid, kracht en eenvoudigheid, dat men nimmer in eenig schilderij, leven en dood, op eene meer treffende wijze voorgesteld vindt: waar in geen kunst van gezocht effect, of uitdrukking, maar gewoon licht, stille hartstochten en volmaakte rust, echter het sprekendst en betoverendst vermogen der Schilderkunst doen blijken'.[10]

In zijn brief verwees Apostool met nadruk naar een internationale autoriteit op kunstgebied, Sir Joshua Reynolds, die in 1781 het schilderij had bestudeerd in de Amsterdamse snijkamer. Diens relaas was nogal feitelijk: 'The Professor Tulpius dissecting a corpse which lies on the table, by Rembrandt. To avoid making it an object disagreeable to look at, the figure is but just cut at the wrist. There are seven other portraits coloured like nature itself, fresh and highly finished … The dead body is perfectly well drawn, (a little fore-shortened) and seems to have been just washed. Nothing can be more truly the colour of dead flesh. The legs and feet, which are nearest the eye, are in shadow; the principal light, which is on the body, is by that means preserved in a compact form'.[11] Uitgesproken lovende woorden reserveerde Reynolds voor *De anatomische les van Dr. Deyman*, dat hij boven een trap zag hangen en waarbij hij visioenen kreeg van Michelangelo en Titiaan. Hij wist niet dat het een zwaar gehavend en overschilderd fragment van het oorspronkelijke werk was.[12]

In Amsterdam heerste een nuchtere stemming omtrent de pronkstukken uit het verleden. Weliswaar wees de jongen die de reiziger Conrad von Uffenbach in 1711 rondleidde in het *theatrum anatomicum*, enthousiast op het sterk verkorte lijk op het groepsportret met Deyman, maar de Duitser vond Tulps anatomiestuk mooier. Ook vindt men in Amsterdamse

Rembrandt De anatomische les van Dr. Nicolaes Tulp

stadsbeschrijvingen (Commelin in 1693 en Wagenaar in 1765) waarderende woorden over Rembrandts meesterwerken, maar de documenten spreken van voortdurende verwaarlozing.[13] In 1732 kreeg Tulp een 'nuwen Mantel' van de schilder J.M. Quinkhard omdat de oude door 'een vuurige Rook' uit de schoorsteen was afgebladderd. Twintig jaar later moest de stadsrestaurateur Jan van Dijk op zijn beurt het schilderij opfrissen.[14] In juni 1817, vlak voordat Apostool zijn brief schreef, was het door Hulswit 'op een wonderbaarlyke wyze, wederom op een ander doek gebracht, zonder dat dezelve iets heeft verloren'. Daarom pleitte de schrijver ervoor 'dat dat Stuk niet weder geplaatst worde waar het was'.[15]

Maar niet het Rijksmuseum werd de nieuwe bewaarplaats van het schilderij, zoals Apostool had gehoopt. Willem I besliste dat *De anatomische les van Dr. Nicolaes Tulp* opgenomen moest worden in de collectie van het Koninklijk Kabinet in Den Haag. Amsterdam kon het stuk krijgen als het de aankoopsom van 32.000 gulden betaalde. Dit bedrag was de waarde van het schilderij, die vastgesteld werd door vier taxateurs: namens het Rijk Apostool en jonkheer Steengracht van Oostcapelle (de directeur van het Mauritshuis) en namens het Weduwenfonds de makelaars Jeronimo de Vries en Albert Brondgeest.[16] Als richtlijn hanteerden zij de prijs die in 1811 was betaald door de Engelse prins-regent voor een schilderij van Rembrandt, de *Scheepsbouwmeester Jan Rijcksen en zijn vrouw* (Londen, The Queen's Gallery, Buckingham Palace).[17] Amsterdam stond voor noodzakelijke bezuinigingen en kon noch wilde het geld ter beschikking stellen. Voor Apostool moet de teleurstelling nog groter zijn geweest toen hij achteraf vernam dat de aankoop grotendeels gefinancierd was met de opbrengst van verkochte schilderijen uit het Rijksmuseum, die als doublures werden beschouwd.[18] Steengracht van Oostcapelle kon de eerste geïllustreerde catalogus van het Mauritshuis in

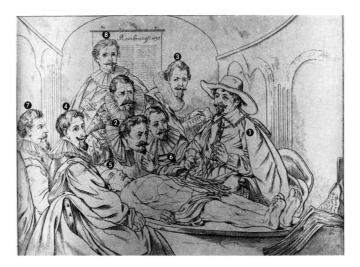

2
F. L. Huijgens naar Rembrandt
De anatomische les van Dr. Nicolaes Tulp
Gravure, 112 x 153 mm
Uit: *Steengracht van Oostkapelle 1826–30*

1 Nicolaes Pietersz Tulp
2 Jacob Dielofse Block
3 Hartman Hartmansz
4 Adriaen Cornelisz Slabbraen
5 Jacob Jansz de Wit
6 Matthijs Evertsz Calkoen
7 Jacob Jansz Colevelt
8 Frans van Loenen
en Aris Adriaensz, alias Aris Kindt

1830 trots besluiten met een prent door F.L. Huijgens naar de nieuwe aanwinst [**2**] en de zin: 'On a cru ne pouvoir mieux terminer que par ce chef-d'oeuvre la Collection d'esquisses des tableaux les plus remarquables du cabinet Royal'.[19]

Ondanks het 'onaangename' onderwerp is Rembrandts compositie een van de meest populaire voorstellingen uit de geschiedenis van de kunst geworden. Ze is gekopieerd, gepersifleerd en de inspiratiebron geweest van serieuze en minder serieuze (al dan niet beeldende) kunstenaars. Zelfs de jeugdige stripliefhebber wordt geacht Tulps anatomische demonstratie te herkennen op een plaatje uit een avontuur van Asterix [3].[20] Het is een van de weinige schilderijen die een monografie waardig werden geacht. In 1958 verscheen het uitputtende werk van W.S. Heckscher, dat de auteur zelf betitelde als 'an iconological study'.[21] Uiteraard heeft het schilderij de belangstelling gewekt van vele medisch-historici met als gevolg een stroom van artikelen waarin de voorgestelde sectie nauwkeurig werd ontleed. De meest belangwekkende publicatie van deze zijde is de niet lang geleden gebundelde analyse van W. Schupbach, die zich vooral concentreerde op de mogelijke bedoeling van de opdrachtgevers en in het bijzonder wat Dr. Tulp er zelf mee tot uitdrukking heeft willen brengen.[22] Het in 1986 gepubliceerde onderzoek van het Rembrandt Research Project bevat een uitvoerige weging van de diverse meningen. De materiële toestand van het schilderij werd aldus samengevat: 'A moderately well preserved, authentic and relatively well documented work, reliably signed and dated 1632'.[23]

Een groepsportret kan slechts ontstaan in nauwe samenwerking tussen de schilder en degenen die betaalden voor hun portretten. Een anatomiestuk was een belangrijke opdracht die eens in de zoveel jaren te vergeven was, bijvoorbeeld wanneer er weer voldoende nieuwe gezichten onder de chirurgijns waren. Op de Waag hingen al drie van zulke stukken ter herinnering aan gedenkwaardige gebeurtenissen, zoals het houden van een openbare anatomische les, het betrekken van een nieuw gildegebouw of het benoemen van een nieuwe *praelector*. Een anatomische demonstratie mocht in Amsterdam per privilege van 1556 eenmaal per jaar worden gehouden, waarbij geleerd publiek (tegen betaling uiteraard) kon toezien.[24] Aert Pieterz schilderde in 1603 *De anatomische les van Dr. Sebastiaen Egbertsz de Vrij* (Amsterdam, Rijksmuseum) [4][25], waarop alle geneesheren van de stad – ook die inmiddels overleden waren – werden afgebeeld. Thomas de Keyser maakte in 1619 een wat simpeler tafereel van dezelfde *praelector anatomiae* en vijf overlieden (regenten) van het gilde bij de bestudering van een geraamte (Amsterdam, Rijksmuseum) [5].[26] Nicolaes Eliasz Pickenoy beperkte zich tot de demonstratie van een schedel toen hij Dr. Johan Fonteyn in 1625 portretteerde met zes (oorspronkelijk elf) overlieden (Amsterdam, Amsterdams Historisch Museum).[27]

Fonteyn werd in 1628 opgevolgd door Dr. Nicolaes Tulp (1593–1674), die tijdens zijn leven negen maal een openbare les heeft gegeven, van 1631 tot en met 1650.[28] In 1632 heeft hij zich in zijn nieuwe functie laten afbeelden, samen met een aantal gildebroeders die daarvoor bijdroegen in de kosten. De mogelijkheid om zo'n demonstratie bij te wonen deed zich voor in januari 1632, toen de kokermaker Adriaen Adriaensz, alias Aris Kindt, wegens een roofoverval was opgehangen. Zijn lijk werd ter beschikking gesteld aan het Chirurgijnsgilde en het werd op de laatste dag van de maand en de eerste dagen van februari ontleed door de *praelector*. Wellicht was Rembrandt daarbij, al was dat voor het welslagen van zijn opdracht niet per se nodig.[29]

Het is misschien merkwaardig dat een aankomend talent als de Leidse historieschilder deze opdracht kreeg. Hij was niet speciaal bekend als portrettist en hij had nog nooit op levensgroot formaat geschilderd. De chirurgijns zullen echter een deskundige om advies hebben gevraagd en dat was bij uitstek Hendrick (van) Uylenburgh, die in 1631 Rembrandt moet hebben overgehaald om naar de Amstelstad te komen. Hun relatie dateerde misschien al uit 1625, toen Rembrandt op een boogschot afstand van Uylenburghs winkel stage liep bij Pieter Lastman. Hij heeft Rembrandt

4
Aert Pietersz
De anatomische les van Dr. Sebastiaen Egbertsz de Vrij (fragment)
Doek, 147 x 392 cm (het hele schilderij)
Op de linker stoel: *AP* (ineen), op de rechterstoel: *A° 1603*
Amsterdam, Rijksmuseum (bruikleen van het Amsterdams Historisch Museum), inv.nr. A 7387 (C 70)

5
Thomas de Keyser
De anatomische les van Dr. Sebastiaen Egbertsz de Vrij, 1619
Doek, 135 x 186 cm
Niet gesigneerd, niet gedateerd (1619)
Amsterdam, Rijksmuseum (bruikleen van het Amsterdams Historisch Museum), inv.nr. A 7352 (C 71)

mogelijk opgezocht in Leiden en in 1631 werd de jonge schilder een van de financiers van zijn zaak. De niet met verheven artistieke idealen beladen kunsthandelaar heeft hem kennelijk overtuigd dat er met portretschilderen goud was te verdienen in Amsterdam: hij zou wel voor de opdrachten zorgen, omdat hij veel vrienden en relaties had in het stedelijk bestuur en in de invloedrijke kring der doopsgezinden.[30] De enorme en plotselinge portretproduktie van Rembrandt sinds 1631 kan alleen zó verklaard worden. De eervolle opdracht van de chirurgijns was een unieke gelegenheid om bij de rijkste Amsterdammers bekend te worden en deze kans heeft Rembrandt niet voorbij laten gaan. Op 22 juli 1632, in de periode waarin hij *De anatomische les van Dr. Nicolaes Tulp* uitvoerde, kwam iemand uit Leiden bij Uylenburgh aan de deur om naar Rembrandts welzijn te vragen. Het antwoord kwam ongetwijfeld uit de grond van diens hart: 'dat is waer, ick ben God loff in goede dispositie ende wel te pas'.[31]

Natuurlijk heeft Rembrandt op de Waag gezien wat zijn collega's er in 1603, 1619 en 1625 van gemaakt hadden en hij wist dat er beperkingen waren aan zijn vrijheid. De portretgelijkenis van alle deelnemers was belangrijk, voorts moest in de compositie op verzoek van Tulp een boodschap over leven en dood verwerkt worden en bovendien moest ieder een gepaste plaats krijgen in het geheel. Dit laatste gegeven is zo subtiel verwerkt dat het zelden wordt opgemerkt. Voor de praelector zelf is vrijwel de hele rechterkant van het doek gereserveerd en door de fantasie-nis met een schelpvormige bekroning achter zijn rug troont hij eerder dan dat hij zit. Van Eeghen wees erop dat slechts twee personen in het jaar 1631/1632 regent waren van het gilde en zij zitten dan ook links en rechts op ereplaatsen direct naast het hoofd van het te ontleden lijk.[32] De over zijn rechterschouder blikkende regent links is een traditioneel motief, bekend van de oudere anatomische lessen [**4,5**]. Maar de zich vooroverbuigende voorman is een geniale vondst van Rembrandt zelf geweest, waarmee hij beweging in de groep bracht en de gespannen aandacht van de geneesheren doeltreffend illustreerde. De overigen, de gewone gildebroeders, zitten of staan op de tweede rang.

De namen van de heren chirurgijns waren in hun eigen tijd natuurlijk wel bekend, maar later heeft men voor de duidelijkheid een lijst daarvan gemaakt en corresponderende cijfers bij iedere kop gezet. De opsomming staat op het papier dat de medicus naast Tulp vasthoudt, dat oorspronkelijk een illustratie uit een anatomie-boek bevatte [**2**].[33] Naast Nicolaes Pietersz, die zich later Tulp zou noemen (1) zijn geportretteerd: Jacob Dielofse Block (1601–1664) (2), Hartman Hartmansz (1591–1659) (3), Adriaen Cornelisz Slabberaen (ca. 1600–1661) (4), Jacob Jansz de Wit (1582–1654) (5), Mathijs Evertsz Calkoen (1591–1653) (6), Jacob Jansz Colevelt (1582–1649) (7) en Frans van Loenen (1592–1662) (8). De Wit en Slabberaen werden in 1630 respectievelijk 1631 overman van het gilde, de anderen zouden pas later als zodanig worden benoemd en één van hen (Van Loenen) heeft het nooit zover gebracht.[34] De keuze van de contribuanten aan het portret van Tulp is kortom nogal willekeurig. Wie het geld ervoor over had mocht kennelijk meedoen, zowel de overlieden als de gildebroeders. Colevelt nam de beslissing pas toen het stuk al vrijwel voltooid was en daardoor moest Rembrandt hem links achter in de compositie frommelen. Frans van Loenen, bovenaan, had hij een hoed opgezet, maar die diende weggeschilderd te worden. Op de anatomiestukken van De Keyser [**5**] en Pickenoy was het immers ook de praelector zelf die als enige een hoofddeksel droeg. De piramidale constructie van de groep verloor aldus zijn top en in de nieuwe constellatie werd ook de houding van Hartman Hartmansz iets aangepast.[35]

Dergelijke veranderingen werden vermoedelijk door de opdrachtgever geëist. Het betekende een ingreep in het artistieke concept, dat niet op veel weerstand stuitte. Hoezeer deze compositie Rembrandts vinding was, mag blijken uit een vergelijking met een schilderij uit 1626, het *Muziekmakend gezelschap* (Amsterdam, Rijksmuseum) [**6**], in feite het enige 'groepsportret' dat Rembrandt vóór de *Anatomische les van Dr. Nicolaes Tulp* heeft gemaakt.[36] De fundamenten van de compositie zijn in beide voorstellingen gelijk: er valt een

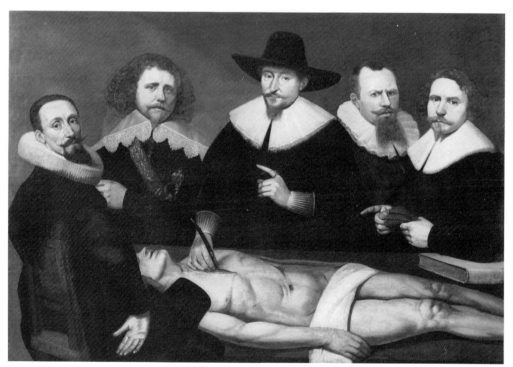

geconcentreerde lichtbundel op de handen van de hoofdfiguur, er is (of eerder: was) een piramidale en ietwat a-centrale schikking van de figuren, er is een donkere repoussoir links die voor diepte zorgt en de levendigheid wordt vooral bereikt door de schuine, bijna diagonale plaatsing van de hoofdgroep (de vrouw met het boek en Tulp met het lijk).[37] Het bleek een geslaagd advies van Uylenburgh te zijn om een ervaren historieschilder deze opdracht te

geven. Als men alleen geïnteresseerd was geweest in de gelijkenis, zou het resultaat zo houterig hebben kunnen uitvallen als *De anatomische les van Zacheus de Jager* (Gouda, Catharina Gasthuis) [**7**] van Christiaen Coevershoff, die in 1640 een zwakke imitatie van Rembrandt schilderde.[38]

Aan de uiterlijke voorwaarden van de opdracht heeft Rembrandt klaarblijkelijk op een originele manier gestalte weten te geven. Het inhoudelijk aspect van het schilderij blijkt minder evident te zijn. Er is alle reden om aan te nemen dat de fraaie compositie ook een bijzonder verhaal met een moraal vertelt, op instigatie van de opdrachtgever. Nicolaes Tulp was uitermate gevoelig voor een symbolische presentatie van het schijnbaar alledaagse, en hij zag zijn vak als een roeping. Dat bewijst het portret dat hij in 1634 van zichzelf liet schilderen door Nicolaes Eliasz Pickenoy (Amsterdam, collectie Six-stichting) [**8**].[39] Hij accepteerde dit portret als betaling voor de genezing van een kind van de schilder. De dokter wijst hier op een brandende kaars en onder een doodskop leest men zijn motto: 'ALIIS INSERVIENDO CONSVMOR' (in dienst van anderen word ik opgebruikt, gelijk de kaars).[40] Natuurlijk werd in het schilderij in 1632 ook meer bedoeld dan op het eerste oog zichtbaar was, hoewel motto's of doodskoppen ontbreken. Er is in het groepsportret zeer bewust naar gestreefd een verwijzing naar een bestaande of mogelijke situatie te vermijden. Frappant is de vergelijking met *De anatomische les van Dr. Deyman*, waarvoor de opdracht heel anders moet hebben geluid. Rembrandts tekening [**1**] toont aan dat dit een historisch portret moest worden, met de demonstrerende *praelector* middenin het anatomisch theater en de chirurgijns achter een ronde balustrade. De achtergrond was die van de snijzaal in het *theatrum anatomicum*.[41]

Het verschil tussen de twee *Anatomische lessen* van Rembrandt werd bepaald door de opdrachtgevers: in plaats van een historisch portret had Tulp een symbolisch portret besteld. Heckscher heeft als eerste enkele contouren daarvan geschetst. Hij zette uiteen dat de demonstratie van de spieren van de hand berustte op de wens van Tulp zich te vergelijken met de beroemde anatoom Andreas Vesalius, wiens portret bekend was uit zijn *De humani corporis fabrica*, gepubliceerd in 1543 [**9**].[42] Het lijk op Deymans *Anatomische les* vertoont een geopende buikholte en dat was een gegeven uit de praktijk. Een anatoom begint natuurlijk eerst met de zeer bederfelijke ingewanden. De sectie van de hand heeft derhalve een symboolfunctie, die na Heckscher ook door anderen is toegelicht. Querido concludeerde: 'Tulp, de Amsterdamse Vesalius, demonstreert dus het Wonder der Voorzienigheid zoals dit tot uitdrukking komt in de structuur van de hand'.[43] Alsof er sprake is van een magische driehoek in het schilderij wees Schupbach op de drie handen in het centrum van de compositie. Tulps rechterhand verricht de sectie en de linker onderstreept met een bekend retorisch gebaar zijn argument, namelijk een bespiegeling van de hand die hij ontleedt 'as organ of prehension, instrument of instruments, unique to man, a miracle of design, and a monument of the wisdom and power of the Creator'.[44]

Niet alleen de keuze van de ontlede hand is opzettelijk, maar ook de groepering van de chirurgijns. Volgens Schupbach zou Van Loenen door de toeschouwer aan te kijken en te wijzen op het dode lichaam hem de sterfelijkheid van de mens onder de aandacht willen brengen. De aandacht van de anderen is echter schijnbaar gericht op de handelingen van Tulp, die voor zich uitkijkt en denkt aan het befaamde motto 'ken u zelve'. Dat had zowel een positieve als een negatieve betekenis en het paste bij een ontleding van een dode waaruit kennis ontstond over het leven.[45] Een bewonderaar van Tulp was Vopiscus Fortunatus Plemp (die in 1634 hoogleraar in Leuven werd): hij woonde de anatomische demonstratie in 1632 hoogstwaarschijnlijk bij.[46] Plemp was toen bezig met een vertaling van een Latijns tractaat van Cabrious over de menselijke anatomie en de ontleedkunde en Joost van den Vondel maakte in 1633 een lofdicht op de uitgave van dit werk, met in de aanhef de vanzelfsprekende verwijzing naar het 'gnooti seauton':

'Eertijdts voerde 't Griecks ghewelf
In zijn voorhoofd: Ken u self,
Als een Goddelijcke lesse
Van die wijse School-Meestresse:
'tSelve leert nu d'Artzen-School
Van dien Schranderen CABROOL'.[47]

Dus: bij het zien van een anatomische demonstratie zou een godvrezend mens in de zeventiende eeuw eerder geneigd zijn tot diepe gedachten over goed en kwaad (immers: het lijk van de gestrafte misdadiger werd voor een goed doel gebruikt), dan gruwen van de voorstelling.[48] In dat licht bezien leidt de uitgesponnen discussie over het feit of Rembrandt al dan niet de anatomie van de gevilde hand in medisch opzicht juist heeft weergegeven, niet tot enige verklaring van het tafereel. De meest recente onderzoekingen leidden overigens tamelijk eensluidend tot de conclusie: de ontlede arm is tot in details naar de werkelijkheid gedaan.[49] Deze werkelijkheid kan overigens ook bestaan hebben uit een substituut, want in 1669 noteerde een amateur-genealoog in Rembrandts collectie van curiosa: 'vier stucks gevilde Armen en beenen door (= volgens de methode van) Vesalius geanatomoseerd'.[50]

Het Mauritshuis prijst zich gelukkig drie mijlpalen te bezitten uit de Sturm und Drang-periode in Rembrandts loopbaan: de jaren dertig. *Het loflied van Simeon* (cat.nr. 47) uit 1631 was de apotheose van zijn Leidse periode – een intiem kabinetstuk dat enkele generaties Leidse fijnschilders hun artistieke richting wees. Nog geen jaar later ontstond *De anatomische les van Dr. Nicolaes Tulp*, die – samen met *De 'Nachtwacht'* – in zijn tijd al bejubeld werd, omdat Rembrandt geen stijf groepsportret had geconcipieerd zoals anderen die maakten, maar een enerverend historiestuk. In 1636 keerde hij met *Suzanna en de ouderlingen* (cat.nr. 49) terug naar zijn eigenlijke roeping, het historieschilderen, met een zeer eigen interpretatie van de klassieken die sommige critici hem later niet in dank hebben afgenomen. Hoge bomen vangen nu eenmaal veel wind.

1 *Obreen 1888–90*, p. 214–216: koning Willem I beriep zich daarbij op een Koninklijk Besluit van 26 juli 1820 betreffende de eigendommen van de voormalige gilden.
2 De toestemming was verleend op 2 mei 1828, zie: *Obreen 1888–90*, p. 198–199: het affiche werd afgebeeld door *De Vries e.a. 1978*, p. 91; de veiling is wel gehouden (*Veiling Amsterdam 1828*)
3 Inv.nr. B 1193; *Blok 1974*, p. 162–189, nr. 282 en afb.
4 Inv.nr. C 85; *Gerson/Bredius 1969*, p. 328 en 585, nr. 414 en afb.; *Van Thiel e.a. 1976*, p. 470–471, nr. C 85 en afb.
5 *Broos 1981*, p. 74–75
6 *Broos 1981*, p. 72–77, nr. 17 en afb.; *Schatborn 1985*, p. 98100, nr. 45 en afb. (N.B.: in de door mij en Schatborn vermelde literatuur wordt meestal ook Tulps *Anatomische les* genoemd, wat in de Bibliografie bij cat.nr. 48 niet in zijn geheel is overgenomen)
7 ARA Binn. Zaken, OK&W, 1815–1848, inv.nr. 4031; de verwijzing naar dit schrijven dank ik aan Beatrijs Brenninkmeyer; fragmenten van de brief werden gepubliceerd door *Lunsingh Scheurleer 1956*, p. 30
8 Over de vele restauraties die het schilderij moest ondergaan, zie: *De Vries e.a. 1978*, p. 220–221
9 *Van Biema 1896*, p. 561–562; Apostool voegde bij zijn brief (genoemd in noot 7) een concept voor een brief die de Commissaris Generaal moest sturen aan burgemeester en wethouders van Amsterdam. De briefwisseling rond de verkoop van de *Anatomische les* werd gepubliceerd door *Obreen 1888–90*, p. 197–244.
10 Zie: noot 7
11 *Reynolds 1781*, p. 76–77
12 Hij zag het schilderij in de staat waarin J. Dilhoff het kopieerde, zie: *Broos 1981*, p. 73, afb. b; collegemeester Gijsbrecht Calkoen zag hij aan voor Dr. Deyman.
13 *Commelin 1693*, p. 651 en *Wagenaar 1765*, p. 385; *Bruyn e.a. 1986*, p. 187–188
14 *De Vries e.a. 1976*, p. 220; *Bruyn e.a. 1986*, p. 187
15 Zie: noot 7
16 De aan Steengracht van Oostcapelle gerichte correspondentie in deze zaak bevindt zich in het archief van het Mauritshuis; *Obreen 1888–90*, p. 197–244 publiceerde alleen de brieven uit het archief van het Rijksmuseum en het Algemeen Rijksarchief.
17 Inv.nr. 1158; *Londen 1971*, p. 78, nr. 22 en afb. II, III en 5; *Bruyn e.a. 1986*, p. 367–377, nr. A 77 en afb.; de prijsvergelijking werd gedaan in brieven van Apostool en Steengracht van Oostcapelle, zie: *Obreen 1888–90*, p. 207, 233
18 *Obreen 1888–90*, p. 243: uit een brief van minister van Doorn aan Apostool, d.d. 9 mei 1832. Zie ook: *Van Thiel e.a. 1976*, p. 19
19 *Steengracht van Oostkapelle 1826–30*, dl. IV, p. 32: uit deze passage blijkt dat de catalogus bedoeld was als een collectie schetsen naar de honderd beste werken van het Mauritshuis; de getekende kopieën die het voorbeeld waren voor de prenten, zijn nog in het Mauritshuis.
20 *Goscinny/Uderzo 1974*, p. 10; *Duparc 1977*, p. 130–134 gaf een aantal voorbeelden van het 'tweede gebruik' van Rembrandts compositie, waaraan toen ook in het Mauritshuis een tentoonstelling werd gewijd (*Hoetink 1979*, p. 192).
21 *Heckscher 1958*
22 *Schupbach 1982*
23 *Bruyn e.a. 1986*, p. 172–189, nr. A 51; in de tekst werd met vrucht gebruik gemaakt van het uitgebreide onderzoek, gepubliceerd door *De Vries e.a. 1978*, p. 82–113 en 219–221, nr. III. De publicaties in deze noot en de twee voorgaande noten bevatten vrijwel alle relevante bibliografische verwijzingen naar het technisch, historisch en medisch onderzoek van het schilderij.
24 *De Vries e.a. 1978*, p. 219, nr. III: 'ordonnantie voor den Chirurgijns op 't stuk van de Anatomie'; zie ook: *Tilanus 1881*, p. 33 en *Nuyens 1928*, p. 55–56

25 *Van Thiel e.a. 1976*, p. 444–445, nr. c 70 en afb.; *Blankert 1975/1979*, p. 243–245, nr. 336

26 *Van Thiel e.a. 1976*, p. 318, nr. c 71; *Blankert 1975/1979*, p. 160–162, nr. 210

27 Inv.nr. A 2048; *Blankert 1975/1979*, p. 103–104, nr. 138; *Haak 1972*, p. 42–43, afb. 52 (net als Rembrandts *Anatomische les van Dr. Deyman* in 1723 zwaar beschadigd)

28 De data daarvan werden vermeld door *Rogge 1880*, p. 100, noot 6

29 *Van Eeghen 1948*, p. 34–35 en *Van Eeghen 1969*, p. 4–7 zette uiteen hoe de opdracht tot stand kan zijn gekomen.

30 Over Rembrandts relatie tot Uylenburgh, zie: *Broos 1981–82*, p. 251–253; over Uylenburghs relaties met de Amsterdamse machthebbers, zie: *Schwartz 1984*, p. 146–149. *Heckscher 1958*, p. 7 meende dat Caspar Barlaeus Rembrandt bij Tulp introduceerde, maar daarvoor ontbreekt iedere aanwijzing, zoals ook *Judson 1960*, p. 306–307 meende.

31 *Strauss/Van der Meulen 1979*, p. 87, nr. 1632/2

32 *Van Eeghen 1969*, p. 7; over de betekenis van de nis, zie: *Heckscher 1958*, p. 117–119 en afb. pl. XXXVII/44–XLII/51

33 *Bruyn e.a. 1986*, p. 176 en 182, afb. 3 veronderstelden dat dit omstreeks 1700 is gebeurd. Ook de signatuur is opgewerkt, maar de (merkwaardige) vorm lijkt wel origineel; 'Rembrandt fv 1632' staat ook op de ets *Hieronymus in gebed* (B. 101), zie: *Bruyn e.a. 1986*, p. 175

34 *Van Eeghen 1969*, p. 7–9; een aardige bijdrage over de Amsterdamse chirurgijns die geen arts van professie waren (op Tulp na), leverde *Tóth-Ubbens 1975*.

35 *Bruyn e.a. 1986*, p. 177–182 kwamen tot de conclusie dat Rembrandt zelf alle veranderingen heeft uitgevoerd.

36 *Bruyn e.a. 1982*, p. 114–123, nr. A 7; de voorstelling is destijds wel geïnterpreteerd als een portret van Rembrandt tussen zijn familieleden, maar het portretmatige is hier natuurlijk bijzaak (*Bloch 1937* en *Broos 1976*, p. 25).

37 De diagonale ligging van het lijk is geïnterpreteerd als een ontlening aan A. Brouwer (*Drost 1928*, p. 58) of Dürer (*Schrade 1939–40*, p. 64); de houding van chirurgijn De Wit zou ontleend zijn aan Rubens (*Reznicek 1977*, p. 80–88, afb. 7–9; met enige instemming geciteerd door *De Vries e.a. 1978*, p. 101–102, afb. 76 en *Bruyn e.a. 1986*, p. 184).

38 *Schouten 1970*, p. 174–184; *Van Eeghen 1971*, p. 181–197; *Schwartz 1984*, p. 144, afb. 126

39 Een kopie van dit schilderij is in het Amsterdams Historisch Museum (inv.nr. A 1528; *Blankert 1975/1979*, p. 115–116, nr. 45). *Six 1886*, p. 95 deelde mee dat het in dorso 'Aetatis 40' is gemerkt.

40 *Heckscher 1958*, p. 120; over de betekenis van de kaars in artsenportretten, zie: *Lipp/Gruber 1959*

41 *Broos 1981*, p. 77. *Van Regteren Altena 1950*, p. 171–178 schreef een belangwekkende studie over de functie van de tekening, die meestal niet goed begrepen werd (en wordt).

42 *Heckscher 1958*, p. 73; in zijn recensie van Heckschers boek uitte Judson kritiek op het feit dat de auteur Rembrandts tweede *Anatomische les* niet in zijn betoog betrokken had (*Judson 1960*, p. 305); ook *Schupbach 1982*, p. 40 deed dit slechts terloops.

43 *Querido 1967*, p. 136

44 *Schupbach 1982*, p. 27; zie ook: p. 57–65, appendix II met een samenvatting van teksten vóór 1632 over de betekenis van de hand

45 *Schupbach 1982*, p. 28–30 en 66–84, appendix III: 'Cognitio sui, cognitio Dei'. De betekenisvolle blikken van de chirurgijns zijn ook een vondst van Rembrandt, zijn voorgangers hebben dit dramatisch middel niet benut (zie ook: *Bruyn 1986*, p. 183)

46 *Rogge 1880*, p. 87

47 *Vondel*, dl. III, p. 406; *Schwartz 1984*, p. 144 wees als eerste in deze context op dit vers.

48 Zelfs Heckscher, die baanbrekend werk verrichtte bij het doorgronden van de betekenis van *De anatomische les*, dacht nog dat het schilderij de werkelijkheid weergaf (*Heckscher 1958*, p. 35–41)

49 *Carpentier Alting/Waterbolk 1978*. p. 43–47; *Schupbach 1982*, p. 52–56

50 *Strauss/Van der Meulen 1979*, p. 583–585, nr. 1669/3; het vermoeden dat Rembrandt een aparte studie maakte van een ontlede arm naar bijvoorbeeld een gipsmodel zou hier de wat onhandige bevestiging van de linkerarm aan het lijk kunnen verklaren.

Leiden 1606 – Amsterdam 1669

Paneel (rechts is een strook van 4 cm aangezet): 47,2 x 38,6 cm
Rechts onder: *Rembr/ant f f 163/6*
Inv.nr. 147

Met het blote oog is waarneembaar dat rechts een strook van vier centimeter aan het paneel is toegevoegd en het lijkt bovendien evident dat de signatuur 'Rembrant' (zonder d) door een ander dan de schilder zelf is aangebracht. Technisch onderzoek bracht aan het licht dat de compositie in een eerder stadium van boven twee half afgeronde hoeken had die erop wijzen dat het schilderij oorspronkelijk links en rechts ongeveer één centimeter breder is geweest, vóór de toevoeging aan de rechterkant.[1] Volgens een recente suggestie zou het paneel, voor het zijn definitieve vorm kreeg, nog veel breder zijn geweest.[2] Het zou dan een liggend formaat hebben gehad zoals Lastmans schilderij *Suzanna en de ouderlingen* (Berlijn, Staatliche Museen) [1][3], dat Rembrandt tot voorbeeld diende, of zoals een latere versie van dit thema, die hij in 1647 schilderde (Berlijn, Staatliche Museen).[4]

De relatie met Lastmans schilderij uit 1614 is van wezenlijk belang voor het begrijpen van de voorstelling, die ook geïnterpreteerd is als *Bathseba in het bad*.[5] Pieter Lastman was de Amsterdamse kunstenaar bij wie Rembrandt zich na een driejarige leertijd in Leiden was gaan specialiseren in het historieschilderen, dat beschouwd werd als de hoogst bereikbare tak van kunst. Niet alleen tijdens deze 'stage', maar ook later heeft het werk van deze leermeester hem herhaaldelijk geprikkeld.[6] In het voorjaar van 1633 was Lastman in Amsterdam overleden en in de jaren daarna heeft Rembrandt meer dan eens kopieën getekend naar zijn schilderijen, als een 'in memoriam'. Een opmerkelijk voorbeeld daarvan is een tekening in rood krijt naar Lastmans *Suzanna en de ouderlingen* (Berlijn, Kupferstichkabinett) [2].[7] Behalve een kopie blijkt dit werk een kritisch commentaar op de voorstelling van Lastman te zijn.

Voor een goed begrip dient kort de geschiedenis van de mooie Suzanna samengevat te worden. Zij was de godvrezende dochter van een rijke man uit Babylon. Hij had een prachtige tuin bij zijn huis, waar Suzanna gewoonlijk ging baden. Twee ouderlingen die vaak bij haar vader over de vloer kwamen, hadden zich op een dag in de tuin verstopt om haar te begluren. Toen de poorten gesloten werden probeerden ze Suzanna te verleiden onder het dreigement dat ze lasterpraatjes over haar zouden verspreiden. Maar ze gaf niet toe (Daniël 13, 19–23).

Rembrandt tekende de fraaie tuin met de sfinx als fontein en de pauwen in de boom tamelijk nauwkeurig na, maar de 'dramatis personae' voorzag hij van een nieuwe mimiek. De rechter ouderling staat meer rechtop en hij lijkt een uitnodigend gebaar te maken, terwijl de ander zich vrijpostig over de naakte Suzanna buigt en met gestrekte arm in de verte wijst. Bij Lastman zijn hun bedoelingen niet zo ondubbelzinnig tot uitdrukking gebracht. De belangrijkste wijziging werd echter aangebracht in de houding van het meisje en het is frappant dat dat nog nooit onder de aandacht werd gebracht. Ondanks de schetsmatigheid van de tekening is nog goed te zien dat het vage gebaar van Suzanna's rechterhand Rembrandt niet kon bekoren en dat hij

Herkomst

Collectie P.J. Sneijers, Antwerpen, 1758
Collectie G. van Slingelandt, Den Haag, 1758–1768
Collectie stadhouder Willem v, Den Haag, 1768–1795
Het Louvre, Parijs, 1795–1815
Koninklijk Kabinet van Schilderijen, Den Haag, 1815
Koninklijk Kabinet van Schilderijen 'Mauritshuis', 1821

Bibliografie

Hoet 1752–70, dl. II, p. 202, nr. 39
Terwesten 1770, p. 709
Reynolds 1781, p. 68–69
Steengracht van Oostkapelle 1826–30, dl. II, p. 2–5, nr. 27
Smith 1829–42, dl. VII, p. 16–17, nr. 42
Blanc 1859–64, dl. III, p. 380
De Stuers 1874, p. 122–123, nr. 116
Vosmaer 1877, p. 514
Bredius 1895, p. 334–336, nr. 147 en afb.
Geffroy 1900, p. 95–97 en afb.
Valentiner 1909, p. 180 en afb.
Den Haag 1914, p. 302–304, nr. 147 en afb.
HdG 57 (dl. VI, p. 37, nr. 57)
Londen 1929, p. 82–83, nr. 162
Bredius 1935, p. 23, nr. 505 en afb.
Martin 1935, p. 278–280, nr. 147
Den Haag 1954, p. 68, nr. 147
Bauch 1966, p. 2, nr. 18
Gerson 1968, p. 238 en 492, nr. 84 en afb.
Gerson/Bredius 1969, p. 420 en 599, nr. 505 en afb.
Brenninkmeyer-de Rooij 1976, p. 171, nr. 130 en afb.
Den Haag 1977, p. 198, nr. 147 en afb.
De Vries e.a. 1978, p. 121–131, nr. VIII en afb. 89 en x
Boyer 1982, p. 156, nr. 147
Washington enz. 1982–83, p. 100–101, nr. 28 en afb.
Schwartz 1984, p. 173, nr. 180 en afb.
Hoetink e.a. 1985, p. 264–265, nr. 73 en afb., p. 429, nr. 147 en afb.
Broos 1986, p. 291–295, nr. 41 en afb.

daarvoor een andere oplossing had bedacht. Hij tekende de rechterarm langs
het lichaam met de hand beschermend in de schoot, terwijl de linkerarm in
afweer iets geheven werd. Hiermee bracht hij de onthutste reactie van het
jonge meisje veel echter in beeld en hij deed dat bovendien volgens een al zeer
oude beeldtraditie.

   Haar verbeterde houding werd nader uitgewerkt in het hier besproken
schilderij uit 1636. Doordat Rembrandt Suzanna voorover laat buigen, is zij
in staat haar naaktheid nog beter te verbergen. Daarbij houdt ze haar
linkerhand voor haar borst en haar andere hand in haar schoot, zodat ze
perfect het bekende kuise dubbelgebaar van de antieke *Venus Pudica* [**3**]
imiteert. In het schilderij uit 1647, dat op deze compositie voortborduurt, is
haar schroom en afkeer van de oude mannen bijna nog nadrukkelijker
gestalte gegeven.[8]

   Men kan wel stellen dat de introductie van dit klassieke gebaar een
bewuste verandering is, die Rembrandt al tijdens het tekenen van zijn kopie
voor ogen stond. Juist de houding van het naakte meisje maakt het
onwaarschijnlijk dat hier Bathseba kan zijn uitgebeeld. Háár heeft

Rembrandt Suzanna en de ouderlingen

Rembrandt steeds in een zeer onbevangen pose weergegeven, zoals in het beroemde schilderij uit 1654 (Parijs, Musée du Louvre).[9] Het ontbreken van essentiële verhalende elementen, zoals de oude vrouw die Bathseba helpt bij haar toilet of de brief van koning David, wees al in een andere richting.[10] Niettemin heeft de vervanging van de twee ouderlingen door de kop van één van hen in het struikgewas achter Suzanna voor begrijpelijke verwarring gezorgd. Deze kop bevindt zich grotendeels op de aangezette strook rechts, maar neus, mond en kin behoren tot het oudste stuk van het schilderij. Hóe het rechterdeel er ooit uit heeft gezien (smal of aanzienlijk breder) – het lijkt wel aannemelijk dat zich daarop minstens één glurende figuur heeft bevonden die Suzanna bespiedt.[11]

De huidige afmetingen had het paneel al in 1758, toen het geveild werd met de collectie van P.J. Sneijers in Antwerpen en beschreven werd als: 'Een zeer schoon Kabinet-Stukje, verbeeldende Suzanna aan de fontein in den Hof, met een Boef die door het hout ziet, door *denzelven* (=Rembrandt); hoog 18, breet 15 duimen'.[12] Het belandde in de verzameling van Govert van Slingelandt in Den Haag, die in 1768 in haar geheel verworven werd door stadhouder Willem v. In 1781 bezocht Sir Joshua Reynolds diens collectie en hij noteerde het volgende over Rembrandts schilderij: 'A study of a Susanna, for the picture by Rembrandt, which is in my possession (=het schilderij van 1647): it is nearly the same action, except that she is here sitting. This is the third study I have seen for this figure ... It appears very extraordinary that Rembrandt should have taken so much pains, and have made at last so very ugly and ill-favoured a figure; but his attention was principally directed to the colouring and effect, in which it must be acknowledged he has attained the highest degree of exellence'.[13]

Reynolds legde een grotendeels juist verband met Rembrandts overige werk en hij prees terecht de – warme – kleuren van dit schilderij en de bijzondere (licht)effecten. Door de sterke lichtval en het elimineren van de ouderlingen is de aandacht geheel op de mooie Suzanna gericht. Niettemin apelleerde haar figuur niet aan Reynolds' schoonheidsideaal, dat nog geheel de geest ademt van de klassicisten, die van meet af aan Rembrandts verregaand navolgen van de natuur verworpen hebben. De Duitse biograaf Joachim von Sandrart, een generatiegenoot van Rembrandt, klaagde in 1675 dat Rembrandt alleen maar in 'schilderachtige' onderwerpen geïnteresseerd was en Andries Pels verduidelijkte dit in 1681 door op te merken dat hij bij het schilderen van naaktfiguren niet een Griekse Venus tot model nam, maar 'eer een' waschter, of turftreedster uit een 'schuur, zyn' dwaaling noemende navolging van Natuur'.[14]

Bij hun klaagzangen sloot zich in 1699 Roger de Piles aan, waarmee voor lange tijd het door Pels opgeroepen beeld van Rembrandt als 'eerste ketter in de kunst' wel zijn beslag kreeg. De Piles schreef: 'Hij zeide zelfs, dat zyn oogmerk niet was als de navolging van de levende Natuur, doende deze Natuur niet bestaan als in de Schepzelen, zoodanig als hy die beschouwde'. Hij bestudeerde zijn naaktfiguren niet alleen naar de foeilelijke werkelijkheid, maar doste ze ook nog uit in vodden: 'hy had oude wapentuigen en Instrumenten, oude Tullebanden en Bonetten en een menigte van oude gewerkte stoffen, dat waren zyde hy, zyn Antieken'.[15]

---

1 *De Vries e.a. 1978*, p. 121–125, afb. 90–94
2 *Schwartz 1984*, p. 173, nr. 180

3 *Freise 1911*, p. 48–49, nr. 44

4 Inv.nr. 828E; *Gerson/Bredius 1969*, p. 428 en 600, nr. 516 en afb.

5 *De Vries e.a. 1978*, p. 126–130. Voor de relatie met Lastman, zie: *Broos 1977*, p. 53, nr. Br. 505 (+ lit.)

6 Zie bijvoorbeeld: *Stechow 1969*, p. 148–162; *Broos 1975-76*, p. 199–228, p. 210, noot 21 (+ lit.)

7 *Benesch 1973*, dl. II, p. 106–107, nr. 448 en afb. 535

8 Over de iconografie van *Suzanna en de ouderlingen*, zie: *Valentiner 1907–08*, p. 32–38

9 Inv.nr. M.I. 957; *Gerson/Bredius 1969*, p. 430 en 601, nr. 521 en afb.

10 Over de iconografie van *Bathseba in het bad*, zie: *KunothLeifels 1962*. Aldaar (p. 70) werd het Haagse schilderij als *Suzanna en de ouderlingen* geïnterpreteerd, waartegen *De Vries e.a. 1978*, p. 131, noot 14 protest aantekenden; hun belangrijkste tegenargument vormde een drietal prenten van W. Buytewech met voorstellingen van Bathseba. Daarop komen de vereiste verhalende elementen (het toilet maken, de brief, de oude vrouw, koning David) wèl voor (zie: *De Vries e.a. 1978*, p. 127, afb. 96–98), zodat deze voorbeelden de Bathseba-interpretatie eerder ontkennen dan bevestigen.

11 Op het infrarood-reflectogram (*De Vries e.a. 1978*, p. 122, afb. 92) is te zien dat het voorste deel van het gezicht zich op het originele paneel bevindt.

12 *Hoet 1752-70*, dl. III, p. 202, nr. 39

13 *Terwesten 1770*, p. 709; *Reynolds 1781*, p. 68–69

14 *Von Sandrart 1675*, II Theils, III Buch, XXII Cap., p. 327; *Pels 1681*, p. 35–37

15 *De Piles 1699/1725*, p. 395–396. Over klassicistische kritiek op Rembrandt, zie: *Slive 1953*, p. 83–103 (Von Sandrart en Pels), p. 116–134 (De Piles); *Emmens 1968*, p. 66–71 (Von Sandrart), p. 73–77 (Pels), p. 78–80 (De Piles)

Rembrandt 'Zelfportret' met een gepluimde muts

Rembrandt

50 | 'Zelfportret' met een gepluimde muts

Leiden 1606 – Amsterdam 1669

Paneel, 62,9 x 46,8 cm
Rechts: *Rembrandt. f.*
Inv.nr. 149

Zelfportret of niet? De discussie over dit krachtig geschilderde, boeiende paneel heeft zich steeds afgespeeld rond deze tamelijk triviale kwestie. Sinds het schilderij in 1768 met veertig andere (inclusief Rembrandts *'Zelfportret' met halsberg* en *Suzanna en de ouderlingen*, cat.nr. 49) door stadhouder Willem v uit de nalatenschap van Govert van Slingelandt was verworven, heette het 'un militaire' of nog neutraler 'une tête'.[1] Carel van Vosmaer 'herkende' als eerste de gelaatstrekken van Rembrandt in deze ietwat spottend(?) over zijn rechterschouder blikkende figuur.[2] Als *Zelfportret* is het schilderij sindsdien aanvaard, hoewel er af en toe twijfels rezen.[3] Benesch kwalificeerde de voorstelling in 1935 als 'Eine Paraphrase über das eigene Ich'.[4] Meer recent volstonden Bauch en Gerson met een vraagteken achter de ingeburgerde betiteling *Zelfportret*.[5]

De gelijkenis met Rembrandt zelf is eerder toevallig dan opzettelijk. Het schilderij moet namelijk bedoeld zijn geweest als een 'tronie'. Met deze omschrijving werden destijds karakteristieke koppen of busteportretten aangeduid, zoals 'een outmans troni met een lange bredebaert', 'Een oude bessie met een swart capproen', 'Een schone Jonge turcksche prince' en 'Een soldaet met swart haer, een Iseren halskraegh (en) sluijter om den hals'. Deze omschrijvingen zijn van schilderijen van of naar Rembrandt in een inventaris uit 1637, het jaar waarin men het Haagse schilderij dateert. Daarin werd ook vermeld 'een cleine oostersche vrouwen troni het conterfeisel van H. Ulenburgs huijsvrouwe nae Rembrant'.[6] De modellen voor deze tronies waren dus ook wel familieleden of vrienden, die bij voorkeur werden uitgedost in exotische gewaden, met een tulband op het hoofd of een zwierige baret, en met gouden halskettingen om. Rembrandt zelf stond soms model voor zo'n 'tronie', zoals in *Een soldaat met een halsberg* dat doorgaans beschouwd wordt als een gewoon *Zelfportret* (Den Haag) [1].[7] Samen met Jan Lievens heeft hij dit type schilderij omstreeks 1630 bedacht en populair gemaakt, kennelijk als een aanvaardbaar compromis tussen het historiestuk en het portret. Want het was niet hun eerste ambitie om portrettist te worden, maar historieschilder. Van Mander had al gewaarschuwd tegen saaie specialismen als portretschilderen: alleen de 'History en beelde-wegh' kon leiden tot volmaaktheid, het 'conterfeyten na t'leven' was een doodlopende zijweg.[8]

Niettemin is de hier besproken tronie qua compositie duidelijk ontleend aan reeds lang bestaande formules in de portrettraditie. De abrupte zwenking van het hoofd en het uit de ooghoeken aankijken van de toeschouwer was vooral bij zelfportretten populair, zoals werd aangetoond bij Jacob Backers *'Zelfportret' als herder* (cat.nr. 5). Prototypes van deze pose zijn aan te wijzen in de Italiaanse schilderkunst van kort na 1500 en een befaamd voorbeeld in de Noordnederlandse kunst is Maarten van Heemskercks *Zelfportret voor het Colosseum* (Cambridge, Fitzwilliam Museum) uit 1553.[9] Wellicht had Rembrandt hier ook het *Zelfportret* van Rubens in gedachten, waarnaar Paulus Pontius in 1630 een prent had gemaakt [2].[10] Deze prent heeft hij in

Herkomst

Collectie G. van Slingelandt, Den Haag, 1752–1768
Collectie stadhouder Willem v, Den Haag, 1768–1795
Het Louvre, Parijs, 1795–1815
Koninklijk Kabinet van Schilderijen, Den Haag, 1815
Koninklijk Kabinet van Schilderijen 'Mauritshuis', 1821

Bibliografie

Hoet 1752–70, dl. II, p. 404
Terwesten 1770, p. 709
Reynolds 1781, p. 69
Steengracht van Oostkapelle 1826–30, dl. II, p. 1, nr. 26 en afb.
Smith 1829–42, dl. VII, p. 94, nr. 245
Blanc 1859–64, dl. III, p. 381
Vosmaer 1868, p. 70 en 437
De Stuers 1874, p. 124, nr. 118
Vosmaer 1877, p. 148–149, 503 en 573
Michel 1893, p. 565
Bredius 1895, p. 332–333, nr. 149(289h) en afb.
Geffroy 1900, p. 92 en afb.
Valentiner 1909, p. 146 en 553 en afb.
Wurzbach, dl. II, p. 400
Den Haag 1914, p. 304–305, nr. 149 en afb.
HdG 545 (dl. VI, p. 238, nr. 545)
Glück 1933, p. 296
Benesch 1935, p. 19
Bredius 1935, p. 3, nr. 24 en afb.
Martin 1935, p. 280, nr. 149
Brussel 1946, p. 32, nr. 81 en afb. pl. 96
Den Haag 1954, p. 69, nr. 149
Amsterdam/Rotterdam 1956, p. 57, nr. 27 en afb.
Rome 1956–57, p. 210, nr. 239 en afb. pl. 23
Bauch 1966, p. 16, nr. 311 en afb.
Lunsingh Scheurleer 1967, p. 24 en 203, afb. 12
Gerson 1968, p. 300 en 496, nr. 189 en afb.
Gerson/Bredius 1969, p. 20 en 548, nr. 24 en afb.
Erpel 1973, p. 28 en 173, nr. 62 en afb. pl. 31
Drossaers/Lunsingh Scheurleer 1974–76, dl. III, p. 228, nr. 131
Brenninkmeyer-de Rooij 1976, p. 171, nr. 131 en afb.
Den Haag 1977, p. 199, nr. 149 en afb.
De Vries e.a. 1978, p. 114–119, nr. VII en afb. 84 en pl. IX
Boyer 1982, p. 156, nr. 148
Wright 1982, p. 23–24, 37 en 41, nr. 22, afb. 49 en p. 130
White e.a. 1983, p. 25, nr. 6 en p. 42, nr. 62
Schwartz 1984, p. 189 en afb. 201
Hoetink e.a. 1985, p. 262–263, nr. 72 en afb., p. 429, nr. 149 en afb.

1
Rembrandt
'Zelfportret' met halsberg
Paneel, 37,7 x 28,9 cm
Niet gesigneerd, niet gedateerd (ca. 1629)
Den Haag, Mauritshuis, inv.nr. 148

2
Paulus Pontius naar Rubens
Zelfportret van Rubens
Gravure, 366 x 270 mm
Midden boven: M DC XXX; links onder: *Paulus
Pontius sculpsit et excudit*
Haarlem, Teylers Museum

ieder geval als voorbeeld gebruikt toen hij zijn eerste representatieve, geëtste
zelfportret maakte in 1631/1633.[11]

In de benamingen van 'tronies' in oude inventarissen maakte men wel
onderscheid in manne- en vrouwetronies, in jonge en oude, oosterse of
'antijckse' typen die men herkende aan de attributen 'een krijchsmans
troonij' of 'een studenten Tronie'.[12] Het Haagse *'Zelfportret'* is wel als een
'officier' beschreven, maar alleen de ijzeren halsberg wijst in die richting. De
baret met de veren werd onlangs geïdentificeerd als het typische attribuut
van een karakterfiguur uit de 'commedia del'arte', namelijk Capitano, de
opschepperige jonge minnaar.[13] In de eigentijdse schilderkunst was deze
bepluimde komediant het vertrouwde beeld van de vrijer, die bij Jan Steen
veelvuldig optreedt in zijn 'antieke' kostuum uit de tijd van de 'spleten-
mode'.[14] Rembrandt kende zeker de *Capitano* van Callot [**3**].[15]

Toch is het riskant de interpretatie van een voorstelling aan één attribuut
op te hangen. In 1636 etste Rembrandt een *Zelfportret als tekenaar met Saskia*[16],
waarin hij dezelfde muts met veren draagt. Is hij hier dan ook *Capitano*? Als
een geschikt toneelattribuut heeft Rembrandt de bepluimde muts vaak
gedragen. Het bekendste voorbeeld is natuurlijk zijn *Zelfportret met Saskia*
(Dresden, Gemäldegalerie)[17], waarin hij lachend, proostend, met Saskia op

zijn schoot, volgens sommigen een toonbeeld is van maatschappelijk succes. Anderen wezen daarentegen op de entourage: dit is een kroeg, waar de Verloren Zoon zijn erfdeel verbrast.[18]

Zo'n dubbele bodem zit ook in het jeugdwerk van Rembrandt, *Het muziekmakend gezelschap* (Amsterdam, Rijksmuseum).[19] De vanitassymboliek in dit schilderij zet een domper op de vreugde van het muziekmaken. In dit tafereel draagt een harpspeler, die Rembrandt eveneens zijn eigen

3
Jacques Callot
Capitano
Gravure, 240 x 152 mm
Niet gesigneerd (ca. 1618–19)
Haarlem, Teylers Museum

gelaatstrekken gaf, een schuin opgezette baret met veren. Hier zou Rembrandt als voorbeeld een prent van Lucas van Leyden kunnen hebben gebruikt, *Een jongeman met een doodskop* [**4**].[20] De doodskop is bedoeld als contrast met de zwierige verenbundel op het hoofd van de knaap. De moraal – het is al ijdelheid – kan niet worden misverstaan.

De onomwonden verwijzing naar de vanitas-gedachte is nogal drastisch bij Lucas en daarin volgde Frans Hals hem na in een schilderij uit omstreeks 1626/1628: *Een jongeman met een bepluimde muts en een doodskop* (Londen, National Gallery).[21] Soms is het geen doodskop die de onheilsboodschap bevat, maar in oudere voorbeelden een zandloper en later ook een tamelijk nadrukkelijk in beeld gebracht horloge dat een passend contrast vormt bij zoveel uiterlijk vertoon.[22] Bij Rembrandt is daarvan wellicht de ietwat ironische gelaats-uitdrukking van dit 'zelfportret' overgebleven.

Dezelfde intrigerende blik, dezelfde hoofdhouding en dezelfde uitmonstering met baret en halsketting als in het schilderij in Den Haag paste Rembrandt voor het eerst toe in een *Zelfportret/tronie* uit 1629 (Boston, Isabella

4
Lucas van Leyden
Een jongeman met een doodskop
Gravure, 184 x 144 mm
Links onder: L (ca. 1519)
Amsterdam, Rijksprentenkabinet

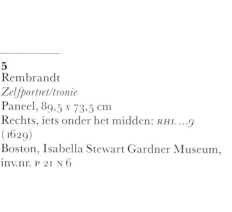

5
Rembrandt
Zelfportret/tronie
Paneel, 89,5 x 73,5 cm
Rechts, iets onder het midden: RHL ...9
(1629)
Boston, Isabella Stewart Gardner Museum,
inv.nr. P 21 N 6

Stewart Gardner Museum) [**5**].[23] Dergelijke tronies hebben Rembrandt, zijn leerlingen en allerlei navolgers zo vaak vervaardigd, dat men kan spreken van een iconografisch motief. Louter schilderachtigheid lijkt in die periode uitgesloten. Juist in de portretkunst van de zeventiende eeuw is waar te nemen, hoe men door (bijvoorbeeld sobere) kleding een (ingetogen) levensopvatting tot uitdrukking kon brengen.[24] Bij buitensporige opschik liep men al gauw het risico van valse schijn beticht te worden. Aldus was het mogelijk dat Rembrandts meest uitbundige zelfportret – dat te Dresden – tevens een waarschuwing inhield tegen zondig gedrag.

Rekening houdend met een dubbele bodem blijkt het inderdaad frappant te zijn, zoals onlangs werd vastgesteld, dat er in de inventaris van Rembrandt geen zelfportretten werden vermeld, maar wel vanitasstukken.[25] Het genre vanitas was tot dusver in Rembrandts oeuvre zo goed als onbekend, wat niet gezegd kan worden van het zelfportret. Er bestaat dus de mogelijkheid dat al die zogenaamde zelfportretten waarin de fantastische vermomming het eigenlijke motief is, de gedachte bevatten aan de vergankelijkheid van aardse goederen. De gouden ketting en een kleinood als de merkwaardig gevormde oorhanger kunnen dus het tegendeel betekenen van wat men er wel in heeft willen zien. Ze tonen geen materiële welstand aan, maar rijkdom aan inzicht: 'Ik vergaderde mij ook zilver en goud, schatten van koningen … Zie, alles was ijdelheid en najagen van wind' (Prediker, 22: 8 en 11).

1 *Hoet 1752–70*, dl. II, p. 404: 'Een Mans Kop'; *Terwesten 1770*, p. 709: 'Een Mans Pourtrait'; *Steengracht van Oostkapelle 1826–30*, dl. II, p. I, nr. 26: 'Un militaire'; *Blanc 1859–64*, dl. III, p. 381: 'Un officier'

2 *Vosmaer 1868*, p. 70: 'une étude d'après sa propre tête'; tijdens het verblijf in het Louvre (1795–1815) is het schilderij in prent gebracht en gekopieerd, vooral door Engelse kunstenaars, zij het niet als zelfportret, zoals *Wright 1982*, p. 37 en afb. 24 suggereerde (zie ook: *De Vries e.a. 1978*, p. 119 en *White e.a. 1983*, p. 25, nr. 6).

3 Voor het eerst bij *Glück 1933*, p. 296

4 *Benesch 1935*, p. 19

5 *Bauch 1966*, p. 16, nr. 311; *Gerson 1968*, p. 496, nr. 189 en *Gerson/Bredius 1969*, p. 20, nr. 24

6 *Strauss/Van der Meulen 1979*, p. 144, nr. 1637/4 (de nalatenschap van Lambert Jacobsz, filiaalhouder van de kunsthandelaar Hendrick Uylenburgh te Leeuwarden, 2 oktober 1637, eigen transcriptie). Over 'tronies', zie *Blankert 1982*, p. 26–28 en 57 en het commentaar hierop van *Bruyn 1983*, p. 209–210; voorts: *Blankert e.a. 1983*, p. 16 en over 'tronies' als leerlingenwerk: *Broos 1983*, p. 40–41

7 *Gerson/Bredius 1968*, p. 6 en 547, nr. 6 en afb.; *Broos 1968*, p. 285–290, nr. 40 en afb.

8 *Van Mander 1604*, fol. 281a; zie ook: *Broos 1978–79*, p. 117–118

9 Inv.nr. 103; *Amsterdam 1986*, p. 267–268, nr. 148 en afb. Zie over de traditie van deze pose: *Raupp 1984*, p. 182–193 en 424–428, afb. 82–91

10 *Voorhelm Schneevoogt 1873*, p. 157, nr. 1; *Rooses 1886–92*, dl. IV, p. 251 en afb.

11 *Broos 1985–86.*, p. 32–33, nr. 18–19 en afb.

12 *Strauss/Van der Meulen 1979*, p. 178, nr. 1639/9; *Brown 1981*, p. 17–18

13 *De Vries e.a. 1978*, p. 118

14 *Gudlaugsson 1945*, p. 44–46

15 *Lieure 289;* over Rembrandt en de 'commedia dell'arte'-prenten van Callot, zie: *Broos 1985–86*, p. 30–31, nr. 16–17 en afb.

16 B. 19; *Hollstein*, dl. XVIII, p. 8–9, nr. 19, dl. XIX, p. 8 en afb.

17 Inv.nr. 1559; *Gerson/Bredius 1969*, p. 26 en 549, nr. 30 en afb.

18 *Tümpel 1968*, p. 123; *De Vries e.a. 1978*, p. 119, noot 10 (+ bibl.)

19 Inv.nr. A 4674; *Gerson/Bredius 1969*, p. 335 en 616, nr. 632 en afb.; *Bruyn e.a. 1982*, p. 114–123, nr. A 7 en afb.

20 B. 174; *Filedt Kok 1978*, p. 139 en 163, nr. B. 174 en afb. Over het verband met Rembrandts schilderij, zie: *Broos 1976*, p. 25; de vanitassymboliek in het schilderij werd ook toegelicht in: *Amsterdam 1976*, p. 212–213, nr. 54.

21 *Slive 1970–74*, dl. II, afb. 97, dl. III, p. 37–38, nr. 61; zie ook: idem, dl. I, p. 89–90 en afb. 73–75. Volgens *Bruyn e.a. 1982*, p. 223 werd dit schilderij in de nalatenschap van Pieter Codde betiteld als een 'Vanitasken' (zie: *Brandt 1947*, p. 29).

22 *Bruyn e.a. 1982*, p. 223–224 en afb. 4: *Een 'tronie' met een bepluimde muts en een horloge* van een Leidse anonymus (ca. 1630?; verblijfplaats onbekend)

23 *Gerson/Bredius 1969*, p. 8 en 547, nr. 8 en afb.; *Bruyn e.a. 1982*, p. 218–224, nr. A 20 en afb.

24 *De Jongh 1986*, p. 15–18: 'Decorum en "staet"'. De vraag dringt zich hier op, of wellicht een mannelijke variant van Vrouw Wereld kan zijn bedoeld; zie over deze personificatie: *De Jongh 1973-A*, p. 198–199

25 *Bruyn e.a. 1982*, p. 224, naar aanleiding van het schilderij, genoemd in noot 23. De vermelde vanitasstukken zijn alle geretoucheerd door Rembrandt en vermoedelijk leerlingenwerken naar zijn voorbeelden (*Strauss/Van der Meulen 1979*, p. 349–388, nr. 1656/12, nr. 27, 120 en 123)

Rembrandt

Leiden 1606 – Amsterdam 1669

51 | Homerus dicteert zijn verzen

Doek, 108 x 82,3 cm
Links boven: *(Rembr)andt. f 1663*
Inv.nr. 584

Herkomst

Van de schilder gekocht door Don Antonio Ruffo, Messina, 1663/1664
Collectie Ruffo, Sicilië, tot 1750(?), tot 1848(?)
Collectie S.T. Smith Esq., Londen, 1885
Kunsthandel T.H. Ward & Son, Londen, 1894
Collectie A. Bredius, Den Haag, 1894
Koninklijk Kabinet van Schilderijen 'Mauritshuis', 1946 (bruikleen vanaf 1894)

Bibliografie

Hofstede de Groot 1894, p. 181
Bredius 1895, p. 337–338, nr. 584 en afb.
Six 1897, p. 3–10
Geffroy 1900, p. 98 en afb.
Bredius 1906, p. 95
Kruse 1909, p. 221–228 en afb.
Valentiner 1909, p. 466 en 564 en afb.
HdG 217 (dl. VI, p. 120, nr. 217)
Den Haag 1914, p. 303–309, nr. 584
Schmidt Degener 1915, dl. I, p. 21–24 en dl. II, afb. pl. 6
Hoogewerff 1917, p. 130–145 en afb.
Ricci 1918, p. 18, 21, 22, 25, 26, 29, 30, 38, 47, 48, 53 en afb. p. 39
Benesch 1935, p. 67
Bredius 1935, p. 21, nr. 483 en afb.
Martin 1935, p. 283–284, nr. 584 en afb.
Rosenberg 1944, p. 129
Von Einem 1952, p. 195–200 en afb. 172
Slive 1953, p. 63–64, 81, 107 en afb. 21
Den Haag 1954, p. 69–70, nr. 584
Benesch 1954-57, dl. V, p. 305, nr. 1066 en afb. 1283
Amsterdam/Rotterdam 1956-A, p. 180, nr. 254
Saxl 1957, p. 309 en afb. pl. 215
Sumowski 1957/58, p. 227
Valentiner 1957, p. 67, 73, noot 2 en afb. 12
Benesch 1959, p. 328 en 330, afb. 12
Schmidt 1959, p. 343
Rousseau 1962, p. 154–156
Bauch 1966, p. 13, nr. 244 en afb.
Emmens 1968, p. 173 en afb. 49
Gerson 1968, p. 138–141 en afb., p. 430 en 503, nr. 371 en afb.
Haak 1968, p. 311 en afb. 529
Amsterdam 1969, p. 262
Gerson/Bredius 1969, p. 393 en 596, nr. 483 en afb.
Held 1969, p. 11, 83, 89, noot 18, p. 98, 125 en afb. 5
Benesch 1973, dl. V, p. 292, nr. 1066 en afb. 1352
Held 1973, p. 63
Broos 1977, p. 49, nr. Br. 483

Rembrandts *Homerus* is – met twee andere historische portretten die hij geschilderd had voor de Siciliaanse edelman Don Antonio Ruffo (1610–1678) – het mikpunt geweest van kritiek, nota bene de eerste negatieve opinie over het werk van Rembrandt die aan het papier werd toevertrouwd in de zeventiende eeuw. Wellicht uit broodnijd schreef Abraham Bruegel, die wel de naam maar niet de talenten van Pieter en Jan Brueg(h)el had geërfd, vanuit Rome aan Ruffo op 22 mei 1665: 'Wat de schilderijen van Rembrandt aangaat, die worden hier niet hoog aangeslagen, al zijn ze als louter "tronie" wel mooi, maar in Rome kan men zijn geld beter besteden'.[1] Bruegel was artistiek adviseur van Ruffo. Op 24 januari 1670 – Rembrandt was ruim twee maanden daarvoor overleden – verklaarde de criticus zich nog eens nader over de halffiguren die de Siciliaan had laten maken door de beste schilders van Italië, die het in Ruffo's ogen – helaas – niet haalden bij die van Rembrandt. Grote schilders verlaagden zich niet tot het maken van halffiguren, betoogde Bruegel, zeker niet als daarvan door de belichting niet meer dan het puntje van de neus was te zien en in plaats van een schoon naakt lichaam slechts een in donkere gewaden gehulde figuur.[2]

Coloristen of realisten als Titiaan en Caravaggio kregen destijds dergelijke verwijten van critici die hun kunst vergeleken met die van Rafael of Michelangelo. De klaagzang van Bruegel, die van toepassing zou zijn op Rembrandts *Homerus*, nu in het Mauritshuis, zijn *Aristoteles*, nu in New York (The Metropolitan Museum of Art) [**1**][3] en zijn *Alexander de Grote*, nu in Lissabon(?) (Museu Calouste Gulbenkian) [**2**][4], heeft veel weg van het oude liedje. De klassicistische kritiek heeft met zoveel succes voortgeborduurd op dit afgekloven thema, dat ook Rembrandts vermeende zondigen tegen de 'regels van de kunst' in analyse moest worden genomen en tot 'topos' kon worden verklaard.[5]

Bruegels zure opmerkingen (laster, volgens Rosenberg en Emmens) appelleerden allerminst aan Ruffo's hoge achting voor Rembrandt, waar zakelijke meningsverschillen geen afbreuk aan deden. Nog steeds wordt hun verhouding het beste gekwalificeerd zoals Hoogewerff het deed in de titel van zijn artikel in *Oud-Holland* (1917): 'Rembrandt en een Italiaansche Maecenas'.[6] Hierin berichtte hij de Nederlandse lezers uitvoerig over enkele opzienbarende publicaties door een verre nazaat van Don Antonio in het *Bolletino d'Arte* (1916) van een reeks documenten uit het familiearchief, vooral correspondentie met kunstenaars of over kunstwerken.[7] Hoogewerff wist voor het eerst de desbetreffende documenten in verband te brengen met de schilderijen waarvan toen nog niet bekend was dat Ruffo ze in zijn bezit had gehad. Aan hun gegevens voegde Ricci een jaar later nog menig interessant detail toe.[8]

Omstreeks 1652 had de Siciliaan via enkele tussenpersonen een opdracht geplaatst in Amsterdam tot het schilderen van een halffiguur van een filosoof. Rembrandt was hiervoor de aangewezen figuur: dit type schilderij had hij als

Rembrandt Homerus dicteert zijn verzen

1
Rembrandt
Aristoteles met de buste van Homerus
Doek, 143,5 x 136,5 cm
Op de voet van de buste: *Rembrandt. f. 1653*
New York, The Metropolitan Museum of
Art, inv.nr. 61.198

2
Rembrandt
Alexander de Grote
Doek, 118 x 91 cm
Niet gesigneerd, niet gedateerd (ca. 1660)
Lissabon, Museu Calouste Gulbenkian,
inv.nr. 1488

Den Haag 1977, p. 200, nr. 584 en afb.
Tümpel 1977, p. 116–117 en afb.
De Vries e.a. 1978, p. 14, 35, 166–177, nr. XII en
afb. 137 en XIII, p. 222–223, appendix IV
Strauss/Van der Meulen 1979, p. 484, 485, 506–
509 en 523 en afb.
Meijer 1983, p. 37, noot 2
Sumowski 1983-A, p. 1168, nr. 760
Schwartz 1984, p. 303, 304, 312, 316–317, afb.
366 en p. 346
Hoetink e.a. 1985, p. 270–271, nr. 76 en afb.,
p. 430, nr. 584 en afb.

een historiestuk, dan wel als een historisch portret inmiddels ontwikkeld uit
de vroegere 'tronies'. In de inventaris van de collectie in Palazzo Ruffo stond
het in 1654 beschreven als 'mezza figura d'un filosofo … pare Aristotile o
Alberto Magno', dus als een of andere wijsgeer, waarschijnlijk Aristoteles of
Albertus Magnus. In 1657 werd het zelfs '(il) quadro di Alberto Magno'
genoemd.[9]

Natuurlijk was dit het New Yorkse schilderij, dat 1653 is gedateerd.
Daarvan werd de voorstelling in een latere inventaris in 1673 geïnterpreteerd
als 'Aristoteles met een hand op een borstbeeld'.[10] Veel later kon het nader
worden gepreciseerd als het portret van Aristoteles, getooid met een
portretmedaillon van Alexander de Grote, in gepeins bij de buste van
Homerus. In dit programmatische schilderij blijkt aldus de Aristotelische
indeling van de voornaamste drijfveren van de mens uitgebeeld te zijn: het
poëtische *ingenium* (Homerus), de filosofische *disciplina* (Aristoteles) en de
actieve *exercitatio* (Alexander).[11] Dat wat in beknopte vorm al in deze
Aristoteles aanwezig was, werd later nog eens breeduit op een drietal doeken
herhaald. Uit niets blijkt echter dat Ruffo dat zèlf zo begrepen heeft, laat
staan bedacht. Vermoedelijk heeft Rembrandt zich bij deze vererende en goed
betalende opdracht laten informeren door een man die beter in de klassieken
thuis was dan hij zelf: wie anders dan Jan Six?[12]

Ruffo was zo ingenomen met zijn aanwinst dat hij er in 1660 door de schilder Guercino een tegenhanger voor liet maken. Stijl en onderwerp moesten op elkaar afgestemd worden, dus verzocht hij de Italiaan om het uit te voeren in de trant van diens vroege werken, namelijk breed geschilderd. Juist de ruige toets in het werk van Rembrandt moet de opdrachtgever bevallen zijn. Guercino liet een getekende kopie van de voorstelling opsturen en maakte vervolgens een spiegelbeeldige variant. De als 'Fisonomista' geïnterpreteerde *Aristoteles* kreeg een passende tegenhanger in de vorm van een *Cosmograaf*, die nu alleen nog bekend is uit een getekende voorstudie(?) (Princeton, University Museum).[13] Begin 1661 werd Guercino's werk in Messina afgeleverd.

Inmiddels was Ruffo kennelijk op het idee gekomen om een grote reeks historische halffiguren te laten maken door verschillende kunstenaars en Mattia Preti werkte voor hem in 1661 aldus aan een *Dionysius, tyran van Syracuse*.[14] Hij moet eerder aan Rembrandt een tweede opdracht voor zo'n stuk hebben gegeven, want 30 juli 1661 is de factuur gedateerd van een zending uit Amsterdam van een 'grote Alexander, van de hand van de schilder Rembrandt van Rijn voor rekening van de graaf van Messina voor welk schilderij de prijs is overeengekomen van f 500,–'.[15] Bij deze zending, waarvan nog niet vaststaat dat het werkelijk de *Alexander* in Lissabon betreft, had Rembrandt een geprepareerd doek (inclusief de rekening) ingesloten, waarop zich een schets voor een tafereel met Homerus bevond. Dit was het Haagse schilderij in wording. Het is niet duidelijk of hij daarvoor ook een opdracht had gekregen: het lijkt erop dat Rembrandt op eigen initiatief handelde.

De opzet en uitvoering is geheel naar eigen inzicht gebeurd. Hoe dan ook liggen de wortels ervan in eerder gemaakt werk: in de *Aristoteles* uit 1652 en in een tekening voor Jan Six uit dat jaar, maar zeker ook in het *Portret van Cornelis Anslo en zijn vrouw* (Berlijn, Staatliche Museen) [8][16], dat in 1644 door Vondel werd bezongen. In het *album amicorum* 'Pandora' van Jan Six had Rembrandt een bijdrage voorzien van een persoonlijke opdracht: 'Rembrandt aan Joanus Sicx. 1652'. Het is een vlot gemaakte schets met de rietpen, voorstellende *Homerus die verzen declameert* (Amsterdam, collectie Six-stichting)[3].[17]

Al lang is bekend dat Rembrandt in deze schets het beroemde Parnassus-fresco van Rafael parafraseerde. Afbeeldingen ervan waren in allerlei versies in omloop. Men kan zich voorstellen dat Jan Six de compositie bediscussieerd heeft aan de hand van bijvoorbeeld de prent van Marcantonio Raimondi [4].[18] Jan Six had, in tegenstelling tot zijn vriend, in 1640 na een studie aan de Leidse universiteit zijn opvoeding kunnen afronden met de gebruikelijke kunstreis, de *Grand Tour* naar Italië. Hij heeft ook Rome bezocht en kon dus uit de eerste hand relevante informatie geven over de grote decoraties van Rafael in het Vatikaan.

Het eigenlijke onderwerp van Rafaels fresco was Apollo op de Parnassus tussen de muzen en beroemde mannen en vrouwen, dichters en schrijvers uit de oudheid en renaissance, zoals Dante en Petrarca, Homerus, Vergilius en Sappho. Uit Raimondi's prent isoleerde Rembrandt echter het linkerdeel, zodat *Homerus die verzen declameert* resteerde. De anecdotische mogelijkheden van de voorstelling benadrukte hij sterk.[19] De aandacht van de omstanders is meer dan in de prent gericht op de blinde dichter, die op een stok leunt en die zijn rechterhand opheft in een declamerend gebaar. De pathetische blik naar de hemel die Homerus bij Rafael had, is verdwenen. Homerus is opgestaan

uit een grote stoel, terwijl een man over de rugleuning hangt en aandachtig meeluistert. Rechts zit een schrijver die de dichter als het ware de woorden uit de mond kijkt en die tevens zijn hexameters noteert, zoals Rembrandt het bij Rafael had gezien.

Het kan geen toeval zijn dat er overeenkomst in thematiek bestaat tussen de tekening voor Jan Six en het schilderij voor Ruffo. Een ontwerptekening voor het schilderij (Stockholm, Nationalmuseum) [5][20] laat zien dat Rembrandt zich de compositie oorspronkelijk niet als een enkele halffiguur had voorgesteld. Het doek is aanzienlijk afgesneden, zodat in de hoek rechts onder nu nog net een stuk papier en twee vingers met een pen zijn te zien van een schrijver die Homerus' verzen noteert. Volgens de vermelding in de inventaris van de collectie die in 1673 in Messina werd opgemaakt, waren er destijds zelfs twee schrijvende of luisterende discipelen te zien, dus anders dan in de ontwerpschets was voorzien.[21] Men neemt aan dat de oorspronkelijke compositie voortleeft in een schilderij van Aert de Gelder uit omstreeks 1700 (Boston, Museum of Fine Arts) [6].[22] Deze spiegelbeeldige variant met vooral grote gelijkenis in de houding van Homerus toont aan, dat de compositie die De Gelder op Rembrandts atelier heeft zien ontstaan, opmerkelijk lang op zijn netvlies bleef geëtst.[23]

De schrijvende discipel van wie in het Haagse fragment slechts de vingers zijn te zien, was kennelijk een wezenlijk element in het verhaal. Essentieel was ook de blindheid van Homerus. Zoals in de tekening voor Six is hij voorgesteld als een oude man met een mutsje tegen de kou en een wijde mantel om. Zijn hoofd is wat tussen de schouders gezakt en hij leunt met zijn linkerhand op een stok. De rechterhand heft hij in een declamerend gebaar. De lege blik van de blinde poëet met zijn hoog opgetrokken wenkbrauwen komt overeen met die van de Homerus-buste in het Aristoteles-schilderij [1]. Deze kop was geschilderd naar een afgietsel van een antiek portret van Homerus, een Hellenistisch beeldhouwwerk waarnaar nog verschillende

5
Rembrandt
Homerus dicteert aan een schrijver
Tekening, 145 x 167 mm
Niet gesigneerd, niet gedateerd (ca. 1660)
Stockholm, Nationalmuseum, inv.nr. 1677/
1875

6
Aert de Gelder
Homerus dicteert aan schrijvers
Doek, 100,2 x 127 cm
Niet gesigneerd, niet gedateerd (ca. 1700)
Boston, Museum of Fine Arts, inv.nr. 39.45

oude kopieën bestaan [7].[24] Het modelé van de geschilderde buste met de opengesperde, maar nietsziende ogen en de band als ereteken om het haar, benadert het antieke beeld vrij goed. In 1656 stonden op Rembrandts 'Cunst Caemer' allerlei gipsafgietsels: naast een vrijwel komplete serie portretten van Romeinse keizers had hij ook bustes van dichters en wijsgeren, zoals Heraclitus, Socrates, *Homerus* en Aristoteles.[25] Het portret van de blinde dichter kon Rembrandt trouwens zowat dromen: we herkennen het in een van zijn machtigste bijbelse composities, *Jacob zegent de zonen van Jozef* (Kassel, Gemäldegalerie)[26] in de gelaatstrekken van de blinde Jacob. Eerder al acteerde Homerus als een blinde farizeeër uiterst links in de befaamde '*Honderdguldenprent*'.[27]

Bredius was de eerste van een lange reeks commentatoren die opmerkte hoe Rembrandt in de *Homerus* 'in mijne verzameling (...) op wondere wijze leven wist te blazen in het koude marmer'.[28] Rembrandt heeft zich zo sterk ingeleefd in Rafaels compositie dat hij het menselijke aspect daarin benadrukte. Er kan zelfs gesteld worden dat hij de stem van Homerus heeft weten uit te beelden.

In 1641 had Rembrandt het dubbelportret van *Cornelis Anslo en zijn vrouw* (West-Berlijn, Staatliche Museen) [8][29] geschilderd. Anslo was de voorganger van de Waterlandse gemeente in Amsterdam en is uitgebeeld als een redenaar met uitgestrekte hand, waarmee werd onderstreept dat het gesproken woord voor de mennonieten van primair belang was om Gods boodschap te kunnen uitdragen.[30] Joost van den Vondel heeft de bedoeling van de schilder begrepen en geprezen omdat hij erin geslaagd was Anslo als begenadigd spreker uit te beelden:

'Ay Rembrant, maal *Cornelis* stem.

Het zichtbre deel is 't minst van hem:

't Onzichtbre kent men slechts door d'ooren.

Wie *Anslo* zien wil, moet hem hooren'.[31]

Het spreken van Anslo is uitgebeeld door zijn geopende mond en retorische gebaar, maar vooral ook door zijn toehorende vrouw, die nog ontbrak in de tekening, die als een voorstudie voor het schilderij wordt beschouwd (Parijs, Musée du Louvre).[32] Het declamerende gebaar, de geopende mond van de spreker en de toehoorder in de vorm van de schrijver zijn wezenlijke elementen in de uitbeelding van Homerus, die ongetwijfeld teruggaan op het schilderij dat door Vondel zo geprezen was. Een verantwoorde parafrase lijkt dan ook: 'Ay Rembrandt, maal *Homerus* stem'.[33]

Uit de documenten blijkt dat Rembrandt zijn drie schilderijen als een (iconografische) eenheid had bedoeld, hoewel ze kennelijk niet zo door Ruffo zijn opgevat.[34] De nota van 30 juli 1661 bevatte een boodschap van de schilder die nogal verminkt werd overgebracht. De expediteur vertelde dat de *Homerus* nog zou worden afgemaakt ('doverebbe esser pinto ancora') en van boven afgerond om de twee andere stukken er beter bij te kunnen laten aansluiten: *ingenium* tussen *disciplina* en *exercitatio*. Gaf een meegebrachte tekening [5] wellicht een idee van de voorgestelde afronding?[35] Paradoxaal genoeg meende de boodschapper ook dat de *Alexander* in het midden zou komen te hangen ('per mettere Alexandro nel mezzo').[36]

Ruffo was niet erg ingenomen met de zending, waaronder een feitelijk opgedrongen schilderij, hoezeer dat ook paste in de trits. De *Alexander* bleek van boven en opzij vergroot te zijn om een passend formaat te krijgen. In een bewaard gebleven briefje meldde Rembrandt zelf wat hij de ideale maten voor de drie doeken achtte: 'als yder stuck 6 palmen breedt is en 8. Hoogh, sullen goede formaeten weesen'.[37] De opdrachtgever schreef verbolgen terug dat zich in zijn collectie niet één schilderij bevond op vier aan elkaar genaaide stukken doek. Hij verlaagde daarom de prijs, tegelijk met die voor de *Homerus*, die wel op een mooi doek was, maar half voltooid ('mezzo finito').[38]

Rembrandt was bereid voor hetzelfde geld (niet minder) een nieuwe *Alexander* te schilderen en de schets van *Homerus* ('il schesso di Humeris') te

7
Laat-Hellenistische kopie (ca. 150 v. Chr.)
Portret van Homerus
Marmer, hoogte 41 cm
Boston, Museum of Fine Arts

8
Rembrandt
Cornelis Anslo en zijn vrouw
Doek, 176 x 210 cm
Links, naast de tafelpoot: *Rembrandt f. 1641*
West-Berlijn, Staatliche Museen, inv.nr. 828i.

voltooien in een nader te bepalen vorm. Aldus een namens hem in het Italiaans opgestelde brief aan Don Antonio, die eind 1662 verstuurd zal zijn.[39] Het antwoord moet gunstig zijn geweest, want in 1663 legde Rembrandt de laatste hand aan de *Homerus*, die hij signeerde, dateerde en opstuurde naar Messina. Daar arriveerde het op 20 mei 1664.[40] Op 26 december 1673 werd een inventaris gemaakt van de schilderijenverzameling in Messina: een alfabetisch geordende lijst en helaas geen beschrijving op hangplaats. De drie Rembrandts werden stuk voor stuk halffiguren naar het leven genoemd ('mezza figura al naturale'), geschilderd op identieke formaten: 8 *x* 6 palmen, dus ongeveer 2 *x* 1½ meter.[41] Het advies van Rembrandt daaromtrent was kennelijk aanvaard. De als een zittende figuur beschreven *Alexander* was inmiddels geleverd en de *Homerus* was voltooid. De voorstelling van het laatste stuk was ten opzichte van het getekend ontwerp uitgebreid met nog een schrijvende of toehorende discipel en het liggende formaat was opgegeven. Het betekent dat aan de *Homerus* zoals het doek nu is bijna een meter in de hoogte en driekwart in de breedte ontbreekt [**9**].[42]

De inventaris werd in 1673 opgemaakt bij het huwelijk van Don Placido, de oudste zoon van Don Antonio Ruffo. De halffiguren van Rembrandt waren aangemerkt als behorend tot de kern van de verzameling, namelijk de honderd fraaiste stukken die nooit verkocht mochten worden en die in het bezit moesten blijven van de eerstgeboren Ruffo in de elkaar opvolgende generaties.[43] De bepalingen van de erflater zijn nog geen honderd jaar van

9
Reconstructie van het oorspronkelijke
formaat van *Homerus dicteert zijn verzen*
Volgens de opgave uit 1663: 206,4 x 154,8 cm
Fragment nu: 108 x 82,4 cm

kracht gebleven: in 1765 bevond de *Alexander* zich op een veiling in
Amsterdam, de *Aristoteles* dook in 1815 in Londen op, alwaar ook de *Homerus*
omstreeks 1885 terecht kwam. Over het lot van dit doek kan slechts
opgemerkt worden dat Bredius sprak van geblakerde randen voordat hij het
tussen 1894 en 1897 in Berlijn door Hauser liet restaureren: vermoedelijk
werd het eerder in een brand zwaar gehavend.[44] Van het resterende fragment
zijn grote delen (toen?) op- of weggewerkt en alleen in het gezicht en op de
schouderdoek is het merendeel van de oorspronkelijke krachtige schildering
bewaard gebleven.

De gele olieverf van de omslagdoek is duidelijk met het paletmes
aangebracht. Hoogewerff meende dat Rembrandt de meeste partijen 'in
heiligen toorn duchtig (had) overgeborsteld' omdat hij verontwaardigd was
over Ruffo's reactie.[45] Na hem is vaak herhaald dat hij met de Siciliaan van
mening verschilde over de mate waarin het schilderij zou zijn voltooid.[46] De
manier van schilderen was omstreeks 1650 inderdaad een punt van discussie,
waarin Rembrandt een rigide en ouderwets standpunt zou hebben
ingenomen. Houbraken formuleerde de kritiek aldus: 'En dus ging het ook
met zyne schilderyen, waar van ik 'er gezien heb, daar dingen in ten uitersten
in uitgevoerd waren, en de rest als met een ruwe teerkwast zonder agt op
teekenen te geven was aangesmeerd. En in zulk doen was hy niet te verzetten,
nemende tot verantwoording *dat een stuk voldaan is als de meester zyn voornemen
daar in bereikt heeft*'.[47]

In het schilderij in Den Haag brachten röntgenopnamen geen pentimenti
aan het licht. Dus zal 'il schesso di Humeris' wel een ruwe opzet zijn geweest
en niet een in Rembrandts ogen voltooid werk, dat de ander onaf vond. De

met het paletmes 'aangesmeerde' versie was in de ruige trant uitgevoerd, die in Messina juist wel gewaardeerd werd. Daarom sloeg Abraham Bruegel tegen Ruffo tenslotte een ander toontje aan toen hij op 3 maart 1671 hem schreef over een werk van Giacinto Brandi. Als hij namelijk geweten had dat het werk deel uit moest maken van de serie, waartoe ook de schilderijen van Rembrandt behoorden, zou Brandi zijn stijl wel met uiterst krachtig schilderwerk hebben aangepast ('avrebbe tentato il suo pennello farle fare l'ultimo sforzo').[48] De bestelling van deze aanvulling is de zoveelste aanwijzing dat Ruffo in de drie stukken van Rembrandt geen samenhang zag. De hele affaire leidt tevens tot de conclusie dat hij meer belangstelling had voor de manier van schilderen dan voor het onderwerp van de schilderijen.[49]

1 In vertaling; zie: *Ruffo 1916*, p. 174–175; *Strauss/Van der Meulen 1979*, p. 546, nr. 1665/8

2 *Ruffo 1916*, p. 186; *Slive 1953*, p. 81–82

3 *Gerson/Bredius 1969*, p. 386 en 594, nr. 478 en afb.

4 *Gerson/Bredius 1969*, p. 387–388 en 594, nr. 479 en afb.

5 *Slive 1953*, p. 81–82; *Emmens 1969*, p. 63–66; *Tümpel 1977*, p. 128–131

6 *Hoogewerff 1917*; *Rosenberg 1944*, p. 132; *Emmens 1968*, p. 66

7 *Ruffo 1916*

8 *Hoogewerff 1917*, p. 130–131; *Ricci 1918*, p. 1–53 publiceerde de documenten die betrekking hadden op Rembrandt met afbeeldingen van de originele manuscripten, waarbij hij nieuw archiefmateriaal uit Messina aandroeg; men dient de Italiaanse geschriften te blijven raadplegen, omdat de recente publicatie van de 'Rembrandt-documents' veelal zeer slechte transcripties bevat, zie: *Strauss/Van der Meulen 1979*, nr. 1654/10, 1654/16, 1660/7, 1660/9, 1660/14, 1662/11, 1662/12, 1665/8. Vertalingen van originele documenten gaven ook *Slive 1953*, p. 59–64, 80–82 en 207 en *De Vries e.a. 1978*, p. 222–223, appendix IV; aanvullingen, dan wel iets andere interpretaties gaven: *Rosenberg 1944*, p. 129–134; *Von Einem 1952*, p. 195–200 en *Held 1969*, p. 5–16 en 21

9 *Ricci 1918*, p. 17, noot 2: inventarissen van 1 september 1654, respectievelijk 8 januari 1657. Deze inventarissen ontbreken in *Ruffo 1916*; *Strauss/Van der Meulen 1979*, p. 320, nr. 1654/16 hebben deze belangrijke passage niet in originalis, dus ook niet in hun context bestudeerd of weergegeven.

10 *Ruffo 1916*, p. 318, nr. 221: 'Aristotele che tiene la mano sopra una statua'

11 *Emmens 1968*, p. 169–174; zie ook: *Held 1969*, p. 21 e.v.

12 Zie noot 17–19; zie ook: *Schwartz 1984*, p. 302. *Emmens 1968*, p. 174 meende dat er sprake was van 'Rembrandts eigen conceptie'; *Held 1969*, p. 13 verwees naar 'some learned friends (or friend)'; een andere auctor intellectualis werd voorgesteld in: *De Vries e.a. 1978*, p. 177, noot 24. *Saxl 1957*, p. 310 meende nog ten onrechte dat het idee voor de trilogie was uitgegaan van Ruffo.

13 Inv.nr. 48–709; *Gibbons 1977*, dl. I, p. 97–98, nr. 256, dl. II, afb. 256; *Rosenberg 1944*, p. 131 en 133, afb. 1; *Held 1969*, p. 6, noot 15

14 *Ruffo 1916*, p. 241, noot 4; *Strauss/Van der Meulen 1979*, p. 490–491, nr. 1661/9 en 494, nr. 1661/15. Op grond van de maten kan het niet als een pendant voor de *Aristoteles* worden beschouwd, zoals wel wordt gedacht; zie daarover: *Held 1969*, p. 6, noot 16

15 In vertaling; *Ruffo 1916*, p. 127; *Strauss/Van der Meulen 1979*, p. 484–485, nr. 1661/5

16 *Bredius/Gerson 1969*, p. 323 en 583–584, nr. 409 en afb.

17 *Benesch 1973*, dl. V, p. 255, nr. 913 en afb. 1190

18 B. 247; zie: *Broos 1977*, p. 114, nr. Ben. 913 (en lit.)

19 *Broos 1985–86*, p. 72–73, nr. 60–61

20 *Benesch 1973*, dl. V, p. 292, nr. 1066 en afb. 1352 (en lit.)

21 *Ruffo 1916*, p. 318, nr. 223: 'Omero seduto che insigna a 2 discepoli, mezza figura al naturale'

22 *Sumowski 1983-A*, p. 1168 en 1220, nr. 760 en afb. (en lit.)

23 Omdat op 20 mei 1664 het schilderij van Rembrandt in Messina arriveerde (zie noot 39) en daar sindsdien is gebleven, is dit een terminus ante quem voor De Gelders leertijd in Amsterdam. Een terminus post quem is mei 1662, toen zijn eerste leermeester Samuel van Hoogstraten naar Engeland vertrok, zie: *Sumowski 1983-A*, p. 1154

24 *Six 1897* onderzocht welk voorbeeld Rembrandt kon hebben gebruikt, met een negatief resultaat; *Held 1969*, p. 18, afb. 14, oordeelde dat de versie te Boston het dichtst Rembrandts exemplaar benadert.

25 *Strauss/Van der Meulen 1979*, p. 363–364, nr. 1656/12, nr. 154, 162–164

26 Inv.nr. GK 249; *Gerson/Bredius 1969*, p. 434 en 601–602, nr. 525. Over deze ontlening, zie: *Bialostocki 1972*, p. 132–133

27 B. 74; *Hollstein*, dl. XVIII, p. 39-40, nr. B. 74, dl. XIX, p. 64–65 en afb. Over deze ontlening, zie: *Broos 1977*, p. 79–80, nr. B. 74 (en lit.)

28 *Bredius 1906*, p. 95

29 Zie noot 16

30 *Schwartz 1984*, p. 217–218 en 371, noot 217–218 (en lit.)

31 *Vondel*, dl. IV, p. 209; een uitgebreide analyse van dit gedicht gaf *Emmens 1963*, dl. I, p. 61–97. Zie ook: *Klamt 1975*, p. 162 e.v.

32 Collectie E. de Rothschild; *Benesch 1973*, dl. IV, p. 198, nr. 759 en afb. 956

33 *Six 1897*, p. 10

34 In 1671 liet Ruffo bij een van zijn Rembrandts nog een dergelijke halffiguur schilderen (zie noot 48). In de inventaris van 1673 (noot 40) werden ze wel als even groot vermeld.

35 *Ruffo 1916*, p. 128; *Ricci 1918*, p. 22–23 en afb. (Deze belangrijke passage ontbreekt in: *Strauss/ Van der Meulen 1979*, p. 484–485, nr. 1661/5). De tekening in Stockholm heeft waarschijnlijk een Italiaanse herkomst, zie: *Amsterdam/Rotterdam 1956-A*, p. 180, nr. 254

36 *Ruffo 1916*, p. 128; *Ricci 1918*, p. 22-23 en afb. Over wèlk schilderij in het midden had moeten hangen, liepen de meningen zeer uiteen, zie *Hoogewerff 1917*, p. 139; *Von Einem 1952*, p. 196, noot 2; *De Vries e.a. 1978*, p. 172

37 *Ruffo 1916*, p. 166 en afb.; *Ricci 1918*, p. 18–21 en afb. *Strauss/Van der Meulen 1979*, p. 485, nr. 1661/5

38 *Ruffo 1916*, p. 165; *Ricci 1918*, p. 24–29; *Strauss/Van der Meulen 1979*, p. 509, nr. 1662/12

39 *Ruffo 1916*, p. 166 ('il schizzo di Humerio'); *Ricci 1918*, p. 30–31 en afb. ('il schesso di Humeris'); *Strauss/Van der Meulen 1979*, p. 509, nr. 1662/12 ('il schizzo di Humerio')

40 *Ricci 1918*, p. 30

41 *Ruffo 1916*, p. 318, nr. 221–223

42 Aangaande de maten, zie: *De Vries e.a. 1978*, p. 172 en 177, noot 20

43 *Ricci 1918*, p. 38

44 *Hoogewerff 1917*, p. 135, noot 1; *De Vries e.a. 1978*, p. 170–172 en 176

45 *Hoogewerff 1917*, p. 143

46 Bijvoorbeeld: *Rosenberg 1944*, p. 129; *Slive 1953*, p. 63; *Broos 1971*, p. 183

47 *Houbraken 1718–21*, dl. I, p. 259; zie ook: *Broos 1978–79*, p. 123

48 *Ruffo 1916*, p. 188

49 In Italië werd de ware kunstenaar vanouds herkend aan zijn sprezzatura, zie bijvoorbeeld: *Gombrich 1964*, p. 165–173

Leiden 1606 – Amsterdam 1669

Doek, 63,5 x 57,8 cm
Links midden: *Rembrandt f 1669*
Inv.nr. 840

Op de wintertentoonstelling in 1899 van de Royal Academy in Londen werd dit *Zelfportret* van Rembrandt voor het eerst getoond aan het grote publiek.[1] Tot dan toe hadden slechts weinig kunstkenners het schilderij uit de collectie Neeld onder ogen gehad en zij waren er niet allemaal even verrukt over. Charles Blanc noteerde bijvoorbeeld in 1864 nogal kortaf: 'Portrait de Rembrandt, dans ses dernières années. Couleur chaude et transparante, manière heurtée'.[2] Emile Michel gaf een tamelijk koele beschrijving in 1893: 'Dans l'un d'eux (auto-portraits), celui qui fait partie de la collection de sir John Neeld, à Grittleton-House, une peinture aux ombres un peu noires et d'une expression assez insignifiante, il s'est représenté en buste, vêtu d'un costume brun et coiffé d'une petite barrette violet clair, à bandes rougeâtres'.[3]

Het schilderij was in de loop der eeuwen zo donker geworden dat de signatuur en zeker het jaartal niet goed meer gelezen konden worden. In zijn catalogus schreef Max J. Friedländer zelfs tijdens de bezichtiging in Londen: 'z(um) T(eil) Unecht'.[4] De eerste kunsthistoricus die de datum juist las, was A. Bredius in een recensie van de Londense tentoonstelling: 'Wenigstens scheint das Datum *1669*, Rembrandt's Todesjahr, darauf zu stehen. Früher las man es 1660. Das noch ganz sorgfältig und ausführlich gemalte Bild stellt uns den Meister stillvergnügt, fast etwas spöttisch lächelnd dar; das Gesicht ist allerdings etwas aufgedunsen und kränklich'.[5]

Het schilderij belandde in de kunsthandel te Londen en Berlijn en werd verworven door Marcus Kappel, die het in 1925 uitleende voor de 'Historische tentoonstelling' van de stad Amsterdam.[6] Het zelfportret bleef in Nederland als langdurig bruikleen aan het Rijksmuseum, ook nadat Dr. Ernest Rathenau en zijn zuster het van Kappel hadden geërfd. In de Tweede Wereldoorlog werd het schilderij door de bezetters meegenomen om het een plaats te geven in het 'Führermuseum' in Linz, dat echter nooit werd gerealiseerd. Nadat het in Den Haag was teruggekeerd als 'herwonnen kunstbezit', slaagde men in 1947 erin het van de familie Rathenau te verwerven voor het Mauritshuis. Toen was dat het enige late zelfportret van Rembrandt in een Nederlandse openbare collectie.[7]

Er is wel getwijfeld aan de authenticiteit van het jaartal 1669, waarvan ook na technisch onderzoek niet werd uitgesloten dat het tijdens een restauratie in Berlijn kon zijn verfraaid.[8] Dat wil zeggen dat een mogelijk aanwezig jaartal 1660 kan zijn veranderd in het – meer interessante – 1669, dat immers het sterfjaar van de meester is. Daarentegen had Bredius in 1899 toch al duidelijk 1669 gelezen. In de tweede druk van de catalogus van de Londense tentoonstelling werd het jaartal ook in die zin gewijzigd.[9] Stilistisch past het werk beter in Rembrandts oeuvre met het latere jaartal. J. Bruyn wees er bijvoorbeeld op dat de zeer summiere toetsen in het gezicht overeenkomen met een dergelijke, bijna pointillistisch te noemen verfbehandeling in het *Portret van Jeremias de Decker* (Leningrad, Hermitage)[10], dat 1666 is gedateerd.[11]

Uiteraard heeft het feit dat het portret van Rembrandt ontstaan is in zijn

Herkomst

Collectie Sir Joseph Neeld, Londen, voor 1850
Collectie Sir John en Audley W. Neeld, Grittleton House (Wiltshire), ca. 1885–1899
Kunsthandel R.L. Douglas, Londen
Kunsthandel Knoedler & Co., Londen
Collectie M. Kappel, Berlijn, ca. 1912–ca. 1930
Collectie E.G. Rathenau en E. Ettlinger-Rathenau, Berlijn, Oxford, New York, ca. 1930–1947
Rijksmuseum, Amsterdam, 1925–1940
Collectie A. Hitler, Alt-Aussee, Salzburg, 1940–1945
Koninklijk Kabinet van Schilderijen 'Mauritshuis', 1947

Bibliografie

Blanc 1859–64, dl. III, p. 430
Michel 1893, p. 483 en 556
Londen 1899, p. 10, nr. 4
Valentiner 1909, p. 479 en afb.
HdG 527 (dl. VI, p. 230–231, nr. 527)
Bredius 1935, p. 4, nr. 62 en afb.
Den Haag 1946, p. 23, nr. 54 en afb.
Martin 1950, p. 51, nr. 15 en afb.
Den Haag 1954, p. 70, nr. 840
Van Gelder 1957, nr. 28a–b en afb.
Bauch 1966, p. 18, nr. 342 en afb.
Gerson 1968, p. 454–455 en 506, nr. 420 en afb.
Gerson/Bredius 1969, p. 58 en 552, nr. 62 en afb.
Den Haag 1970, nr. 29 en afb.
Erpel 1973, p. 63 en 202–203, nr. 112 en afb. pl. 69
Den Haag 1977, p. 202, nr. 840 en afb.
De Vries e.a. 1978, p. 178–187, nr. XIII en afb. 147–150 en XVIII
Wright 1982, p. 34 en 45, nr. 58 en afb. pl. 97
Washington enz. 1982–83, p. 102–103, nr. 29 en afb.
Schwartz 1984, p. 354, nr. 421 en afb.
Hoetink e.a. 1985, p. 272–273, nr. 77 en afb., p. 431, nr. 840 en afb.
Broos 1986, p. 296–300, nr. 42 en afb.

Rembrandt Zelfportret in 1669

1
Rembrandt
Zelfportret
Doek, 86 x 70,5 cm
Rechts midden: ....*t(?). f. 1669*
Londen, National Gallery, inv.nr. 221

2
Rembrandt
Zelfportret
Doek, 102 x 80 cm
Rechts onder: *Rembrandt. f. 1640 / Conterfeycel.*
Londen, National Gallery, inv.nr. 672

laatste levensjaar vele schrijvers ontroerd. Zo besloot Benesch in 1935 zijn *Rembrandt: Werk und Forschung* aldus: 'Aus Rembrandts Zügen im Sterbejahr spricht das tiefe Wissen um die Grenzen seiner Kunst'.[12] Eveneens in 1935 schreef F. Schmidt-Degener in de catalogus van de Rembrandt-tentoonstelling in Amsterdam: 'hij (maakt) op 63-jarigen leeftijd den indruk van een vroeg-ouden en uitgeputten grijsaard. De wangen zijn ongezond opgezet, het haar is wit onder de kleurige schildersmuts'.[13] Vooral deze interpretatie spruit op de eerste plaats voort uit een gangbare opinie volgens welke Rembrandt een genie is geweest, dat in zijn laatste levensjaren de strijd tegen de miskenning zou hebben opgegeven. Tegens deze romantisch gekleurde visie, die de leidraad is van vele monografieën over de kunstenaar, heeft J.A. Emmens terecht geprotesteerd.[14]

Het is trouwens een misvatting dat Rembrandt op het eind van zijn leven uitgeblust of inactief zou zijn geweest. Op 4 oktober 1669 stierf de kunstenaar,

3
Rembrandt
Zelfportret met de cirkels
Doek, 114,3 x 94 cm
Niet gesigneerd, niet gedateerd (ca. 1661–62)
Londen, Kenwood, The Iveagh Bequest,
inv.nr. 672

4
Reinier van Persijn naar Joachim von
Sandrart naar Rafael
Portret van Balthaser Castiglione
Gravure, 262 x 193 mm
Onder: *Reg^m Persinius sculptor lusit Iochimus
Sandrart del: et exc* (ca. 1641)
Amsterdam, Rijksprentenkabinet

sinds enkele maanden 63 jaar oud: dat was een leeftijd die toch weinigen toen bereikten.[15] Niet gebroken door het verlies van zijn kostbare en omvangrijke kunstcollectie in 1658 was Rembrandt in het laatste decennium van zijn leven als schilder bijna zo productief als in de jaren dertig. Hij kreeg talrijke portretopdrachten en werkte gestaag aan een nieuw soort historiestukken: een- of tweefigurige bijbelse, mythologische en historische figuren, zoals apostelen en Christuskoppen, die vaak portretten zijn van Hendrickje, Titus of zichzelf in een bijbelse of allegorische vermomming. Hoeveel hij er daarvan verkocht heeft, is helaas onbekend gebleven. In een inventaris werd na zijn dood alleen het huisraad genoteerd. De ateliervoorraad vulde toen bij elkaar drie kamers: 'de vordere goederen soo van schilderijen, teyckenen, rariteyten, antiquiteyten en anders op drie besondere Camers geset, de deuren daervan door my Notaris toegesloten …'.[16]

We zullen dus niet te weten komen of dit vlak voor zijn overlijden vervaardigde zelfportret ook in een van deze drie vertrekken was gezet, bijvoorbeeld samen met een eveneens in 1669 geschilderd portret van zichzelf (Londen, National Gallery) [**1**].[17] Het was een hele verrassing toen pas in 1967 dit jaartal onder vuile vernislagen tevoorschijn kwam[18], temeer omdat in dit werk niet de gesignaleerde tekenen van verval waren 'herkend'.[19] Verrassend was tevens dat dit het derde zelfportret zou zijn geweest uit het driekwart jaar dat hij in 1669 geleefd heeft. Ook het *Zelfportret als Zeuxis* (Keulen, Wallraf-Richartz-Museum)[20] acht men in dat jaar ontstaan. Op dit merkwaardige schilderij beeldde Rembrandt zich af als de Griekse kunstenaar Zeuxis, die zich dood lacht bij het schilderen van een oude, gerimpelde vrouw.[21] Dit 'portrait historié' geeft eerder blijk van een cynische vitaliteit, dan van levensmoeheid.

Net als in laatstgenoemd voorbeeld, heeft Rembrandt bij herhaling zelfportretten gebruikt om een boodschap over te brengen. In het schilderij uit 1640 (Londen, National Gallery) [2]²² bijvoorbeeld, spiegelde hij zich aan de Italiaanse schilder Rafael èn aan de dichter Ariosto (want: *ut pictura poesis*).²³ In het *Zelfportret met de cirkels* (Londen, Iveagh Bequest) [3]²⁴ poseerde hij als de schilder/grootmeester, staande voor de symbolen van eeuwigheid en volmaaktheid.²⁵ Zelfs in het Londense zelfportret uit 1669 [1] imiteerde hij de houding van een Italiaanse hoveling, ontleend aan de prent van Reinier van Persijn naar Rafaels beroemde *Portret van Baldassare Castiglione* [4]²⁶, die het origineel in spiegelbeeld vertoont. Rembrandt had het schilderij dertig jaar eerder in Amsterdam gezien en nagetekend (Wenen, Albertina).²⁷

Het zelfportret in Den Haag is het laatste in een lange reeks. Het toont Rembrandts gezicht, dat als het ware een uitsnede is van het werk in Londen.²⁸ De schilder draagt dezelfde baret, maar zijn haren zijn wat langer, een reden om een latere ontstaansdatum te vermoeden. Een boodschap is achterwege gebleven. Alles is al gezegd.²⁹

---

1 *Londen 1899*, p. 10, nr. 4
2 *Blanc 1859–64*, dl. III, p. 430
3 *Michel 1893*, p. 483
4 Exemplaar op het Kunsthistorisch Instituut, Utrecht (VE Londen 1899–1)
5 *Bredius 1898–99*, p. 302
6 *Amsterdam 1925*, dl. II, p. 59, nr. 524
7 *Den Haag 1946*, p. 23, nr. 54 en afb. Over de lotgevallen van het schilderij (1925–1947), zie: *De Vries 1949*, p. 48–49; *De Vries e.a. 1978*, p. 182–183
8 *De Vries e.a. 1978*, p. 183–187
9 *Londen 1899* (2de editie)
10 Inv.nr. 748; *Gerson/Bredius 1969*, p. 246 en 574–575, nr. 320 en afb.
11 *De Vries e.a. 1978*, p. 187, noot 11
12 *Benesch 1935*, p. 69
13 *Schmidt-Degener 1935*, p. 63, nr. 32; zie ook: *De Vries e.a. 1978*, p. 183 en 187, noot 8
14 *Emmens 1968*, p. 4–27: 'de moderne Rembrandt'. In het Haagse portret zijn uitentreuren tekenen van verval bespeurd, tot en met *Rosenberg 1964*, p. 55: 'It is only in the self-portrait of 1669, the year of Rembrandt's death, that we detect some decline in the aged artist's expressive power'.
15 *Strauss/Van der Meulen 1979*, p. 585, nr. 1669/4
16 *Strauss/Van der Meulen 1979*, p. 587, nr. 1669/5
17 *Gerson/Bredius 1969*, p. 55 en 551, nr. 55 en afb.
18 *Martin 1967*, p. 355 en afb. 35 (de signatuur)
19 *Rosenberg 1964*, p. 50–51 ontwaarde in dit portret sarcasme en ironie, zij het niet zonder 'the implications of the mature artist's humanity'.
20 Inv.nr. 2526; *Gerson/Bredius 1669*, p. 54 en 552, nr. 61 en afb.
21 *Blankert 1973*. Historisch onhoudbaar lijkt de opvatting van *Schwartz 1984*, p. 357, die Rembrandts spotternij acht voortgesproten uit domheid.
22 *Gerson/Bredius 1969*, p. 29 en 549, nr. 34 en afb.
23 *De Jongh 1969*
24 *Gerson/Bredius 1969*, p. 48 en 551, nr. 52 en afb.
25 *Broos 1971*
26 *Hollstein*, dl. XVII, p. 80, nr. 41. Meestal wordt niet beseft dat het de prent naar Rafaels portret moet zijn geweest, die Rembrandt tot voorbeeld diende, zie bijvoorbeeld: *Maclaren 1960*, p. 318
27 Inv.nr. 8859; *Benesch 1973*, dl. II, p. 107, nr. 451 en afb. 538
28 Volgens *Martin 1967*, p. 355 was de muts aanvankelijk groter, zoals op het Haagse schilderij.
29 Voor de waardering van Rembrandts zelfportretten, zie: *Wright 1982*, p. 129–133 (en lit.)

Siegen (Westfalen) 1577 – Antwerpen 1640

Paneel, 90 x 61 cm
Niet gesigneerd, niet gedateerd
Inv.nr. 926

Herkomst

Veiling Ch.-A. de Calonne, Londen, 1795
Veiling H. Hope, Londen, 1816
Veiling J. Knight, Londen, 1819
Veiling J. Webb, Londen, 1821 (aan Davies)
Collectie F.T. Davies, Londen, tot 1955
Kunsthandel Rosenberg & Stiebel, New
York, 1955–1956
Koninklijk Kabinet van Schilderijen
'Mauritshuis', 1956 (gekocht met steun van
de Stichting Johan Maurits van Nassau)

Bibliografie

Smith 1829-42, dl. II, p. 195–196, nr. 698
Londen 1950, p. 2–3, nr. 2 en afb.
Helsinki 1952–53, nr. v (6) en afb.
Brussel 1953, p. 6, nr. 6 en afb. pl. v
Haverkamp Begemann 1953, p. 71, nr. 51 en afb. 47
Held 1953, p. 116 en afb. 58
Gerson 1957, p. 2 en afb.
De Vries 1957, p. 123–124 en afb.
Den Haag 1958, p. 77, nr. 926
Held 1959, dl. I, p. 109, nr. 35, p. 111, nr. 40
d'Hulst 1968, p. 18 en 97, nr. 15 en afb. 8
Den Haag 1970, nr. 10 en afb.
Baudouin 1972-A, p. 71, noot 50
Van de Velde 1975-A, p. 270–271 en 276 en afb. 10
Antwerpen 1977, p. 164–165, nr. 69 en afb.
Eisler 1977, p. 111–112, nr. K 1871
Den Haag 1977, p. 208–209, nr. 926 en afb.
Held 1980, dl. I, p. 513–514, nr. 377 en afb. fig. 19, dl. II, afb. 368
Freedberg 1984, p. 178, nr. 43, noot 26, p. 178–180, nr. 43a en afb. 120
Hoetink e.a. 1985, p. 278–279, nr. 80 en afb., p. 434, nr. 926 en afb.

Hij was de zoon van de Antwerpse schepen Jan Rubens, die zich wegens zijn protestantse geloof omstreeks 1570 in Keulen had gevestigd. Na de dood van zijn vader in 1587 werd het gezin weer in Antwerpen toegelaten, waar Peter Paul een humanistische opvoeding kreeg aan de Latijnse school van Rombout Verdonck. Hij was enige tijd page bij de gravin de Ligne en leerde het schildersvak bij Tobias Verhaecht, Adam van Noort en (vooral) Otto van Veen (Vaenius). Het was zijn ambitie historieschilder te worden net als Vaenius: dat was immers het hoogst bereikbare in de kunst. In 1598 werd hij als vrijmeester ingeschreven in het Antwerpse Sint Lucasgilde en twee jaar later vertrok hij voor de welhaast aan zijn stand verplichte kunstreis naar Italië. Hij werkte voor Vincenzo I Gonzaga in Mantua (die hij al in Antwerpen had leren kennen) als portretschilder, vervaardigde in 1602 drie altaarstukken voor de Santa Croce in Rome en verbleef aan het Spaanse hof, waar hij in 1603 een ruiterportret van de hertog van Lerma schilderde. Tot 1608 vond de schilder vooral emplooi in Rome, maar hij keerde in dat jaar naar Antwerpen terug, na de dood van zijn moeder. Hij werd aangesteld als hofschilder van de aartshertogen Albrecht en Isabella en mocht in de Scheldestad blijven wonen en werk aannemen van anderen. Het resultaat was een overvloed aan opdrachten van kerken en kooplieden, die inmiddels de beeldenstorm en de economische malaise te boven waren gekomen. Rubens heeft in feite het gezicht van de Vlaamse schilderkunst van zijn generatie bepaald: zijn thema's waren veelal traditioneel, maar hij verwerkte daarin de verworvenheden van de Italiaanse renaissance en het realisme van de toen actuele kunst van Caravaggio. Vooral zijn studietekeningen tonen aan hoe serieus hij de Italiaanse kunst nam. In 1609 was hij getrouwd met Isabella Brant en ze kregen drie kinderen, Clara-Serena (1611), Albrecht (1614) en Nicolaas (1618). In minder dan vier jaar (1622–1625) ontstond de serie taferelen uit het leven van Maria de' Medici, die een hoogtepunt zijn in de geschiedenis van de officiële kunstopdrachten. Na de dood van zijn vrouw (1626) werd hij door Philips IV belast met een politieke missie bij Karel I in Londen. Bij zijn afscheidsaudiëntie in 1630 werd hij door de Engelse koning tot ridder geslagen. In het tot stand komen van de vrede tussen Spanje en Groot Brittannië heeft Rubens een belangrijk aandeel gehad. Vier jaar later voltooide hij negen plafondschilderingen voor het Banqueting House te Londen. In 1630 was hij voor de tweede maal getrouwd met Helena Fourment die hem vier kinderen schonk: Clara Johanna (1632), Frans (1633), Isabella-Helena (1639) en posthuum Constantina (1641). In deze periode was hij vrij van politieke werkzaamheden en kon hij zich geheel aan zijn werk en gezin wijden. Rubens kocht in 1635 de heerlijkheid Het Steen te Elewijt en hier ontstonden schitterende landschappen en bucolische scènes. Men brengt deze ezelschilderijen ook wel in verband

Peter Paul Rubens 'Modello' voor de hemelvaart van Maria

met het feit dat hij steeds meer aan jicht begon te lijden. Hij ontwierp toen ook nog ruim honderd taferelen uit de *Metamorfosen* van Ovidius, die door anderen werden uitgevoerd. Zonder de medewerking van een groot atelier had hij trouwens nooit zo'n indrukwekkend oeuvre kunnen scheppen. De uitstraling van zijn werk is groot geweest en dat heeft hij zelf bevorderd door graveurs in zijn dienst reproducties daarnaar te laten maken.

1
Peter Paul Rubens
De hemelvaart van Maria
Paneel, 490 x 325 cm
Niet gesigneerd, niet gedateerd (1626–27)
Antwerpen, Onze-Lieve-Vrouwekerk

Tegen zijn zin was Rubens in 1626 in Antwerpen gebleven om voor de Onze-Lieve-Vrouwekerk *De hemelvaart van Maria* te schilderen. De pest heerste in de stad. Op 11 mei kregen vier sjouwers en enkele werklieden van de kathedraal drinkgeld betaald voor het op zijn plaats brengen van het bijna vijf meter hoge paneel in het door de gebroeders Robrecht en Jan de Nole gebeeldhouwde stenen hoogaltaar. Toen Rubens bezig was het altaarstuk ter plaatse uit te voeren, overleed zijn vrouw Isabella Brant op 20 juni 1626 aan de gevreesde ziekte. Als een in memoriam gaf hij de vrouw achter de graftombe in het schilderij de gelaatstrekken van zijn geliefde Isabella (Antwerpen, Onze-Lieve-Vrouwekerk) [1].[1]

Dat was althans de tamelijk dramatische conclusie van Carl van de Velde, die in 1975 de geschiedenis van de opdracht uitvoerig beschreven heeft.[2] Omdat inmiddels enige discussie is ontstaan over de portretten van Rubens' eerste vrouw, moet de kwestie van de gelijkenis nog in het midden blijven.[3]

318

Een feit is dat in de definitieve versie deze vrouwenfiguur veel nadrukkelijker aanwezig is dan in het ontwerp voor de compositie. Dit 'modello' werd in 1956 verworven door het Mauritshuis als het enige voorbeeld van de monumentale schilderkunst van Rubens in Nederland, en dan nog op deze bescheiden schaal. De hechte compositie, het lichte coloriet en de kleurenrijkdom karakteriseren de schets als een werk uit de jaren twintig en vermoedelijk is het niet zeer lang voor de aanvang van het werk in de kerk geschilderd, dus tussen 1622 en 1625.[4] Aan de eigenhandigheid kan niet getwijfeld worden en men neemt bovendien aan dat Rubens ook de belangrijke opdracht voor het hoofdaltaar in de kathedraal helemaal zelf heeft uitgevoerd, hoewel hij gewoon was assistenten daarbij in te schakelen. Een aantal veranderingen ten opzichte van het ontwerp zijn spontaan bedacht. Ze voegden een persoonlijke noot toe, zoals het 'portret' van Isabella, of ze beoogden een verbetering van de werking van de compositie, die op de plaats zelf natuurlijk het best beoordeeld kon worden.

De voorgeschiedenis van de opdracht heeft enige invloed gehad op het eindresultaat. Al in 1611 werd de naam van Rubens genoemd bij het project voor het hoogaltaar waar korte tijd een drieluik van Frans Floris had gestaan dat tijdens de beeldenstorm onherstelbaar was beschadigd.[5] Otto van Veen toonde toen aan het kapittel een ontwerp en zijn leerling Rubens had zelfs twee 'modelli' gemaakt voor *De hemelvaart van Maria*, waarvan een schets bewaard is gebleven (Leningrad, Hermitage).[6] Waarom dit niet tot een officiële opdracht heeft geleid, is niet duidelijk geworden. Rubens schilderde een grotere versie van zijn compositie (Wenen, Kunsthistorisches Museum)[7] die echter niet in de kathedraal is geplaatst, vermoedelijk omdat het werk toch nog te klein bleek.[8] Het Weense schilderij geeft in grote lijnen het artistieke denkproces weer van de schilder, zoals dat zich inmiddels had ontwikkeld. In deze voorstelling speelt zich op aarde de ontdekking af van de rozen die bloeien in Maria's graf en gedragen door de wolken stijgt zij op in een kring van engelen. Als verbindend element tussen beide taferelen heft een apostel (Johannes) zijn handen ten hemel. De kern van deze compositie gaat natuurlijk terug op Titiaans beroemde *Assunta* in de Frarikerk te Venetië [2].[9]

In 1618 werd de zaak weer actueel. De Utrechtse gebroeders de Nole offreerden een plan voor een portiekaltaar met een hoogte van vijftig Antwerpse voeten (veertien meter) en een breedte van tweeëntwintig voeten (later vergroot tot bijna acht meter).[10] Tijdens de Franse revolutie is dit altaar gesloopt, zodat we ons nu tevreden moeten stellen met een prent ernaar, die Adriaan Lommelin omstreeks 1650 vervaardigde [3].[11] Op 12 november 1619 werd alvast een contract opgesteld tussen de deken van de kathedrale kerk, Johannes del Rio, en Rubens die daarmee uiteindelijk de opdracht kreeg. Er werd bepaald 'dat ick sal schilderen loffelyck ende tot mynen alderbesten mogelyck synde, een paneel daerop de historie van onse Lieve Vrouwen Hemelvaert, ofte coronatie, tot contentement vanden heeren vanden Capittele'. Als honorarium was 'vyftien hondert guldens' overeengekomen. De eveneens bewaard gebleven kwitanties van de eindafrekening zijn gedateerd 30 september 1626 (1000 gulden) en 10 maart 1627 (500 gulden) (Antwerpen, Rubenshuis)[12]: op die laatste datum was het schilderij dus af.

Uit de aanhef blijkt dat de schilder pas in 1626 aan zijn karwei begonnen is, toen de altaarbouwers grotendeels klaar waren. Het contract was voor Rubens in 1619 wel wat prematuur, maar diende dan ook om de stichter aan zijn belofte van een donatie te binden. Johannes del Rio kreeg als tegen-

2
Titiaan
'Assunta'
Paneel, 690 x 360 cm
Niet gesigneerd, niet gedateerd (1516–18)
Venetië, Frarikerk

3
Adriaan Lommelin
Het hoogaltaar in de kathedraal van Antwerpen
Gravure (ca. 1650)

prestatie een graf in de kathedraal, helaas voordat hij zijn schilderij voltooid heeft kunnen zien. De deken overleed op 5 januari 1624 en het lijkt een aantrekkelijke gedachte dat het 'modello' in Den Haag voordien is gemaakt, speciaal voor Del Rio.[13] Terwijl in de overeenkomst nog sprake was van een Hemelvaart óf een Kroning van Maria, was intussen besloten dit laatste motief in de altaarlijst te verwerken: het schilderij zou *De hemelvaart van Maria* vertonen.

Rubens heeft ongetwijfeld Titiaans *Assunta* tot uitgangspunt genomen van zijn compositie en mogelijk de herinnering aan andere Italiaanse voorbeelden mee laten spelen, maar hij moet bij de vormgeving ook geput hebben uit de talrijke geschreven bronnen waarin het populaire verhaal werd verteld. In de *Legenda Aurea* met name, kon men lezen hoe uit het graf van Maria rozen waren gesproten tot verbazing van de apostelen die mochten aanschouwen hoe zij ten hemel werd gedragen. Voor de aanwezigheid van de heilige vrouwen bij de graftombe bestaat echter nauwelijks een visueel of literair precedent, hoewel een nogal veelgelezen geschrift als Hiëronymus Nadals *Adnotationes et Meditationes in Evangelia* (Antwerpen, 1595 en 1607) hier een specifieke bron van inspiratie kan zijn geweest. Aldus David Freedberg, die uitvoerig onderzocht welke teksten of afbeeldingen voor Rubens van belang konden zijn geweest bij zijn vele varianten op het thema van *Maria's hemelvaart*.[14]

De schilder heeft voordat hij het 'modello' maakte, geweten hoe het altaar eruit kwam te zien. In de *Assunta* van Titiaan neemt God de vader de bovenste zone van de compositie in, maar er was afgesproken dat hij in het Antwerpse altaar door de beeldhouwers zou worden geplaatst in de bekroning van het geheel boven een standbeeld van Christus met de kroon van Maria. In Rubens' opzet richt zij de blik rechtstreeks naar boven, waarmee ze een extra accent geeft aan de suggestie van een sterke opwaartse kracht. Deze dynamiek is in het altaarstuk zelf wat getemperd, onder andere door minder nadruk te leggen op de diagonalen zoals in de knielende vrouw midden voor. De opwinding rond het geopende graf is ook niet meer zo groot als in de schets was voorzien. Rubens maakte zelfs een speciale studie voor dit

4
Peter Paul Rubens
De apostelen bij het graf van Maria
Tekening, 228 x 300 mm
Niet gesigneerd, niet gedateerd (ca. 1623–24)
Oslo, Nasjonalgalleriet

onderdeel, overigens niet meer dan een snel op het papier getekende krabbel in zwart krijt en pen (Oslo, Nasjonalgalleriet) [**4**].[15] De naar boven gerichte handpalmen van Johannes links tonen aan dat het een idee moet zijn geweest voor het 'modello' en niet voor het altaarstuk, waarin ook dit gebaar wat minder dramatisch is vormgegeven.

De algemene indruk is dat de vaart en opwinding van het ontwerp ter plaatse wat zijn gerelativeerd. De spectaculaire verkortingen van de engel boven Maria en de putto onder haar voeten werden meer in overeenstemming gebracht met de blikrichting van de van beneden kijkende toeschouwer. De figuren op de voorgrond werden groter in het beeldvlak gezet, zodat ze ongeveer even groot waren als het standbeeld van Christus. Het aantal apostelen in het midden is met twee verminderd. Al deze aanpassingen bleken noodzakelijk nadat het paneel in de kerk was geplaatst en Rubens zicht had gekregen op de verhouding van de immense ruimte en ook het kapittel of de (erfgenamen van de) stichter zo hun wensen hadden.[16]

Naast alle wijzigingen zijn de overeenkomsten tussen het ontwerp en de uitgevoerde versie van wezenlijk belang. In zijn totaliteit is de compositie niet aangetast, alleen de schaal is aangepast aan de omgeving en de details mogelijk aan de verlangens van de opdrachtgever(s). Men neemt aan dat er geen zeven jaar kunnen liggen tussen beide werken, zodat het 'modello' niet een van de twee schetsen kan zijn geweest die Rubens op 16 februari 1618 toonde aan het kapittel.[17] Een vroege datering, bijvoorbeeld 1619, het jaar waarin het contract getekend werd, is evenmin waarschijnlijk.[18] De stilistische overeenkomsten met de schetsen uit de Medici-reeks (München, Alte Pinakothek)[19] uit omstreeks 1622 zijn daarvoor te groot.

Het 'modello' in Den Haag is als een autonoom werk (op initiatief van Rubens?) in prent gebracht door Schelte à Bolswert [5].[20] Pas sinds het opduiken van dit paneel weet men dat Bolswerts prent niet naar het altaarstuk zelf werd gemaakt. Ook is wel duidelijk geworden dat een geschilderde kopie van de compositie (Washington, National Gallery of Art)[21] niet het ontwerp kan zijn geweest voor het Antwerpse altaar. De kwaliteit daarvan is zo pover in vergelijking met het 'modello' in het Mauritshuis, dat het hoogstens beschouwd kan worden als een reproduktie in olieverf naar de prent van Schelte à Bolswert.[22]

5
Schelte à Bolswert naar Rubens
De hemelvaart van Maria
Gravure, 620 x 425 mm
Links onder: *Petrus Paul Rubbens Pinxit*, rechts onder: *s. a bolswert sculpsit* (ca. 1635–40)
Haarlem, Teylers Museum

1 *Freedberg 1984*, p. 172–178 en afb. 116
2 *Van de Velde 1975-A*, p. 245–276, in het bijzonder p. 268–269 en 274–276
3 *Vlieghe 1983*, p. 106–111 erkende als portretten van Isabella drie schilderijen en één tekening; de apotheose van het artikel van Van de Velde werd volkomen genegeerd door *Held 1980*, p. 513–514, nr. 377 en door *Freedberg 1984*, p. 178–180, nr. 43a.
4 Deze dateringen werden voorgesteld: *Haverkamp Begemann 1953*, p. 71, nr. 51 ('omstreeks 1625'), *Held 1959*, dl. I, p. 111, nr. 40 ('ca. 1625'), *d'Hulst 1968*, p. 97, nr. 15 ('circa 1625'), *Van de Velde 1975-A*, p. 271, noot 62 ('ca. 1622'), *Held 1980*, dl. I, p. 514, nr. 377 ('early 1620s' en 'before 1620'), *Freedberg 1984*, p. 180, nr. 43a ('c. 1622 … 1625').
5 *Van de Velde 1975-A*, p. 249–250
6 Inv.nr. 1703; *Held 1980*, dl. I, p. 509–510, nr. 374, dl. II, afb. pl. 365; *Freedberg 1984*, p. 190–194, nr. 46 en afb. 129
7 Inv.nr. 518; *Freedberg 1984*, p. 149–153, nr. 37 en afb. 87
8 Aldus de interpretatie van *Van de Velde 1975-A*, p. 259
9 *Wethey 1969*, p. 74–76, nr. 14 en afb. 18
10 *Casteels 1961*, p. 122–126; *Van de Velde 1975-A*, p. 261
11 *Voorhelm Schneevoogt 1873*, p. 78, nr. 34; *Casteels 1961*, afb. 65; *Van de Velde 1975-A*, p. 262, afb. 9
12 Inv.nr. D. 23; *Van de Velde 1975-A*, p. 246, noot 2
13 *Van de Velde 1975-A*, p. 265–266
14 *Freedberg 1984*, p. 138–143. Voor de iconografie van het thema, zie ook: *Reau 1955–59*, dl. II[II], p. 616–621
15 *Held 1959*, dl. I, p. 110–111, nr. 40, dl. II, afb. pl. 40
16 De verschillen tussen ontwerp en uitvoering werden het uitvoerigst geanalyseerd door *Held 1980*, dl. I, p. 513–514, nr. 377 en *Freedberg 1984*, p. 179, nr. 43a
17 *De Vries 1957*, p. 123; deze 'modelli' waren vermoedelijk vooral ideeën voor de altaaromlijsting volgens *Van de Velde 1975-A*, p. 260.
18 *Den Haag 1970*, nr. 10 en *Held 1980*, dl. I, p. 514, nr. 377 stelden een datering vóór 1620 voor (zie noot 4).
19 Inv.nr. 92–108; *Held 1980*, dl. I, p. 89–136; *München 1983*, p. 463–472, nr. 92–108 en afb.
20 *Voorhelm Schneevoogt 1873*, p. 76, nr. 12; *Hollstein*, dl. III, p. 75, nr. 35. Andere prenten (naar origineel of Bolswerts prent) noemt *Voorhelm Schneevoogt 1873*, p. 76, nr. 13, 15–17.
21 Inv.nr. K 1871; *Eisler 1977*, p. 111–112, nr. K 1871 en afb. 100; *Freedberg 1984*, p. 180–181, nr. 43b
22 Andere kopieën naar het schilderij (of de prent?) werden vermeld door *Freedberg 1984*, p. 179, nr. (2)–(4); zie ook het commentaar van *Held 1980*, dl. I, p. 514

Peter Paul Rubens en Jan Brueghel de Oude

54 | Het aardse paradijs met de zondeval van Adam en Eva

Siegen 1577 – Antwerpen 1640
Brussel 1568 – Antwerpen 1625

Paneel, 74 x 114 cm
Links onder, naast de pauwestaart: *PETRI PAVLI RVBENS FIGR*, rechts onder: *IBREUGHEL FEC.*
Inv.nr. 253

Hij was de tweede zoon van Pieter Bruegel de Oude en leerde volgens Carel van Mander het tempera-schilderen bij zijn grootmoeder Meyken Verhulst en het schilderen in olieverf van Pieter Goetkint in Antwerpen. Via Keulen reisde hij in 1589 naar Italië: hij werd in 1590 in Napels gesignaleerd. Zijn vroegst gedateerde werken onstonden in 1592–1594 in Rome, waar hij werkte onder de bescherming van kardinaal Ascanio Colonna. Hier ontmoette hij ook Paulus Bril, wiens werk hem diepgaand beïnvloedde. In 1595–1596 was hij in Milaan in dienst van kardinaal Federico Borromeo, die een vriend voor het leven zou blijven. De briefwisseling tussen de kardinaal en de schilder is bewaard gebleven. Op het eind van 1596 woonde Jan Brueghel weer in Antwerpen, waar hij in 1599 trouwde met Elisabeth de Jode, die hem een zoon (de latere Jan Brueghel de Jonge) en een dochter (Paschasia, later gehuwd met de schilder Jan van Kessel) schonk. Elisabeth stierf in het kraambed en Jan hertrouwde met Katharina van Marienberg en kreeg nog acht kinderen. In Antwerpen werkte hij nauw samen met bevriende kunstenaars, onder wie Hendrik van Balen, Joos de Momper, Peter Paul Rubens en Sebastiaen Vrancx. Hij schilderde aanvankelijk drukbevolkte landschappen, maar specialiseerde zich allengs in dier- en bloemstukken die hij met grote nauwgezetheid aan de hand van natuurstudies uitvoerde. Het leverde hem de bijnamen: *Bloemen-, Fluweelen* of *Paradijs-Brueghel* op. Vanaf 1606 werkte hij als schilder aan het hof van de regenten aartshertog Albert en de infante Isabella te Brussel, maar hij bleef in Antwerpen wonen. Aan Federico Borromeo schreef hij in 1621 dat hij in de lusthof van de infante dieren naar het leven mocht schilderen. In 1625 stierf hij met drie van zijn kinderen tijdens een choleraepidemie.

'Dog het alleruitmuntenste in Konst dat ik van hem (= Joan Bruegel, bygenaamt den *Fluweelen)* gezien heb, is het zoo genaamde Paradys, by den Heer *Le Court van der Voort,* tot Leiden, waar in zig een menigte van allerhande Dieren op 't allerkonstigst, in een niet min konstig geschildert Landschap doen zien: en de Adam en Eva op 't alleruitvoerigst door *Rubbens* geschildert. Dit stuk is gekomen uit het beruchte Kabinet van den Heer de *Bie,* den *Mecenas* van *G. Dou*', aldus Houbraken in 1718.[1] Het is niet het oudste signalement van dit magistrale schilderij. Op 19 januari 1711, bezocht de Duitse reiziger Von Uffenbach in Leiden het huis van de lakenhandelaar en miljonair Pieter de la Court van der Voort aan het Rapenburg (nu nr. 65), waar hij in het kabinet met 'exquisiten' bewonderend opmerkte: 'Ein Paradiss von Bruegel dazu Rubens die Figuren gemahlt, beydes unvergleichlich'.[2] Sindsdien zijn aan dit *Paradijs* van de twee meesters alleen maar superlatieven gewijd.

Herkomst (zie noot 1)
Collectie Johan de Bye, Leiden, 1666(?)
(?)Collectie Adriaan Wittert van der Aa, Leiden, 1710
Collectie Pieter de la Court van der Voort, Leiden, vóór 1711–1739
Collectie Allard de la Court van der Voort, Leiden, 1739–1755
Collectie Catharina Backer, weduwe de la Court, Leiden, 1755–1766
Veiling De la Court van der Voort, Leiden 1766
Collectie stadhouder Willem v, Den Haag, 1766–1795
Het Louvre, Parijs, 1795–1815
Koninklijk Kabinet van Schilderijen, Den Haag, 1815
Koninklijk Kabinet van Schilderijen, 'Mauritshuis', 1821

Bibliografie
Houbraken 1718–21, dl. i, p. 87
Weyerman 1729–69, dl. i, p. 348–349
Hoet 1752–70, dl. iii, p. 542, nr. 1
Von Uffenbach 1753–54, dl. iii, p. 451
Terwesten 1770, p. 706
Bryan 1816/1964, dl. i, p. 204
Steengracht van Oostkapelle 1826–30, dl. iii, p. 26–27, nr. 65 en afb.
Thoré-Bürger 1858–60, dl. i, p. 288–289
De Stuers 1874, p. 243–244, nr. 216
Rooses 1886–92, dl. i, p. 117, nr. 97
Hofstede de Groot 1893, p. 103
Bredius 1895, p. 347–348, nr. 253(300) en afb.
Geffroy 1900, p. 120–121
Overvoorde 1908, p. 155 en 175
Rosenberg 1911, p. 220 en 477 en afb.
Glück 1912, p. 4
Den Haag 1914, p. 322–323, nr. 253
Oldenbourg/Rosenberg 1921, p. 219 en 463 en afb.
Oldenbourg 1922, p. 132
Amsterdam 1933, nr. 65
Oberheide 1933, p. 53, nr. 5 en afb. pl. xxiv–4
Martin 1935, p. 296–297, nr. 253
Evers 1953, p. 225 en 227
Den Haag 1954, p. 73, nr. 253
Hairs 1955, p. 29
Hairs 1957, p. 149
Wilenski 1960, dl. i, p. 257 en 514, dl. ii, afb. pl. 543
Eemans 1964, p. 14 en afb. 3
Van Puyvelde 1964, p. 94
Hairs 1965, p. 44
Van Thienen 1967, p. 21a–b en afb. 1–5
Lunsingh Scheurleer 1967, p. 23 en 200 en afb.
Boyer 1972, p. 153
Drossaers/Lunsingh Scheurleer 1974–76, dl. iii, p. 226, nr. 123

323

Brenninkmeyer-de Rooij 1976, p. 170, nr. 123 en afb.

Den Haag 1977, p. 206, nr. 253 en afb.

Baumgart 1978, p. 76 en 78–79, afb. 38

Müllenmeister 1973–81, dl. II, p. 44, nr. 77 en afb.

Ertz 1979, p. 236, 245–246 en afb. 317, p. 248, 608, nr. 308 en p. 609, nr. 311

Ertz 1979-A, p. 19 en 25, afb. 14

Braun e.a. 1980, p. 132, nr. 298 en afb.

Ertz 1980, p. 175

Van de Velde 1982, p. 30 en 35, afb. 17

Hoetink e.a. 1985, p. 280–281, nr. 81 en afb., p. 434, nr. 253 en afb.

Houbraken onderhield nauwe betrekkingen met de Leidse collectionneur De la Court, aan wie hij in 1719 zijn tweede deel van *De Groote Schouburgh* opdroeg.[3] Het zal wel niet toevallig zijn dat hij zijn reeks van kunstenaars-biografieën in dit deel liet aanvangen met het levensverhaal van Gerard Dou. De schilderijen van Dou en Frans van Mieris waren toen het meest gezocht en de vermelde 'exquisiten' van Pieter de la Court waren dan ook kabinet-stukken van deze Leidse fijnschilders. Tussen hun werken was het met de uiterste precisie geschilderde *Paradijs* van Jan Brueghel de Oude zeer op zijn plaats. Niet alleen de wijze van schilderen moet geappelleerd hebben aan de smaak van de verzamelaar, maar ook de voorstelling zal zijn speciale belangstelling hebben gehad. Pieter de la Court was een hartstochtelijk botanicus, die schreef over tuinaanleg en die bij zijn buitenplaats Meerburg een menagerie had met bijzondere vogelsoorten.[4] De tuin van Meerburg had hij herschapen in een eigen 'paradijs', waar exotische gewassen werden gekweekt. Het werd bezocht door buitenlanders, zoals de geleerde Von Haller, die met bewondering constateerde dat er al in april druiven groeiden en die meldde dat er de eerste in Holland gerijpte ananas was gekweekt.[5]

Na de dood van zijn schoondochter in 1766 werd de collectie De la Court in het huis aan het Rapenburg geveild. T.P.C. Haag kocht in opdracht van stadhouder Willem V het *Paradijs* van Fluwelen Brueghel voor de gigantische som van 7350 gulden, meer dan tien maal het bedrag dat voor werken van Van Dyck, Jordaens of Both geboden werd.[6] In de veilingcatalogus werd het uiteraard flink aangeprezen, onder nadrukkelijke verwijzing naar de aangehaalde passage van Houbraken. Pikant is dat diens tekst wordt voorafgegaan door de beschrijving van een andere staal van samenwerking tussen Brueghel en Rubens, namelijk *Vertumnus en Pomona* (verloren gegaan).[7] Dit schilderij was door Willem III in 1677 gekocht en werd in 1713 in Amsterdam geveild met andere stukken die afkomstig waren van paleis Het Loo.[8] Houbraken vertelde hoe hij het tijdens de kijkdagen urenlang had bestudeerd, 'zonder ons te konnen verzadigen'.[9] Het heeft er alle schijn van dat die aderlating van de Oranje-collectie in 1713, met een onverbiddelijk bod op een vergelijkbaar schilderij in 1766 moest worden gecompenseerd. *Vertumnus en Pomona* heeft helaas de Franse Revolutie niet overleefd, het *Paradijs* gelukkig wel.[10]

'PETRI PAVLI RVBENS FIGR' staat links onder de voorstelling en rechts 'IBRUEGHEL FEC.', dus Peter Paul Rubens heeft de figuren geschilderd en Jan Brueghel heeft het geheel gemaakt. De wat bredere penseelstreken waarin Adam en Eva zijn uitgevoerd, zijn duidelijk te onderscheiden van de fijne toetsen in de detaillering van de planten en dieren, zoals het schild van de schildpad of de vacht van de luipaard. Toch is Rubens' inbreng veel groter dan het onderschrift meedeelt. Niet dat hij ook het paard of de boom achter het mensenpaar schilderde (zoals wel werd gedacht), maar er zijn zoveel citaten uit zijn werk aan te wijzen, dat Rubens volgens een recente opinie zelfs de ontwerper van de compositie kan zijn geweest.[11] Alleen al de manier waarop de twee naakte mensenfiguren als echte blikvangers zijn opgevat, is typisch rubenesk. Als Jan Brueghel zelf dit onderdeel zou hebben uitgevoerd, zou hij Adam en Eva klein op de achtergrond hebben afgebeeld, zoals hij het omstreeks 1615 deed in een variant van het *Paradijs* in Rome (Galleria Doria Pamphilj) [1].[12]

Typerend voor de werkwijze van Rubens is ook de gedegen voorbereiding. Ertz meende dat hij de figuren van Adam en Eva ontleende aan een prent met

Peter Paul Rubens en Jan Brueghel de Oude Het aardse paradijs met de zondeval van Adam en Eva

1

Jan Brueghel de Oude
Het aardse paradijs
Koper, 50 x 80 cm
Niet gesigneerd, niet gedateerd (ca. 1615)
Rome, Galleria Doria Pamphilj, inv.nr. 341

2

Peter Paul Rubens
Adam en Eva
Tekening, 288 x 222 mm
Niet gesigneerd, niet gedateerd (ca. 1615)
Voorheen Haarlem, collectie F. Koenigs

De zondeval van Jan Sadeler naar Maarten de Vos uit 1579.[13] Dat betreft hooguit het idee om Eva frontaal staande weer te geven terwijl zij met een arm omhoog reikt en tegelijk de appel geeft aan Adam, die op een steen is gezeten. De figuur van Adam is echter ontleend aan Rafael en wel aan de prent van Marcantonio Raimondi naar diens *Oordeel van Paris*, een in het milieu van Rubens befaamde compositie, zoals bijvoorbeeld blijkt uit de aanwezigheid ervan in Willem van Haechts *Apelles schildert Campaspe* (cat.nr. 29, afb. 4).[14] Er bestaat een tekening in zwart krijt, die mogelijk terecht werd beschouwd als een voorstudie voor Adam en Eva in het Haagse *Paradijs* (voorheen Haarlem, collectie F. Koenigs) [2].[15] Omdat deze tekening sinds de laatste wereldoorlog vermist wordt, valt over de eigenhandigheid geen uitsluitsel te geven.[16] Wel kan vastgesteld worden dat de houding van Adam in de schets nauwkeuriger met die van Paris overeenkomt dan in het schilderij. Voor Eva heeft Rubens uiteindelijk een andere pose bedacht.

De dominerende plaats van Adam en Eva in de compositie zijn door Rubens bepaald en hij ontwierp tevens hun houding. Daarenboven zijn ook sommige dieren van oorsprong zijn inventie: de leeuw, de tijger en de luipaard. De 'koning der dieren' naast de 'boom des levens' is een variant op een leeuw in zijn *Daniël in de leeuwekuil* (Washington, National Gallery of Art), geschilderd omsteeks 1615 en in 1618 aangeboden aan de Britse ambassadeur in Den Haag, Sir Dudley Carleton.[17] Van deze leeuw bestaat ook een getekende voorstudie (Washington, National Gallery of Art) [3].[18] De liggende luipaard met één poot omhoog is ontleend aan een tweede schilderij voor Carleton, *Nymf en satyr met luipaarden*, een compositie die alleen nog uit een prent van C.N. Varin bekend is.[19] Deze luipaard en een op de rug geziene leeuwin uit *Daniël in de leeuwekuil* schilderde Jan Brueghel al in zijn 1613 gedateerde *Paradijslandschap met de ark van Noë* (Zwitserland, particuliere collectie).[20] De tijger die in het Haagse *Paradijs* stoeit met de luipaard, is een reprise van het dier in een derde schilderij van Rubens, *De opvoeding van Bacchus door Silenus* (Ithaca, collectie David Arnon, Ithaca College Medical School) [4].[21]

Maar Jan Brueghel heeft niet alleen door de ogen van Rubens gekeken. In een brief uit 1621 schreef de schilder dat hij vogels en dieren observeerde en schilderde in de menagerie van aartshertog Albert en de infante Isabella.[22]

326

Zo schilderde hij 'naar het leven' een *Studie van ezels, apen en katten* (Wenen, Kunsthistorisches Museum) [**5**].[23] Een aapje dat een appel zit te eten achter Adam en de poes die Eva een kopje geeft, heeft hij overgenomen uit deze natuurstudie.[24] Herhalingen zijn in het werk van Fluwelen Brueghel trouwens schering en inslag. Het rund rechts komt zowel voor in het paradijslandschap in Rome als in het schilderij in de particuliere collectie te Zwitserland. De geit en de bok die tegen de boom opspringt, zijn tevens te zien in de variant in de Galleria Doria Pamphilj, evenals de hoogpotige waterhoen rechts. In alle drie de werken zijn de marmot(ten) en de naar links kijkende reiger identiek. De marmotten en de pauw herhaalde Jan Brueghel in een *Allegorie op de aarde* (Parijs, Musée du Louvre), die voor het jaar 1618 geschilderd moet zijn.[25] In dit werk bracht Fluwelen Brueghel wederom zelf, heel klein op de achtergrond, de figuurtjes aan van Adam en Eva, een wijze van voorstellen die bij talrijke navolgers – vooral specialisten in dieren – zeer populair werd. Daarmee vergeleken, blijkt toch dat de samenwerking met Rubens in het Haagse *Paradijs* tot een uniek en harmonieus resultaat heeft geleid.[26] De hier beschreven relaties met het overige werk van beide

3
Peter Paul Rubens
Studie van een leeuw
Tekening, 254 *x* 282 mm
Niet gesigneerd, niet gedateerd (ca. 1615)
Washington, National Gallery of Art, inv.nr.
NGA 1948

4
Peter Paul Rubens
De opvoeding van Bacchus door Silenus
Paneel, 57,5 *x* 87 cm
Niet gesigneerd, niet gedateerd (ca. 1610)
Ithaca, College Medical School, collectie
David Arnon

kunstenaars maakt het mogelijk dit schilderij te dateren ná het *Paradijslandschap met de ark van Noë* (1613) en vóór de *Allegorie op de aarde* (1617): dus omstreeks 1615.

We mogen wel aannemen dat Brueghel en Rubens, die in 1617 en 1618 een reeks allegorische taferelen met uitbeeldingen van de vijf zintuigen schiepen (Madrid, Museo del Prado)[27] waarin geen detail zonder betekenis is, zich hier evenmin onbetuigd hebben gelaten in hun symbolen-taal.[28] Bijvoorbeeld: de sterk oplichtende druiventros in de appelboom is kennelijk een verwijzing naar de kruisdood van Christus die door de zondeval noodzakelijk was geworden.[29] De pauw is het zinnebeeld van de onsterfelijkheid, maar hier wellicht als teken van Eva's vrouwelijkheid en schoonheid bedoeld. Het driftige paard achter Adam is als tegenhanger het symbool van de mannelijkheid van Adam.[30] De aardbei bij Adams voet is een

327

5
Jan Brueghel de Oude
Studie van ezels, apen en katten
Paneel, 34,5 x 55 cm
Niet gesigneerd, niet gedateerd (ca. 1616)
Wenen, Kunsthistorisches Museum, inv.nr.
6988

typisch paradijs- (of hemels) gewas, maar mogelijk ook een verwijzing naar de erotiek.[31]

Het hert achter Eva staat misschien op deze plaats omdat men het kende als de uitgesproken vijand van de slang, een alter ego voor Christus die de overwinnaar van het boze is.[32] Zo zou men stuk voor stuk de dieren van een passende functie kunnen voorzien, van de kuise olifant tot de onkuise krokodil, maar enige beperking is hier op zijn plaats.[33] Een uitzondering geldt echter voor de aap en de kat. Ongetwijfeld verwijst de aap die achter de eerste mens een hap neemt uit een appel, naar Adams reactie op Eva's verleiding. De aap is ook een afbeelding van de geilheid en het kwaad en hij symboliseert, evenals de kat, de zonde.[34] In de beeldende kunst vervullen zij vaak zo'n waarschuwende rol in taferelen met de zondeval, zoals met talrijke voorbeelden is aan te tonen. Jan Gossaert beeldde bijvoorbeeld een aapje af dat in een vrucht zal happen in *De zondeval* (Oost-Berlijn, Staatliche Museen, Bodemuseum)[35] terwijl kat en aap gearmd als broeders in het kwaad voorkomen op een schilderij uit 1592 van Cornelis van Haarlem (Amsterdam, Rijksmuseum).[36] Volgens Van Thiel duiden zij specifiek op de karakters van Adam en Eva: de aap is net als Adam een *sanguinicus*, die valt voor de verlokkingen van het vlees. De kat is net als Eva een *cholericus*, wreed en sluw.[37] Het is ondenkbaar dat Brueghel en Rubens geen weet zouden hebben gehad van deze beeldtraditie, die teruggaat tot in de twaalfde eeuw.[38]

---

1 *Houbraken 1718–21*, dl. I, p. 87. De herkomst uit het 'Kabinet de Bie' zal nader onderzocht moeten worden; het werd niet vermeld in de inventaris daarvan, zie: *Martin 1901*, p. 71–76 en 171–173; *Overvoorde 1908*, p. 155 meende dat het schilderij gekocht was van Adriaan Wittert van der Aa. Het een sluit het ander overigens niet uit.
2 *Von Uffenbach 1753–54*, dl. III, p. 421; uit Jacob Campo Weyermans beschrijving van Brueghels *Paradijs* blijkt dat ook hij de collectie De la Court zelf heeft gezien, zie: *Weyerman 1729–69*, dl. I, p. 348–349.
3 *Houbraken 1718–21*, dl. II, na de titelpagina; over de collectie De la Court, zie: *Overvoorde 1908*, p. 154–176. Houbrakens contact met De la Court dateert al van 1710, zie: *Hofstede de Groot 1893*, p. 8 en noot 1.
4 *Driessen 1945*, p. 152–164, vooral p. 161–163, met een afbeelding van de menagerie bij Meerburg.

5 *Lindeboom 1958*, p. 48–49 en 100: Albrecht von Haller studeerde van 1725 tot 1727 in Leiden bij Boerhaave, en bezocht toen herhaaldelijk De la Courts tuinen.

6 *Veiling De la Court 1766*, p. 3, nr. 1; zie ook: *Hoet 1752–70*, dl. I, p. 542 e.v.

7 *Rooses 1886–92*, dl. III, p. 151, nr. 670; *Houbraken 1718–21*, dl. I, p. 86

8 *Hoet 1752–70*, dl. I, p. 150, nr. 7 (2825 gulden)

9 *Houbraken 1718–21*, dl. I, p. 86

10 *Drossaers/Lunsingh Scheurleer 1974–76*, dl. I, p. 697, nr. 28

11 *Van de Velde 1982*, p. 30

12 *Ertz 1979*, p. 605–606, nr. 291 en afb. 314

13 *Hollstein*, dl. XXII, p. 102, nr. 45 en afb.; *Ertz 1979*, p. 246, afb. 318

14 B. 245; zie: cat.nr. 29, noot 10. Rubens gebruikte al eerder deze prent als voorbeeld, zie: *Jaffé 1968-A*, p. 176 en afb. 2

15 *Amsterdam 1933*, nr. 65 en afb.

16 Tijdens de Tweede Wereldoorlog in de verzameling van A. Hitler en daarna zoek geraakt

17 Inv.nr. NGA 1948; *Rooses 1886–92*, dl. I, p. 163–164, nr. 130; *Jaffé 1970*, p. 7–19 en 30, noot 1 en afb. fig. 1

18 *Washington 1978*, p. 63 en afb. (in kleur); *Jaffé 1970*, p. 910 en 30, noot 15 en afb. fig. 4

19 *Rooses 1886–92*, dl. III, p. 139, nr. 661; *Evers 1953*, p. 227–228 en afb. 228; *Ertz 1979*, p. 240 en 243, afb. 313

20 *Londen 1979-A*, p. 96–97, nr. 29 en afb.

21 *Evers 1944*, p. 225–226 en afb. 227

22 *Crivelli 1868*, p. 272: 'Li oitcelli, et animali son fatto ad vivo de alcuni delli seren.ma Enfanto'

23 *Ertz 1979*, p. 609, nr. 311 en afb. 465

24 De appeletende aap in beide werken werd al opgemerkt door *Glück 1912*, p. 4 en 12 en afb. pl. 90

25 Inv.nr. 1092; *Brejon de Lavergnée e.a. 1979*, p. 35, nr. 1092 en afb.; *Ertz 1979*, p. 614–615, nr. 542 en afb. 315 (NB: de eigenhandigheid van dit schilderij staat niet zonder meer vast)

26 *Wilenski 1960*, dl. I, p. 257 achtte het juist een zeer onevenwichtige compositie!

27 Inv.nr. 1394–1398; *Ertz 1979*, p. 611–612, nr. 327–331 en afb. 399, 415, 420, 422 en 425

28 *Müller Hofstede 1984*, p. 243–289, gaf een zeer uitvoerige analyse van 'Het Gezicht'.

29 Zie over de druiventros: cat.nr. 19, noot 3–4

30 *Ertz 1979*, p. 246 en *Van de Velde 1982*, p. 30

31 *Segal 1983*, p. 35; zie aldaar voor overige bloemensymboliek die mogelijk ook hier van toepassing is.

32 *Timmers 1947*, p. 760–761, nr. 1767

33 *Van de Velde 1982*, p. 25–26 gaf een opsomming van dierensymboliek in paradijsvoorstellingen (uil=vroom, wijs, Christus; bok, konijn, eekhoorn=onkuis; varken, kikker=vies en voos; vlinder=wederopstanding: al deze dieren bevinden zich in Brueghels schilderij).

34 *Janson 1952*, p. 133

35 *Herzog 1968*, p. 277–279, nr. 32 en afb. pl. 40; zie ook: *Janson 1952*, p. 127 en afb. pl. XVIIIa

36 Inv.nr. A 129; *Van Thiel e.a. 1976*, p. 174–175, nr. A 129 en afb.

37 *Van Thiel 1967–68*, p. 97–98; zie ook: *Panofsky 1945*, dl. I, p. 85 en *Van de Velde 1982*, p. 25

38 *Janson 1952*, p. 107–144 en afb.

Haarlem 1628/1629 – Haarlem 1682

Doek, 55,5 x 62 cm
Rechts onder: *JvRuisdael* (JvR ineen)
Inv.nr. 155

Herkomst
Veiling Samuel Beyerman, Gouda, 1778
Veiling Gerrit Muller, Amsterdam, 1827
Koninklijk Kabinet van Schilderijen
'Mauritshuis', 1827

Bibliografie
Smith 1829–42, dl. VI (1833), p. 70, nr. 220
Thoré-Bürger 1858–60, dl. I, p. 270–271
De Stuers 1874, p. 129, nr. 124
Bredius 1895, p. 358, nr. 155
Geffroy 1900, p. 103–104
HdG 65 (dl. IV, p. 297, nr. 65)
Den Haag 1914, p. 228, nr. 155 en afb.
Rosenberg 1928, p. 75, nr. 48
Londen 1929, p. 89, nr. 176
Simon 1930, p. 50
Martin 1935, p. 302–303, nr. 155
Martin 1936, p. 297 en 299, afb. 159
Martin 1950, p. 66, nr. 86 en afb.
Den Haag 1954, p. 74, nr. 155
Stechow 1968, p. 47
Parijs 1970–71, p. 200, nr. 191
Ebbinge Wubben e.a. 1971, dl. I, p. 341
Wiegand 1971, p. 99
Fuchs 1973, p. 285 en afb. 4
Burke 1974, p. 3, 8, 10–11
Den Haag 1977, p. 210, nr. 155 en afb.
Amsterdam 1978, p. 149 en afb. 22
Duparc 1980, p. 90–92, nr. 155 en afb. p. 215
Den Haag 1981–82, nr. 44 en afb.
Slive/Hoetink 1981–82, p. 127–129, nr. 44 en afb.
Broos 1982, p. 9 en afb.
Washington enz. 1982–83, p. 104–105, nr. 30 en afb.
Hoetink e.a. 1985, p. 282–283, nr. 82 en afb., p. 435, nr. 155 en afb.
Broos 1986, p. 301–308, nr. 43 en afb.

Hij was een leerling van zijn vader Isaack van Ruysdael, die schilder en lijstenmaker was, en wellicht ook van zijn oom Salomon van Ruysdael, terwijl invloeden van allerlei in Haarlem werkzame landschapschilders in zijn werk aanwijsbaar zijn. Zijn vroege werken (uit 1645 en 1646) bijvoorbeeld, doen denken aan Cornelis Vroom. Ook schilderde hij sinds 1660 Skandinavische berglandschappen, hoewel hij daar nooit is geweest. Het motief ontleende hij aan Allaert van Everdingen die deze ruige landschappen met bruisende watervallen schilderde sinds hij in 1645 na een reis door Noorwegen en Zweden in Haarlem was teruggekeerd. Hoewel Ruisdael al eerder werk signeerde, werd hij pas in 1648 voor het eerst als lid van het gilde in Haarlem vermeld. In 1650 maakte hij een reis naar het Nederlands-Duitse grensgebied bij Bentheim, samen met zijn vriend Nicolaes Berchem, die later wel zijn landschappen stoffeerde. In 1657 verhuisde Ruisdael naar Amsterdam, waar hij tot zijn dood is blijven wonen. Niet nader bewijsbaar blijft vooralsnog of hij de 'Jacobus Ruijsdael' was die in 1676 een doctorsgraad in de medicijnen te Caen behaalde.

Ruisdaels specialisme was het landschap: ongeveer 700 schilderijen worden nu aan hem toegeschreven. Tevens etste en tekende hij landschappen, waarbij vastgesteld kan worden dat zijn tekeningen ten onrechte het minst bekende onderdeel van zijn kunst zijn. Binnen zijn specialisme legde hij toch een grote verscheidenheid aan de dag, want hij schilderde duinen en landwegen, panorama's, rivier- en bosgezichten, winter- en zomerlandschappen, strand- en zeegezichten, topografische stadsgezichten en fantasielandschappen. Zijn natuurverbeelding is zeer gevarieerd, ondanks de herhaling van sommige lichteffecten en dramatische compositie-elementen, en de uitvoering is altijd meesterlijk. De stemming die zijn landschappen lijken uit te drukken, werd in de achttiende en negentiende eeuw vooral in Engeland zeer gewaardeerd en Ruisdaels werk werd daar toen gretig verzameld en door schilders nagevolgd.

In de jaren zeventig schilderde Jacob van Ruisdael een reeks – minstens vijftien – panorama's van het landschap achter de duinen bij Haarlem en Alkmaar, waarvan dit werk wel een van de meest indrukwekkende is.[1] In zijn *Museés de la Hollande* gaf Thoré-Bürger deze korte karakteristiek: "'Rien de plus parfait n'est jamais sorti du pinceau du matre", dit Smith'. Als ware wonderen prees hij het zonlicht, de ruimtelijke werking en de zilverige luchten.[2] Het 'zoeklicht'-effect is een van de meest herhaalde cliché's in de landschappen van Jacob van Ruisdael. Hij schilderde dit al in een van zijn eerste werken, het *Gezicht op Egmond aan Zee* (Eindhoven, collectie Philips)[3] uit 1646 en paste de truc dertig jaar later nog toe in zijn *Gezicht op Amsterdam*

Jacob van Ruisdael Gezicht op Haarlem met de bleekvelden (particuliere collectie).[4] In het Haagse *Gezicht op Haarlem* wordt met drie bundels zonnestralen op dramatische wijze diepte gecreëerd in het tafereel: de ene bundel valt op de stad, een tweede op het middenplan waar de wieken van een windmolentje schitteren in het licht en de derde straal valt op de voorgrond op lange banen wit linnen die liggen te bleken op de grasvelden. Een opvallende arabeske vormt een lap stof die over een drooglijn is gedrapeerd.[5]

Typerend voor Ruisdael zijn die oplichtende plekken in zijn landschappen die extra schitteren omdat er – bij zorgvuldig berekend toeval – blonde elementen aanwezig zijn: een goudgeel korenveld, een blanke duinpan, bleke schuimkragen op een watervlak, een bruisende waterval of een witte berkestam. Maar de bleekvelden verwijzen natuurlijk ook naar een bestaande situatie. Immers: in de zeventiende eeuw was de fabricage van linnen (naast het bierbrouwen) de belangrijkste industrie in Haarlem. Op de velden in de omgeving werd uit de Oostzeelanden en Engeland geïmporteerd katoen in de zon gelegd, evenals het linnen dat in Haarlem zelf werd geweven. De bewerking van het textiel was een ingewikkeld proces, dat ons tot in de

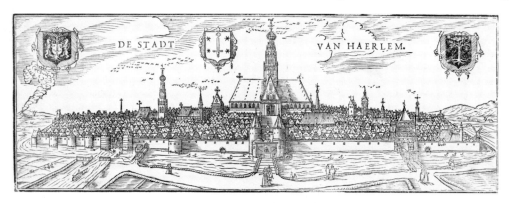

1
Anoniem
't 'Stadt Haerlems Beeldt'
Houtsnede, in plano, 120 x 335 mm
Niet gesigneerd, niet gedateerd (ca. 1595)
Haarlem, Gemeente-archief, inv.nr . 50 K

kleinste technische details bekend is. Globaal bestond het uit wassen en spoelen van de stof die (ook op de bleekvelden) werd gedroogd, vervolgens geloogd en daarna gedurende zo'n acht dagen in de zon op grasvelden te bleken werd gelegd. Daarna werd de stof nog door een bad van (melk)zuur gehaald, weer gewassen en tenslotte te drogen gelegd of aan stekken gehangen op de zandige duingronden.[6]

De nijverheid lokte veel zuiderlingen aan. De familie Van Ostade was naar Haarlem gekomen om daar in de linnenweverij de kost te verdienen. Maar Adriaen van Ostade werd kunstenaar: hij stoffeerde wel de schilderijen van Cornelis Decker, die zich tussen 1650 en 1660 speciaal toelegde op interieurs met linnenwevers aan hun weefgetouwen.[7] Een Haarlemse schilder als Klaes Molenaer mikte met zijn schilderij *Bleekvelden* (Rotterdam, Museum Boymans-van Beuningen)[8] natuurlijk op een bepaalde klandizie uit die stad. Het is niet uitgesloten dat Ruisdael ook om die reden voor dit onderwerp koos. Volgens Wiegand zou men in het motief van de bleekvelden ook een diepere betekenis kunnen zien, en wel een verwijzing naar de reinheid van de ziel en de gaven van God, maar eenstemmig is dit denkbeeld door Fuchs en anderen verworpen.[9]

Haarlem was vanaf de duinen gezien schilderachtig gelegen, met de machtige romp van de Sint Bavo met de karakteristieke spitse middentoren, die hoog boven de huizen uitrees. Carel van Mander schreef twee lofdichten op de stad.[10] In de aanhef van een van deze lange gedichten uit 1610 prees hij speciaal deze ligging:

'Ick hebbe gereijst, geloopen, gevaren,
Mijn jonge jaren, meest alder wegen
In landen in rijcken, daer schoon steden waren, (…)
Maer soo lustighen stadt, noch soo wel gelegen
En vant ick als Haerlem in Hollant fijn'.[11]

Een lofzang uit 1596 begeleidde een houtsnede [1] met een profiel van de stad, met als onderschrift: 't'Stadts Haerlems Beeldt/ in welck men speurt met lesen/ Haer oudtheyt/ aerdt/ ghedaent' en heerlijck wesen'.[12] Deze houtsnede is vermoedelijk de oudste afbeelding van een gezicht op de stad.

In de zeventiende eeuw herkende men in elk stadsgezicht met een kolos van een kerk met een centrale dakruiter een gezicht op Haarlem, ofwel, ietwat vertederd, 'een Haerlempje'. Een reeks schilders en tekenaars legde Haarlem vast vanaf de duinen gezien, zoals Reijer Claesz Suijcker (Haarlem, Frans Halsmuseum) [2][13], in een schilderij uit 1624. Zo'n vijfendertig jaar later tekende Gerbrand van den Eeckhout een *Gezicht op Haarlem* (Berlijn, Kupferstichkabinett) [3][14], waarbij hij de huizen bij de bleekvelden nog net in zijn rechterooghoek zag.[15] In 1669 werd in een Amsterdamse inventaris

2
Reijer Claesz Suijcker
Gezicht op Haarlem
Paneel, 20,5 x 35,5 cm
Links onder: *R.C 1624*
Haarlem, Frans Halsmuseum, inv.nr. 496

3
Gerbrandt van den Eeckhout
Gezicht op Haarlem
Tekening, 139 x 185 mm
Rechts onder: *G. v. Eeckhout f.* (ca. 1660)
Berlijn, Kupferstichkabinett, inv.nr. KdZ 2428

'Een Haerlempje van Ruysdael' getaxeerd en unaniem dacht men dat dit een van de panoramalandschappen van Jacob van Ruisdael moet zijn geweest. Toch komt zijn oom Salomon van Ruysdael meer in aanmerking als de schilder.[16] De reeks gezichten op Haarlem van de jongste Ruisdael ontstond pas in de jaren zeventig, naar men aanneemt.[17] Leerlingen en navolgers zoals Jan van Kessel en de Haarlemse Jan Vermeer hebben het 'Haerlempje' ook later nog bij herhaling geschilderd.[18]

4
Jacob van Ruisdael
Gezicht op Haarlem met de bleekvelden
Tekening, 92 x 150 mm
Niet gesigneerd, niet gedateerd (ca. 1670–75)
Den Haag, Museum Bredius, inv.nr. T 94–1946

Net als Gerbrand van den Eeckhout heeft Jacob van Ruisdael de duinen ten westen van Haarlem opgezocht met een schetsboek. Zuidelijk van Overveen tot aan het Kopje te Bloemendaal in het noordwesten tekende hij in zwart krijt snelle impressies van het landschap dat zich voor hem uitstrekte met de stad en de Sint Bavo aan de horizon. Van dit schetsboek zijn nu nog vier bladen bewaard gebleven, die Haarlem tonen vanuit verschillende westelijke richtingen: één in Amsterdam (Rijksprentenkabinet)[19] en maar liefst drie in het Museum Bredius (Den Haag).[20] Twee ervan tonen een flink begroeide duinrand op de voorgrond, twee andere bieden tevens een blik naar beneden, op de bleekvelden.

Ongetwijfeld heeft Jacob van Ruisdael zijn schetsboek gebruikt als geheugensteun bij het schilderen van zijn panorama's. Eén tekening in het Museum Bredius [**4**] vertoont zelfs zoveel overeenkomsten met het Haagse schilderij dat men van een voorstudie kan spreken.[21] Echter, met behulp van enige manipulatie heeft Ruisdael zijn geschilderde compositie spannender gemaakt dan de tekening. In het schetsje stond de tekenaar een flink stuk van de duinrand, maar door in het schilderij deze voorgrond te minimaliseren en meer van de bleekvelden te laten zien, is een panorama in vogelvlucht-perspectief ontstaan. Van de huisjes links voor is die met het dwarse dak weggelaten, zodat in het schilderij de blikrichting ongestoord en zelfs onverbiddelijk langs de nokken naar rechts wordt geleid. Daar zijn veel minder huizen geschilderd dan er in werkelijkheid stonden of ze gaan schuil achter een vrij compacte boomgroep. Het miniscule kruisje midden op de krijttekening is ongetwijfeld gezet met de gedachte daar in het schilderij de windmolen met de blikkerende wieken neer te zetten. Het is een markant punt

5
Jacob van Ruisdael
Gezicht op Haarlem met de bleekvelden
Doek, 43 x 38 cm
Links onder: *JVRuisdael* (ca. 1670–75)
Amsterdam, Rijksmuseum, inv.nr. A 351

in het schilderij. Het panorama van de stad is op het atelier nauwkeurig
uitgewerkt, wellicht aan de hand van andere voorbeelden. De lucht, die in de
voorstudie geen rol speelde, werd die machtige symfonie van wolkenformaties
die niet weg te denken is uit het klassieke Hollandse repertoire. Jacob van
Ruisdael maakte er een monumentale compositie van.

In het stadsbeeld lijkt Ruisdael zich te hebben willen houden aan de
werkelijkheid en zo herkennen we, keurig op een rij van links naar rechts de
Bakenesserkerk en het dak van de de Sint Janskerk, vervolgens het stompe
torentje van het Klockhuis naast de grote Sint Baafs, dan naast een molen het
stadhuis en rechts de toren van de Nieuwe Kerk. Tot zover lijkt alles te
kloppen met de werkelijkheid, maar bij nauwkeurige vergelijking met andere
'Haerlempjes' blijkt de voltooiïng van het doek telkens afhankelijk te zijn
geweest van de luimen van de schilder. Alleen in de versie in Amsterdam
(Rijksmuseum) [5][22] is alles, oppervlakkig gezien, in overeenstemming met
het panorama in Den Haag, alleen werd – om nog meer wolken te kunnen
schilderen – voor een hoogteformaat gekozen. Maar toch zijn de gebouwtjes
vooraan niet precies hetzelfde en ontbreekt in het midden een boomgroep.
Bovendien blijken de molens op de wallen van de stad op vrij willekeurige
plaatsen te zijn neergezet. Zo'n hoog formaat heeft ook het 'Haerlempje' in
Zürich (Kunsthaus)[23], waar de schilder als variant een fraai spiegelend
meertje verzon aan de voet van het duin. In een op liggend formaat
geschilderd *Gezicht op Haarlem* (Berlijn, Staatliche Museen) [6][24] zijn de
huizen van de bleekwerkers naar het midden geschoven en hebben ze een heel
andere gedaante gekregen. Op de voorgrond is wat meer van de duinhelling

6
Jacob van Ruisdael
Gezicht op Haarlem met de bleekvelden
Doek, 52 x 65 cm
Rechts onder: *J v Ruisdael* (ca. 1670–75)
Berlijn, Staatliche Museen, inv.nr. 885 c

te zien, waar de lappen liggen te drogen (het laatste stadium van het technisch procédé) en de stekken in de grond zijn gestoken die ook links op het Haagse schilderij zijn te zien. Zo'n voorgrond met drogend linnen vertoont ook de versie te Montreal (The Montreal Museum of Fine Arts)[25], waarop de schilder weer wat meer bosschages aanbracht op het middenplan en zoveel verder naar links keek dat de ruïnes van Huis te Kleef in zicht kwamen.

Vooral uit deze laatste voorstellingen blijkt dat Jacob van Ruisdael de activiteiten op de blekerijen waarheidsgetrouw in beeld wilde brengen.[26] Al met al zijn deze gezichten op Haarlem dus wel topografisch bedoeld, maar dan op de manier waarop Jan Vermeer zijn *Gezicht op Delft* (cat.nr. 65) gestalte gaf – dus als een geïdealiseerd beeld in een aangename compositie, eerder dan als een 'vedute' of een fotografie.

1 Gezichten op Haarlem: HdG 55–94; een beredeneerd overzicht gaf *Burke 1974*, die ook (p. 10) een lijst publiceerde met panorama's van Haarlem en omgeving met een inventarisatie van de blikrichting van de schilder.
2 *Thoré-Bürger 1858-60*, dl. 1, p. 271. Met 'Smith' verwees hij naar *Smith 1829–42* (zie: Bibliografie)
3 *Slive/Hoetink 1981–82*, p. 30–31, nr. 2 en afb.
4 HdG 9; *Slive/Hoetink 1981–82*, p. 132–133, nr. 46 en afb.
5 Aangaande de herhaling van speciale effecten bij Ruisdael, zie: *Broos 1982*, p. 8–10
6 *Regtdoorzee Greup-Roldanus 1936*, p. 41–101
7 *Heppner 1935*, p. 155–157; zie ook: *Heppner 1938-A*
8 Inv.nr. 1532; *Rotterdam 1962*, p. 91, nr. 1532; *Haak 1984*, p. 385, afb. 820
9 *Wiegand 1971*, p. 99–106; *Fuchs 1973*, p. 284–285; *Duparc 1980*, p. 91; *Slive/Hoetink 1981–82*, p. 129. Enige instemming met Wiegand blijkt slechts in *Berlijn 1975*, p. 378, nr. 885 c.
10 *Rutgers van der Loeff 1911*, p. 19–28 en p. 29–38
11 *Rutgers van der Loeff 1911*, p. 19
12 *Rutgers van der Loeff 1911*, p. 29 en afb. pl. III
13 *Slive/Hoetink 1981–82*, p. 128–129 en afb. 55. Over R.C. Suycker, zie: *Gerson 1946*, p. 51–53

14 *Sumowski 1979–81*, dl. III, p. 1482–1483, nr. 686 en afb.: 'c. 1661/63'

15 Dat de evenwijdige banen rechts op de tekening bleekvelden zijn, is niet eerder opgemerkt.

16 *Künstler-Inventare*, dl. II (1916), p. 425, nr. 87; Jacob van Ruisdael werd in deze inventaris tot driemaal toe als de 'Jonge Ruysdael' aangeduid, zie: *Broos 1986*, p. 310 en 312, noot 4–7. Hiermee ontvalt ook de grond aan de opvatting dat een 'Haerlempje' beschouwd kan worden als een soortnaam voor de panorama's van Jacob, zoals *Stechow 1968*, p. 45 veronderstelde; zie ook: *Slive/Hoetink 1981–82*, p. 128

17 Geen van deze schilderijen draagt een jaartal; voor de datering, zie: *Stechow 1968*, p. 47; *Burke 1974*, p. 3; *Duparc 1980*, p. 91; *Slive/Hoetink 1981–82*, p. 128: '1670–75'. Ebbinge Wubben wilde de 'Haerlempjes' veel vroeger dateren op grond van overeenkomsten met een 1660 gedateerd schilderij, toegeschreven aan Ruisdael (Castagnola, collectie Thyssen-Bornemisza; HdG 79; *Ebbinge Wubben e.a. 1971*, dl. I, p. 341–342, nr. 271, dl. II, afb. pl. 183; zie ook: *Stechow 1968*, p. 195–196, noot 52)

18 *Stechow 1968*, p. 48–49

19 Inv.nr. 1961:43; *Slive/Hoetink 1981–82*, p. 222, nr. 91 en afb.; zie ook: *Slive 1973*, p. 275

20 Inv.nr. T 94 1946, T 95 1946, T 96 1946; *Blankert 1978*, p. 164–165, T 17–19 en afb.; *Slive/Hoetink 1981–82*, p. 218–221, nr. 88–90 en afb.

21 *Slive/Hoetink 1981–82*, p. 220, nr. 89 meenden nota bene dat 'de schets niet met een bepaald schilderij in verband kan worden gebracht'.

22 HdG 55; *Van Thiel e.a. 1976*, p. 487, nr. A 351 en afb.

23 Inv.nr. R 32 (Ruzicka Stiftung); HdG 59; *Slive/Hoetink 1981–82*, p. 130–131, nr. 45 en afb.

24 HdG 56; *Berlijn 1975*, p. 378, nr. 885 C en afb.

25 Inv.nr. 920; HdG 71; *Montreal 1960*, p. 105, nr. 920; *Burke 1974*, p. 3–5 en afb. 1–2

26 Het zou de moeite lonen om aan de hand van de zeer nauwkeurige beschrijvingen in de dissertatie van mevrouw Regtdoorzee Greup-Roldanus (zie noot 6) de voorstellingen van de Haarlemse bleekvelden in het algemeen en die van Ruisdael in het bijzonder te analyseren op hun documentaire waarde.

Assendelft 1597 – Haarlem 1665

Paneel, 44 x 63 cm
Midden onder, op de luifel: *P'. Saenredam fecit A°. 1659. 11/20*
Inv.nr. 974

Herkomst

(?)Collectie W.A. Coates, Londen, tot 1927
Veiling Londen, 1927
Kunsthandel Asscher & Welcker, Londen, 1927
Kunsthandel Douwes, Amsterdam, 1927
Collectie F. Lugt, Maartensdijk, 1927
Collectie J.W. Nienhuys, Bloemendaal, 1927–194(?)
Collectie A.M. Nienhuys-Versteegh, Aerdenhout, 1948–1966
Koninklijk Kabinet van Schilderijen 'Mauritshuis', 1966 (verworven met steun van het Prins Bernardfonds, de Stichting Johan Maurits van Nassau en de Vereniging Rembrandt)

Bibliografie

Rotterdam 1932–33, p. 12, nr. 16 en afb. VII
Brussel 1935, p. 187, nr. 770
Brussel 1935-A, dl. II, afb. pl. CCLI
Swillens 1935, p. 35, 56, 126–127, nr. 207 en afb. 130
Amsterdam 1938, p. 11, nr. 17 en afb. XI
Bremmer 1938, afb. 7
Utrecht 1948, p. 48, nr. 51
Parijs 1950–51, p. 42, nr. 84
Utrecht 1953, p. 23, nr. 87 en afb. 30 en omslag
Rome 1954, p. 80, nr. 140
Rotterdam 1955, p. 54, nr. 116 en afb. 55
Brinkgreve 1960, p. 35, afb. 6
Plietzsch 1960, p. 123
Utrecht 1961, p. 208–209, nr. 147 en afb. 148
De Vries 1966, p. 27–28 en afb.
Schwartz 1966–67, p. 85, noot 26
Den Haag 1968, p. 129, nr. 974
De Vries 1969-A, p. 203–206 en afb.
Den Haag 1970, nr. 21 en afb.
Parijs 1970, p. 24, nr. 49 en afb. pl. 45
De Vries 1970-A, z.p., afb.
Brussel 1971, p. 114–116, nr. 93 en afb.
Leeuwenberg/Halsema-Kubes 1973, p. 72, nr. 41
Den Haag 1977, p. 214, nr. 974 en afb.
Hoetink e.a. 1985, p. 70, 288–289, nr. 85 en afb., p. 438, nr. 974 en afb.
Reznicek 1985, p. 6

Hij was de zoon van de graveur Jan Pietersz Saenredam (1565–1607) en werkte vanaf 1612 tien jaar lang als leerling bij Pieter de Grebber in Haarlem. In 1623 werd hij meester in het gilde; zijn vroege werk bestaat uit getekende landschappen (met 1617 als vroegste datering), portretten en boekillustraties. Zijn specialisme werd echter het Hollandse kerkinterieur. Hij werkte achtereenvolgens in Den Bosch (1632), Assendelft (1633–1634), Haarlem (1634–1636), Utrecht (1636), Amsterdam (1641), Rhenen (1644), Haarlem (1650), Assendelft (1654) en Alkmaar (1661). In deze plaatsen tekende hij gebouwen en kerken van binnen en van buiten zoals ze zich aan hem voordeden. Deze situatieschetsen waren de basis voor de op het atelier gemaakte schilderijen, die hij veelal met behulp van constructietekeningen opzette. Het karakteristieke van zijn kerkinterieurs is de sfeervolle weergave van het licht in deze wit gepleisterde ruimtes, die vooral rust en stilte ademen. Zijn objectiviteit inzake de voorstelling liet hij wel eens varen terwille van de compositie, maar zijn totale oeuvre heeft desondanks grote waarde voor onze kennis van de geschiedenis van de architectuur.

Op 20 november 1659 zette Pieter Saenredam zijn laatste penseelstreek op dit paneel en plaatste zijn signatuur en de dagtekening. Het gezicht op de voormalige Mariakerk te Utrecht vanuit het noordoosten is de uitgewerkte versie van een gekleurde tekening die hij 23 jaar eerder ter plaatse gemaakt had (Utrecht, Gemeentearchief) [1], met het opschrift: 'den 12 Julij 1636 gedaen, van mijn P: Saenredam, naar t'leeven'.[1] De drieënzestigjarige schilder herinnerde zich het verblijf in de Domstad goed, ook omdat het een vruchtbare periode was geweest. Zo kan men immers het bericht uitleggen in *Het Gulden Kabinet* van Cornelis de Bie, dat in 1661 werd gepubliceerd: 'ghelijck de Stadt van *Uytrecht* can getuyghen alwaer hy den tijdt van twintigh weecken met grooten yver besteedt heeft om dese Const aldaer te voltrecken ghelijck aen sijn teeckeninghe en schilderijen (afbeldende seer schoone perspectiven/ Kercken/ en Saelen) met verwonderinghe te sien is'. De Bie moet het zelf van hem hebben gehoord.[2]

Van dit verblijf van twintig weken resteert een reeks tekeningen van Utrechtse kerken, vooral van interieurs. De vroegste datum op deze bladen is 18 juni op een *Gezicht naar het westen in de Mariakerk* (Utrecht, Gemeentearchief)[3] en de laatste 23 oktober op een *Portret van Jan Janz van Ermelo* (Leipzig, Museum der bildenden Künste) [2].[4] Jan Janz was koster van de Mariakerk en zal in de zomer van 1636 wel een goede bekende van de kunstenaar zijn geworden. Men veronderstelt, overigens zonder daarvan een bewijs te kunnen aanvoeren, dat Saenredam in Utrecht verbleef ten huize van de familie Bloemaert. Zijn vader, Jan Saenredam, had immers destijds

Pieter Saenredam De Mariaplaats met Mariakerk te Utrecht

1
Pieter Saenredam
De Mariaplaats met Mariakerk te Utrecht
Tekening, 350 x 485 mm
Op de ladderkast: *den 12 julÿ 1636. gedaen van mijn / P: Saenredam, naer t'leeven*
Utrecht, Gemeentearchief, inv.nr. T.A. Id. 3.27

2
Pieter Saenredam
Portret van Jan Jansz van Ermelo
Tekening, 260 x 157 mm
Niet gesigneerd, boven: *geteijckent den 23 october dito. 1636*
Leipzig, Museum der bildenden Künste, inv.nr. J. 2734

met 'grooten lust' en 'uiterste vlijt' zoveel tekeningen van Bloemaert in prent gebracht, dat Carel van Mander er met bewondering over sprak.[5] Abraham woonde, althans volgens een acte uit 1647, aan het Mariakerkhof – dus in een huis dat op het schilderij rechts juist buiten beeld bleef.[6] Hij bleef vermoedelijk vriendschappelijke betrekkingen met de zoon van zijn vroegere Haarlemse graveur onderhouden.

De Mariakerk was de laatste in het zogenaamde 'kerkenkruis', dat rond de Utrechtse Dom verrezen was naar een plan van bisschop Bernold (1027–1054). Drie ervan hadden de naam gekregen van de grote basilieken van Rome: Sint Jan, Sint Pieter en Sint Paulus. De vierde werd genoemd naar de Maria Maior en werd pas gerealiseerd onder bisschop Koenraad van Utrecht (1076–1099) met steun van koning (later keizer) Hendrik IV (1050–1106). Omstreeks 1085 werd de bouw aangevangen en vlak voor het jaar 1100 kon een gedeelte van de kerk worden ingewijd. Vanaf de stichting hebben eeuwenlang legendes de ronde gedaan over dit imposante romaanse monument. De aanleiding tot de bouw zou de verwoesting van een Mariakerk in Milaan zijn geweest en bisschop Koenraad was vlak na de wijding vermoord (zei men) door een Friese bouwmeester, omdat hij hem een recept voor een goede fundering ontfutseld had.[7] Ongetwijfeld kende Saenredam deze oude verhalen. Dat blijkt onder andere uit een *Interieur van de Mariakerk* (Hamburg, Kunsthalle)[8] uit 1638, waarop hij het lange stichtingsgedicht dat op twee vieringspijlers te zien was, woord voor woord overnam. Hij wist dus ook dat het beeld op de nok van het koor de legendarische Hendrik IV voorstelde. Dit beschilderde houten standbeeld is bewaard gebleven (Amsterdam, Rijksmuseum) [**3**].[9] Het werd in 1569 vervaardigd door de Utrechtse beeldhouwer Rijck Hendricksz van Beest en tot 1781 heeft het over de daken van de stad uitgekeken richting Domtoren.

De Mariakerk had in Saenredams tijd al lang niet meer het uiterlijk dat zij vertoonde in het midden van de twaalfde eeuw, toen de tweede romaanse bouwfase zich voltrokken had. Er stond toen een grote, basilicale kerk naar het model van de Dom van Spiers, met elementen uit de Lombardische bouwkunst, die vooral deden denken aan de Sant'Ambrogio te Milaan [**4**]. Het unieke karakter van de Mariakerk was dat het 'een van de weinige kerkgebouwen benoorden de Alpen (is geweest), dat op een Noorditaliaans bouwplan was gebaseerd'.[10] Twee eeuwen heeft het oorspronkelijke gebouw gefunctioneerd: omstreeks 1350 bleek het te klein geworden en werd er een ruimer koor gebouwd met hoge gotische spitsboogramen, dat in 1421 werd ingewijd.[11]

Saenredams schilderij geeft een goed beeld van de gotisch/romaanse kerk, die na de beeldenstorm aan geleidelijke aftakeling ten prooi was gevallen. De alteratie leverde Utrecht in 1578 een nieuw, protestants stadsbestuur op, dat de katholieke eredienst verbood en de kapittels seculariseerde. Symbolisch voor de neergang van de Mariakerk is het restant van de noordelijke toren, waarin op het schilderij forse struiken blijken op te schieten. In 1576 was dit gedeelte aan het front door het geschut van het Vredenburg zwaar gehavend.[12] Bij nader inzien blijkt overal onkruid te groeien op het verwaarloosde gebouw. En wat er uitziet als de achteringang van de kerk is niets anders dan de toegang tot de toonzaal en het verkooplokaal van het Bijlhouwersgilde. Bij besluit van 8 maart 1619 mochten de schrijnwerkers hier hun kasten en kisten uitstallen, zoals een reclamebord boven de ingang ook laat zien. Het fraaie houtsnijwerk van de lijst is een staal van hun meesterschap.[13]

De doorgang naar het schip van de kerk en de sacristie was dichtgemetseld en de koorruimte was aldus een overdekte aanvulling op de markt die het terrein rond de Mariakerk inmiddels in beslag genomen had. De rust op het tafereel van Saenredam lijkt wel die van een kloostertuin, maar de 'immuniteit van St. Marie' bestond in zijn dagen niet meer. De claustrale muren waren waarschijnlijk al afgebroken, dus de achtergrond rechts op het schilderij zag er zo niet uit. De Mariaplaats was het terrein van de Utrechtse jaarmarkt en kermis en sinds 1616 ook van de weekmarkt, zoals een tekening

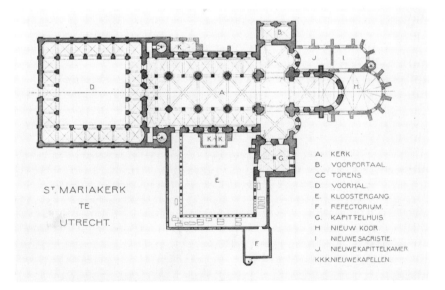

ST. MARIAKERK
TE
UTRECHT.

A. KERK.
B. VOORPORTAAL.
C.C. TORENS.
D. VOORHAL.
E. KLOOSTERGANG.
F. REFECTORIUM.
G. KAPITTELHUIS.
H. NIEUW KOOR.
I. NIEUWE SACRISTIE.
J. NIEUWE KAPITTELKAMER.
K.K.K. NIEUWE KAPELLEN.

van Dirck Matham uit ongeveer 1620 toont (Utrecht, Gemeentearchief) [5].[14] Ten behoeve van de marktkooplui werd in 1617 een houten pomp tussen de oostelijke steunberen van de kerk geplaatst, die op Saenredams tekening (en het schilderij) dan ook is te zien. In het voor de eredienst overgebleven deel van de kerk werden in de eerste helft van de zeventiende eeuw schilderijen verkocht en er was een prenten- en boekenmarkt, die in 1662 verbannen werd naar de kloostergang.[15] De Engelse gemeente, afkomstig uit de Pieterskerk,

▲ 3
Rijck Hendricksz van Beest
Keizer Hendrik IV
Eikehout, 160 cm hoog
Niet gesigneerd, gedateerd: *1569*
Amsterdam, Rijksmuseum, inv.nr. N.M. 127

◀ 4
Plattegrond van de Mariakerk te Utrecht
Reconstructie-tekening uit *Muller 1902*

5
Dirck Matham
De Mariaplaats te Utrecht
Tekening, 170 x 267 mm
Niet gesigneerd (ca. 1620)
Utrecht, Gemeentearchief, inv.nr. T.A.
Mariaplaats

had in 1656 haar intrek genomen in de kerk aan de Mariaplaats.[16] Op Saenredams schilderij zijn stille getuigen van de drukte die hier normaal heerste zichtbaar: de gesloten houten hokken (voor kramen?) tussen de steunberen, een bord voor periodieke aankondigingen en twee molenstenen die daar voor de verkoop staan onder een bewaarplaats voor brandladders. Twee vrouwen verwerken lompen tot lapjes, waarschijnlijk voor de papierindustrie.[17]

Het schilderij, dat alle details bevat van de situatieschets uit 1636, blijkt van documentaire waarde te zijn, al was het slechts omdat het de oudste afbeelding is van deze zijde van de Mariakerk waarop de elfde- of twaalfde-eeuwse rondboogdoorgang in het transept zichtbaar is. Ook geeft het een goede indruk van de bouwkundige bijzonderheden, onder andere de merkwaardige vieringtoren, die in twee verdiepingen was opgetrokken en dateerde uit de tweede helft van de twaalfde eeuw.[18] Een opvallend detail van de transeptgevels aan de zuid- en noordkant was een ruitvormig venster dat een veel ouder rondboogfries doorsneed. Hier waren omstreeks 1536 glas-in-loodramen geplaatst naar ontwerp van Jan van Scorel, de beroemde Utrechtse schilder die in 1528 kanunnik was geworden van de Mariakerk.[19] Deze ramen waren overigens al op het einde van de zestiende eeuw verdwenen, mogelijk tijdens de beeldenstorm. Op andere tekeningen en schilderijen van Saenredam zijn wel decoraties van Van Scorel in de kerk te zien, zoals het oksaal en het relief met de 'Utrechtse stier' (uit de oude legenden), evenals het graf van de schilder, waarvan een gedeelte zeer recent is teruggevonden (Utrecht, Rijksmuseum Het Catharijneconvent).[20]

Aan de noordoostkant bood de kerk als geheel een rommelige, maar tegelijk een schilderachtige aanblik met al die aanbouwsels uit alle tijden, zoals het gotische traptorentje met de hoge spits en de ijzeren bekroning en het stenen huisje met de trapgevel, waar wellicht de koster woonde. De protestantse Utrechters hebben helaas het legendarische monument langzaam laten verkommeren. De zuidelijke toren, die door het lage blikpunt in de tekening en in het schilderij onzichtbaar is, werd in 1682 afgebroken omdat de stenen geld waard bleken te zijn. In 1712 volgde de hele westgevel. In 1813 werd de de rest van het romaanse bouwwerk gesloopt om de kas van Napoleon te spekken. Het gotische koor bleef nog even gespaard omdat het Stads Muziekcollege daar haar intrek had genomen vanaf 1765, vanwege de goede akoestiek.[21] Een tekening die Jan van Maurik maakte in 1850 naar een schets uit 1843 laat de Mariakerk zien vanaf precies dezelfde plaats waar Saenredam had zitten schetsen in 1636 (Utrecht, Gemeentearchief) [**6**].[22] Dit is de laatste afbeelding van de kerk 'naar het leven'. In 1844 werd de 'MUZYKZAAL' gesloopt en op de fundamenten van het koor werd het gebouw voor Kunsten en Wetenschappen neergezet, toen de trots van de stad, maar tegenwoordig een schimmelig spookhuis. Van de Mariakerk is alleen nog de koorgang van het kapittel over en wat bouwfragmenten in het Centraal Museum en het Rijksmuseum Het Catharijneconvent te Utrecht.[23]

Met zijn niet door marktkabaal verstoorde stadsgezicht heeft Saenredam alle aandacht op willen eisen voor het keizerlijke bouwwerk. Het is misschien tekenend voor zijn oudheidkundige belangstelling dat hij in zijn tekeningen van het interieur alleen het romaanse gedeelte in beeld heeft gebracht en niet het gotische koor waar de schrijnwerkers huisden. Toen hij de voorgevel naar

6
Jan van Maurik
Het koor van de Mariakerk te Utrecht
Tekening, 348 x 481 mm
Rechts onder: *J v. M f 1850*
Utrecht, Gemeentearchief, inv.nr. T.A. Id 3.46

de werkelijkheid tekende (Haarlem, Teylers Museum)[24] benamen bomen en aanbouwsels het zicht op de kerk. Die liet hij weg op de geschilderde versie uit 1663 (Rotterdam, Museum Boymans-van Beuningen).[25] Zo schiep hij bewust een geïdealiseerd beeld. Bij zijn registratie van de koorzijde lijkt dat minder het geval te zijn. De verschillen tussen de schets uit 1636 en het schilderij uit 1659 zijn miniem te noemen. Hij corrigeerde wel in tweede instantie het perspectief van de op het oog gemaakte schets door een verdwijnpunt te construeren voor de horizontale lijnen van het gebouw. Dat is duidelijk waarneembaar in het verloop van de nok van het koor en het front van het noordertransept aan de rechterkant. Een constructietekening, die hij hiertoe placht te maken, is niet bewaard gebleven.[26]

Saenredam heeft in zijn schilderij in het Mauritshuis de Mariakerk niet mooier voorgesteld dan zij feitelijk was, maar haar wel op haar paasbest aangekleed. In zijn tekening had hij al door een bewust laag gekozen gezichtspunt het eeuwenoude gebouw een monumentaal aanzien weten te geven. De in het schilderij bedachte muur rechts achter suggereert een stil plein waar een eerbiedige stilte heerst, die er vermoedelijk zelden was. De zon die in het zuiden aan een vrijwel wolkenloze hemel staat, werpt korte schaduwen. Ook aan de bomen die vol in blad staan is te zien dat het volop zomer is. Hoewel het schilderij 20 november is gedagtekend, ademt het geheel de zonnige atmosfeer van de ter plaatse gemaakte aquarel, die op 12 juli werd voltooid.

1 *Utrecht 1961*, p. 209, nr. 148 en afb. 149; *Wilmer 1980*, p. 44 en afb.

2 *De Bie 1661*, p. 246; de informatie van De Bie was bij uitzondering uitvoerig en hij gaf details die hij alleen van de schilder zelf vernomen kan hebben, zie ook: *Swillens 1935*, p. 1920, 138 en 140.

3 T.A.Id.4.8; *Utrecht 1961*, p. 220, nr. 159 en afb. 160. Een overzicht van de Mariakerk in Saenredams werk biedt: *Utrecht 1961*, p. 203–228, nr. 143–170 en afb. 144–171; andere afbeeldingen en plattegronden in: *Haverkate/Van der Peet 1985*

4 *Utrecht 1961*, p. 266, nr. 205 en afb. 206

5 *Van Mander 1604*, fol. 298a; zie ook: *Swillens 1935*, p. 19–20. Voor de prenten van Jan Saenredam naar Bloemaert, zie: *Hollstein*, dl. 11, p. 68–69, nr. 515–533; voor zijn complete oeuvre, zie: *Hollstein*, dl. xxiii, p. 6–109, nr. 1–133

6 *Kramm 1857–64*, dl. 1, p. 103

7 *Haverkate/Van der Peet 1985*, p. 13–27. De auteurs baseerden hun gegevens op niet gepubliceerde, uitgebreide eigen onderzoekingen en archivalia (zie hun lijst van geraadpleegde bronnen en literatuur op p. 91–92). Overigens blijft het raadplegen van het artikel van de Utrechtse archivaris Muller aan te bevelen, vooral vanwege de daarin gepubliceerde archivalia (*Muller 1902*, p. 207–244, bijlagen i–vi). Over de legendes rond de stichting van de kerk, zie ook: *Schwartz 1966–67*, p. 71–73

8 Inv.nr. 412; *Utrecht 1961*, p. 217–219, nr. 158 en afb. 159

9 *Leeuwenberg/Halsema–Kubes 1973*, p. 72, nr. 41 en afb. (+ lit.)

10 *Haverkate/Van der Peet 1985*, p. 35

11 *Haverkate/Van der Peet 1985*, p. 40

12 *Haverkate/Van der Peet 1985*, p. 43

13 *Muller 1902*, p. 199–200 en p. 216–217, bijlage ii–4

14 *Wilmer 1980*, p. 38 en afb. *Kipp 1974*, p. 78–79. A.F.E. Kipp maakte bij zijn ongepubliceerd onderzoek naar 'de evolutie van een stadsdeel' (Mariakerk en omgeving) uitgebreid gebruik van archiefmateriaal.

15 *Muller 1902*, p. 222, bijlage iv–3; *Kipp 1974*, p. 85–86

16 *Muller 1902*, p. 210–211, bijlage i–5

17 De informatie over de molenstenen en de papierindustrie werd mij mondeling verstrekt door de Utrechtse archivaris J.E.A.L. Struijck. Zie ook: *Hofstede de Groot 1899*, p. 10–11, nr. 14

18 *Haverkate/Van der Peet 1985*, p. 66

19 *Esmeijer 1955*, p. 219–222 en afb.

20 Inv.nr. okm b 26; *Amsterdam 1986*, p. 335–336, nr. 213 en afb. De inventies van Van Scorel die Saenredam in beeld bracht zijn te zien op: *Utrecht 1961*, p. 214–215, nr. 154 en 155 en afb. 156–157 (het oksaal), p. 223, nr. 163 en afb. 164 (het graf) en p. 209–211, nr. 149 en afb. 150 en p. 220–221, nr. 160 en afb. 161 (de Utrechtse stier)

21 *Muller 1902*, p. 217–219, bijlage ii–5; *Haverkate/Van der Peet 1985*, p. 46–49

22 *Wilmer 1980*, p. 45 en afb.; de tekening is gebaseerd op een situatieschets uit 1843 (Utrecht, Gemeentearchief, inv.nr. ta Id. 3.44; zie: *Tieskens 1980*, p. 150 en afb. 1)

23 Onder andere het zuilfragment met de 'Utrechtse stier', zie: *Schwartz 1966–67*, p. 69–71, noot 2 en afb. 2. Over de vondst van het graf van Jan van Scorel, zie: *Catharijnebrief 1984*, p. 5–6 en *Reznicek 1985*, p. 6–9. Over het 'k & w'-gebouw, zie: *Tieskens 1980*

24 Inv.nr. 0.79; *Utrecht 1961*, p. 205–206, nr. 144 en afb. 145

25 Inv.nr. 1765; *Utrecht 1961*, p. 203–205, nr. 143 en afb. 144

26 Over de werkwijze van Saenredam, zie onder andere: *Swillens 1935*, p. 31–35 en *Ruurs 1982*, p. 97–121

Leiden 1626 – Leiden 1679

Paneel, 20,5 x 14,5 cm
Boven de deur: *is* (ineen)
Inv.nr. 818

**Volgens Houbraken was hij een leerling van Jan van Goyen, wiens
dochter Margaretha (Grietje) hij trouwde in 1649. Zijn vroegste werk
vertoont invloed van Nicolaas Knüpfer, bij wie hij in Utrecht in de leer
kan zijn geweest, maar vooral van Adriaen van Ostade, die kennelijk in
Haarlem zijn leermeester was. Tot 1654 werkte Steen in Den Haag,
waarna hij in Delft enkele jaren met weinig succes een brouwerij dreef.
Van 1656 tot 1661 woonde het gezin te Warmond (bij Leiden) en daarna –
tot 1670 – in Haarlem. Dat jaar keerde Steen terug naar Leiden, waar hij
twee jaar later een herberg opende, wat ook al geen goudmijn bleek. De
chronologie van Steens werk levert nog problemen op, omdat hij zijn
schilderijen zelden dateerde en tegelijkertijd in verschillende stijlen
werkte. Hij paste zich snel aan. In de Warmondse periode kon hij op de
Leidse manier fijnschilderen en in Haarlem bleek de brede penseeltoets
à la Hals hem ook heel goed te liggen. In deze plaats ontstonden de grote
schilderijen met binnenhuistaferelen, die meestal van een moraliserend
opschrift, veelal een volkse spreuk, zijn voorzien. Toen ontstonden ook
de bekende werken met volksvermaak of feesten, zoals Prinsjesdag en
Driekoningenavond. Minder bekend zijn de religieuze taferelen die Steen
eveneens schilderde, waarin de Bruegeliaanse verteltrant een mengeling
oplevert van het bijbelse met het alledaagse. In de verscheidenheid van
zijn werk blijven de opvallendste kenmerken zijn anecdotische visie en
humor. Voor de tijdgenoot had hij steeds een moraliserende boodschap
in petto, die voor ons een spiegel is van de zeden en gebruiken in de
zeventiende eeuw.**

Herkomst
Veiling P. Loquet, Amsterdam, 1783
Collectie H. van Winter, Amsterdam
Collectie jonkheer J.P. Six, Amsterdam
Veiling Six, Amsterdam, 1928
Collectie Sir Henri W.A. Deterding, Londen,
1928
Koninklijk Kabinet van Schilderijen
'Mauritshuis', 1936 (geschenk)

Bibliografie
Van Westrheene 1856, p. 104, nr. 25
HdG 853
Bredius 1927, p. 68 en afb. pl. 74
Londen 1929, p. 95, nr. 191
Martin 1950, p. 98–99, nr. 241 en afb.
De Groot 1952, p. 183 en afb. 24
Den Haag 1954, p. 82, nr. 818
Van Wessem 1957, p. 7a–b en afb.
Den Haag 1958–59, nr. 16 en afb. 17
Rosenberg/Slive/Ter Kuile 1966, p. 133
De Vries 1976, p. 24 en 49, afb. 17
Den Haag 1977, p. 228, nr. 818 en afb.
De Vries 1977, p. 48 en 161, nr. s 84
Braun 1980, p. 27, 98–99, nr. 92 en afb.
Naumann 1981, dl. 1, p. 61 en afb. 71
Washington enz. 1982–83, p. 110–111 en afb.
Haak 1984, p. 427–428, afb. 938
Hoetink e.a. 1985, p. 294–295, nr. 88 en afb.,
p. 445, nr. 818 en afb.
Broos 1986, p. 313–317, nr. 45 en afb.

Het Mauritshuis bezit niet alleen het grootste schilderij van Jan Steen (cat.nr.
59), maar ook het kleinste, *De oestereetster*. Op dit intrigerende, twee vierkante
decimeter grote stukje, zit een meisje in een wijnrood fluwelen jakje met een
zoom van wit bont aan een tafel met een blauw kleed en zij strooit kruiderij
op een geopende oester. Voor haar op een zilveren schaal zien we zout naast
een puntzakje met peper, terwijl een half opgegeten broodje wordt
weerspiegeld in het edelmetaal. Links en rechts liggen nog wat van de
kostelijke schaaldieren en een glas wijn staat naast een kan van Delfts blauw.
De uiterst verfijnde manier waarop dit tafereel geschilderd is, verschilt nogal
van de achtergrond die in brede toetsen is uitgevoerd en waar we door een
deur een knecht en een meid zien die nog meer oesters openen. 'Nergens is
Steen de Leidse idealen nader gekomen dan in zijn befaamde *oestereetstertje*',
schreef Lyckle de Vries terecht in zijn dissertatie over de Hollandse
'kluchtschilder'.[1]

In 1656 ging Jan Steen in Warmond wonen, enkele kilometers ten noorden
van Leiden, in welke stad hij tot 1658 ingeschreven bleef in het Sint
Lucasgilde.[2] Pas in 1661 keerde hij terug naar Haarlem, waar hij zijn

opleiding tot schilder had gehad. Vooral het contact met de 'fijnschilder' Frans van Mieris heeft zijn uitwerking gehad in de Leidse/Warmondse periode: 'Hy was een byzonder goed vrient van Jan Steen, en beminde zyne boerteryen zoodanig dat hy op zyn gezelschap verzot was', schreef Houbraken in zijn biografie van Van Mieris.[3] Hij knoopte hieraan verhalen over gezamenlijke drinkgelagen, die later als roddel van de hand zijn gewezen, dan wel afgedaan werden als een historische misvatting waarbij het

leven en het werk van een kunstenaar als één en hetzelfde worden beschouwd.[4] Ondanks de anecdotische verpakking deed Houbraken hier een mededeling, die nog tot weinigen schijnt te zijn doorgedrongen: hij vertelde dat de twee schilders waardering hadden voor elkaars geestigheden. *De oestereetster* toont dat mijns inziens aan.

De invloed van Frans van Mieris wordt veelal als een stilistische kwestie beschouwd. Natuurlijk heeft de fijne schildertrant van Van Mieris hier Jan Steen tot een soort imitatie van die stijl gebracht. Ook is het zo dat Steen zich zelden beperkte tot zulke simpele taferelen met één hoofdfiguur, waarin zijn breedsprakigheid niet zo tot zijn recht kwam. Het is daarom best mogelijk dat Steen hier voortborduurde op voorbeelden van Van Mieris.[5] Als een directe inspiratiebron voor *De oestereetster* werd het schilderij *Doktersbezoek* (Wenen, Kunsthistorisches Museum) genoemd, dat 1657 is gedateerd.[6] Inderdaad vertoont de compositie daarvan overeenkomst in de tafel links voor, het meisje rechts op een stoel, de deur met de doorkijk en het hemelbed op de achtergrond.

Jan Steen De oestereetster

Maar behalve de stijl en de compositie, zijn ook de onderwerpen van beide schilders in deze periode aan elkaar ontleend. Zo schilderden ze vlak na elkaar *Een man biedt een vrouw oesters aan*: vermoedelijk eerst Van Mieris in 1661 (Den Haag, Mauritshuis)[7] en daarna Jan Steen in een niet gedateerde versie (Londen, National Gallery) [**1**].[8] Het moge duidelijk zijn dat in deze scènes sprake is van 'boerteryen' met een pikante inhoud. Steen dikte het tamelijk deftige tafereel van Van Mieris aan met een als koppelaarster herkenbare oude dame die de oesters open maakt en een groot hemelbed waarin een paartje zich kennelijk zal neervlijen. Hier is met andere woorden een bordeelscène uitgebeeld met zeker zo veel verborgen geestigheden als op het erotische tafereel van Van Mieris uit 1658 (cat.nr. 42).[9] Steen kan Van Mieris dit werk hebben zien maken.

Hoe onschuldig het Haagse schilderijtje ook oogt, we kunnen er vermoedelijk toch niet omheen dat met de oesters ook in dit geval een dubbele bodem in het tafereel is ingebouwd. In 1651 schreef de Dordtse stadsdokter Johan van Beverwijck over deze lekkernij: 'Sy verwecken appetijt, en lust om te eten, en by te slapen, 't welck alle beyde de lustig en delicate luyden wel

aenstaet'.[10] Oesters werden dus beschouwd als een lustopwekkend middel, een afrodisiacum. Cats waarschuwde tegen het gebruik van dergelijke 'minnekruyden' als 'Bever-geyl', 'kitsich netel-saet' en 'siltich oester sap'.[11] Steen was zich wel bewust van de ook in andere teksten beschreven of bekritiseerde lustopwekkende kracht van de oester, die hij bijvoorbeeld tot centraal motief maakte in zijn *Toneel van de wereld* (Den Haag, Mauritshuis) [**2**].[12] Hierop probeert een oude vrijer een jong meisje met zo'n delicatesse te verleiden.[13]

Omdat in *De oestereetster* zich geen liefhebber bevindt voor het lekkere hapje

348

en het meisje ostentatief uit het schilderij kijkt (een zeldzaam gegeven bij Steen), maakt zij de beschouwer een directe deelgenoot van haar amoureuze boodschap. Wie dit een onwaarschijnlijkheid lijkt, of mogelijk een onaangenaam idee, mag ik wijzen op de parallel die een werk van Frans van Mieris biedt. 1658 is de datering van het schilderij *Een man die een pijp stopt* (voorheen Sibiu, Muzeul Brukenthal) [**3**].[14] In deze man herkennen we de schilder Van Mieris, uitgedost met een valse snor en een malle, scheefstaande hoed. Zijn vette grijns betreft de handeling: hij stopt met een vinger zijn pijpje en uit andere voorstellingen is dit bekend als een erotische dubbelzinnigheid.[15] De gelijkenis met het schilderij van Jan Steen zit hem in het vrijwel overeenkomstige kleine formaat, het feit dat één figuur de dubbel te duiden handeling verricht en daarbij bovendien de beschouwer veelbetekend in de ogen kijkt. Aldus blijkt Jan Steen in *De oestereetster* zich in zoveel opzichten te conformeren aan zijn Leidse vriend, dat dit werk het resultaat lijkt van artistieke concurrentie (aemulatio).[16]

1 *De Vries 1977*, p. 48
2 Zie: *De Vries 1977*, p. 46; *Braun 1980*, p. 12
3 *Houbraken 1718–21*, dl. III, p. 7
4 *De Vries 1977*, p. 5–21: 'Het beeld van Jan Steen in de kunsthistorische literatuur'
5 Zie de afbeeldingen bij *De Vries 1976*, p. 24–25
6 *Rosenberg/Slive/Ter Kuile 1966*, p. 134. Zie ook: *Naumann 1981*, dl. I, p. 61 en noot 62 (meer voorbeelden van de relatie Steen-Van Mieris)
7 Inv.nr. 819; HdG 102a; *Naumann 1981*, dl. II, p. 43–44, nr. 36 en afb.
8 HdG 855; *Braun 1980*, p. 110–111, nr. 173 en afb.
9 Zie bijvoorbeeld: *Brown 1984*, p. 183–185
10 *Van Beverwijck 1651*, p. 141
11 *Cats 1642*, hfst. IV (Moeder), p. 27. Over oesters, zie: *De Jongh 1971*, p. 169; *Amsterdam 1976*, p. 202–205, nr. 51; *De Jongh e.a. 1982*, p. 128–129, nr. 20
12 HdG 595; *Braun 1980*, p. 122–123, nr. 261 en afb.
13 Voor een interpratatie van de voorstelling, zie: *Amsterdam 1976*, p. 236–239, nr. 62
14 HdG 95; *Naumann 1981*, dl. II, p. 24, nr. 21 en afb.
15 *Naumann 1981*, dl. II, p. 24, nr. 21 (en lit.). Zie ook cat.nr. 42, noot 12
16 Over aemulatio, zie bijvoorbeeld: *Junius 1614*, p. 72; *De Jongh 1969*, p. 54 e.v.

Jan Steen

Leiden 1626 – Leiden 1779

58 | Portret van Jacoba Maria van Wassenaer of van Bernardina Margriet van Raesfeld

Doek, 107,4 x 81,4 cm
Op een plank links onder: *JSteen. 1660* (js ineen)
Inv.nr. 166

Herkomst
Collectie familie van Wassenaer, Warmond, tot 1774(?), of:
Collectie gravin van Beyeren Schagen, Warfusée, Saint Georges-sur-Meuse(?)
Collectie stadhouder Willem v, Den Haag, vanaf 1774
Het Louvre, Parijs, 1795–1815
Koninklijk Kabinet van Schilderijen, Den Haag, 1815
Koninklijk Kabinet van Schilderijen 'Mauritshuis', 1821

Bibliografie
Steengracht van Oostkapelle 1826–30, dl. III, p. 8–9, nr. 55
Van Westrheene 1856, p. 100–101, nr. 13
De Stuers 1874, p. 140–141, nr. 135
Bredius 1895, p. 387–388, nr. 166 en afb.
Geffroy 1900, p. 110–111 en afb.
HdG 330 (dl. I, p. 79–80, nr. 330)
Six 1905, p. 93–95
Den Haag 1914, p. 353–354, nr. 166 en afb.
Martin 1922, p. 165–167
Leiden 1926, p. 14–15, nr. 8
Bredius 1927, p. 58, afb. pl. 57
Londen 1929, p. 121, nr. 250
Martin 1935, p. 324–325, nr. 166
Martin 1936, dl. II, p. 251, 264 en afb. 249
Trautschold 1937, p. 509
Bijleveld 1950, passim
Martin 1950, p. 97, nr. 235–236 en afb.
Den Haag 1954, p. 81, nr. 166
Den Haag 1958–59, nr. 13 en afb. 13
Rosenberg/Slive/Ter Kuile 1966, p. 134–135 en afb. 113B
San Francisco enz. 1966, p. 135–136, nr. 91 en afb.
De Vries 1967, p. 61a–b en afb.
Drossaers/Lunsingh Scheurleer 1974–76, dl. III, p. 230, nr. 134
Londen 1976, p. 84, nr. 105 en afb. omslag
De Vries 1976, p. 27–28, p. 54–55, afb. 22–23
Brenninkmeyer-de Rooij 1967, p. 172, nr. 143 en afb.
Den Haag 1977, p. 224, nr. 166 en afb.
De Vries 1977, p. 47, 128–129, noot 76, p. 130, noot 100, p. 160, nr. s 79
Braun 1980, p. 100–101, nr. 113 en afb.
Haak 1984, p. 427–428 en afb. 937
Hoetink e.a. 1985, p. 296–297, nr. 89 en afb., p. 443, nr. 166 en afb.
Broos 1986, p. 318–322, nr. 46 en afb.

In het jaar 1660, toen Jan Steen dit meisjesportret schilderde, woonde hij in Warmond op geringe afstand van het kasteel Lockhorst of Oud-Teylingen dat in het schilderij als achtergrond dient. De identificatie van dit kasteel berust op een vergelijking met onder andere een tekening van (een kopiïst naar?) Roelant Roghman, die het kasteel toont voordat er in het hoofdgebouw naast de rechtertoren een bovenverdieping was bij gebouwd (Leiden, Universiteitsbibliotheek) [1].[1] De destijds geopperde veronderstelling dat het door Frederik Hendrik gebouwde slot Honselaarsdijk zou zijn voorgesteld met een van de prinsesjes van Oranje, heeft mogelijk als argument gediend toen stadhouder Willem v het schilderij in 1774 kocht (uit de collectie op kasteel Warfusée, St. Georges-sur-Meuse?). Toen was de gevelsteen boven de poort overschilderd, waarop na een restauratie in 1948 de wapens van het geslacht Van Mathenesse (een rode schuine balk met drie gouden sterren) en Van Lockhorst (een kruis van negen geschulpte ruiten) te voorschijn kwamen.[2]

Deze wapens verwijzen naar het huwelijk van Geertrui van Lockhorst en Nicolaas van Mathenesse. Via hun zoon Cornelis kwam het slot Oud-Teylingen in eigendom van Jan van Wassenaer, die een zoon was van een halfzuster van Cornelis. Jan van Wassenaer bewoonde in 1660 het kasteel met zijn dochter Jacoba Maria, die in 1654 was geboren. Op Oud-Teylingen woonde toen óók de weduwe van Cornelis van Mathenesse, Anna van den Bongard, met haar ongeveer tienjarige nichtje en pleegkind, Bernardina Margriet van Raesfeld. Anna van den Bongard was sinds 1657 tevens de weduwe van Johan van Raesfeld, heer van Hien en Doodeweerd, een oom van Bernardina. Anna had het vruchtgebruik van het kasteel en Jan van Wassenaer het eigendom. Genealogen hebben tot op heden nog geen afdoende antwoord kunnen geven op de vraag of hier de zesjarige Jacoba Maria van Wassenaer is geportretteerd dan wel de vier jaar oudere Bernardina Margriet van Raesfeld.[3]

Jan Steen heeft van zijn opdracht meer gemaakt dan een portret van een jong meisje voor het huis waar ze woonde, onder de heraldische verwijzing naar haar afkomst. De traditionele titel van dit schilderij, *De hoenderhof*, wekt de onjuiste suggestie dat het adellijke meisje hier omringd wordt door haar eigen dieren in een hoek van de kasteeltuin, gadegeslagen door wat knechten. De architectuur is slechts omlijsting en niet bedoeld als een natuurgetrouwe afbeelding van het poortgebouw van het kasteel te Warmond.[4] Het accent ligt wèl op de verhalende elementen. Zo had Jan Steen in 1655 ook zijn buurman in Delft geschilderd met zijn dochtertje zittend voor zijn huis terwijl hij wordt benaderd door een bedelende vrouw met haar zoontje (Bangor, Wales, Erven Lord Penrhyn).[5] Hiermee werd de deugdzaamheid van de geportretteerde onderstreept, want armoede werd destijds beschouwd als het loon van een goddeloos leven en paupers waren voornamelijk het mikpunt van literaire en visuele geestigheden.[6]

Jan Steen Portret van Jacoba Maria van Wassenaer of van Bernardina Margriet van Raesfeld

Zo'n contrastwerking is kennelijk ook in dit portret bedoeld. A.B. de Vries, die in 1967 voor het eerst uitgebreid gewag maakte van allerlei 'genre'-achtige aspecten van dit tafereel, meende nog dat de dwerg hoorde 'bij de huishouding van voorname personages' als 'de misdeelde, voor wie gezorgd wordt en die dienstbaar is'.[7] Deze dwerg vervult echter een symbolische rol en hij is een niet zelden optredende figurant in 'genre'-schilderijen, zoals we weten dank zij Gudlaugssons *De komedianten bij Jan Steen en zijn tijdgenoten*.[8] Lyckle de Vries wees later terecht op het komische contrast tussen het rijke meisje en de eenvoudige knechten in hun kapotte en afgedragen kleding [**2,3**].[9] Zeer onlangs stelde J.B. Bedaux meer expliciet dat vooral de dwerg, maar ook de oude knecht, de personificaties zijn van het kwaad, omdat men toen van mening was dat uiterlijk en karakter met elkaar verband hielden.[10] In Ripa's *Iconologia of uytbeeldingen des verstants* (Amsterdam 1644) beeldt een dwerg inderdaad het kwaad uit, ofwel 'Sceleratezza, Boeverye, Ondeughd, Schelmerye'.[11]

Het meisje, Jacoba Maria van Wassenaer of Bernardina Margriet van Raesfeld, zit zedig met een hand aan de borst en laat een lammetje melk drinken uit een kom die de knecht juist gevuld heeft: wat gemorste druppels worden door haar hondje opgelikt. Met een dergelijke anecdotiek streefde Steen natuurlijkheid na, maar niet vergeten mag worden dat zijn keuze van het lam tevens een diepere bedoeling moet hebben gehad. In de christelijke symboliek is het lam het teken van onschuld en die functie heeft het hier ook.[12]

Dit beeld van de onschuld, geconfronteerd met de ondeugd, is gezet in een geïdealiseerd kader. De strohoed naast het kind herinnert aan de voorkeur voor een pastorale uitmonstering die toen in de portretkunst in de mode was (zie cat.nr. 5).[13] De rond het meisje verzamelde hoendersoorten lijken meer te duiden op weelde in het algemeen, zoals gebruikelijk was in geschilderde stillevens, dan dat zij een inventarisatie bieden van de ménagerie op kasteel Oud-Teylingen. Verschillende soorten (zoals de kalkoen) waren toen zeer zeldzaam in Holland en misschien kende de schilder ze slechts van afbeeldingen.[14]

Lyckle de Vries heeft de mogelijke symboliek in het schilderij in verband willen brengen met de identiteit van het meisje. Zij zou het geadopteerde kind Bernardina van Raesfeld moeten zijn, onder andere omdat de dode boom rechts een uitloper heeft gekregen: 'zo kan haar familie, die geen

4
Illustratie uit Roemer Visscher, *Sinnepoppen* (1614), nr. XI

Keur baert angſt.

toekomst meer leek te hebben, na haar adoptie weer voortleven. De pauw op de boom betekent zelfs onsterfelijkheid'.[15] Wellicht is dit in een portret van een tienjarige een wat voorbarige gedachtengang?

Hoe dan ook is het beeld van een dode boom, zeker in combinatie met levende exemplaren niet onbekend in de schilderkunst en kennelijk ontleend aan de emblematiek. J.A. Emmens heeft uiteengezet hoe in *De kwakzalver* van Gerard Dou uit 1651 (Rotterdam, Museum Boymans-van Beuningen)[16] een verwijzing is verwerkt naar het embleem uit Roemer Visschers *Sinnepoppen* met het opschrift 'Keur baert angst' [4].[17] Het commentaar daarbij gaat over de tweestrijd die de mens moet leveren bij het doen van een juiste keuze. De grote dode boom rechts voor in het schilderij biedt op dezelfde manier een tegenstelling met de twee dicht bebladerde bomen die door de poort zijn te zien. Samenvattend lijkt Steen te willen wijzen op de mogelijkheden die de mens heeft: onschuld of ondeugd, rijkdom of armoe, dood of leven. De juiste keuze valt voor ons voorlopig niet te maken – dat geldt zowel voor de naam van het meisje, als voor de symbolische context waarin ze is geportretteerd. Maar de boodschap is vermoedelijk eerder op te vatten als van algemene aard dan toegespitst op de persoon, zoals een doodskop in een portret eerder doet denken aan de kortstondigheid van elk leven dan verwijst naar de dood van de voorgestelde zelf.

1 Zie ook de afbeeldingen in: *Martin 1922*, p. 166, afb. 2 en *Bijleveld 1950*, p. 20
2 Volgens een manuscript-catalogus door L. de Vries (1968, documentatie-archief Mauritshuis). *Six 1905*, p. 93–95 opperde zelfs de mogelijkheid dat prins Willem III in meisjeskleren zou zijn voorgesteld. De identificatie van kasteel Oud-Teylingen geschiedde in *Martin 1922*, p. 165–167, met gegevens van W.J.J.C. Bijleveld.
3 *Bijleveld 1950*, p. 10 achtte de kwestie nog onbeslist; *De Vries 1977*, p. 128–129, noot 76 koos voor Bernardina, hoewel hij tevens meedeelde dat genealogisch onderzoek door J.W.F. baron van Wassenaer en jhr. F.G.L.O. van Kretschmar geen eenduidige conclusie had opgeleverd. Het meisje op het familieportret van A. van Ravesteyn (kasteel Warfusée, Saint Georges-sur-Meuse, afgebeeld door *Bijleveld 1950*, p. 5) dat Jacoba Maria voorstelt, lijkt wèl op het meisje bij Steen, volgens *Londen 1976*, p. 84, nr. 105, maar níet volgens *De Vries 1977*, p. 128, noot 76
4 Onderzocht kan worden of het poortgebouw op Jan Steens *De kermis te Warmond* (verblijfplaats onbekend; HdG 652; *Braun 1980*, p. 118–119, nr. 239 en afb.) inderdaad van kasteel Oud-Teylingen is en de wandelende groep de bewoners van het kasteel (zoals de traditie wil).
5 HdG 878; *Braun 1980*, p. 96–97, nr. 78
6 Zie bijvoorbeeld: *Amsterdam 1976*, p. 254–257, nr. 67 en de literatuur, genoemd in cat.nr. 43, noot 3
7 *De Vries 1967*, p. 61b
8 *Gudlaugsson 1945*, p. 50–54
9 *De Vries 1976*, p. 27
10 *Bedaux 1985* (in druk): uitgesproken tijdens het symposiun 'Dutch Genre Painting in its Historical Context', Londen 9–10 november 1984. Jan Baptist Bedaux dank ik hierbij hartelijk voor de inzage van zijn nog niet gepubliceerde tekst.
11 *Ripa 1644*, p. 65: 'Een mismaeckt dwerghjen, scheel en bruynachtigh, met root hayr …'.
12 *Timmers 1947*, p. 544, nr. 1213; *Ripa 1644*, p. 367: 'Het Lammeken bediet Onnoselheyt …'.
13 *McNeil Kettering 1983*
14 Mededeling van Jan Baptist Bedaux
15 *De Vries 1976*, p. 28. Zie ook: *Londen 1976*, p. 84, nr. 105
16 *Emmens 1971*, p. 4b; zie ook: *Amsterdam 1976*, p. 86–89, nr. 16
17 *Roemer Visscher 1614*, p. 11, nr. XI

Leiden 1626 – Leiden 1679

Doek, 134 x 163 cm
Niet gesigneerd, niet gedateerd (zie: noot 8)
Inv.nr. 742

'Liet/ Soo voer gesongen soo/ na gepepen dat is al lang/ g(e)bleken ick sing u vo(or)/ so(o) volcht ons na(er)/ van een tot hon(derd) jaer'. Dit is de tekst die de oude vrouw met de knijpbril voorleest van een muziekblad. Met het voor een genrestuk uitzonderlijk grote formaat doet dit schilderij van Jan Steen onmiddellijk denken aan identieke taferelen van Jacob Jordaens. Het bekendste daarvan is *'Soo d'oude songen/ Soo pepen de jonge'* uit 1638 (Antwerpen, Koninklijk Museum voor Schone Kunsten)[1] dat Steen gekend kan hebben van de prent door Schelte à Bolswert.[2] Een verrassend grote overeenkomst blijkt vooral te bestaan met een iets latere versie van Jordaens (Valenciennes, Musée des Beaux-Arts, depot Musée du Louvre) [**1**].[3] Men lette op details als de oude vrouw die van een papier leest ('Een Nieu Liedeken', staat er bij Jordaens geschreven), de jonge vrouw die het wijnglas heft, de doedelzak-speler, de vogelkooi en de uil (bij Steen een papegaai) en tenslotte de compositie van het gezelschap rond een tafel in de hoek van een kamer voor een venster.[4]

Net zoals Jordaens gebruikte Jan Steen in het Haagse schilderij modellen uit zijn directe omgeving. In de lachende man met de hoge hoed herkennen we de schilder zelf[5], terwijl de vrouw met het groenfluwelen jasje, die een dergelijke strik in het haar draagt als Steen op zijn hoed heeft gestoken, zijn vrouw moet zijn. Steen was in 1649 getrouwd met Grietje (Margaretha), de dochter van de landschapschilder Jan van Goyen (zie: cat.nr. 28).[6] De grinnikende oude man links en de vrouw met het lied vertegenwoordigen de oudste generatie, de kinderen de jongste.[7] Omdat het schilderij tamelijk algemeen in of omstreeks 1663 gedateerd wordt, kan de (groot uitgevallen) zuigeling niet de dochter Elisabeth zijn, die in 1662 slechts drie weken leefde.[8] Het jongetje dat leert pijproken, is door Bredius (onder anderen) 'herkend' als Jans oudste zoon Thadeus Steen (geboren in 1651), maar in verband met de veronderstelde datering van het stuk kan het hooguit de vijf jaar jongere Cornelis Steen (geboren in 1656?) zijn. Voor de doedelzakspeler heeft wellicht Thadeus model gestaan en het kind tussen hen in is mogelijk Catharina (geboren in 1657?) of de jongste, ook Jan geheten (geboren in 1659?).[9]

Jan Steen was de Hollandse voortzetter van een Vlaamse traditie in het uitbeelden van spreekwoorden, die via Jacob Jordaens teruggaat op Pieter Bruegel en Jeroen Bosch. De spreuk *Zoals de ouden zongen, zo piepen de jongen* heeft Steen wel bijzonder vaak geschilderd, vooral in zijn Haarlemse periode, van 1660 tot 1670, voordat hij na de dood van zijn vader, de brouwer Havick Steen, naar Leiden terugkeerde.[10] Het gezegde bevat de gedachte dat de (menselijke) aard nu eenmaal onveranderlijk (slecht) is, zoals dat in vele uitdrukkingen in de volkstaal is verwoord. Jacob Cats zette een hele reeks van deze spreuken onder elkaar onder het motto: "t Wil al muysen wat van katten komt', met als varianten de gezegden die Steen in beeld heeft gebracht: 'Wat eyscht'er iemand meer? Siet alderhande jongen, Die pijpen even so gelijck de moeders songen'; of: 'Soo d'oude songen/ Soo pepen de jonge'; of: 'Soo voor gepepen/ soo na gedanst'.[11]

Herkomst

Veiling baronesse van Leyden, geboren Thoms, Warmond, 1816 (gekocht door C. Josi voor Steengracht)
Collectie jonkheer H.A. Steengracht van Duivenvoorde, Den Haag
Veiling Steengracht, Parijs, 1913
Vereniging Rembrandt, 1913
Koninklijk Kabinet van Schilderijen 'Mauritshuis', 1913

Bibliografie

Van Westrheene 1856, p. 107, nr. 35
Geffroy 1900, p. 130
HdG 529 (dl. 1, p. 129–130, nr. 529)
Amsterdam 1913, nr. 10 en afb.
Veiling Steengracht 1913, p. 90–91, nr. 70 en afb.
Martin 1913-A, p. 10–11
Martin 1914, p. 9–10, 12 en afb.
Leiden 1926, p. 15, nr. 9
Bredius 1927, p. 57 en afb. pl. 57
Londen 1929, p. 91–92, nr. 182
Martin 1935, p. 332–333, nr. 742
Martin 1936, dl. 1, p. 80, afb. 45
Kauffmann 1943, p. 144–145 en afb. 31
Martin 1950, p. 97, nr. 234 en afb.
De Groot 1952, p. 62, 146, 155 en afb. 6
Den Haag 1954, p. 81, nr. 742
Den Haag 1958–59, nr. 29 en afb. 28
Engelman 1961, p. 1a-b en afb.
Rosenberg/Slive/Ter Kuile 1966, p. 136
De Vries 1976, p. 10, 18, 25, 65 en afb. 33
Den Haag 1977, p. 227, nr. 742 en afb.
De Vries 1977, p. 19, 57–58, 121, noot 111, p. 164, nr. s 118
Braun 1980, p. 114–115, nr. 201 en afb.
Sutton 1982–83, p. 35–36
Washington enz. 1982–83, p. 112–113, nr. 34 en afb.
Durantini 1983, p. 59
Berlijn/Londen/Philadelphia 1984, p. 294, afb. 1
Haak 1984, p. 390 en afb. 834
Hoetink e.a. 1985, p. 292–293, nr. 87 en afb., p. 445, nr. 742 en afb.
Broos 1986, p. 323–327, nr. 47 en afb.

Behalve de vrij lange tekst van het lied op het Haagse doek, schilderde Steen vaker spreekwoorden op een stuk papier als een titel voor de voorstelling. *'Soo de oude songen, so pypen de jonge'* – met kleine afwijkingen in de annotatie – is de titel van het vroegst bekende schilderij met dit onderwerp (onbekende verblijfplaats)[12] uit omstreeks 1662 en van het laatste, dat ruim tien jaar later werd geschilderd (verblijfplaats onbekend).[13] Het valt ook te lezen op een tweede versie van dit verhaal in het Mauritshuis (Den Haag)[14], waarvoor de hele(?) familie Steen poseerde omstreeks 1663/1665. *'Soo voer gesongen, soo nae gedanst'* is de tekst op een schilderij uit de tweede helft van de jaren zestig (Kaapstad, Stadhuis).[15] In al deze voorstellingen bedacht Jan Steen nieuwe grappen, woordspelingen en situaties. Slechts eenmaal herhaalde hij de Haagse compositie met de schenker die hoog boven de tafel uittorent om de wijn in het glas van Grietje te gieten, namelijk in het schilderij waarop de oude vrouw hetzelfde lied zingt: *'Soo voorgesonghen, soo naegepepen'* te Montpellier (Musée Fabre) [**2**].[16]

In al deze schilderijen is ruime aandacht besteed aan de diverse mogelijkheden die het woord 'pypen' of 'pijpen' kon hebben. In het

◄ **1**
Jacob Jordaens
Zoals de ouden zongen, zo piepen de jongen
Doek, 154 x 208 cm
Niet gesigneerd, niet gedateerd (ca. 1640)
Valenciennes, Musée des Beaux-Arts, inv.nr. (Louvre) 1407

▶ **2**
Jan Steen
'Soo voorgesonghen, soo naegepepen'
Doek, 87 x 71 cm
Op de schoorsteenmantel: *Jan Steen* (ca. 1663–65)
Montpellier, Musée Fabre, inv.nr. 290

spreekwoord gaat het om nazingen of nadoen, om de hardnekkigheid van (slechte) gewoonten die men al vroeg aangeleerd heeft. Maar het woord 'pypen' of 'pijpen' wordt ook in beeld gebracht met het pijproken of spelen op de blaaspijp (de fluit).[17] In het vroegst te dateren stuk (omstreeks 1662) is wel het meest uitvoerig gefantaseerd op het thema 'pijpen' van de kinderen.[18] Maar op het grote doek in Den Haag heeft Steen zich niet zo uitgeput in allerhande mogelijkheden. Alleen de doedelzakspeler vertolkt het woord 'pijpen' in de betekenis van fluiten, terwijl de vader die zijn zoon een trekje laat nemen, het pijproken uitbeeldt. De beide ouders visualiseren hier een beruchte combinatie van slechte gewoonten: roken en drinken.[19] Grietje lijkt met haar houding bovendien openlijk het verkeerde voorbeeld te geven – zij symboliseert luiheid en slordigheid. Dat de wereld hier een omgekeerde is,

Jan Steen 'Zoals de ouden zongen, zo piepen de jongen'

blijkt bovendien uit een detail, namelijk het hoofddeksel van de 'grootvader'. Dit is een zogenaamde kraamherenmuts, die vaders droegen in de dagen voor de doop van een kind en die hier door de schilder als een grap op het hoofd van de oude man is gezet.[20]

Grootvader en grootmoeder lachen wel om de situatie en de tekst van het lied, maar Jan Steen zou geen echte zeventiende-eeuwer zijn geweest, als hij niet behalve een humorist tevens een moralist was. In het stilleven op tafel met de dikke trossen druiven en de kostelijke oesters met de geschilde citroenen zou men vingerwijzingen kunnen zien. De aanblik van overdaad en onmatigheid was veelal bedoeld als een waarschuwing: 'Soo gewonne/ Soo verteert', gaf Steen als bijschrift op zijn schilderij uit 1661, *De oestermaaltijd* (Rotterdam, Museum Boymans-van Beuningen) [**3**][21] of 'In weelde/ siet toe', als moraliserende boodschap op *Het slechte huishouden* (Wenen, Kunsthistorisches Museum)[22] uit 1663.

De papegaai in de hoek kijkt om naar het tafereel in de kamer. In spreekwoorden, gezegden of embleemliteratuur vervult het exotische dier verschillende rollen, zowel gunstig als ongunstig. Omdat de papegaai zogenaamd kan spreken als een mens is het symbolisch voor imitatie, redeneerkunst, maar ook voor holle retoriek.[23] Wellicht dacht Steen bij het aanbrengen van dit dier aan het gezegde: 'de mensen zijn apen en papegaaien van elkaar'.[24] Meer dan één bedoeling hebben zijn taferelen ongetwijfeld. Daarom is het ook geen gekke gedachtengang (van Kauffmann) dat hier bovendien de Vijf Zinnen kunnen zijn uitgebeeld: de Smaak is dan de wijndrinkende Grietje, de Reuk de rokende Jan Steen, het Gehoor de doedelzakspeler, het Gezicht de lezende grootmoeder en het Gevoel de minnemoeder in het midden die de zuigeling teder vasthoudt.[25]

---

1 Inv.nr. 677; zie: *Antwerpen 1959*, p. 123–124, nr. 677

2 *Hollstein*, dl. III, p. 87, nr. 293

3 *Parijs 1977–78*, p. 111–112, nr. 72 en afb.

4 Meestal wordt slechts op thematische overeenkomsten gewezen, terwijl de relatie Jordaens-Jan Steen toch diepgaander onderzoek zou verdienen, zie: *De Groot 1952*, p. 61, noot 23 en *Sutton 1982–83*, p. 35–36, noot 3.

5 Zie bijvoorbeeld de zelfportretten van Jan Steen in: *Braun 1980*, p. 8–9

6 *Van Westrheene 1856*, p. 74

7 *Braun 1980*, p. 114, nr. 200 en 202 veronderstelde dat het oudere echtpaar in dit en de verwante schilderijen in Den Haag (zie: noot 14) en Montpellier (zie: noot 16) de ouders, respectievelijk de schoonouders van Jan Steen zouden zijn (maar: Jan van Goyen was al in 1656 overleden).

8 Volgens *Trautschold 1937*, p. 509 werd op 9–11–1662 een dochter Elisabeth gedoopt die overleed op 3–12–1662. Wat betreft de datering, zie: *De Vries 1977*, p. 57: 'in de onmiddellijke omgeving … van 1663'; *Braun 1980*, p. 114, nr. 201: '1663–65'. Het schilderij heeft ooit een (nu verdwenen) signatuur gehad, afgebeeld in *Martin 1935*, p. 333.

9 *Bredius 1927*, p. 58; zie ook: *Leiden 1926*, p. 15, nr. 9. *Braun 1980*, p. 82 beeldde de stamboom van de familie Steen af.

10 Een volledig overzicht van deze werken gaf *Sutton 1982–83*, p. 36, noot 10 (*Braun 1980*, nr. 153, 188, 200–202, 260, 295, 334, A 40–43, B 16–18)

11 *Cats 1632*, p. 64–67 en *Cats 1665*, dl. II, p. 21–22. *Zoals de ouden zongen, zo piepen de jongen*, zie: WNT, dl. XII¹, kol. 1541 en 1744

12 HdG 91; *Braun 1980*, p. 107, nr. 153 en afb.

13 HdG 95/99; *Braun 1980*, p. 136–137, nr. 334 en afb.

14 Inv.nr. 169; HdG 90; *Den Haag 1977*, p. 225, nr. 169 en afb. (diverse hoofden zijn overschilderd tijdens een 'restauratie' in 1889); *Braun 1980*, p. 114–115, nr. 200 en afb.

15 HdG 101; *Braun 1980*, p. 122–123, nr. 260 en afb.

16 HdG 92; *Braun 1980*, p. 114–115, nr. 202 en afb.

17 'Pijpen' (enz.), zie: WNT, dl. XII¹, kol. 1740–1746

18 Beschreven door *De Groot 1952*, p. 61

19 Zie: cat.nr. 43, noot 7

3
Jan Steen
De oestermaaltijd
Doek, 79 x 104 cm
Op de schoorsteenmantel, onder de spreuk:
16 JSteen 61 (JS ineen)
Rotterdam, Museum Boymans-van
Beuningen, inv.nr. 2527

20 *Schotel 1903*, p. 32: 'eene met kant omboorde pluimmuts van satijn of piqué'
21 HdG 854; *Braun 1980*, p. 105, nr. 143 en afb.
22 Inv.nr. 372; HdG 102; *Braun 1980*, p. 110–111, nr. 179 en afb.
23 *De Vries 1976*, p. 23 duidde een papegaai die gevoerd wordt bij Jan Steen als de uitbeelding van het gezegde 'dat is suiker voor de papegaai' (vergeefse moeite). Voor verschillende interpretatiemogelijkheden van de papegaai, zie: *Naumann 1981*, dl. II, p. 69, nr. 54
24 WNT, dl. XII¹, kol. 361
25 *Kauffmann 1943*, p. 144–145: hij onderscheidde telkens een groep van twee figuren (een volwassene en een kind) die samen een zintuig uitbeelden.

Cornelis Troost Allegorie op de oorlog met Frankrijk in 1747

Amsterdam 1697 – Amsterdam 1750

Doek, 82 x 102 cm
Links op de tafel: *Cornelis Troost fecit 1747*
Inv.nr. 1034

Hij was een leerling van Arnold Boonen en oogstte roem met enkele regentenstukken en groepsportretten (1724, 1728, 1729). Hij is vooral bekend om zijn genretaferelen in een gemengde pastel-aquarel-techniek met een moraliserende strekking en om zijn uitbeeldingen van scènes uit eigentijdse theaterstukken. Befaamd is ook zijn 'NELRI'-serie, vijf pastels met de uitbeelding van een drinkgelag. Zijn humoristische stijl werd wel vergeleken met die van Hogarth en men beschouwt hem als de beste schilder van de Nederlandse achttiende eeuw.

Herkomst
Veiling D. Ietswaart, Amsterdam, 1749
Collectie J. van der Marck, Leiden, ca. 1750
Veiling J. van der Marck, Amsterdam, 1773
Veiling H. Twent, Leiden, 1789
Veiling (anoniem), Leiden, 1791
Collectie J. Hoofman van Diepenbroek, Haarlem
Collectie mej. M. Hoofman, Haarlem
Veiling jhr. L.J. Quarles van Ufford, Haarlem, 1874
Collectie jhr. van de Poll, Heemstede en Hollenfels, Luxemburg (tijdelijk bruikleen aan het Mauritshuis)
Collectie jhr. E. Boreel
Collectie jhr. W.F. Boreel
Koninklijk Kabinet van Schilderijen 'Mauritshuis', 1980 (in bruikleen vanaf 1968)

Bibliografie
Van Gool 1750–51, dl. II, p. 247–248
Havard 1872, p. 388–389
Niemeijer 1973, p. 94 en 355–356, nr. 694 s en afb.
Den Haag 1977, p. 241, nr. 1034 en afb.
Hoetink 1981, p. 167–168 en afb. p. 179
Hoetink e.a. 1985, p. 300–301, nr. 91 en afb., p. 453, nr. 1034 en afb.
Broos 1986, p. 328–332, nr. 48 en afb.

1
Cornelis Troost
Corps de Garde
Tekening, 180 x 240 mm
Niet gesigneerd, niet gedateerd (ca. 1746–47)
Besançon, Musée des Beaux-Arts et d'Archéologie de Besançon, inv.nr. D. 638

Een 'cortegaarde' (van het Frans corps-de-garde) was de destijds gangbare benaming van een genre in de schilderkunst dat in de zeventiende eeuw beoefend werd door Pieter Codde, Willem Duyster, Anthonie Palamedesz en Hendrik Pot. Het waren voorstellingen van wachtlokalen met soldaten, die kaarten of triktrak spelen, roken en drinken. In de achttiende eeuw herleefde de 'cortegaarde' in het late werk van Cornelis Troost, eerst in een tekening uit 1736 (Haarlem, Teylers Museum)[1], maar na 1740 regelmatig in schilderijen. Dit 'Cornelis Troost fecit 1747' gesigneerde en gedateerde schilderij is 'vanouds een der beroemdste van Troost's cortegaardes'.[2]

Maar van meer dan een thematische overeenkomst met de zeventiende-eeuwse schilders is geen sprake. Die hielden van chaotische taferelen en een dramatische belichting. Troost daarentegen had een voorkeur voor symmetrie in de compositie, een overzichtelijke groepering van de figuren en lichte kleuren. In een vermoedelijk voorbereidende schets voor het schilderij in Den Haag (Besançon, Musée des Beaux-Arts et d'Archéologie) [1][3] is

◄ **2**
Rembrandt
Jan Six aan het venster
Ets, droge naald en burijn, 245 x 191 mm
(tweede staat)
Rechts onder: *Rembrandt. f..1647*
Amsterdam, Rijksprentenkabinet

▶ **3**
Cornelis Troost
Zittende officier en jongeman met een kaart
Tekening, 341 x 360 mm
Rechts onder: *CT* (niet eigenhandig) (ca.
1746–47)
Kopenhagen, Statens Museum for Kunst,
Den kongelige Kobberstiksamling, inv.nr. Tu.
89b, 17

vooral te zien hoe de grote open haard als centraal gegeven de ruimte in twee helften verdeelt, waarin links en rechts een groep van drie officieren aan een tafel bijna elkaars spiegelbeeld vormen. De toeziende en binnenkomende mannen die de strakheid van de opstelling wat doorbreken in de tekening, zijn in de geschilderde versie met nog een aantal figuren aangevuld: een vrouw die een boodschap brengt aan de deur, een pijproker bij de haard en een man die in het venster leunt en een brief leest. In deze figuur laat Troost zien dat hij zijn 'klassieken' kende, want de houding is van top tot teen (zie de stand van de voeten) ontleend aan de beroemde prent van Rembrandt, *Jan Six aan het venster*, uit 1647 [**2**].[4] Dit werd voor het eerst in 1872 opgemerkt door Henri Havard, die het schilderij van 'le Hogarth hollandais' zag op een expositie in 'Arti' in Amsterdam.[5] Naast het ontwerp voor de compositie is nog een voorstudie bewaard gebleven voor de groep met de jongeman die de kaart omhoog houdt en de officier die daarop iets aanwijst met een lange Goudse pijp (Kopenhagen, Statens Museum for Kunst) [**3**].[6] De wijzende officier heeft een iets andere houding dan in het schilderij. Zo'n groep èn een overeenkomstige, aan Rembrandt ontleende, brieflezer in een raam zijn ook te zien in een penseeltekening uit 1746 (Berlijn, Kupferstichkabinett)[7], die een uitgewerkte variant is op het ontwerp.

Het schilderij blijkt bij nader inzien een manifest van Oranjegezindheid te zijn, geënt op de actualiteit en bestaande uit groepen en figuren die Troost al voor 1747 bedacht had. De boog die in de tekening in Besançon links als repoussoir diende, is in de geschilderde versie doorgetrokken naar rechts, zodat een sterk toneelmatige enscenering is ontstaan.[8] De door kettingen gedragen guirlande van eikeloof, waarin geweren, zwaarden en spiesen zijn verwerkt met in het midden een kanonskogel, zorgt voor een symbolische omlijsting die het geheel de status van een allegorie verleent. Boven de brandende haard prijkt een medaillon met het portret van Willem IV (1711–1751) boven zijn wapenspreuk: 'JE MAINTIENDRAI'. Willem Karel Hendrik Friso was stadhouder van Friesland, Groningen, Drente en Gelderland toen in april 1747 Franse troepen Zeeuws-Vlaanderen binnenvielen, wat oorlog met Frankrijk betekende. Er ontstond een sterke volksbeweging die hem vervolgens deed verheffen tot stadhouder over alle gewesten, dus ook van Zeeland, Holland, Utrecht en Overijssel; tevens werd hij op 15 mei 1747 kapitein generaal van de Unie.[9]

Het beeld van Mars boven de haard verwijst naar de oorlogstoestand. Links en rechts hangen aan de muur de wapenschilden van prins Willem IV en zijn gade, Anna van Hannover (1709–1759), de oudste dochter van koning George II van Engeland. Aan de wand zijn bovendien twee portretprenten opgehangen. De linker prent stelt de zwager van Willem IV voor, William Augustus, hertog van Cumberland (1721–1765), de jongste zoon van George II, die in 1746 de overwinning behaalde in de slag bij Culloden, hetgeen een einde maakte aan de Frans-Schotse agitatie.[10] Rechts hangt een door Pieter Tanjé in 1747 gegraveerd portret van Sir John Ligonier (1680–1770) te paard, naar een schilderij van J. Fournier. Ligonier was sinds januari 1746 opperbevelhebber van de Engelse troepen op het vasteland van Europa.[11]

Links op een tafel staat een drukwerk, waarop valt te lezen: 'Antwoord van de Hoogmogende Heeren Staaten Generaal der Verenigde Nederlanden, den 7de November 1747, op de Memorien, van de Heer. Abt de Laville, den 17 April en 23 September laatstleden'. In de kwestie van de Oostenrijkse successie-oorlog had de Republiek in navolging van Engeland de partij van Maria Theresia gekozen. Frankrijk was de vijand van Oostenrijk en dreigde het grondgebied van de Republiek te schenden, wat verwoord werd in diverse memories van de Franse gezant in Den Haag, De Laville. Het hier bedoelde antwoord van de Staten-Generaal liet weten dat men zich tegen de Franse agressor zou verzetten 'met dadelijk gebruik van alle middelen die de goddelijke en natuurlijke wetten dicteren' en een kopie van dit schrijven werd gestuurd naar binnenlandse bestuurscolleges, ministers van staat aan buitenlandse hoven èn aan alle Franse ministers. Een gedrukt antwoord zoals Troost het schilderde, is echter niet bekend.[12] Het is waarschijnlijk dat de opdrachtgever van het schilderij een van de betrokken Hollandse autoriteiten is geweest.[13]

Het is frappant dat de politieke bedoeling van de voorstelling vrij snel na het ontstaan, toen het in andere handen was overgegaan, niet meer werd begrepen of opgemerkt. De schildersbiograaf J. van Gool zag het omstreeks 1750 in de collectie van J. van der Marck en hij herkende wel de wapenschilden aan de muur, maar toonde verder slechts aandacht voor het tafereeltje bij de deur. Daar ontwaarde hij een koppelaarster die een brief overhandigt van de vrijster van de soldaat die opendoet. De aanhef van de brief wist Van Gool te ontcijferen als 'Jantje lief' en hij fantaseerde daarbij: 'men kan uit de oude snol haer weesen sien, dat zy verlangt om 't jawoord aen 't Venus-Nimfje te mogen brengen, in hoop, dat er voor haer mede wat overschieten zal'.[14] Eén jaar eerder was het nog geveild als een 'Officiers Kortegaarde, reflecterende op des tyts Omstandigheden'![15]

1 Inv.nr. U* 45; *Niemeijer 1973*, p. 362, nr. 726 T en afb.
2 *Niemeijer 1973*, p. 355, nr. 694 s; militaire scènes, ibid., p. 91–96 en p. 354–373, nr. 692 s–790 T
3 *Niemeijer 1973*, p. 358, nr. 701 T en afb.
4 B. 285; *Hollstein*, dl. XVIII, p. 136, nr. 285, dl. XIX, p. 241–243 en afb.
5 *Havard 1872*, p. 388–389
6 *Niemeijer 1973*, p. 363, nr. 737 T. In het schilderij staat op de kaart het opschrift 'A XVII PROVINCIARUM TABULA'.
7 Inv.nr. 138–1958; *Niemeijer 1973*, p. 360–361, nr. 709 T en afb.
8 Over dit 'schouwburg-effect', zie: *Niemeijer 1973*, p. 92
9 *Geyl 1936*, p. 4–14
10 *Niemeijer 1973*, p. 94 en 355. Op de prent is te lezen: 'In Remerabrance(!) of the glorious Victory at Culloden. april.6 1746'.
11 Voor de prent van Tanjé, zie: *Wurzbach*, dl. II, p. 689, nr. 33. De prent draagt het opschrift: 'SIR JOHN LIGONIER'.
12 *Niemeijer 1973*, p. 356 met vermelding van de desbetreffende archivalia
13 Over het conflict, o.a.: *Wintgens 1934*
14 Zie: Herkomst; *Van Gool 1750–51*, dl. II, p. 247–248. Behalve het opschrift 'Jantje lief' staat er het woord 'Kante' of 'Konte'. Ik dank hierbij de heren Z. Kolks en H. Hagens van het Rijksmuseum Twenthe voor hun transcriptie van de teksten op het schilderij.
15 *Hoet 1752–70*, dl. II, p. 241, nr. 43 (Veiling Ietswaart)

Amsterdam 1636 – Amsterdam 1672

Paneel, 42 x 54 cm
Links onder: *A.v. Velde f(?) 166(3?)*
Inv.nr. 198

Zijn vader en broer (Willem van de Velde de Oude en de Jonge) kozen het water als hun motief, terwijl Adriaen het land als zijn onderwerp zag. Hij kreeg onderricht van zijn vader en van Jan Wijnants in Haarlem, maar hij heeft ook veel opgestoken van de dierstukken die Paulus Potter omstreeks 1652 in Amsterdam schilderde. In Adriaens landschappen ligt afwisselend de nadruk op de omgeving, de mensen of de dieren. Zijn koloriet is gevarieerd en steeds warm van tint. Afgezien van enkele bijbelse historiestukken schilderde hij arcadische taferelen, strand-gezichten, rustend vee of ruiters in een landschap, in weloverwogen composities. Hij stoffeerde ook landschappen van onder anderen Jan van der Heyden, Meindert Hobbema en zijn broer Willem van de Velde.

Van 1795 tot 1815 hing dit schilderij van Adriaen van de Velde in het Louvre te Parijs als onderdeel van 'la conquête artistique de la Révolution'. Thoré-Bürger dacht met genoegen terug aan de confrontatie met een ander werk van dezelfde schilder: 'Petit perle d'art, dit Smith, extrêmement intéressante par l'admirable vérité de la perspective aérienne et les teintes locales de la couleur'.[1] Hij vergeleek het met het schilderij van Van de Velde *Een voornaam rijtuig op het Scheveningse strand* (Parijs, Musée du Louvre) [1][2], waarvan in de negentiende eeuw wel beweerd werd dat het een prinses van Oranje in haar koets zou voorstellen.[3]

De frappante behoefte van de commentatoren om in Adriaen van de Veldes taferelen de werkelijkheid (Scheveningen) of zelfs een historische gebeurtenis (de prinses van Oranje aan het strand) te herkennen, komt zeker voort uit zijn overtuigend 'echte' weergave van de Hollandse kust. In het schilderij in het Mauritshuis imponeert vooral de lucht, die meer dan driekwart van het beeldvlak vult. Een dik wolkenpak komt aandrijven over zee met twee hoge stapelwolken, die afsteken tegen de blauwe hemel en die wit oplichten in de zon die zich links buiten beeld bevindt. Omdat de zee rechts ligt, kijken we het strand af naar het zuiden en gezien de lange schaduwen is de zon niet lang geleden opgekomen in het oosten.[4] Adriaen van de Velde blijkt een scherp waarnemer te zijn van de typisch Hollandse atmosfeer.

De schilder werkte graag 'naar de natuur'. Zijn dochter vertelde later aan de biograaf Houbraken dat 'hy zig yverig hield aan het teekenen en schilderen van Koetjes, Osjes, Schaapjes, en Lantschappen, torschende dagelyks met zyn gereedschapjes naar buiten in 't velt, 't welk hy tot het einde van zyn leven eens ter weeke onderhouden heeft'.[5] Er zijn vele figuurstudies bekend van Adriaen van de Velde, die hij toepaste in zijn landschappen en het blijkt dat de schilder bij gelegenheid teruggreep op oude tekeningen. Bepaalde motieven werden regelmatig herhaald. Hij was zelfs een favoriete figuurschilder voor de landschappen van kunstbroeders, bijvoorbeeld van Jan van der Heyden en Meindert Hobbema.[6] Van het Haagse schilderij is

Herkomst

Veiling J. Tonneman, Amsterdam, 1754
Veiling Coenraad van Heemskerck, Den Haag, 1765
Collectie G. van Slingelandt, Den Haag, 1768
Collectie stadhouder Willem v, Den Haag, 1768–1795
Het Louvre, Parijs, 1795–1815
Koninklijk Kabinet van Schilderijen, Den Haag, 1815
Koninklijk Kabinet van Schilderijen 'Mauritshuis', 1821

Bibliografie

Terwesten 1770, p. 716
Smith 1829–42, dl. v, p. 219, nr. 149
Thoré-Bürger 1858–60, dl. 1, p. 265–266
Michel 1888, p. 276
Michel 1892, p. 104 en afb. p. 101
Hofstede de Groot 1892, p. 230
Bredius 1895, p. 436–437, nr. 198
HdG 356 (dl. iv, p. 586–587, nr. 356)
Den Haag 1914, p. 393–394, nr. 198
Zoege von Manteuffel 1927, p. 69 en afb. 71
Martin 1935, p. 365, nr. 198
Preston 1937, p. 51, afb. 73
Rotterdam 1945–46, p. 24, nr. 47 en afb.
Martin 1950, p. 74–75, nr. 129 en afb.
Den Haag 1954, p. 88, nr. 198
Frerichs 1966, nr. 16a-b en afb.
Stechow 1968, p. 108 en afb. 214
Bol 1973, p. 245–246, afb. 252
Drossaers/Lunsingh Scheurleer 1974–76, dl. iii, p. 234, nr. 165
Brenninkmeyer-de Rooij 1976, p. 173, nr. 165 en afb.
Den Haag 1977, p. 243, nr. 198 en afb.
Duparc 1980, p. 108–109, nr. 198 en afb. p. 230
Hoetink e.a. 1985, p. 302–303, nr. 92 en afb., p. 454, nr. 198 en afb.
Broos 1986, p. 333–337, nr. 49 en afb.

geen getekende voorstudie bekend, wel kan men een herhaling van motieven aanwijzen (zoals de huifkar en de koets).

Dit *Strandvermaak* uit 1663 (1665?) is representatief voor het werk van Adriaen na 1660, waarin de mensen en hun bezigheden (zo men wil: genretaferelen) belangrijker werden dan het landschap. Aan de voet van het duin zit voor een eenvoudige planken hut een gezelschap bijeen in een zalig nietsdoen. Een oudere vrouw strekt haar armen uit naar een klein kind, dat

zich tegen de borst van zijn moeder drukt. Een broertje staat bij een grootvader met een brede baard, terwijl twee jongetjes paardje spelen. Vooraan staat een man die een hond laat opspringen. Hij heeft lieslaarzen aan en een voorschoot om. Het zijn vissers, maar dan zonder de gebruikelijke sjofele uitmonstering. In zee liggen visserspinken en er wordt gezocht naar garnalen of schelpen. De sfeer is bijzonder ontspannen. Een huifkar komt van rechts het strand op, terwijl een koets met vier paarden bespannen, begeleid door een heer te paard, langs de branding trekt.

Zonnebaden of zwemmen was toen niet gebruikelijk. Men ging pootje-

Adriaen van de Velde Strandvermaak

baden of genoot van de frisse lucht en het werd pas echt druk op het strand als de vissersboten binnen liepen of er iets opzienbarends was gebeurd. Zo'n gebeurtenis, het aanspoelen van een potvis op 4 januari 1629 bij Noordwijk aan Zee, legde Pieter Molijn vast in een tekening (Amsterdam, Amsterdams Historisch Museum) [2].[7] Ook hier zien we tenten aan de voet van het duin en stadsmensen die zich met de koets naar het strand laten brengen. Van de Velde gebruikte dus wel zulke aan de werkelijkheid ontleende gegevens, maar componeerde deze in een idyllisch tafereel.

Het is nuttig de vijf van hem bekende strandgezichten, gedateerd tussen 1658 en 1670, met elkaar te vergelijken. De huifkar met paarden vormt zo'n herhaald motief, dat al voorkwam op het *Strandgezicht bij Scheveningen* van 1658 (Kassel, Staatliche Kunstsammlungen, Gemäldegalerie) [3].[8] Dit tafereel is het meest verwant aan dat in Den Haag. Jong en oud, arm en rijk, allen genieten van het mooie strandweer. Eén man heeft zijn broekspijpen opgerold en staart peinzend over de kalme Noordzee. Links achter is het kerkje van Scheveningen te zien. In de verte wandelt een deftig paar. Op de drie andere strandgezichten is dit tweetal zelfs een essentieel onderdeel van de figuratie,

3
Adriaen van de Velde
Strandgezicht bij Scheveningen
Doek, 50 x 74 cm
Links onder: *A. V. Velde f. 1658*.
Kassel, Staatliche Kunstsammlungen,
Gemäldegalerie, inv.nr. 1749–98 (GK 374)

vanwege het duidelijke contrast met de eenvoudige vissers. In 1660 schilderde Adriaen van de Velde zo'n deftige dame en heer in gesprek met een sober geklede vissersman (Londen, The Queen's Gallery, Buckingham Palace).[9] In de eveneens in 1660 geschilderde versie [1] zijn zij toeschouwers op het Scheveningse strand, waar de koets met het vierspan ook de aandacht trekt van een garnalenvisser. Op het jongste strandgezicht, gedateerd 1670 (Los Angeles, collectie Mr. en Mrs. Edward William Carter)[10], kijkt een langssjokkende man met een visnet over zijn schouder afgunstig naar zo'n goedgekleed heerschap met een dame en een hondje.

In strandtaferelen van andere schilders zijn het de beter gesitueerden die toekijken hoe vissers aan het werk zijn, die zich vermaken of vis kopen die in zware manden wordt aangedragen.[11] Zo heeft iedereen zijn plaats. Het verrassende van het schilderij *Strandvermaak* in Den Haag is dat het vissersvolk vertoont dat niet werkt, maar zich ontspant. Zo'n idyllisch strandtafereel is wel een uitzondering in die tijd.

1 *Thoré-Bürger 1858–60*, dl. I, p. 265–266; *Smith 1829–42*, dl. V, p. 219, nr. 149

2 *Brejon de Lavergnée e.a. 1979*, p. 143, nr. 1915 en afb.

3 *Michel 1888*, p. 276; *Michel 1892*, p. 104

4 Ten onrechte interpreteerden *Frerichs 1966*, p. 16a en *Duparc 1980*, p. 109 het tijdstip van de dag als een zonsondergang. Over het algemeen neemt men aan dat Scheveningen is voorgesteld (hoewel er geen topografisch aanknopingspunt in het schilderij is te zien), alleen *Martin 1950*, p. 74–75, nr. 129, dacht aan Zandvoort.

5 *Houbraken 1718–21*, dl. III, p. 90

6 *Robinson 1979*, p. 18–23 stelde een catalogus samen van alle studies van Adriaen van de Velde die met andere werken te maken hebben; zie ook: *Schatborn 1981–82*, p. 116–119

7 *Schapelhouman 1979*, p. 88–89, nr. 56

8 HdG 355; *Haak 1984*, p. 472, afb. 1041

9 HdG 357; *Londen 1971*, p. 86, nr. 46 en afb. 24

10 *Walsh/Schneider 1981*, p. 98–101, nr. 24 en afb.

11 Zie bijvoorbeeld: *Stechow 1968*, p. 101–109 en afb. 197–217; op p. 108 schreef hij over het Haagse schilderij: 'The result is a greater emphasis on the *genre* scene at the expense of the landscape…'.

Esaias van den Velde Winterlandschap

Esaias van den Velde   **62** | Winterlandschap

Amsterdam 1587 – Den Haag 1630

Paneel, 26 x 32 cm
Rechts onder: *E. V. VELDE. 1624.*
Inv.nr. 673

Herkomst
Collectie A.A. des Tombe, tot 1903
Koninklijk Kabinet van Schilderijen
'Mauritshuis', 1903 (legaat)

Bibliografie
Den Haag 1914, p. 396–397, nr. 673
Martin 1935, p. 367, nr. 673
Stechow 1938, p. 16, afb. 67, pl. 46
Den Haag 1954, p. 89, nr. 673
Stechow 1947, p. 87 en 90, noot 30
Bernt 1948–62, dl. III, nr. 883 en afb.
Plietzsch 1960, p. 95
Haak 1968, p. 199, afb. 327
Stechow 1968, p. 87, 90 en afb. 172
Bol 1969, p. 137–138 en afb. 123
Brussel 1971, p. 131–132, nr. 110 en afb.
Stechow 1975, p. 16 en afb. 77, pl. 54
Den Haag 1977, p. 243, nr. 673 en afb.
Duparc 1980, p. 110, nr. 673 en afb. p. 231
Keyes 1984, p. 70 en 140, nr. 77 en afb. XVIII en 206
Hoetink e.a. 1985, p. 304–305, nr. 93 en afb., p. 454, nr. 673 en afb.
Broos 1986, p. 338–341, nr. 50 en afb.

Hij was een zoon van de uit Antwerpen afkomstige schilder en kunsthandelaar Hans van de Velde en was een leerling van Gillis van Coninxloo in Amsterdam, die daar sinds 1595 de toonaangevende landschapschilder was. In 1609 vertrok zijn moeder als weduwe naar Haarlem, waar Esaias in 1611 trouwde en een jaar later lid werd van het gilde. Als leerlingen had hij Jan van Goyen en Pieter de Neyn. In 1618 vestigde hij zich in Den Haag, waar hij werkte voor prins Maurits, die hij onder andere portretteerde in veelfigurige ruiterstukken. In Haarlem schilderde hij historiestukken, (vechtend) krijgsvolk en feestende gezelschappen in de open lucht. Een belangrijke bijdrage aan de glorie van de Gouden Eeuw vormen zijn Hollandse landschappen met een zorgvuldige weergave van de lichtval en een groot gevoel voor een poëtische atmosfeer. Vlaamse elementen, zoals het bonte koloriet en de gefantaseerde elementen, verdwenen allengs uit zijn werk.

Afgaande op de samenstelling van zijn schilderijenverzameling, had Rembrandt een nogal conservatieve smaak. Toen de inventaris van zijn collectie in 1656 werd opgemaakt, bleek hij vrijwel geen werk van tijdgenoten te bezitten en al helemaal niets van de zeventiende-eeuwse avant-garde, als men zo de jonge Hollandse schilders van de jaren vijftig zou mogen noemen: Jacob van Ruisdael, de Italianisanten, de genreschilders. De Nederlandse schilders uit zijn verzameling waren oudere meesters die al in de jaren dertig overleden waren, onder wie natuurlijk zijn vroegere leermeester Pieter Lastman, Jan Porcellis en Jan Pynas en de tijdens zijn leven zeer onderschatte Hercules Segers, die met acht werken uitzonderlijk goed vertegenwoordigd was, evenals Adriaen Brouwer met zeven schilderijen.[1] Van de in 1630 overleden Esaias van den Velde werd geen werk vermeld in Rembrandts collectie, maar toch moet hij dat hebben gekend en zelfs één schilderij in het bijzonder: dit *Winterlandschap* uit 1624 in het Mauritshuis.

In 1968 wees Haak erop dat het in 1646 door Rembrandt geschilderde *Winterlandschap* (Kassel, Staatliche Kunstsammlungen, Gemäldegalerie) [**1**][2] past in een typisch Hollandse traditie in het uitbeelden van wintergezichten, die zich ontwikkelde van het anecdotische ijsvermaak met veel figuren zoals Hendrick Avercamp dat schilderde (zie: cat.nr. 4) tot de pure winter-landschappen van Jacob van Ruisdael. In deze ontwikkeling achtte hij Rembrandts schilderij te Kassel het meest verwant aan het ruim twintig jaar eerder geschilderde paneeltje van Esaias van den Velde.[3] Uitzonderlijk voor Rembrandt is de simpele compositie van het schilderij met de hoge 'Hollandse' hemel boven boerderijen aan een sloot. Alsof hij het buiten had geschilderd, was een veelgehoord commentaar.

Als een variant op Haaks gedachtengang werd het ongewone echter ook verklaard uit een ontlening. Toen het *Winterlandschap* van Esaias van den Velde

in 1971 in Brussel werd geëxposeerd, omschreef men het als een soort
prototype voor een volgende generatie landschapschilders, waarbij vooral
Rembrandts opmerkelijke paneel in Kassel in gedachten kwam.[4] Nog onlangs
liet Reznicek noteren dat het naar rechts wandelende vrouwtje met een
mand, dat op een afstand gevolgd wordt door haar hondje, hoogstwaarschijnlijk een citaat van Rembrandt is uit Van den Veldes schilderij.[5]
Volgens Stechow zijn de vroege wintergezichten van Salomon van Ruysdael
uit omstreeks 1627 niet goed denkbaar zonder de voorbeelden van Esaias

van den Velde, in het bijzonder dit *Winterlandschap* uit 1624.[6]

Dat Rembrandt zich niet alleen in de stoffering (en de vorm van de bomen?), maar ook in de brede toets en zelfs in het bonte coloriet liet inspireren door de oudere kunstenaar, werd eigenlijk pas goed zichtbaar nadat het schilderij in Den Haag in 1982 was schoongemaakt. Twee jaar eerder was het in de beredeneerde catalogus van de landschappen in het Mauritshuis nog omschreven als 'opvallend sober en onelegant' en zelfs 'bijna monochroom' geschilderd.[7] In zijn monografie over Van den Velde constateerde Keyes echter onlangs: 'The removal of much prosaic overpainting and the dirty varnish now reveals this picture to be a particularly distinguished and vigorously conceived work by Esaias'.[8] Opmerkelijk is zeker ook de kleurigheid van het stuk en de overtuigende sfeerschildering.

Esaias heeft zich hier niet uitgesloofd om allerlei wintervermaak uit te beelden. Twee kolvers, een jongen die zijn schaatsen aanbindt en het vrouwtje met de armen onder haar schort, zijn de simpele entourage van een tweetal dat zich in het midden van het tafereel voortrept: de een met een zwaarbeladen slede en de ander met een lange stok, om de betrouwbaarheid van het ijs te kunnen peilen. Hun wit berijpte kleren geven aan dat het vriest dat het kraakt. Ook op de daken van de huizen ligt rijp en de potdicht vergrendelde vensters tonen aan dat men zich gewapend heeft tegen de kou. De bomen met hun kale takken en hun door de constante westenwind gekromde gestaltes symboliseren overduidelijk de grimmige atmosfeer. De eenheid in het beeld vergeleek Keyes met die in een aantal getekende landschappen uit omstreeks 1624, die tot een serie of schetsboek hebben behoord.[9] Opvallend daarin zijn de gebouwen die niet slechts een achtergrond vormen, maar die een dominerende en sfeerbepalende rol spelen.

Van den Velde heeft niet zozeer een landschap, gestoffeerd met schaatsers, geschilderd maar eerder een dorp dat zich in de greep van de winter bevindt. Dat door het weglaten van allerlei figuren de nadruk kwam te liggen op de natuur, waardeerde Rembrandt kennelijk in Esaias van den Velde. Het was een belangrijke stap op weg naar de zuivere winterlandschappen van Jan van de Cappelle, waarvan het Mauritshuis een fraai voorbeeld bezit [2][10]: door de donkere mensengestalten bijna helemaal te laten opgaan in de grauwe omgeving, die met een wit sneeuwdek een ijzig aanzien kreeg, schiep hij een beeld van de winter dat tot de hoogtepunten van de Hollandse landschap-schilderkunst gerekend wordt.

1 *Strauss/Van der Meulen 1979*, p. 348–388, nr. 1656/12; zie ook: *Haak 1968*, p. 277–278
2 *Gerson/Bredius 1969*, p. 360 en 590, nr. 452 en afb.
3 *Haak 1968*, p. 199
4 *Brussel 1971*, p. 132, nr. 110
5 *Keyes 1984*, p. 140, nr. 77
6 *Stechow 1938*, p. 16, *Stechow 1968*, p. 90 en *Stechow 1975*, p. 16. Zie ook: *Stechow 1947*, p. 87–88
7 *Duparc 1980*, p. 110
8 *Keyes 1984*, p. 140, nr. 77
9 *Keyes 1984*, p. 70 en 234–281, nr. 68, 71, 91, 97, 125, 142, 148, 155, 188, 192, 210 en 214, afb. 183–192, 194 en 196
10 *Duparc 1980*, p. 18, nr. 567 en afb. p. 158; *Russel 1975*, p. 84, nr. 148 en afb. 24

Willem van de Velde de Jonge Schepen op een kalm water

Willem van de Velde de Jonge

63 | Schepen op een kalm water

Leiden 1633 – Londen 1707

Doek, 66,5 x 77,2 cm
Rechts, op een banderol op de spiegel van het jacht: *w vande//velde f.*
Inv.nr. 200

Hij was de zoon van Willem van de Velde de Oude en diens leerling in Amsterdam en daarna van Simon de Vlieger in Weesp. Zijn vroegst gedateerde werken zijn uit 1653 en de daarop volgende jaren en deze tonen stemmige, rustige taferelen met schepen op kalme waters – geheel in de trant van De Vlieger. Van de Velde had echter een voorkeur voor een levendiger kleurengamma dan van zijn leermeester bekend is. De technisch perfecte weergave van de schepen werd later zijn doel, zodat scheepsportretten ontstonden. Zijn composities waren grotendeels aan zijn vader ontleend en ondergingen geen stormachtige ontwikkelingen. In het rampjaar 1672 vertrokken beide Van de Veldes naar Engeland waar ze in 1674 in dienst traden van Karel II, tegen een jaarwedde van 100 pond. De opdracht aan de jonge Van de Velde was het in kleuren schilderen van de tekeningen van zijn vader. Na de dood van Karel II bleven ze in dienst van het hof onder Jacobus II. Ze hadden een atelier in Greenwich, in het 'Queen's House' tot 1691, toen ze naar Westminster verhuisden. Voor het Engelse hof schilderden ze maritieme gebeurtenissen, zoals het meer dan drie meter brede *Koninklijk bezoek aan de vloot op de Theems op 5 juni 1672*. Van de Velde moet ook af en toe in Amsterdam zijn geweest, waar hij bijvoorbeeld in 1686 voor het college van havenmeesters een *Gezicht op Amsterdam* schilderde. In het latere werk, dat vooral in opdracht is ontstaan, ontkwam de schilder niet aan het ongeïnspireerd navolgen van zichzelf. Zijn tekeningen, waarvan er vele duizenden bekend zijn, hebben echter altijd individuele kwaliteiten behouden.

Herkomst

Collectie G. van Slingelandt, Den Haag, tot 1768
Collectie stadhouder Willem V, 1768–1795
Het Louvre, Parijs, 1795–1815
Koninklijk Kabinet van Schilderijen, Den Haag, 1815
Koninklijk Kabinet van Schilderijen 'Mauritshuis', 1821

Bibliografie

Terwesten 1770, p. 717
Thoré-Bürger 1858–60, dl. I, p. 274–275
Michel 1892, p. 61–62 en afb.
Bredius 1895, p. 440–441, nr. 200 en afb.
HdG 109 (dl. VII, p. 36, nr. 109)
Den Haag 1914, p. 398–399, nr. 200 en afb.
Martin 1935, p. 369, nr. 200
Rotterdam 1945–46, p. 28, nr. 54 en afb.
Den Haag 1954, p. 89, nr. 200
Bernt 1948–62, dl. III, nr. 889 en afb.
Londen 1964, p. 43, nr. 71
Boyer 1972, p. 157, nr. 173–174
Drossaers/Lunsingh Scheurleer 1974–76, dl. III, p. 235, nr. 168
Brenninkmeyer-de Rooij 1976, p. 173–174, nr. 167
Den Haag 1977, p. 244, nr. 200 en afb.
Duparc 1980, p. 111–112, nr. 200 en afb. p. 232
Washington enz. 1982–83, p. 116–117, nr. 36 en afb.
Hoetink e.a. 1985, p. 306–307, nr. 94 en afb., p. 455, nr. 200 en afb.
Broos 1986, p. 342–345, nr. 51 en afb.

In 1765 verwierf stadhouder Willem V een karakteristiek werk uit Willem van de Veldes vroege, Nederlandse periode, dat nu in de collectie van het Mauritshuis is [1].[1] Drie jaar later kwam hij door de aankoop van de collectie van Govert van Slingelandt een dergelijk werk in zijn bezit, het hier besproken, eigenhandig 'w vande velde f.' gesigneerde *Schepen op een kalm water*. Vermoedelijk werden daarna beide doeken op hetzelfde formaat gebracht, zodat ze als pendanten konden worden opgehangen.[2] Als 'Véritables *compagnons*, et inséparables' werden ze getoond in het 'Musée Napoléon' (1795–1815), zoals Thoré-Bürger later meldde, die een bloemrijke passage wijdde aan de inderdaad voortreffelijke conditie van beide schilderijen: 'Deux perles pures et brillantes, au jugement de Smith', die – ondanks de dunne schildering – niet aangetast waren door de atmosfeer, noch door de scheppende handen van 'restaurateurs'.[3]

Behalve dat de schilderijen praktisch dezelfde afmetingen hebben en vermoedelijk uit dezelfde periode dateren, tonen ze beide een kalme zee op een bijna windstille dag. In het hier besproken werk is wellicht aan de horizon de kust van de Zuiderzee te zien ter hoogte van Amsterdam. Het kerkje midden achter is ook wel aangezien voor dat van Wieringen, hetgeen zou wijzen op een noordelijker gelegen locatie.[4] Dat dit een Hollands tafereel is, blijkt uit de dominante aanwezigheid van de nationale driekleur. Er valt maar één vreemde eend in de bijt te bespeuren, namelijk de Engelse driemaster, een zogenaamde 'snow', uiterst links.[5] Evenwijdig met de kustlijn ligt een waterschip voor anker, met een sprietgetuigd kaagje of tjotter aan bakboord. Rond het waterschip worden twee bootjes met grote, ronde

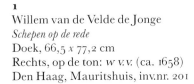

1
Willem van de Velde de Jonge
Schepen op de rede
Doek, 66,5 x 77,2 cm
Rechts, op de ton: *w v.v.* (ca. 1658)
Den Haag, Mauritshuis, inv.nr. 201

vismanden geroeid. Terwijl een belangrijke passagier naar de wal wordt gebracht, hijst de bemanning van een driemaster rechts het voorzeil: de rest van de zeilen is al belegd en de matrozen zullen de twee ankers weldra laten vallen. De activiteiten op deze driemaster worden gadegeslagen door lieden op een statenjacht rechts voor, dat haar sprietzeil half heeft laten zakken, met de spriet bijna horizontaal in de vallen.

De spiegel van het statenjacht is uiterst minutieus geschilderd [**2**] en uitgevoerd aan de hand van een voorstudie, die bewaard is gebleven (Parijs, Ecole des Beaux-Arts) [**3**].[6] In een cartouche schilderde Willem van de Velde op een gouden fond de rode Hollandse leeuw met zwaard en pijlenbundel. Onder de ovale vensters zijn versieringen in de vorm van trofeeën aangebracht (borstkurassen, wapens en een vlag) en op de hoeken van de spiegel leunen gehelmde mannen op een schild. Op het rechterschild zijn gekruiste ankers te herkennen, die ook op de topvlag zijn te zien: dit is het wapen van de Admiraliteit van Amsterdam. De spiegel wordt bekroond door een schild met het wapen van Amsterdam (drie Andreaskruisen) onder de keizerskroon, met als schildhouders twee leeuwen. Op een banderol onder het wapen van Holland zette Willem van de Velde de Jonge zijn signatuur.

Michael Robinson is van mening dat het schilderij in zijn geheel door de jongere Willem van de Velde is uitgevoerd omstreeks 1658, op het atelier van zijn vader.[7] De voorstudie voor het statenjacht is wel door de zoon getekend, maar een schets naar Willem van de Velde de Oude vormde het uitgangspunt

376

 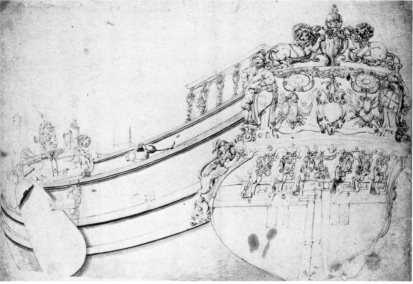

van de uitgewerkte pentekening. Hoe het toeging op hun atelier is bijzonder fraai in beeld gebracht door Michiel van Musscher, die een charmant portret maakte van de jonge Van de Velde voor zijn ezel (Londen, collectie Lord Northbrook).[8] Men ziet hier Willem als ongeveer twintigjarige kunstenaar zijn verf mengen op zijn palet, met vóór zich, op de grond, een kunstboek waaruit hij een zestal tekeningen van driemasters en landschappen heeft genomen, dat hij aandachtig bestudeert. Zo moet ook het Haagse schilderij zijn ontstaan.

Robinson merkte op dat het schilderij nog wat onhandigheden bevat die karakteristiek zijn voor de jonge schilder. De opzet is aan composities van zijn vader ontleend, met twee groepen schepen en een doorkijk in het midden, terwijl links en rechts op het middenplan steeds kleiner wordende schepen diepte aan het tafereel verlenen. De Hollandse driemaster blijkt in verhouding tot de overige schepen te klein van proporties. De mast van het statenjacht is te hoog en de spriet daardoor te kort. Maar dit alles is geheel in overeenstemming met het werk van Willem van de Velde de Jonge omstreeks 1658, aldus Robinson.[9]

◄ **2**
Detail van cat.nr. 63

___

► **3**
Willem van de Velde de Jonge (naar Willem van de Velde de Oude?)
Een statenjacht
Tekening, 298 x 441 mm
Niet gesigneerd, niet gedateerd (ca. 1658)
Parijs, Ecole des Beaux-Arts, inv.nr. 674B

1 *Duparc 1980*, p. 112–114, nr. 201 en afb. p. 233
2 Volgens *Terwesten 1770*, p. 716–717 waren de maten van het doek (zie: afb. 1) 2 voet hoog en 2 voet en 4 ½ duim breed; het andere was 2 voet en 1 duim hoog en 2 voet en 4 duim breed.
3 *Thoré-Bürger 1858–60*, dl. I, p. 274–275; *Smith 1829–42*, dl. VI, p. 320, nr. 3.
4 Van beide situaties bestaan tekeningen van Willem van de Velde de Oude, nu in Greenwich, The National Maritime Museum, zie: *Robinson 1974-A*, p. 4 en 153, nr. 765 en afb. (ca. 1650) en p. 10 en 168, nr. 825 en afb. (1656)
5 Manuscript-catalogus van de schilderijen van de Van de Veldes door M.S. Robinson (ik dank M.S. Robinson hartelijk voor de inzage in zijn tekst). Een afbeelding van een 'snow' in: *Robinson/Weber 1979*, dl. I, p. 155, nr. T 145.
6 *Lugt 1950*, p. 82, nr. 674 B en afb. pl. LXXXVI
7 Manuscript-catalogus (zie noot 5)
8 *Londen 1982*, p. 141, nr. 156 en afb. pl. I
9 Manuscript-catalogus (zie noot 5)

Jan Verkolje ''t Kan verkeren'

Jan Verkolje

64 | ''t Kan verkeren'

Amsterdam 1650 – Delft 1693

Doek, 59 x 53,5 cm
Rechts, op de plint naast de deur: *I. Verkolje 1674*
Inv.nr. 865

Hij was een leerling van Jan Andrea Lievens, bij wie hij mythologische en 'genre'-taferelen van de in 1665 overleden schilder Gerrit van Zijl kreeg te voltooien. In 1672 trouwde hij in Delft en werd het jaar daarop lid van het gilde, waarvan hij ook deken was (tussen 1678 en 1688). Hij schilderde mythologische taferelen en interieurstukken met figuren in de trant van Gabriël Metsu en Caspar Netscher, maar vooral van Gerard ter Borch. Zijn penseeltechniek was virtuoos, hetgeen wel bijgedragen zal hebben aan zijn succes als portrettist.

Herkomst
Collectie Alfred de Rothschild, Londen
Veiling Victor de Rothschild, Londen, 1937
Collectie F. Mannheimer, Amsterdam, 1937–1942 (?)
Collectie 'Sichergestellte Kunstwerke', ca. 1942–1946
Koninklijk Kabinet van Schilderijen 'Mauritshuis', 1960 (bruikleen van de Stichting Nederlands Kunstbezit vanaf 1948)

Bibliografie
Wenen 1942, p. 7
De Vries 1949, p. 60
Martin 1950, p. 103, nr. 262 en afb.
Den Haag 1954, p. 90, nr. 865
Plietzsch 1960, p. 188 en afb. 345
Den Haag 1974, p. 112
Amsterdam 1976, p. 266–267, nr. 70 en afb.
Den Haag 1977, p. 245, nr. 685 en afb.
Washington enz. 1982–83, p. 118–119, nr. 37 en afb.
Liedtke 1982-A, p. 180–181 en afb.
Berlijn/Londen/Philadelphia 1984, p. 318 en afb.
Hoetink e.a. 1985, p. 308–309, nr. 95 en afb., p. 456, nr. 865 en afb.
Broos 1986, p. 346–349, nr. 52 en afb.

1
Gerard ter Borch
De onwelkome boodschap
Paneel, 66,7 x 59,5 cm
Links onder, op een steen: GTB 1653 (GTB ineen)
Den Haag, Mauritshuis, inv.nr. 176

De wisselvalligheid van het lot, de liefde of het leven zelf lijkt het eigenlijke onderwerp van dit schilderij. Een jongedame en een officier zitten aan het triktrakspel. Een wijnglas, een schenkkan en een schaal met fruit symboliseren het zoet verpozen. Terwijl de vrouw de dobbelstenen schudt, komt een trompetter binnen die de officier een brief overhandigt. De laatste is zichtbaar ongelukkig met deze storing, zodat we mogen aannemen dat de boodschap geen aangename zal zijn.

Het thema, dat bekend is geworden als *De onwelkome boodschap*, heeft Verkolje in dit schilderij uit 1674 ongetwijfeld ontleend aan oudere voorbeelden. Het onderwerp is bijvoorbeeld geschilderd door Pieter de Hooch in de tweede helft van de jaren vijftig (Barcelona, Museo de Arte de Cataluña).[1] Een meer directe bron kan het paneel van Gerard ter Borch uit

1653 zijn geweest (Den Haag, Mauritshuis) [1].[2] Deze voorstelling is op haar beurt geïnspireerd op *De onwelkome boodschap* van Anthonie Palamedesz uit het midden van de jaren veertig (Braunschweig, Gemäldegalerie).[3]

Op het schilderij van Ter Borch zitten de officier en het meisje in een innige omstrengeling voor een hemelbed en ook naar aanleiding van diverse andere details is deze voorstelling diepgaand – te diep, volgens sommige critici – op zijn amoureuze of zelfs erotische context geanalyseerd.[4] Verkolje verwijst niet zo openlijk naar een relatie tussen de officier en het meisje, maar hij heft zijn waarschuwende vinger door middel van het centrale gegeven, het triktrak-spel. Ook het schilderij op de achtergrond heeft een functie: het is een teken aan de wand.

Triktrakken is een dobbelspel en het is niet verwonderlijk dat het – naast andere kansspelen zoals het kaarten – in de moraliserende zeventiende eeuw in een ongunstig daglicht werd geplaatst. Het werd geassocieerd met luiheid of op zijn minst met af te keuren bezigheden zoals drankmisbruik, onkuisheid of twist.[5] Op het schilderij van Jan Steen met de veelzeggende titel '*Soo gewonne, soo verteert*' (zo gewonnen, zo geronnen) (Rotterdam, Museum Boymans-van Beuningen) (zie: cat.nr. 59, afb. 3)[6] uit 1661 is het triktrakken als beeld gebruikt vanwege de mogelijkheid tot moraliseren naar aanleiding van de naam waaronder het bordspel toen bekend was, namelijk het 'verkeerspel'. Die benaming is ontleend aan het werkwoord 'verkeren' in de betekenis van 'veranderen'.[7]

Op het schilderij van Jan Steen zit de schilder zelf aan een copieuze oestermaaltijd, onder een schoorsteenstuk waarop Fortuna te zien is, die een wankele positie inneemt op een bol en een dobbelsteen. Zij drukt de wisselvalligheid van het fortuin uit en het tafereel is tevens bedoeld als een waarschuwing tegen een al te weelderig leven.[8] Op wat soberder wijze heeft Verkolje zo'n boodschap bedoeld met het triktrakspel op de tafel naast de wijn en de sappige vruchten. Kortom: hier is een zeventiende-eeuws begrip uitgebeeld, dat vooral bekendheid heeft gekregen door het devies van de populaire dichter Gerbrand Adriaensz Bredero: ''t Kan verkeren'.[9]

Dezelfde gedachtengang is verbeeld in het grote schilderij achter de officier, waarvan de voorstelling als het ware onthuld wordt door een teruggeslagen gordijn: *De dood van Adonis*. Een schilderij-in-een-schilderij werd wel vaker gebruikt om iets naders mee te delen over de hoofdvoorstelling.[10] Het verhaal van Adonis is er een uit de *Metamorfosen* van Ovidius, die in de zeventiende eeuw ook bekend waren als de 'Verander-Boecken'.[11] Het is een vele malen uitgebeelde geschiedenis, onder andere in een schilderij uit 1646 door Bartholomeus Breenbergh (Amsterdam, kunsthandel Ch. Roelofz) [2].[12] Hierop is te zien hoe de godin der liefde, Venus, die verliefd is op de schone jongeling Adonis, in haar door zwanen getrokken wagen aangekomen is bij de plek waar hij dood ligt. Venus had hem gewaarschuwd niet op wilde beesten te gaan jagen, maar Adonis was zo verzot op de jacht, dat hij een wild zwijn achtervolgde, waarvan hij niet wist dat het gestuurd was door zijn rivaal, de jaloerse Mars die de minnaar was geweest van Venus. Het wilde zwijn had Adonis verwond aan zijn geslachtsdelen en aan de kwetsuren was hij overleden, tot groot verdriet van een hartverscheurend schreiende putto.

Bij Carel van Mander, die bij zijn *Schilder-Boeck* in 1604 ook een commentaar schreef op Ovidius' *Metamorfosen*, las men wat dit verhaal te betekenen heeft. Hij vergeleek de 'jacht-lievenden' Adonis met 'd'onbedachte Jeught', die de hemelse aansporingen in de wind slaat en zich niet afwendt

2
Bartholomeus Breenbergh
De dood van Adonis
Paneel, 52 x 49,5 cm
Rechts onder: *BB. f 1646*
Amsterdam, kunsthandel Ch. Roelofsz

van boosaardige invloeden. Bovendien leert dit verhaal dat men door het verontachtzamen van Gods raad de kans loopt op een ontijdige dood 'door twist/ vechten/ oft kijven/ met Mars den twist-Godt'.[13] Als deze geschiedenis als spiegel wordt voorgehouden aan het triktrakspelende paar, dan moet de officier die de boodschap krijgt wellicht beducht zijn voor de wrede oorlogsgod Mars. Maar meer dan de zekerheid dat ''t kan verkeren' krijgen we niet, want de schilder heeft de inhoud van de brief niet nader toegelicht. Eenieder is dus vrij daaromtrent zijn eigen gedachten te hebben. In verband met de datering 1674 wees Liedtke op een mogelijke relatie met de inval van de Fransen in Holland in 1672, bekend als het 'rampjaar'.[14] Maar ook dat blijft gissen.

1 Inv.nr. 65005 (Cambó collectie); *Sutton 1980*, p. 78, nr. 16 en afb. pl. 15 (de schrijver wees op verwantschap aan Ter Borch, zie de volgende noot)
2 *Gudlaugsson 1960*, p. 109–110, nr. 99 en afb. pl. 43. Een vrij letterlijk citaat van Metsu uit Ter Borchs werk komt voor in een *Musicerend Gezelschap* uit 1673 (Amsterdam, Rijksmuseum, inv.nr. A 721), zie: *Gudlaugsson 1960*, p. 202, nr. 220.
3 Inv.nr. 325; *Braunschweig 1976*, p. 46, nr. 325; *Gudlaugsson 1960*, p. 109 en afb. pl. x, afb. 3
4 *Den Haag 1974*, p. 110–113, nr. 27; zie de kritiek in *Hecht 1974*
5 Dit wordt uitgebreid toegelicht in *Amsterdam 1976*, p. 108–111, nr. 22
6 Inv.nr. 2527; zie: *Rotterdam 1962*, p. 134, nr. 2527; de inhoud werd uitvoerig geanalyseerd door *Keyszelitz 1951*, p. 40–45, in *Amsterdam 1976*, p. 102 en 110–111 en in *Berlijn/Londen/Philadelphia 1984*, p. 292–293, nr. 103
7 Verwijs/Verdam, dl. VIII, kol. 1883–1884 en 1893
8 *Amsterdam 1976*, p. 102 (+ lit.)
9 'Het kan verkeren, zei Bredero' is een Nederlands spreekwoord geworden, zie: *Huizinga 1965*, p. 552, nr. 9741; *Verwijs/Verdam*, dl. VIII, kol. 1893
10 *De Jongh 1967*, p. 49–50
11 Zie bijvoorbeeld de lofdichten in *Van Mander 1604-A*, vóór fol. 1
12 *Roethlisberger 1981*, p. 86, nr. 219 en afb. Voor de uitbeelding van dit thema, zie: *Pigler 1974*, dl. II, p. 261–264
13 *Van Mander 1604-A*, fol. 88a-b
14 *Liedtke 1982-A*, p. 181

Johannes Vermeer

65 | Gezicht op Delft

Delft 1632 – Delft 1675

Doek, 98 x 117,5 cm
Links onder, op de boot: *IVM*
Inv.nr. 92

Herkomst

Collectie J.A. Dissius, Delft, 1682
Veiling Dissius, Amsterdam, 1696
Veiling S.J. Stinstra (Harlingen),
Amsterdam, 1822
Koninklijk Kabinet van Schilderijen
'Mauritshuis', 1822

Bibliografie

Steengracht van Oostkapelle 1826–30, dl. II, p. 37
en afb.
Thoré-Bürger 1858–60, dl. I, p. 272–273
Thoré-Bürger 1866, p. 298–299 en afb. p. 462–
464, 467, 568, nr. 48
De Stuers 1874, p. 73–74, nr. 72
Havard 1888, p. 25 en afb., p. 39, nr. 49
Bredius 1895, p. 446–447, nr. 92 en afb.
Geffroy 1900, p. 116–117 en afb.
HdG 48 (dl. I, p. 607, nr. 48)
Den Haag 1914, p. 404–405, nr. 92 en afb.
Parijs 1921, p. 10, nr. 104
Londen 1929, p. 144, nr. 304
Martin 1935, p. 371–373, nr. 92
Huyghe 1936, p. 14 en afb. 26–27
Hepper 1938, p. 70
De Vries 1939, p. 80–81, nr. 9
Blum 1945, p. 83 en 183, nr. 48
Martin 1950, p. 41–42, 107, nr. 279 en afb.
Swillens 1950, p. 61–62, 90–93, 130, 133, 144
en afb. pl. 27
Gowing 1952, p. 128–130, nr. XIII, afb. 30–32
Malraux 1952, p. 98–104 en afb.
Den Haag 1954, p. 90, nr. 92
Van Gelder 1958-A, p. 5–6
Goldscheider 1958, p. 20, 127, nr. 10 en afb. pl.
26–29
De Wilde 1959, p. 32a-b en afb.
Bloch 1963, p. 9, 33 en afb. 40–45
Descargues 1966, p. 94–97 en afb.
Rosenberg/Slive/Ter Kuile 1966, p. 120–121 en
afb. 92
Stechow 1968, p. 124–126 en afb. 254
Blankert 1975, p. 49, 58–59, 63, 98, 100–102,
144–145, nr. 10 en afb. 10
Den Haag 1977, p. 246, nr. 92 en afb.
Van Straaten 1977-A, p. 5–6, 28–29 en afb. 30, 42
Wattenmaker 1977, p. 22–23
Wheelock/Kaldenbach 1982, p. 9–35 en afb. 6–9,
13–14 en 20
Washington enz. 1982–83, p. 36 en afb.
Alpers 1983, p. 27, 29 en afb. 13, p. 31, 35, 123–
124 en afb. 65, p. 152–159 en afb. 94, p. 228
Haak 1984, p. 447–448 en afb. 983
Hoetink e.a. 1985, p. 312–313, nr. 97 en afb.,
p. 456, nr. 92 en afb.
Broos 1986, p. 350–357, nr. 53 en afb.

Hij was de zoon van een uit Vlaanderen afkomstige zijdewerker, Reynier Jansz Vermeer, die in Delft kunsthandelaar was en herbergier. Zijn leermeester was vermoedelijk Leonard Bramer en in 1653 werd hij meester in het Lucasgilde in Delft. Hij trouwde in dat jaar met Catharina Bolnes en zij kregen elf kinderen. In 1662 en 1670 was hij hoofdman van het gilde. Zijn financiële situatie is niet altijd even rooskleurig geweest, wat in die tijd bepaald geen uitzondering was voor kunstenaars: hij handelde incidenteel wel in schilderijen van anderen. Het oeuvre van Vermeer zelf is vrij klein geweest en er bleef betrekkelijk veel van bewaard. Eenendertig werken worden nu nog als eigenhandig beschouwd en deze ontstonden tussen 1654 en 1675. Omdat slechts drie ervan zijn gedateerd, levert de chronologie nog enige problemen op. Het is wellicht bevreemdend dat de kunstenaar nooit heeft getekend of prenten heeft gemaakt.

Vermeer schilderde aanvankelijk historiestukken, waarin de invloed van de Caravaggisten onmiskenbaar is, maar ook die van aanwijsbare voorbeelden van Amsterdamse historieschilders als Jacob van Loo en Erasmus Quellinus. Vermeer concentreerde zich echter op interieurstukken, aanvankelijk eenvoudig aangeduide vertrekken met één figuur en later duidelijk geconstrueerde ruimtes met een tegelpatroon als basis, wellicht naar analogie van de Delftse kerkinterieurschilders (cat.nr. 38). De enkele historiestukken die hij later schilderde vertonen ook een interieur (allegorieën op de Schilderkunst en het Geloof). In de trant van de genreschilders van zijn tijd spelen zijn taferelen zich af in het burgerlijke milieu, waarin de figuren en het bijwerk samen een betekenisvol geheel vormen en een symbolische of moraliserende inhoud blijken te bevatten. Zo verwijst een ontvangen brief naar de liefde, een slapend meisje naar de matigheid en een goudwegende vrouw naar de vergankelijkheid. Vermeer schilderde ook twee exterieurs, die befaamd werden als *Het straatje* en het *Gezicht op Delft* (cat.nr. 65). Het meest bewonderd is Vermeer steeds om zijn schildertechniek en illusionistische effecten.

Zijn vroege werken zijn geschilderd in heldere tinten, die de vormen scherpte verlenen en een zintuigelijke schoonheid. De suggestie van een tastbare werkelijkheid is dan zeer groot. Vanaf ongeveer 1662 wordt de weergave van de materie wat minder scherp omlijnd en de belichting gedempter. Vermeers vermogen met zuiver picturale middelen een poëtische sfeer op te roepen in beelden die aan het alledaagse leven zijn ontleend, is zelden geëvenaard.

In weerwil van sommige berichten was Thoré-Bürger aanvankelijk niet echt gecharmeerd van Vermeers *Gezicht op Delft*. Kennelijk had hij het schilderij

Johannes Vermeer Gezicht op Delft

van te dichtbij bekeken, want hij stoorde zich aan de verfklodders die de indruk wekten dat de kunstenaar zijn stad als met een troffel had gemetseld: 'Trop est trop. Rembrandt n'est jamais tombé dans ces excès'.[1] Acht jaar later, in 1866, bleek hij echter geheel in de ban geraakt te zijn van het *Gezicht op Delft*. Hij beweerde honderden uren gereisd te hebben om dat ene werk te kunnen bezichtigen en zich in allerlei bochten te hebben moeten wringen om er een foto van te bemachtigen.[2] Hoe dan ook heeft Thoré baanbrekende arbeid verricht voor de reconstructie van het leven en het werk van Vermeer. De reeks artikelen die hij in de *Gazette des Beaux-Arts* schreef over de Delftse kunstenaar bezorgde hem de naam diens (her)ontdekker te zijn geweest.[3]

Het aanstekelijke enthousiasme waarmee de Franse criticus Vermeer in 1866 beschreef als een ten onrechte vergeten kunstenaar, heeft later de mening post doen vatten dat de Delftenaar een miskend genie (zoals Hercules Segers) zou zijn geweest. De feiten zijn echter anders. Vermeer verkoos niet te werken voor een groot publiek en hij schiep slechts een beperkt oeuvre, dat bij een kleine schare liefhebbers en verzamelaars in trek was. Hij wilde kennelijk geen lopende-bandwerk maken (zoals Jan van Goyen of Jacob van Ruisdael), noch portretten (zoals Rembrandt). Meer dan de helft van wat er nu van zijn werken over is, bevond zich in 1682 in het bezit van de Delftse boekdrukker Jacob Dissius, die wel een bijzondere bewonderaar van Vermeer moet zijn geweest. We weten niet zeker of deze verzameling nog tijdens het leven van de schilder is bijeengebracht, dus of Dissius zijn mecenas genoemd mag worden. Hij was de vroegst bekende eigenaar van het *Gezicht op Delft*.[4]

Vermeer is vooral een schilder voor schilders geweest. Zijn fabelachtige techniek is juist door vakbroeders bewonderd. Zo'n kenner was de schilder/ kunsthandelaar Jean-Baptiste Pierre Lebrun, die de *Astronoom* van Vermeer (recent verworven door het Louvre, Parijs) in een plaatwerk afbeeldde en daarbij waarderend sprak over diens zonlichteffecten en illusionisme.[5] In eigen land is het *Gezicht op Delft* zeker geen onbekend werk geweest, want het werd in de achttiende eeuw, toen het nog in particulier bezit was, meermalen gekopieerd en nagetekend. Een signalement van een dergelijke kopie levert tevens het oudste waarde-oordeel op. In 1814 werd in Amsterdam een schilderij van P.E.H. Praetorius tentoongesteld onder de titel: 'Een stadsgezicht, zijnde een kopij naar een beroemd Schilderij van den Delftschen van der Meer'.[6] De roem van speciaal dit schilderij drong ook door tot de kunsthistorische literatuur. Van Eynden en Van der Willigen beschreven in 1816 naast *Het melkmeisje* en *Het straatje* (beide Amsterdam, Rijksmuseum) ook 'Eene afbeelding van de stad *Delft*, uit het zuiden te zien ... die, als verwonderlijk kunstig behandeld, zeer geprezen wordt ... doch (wij) weten niet, waar het tegenwoordig geplaatst is'.[7] De verblijfplaats was toen (of iets later) de collectie Stinstra in Harlingen, waaruit het in 1822 werd geveild onder de warmste aanprijzingen: 'Dit kapitaalste en meestberoemde Schilderij van dezen meester, wiens stukken zeldzaam voorkomen, vertoont de stad Delft, aan de Schie ... De schildering is van de stoutste, kragtigste en meesterlijkste, die men zich kan voorstellen; alles is door de zon aangenaam verlicht; de toon van lucht en water, de aard van het metselwerk en de beelden maken een voortreffelijk geheel, en is dit Schilderij volstrekt eenig in zijn soort'.[8]

Het schilderij werd voor 2900 gulden gekocht door de Nederlandse Staat. Het was de eerste aankoop van een Vermeer voor een openbare collectie en tevens het vroegste bewijs van officiële waardering voor de Delftse meester.

Al moet erbij gezegd worden dat men toen nauwelijks beschikte over enige wetenswaardigheid omtrent de schilder. De directeur van het Koninklijk Kabinet, jonkheer Steengracht van Oostcapelle, bekende in de catalogus van honderd meesterwerken van het Mauritshuis in 1828 geen geboorte- of sterftejaar, noch de voornaam van 'Van der Meer' te kennen.[9] De 'herontdekking' van Vermeer was in eerste instantie een Franse aangelegenheid. Thoré-Bürger komt de eer toe intensief gezocht te hebben naar bronnen en kunsthistorische feiten, zodat hij in staat was een oeuvrecatalogus te schrijven met een geestdriftig commentaar op 'de sfinx van Delft'.[10]

Het *Gezicht op Delft* heeft van meet af aan een overweldigende indruk gemaakt op het publiek, ook al was de schilder niet of nauwelijks bekend. De heldere kleuren en het schitterende zonlicht, het donkere profiel van de daken tegen de lichtblauwe hemel en de weerspiegeling van de gebouwen in het kabbelende water hebben de mensen altijd bijzonder aangesproken. Wellicht omdat andere woorden te kort schoten, is de schildertrant impressionistisch genoemd en de in verfstippen aangeduide vochtige glinstering van de scheepswanden is vergeleken met de techniek van de pointillisten.[11] Het zij zo. Tegen sommige simplificaties dient echter gewaarschuwd te worden. Zo is de gewichtige rol van de Delftse schilderkunst in het algemeen en van Vermeers schilderij in het bijzonder voor de ontwikkeling van de stadsvedute schromelijk overdreven. Een hardnekkige mythe blijkt ook de 'documentaire' weergave van de stad, die Vermeer zou hebben nagestreefd.[12] De relativering van de veelgeprezen weergave van de werkelijkheid van het *Gezicht op Delft* is een van de verrassendste resultaten van het meest recente onderzoek door Wheelock en Kaldenbach.[13]

In oktober 1654 legde de ontploffing van het kruitmagazijn in Delft het noordoostelijk deel van de stad in puin. Een van de bekendste slachtoffers was Carel Fabritius, de schilder van *Het puttertje* (cat.nr. 24). De puinhopen zijn na de ramp door schilders als Daniël Vosmaer en Egbert van der Poel vereeuwigd, zoals Jan Beerstraten dat gedaan had met het Amsterdamse stadhuis na de brand in 1652. Op gezag van Stechow meende Blankert dat het eigenlijke stadsgezicht zoals dat na Vermeer door Jan van der Heyden en de gebroeders Berckheyde veelvuldig werd geschilderd, ontstaan zou zijn uit deze rampenstukken.[14] Een variant op deze gedachte is dat Vermeer zijn stadsgezicht maakte als een optimistisch antwoord op die panorama's met puinhopen.[15] Maar dat is net zo'n poëtische interpretatie als de bewering van Arnold Bon in 1667, dat uit het vuur van 'dien Phenix' Fabritius, Vermeer was opgerezen.[16]

In feite hangt de opkomst van het stadsgezicht samen met de toegenomen belangstelling voor het topografisch landschap in het algemeen, die zich allereerst manifesteerde in de tekenkunst. 'In zijn reysen heeft hy veel ghesichten nae t'leven gheconterfeyt', schreef Van Mander in 1604 over de pionier van het topografisch landschap, Pieter Bruegel.[17] Het waren de reizende kunstenaars die panorama's van steden in den vreemde getekend hadden en dat vroeger of later ook in eigen land deden. Na de Vrede van Münster in 1648 kon bijvoorbeeld weer langs de Rijn gereisd worden en ontstonden er talrijke getekende gezichten op Utrecht, Rhenen, Nijmegen, Kleef en verder zuidwaarts, onder andere door Aelbert Cuyp, Herman Saftleven en Antoni Waterlo.[18]

Cuyp tekende in de jaren veertig ook panorama's van Hollandse steden op groot formaat: van Dordrecht en omgeving, maar ook van Den Haag, Leiden en Scheveningen.[19] Van de jonge Roelant Roghman dateert de befaamde reeks van 250 topografische gezichten op kastelen en landhuizen in Holland, Utrecht en Gelderland uit 1646 en 1647.[20] Amsterdamse bruggen en poorten zijn omstreeks 1650 in vele kapitale bladen vereeuwigd door Abraham Beerstraten en Antoni Waterlo. Beerstraten en de beide Berckheydes hebben bij herhaling hun topografische tekeningen gebruikt in schilderijen.[21]

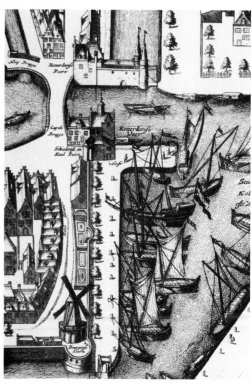

◄ **1**
Johannes de Ram
Plattegrond van Delft (detail)
Gravure, 82,5 x 125,5 cm (in vier platen
Links onder: *I. De Ram fecit* (ca. 1675–78)
Leiden, Universiteitsbibliotheek, collectie
Bodel Nijenhuis 17–28

► **2**
Jan de Bisschop
De Schiedamse Poort te Delft
Tekening, 95 x 159 mm
Niet gesigneerd, niet gedateerd (ca. 1660)
Amsterdam, Amsterdams Historisch
Museum, inv.nr. A 10130

Hetzelfde geldt voor Pieter Saenredam, die al omstreeks 1630 nauwkeurig stadsgezichten registreerde. Vermeer deelde zijn belangstelling voor de werkelijkheid met de talrijke tekenaars en schilders van topografische onderwerpen.[22]

Wat Vermeer schilderde was een gegeven dat de meeste van deze tekenaars boeide, namelijk de stadswallen en poorten, in dit geval de belangrijkste toegangspoort voor de scheepvaart. De uiterst gedetailleerde plattegrond van Delft door Johannes de Ram uit 1675–1678 (Leiden, Universiteitsbibliotheek) [**1**][23] en een tekening van Jan de Bisschop (Amsterdam, Amsterdams Historisch Museum) [**2**][24] verduidelijken wat Vermeer zag. Jan de Bisschop, die eerder de wallen en poorten van Leiden in kleine schetsboekbladen had vereeuwigd (1649–1652), maakte zijn tekening omstreeks 1660, volgens een wat romantisch gekleurde opinie zelfs op het moment dat Jan Vermeer aan de overkant van het water zijn *Gezicht op Delft* stond te schilderen.[25]

De Bisschop en Vermeer gaven de stad Delft weer op een zonnige dag in de zomer met de bomen vol in blad. Delft heeft destijds geen nieuwe versterkingen laten bouwen, maar bleef beschermd door de middeleeuwse omwalling, die in de negentiende eeuw afgebroken werd.[26] In de poorten werden wel veranderingen aangebracht in de zeventiende eeuw. Bij de Rotterdamse poort was een Spaans bolwerk, dat zo grondig vergraven werd dat een kolk ontstond, geschikt voor druk scheepvaartverkeer. Hier lagen de veerboten naar Rotterdam, Schiedam en Delfshaven. Links van de stenen

3
Abraham Rademaker
Gezicht op de Schiedamse en Rotterdamse poort te Delft
Tekening, 225 x 450 mm
Niet gesigneerd, niet gedateerd (ca. 1700–10)
Delft, Stedelijk Museum 'Het Prinsenhof',
inv.nr. PDT 36

brug in het midden lag de Schiedamse Poort (of Kethelpoort), waarvan stadbeschrijver Diederick van Bleyswijck in 1667 schreef: 'het is een oud/ doch echter noch sterck gebouw/ voorsien met twee uyrswysers … mitsgaders en klockegeslag/ waer na de Schippers van alle voornoemde Veerschuyten sich moeten reguleren…'.[27]

In het schilderij van Vermeer is zichtbaar dat de loswal (nu Zuidwal) eindigde op een dwars aangebouwd havenhoofd voor de Schiedamse Poort: ervoor zijn zeilschepen afgemeerd. Op de voorgrond ligt een trekschuit (zonder zeil), zoals de vijf scheepjes bij de Rotterdamse Poort. De grote platbodems rechts kunnen geïdentificeerd worden als haringbuizen.[28] De Rotterdamse Poort had een voorpoort, met spietorentjes met spitse daken op de hoeken, die met galerijen naast de eigenlijke doorgang aan de hoofdpoort was verbonden. Al in de achttiende eeuw werd deze voorpoort afgebroken.[29]

De tekening van Jan de Bisschop en de plattegrond van De Ram tonen aan dat deze voorpoort haaks stond op de stadswal, die evenwijdig loopt aan het beeldvlak van Vermeers schilderij. Vermeer schilderde echter de voorpoort met galerijen schuin naar rechts, kennelijk om zo een beter gezicht op de hoofdpoort te kunnen geven. Een nuttige vergelijking biedt een tekening van dit punt van de geroutineerde topografische tekenaar Abraham Rademaker (Delft, Stedelijk Museum 'Het Prinsenhof') [**3**].[30] Rademaker toont evenveel van de zijkant van de voorpoort, die door hem gezien en getekend is in het juiste perspectief, met de toren van de Nieuwe Kerk veel meer naar links. Dus wat Blankert een 'zeer precies beeld' noemde, dat volgens Swillens zelfs met behulp van een 'camera obscura' vervaardigd zou zijn, blijkt elementen te bevatten die Vermeer zó niet gezien kan hebben.[31] Uit de tekening van Rademaker blijkt tevens dat in het *Gezicht op Delft* allerlei onregelmatigheden in het profiel van de daklijnen zijn weggewerkt en dat accenten zijn gelegd op horizontale structuren die er in werkelijkheid niet waren. Kennelijk vanwege het schilderachtige effect verzon Vermeer een groot pannendak van een gebouw links dat niet op de kaart van De Ram voorkomt. Het Armamentarium achter de Schiedamse Poort is vereenvoudigd weergegeven en de toren van de Nieuwe Kerk is hoger en vooral slanker dan bij Vermeer.[32]

Toch is de werkelijkheid van Vermeer niet zo opzettelijk verdraaid als Jan van Goyen het wel deed. Zo schilderde laatstgenoemde in 1643 de Leidse Hooglandse kerk schijnbaar naar het leven (München, Alte Pinakothek)[33], maar bij nader inzien is de rivierbocht met vredig grazend vee op de oever

4
Ludolf Bakhuizen
De Schie bij Delft
Tekening, 118 x 168 mm
Op de ton: *LB* (nauwelijks zichtbaar) (ca.
1670–75)
Amsterdam, Amsterdams Historisch
Museum, inv.nr. A 10107

geheel aan de fantasie ontsproten.[34] Ludolf Bakhuizen zag omstreeks 1670 Delft vanaf de Schie met links de Oude Kerk, in het midden de Rotterdamse Poort en rechts de Nieuwe Kerk (Amsterdam, Amsterdams Historisch Museum) [4].[35] Het deerde hem kennelijk niet dat hij de proporties van de gebouwen onderling onjuist weergaf, als men er 'Delft' maar in herkende.[36] Zo gaf Vermeer de stad ook weer in een compositie die eerder geïdealiseerd is dan historisch betrouwbaar.

De conclusie van Wheelock en Kaldenbach (die de vermelde afwijkingen van de werkelijkheid analyseerden en er meer aantroffen dan hier opgesomd) was, 'that art is more than descriptive, that it contains references to essential truths fundamental to human experience'.[37] Een van deze 'human experiences' is de latere uitvinding van de fotografie die het inzicht in het realisme heeft verscherpt en soms verhard. In de commentaren op het *Gezicht op Delft* blijkt de twintigste-eeuwse opvatting van realisme wel verward te worden met wat in de zeventiende eeuw 'nae t'leven' werd genoemd.[38] Vermeer schilderde het verweerde uiterlijk van Delft op een adembenemend 'echte' manier, tenminste voor degene die oog heeft voor zijn werkelijkheid. Thoré had dat aanvankelijk niet door. In tegenstelling tot bijvoorbeeld Jan van der Heyden (cat.nr. 35) schilderde hij geen bakstenen of dakpannen, maar de suggestie daarvan. Het *Gezicht op Delft* van Jan Vermeer zegt kortom meer iets over diens manier van schilderen dan over het uiterlijk van Delft in 1660.

1 *Thoré-Bürger 1858–60*, dl. 1, p. 272: 'Pour voir tel tableau … j'ai fait des centaines de lieus'
2 *Thoré-Bürger 1866*, p. 299
3 Enigszins ten onrechte, meende *Van Gelder 1958-A*, p. 6. Over Thoré als 'ontdekker' van Vermeer, zie: *Heppner 1938, Metztoff 1942* en *Blankert 1975*, p. 100–104
4 *Hoet 1752–70*, dl. 1, p. 35, nr. 31; zie ook: *Blankert 1975*, p. 135, nr. 59 en p. 136, nr. 62 en *Van Straaten 1977*, p. 16–17 en afb. De rol van Dissius als mecenas/verzamelaar van Vermeer verdient nader onderzoek.
5 Inv.nr. R.F. 1983–28; *Foucart 1983*, p. 280–281 en afb.; *Blankert 1975*, p. 156–157, nr. 23 en afb.; *Lebrun 1792–96*, dl. II, p. 49

6 *Amsterdam 1814*, p. 13, nr. 116 (dit was kennelijk een schilderij, geen tekening). *Blankert 1975*, p. 145, nr. 10 gaf nog een lijst van kopieën naar het *Gezicht op Delft*, maar deze is verre van volledig en juist (volgens C. Kaldenbach, in een schrijven aan het Mauritshuis, d.d. 22–8–1985)

7 Inv.nr. A 2344 en A 1860; *Van Thiel e.a. 1976*, p. 571–572, nr. A 2344 en A 1860 en afb.; *Blankert 1975*, p. 141–144, nr. 7 en 9 en afb. *Van Eynden/Van der Willigen 1816–20*, dl. I, p. 167

8 *Veiling Stinstra 1822*, nr. 112

9 *Steengracht van Oostkapelle 1826–30*, dl. II, p. 37; eerder maakte hij een dergelijke opmerking in *Notitie der Schilderyen 1827*, p. 17, nr. 120

10 *Thoré-Bürger 1866*, p. 297–330, p. 458–470, 543–575; heruitgegeven door *Blum 1945*

11 'Impressionisme', zie: *Blankert 1975*, p. 103 en p. 119, noot 19; 'pointillisme', zie: *Blankert 1975*, p. 49. Voor commentaren van Franse critici, zie: *Huyghe 1936*, p. 7–15 (M. Proust) en *Malraux 1952*, p. 98–104 (Max. du Camp, Th. Gautier, Thoré, L. Daudet)

12 *Blankert 1975*, p. 58–59; uitspraken dienaangaande blijken meestal niet het resultaat van enig onderzoek, maar leven voort als een kunsthistorisch topos.

13 *Wheelock/Kaldenbach 1982*

14 *Stechow 1968*, p. 124–125; *Blankert 1967–68*, p. 106 werkte deze (merkwaardige) gedachtengang nader uit; zie ook: *Blankert 1975*, p. 54. Als mogelijk prototype noemden zij (en ook *Walsh 1973*, afb. 30) het *Gezicht op Zierikzee* van Esaias van den Velde (Berlijn, Staatliche Museen, inv.nr. 1952), gedateerd 1615.

15 *Wheelock/Kaldenbach 1982*, p. 26–27

16 *Van Bleyswijck 1667*, p. 854

17 *Van Mander 1604*, fol. 233a

18 *Gorissen 1964*; *Dattenberg 1967*; *Broos 1981*, p. 121–124, nr. 32

19 *Dordrecht 1977–78*, p. 113 en 126–127, nr. 47 (Den Haag), p. 136–137, nr. 52 (Scheveningen), p. 140–141, nr. 54 (Leiden), p. 146–147, nr. 57 (Scheveningen), p. 160–163, nr. 64–65 (Dordrecht)

20 Zie bijvoorbeeld: *Broos 1981*, p. 179–193, nr. 52–55

21 Deze drie tekenaars zal ik nader belichten in het te publiceren deel IV in de reeks catalogi *Oude tekeningen in het bezit van de Gemeentemusea van Amsterdam waaronder de collectie Fodor.*

22 *Wattenmaker 1977*, p. 22–25 leverde enige kritiek op Stechow en vroeg om aandacht voor de onderschatte rol van Saenredam in de ontwikkeling van het Hollandse stadsgezicht.

23 *Hollstein*, dl. XVII, p. 302, nr. 3

24 *Van Regteren Altena 1957*, p. 16b-d en afb.

25 *Van Regteren Altena 1932*, p. 23 en *Van Regteren Altena 1941*, p. 24

26 *Delft 1965*, p. 18–20, nr. 18–26 gaf zeventiende- en achttiende-eeuwse afbeeldingen van dit stadsdeel; een gereconstrueerde plattegrond is afgebeeld in *Wheelock/Kaldenbach 1982*, p. 32, afb. 23.

27 *Van Bleyswijck 1667*, dl. II, p. 679. In 1836 is de Schiedamse Poort afgebroken, zie: *Delft 1965*, p. 17

28 *Wheelock/Kaldenbach 1982*, p. 10, noot 6

29 *Van Bleyswijck 1667*, dl. II, p. 680. De Rotterdamse Poort is in 1834 afgebroken, zie: *Delft 1965*, p. 17

30 *Van Straaten 1977-A*, p. 28–29, afb. 32; *Wheelock/Kaldenbach 1982*, p. 20, afb. 12

31 *Blankert 1975*, p. 58–59; *Swillens 1950*, p. 90–93 en pl. 59 (identificatie van het blikpunt van Vermeer)

32 *Wheelock/Kaldenbach 1982*, p. 15–17 en p. 34 somden tien punten op waarin Vermeer afweek van de werkelijkheid.

33 Inv.nr. 4892; *Beck 1972–73*, dl. II, p. 164, nr. 333 en afb.

34 Zie hierover bijvoorbeeld: *Van de Waal 1952*, dl. I, p. 51

35 *Broos 1985*, p. 90, nr. T 6 en afb.

36 Over Bakhuizens manipulatie van de werkelijkheid, zie: *Broos 1985*, p. 76–77

37 *Wheelock/Kaldenbach 1982*, p. 30: hier leek een argument aangevoerd te worden tegenover de opvatting van Alpers dat de Hollandse zeventiende-eeuwse kunst een 'Art of Describing' zou zijn. *Alpers 1983*, p. 27–29 en afb 13, p. 123–124 en afb. 65, p. 152–159 en afb. 94 accepteerde èn betwijfelde de topografische juistheid van Vermeers schilderij (naar gelang haar betoog).

38 *Clark 1976*, p. 65 bijvoorbeeld, vond dat geen schilderij als dat van Vermeer de kleurenfotografie zó dicht benaderde.

Johannes Vermeer

66 | Meisje met een tulband

Delft 1632 – Delft 1675

Doek, 46,5 x 40 cm
Links boven: *IVMeer* (IVM ineen)
Inv.nr. 670

Bibliografie
HdG 44 (dl. I, p. 606, nr. 44)
Geffroy 1900, p. 118–119 en afb.
Den Haag 1914, p. 407–408, nr. 670 en afb.
Parijs 1921, p. 10, nr. 106
Gillet 1921, p. 9
Londen 1929, p. 145, nr. 306
Martin 1935, p. 373–374, nr. 670
De Vries 1939, p. 84, nr. 17
Blum 1945, p. 194, nr. VI en afb. p. 96
Martin 1950, p. 91, nr. 208 en afb.
Swillens 1950, p. 62, 105–108 en afb. 28
Gowing 1952, p. 137–139, afb. 49
Malraux 1952, p. 111–116 en afb.
Den Haag 1954, p. 90, nr. 670
Goldscheider 1958, p. 27 en 130, nr. 23 en afb.
pl. 54–55
Sjollema 1962, p. 38a-b en afb.
Bloch 1963, p. 34, nr. 49 en afb. III
Descargues 1966, p. 98–99 en afb.
Rosenberg/Slive/Ter Kuile 1966, p. 122 en afb. 94
Blankert 1975, p. 66–68, 88 en 152, nr. 18 en
afb.
Den Haag 1977, p. 247–248, nr. 670 en afb.
Van Straaten 1977, p. 73, nr. 93a en afb.
Washington enz. 1982–83, p. 120–121, nr. 38 en
afb.
Brentjens 1985, p. 55–56, afb. 3
Hoetink e.a. 1985, p. 314–315, nr. 98 en afb.,
p. 457, nr. 670 en afb.
Broos 1986, p. 358–362, nr. 54 en afb.

1
Jan Vermeer
De Schilderkunst
Doek, 130 x 110 cm
Op de landkaart, rechts van het meisje:
I VER MEER (cat. 1662–65)
Wenen, Kunsthistorisches Museum, inv.nr.
9128

De in fantasiekleding gestoken kunstenaar die Vermeer afbeeldde in zijn allegorie *De Schilderkunst* (Wenen, Kunsthistorisches Museum) [1][1], maakt een portret naar een levend model. Dit meisje staat voor een open raam, waardoor het licht valt op de rechterhelft van haar gezicht dat ze naar de schilderende kunstenaar heeft gewend. Zó poseerde (kan men zich indenken) in dezelfde belichting een jong meisje voor Jan Vermeer zelf. Hij had haar uitgedost met een blauwe en gele tulband op het hoofd en een grote parel aan het linkeroor – haar half geopende vochtige lippen drukken een zekere onbevangenheid uit.

De pose van het *Meisje met een tulband* is een traditionele. Jacob Backer schilderde zo zijn *'Zelfportret' als herder* (cat.nr. 5), vrijwel op hetzelfde formaat en met een identieke compositie: de figuren raken met de rug de rechterkant van het schilderij, terwijl links een brede neutrale zone overblijft om het gezicht te accentueren (bij Backer is de belichting alleen anders). Van

Johannes Vermeer Meisje met een tulband

Backers zelfportret kan worden aangetoond dat het prototype in Italië gezocht moet worden en dat deze pose via een reeks van navolgingen door de Utrechtse Caravaggisten ook in Holland algemeen bekend werd. Vermoedelijk heeft Vermeer zijn compositie eveneens ontleend aan de traditie.[2]

Volgens een tamelijk vastgeroeste formule werden en worden het leven en werk van een kunstenaar als één pot nat beschouwd. Zo zou Jan Steen zijn

2
Jan Vermeer
De rust van Diana
Doek, 98,5 x 105 cm
Links onder op de rots: *(I?) V Meer* (VM ineen)
(ca. 1654–56)
Den Haag, Mauritshuis, inv.nr. 406

familie en huishouden hebben geschilderd en schilderde Hals en tekende Rembrandt zogenaamd hun eigen kinderen. Om dat aan te kunnen tonen werd zelfs met de datering van Rembrandts tekeningen gemanipuleerd.[3] Ook Vermeer, over wie lange tijd zó weinig bekend was dat hij de bijnaam 'de sfinx' kreeg, is op deze manier nader tot ons gebracht. Malraux veronderstelde nog dat het *Meisje met een tulband* een van de dochters, bijvoorbeeld de oudste, Maria, moest voorstellen.[4] Daarbij zijn de datering van het doek en de geschatte leeftijd van het meisje in het geding. Toch lijkt de identiteit van de voorgestelde niet van belang te zijn geweest voor de schilder. Hij doste het meisje uit met een soort tulband, zeker geen hoofdtooi die toen door Hollandse meisjes gedragen werd. Zijn schilderij is dan ook te beschouwen als een 'tronie'. Misschien was het zelfs identiek met 'Een tronie van Vermeer' in de nagelaten goederen van de de Haagse beeldhouwer Jean Larson, die in 1664 overleed. Het *Meisje met een tulband* zou dan niet lang daarvoor geschilderd moeten zijn.[5] Een andere zeventiende-eeuwse omschrijving van dit (of een dergelijk) portret geeft aan wat hier bedoeld kan zijn: 'Een Tronie in Antique Klederen, ongemeen konstig'.[6]

'Tronies' waren schilderijen met koppen van schildersmodellen, die met fraaie hoofddeksels waren uitgerust en die gestoken waren in vreemde gewaden om een exotische sfeer op te roepen. Men waardeerde deze voorstellingen als een zogenaamde Turkse prins of een oosterse vrouw, ook al wist men dat de kinderen of vrouw van de kunstenaar er model voor hadden gestaan. Op het atelier van Rembrandt en Lievens in Leiden werd dit soort schilderijen omstreeks 1630 geïntroduceerd, dan wel gepopulariseerd.[7] Het was een compromis tussen het historiestuk en het portret. Ook Jan Vermeer schilderde 'tronies', mogelijk omdat hij geen portretschilder wilde zijn.

Het zogenaamde 'conterfeyten nae t'leven' werd door een theoreticus als Van Mander in 1604 nog als een 'sijd-wegh der Consten' beschouwd. In 1678 had Van Hoogstraten nog steeds niet veel op met portret-specialisten. Zij beschouwden beiden het historieschilderen als de hoogste tak van kunst.[8] Vermeer is zijn loopbaan begonnen als historieschilder, waarvan het vroege werk *De rust van Diana* (Den Haag, Mauritshuis) [2][9] een goed voorbeeld is. Het schilderij *De Schilderkunst* [1] is zelfs op te vatten als een manifest, een persoonlijk credo. Het is zeker geen toeval, dat in dit werk 'waerin (volgens Vermeers weduwe) wert uytgebeelt de Schilderconst', dit begrip werd voorgesteld als een schilder die een afbeelding vervaardigt van Clio, de muze van de geschiedenis.[10] In Ripa's *Iconologia of uytbeeldingen des verstants* (Amsterdam 1644) had Vermeer waarschijnlijk deze beschrijving gelezen: 'Een maegdeken met een lauwerkrans, die in de rechterhand een Trompet houd en mette linker een boek waarop bovenop geschreven zal zijn: Thucydides. Deze muse is Clio…'.[11]

Zoals het *Gezicht op Delft* (cat.nr. 65) te interpreteren is als een geïdealiseerde visie op de stad in plaats van een strikt topografische registratie daarvan, zo is het *Meisje met een tulband* méér dan een gewoon portret. Het verschil tussen een portret en een 'tronie' wordt duidelijk uit een vergelijking met een werk van Frans van Mieris. Het *Portret van de vrouw van de schilder, Cunera van der Cock* (Londen, National Gallery) [3][12] werd geschilderd omstreeks 1658 en het vertoont grote overeenkomst met de compositie van Vermeers schilderij, dat enkele jaren later ontstond.[13] De vrouw van Van Mieris is gekleed naar de mode van de dag met een geplooide witte bloes, een met bont omzoomd fluwelen jak en een hoofddoek. Haar gezicht heeft duidelijk individuele trekken, die in het *Meisje* van Vermeer niet zo sterk opvallen. De manier van schilderen van Van Mieris versterkt zijn opzet om een zo nauwkeurig mogelijk geobserveerd portret van zijn vrouw te maken, dat niet geïdealiseerd was of vermomd als 'portrait historié'.

Vermeers schilderij is niet zo ondubbelzinnig, maar is als het ware gehuld in een waas van geheimzinnigheid. Zo is het een nog onuitgemaakt zaak of de parel aan het oor van het meisje symbolisch zou kunnen zijn bedoeld (vanitas? deugdzaamheid?), want in die zin zijn parels bij Vermeer geïnterpreteerd, bijvoorbeeld in *Een meisje aan het venster* (Berlijn, Staatliche Museen).[14] Maar een verklaring biedt wellicht minder genot dan het simpele ervaren van de wijze waarop Vermeer de oorhanger vormgaf, met slechts twee witte verfdotten over een lichtere zweem van verf: een wonderlijke illusie.

Zo'n illusionistisch effect doet invloed vermoeden van de helaas te vroeg gestorven schilder Carel Fabritius. Net als in diens *Puttertje* (cat.nr. 24) suggereren de kleurvlakken bij Vermeer de vormen, zonder ze in detail te beschrijven. De tulband van Vermeers meisje bestaat uit brede gele en blauwe banen en verfstippen die een vage structuur aanduiden, net als in het kleed waarvan de textuur niet erg duidelijk is. De vormen van het gezicht zijn binnen de contour in een leonardesk 'sfumato' uitgevoerd. Als Thoré-Bürger het net als het *Gezicht op Delft* in het Mauritshuis had kunnen zien, zou hij het

3
Frans van Mieris
Portret van de vrouw van de schilder, Cunera van der Cock
Perkament, 11,1 x 8,2 cm, ingelegd in paneel, 16,3 x 13,3 cm
Niet gesigneerd, niet gedateerd (ca. 1657–60)
Londen, National Gallery, inv.nr. 1415

zeker uitgeroepen hebben tot de Hollandse 'Gioconda'.[15]

Maar het schilderij werd pas bekend na 1882, toen het in Den Haag voor een habbekrats (nog geen rijksdaalder) werd verkocht.[16] Dit geringe blijk van waardering staat uiteraard in schril contrast met de lyrische commentaren die later gewijd zijn aan het thans zo vermaarde schilderij. In de Franse literatuur zijn daarvan de welsprekendste voorbeelden aan te treffen, waarnaast de stomme bewondering in Nederlandse teksten opvallend is. De luisteraars van *Openbaar kunstbezit* werden in 1962 bijvoorbeeld aldus toegesproken: 'Dit kleine schilderij is zo ontroerend, dat men er stil van wordt en men vraagt zich af of het zin heeft er over te spreken'.[17]

---

1 *Blankert 1975*, p. 152–153, nr. 19 en afb.

2 Voorbeelden van deze pose in kunstenaarsportretten werden opgesomd en afgebeeld in *Raupp 1984*, p. 182–193, p. 424–428 en afb. 82–92

3 Hiertegen protesteerde *Van Eeghen 1956*, p. 144–146

4 *Malraux 1952*, p. 114: 'Pour nous, qui tenons le modèle pour l'une des filles de Vermeer, le tableau serait postérieur à 1670 même s'il représentait sa fille aînée, ce qui n'est sans doute pas le cas'. Het bronnenmateriaal is tamelijk duister over het kindertal van Vermeer, dat nogal groot moet zijn geweest; hij trouwde in 1653 en zijn weduwe had in 1676/1677 tien of elf minderjarige kinderen (zie: *Blankert 1975*, p. 111, noot 3, p. 128–129, doc. 36). Maria was de oudste dochter. Over de overige kinderen, zie: *Van Peer 1951*, p. 615–626

5 *Blankert 1975*, p. 152, nr. 18 en p. 165, nr. 32. Blankert is niet consequent als hij het schilderij 'Ca 1665' (afb. 18) dateert en het tegelijk in 1664 signaleert in de collectie Larson. Over de uiteenlopende dateringen, zie: *Blankert 1975*, p. 66 en 152, nr. 18 (tussen 1660 en 1665)

6 *Blankert 1975*, p. 152, nr. 18 en p. 165, nr. 37; zie ook: *Hoet 1752–70*, dl. 1, p. 36, nr. 38

7 Het *Meisje met een tulband* is te meer een 'tronie' omdat haar uitmonstering als buitennissig opvalt in vergelijking met de doorgaans eigentijds geklede modellen van Vermeer, zie daarover: *Brentjens 1985*, p. 55–56.

8 *Van Mander 1604*, fol. 281a; *Van Hoogstraten 1678*, p. 87; zie ook: *Broos 1978–79*, p. 117–118

9 *Blankert 1975*, p. 138–139, nr. 2 en afb.

10 Het citaat is uit een contract van 24 februari 1676 waarbij de weduwe het schilderij overdroeg aan haar moeder; voor de interpretatie van de voorstelling, zie: *Van Gelder 1958*, *Miedema 1972* en *Blankert 1975*, p. 68–71

11 *Ripa 1644*, p. 338

12 *Naumann 1981*, dl. II, p. 33, nr. 30 en afb.

13 *Blankert 1975*, p. 68–69 en afb. 34 meende zelfs dat het portret van Cunera 'Vermeer mogelijk het idee gaf voor zijn schilderij'.

14 Inv.nr. 912 B; *Blankert 1975*, p. 147, nr. 13 en afb. Over parels en symboliek bij Vermeer, zie: *De Jongh 1975–76*, p. 83–84 en afb. 14; *Van Straaten 1977-A*, p. 70–73 plaatste het schilderij in een reeks vanitasvoorstellingen, door hem 'waarschuwingen' genoemd.

15 *Rosenberg/Slive/Ter Kuile 1966*, p. 122 meenden zelfs dat Thoré-Bürger deze vergelijking daadwerkelijk gemaakt had. *Thoré-Bürger 1866*, p. 545, nr. 2 beschreef toen echter niet het Haagse schilderij maar het *Meisjeskopje* te Palm Beach (The Wrightsman Collection; *Blankert 1975*, p. 164, nr. 30 en afb.)

16 *Blankert 1975*, p. 152, nr. 18

17 *Sjollema 1962*, p. 38a; een veel aangehaald citaat is de beschouwing van *Gillet 1921*, p. 9 naar aanleiding van de tentoonstelling van het schilderij in Parijs (*Parijs 1921*, p. 10, nr. 106); andere citaten vindt men bij *Malraux 1952*, p. 114–116

Jan Baptist Weenix   67 | Een dode patrijs

Amsterdam 1621 – Huis ter Mey (bij
Utrecht) 1660/1661

Doek, 50,6 x 43,5 cm
Rechts onder: *Gio. Batta: Weenix f*
Inv.nr. 940

Hij was in Amsterdam leerling van Nicolaes Moeyaert en in Utrecht van Abraham Bloemaert. In 1642 vertrok hij naar Italië, waar hij veel opdrachten kreeg, in het bijzonder van kardinaal Pamphili, die in 1644 Paus Innocentius x werd. In 1647 was hij terug in Amsterdam en hij vestigde zich twee jaar later in Utrecht. Hij schilderde een veelheid van onderwerpen: portretten en stillevens en na zijn buitenlands verblijf voornamelijk Italiaanse landschappen, vooral havengezichten. De architectuur – ruïnes of Romeinse gebouwen – speelt een belangrijke rol in de compositie, waarin tevens veel aandacht wordt gegeven aan figuren en dieren. Zijn koloriet is uiterst verfijnd en zeer geschakeerd, terwijl vooral op het eind van de jaren vijftig het spel van licht en donker optimaal werkzaam is. Hij wordt beschouwd als een van de beste Italianiserende landschapschilders en werd in zijn eigen tijd al zeer bewonderd. Drie jaar voor zijn vroegtijdige dood (hij werd negenendertig jaar oud) betrok hij een adellijk buiten ten noorden van de stad Utrecht.

Herkomst
Collectie Wttewaal van Stoetwegen, Laren
(Gld.)
Kunsthandel S. Nijstad, Den Haag, 1960
Koninklijk Kabinet van Schilderijen
'Mauritshuis', 1960

Bibliografie
De Vries 1962, p. 133–134 en afb.
Delft 1964, p. 29, nr. 56
Rosenberg/Slive/Ter Kuile 1966, p. 201
Bol 1969, p. 282
Den Haag 1970, nr. 45 en afb.
Den Haag 1977, p. 256, nr. 940 en afb.
De Jongh e.a. 1982, p. 141 en 143, noot 4
Washington enz. 1982–83, p. 122–123, nr. 39 en
afb.
Sullivan 1984, p. 69–70 en afb. 138
Hoetink e.a 1985, p. 320–321, nr. 101 en afb.,
p. 462, nr. 940 en afb.
Broos 1986, p. 363–366, nr. 55 en afb.

Jan Baptist Weenix was geen specialist en kon schilderen wat hij wilde. 'En daarom is hy by alle Konstkenners hoog geschat geworden', vertelde zijn zoon Jan Weenix aan de biograaf Houbraken, 'om dat hy niet een deel van de Konst, als anderen, maar de selve in alle deelen volmaakt verstond. Het zy dat hy Beelden, Dieren, Landschap, Zee, Stilwater met Schepen, enz. maakte…'.[1] Het is zeker waar dat Jan Baptist Weenix een veelzijdig oeuvre heeft geschapen.[2] Het toppunt vond zijn zoon wel dat hij 'zelfs met *van Aalst*, vermaard in doode Vogels, en *Emanuel de Wit(te)*, geroemt om zyn wetenschap in de Doorzichtkunde, om stryd geschilderd heeft'.[3]

Dit laatste lijkt een terloopse opmerking, maar oog in oog met het pas na de aankoop in 1960 in de belangstelling gekomen schilderij *Een dode patrijs* krijgt men de stellige indruk dat we Jan Weenix letterlijk moeten nemen. Dus: zijn vader schilderde ook stillevens met gevogelte in de trant van Willem van Aelst [2] en had belangstelling voor de 'Deurzichtkunde', dus voor de perspectieftrucs en schijnbedriegertjes, waarvan Carel Fabritius' *Puttertje* (cat.nr. 24) zo'n frappant voorbeeld blijkt te zijn. De vogel in *Een dode patrijs* hangt aan een spijker tegen een vaalwit gepleisterde muur, waarvan een brok kalk is afgesprongen rond een oud spijkergaatje. Zo'n opzettelijk aangebracht detail kenmerkt de ware 'trompe-l'oeil'-schilder. In een andere versie (Amsterdam, collectie W. Russel)[4] heeft de schilder het illusionistische effect vergroot door naast de hangende patrijs een extra spijker in de muur aan te brengen, door bloed uit de kop van het dode dier te laten druppen en door enkele veertjes omlaag te laten dwarrelen.

Een derde 'trompe-l'oeil'-stilleven met hetzelfde onderwerp (Basel, particuliere collectie)[5], dat eigenhandig is gesigneerd en niet gedateerd, gold

Jan Baptist Weenix Een dode patrijs

1
Anoniem
Gezicht op het Huis ter Mey
Tekening, 188 x 250 mm
Niet gesigneerd, niet gedateerd (ca. 1650)
Utrecht, Rijksarchief, Top. Atlas nr. 1119-fol.
153

lange tijd als een unicum – totdat de andere twee versies opdoken. Vooral in vergelijking met het meer traditioneel uitgevoerde *Stilleven met dode vogels* uit 1649 (Hartford, Conn., Wadsworth Atheneum)[6] leek deze eenzame patrijs aan een spijker in Basel een uitzonderlijk onderwerp voor de meer als Italianiserende landschapschilder bekende Jan Baptist Weenix. Het is begrijpelijk dat er talloze verwijzingen zijn gedaan naar het evenzeer opmerkelijke *Stilleven met patrijs en ijzeren handschoenen* (München, Alte Pinakothek)[7] van Jacopo de Barbari uit 1504. Maar een echt verband met het schilderij van Weenix, dat zo'n anderhalve eeuw later is ontstaan, kon niet worden aangetoond.[8]

In het doek in Basel is het illusionisme aanwezig in de vorm van een grote barst in het pleisterwerk. Al met al bestaan er nu drie 'trompe-l'oeil'-schilderijen met opgehangen patrijzen. Het moet haast wel dat de jonge Weenix, toen hij over 'doode Vogels' sprak, déze werken bedoelde en dat heeft onmiddellijke gevolgen voor de datering ervan.

In de schaduw die de vogel in het Haagse schilderij op de muur werpt, staat de alleen van dichtbij goed zichtbare signatuur 'Gio(vanni) Batt(ist)a: Weenix f': de schilder heeft het dus gemaakt ná zijn terugkomst uit Italië in 1647.[9] Stechow meende dat het schilderij in Basel niet veel later geschilderd kon zijn dan het *Vogelstilleven* in Hartford, dus omstreeks 1650, omdat hij veronderstelde dat het enkele jaren eerder moest worden gedateerd dan *Het puttertje* van Fabritius uit 1654 (cat.nr. 24).[10] Echter, als deze stillevens gemaakt waren in concurrentie met die van Willem van Aelst, kan dat pas gebeurd zijn ná 1656, toen deze schilder op zijn beurt uit Italië was teruggekeerd. Contact kunnen zij slechts hebben gehad in de drie jaren voor Weenix' dood omstreeks 1660, toen hij woonde 'twee uren boven Uitrecht by het dorp de Haar, op het oud Adelyk Huys ter Mey'.[11] Het is ook logischer dat de herinnering van de zoon terugging naar deze jaren dan naar een veel vroegere periode vóór 1650, toen hij nauwelijks acht jaar oud was. In het in de buurt van Huis ter Mey gelegen Maarsseveen moet Van Aelst een bekende figuur zijn geweest. Houbraken vertelde immers dat hij vernomen had (uit de mond van Jan Weenix?) van een conflict dat Van Aelst had met Joan I Huydecoper, heer van Maarsseveen, waarbij hij als bewijs van zijn verdienstelijkheid de gouden penning toonde die hij van de groothertog van Toscane had gekregen.[12] Dit moet zich hebben afgespeeld na 1657.

2
Willem van Aelst
Jachtstilleven met dode patrijzen
Doek, 58,8 x 47,8 cm
Links onder: *Guill. ᵐᵒ van Aelst. 1671*
Den Haag, Mauritshuis, inv.nr. 3

Onbedoeld leverde Houbraken aldus de gronden waarop beredeneerd kan worden dat de 'trompe-l'oeils' van Jan Baptist Weenix tien jaar later zijn ontstaan dan men algemeen aanneemt. Zonder daarvoor overigens nadere redenen te kunnen aanvoeren, heeft De Jongh onlangs deze jachtstillevens in verband gebracht met het verblijf van de schilder op 'Huys ter Mey'.[13] Op een tekening van een onbekende kunstenaar (Utrecht, Rijksarchief) [1] doet dit kasteel zich voor als een riant onderkomen, dat bepaald uitzonderlijk genoemd mag worden voor een kunstenaar in die tijd.

In de aanzienlijke buitenhuizen die tegen het midden van de zeventiende eeuw verrezen langs de naburige Vecht, vanaf Maarsseveen in noordelijke richting, vestigden zich de rijke kooplieden uit Amsterdam. Hoewel de jacht het privilege was van de adel en gebonden aan strenge regels, moet het een geliefd, althans begeerd tijdverdrijf zijn geweest voor de landgoedbezitters. Het toenemen van portretten met figuren in jachtkledij en van stillevens met dood wild of gevogelte hing samen met een onder de burgers toenemende zucht naar status, waarbij symbolen gebruikt werden die ontleend waren aan de voorrechten van een elite.[14] De schilders voeren er wel bij: Willem van Aelst (cat.nr. 1) specialiseerde zich in het jachtstilleven, waarvan er nu nog zo'n zestig bewaard zijn, zoals het *Jachtstilleven met dode patrijzen* uit 1671 (Den Haag, Mauritshuis)[2].[15]

Op zijn adellijk buiten zal Jan Baptist Weenix zich ongetwijfeld wel vermeid hebben met adellijke genoegens, ofschoon die verboden waren. *Een dode patrijs* in het Mauritshuis toont als het ware zijn jachtbuit. Het bedriegelijk echt geschilderde stuk is niet alleen een proeve van zijn meesterschap met het penseel, maar ook een bewijs van zijn maatschappelijk prestige. Een voormalig stadgenoot, de arts Johan van Beverwijck, schreef in zijn *Schat der gesondtheydt* (Utrecht 1651) over patrijzen als 'Heeren spijs': 'De

Patrijsen, oft Veld-hoenderen, zijn noyt soo gemeen geweest als andere
Hoenderen: en werden daerom van alle tijden in groote weerde gehouden.
Patrijs en wert niet veel op onsen Dis gevonden; Dat vleesch is Heeren spijs,
en kost voor lecker-monden'.[16]

1 *Houbraken 1718–21*, dl. II, p. 81

2 Er is geen oeuvrecatalogus beschikbaar. Zie voorlopig: *Stechow 1948* en *Blankert 1965/1978*, p. 174–184

3 *Houbraken 1718–21*, dl. II, p. 81

4 *De Jongh e.a. 1982*, p. 138–143, nr. 24 en afb. Dit schilderij heb ik nooit in werkelijkheid gezien, zodat ik over de juistheid van de toeschrijving van dit niet gesigneerde schilderij geen uitspraak kan doen. Weenix' leerling W.G. Ferguson heeft namelijk ook veel van dergelijke stukken geschilderd, zie: *Sullivan 1984*, p. 70–71 en afb. 145–146. Dit geldt evenzeer voor de neef van Weenix, Melchior d'Hondecoeter (1636–1695). Van laatstgenoemde bezit het Mauritshuis een doek dat nauw verwant is aan het schilderij van Weenix (inv.nr. 968; *Hoetink e.a. 1985*, p. 320–321, nr. 101 en afb., p. 379, nr. 986 en afb.)

5 Voorheen collectie F. Schwarz, Basel; zie: *Stechow 1948*, p. 191 en 193, afb. 12. Het schilderij behoort niet tot het legaat Schwarz von Spreckelsen, zoals aangegeven door *Netter 1979*, p. 1108 en afb. De huidige eigenaresse stond ons niet toe het schilderij hier af te beelden.

6 Inv.nr. Mrs. Walter Keney, 1899.6; *Hartford 1978*, p. 201, nr. 168 en afb. pl. 127; *Sullivan 1984*, afb. 65; zie ook: *Stechow 1948*, p. 191 en 193, afb. 11

7 Inv.nr. 5066; *Sullivan 1984*, afb. 1

8 In deze geest lieten de meeste schrijvers die deze vergelijking maakten zich ook uit; het meest recent: *Sullivan 1984*, p. 68–69

9 *Blankert 1965/1978*, p. 174–175

10 *Stechow 1948*, p. 191

11 De jachtstillevens van Willem van Aelst zijn trouwens gedateerd van 1652 tot en met 1681 – hij maakte ze dus niet vóór zijn reis naar Italië; zie: *Sullivan 1984*, p. 52. *Houbraken 171821*, dl. II, p. 81

12 *Houbraken 1718–21*, dl. I, p. 229; voor de betrekkingen van de bewoners van Huis ter Mey met Maarsseveen, zie: *Broos 1984-A*, p. 18–21

13 *De Jongh e.a. 1982*, p. 140

14 *Sullivan 1980*, passim, *Sullivan 1984*, p. 33–45 en *Broos 1986*, p. 113–114

15 *Broos 1986*, p. 112–113, nr. 2 en afb.

16 *Van Beverwijck 1651*, p. 131; over de patrijs als symbool van onmatigheid en wellust, zie: *De Jongh e.a. 1982*, p. 141 en 143, noot 10–13

Doornik omstreeks 1399 – Brussel 1464

Paneel, 80,5 x 129, 5 cm
Niet gesigneerd, niet gedateerd
Inv.nr. 264

Herkomst

(?) Collectie College van Atrecht (Utrecht?),
Leuven, zestiende eeuw
Collectie J.P. Geedts, Leuven, 1805
Collectie Ch.L.G.J. baron Keverberg van
Kessel, Brussel, 1817–1827
Koninklijk Kabinet van Schilderijen
'Mauritshuis', 1827

Bibliografie

Keverberg van Kessel 1818, p. 163–167
Thoré-Bürger 1858–60, dl. I, p. 286–287
Waagen 1862, dl. I, p. 110
De Stuers 1874, p. 254–256, nr. 226
Wauters 1893, p. 33, noot 1, p. 36 en 38, noot 2,
p. 101 en 117–118, nr. 54
Bredius 1895, p. 479–481, nr. 264 (419) en afb.
Weale 1901-A, p. 124–125 en afb.
Hofstede de Groot 1901, p. 141–142
Brugge 1902, p. 51–52, nr. 120
Male 1904, p. 301, noot 1
Winkler 1913, p. 131–132 en noot 3
Den Haag 1914, p. 433–436, nr. 264 en afb.
Jähnig 1914, p. 95–99
Bremmer 1916, p. 138–139
Burger 1923, p. 29 en 67 en afb. 16
Friedländer 1924, p. 106, nr. 46 en afb. pl. XXXIX
Benesch 1928, p. 4, nr. 17 en afb. pl. 5
Destrée 1930, dl. I, p. 130, dl. II, pl. 60
Martin 1935, p. 397–400, nr. 264
Hulin de Loo 1938, kol. 238
Vogelsang 1941, p. 46–47 en afb.
Amsterdam 1945, p. 23, nr. 138
Parijs 1947, p. 48, nr. 93 en afb. pl. LXVI
Jansen 1948, p. 99, nr. 54 en afb. 21
Musper 1948, p. 51–52, 59 en afb. 59
Vogelsang 1949, passim en afb.
Beenken 1951, p. 99 en 236, afb. 128
Panofsky 1951, p. 34–35, 37–40 en afb. 2 en 6
Panofsky 1953, dl. I, p. 284 en 473, noot 3,
dl. II, afb. pl. 219, nr. 359
Den Haag 1954, p. 95, nr. 264
Tovell 1955, p. 47–48 en afb. 34
Von Löhneysen 1956, p. 459, nr. 11
Schulte Nordholt 1958, p. 12a-b en afb.
Tribout de Morembert 1963–64, p. 173 en afb.,
p. 213–215 en afb.
Doornik 1964, p. 33
Tóth-Ubbens 1968, p. 54–56, nr. 264 en afb.
Friedländer 1967–76, dl. II, p. 69 en 93, nr. 46,
p. 100, noot 44
Brugge 1969, p. 239, nr. 45
Sonkes 1969, p. 63–64, nr. B 14
Van Asperen de Boer 1970, p. 68–71, 74, 78 en
afb. pl. VIII–X, fig. 20–22
De Vries 1970-A, z.p., afb.

'Rogelet de la Pasture' was in 1427 leerling van Robert Campin in Doornik en werd er in 1432 meester in het Sint Lucasgilde. Drie jaar later vertrok hij naar Brussel, waar hij stadsschilder werd en een groot aanzien genoot. In 1450 reisde hij naar Italië, bezocht Rome en werkte in Ferrara voor Lionello d'Este. Na zijn terugkeer bleef hij in contact met Italië en op verzoek van Francesco Sforza nam hij de Milanees Zanetto Bugatto als leerling aan. Geen enkel werk van Rogier van der Weyden is voorzien van een signatuur of datering. De oudste documenten waarin zijn werken worden vermeld, dateren pas uit ongeveer 1550. Het betreft de *Kruisafneming* in het Prado en het zogenaamde *Mirafloresaltaar*. De reconstructie van zijn oeuvre is dientengevolge een nogel wankel bouwsel, waarin het uiterst hachelijk is een chronologische volgorde aan te brengen of een stilistische ontwikkeling te schetsen. Men meent twee elkaar aanvullende karakteristieken in zijn werk te kunnen onderscheiden: een sterke religieuze bewogenheid naast vertederende aandacht voor het menselijke. Aan Rogier worden ook tekeningen toegeschreven, miniaturen en (ontwerpen voor) sculpturen. Hij had een drukbezocht atelier en een schare navolgers, ook in latere generaties. Na Jan van Eyck heeft men hem altijd als de belangrijkste Vlaamse schilder van zijn tijd beschouwd.

Het meest opvallende in dit boeiende tafereel is de beheerste emotie, die ook wel is uitgelegd als een gebrek aan expressie. Jozef van Arimathea, die de dode Christus ondersteunt, fronst de wenkbrauwen en Nicodemus, met een slip van de lijkwade in zijn hand, kijkt eerder bezorgd dan diepbedroefd. Hun optreden was bekend uit het evangelie volgens Johannes (19:38–39) en in de Christelijke iconografie was hun plaats in het drama bepaald zoals het hier is uitgebeeld, dus met Nicodemus bij Christus' voeten.[1] De evangelisten Marcus (15:40) en Matteüs (27:57) vermeldden de namen van de drie Maria's, van wie hier Maria Magdalena direct herkenbaar is aan haar zalfpot. Met een punt van de rode mantel veegt ze tranen uit haar ogen. De heilige vrouwen naast haar maken gebaren van wanhoop en huilen zachtjes. De enige mannelijke getuige die zijn tranen laat zien, is Johannes, die de geknielde Maria ondersteunt. Tegen hen sprak Jezus voor zijn dood: 'Vrouw, zie, uw zoon. Daarna zeide Hij tot de Dicipel: Zie, uw moeder' (Johannes 19: 26–27).

De gebouwen in het omringend heuvellandschap zijn specifiek Vlaams, met een ommuurde stad links achter, een kasteel met trapgevels in het midden en rechts op de berg een duivenhuis. De doodskop op de voorgrond, symbool voor de eerste mens Adam, toont echter aan dat hier de Calvarieberg (Latijn voor: schedelplaats) bedoeld is, het Hebreeuwse Golgotha.

Rogier van der Weyden De bewening van Christus

1
Rogier van der Weyden
De kruisafneming
Paneel, 220 x 262 cm
Niet gesigneerd, niet gedateerd (ca. 1440)
Madrid, Museo del Prado, inv.nr. 2.825

Davies 1972, p. 196, 216, 225 en afb. pl. 119
Kerber 1972, p. 297
Kerber 1975, p. 11, 18–21, 32 en afb. 8
Den Haag 1977, p. 257–258, nr. 264 en afb.
Brussel 1979, p. 152, nr. 12
Silver 1984, p. 205 en pl. 22
Hoetink e.a. 1985, p. 322–323, nr. 102 en afb.,
p. 463–464, nr. 264 en afb.

Rechts knielt de stichter van dit schilderij, een pontificaal geklede bisschop met gevouwen handen: het dragen van handschoenen was een bisschoppelijk privilege. Een van de beide ringen is vermoedelijk een bisschopsring, op zijn hoofd heeft hij een met edelstenen versierde mijter ('mitra preciosa') en in zijn arm houdt hij de bisschopsstaf met in de krul een voorstelling van de *Aankondiging aan Maria*. De gesp ('clipeus') van zijn koorkap vertoont een zegenende Christus tussen twee wierookzwaaiende engelen en in de zoom ('aurifrisia') van het kostbare gewaad zijn de twaalf apostelen met hun attributen afgebeeld, staande onder een gotische spitsboog. Links herkent men slechts Petrus met de sleutels en Andreas met het Andreaskruis. Rechts zijn van boven naar beneden te identificeren: Paulus met het zwaard, Johannes met de kelk, Simon met de zaag, Philippus met de lans, Bartholomeüs met het vilmes en tenslotte Matteüs met het zwaard.[2] Behalve op de koorkap zijn de apostelen Petrus en Paulus nog eens afgebeeld achter de stichter, als zijn patroonheiligen of als de beschermheiligen van zijn bisdom of de kerk waarvoor dit tafereel in opdracht werd gegeven.[3]

In een vermaard schilderij (getuige de vele oude vermeldingen, kopieën en ontleningen), *De kruisafneming* in Madrid (Museo del Prado) [**1**][4], heeft Rogier van der Weyden zich geheel geconcentreerd op het menselijk drama. Er is geen landschap dat de aandacht afleidt – Adams schedel volstaat als plaatsaanduiding. Naast het lijden van Christus is in deze voorstelling het mede-lijden van Maria het hoofdthema. Von Simson toonde aan dat Van der Weyden de relatie *passio-compassio* ontleend moet hebben aan oudere en eigentijdse theologische tractaten.[5] Vooral Bernardus van Clairvaux heeft gemediteerd over Maria's lijden en onder andere door zijn geschriften floreerde de Maria-verering in de Middeleeuwen.[6] De zeven smarten van Maria, waaronder de kruisiging, de kruisafneming en de graflegging van Jezus, werden in de Nederlanden algemeen vereerd toen Rogier dit schilderij maakte.[7] De mede-lijdende Maria ofwel *Pietà* was een even vertrouwd beeld in de Christelijke symboliek als *De man van smarten*. In de vijftiende eeuw heeft met name Dionysius de Kartuizer (of Van Ryckel) de *compassio* van Maria tot onderwerp van devotie gemaakt.[8] Het is zonder meer duidelijk dat in het Haagse schilderij Maria in haar felblauwe kleed niet alleen qua compositie het middelpunt vormt van de voorstelling, maar ook inhoudelijk. Ten opzichte van het schilderij in het Prado is zij met de dode Christus van plaats verwisseld. De zes overige getuigen van het drama zijn ook aanwezig: de drie Maria's, Jozef, Nicodemus en Johannes. Johannes heeft in beide schilderijen hetzelfde gelaatstype. Desondanks is het nog een open vraag of Rogier van der Weyden wel de schilder was van *De bewening van Christus* in Den Haag. Want zo duidelijk als voor ons de voorstelling mag zijn – over de toeschrijving èn de datering is men het nog steeds niet eens.

Hofstede de Groot ergerde zich al in 1901 openlijk aan de onzekerheden die af en toe rezen rond dit vooral compositorisch zeer geslaagde schilderij: 'het zou er slecht uitzien met onze kennis der primitieve schilderkunst indien wij ons met ... een halve eeuw konden vergissen in den tijd van ontstaan van een zoo belangrijk werk'.[9] De stichter op het schilderij werd toen ten onrechte aangezien voor Nicolaas Ruter (de/le Ruistre), die in 1501 bisschop van Atrecht was geworden, wat een datering van na 1500 met zich mee zou brengen.[10] Over de toeschrijving van het ontwerp voor dit tafereel (maar niet de voltooiing ervan) aan Rogier van der Weyden bestaat inmiddels wel een zekere communis opinio, maar in de kwestie van de datering (1450 à 1460 volgens Hofstede de Groot) gaapt sinds kort weer een kloof van bijna twintig jaar.[11]

In 1827, vijf jaar na de gelukkige verwerving van Jan Vermeers *Gezicht op Delft* (cat.nr. 65), kocht koning Willem I deze *Bewening van Christus* als een werk van 'Hemlin' voor 3000 gulden van baron Keverberg van Kessel in Brussel.[12] Als 'Hemling' en 'Hemmelinck' werd het beschreven in de eerste catalogi van het Koninklijk Kabinet, totdat in de jaren veertig van de negentiende eeuw deze toeschrijving werd gewijzigd in die aan Rogier van der Weyden.[13] De oudste uitvoerige beschrijving is van Thoré-Bürger, die het schilderij zag hangen in een van de kleine zaaltjes in het Mauritshuis tussen werken uit de Duitse school. Hij wierp zich op als kenner van de Vlaamse primitieven: 'Memling, non assurément. De l'école des van Eyck, sans doute. Assez près même de Rogier van der Weyden'.[14] Vooral Friedländer pleitte voor de toeschrijving aan Rogier en hij noemde het in 1924 een 'Guterhaltenes Meisterwerk aus der Zeit um 1460'.[15]

Burger daarentegen dacht ongeveer tegelijkertijd aan het werk van een niet onbekwame leerling, onder andere vanwege het weinig uitgesproken vertoon van smart en rouw.[16] Met deze waarneming volgde hij het oordeel van Winkler, die als voornaamste advocaat van de duivel gesproken had over lege gezichten, de wankele houding van Nicodemus en de geaffecteerdheid van de zittende Maria.[17] Martin meende in 1935 dat de manier van schilderen het midden hield tussen die van Rogier van der Weyden en die van Hans Memling.[18] Nog in 1972 bekende Davies in zijn monografie over de Brusselse meester grote moeite te hebben met de toeschrijving van het schilderij aan Rogier.[19]

Maar naast argumenten van psychologische en stijlkritische aard werden ook conclusies gepubliceerd van historisch en vormvergelijkend onderzoek. Panofsky kwam tot de slotsom dat het werk in het laatste levensjaar van de

2
Rogier van der Weyden
Sacramentsaltaar (linker vleugel van het
triptiek)
Paneel, 119 x 63 cm
Niet gesigneerd, niet gedateerd (ca. 1451–
1456)
Antwerpen, Koninklijk Museum voor
Schone Kunsten, inv.nr. 394

schilder, dus in 1464, door hem zelf kan zijn aangevangen en dat het
vervolgens na zijn dood door leerlingen moet zijn voltooid.[20] Op zijn beurt
beargumenteerde Kerber waarom het juist een vroeg werk van Van der
Weyden uit 1450 of nog eerder – en dus(?) geheel eigenhandig – zou zijn.[21] De
balans van tegengestelde meningen was aldus in wankel evenwicht, totdat het
resultaat van enkele technische onderzoekingen vrij verrassend wat meer
gewicht aan Kerbers argumenten leek te verlenen. Tot dan toe hadden de
bevindingen van Panofsky de meeste weerklank gevonden.

De spil in elke redenering over de Haagse *Bewening* is de persoon van de
stichter. Hij werd meestal geïdentificeerd met Jean Chevrot (1395/1400–
1460), die sinds 1436 bisschop was van Tournai en Toul.[22] In 1951
vereenzelvigde Panofsky hem echter met Pierre de Ranchicourt (1426?–1499),
die bisschop van Atrecht werd in 1463 en die daar de voorganger was van de
eerdergenoemde Nicolaas Ruter.[23] In het eerste geval moet het schilderij voor

1460 zijn voltooid en in het tweede geval kan de in 1464 gestorven Rogier van der Weyden er hoogstens enkele maanden aan hebben gewerkt. Van Jean Chevrot zijn twee portretten bekend: hij is de gemijterde bisschop die het vormsel toedient in het *Sacramentsaltaar* (Antwerpen, Koninklijk Museum voor Schone Kunsten) [**2**][24], dat de wapens draagt van Chevrot en het bisdom Doornik (Tournai). Hij is tevens de prominente toeschouwer links in een miniatuur, voorstellend *Jean Wauquelin biedt Philips de Goede een manuscript aan* (Brussel, Koninklijke Bibliotheek Albert I).[25] Het schilderij en de miniatuur worden beide toegeschreven aan Rogier van der Weyden. Van Pierre de Ranchicourt was tot dan toe geen portret bekend.

Panofsky baseerde zijn redenering op drie argumenten. Het eerste was dat de bisschop in het Haagse schilderij te jong zou zijn voor Chevrot. Daarbij ging hij uit van een geboortejaar omstreeks 1380, wat achteraf echter 1395 of omstreeks 1400 bleek te zijn.[26] Zijn tweede, tevens zwakste argument was dat er geen gelijkenis bestaat tussen de bekende portretten van Chevrot en de prelaat in het stuk in Den Haag. Hij zag wèl fysionomische overeenkomsten tussen laatstgenoemde en een links van Chevrot geportretteerde geestelijke

◀ **3**
Detail van cat.nr. 68

▶ **3a**
Hugo van de Goes
Aanbidding van de herders (detail van het rechterluik)
Paneel, 253 x 586 cm (totaal), 253 x 141 cm (zijluiken)
Niet gesigneerd, niet gedateerd (ca. 1474–1476)
Florence, Galleria degli Uffizi, inv.nr. P 1771

in het Antwerpse *Sacramentsaltaar* [**2**], die hij vervolgens de naam gaf van Pierre de Ranchicourt. Hoewel deze gelijkenis niet echt evident is, hebben verscheidene auteurs hierin een overtuigend bewijs gezien.[27] Het derde argument van Panofsky was dat er in de tweede helft van de vijftiende eeuw maar één regerend bisschop is geweest met de voornaam Peter (Pierre), die immers besloten zou liggen in de figuur van de beschermheilige van de bisschop, Petrus.[28] Dit klinkt wèl acceptabel, al doet de mede-aanwezigheid van Paulus afbreuk aan de redenering. Een tegenstrijdigheid is dat Rogier nooit een stichter met een persoonlijke patroonheilige heeft afgebeeld.[29]

Kerber was niet onder de indruk van de argumentatie van Panofsky en hij draaide de zaak resoluut om door het Haagse schilderij niet te beschouwen als een laat werk van Rogier, dat door leerlingen was voltooid, maar als een werk uit diens vroege periode, waarbij eventuele zwakke partijen toegeschreven konden worden aan de onhandigheden van een beginner.[30] Centraal in zijn redenering stond de overtuiging dat de fraaie compositie en allerlei verhalende details grote indruk gemaakt moeten hebben op tijdgenoten, leerlingen en navolgers. Zo zou Hans Memling in een jeugdwerk, het zogenaamde *Reyns-triptiek* (Brugge, Memlingmuseum)[31], zijn uitgegaan van dit voorbeeld. Ook Petrus Christus nam volgens hem de belangrijkste figuren in zijn *Bewening* (New York, Metropolitan Museum of Art)[32] over uit het Haagse schilderij. Tóth-Ubbens en anderen opperden al eerder dat Hugo van der Goes, toen hij in 1474–1476 zijn *Aanbidding van de herders* (Florence, Galleria degli Uffizi)[33] schilderde voor Tommaso Portinari, de haardracht van Maria Magdalena ontleende aan dezelfde figuur bij Rogier [3,3a].[34] Tenslotte is ook Quinten Metsijs, volgens Silver, dermate beïnvloed geweest door de compositie van Rogier, dat hij in zijn *Bewening van Christus* uit 1511 (Antwerpen, Koninklijk Museum van Schone Kunsten)[35] de verdeling in twee groepen mannen en vrouwen en de houding en gebaren van bijna alle figuren van het voorbeeld imiteerde.[36]

Het valt niet te ontkennen dat de *Bewening van Christus* in Den Haag een grote uitstraling moet hebben gehad. Kerber had aan zijn opsomming kunnen toevoegen dat speciaal één van de vrouwen in dit tafereel veel is nagevolgd. Bedoeld wordt de zittende Maria met de hand voor de borst. Haar evenbeeld is te zien links in het middenpaneel van het *Drieluik met de mirakels van Christus* (Melbourne, National Gallery of Victoria)[37] door de zeer ecclectisch werkende Meester van de Catharinalegende. Haar houding is – weliswaar in spiegelbeeld – eveneens overgenomen in *De kruisafneming* (Parijs, Musée du Louvre)[38] door de Meester van het Bartolomeüsaltaar, die voor het overige slechts Rogiers Kruisafneming in Madrid [1] pasticheerde. Omstreeks 1500 dateert men bovendien een getekende studie naar het linkerdeel van het Haagse schilderij met de drie Maria's (Wenen, Albertina) [4][39], die de zoveelste indicatie is voor de populariteit van dit bijbelse tafereel. Het later geconstateerde gebrek aan emotie of devotie werd kennelijk in de tijd van Rogier niet zo gevoeld. Het bestaan van verschillende geschilderde kopieën – van wisselende kwaliteit – onderstreept ten overvloede de waardering voor de aan Rogier toegeschreven compositie.[40]

De gedachte dat een door leerlingen uitgevoerd werk van Rogier nooit zo'n weerklank zou hebben gevonden, wint aldus belangrijk terrein. Overigens zag Kerber ook binnen het oeuvre van Van der Weyden punten van overeenkomst. De figuren van Petrus en Paulus achtte hij de prototypes voor de apostelen in de gebeeldhouwde omlijsting van het *Johannes-triptiek* te Berlijn (Staatliche Museen).[41] Hij vergeleek de gesp aan de koorkap van de bisschop met dergelijke ornamenten in andere werken en zulke identieke details zijn er meer. Het ruitertje links achter in de *Bewening* is bijvoorbeeld het spiegelbeeld van zo'n groepje in het middenpaneel van het *Altaarstuk van Pierre Bladelin* (Berlijn, Staatliche Museen).[42] Een laatste argument van Kerber was dat de compositie van het landschap in het Haagse stuk identiek is aan die in *De bewening van Christus* in Londen (National Gallery) [5].[43] Deze *Pietà*, die door Davies als zonder twijfel eigenhandig wordt beschouwd, blijkt onvermoede overeenkomsten te bieden met het door dezelfde Davies met tegenzin geaccepteerde paneel in Den Haag.

4
Anoniem naar Rogier van der Weyden
Drie Maria's uit 'De bewening van Christus'
Tekening, 288 x 188 mm
Niet gesigneerd, niet gedateerd (eind 15de
eeuw)
Wenen, Albertina, inv.nr. 3043

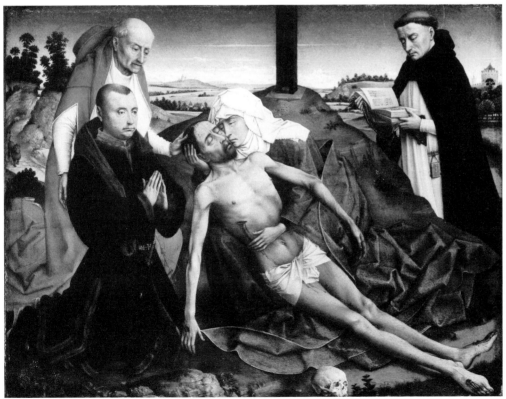

5
Rogier van der Weyden
De bewening van Christus
Paneel, 35,5 x 45 cm
Niet gesigneerd, niet gedateerd (ca. 1440–50)
Londen, National Gallery, inv.nr. 6265

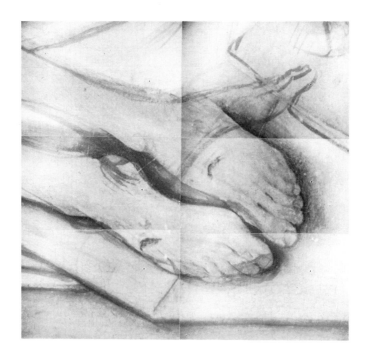

6
Infraroodreflectogrammontage van de
voeten van Christus in cat.nr. 68

In 1970 en 1983–1984 werd het schilderij op enkele technische aspecten
onderzocht. Er werd een reflectogram gemaakt van de schildering en de
ouderdom van het hout kon worden bepaald, alsmede de structuur van de
verflaag.[44] Het inmiddels gepubliceerde reflectogram maakte de
ondertekening zichtbaar, die op nogal wat plaatsen – vooral in hoofden en
handen – bleek af te wijken van de definitieve vorm. De handen van Christus
werden licht gewijzigd, de rechterhand van de zittende Maria is minder
verkrampt uitgevoerd en Nicodemus bleek aanvankelijk zijn ogen met zijn
handen bedekt te hebben. Sterke veranderingen ondergingen het hoofd van
Christus en Johannes, terwijl de bisschop meer naar rechts werd geschilderd
dan eerst was beoogd, zodat de hand van Petrus met de sleutels iets omhoog
moest. De voeten van de dode Christus stonden in de opzet niet parallel aan
elkaar, maar met de linkervoet haaks op de rechter [**6**]. Zó schilderde Rogier
Van der Weyden de voeten van Jezus in de Londense *Pietà* [**5**], evenals op een
variant daarvan, die mogelijk gemaakt is op zijn atelier (Brussel, Koninklijke
Musea voor Schone Kunsten).[45]

   In 1983 werd het paneel aan een dendrochronologisch onderzoek
onderworpen, waarbij kon worden vastgesteld dat de veldatum van de boom
die het hout leverde 1427 of later moet zijn geweest. Met een gebruikelijke
opslagtijd van 10 tot 15 jaar zou het paneel al omstreeks 1440 in behandeling
genomen kunnen zijn.[46] De vroege datering die Kerber voorstelde, wordt
door deze uitkomst zeker niet weerlegd. Uit onderzoek naar de verfstructuur
in 1984 bleek dat er minder ingewikkelde verflagen voorkwamen dan in de
eveneens onderzochte *Kruisafneming* in het Prado, wat deelneming door
anderen in de uitvoering (bijvoorbeeld in de figuren van de apostelen)
denkbaar maakte.[47]

   Een gevolgtrekking uit het voorafgaande zou in elk geval moeten zijn dat
Rogier van der Weyden eigenhandig veel meer onderdelen van deze *Bewening
van Christus* heeft geschilderd dan Panofsky voor mogelijk hield. Juist de
partijen die de meester doorgaans niet door leerlingen liet schilderen,
namelijk de handen en de hoofden, vertonen de meeste wijzigingen. De
veranderde voetenstand van het dode lichaam zal toch alleen door Rogier

kunnen zijn bedacht, omdat hij daarmee een eigen ontwerp parafraseerde. Opvallend is dat de minder dramatische expressie berust op een bewuste keuze achteraf.

Als Van der Weyden de hulp heeft gehad van atelier-assistenten, dan hebben zij alleen aan onbelangrijkere gedeelten gewerkt. Het resultaat is een harmonieus geheel, waarin met grote precisie door één meester is gewerkt aan de vormgeving van de belangrijkste onderdelen. De gedachtengang dat Rogier slechts het schetsontwerp heeft geleverd, verliest door het technisch onderzoek aan geloofwaardigheid en Kerbers alternatief wint aldus terrein. Overigens moet worden geconstateerd dat een nieuw onderzoek naar de herkomst van het schilderij en – daarmee samenhangend – de identiteit van de opdrachtgever/stichter noodzakelijk is: het zou van beslissend belang kunnen zijn.[48] Daarop vooruitlopend lijken de woorden van Friedländer welhaast profetisch. Al in 1924 beoordeelde hij de *Bewening van Christus* in Den Haag zonder de hulp van geavanceerde technieken aldus: 'Die fast überall wiederholten Bedenken gegen dieses Bild sind unberechtigt'.[49]

1 *Réau 1955–59*, dl. II", p. 515–516, dl. III", p. 760–761 en 975; over de identificatie van Jozef en Nicodemus bestond het misverstand bij *Van Asperen de Boer 1970*, p. 70, noot 2 dat normaal Nicodemus mèt baard zou zijn afgebeeld (waarbij hij *Male 1904* ten onrechte als bron noemde).

2 Over het gewaaad van de bisschop werd het Mauritshuis ingelicht door G.Th.M. Lemmens (Nijmegen) (brief, 26–2–1965, documentatie-archief); zie over de koorkap: *Jansen 1948*, p. 64 e.v. (vermoedelijk heeft Rogier ontwerpen geleverd voor dergelijke borduurwerken).

3 *Hulin de Loo 1938*, kol. 238 dacht dat door deze Petrus en Paulus het schilderij geïdentificeerd kon worden met de *Nood Gods*, die Pierre Bladelin in 1460 geschonken had aan de Middelburgse Petrus en Pauluskerk, waarin uit dank voor diens verdiensten voor deze kerk bisschop Jean Chevrot zou zijn afgebeeld als stichter. *Davies 1972*, p. 216 verwierp deze hypothese in navolging van *Panofsky 1951*, p. 34, noot 10, maar deze kwestie verdient nader onderzoek. *Wauters 1893*, p. 38, noot 2 identificeerde het schilderij met een *Maria met Jezus en Petrus en Paulus* van een ongenoemde kunstenaar, die vermeld werd in een inventaris te Middelburg in 1653 (Brussel, Koninklijke Bibliotheek, ms.inv.nr. 16565).

4 *Madrid 1980*, p. 18–19 en afb.; *Davies 1972*, p. 223–226 en afb. pl. 1–9 en fig. 18: 'earlier than 1443'

5 *Von Simson 1953*, p. 10–11

6 *Réau 1955–59*, dl. III', p. 207–217

7 *Timmers 1947*, p. 491–492, nr. 1097–1098

8 *Von Simson 1953*, p. 14; *Tóth-Ubbens 1968*, p. 54

9 *Hofstede de Groot 1901*, p. 142

10 *Weale 1901-A*, p. 124; deze indentificatie werd voor het eerst voorgesteld door *Keverberg van Kessel 1818*, p. 165, die het schilderij had gekocht van de Leuvense schilder/academiedirecteur J.P. Geedts (1770–1834), die kennelijk refereerde aan een plaatselijke legende.

11 Sinds *Panofsky 1951*, p. 39 (1463/1664) en *Kerber 1975*, p. 18 (1450 of eerder).

12 Sinds *De Stuers 1874*, p. 256, nr. 226 wordt als aankoopbedrag 2000 gulden vermeld, terwijl uit een brief van Mr. D.J. Ewijck (Ministerie van Binnenlandse Zaken) aan de directeur van het Mauritshuis, d.d. 1 oktober 1827, blijkt dat het juiste bedrag 3000 gulden is geweest (archief Mauritshuis).

13 *Keverberg van Kessel 1818*, p. 166–167 was de eerste die de toeschrijving aan 'Hemling' voorstelde (in Leuven, waar hij het gekocht had, dacht men aan Jan van Eyck); *Den Haag 1836–39*, p. 7, nr. 57 ('Hemling'); *Den Haag 1839–42*, p. 8, nr. 59 ('Hemmelinck'); *Den Haag (na) 1842*, p. 20, nr. 170bis ('Weide, [Rogier van der]'). *Waagen 1862*, dl. I, p. 110 besprak voor het eerst uitvoerig de kwestie van de toeschrijving ('irrig Memling genannt'). Het is dus onjuist, dat *Weale 1901-A*, p. 124–125 voor het eerst de toeschrijving aan Van der Weyden opperde, zoals veelal werd geschreven, zelfs nog door *Tóth-Ubbens 1968*, p. 55; voor *De Stuers 1874*, p. 254–256, nr. 226 was de toeschrijving aan Rogier al een vanzelfsprekendheid.

14 *Thoré-Bürger 1858–60*, dl. I, p. 286

15 *Friedländer 1924*, p. 106, nr. 46

16 *Burger 1923*, p. 29

17 *Winkler 1913*, p. 132; zie ook: *Jähnig 1914*, p. 97–99

18 *Martin 1935*, p. 399

19 *Davies 1972*, p. 216

20 *Panofsky 1951*, p. 39–40; in 1953 leek Panofsky zijn oordeel wat te willen nuanceren: 'Grand in conception, but un-Rogerian in color' (*Panofsky 1953*, dl. I, p. 284).

21 *Kerber 1975*, p. 18–20; eerder reeds *Kerber 1972*, p. 297

22 Biografische gegevens over Chevrot gaf *Tribout de Morembert 1963–64*, p. 63–64 (helaas identificeerde hij, op p. 213–214, de Haagse *Bewening* met het *Edelheer-triptiek*, zie noot 48).

23 Biografische gegevens over De Ranchicourt verschafte *Panofsky 1951*, p. 35–37

24 *Antwerpen 1959*, p. 262, nr. 394; *Davies 1972*, p. 195–196 en afb. pl. 54–57

25 Inv.nr. MS 9242; *Davies 1972*, p. 208 en afb. pl. 74

26 *Panofsky 1951*, p. 34 en noot 11; *Tribout de Morembert 1963–64*, p. 171; *Davies 1972*, p. 196; BNB, dl. IV (1873), kol. 73 vermeldde geen geboortejaar

27 *Panofsky 1951*, p. 35; met instemming geciteerd, onder andere door *Beenken 1951*, p. 99, *Tóth-Ubbens 1968*, p. 54 en *Davies 1972*, p. 216

28 *Panofsky 1951*, p. 37

29 Bijvoorbeeld in *Davies 1972*, afb. pl. 19, 22, 26, 61 en 72

30 *Kerber 1975*, p. 19

31 Sint Janshospitaal; *Corti/Faggin 1969*, p. 88, nr. 8 en afb.; *Friedländer 1967–76*, dl. VII, p. 45, nr. 5 en afb. pl. 18–21

32 Inv.nr. 91.26.12; *Baetjer 1980*, dl. I, p. 27–28, dl. II, p. 332 en afb.; *Friedländer 1967–76*, dl. I, p. 85 en afb. pl. 84

33 Inv.nr. P 1771; *Florence 1979*, p. 560, nr. P 1771 en afb.; *Friedländer 1967–76*, dl. IV, p. 69–70, nr. 10 en pl. 14–18

34 *Tóth-Ubbens 1968*, p. 55. Nota bene: sommige van deze vergelijkingen werden al eerder gehanteerd om aan te tonen dat in de Haagse *Bewening* juist sprake was van ecclecticisme, zie bijvoorbeeld *Jähnig 1914*, p. 98 en *Burger 1923*, p. 29

35 Inv.nr. 245; *Antwerpen 1959*, p. 175, nr. 245; *Friedländer 1967–76*, dl. VII, p. 59, nr. 1 en afb. pl. 1–3

36 *Silver 1984*, p. 205, nr. 11 en afb. 20–22

37 Inv.nr. 1247/3; *Brugge 1969*, p. 96–99, nr. 45 en afb.

38 Inv.nr. 2737; *Demonts 1922*, p. 68, nr. 2737; *Davies 1972*, p. 216 en afb. fig. 5

39 *Benesch 1928*, p. 4, nr. 17 en afb. pl. 5; *Sonkes 1969*, p. 63–64, nr. B 14 en afb. pl. XIIIa

40 Een opsomming van deze kopieën bij *Tóth-Ubbens 1968*, p. 55, waaraan toegevoegd kan worden een in 1871 verworven en in 1982 weer verkochte kopie in het Metropolitan Museum te New York, zie: *Veiling New York 1982*, nr. 43 en afb.

41 Inv.nr. 534B; *Berlijn 1975*, p. 470–471, nr. 534B en afb.; *Davies 1972*, p. 200 en afb. pl. 58–60

42 Inv.nr. 535; *Berlijn 1975*, p. 472–473, nr. 535 en afb.; *Davies 1972*, p. 201–203 en afb. 26–33

43 *Davies 1968*, p. 171–172, nr. 6265; *Davies 1972*, p. 221 en afb. pl. 72: 'I have no doubt that it is autograph'.

44 *Van Asperen de Boer 1970*, p. 68–71 en afb. pl. VIII–X en *Koelemij 1983–84* (niet gepubliceerde doctoraalscriptie)

45 Inv.nr. 3515; *Brussel 1984*, p. 326, nr. 3515 en afb.; *Davies 1972*, p. 221

46 *Koelemij 1983–84*, p. F 3–4

47 *Koelemij 1983–84*, p. J 1–2 en K 3

48 De gegevens van Molanus, die *Tóth-Ubbens 1968*, p. 55 van betrekking achtte op het Haagse schilderij, betreffen echter het *Edelheer-triptiek* (Leuven, Sint Pieter), zie: *Davies 1972*, p. 224; aan Molanus' betrouwbaarheid werd al door *Winkler 1913*, p. 186, noot 6 getwijfeld. De herkomst uit het College van Atrecht (Utrecht?) te Leuven, die geopperd werd door *Keverberg van Kessel 1818*, p. 165, dient opnieuw onderzocht te worden.

49 *Friedländer 1924*, p. 106, nr. 46. Zie ook: *Musper 1948*, p. 51: 'Die m.E. zu Unrecht öfters bezweifelte Beweinung im Haag'

Alkmaar 1615/1617 – Amsterdam 1691/1692

Doek, 110 x 85 cm
Rechts midden: *E. De Witte fecit A° 1668*
Inv.nr. 473

In 1636 was hij lid van het Alkmaarse gilde, werkte vervolgens in Rotterdam (1639–1640) en in Delft (1641–1651) en tenslotte in Amsterdam (vanaf 1652). Zijn vroegste oeuvre bestaat uit historiestukken en portretten, maar vanaf 1650 legde hij zich vooral toe op het schilderen van kerkinterieurs, zowel bestaande als gefantaseerde. In Delft ontkwam hij niet aan de invloed van Gerard Houckgeest en Hendrick van Vliet, maar in zijn beste werken is het meest eigene van De Witte de subtiele werking van het zonlicht in de kerkinterieurs. Daarnaast was hij een voortreffelijke figuurschilder, die zijn kerkinterieurs steeds een levendig karakter verleende met wandelende gelovigen in kleurige kledij, met kinderen en vaak honden. Vooral de Oude en Nieuwe Kerk in Delft en de Oude en Nieuwe Kerk in Amsterdam verschaften hem motieven, die niet noodzakelijk precies naar de werkelijkheid geschilderd werden. Geheel op fantasie berusten gotische of renaissance-kerken, met een roomse of protestantse aankleding (het opdragen van een mis of een preek van een dominee). Hij heeft in Amsterdam ook genrestukken en markttaferelen geschilderd. Houbrakens bericht dat hij een ongemakkelijk mens zou zijn geweest, valt niet te controleren, evenmin als de vermelding van zijn zelfmoord.

Herkomst
Veiling Huybert Ketelaar, Amsterdam, 1776
Veiling jonkheer V.L. Vegelin van Claerbergen, Leeuwarden, 1846
Veiling F. Rasponi (Ravenna), Brussel, 1880
Veiling Rasponi e.a., Amsterdam, 1883
Koninklijk Kabinet van Schilderijen 'Mauritshuis', 1883

Bibliografie
Bredius 1895, p. 484–485, nr. 473 en afb.
Jantzen 1910, p. 123 en afb. 61, p. 175, nr. 630
Den Haag 1914, p. 441–442, nr. 473
Misme 1923, p. 144
Martin 1935, p. 403–404, nr. 473
Martin 1936, dl. ii, p. 410 en afb. 215
Martin 1950, p. 110, nr. 293 en afb.
Den Haag 1954, p. 96, nr. 473
Manke 1963, p. 46, 115, nr. 156 en afb. 68
Den Haag 1977, p. 259, nr. 473 en afb.
Liedtke 1982, p. 89, 95–96 en afb. 90 en xii
Washington enz. 1982–83, p. 124–125, nr. 40 en afb.
Hoetink e.a. 1985, p. 324–325, nr. 103 en afb., p. 465, nr. 473 en afb.
Broos 1986, p. 367–371, nr. 56 en afb.

In een door gotische spitsbogen gedomineerde, zeer hoge kerk staan monniken iets te betogen tegen twee heren. Aan het hoogaltaar blijkt een mis opgedragen te worden. Dit zou een Franse kathedraal kunnen zijn, ware het niet dat hier oerhollandse dames en heren rondstappen, dat de wapenborden van een Nederlands type zijn en dat het orgel boven de kansel een attribuut is uit een protestantse kerk. De architectuur van het hoogkoor is een onwaarschijnlijke: de raamtraceringen lijken wel gotisch, maar zijn dat niet. Ze horen in geen enkele stijl thuis, behalve misschien in een futuristische. Het gewelf achteraan vertoont een renaissancistische cassette-indeling en dat daarvoor heeft in plaats van een gotisch kruisribgewelf een soort tongewelf. Volgens de goed leesbare signatuur en datering creëerde Emanuel de Witte deze fantasie in ruimte en licht in 1668.

Het fantastische element blijkt nog sterker dan Ilse Manke in haar monografie over de kunstenaar veronderstelde. Zij dacht dat dit kerkinterieur, dat volgens haar vaak als 'Italiaans' is bestempeld, was samengesteld uit elementen uit de Oude en Nieuwe Kerk te Amsterdam. Die kerken heeft De Witte inderdaad vaak geschilderd, met al dan niet verzonnen details.[1] Volgens Manke waren de koorhekken in dit schilderij te vergelijken met die van beide Amsterdamse kerken. Maar het fraaie hek dat Jan Lutma in 1650 voor de Nieuwe Kerk uitvoerde in de zogenaamde 'Knörperstil', lijkt in geen enkel opzicht op de afsluiting rechts naast het graf.[2] Noach heeft destijds onderzocht welke elementen in realistische èn meer fantastische kerk-

interieurs van De Witte ontleend zijn aan de bestaande uitrusting van de
Oude Kerk, zoals de vensters, de orgels, het koorhek en de gewelf-
beschildering. Niets daarvan blijkt in dit schilderij uit 1668 voor te komen.[3]
Mankes bewering dat het bovendeel van het orgel lijkt op dat in de Oude
Kerk, is onjuist.[4] De enige geldige vergelijking die zij maakte, is die met het
graf van Jan van Galen in de Nieuwe Kerk, dat door Rombout Verhulst in
1654–1655 werd vervaardigd. De liggende figuur op het graf rechts onder het
orgel vertoont althans globaal gelijkenis met het beeld van de gesneuvelde
vlootvoogd, maar dat is niet het geval in de detaillering van het wandgraf
zelf.[5]

Emanuel de Witte stoffeerde imaginaire ruimtes wel met gelijksoortige
figuren of elementen. Het Jan van Galen-monument is ook te zien op een 1667
gedateerd werk, een *Katholieke klassicistische kerk* (vroeger Berlijn, Kaiser
Friedrich-Museum).[6] In dit kerkinterieur is ook een monnik in gesprek met
een heer te zien, die precies zo voorkomt op een schilderij met een gotische
kerk (Rijssen, collectie Van Heel) [1].[7] Dit werk dateert uit dezelfde periode
(1667–1668). Midden voor is een dergelijke graftombe met een liggend beeld
te zien als op het Haagse schilderij. Goed vergelijkbaar daarmee is tevens het
hoge koor met de drie spitsboogramen, die een zee van licht doorlaten.

Het werk van Emanuel de Witte biedt een opmerkelijk beeld. Naast enkele
portretten, marines en markten, schilderde hij talloze kerkinterieurs met een
aan de werkelijkheid ontleende, ecclectische of imaginaire architectuur. Zijn

Emanuel de Witte Gezicht in een fantasiekerk met monniken

vroegst gedateerde kerkinterieur is uit 1651 (Londen, Wallace Collection)[8], dat wat betreft de compositie vergelijkbaar is met werken van Houckgeest uit 1650 en 1651 (cat.nr. 38). Het schilderij was destijds gemonteerd in een kast met deurtjes als een triptiek, met op de buitenkant een fruitstilleven.[9] Het werd in 1800 gewaardeerd als: 'Een Gottische Kerk van binnen te zien: in dezelve ziet men een Predikant op den predikstoel zyn leerrede uitoeffenen; de zittende en staande toehoorders zyn meest alle in aandacht, als opgetogen;

dit Schildery ist beroemd wegens zyn kunstige uitvoering omtrent 't licht en donker'.[10] Een gotische kerk met uitgesproken katholieke stoffering – tijdens een mis, terwijl monniken met gelovigen discussiëren – schilderde De Witte voor het eerst in 1661 (Madrid, kunsthandel Garcia Calles).[11] De jongste datering op een gotisch kerkinterieur met protestantse stoffering is 1689 (Milwaukee, collectie Mr. & Mrs. W.D. Vogel).[12]

Men vraagt zich af voor welke markt al deze werken geschilderd zijn. Houbraken beweerde dat zijn opdrachtgevers vooral gesteld waren op de 'geestige verkiezinge van lichten', maar ook op de waarheidsgetrouwe uitbeelding van de bouwkunst en de stoffering en hij voegde eraan toe: 'De meeste Kerken binnen Amsterdam heeft hy van binnen op verscheiden wyze naar 't leven afgeteekent, geschildert, met Predikstoel, Orgel, Heere- en gemeene gestoelten, Graffsteden en andere versierselen, zoo dat dezelve te kennen zyn. In zommige heeft hy den Predikdienst, in andere daar het volk te Kerk komt, vertoont, elk in zyn gewoone drachten'.[13] Liedtke was onlangs van mening dat deze schilderijen van De Witte niet alleen als afbeelding van de werkelijkheid werden gewaardeerd, maar ook om de religieuze context.[14] De Witte moet dus katholieke klanten hebben gehad.

Hoe dan ook: een katholieke eredienst in een kerk zoals op het Haagse schilderij heeft in Holland in de zeventiende eeuw niet plaatsgevonden. Immers, na de Alteratie in 1587 moesten de katholieken hun geloof in het geheim belijden en zij konden hun diensten slechts in schuilkerken houden. De gotische bouwstijl werd zelfs in hervormingsgezinde kringen als barbaars en als een uiting van ketterij beschouwd en door Constantijn Huygens beschreven als ''t Gotsche krulligh mall'.[15] Zondebokken waren in die tijd vooral ook de monniken, die de veroorzakers zouden zijn geweest van cultuurarmoede en domheid onder de bevolking.[16] Aan een interpretatie van Rembrandts ets *Het monnikje in het koren* [**2**][17] is men nog niet toegekomen, maar het is zeker niet de enige negatieve voorstelling van een monnik in die tijd. Spreekwoordelijk werd 'Broer Cornelis' afgebeeld als de bespotte kloosterling, zoals in een tekening van Philips Koning waarop de grijnzende broeder op het punt staat een bedeesd nonnetje te tuchtigen (Hamburg, Kunsthalle) [**3**].[18] De katholieke erediensten van De Witte moeten echter positief zijn bedoeld.

Houbraken beschreef De Witte wel als een 'Diogenes Cynicus', maar zijn voorstellingen van monniken aan hun zegenrijke arbeid in gotische kerk-interieurs weerspiegelen vermoedelijk eerder de belevingswereld van zijn opdrachtgevers.[19] In de recent herleefde aandacht voor de historie-schilderkunst in het zeventiende-eeuwse Nederland is men helaas voorbij gegaan aan een bloeiend onderdeel daarvan: de devotionele historiestukken voor de katholieke schuilkerken in Amsterdam.[20] Wellicht kwam uit hetzelfde milieu de belangstelling voor de katholieke kathedralen van Emanuel de Witte, die Manke wellicht het beste omschreven heeft als 'Wunschbilder'.[21]

---

1 *Manke 1963*, p. 87–97, nr. 44–81 (Oude Kerk), p. 97–99, nr. 8292 (Nieuwe Kerk)

2 *Manke 1963*, p. 46; Lutma's hek is afgebeeld in *Loosjes z.j.*, p. 26

3 *Noach 1939*, p. 117–127: hij identificeerde het grote orgel van de Oude Kerk in *Manke 1963*, cat.nr. 79, 102, 106 en 109; het koorhek in *Manke 1963*, cat.nr. 53, 62 en 102

4 *Manke 1963*, p. 46

5 Afgebeeld in: *Brugmans/Loosjes z.j.*, p. 51

6 Inv.nr. 898 (verloren gegaan in de tweede wereldoorlog); *Manke 1963*, p. 115, nr. 155 en afb. 63

7 *Manke 1963*, p. 115–116, nr. 157; *Almelo 1953*, p. 40–41, nr. 59 en afb. 25

8 Inv.nr. P 254; *Manke 1963*, p. 80, nr. 12 en afb. 15

9 *Londen 1968*, p. 377–378, nr. P 254 en afb.; een afbeelding van dit kastje in *Laurentius e.a. 1980*, p. 106, afb. 48

10 *Ploos van Amstel 1800*, dl. II, nr. 6

11 *Manke 1963*, p. 116, nr. 160 en afb. 53

12 *Manke 1963*, p. 109–110, nr. 132 (foto RKD)

13 *Houbraken 1718–21*, dl. I, p. 283

14 *Liedtke 1976*, p. 131

15 *De Jongh 1973*, p. 85

16 *De Jongh 1973*, p. 125–126

17 B. 187; *Hollstein*, dl. XVIII, p. 90, nr. 187, dl. XIX, p. 148 en afb.

18 *Gerson 1935*, p. 159–160, nr. Z 219 en afb. Over 'Broer Cornelis' in de literatuur, zie: NNBW, dl. IV, kol. 452–458

19 *Houbraken 1718–21*, dl. I, p. 282

20 *Amsterdam/Detroit/Washington 1980–81*; kritiek hierop leverde *Dirkse 1984*, p. 86

21 *Manke 1963*, p. 47. Opdrachten uit specifiek religieuze kringen waren ook De Wittes uitbeeldingen van synagogen, volgens *Liedtke 1982*, p. 96, noot 65.

Joachim Wtewael Venus en Mars betrapt door Vulcanus

Joachim Wtewael

70 | Venus en Mars betrapt door Vulcanus

Utrecht 1566 – Utrecht 1638

Koper, 21 x 15,5 cm
Midden onder: *IOACHIM WTE WAEL (F)ECIT 1601*
Inv.nr. 223

Herkomst

(?)Collectie Melchior Wijntgis, Middelburg, 1604
Collectie stadhouder Willem v, paleis Het Loo, 1763
Koninklijk Kabinet van Schilderijen 'Mauritshuis', vóór 1842

Bibliografie

(?) *Van Mander 1604*, fol. 297a
Den Haag (na) 1842-A, p. 19, nr. 160bis
De Stuers 1874, p. 196–197, nr. 190
Bredius 1895, p. 527–528, nr. 223(432)
Den Haag 1914, p. 482, nr. 223
Wurzbach, dl. II, p. 731
Lindeman 1929, p. 70–72, 86, 96–97, 125 en 251, nr. XXI
Martin 1935, p. 471, nr. 223
Lindeman 1947, p. 286
Den Haag 1954, p. 97, nr. 223
Drossaers/Lunsingh Scheurleer 1974–76, dl. II, p. 648, noot 146
Kloek 1975, nr. 332
Lowenthal 1975, p. 195–197, nr. A–17
Den Haag 1977, p. 263, nr. 223 en afb.
Foucart 1981, p. 118–119 en afb. 7
Hoetink e.a. 1985, p. 326–327, nr. 104 en afb., p. 467, nr. 223 en afb.
Broos 1986, p. 372–376, nr. 57 en afb.
Lowenthal 1986, p. 32, 40–41, 58, 97–99, nr. A18, p. 118 en afb. pl. 30
Sluijter 1986, p. 371, noot 38–1, p. 521, noot 285–4

1
Joachim Wtewael
Venus en Mars betrapt door Vulcanus
Koper, 20,25 x 15,5 cm
Rechts onder: *IOACHIM WTEN WAEL FECIT* (ca. 1603–04)
Malibu, The J. Paul Getty Museum, inv.nr. 83.PC.274

Hij was een leerling van zijn vader Anthonis Wtewael, die glasschilder was, en van Joos de Beer. Tussen 1586 en 1596 verbleef hij in Italië en was hij gedurende twee jaar in Frankrijk. In 1592 werkte hij in Utrecht, waar hij in 1596 ramen voor de Sint Janskerk in Gouda ontwierp. Hij was in 1611 een van de oprichters van het Utrechtse Sint Lucasgilde. Hij schilderde behalve portretten vooral bijbelse en mythologische taferelen, bij voorkeur met veel figuren. In zijn vormgeving is hij steeds een maniërist gebleven, die zich vooral aansloot bij het Haarlemse maniërisme van Goltzius en Cornelis van Haarlem.

Carel van Mander was in zijn *Schilder-Boeck* (1604) uitgesproken lovend over het werk van 'Ioachim Wtenwael, Schilder van Wtrecht', vooral omdat hij de ongewone gave had om zowel op grote formaten als in miniatuur te schilderen. Van Mander kende van dat laatste soort twee stukken met als onderwerp Mars en Venus: 'Tot *Sr. Ioan van Weely,* heeft hy nu corts ghelevert een seer uytnemende cleen coperken in de hooghte/ van een *Mars* en *Venus,* gantsch vol aerdigh cleen werck/ en soo scherp/ als t' gesicht vermach yet t'onderscheyden/ wonderlijcke cierlijck/ Tafel/ koetse oft bedstede/ met alle de Goden/ en veel Liefdekens afcomende in de wolcken'.[1] Mijns inziens beschreef Van Mander hier het schilderij, dat in 1983 verworven werd door het J. Paul Getty Museum (Malibu) [1][2], dat is gesigneerd 'JOACHIM WTEN WAEL FECIT'. Van Mander voegde aan het voorgaande toe: 'Een ander *Mars* en *Venus* is oock van hem tot Sr. Melchior Wijntgis te Middelborgh'.[3] Dit is wellicht het schilderij in het Mauritshuis, waarop sinds een restauratie in 1983 weer duidelijk te lezen is: 'IOACHIM WTE WAEL (F)ECIT 1601'.[4] Alleen wanneer er niet sprake is van een derde schilderij met dit onderwerp, is het 'coperken' in Den Haag vrijwel zeker dat van de verzamelaar en Middelburgse muntmeester te Zeeland Wijntgis.[5]

Tot nu toe werd meestal Van Weely's schilderij voor dat in Den Haag aangezien, of werd de kwestie in het midden gelaten.[6] Mijn identificatie berust op de volgende overwegingen: 'Liefdekens', putti dus, ontbreken in beide versies, hoewel in het schilderij te Malibu althans één vliegende Amor voorkomt, die in Van Manders herinnering mogelijk tot een wat overdreven voorstelling leidde. De biograaf sprak in 1604 over een onlangs geleverd schilderij, waarmee hij het ongedateerde exemplaar bedoeld kan hebben, als men dat omstreeks 1603–1604 ontstaan acht. De toevoeging van Vulcanus' smidse op dit exemplaar kan tenslotte verband houden met een verzoek daartoe van de opdrachtgever, Jan van Weely, die immers zelf (goud)smid was.[7]

Lowenthal dacht dat het Amerikaanse exemplaar vroeger zou kunnen worden gedateerd dan dat in Den Haag, vanwege de sterk geprononceerde spierbundels en de meer maniëristisch gevormde anatomie.[8] Daar staat tegenover dat het eerstgenoemde werk een overtuigender verteltrant vertoont en dus een verbetering lijkt van het schilderij van Wijntgis. Het Homerisch gelach waarin de goden zijn uitgebarsten is het centrale motief, terwijl in het eerdere stuk de goden met veel minder expressie acteren.

Het verhaal van Venus en Mars werd zowel door Homerus (Odyssee VIII, 266–367) als door Ovidius (Metamorfosen IV, 171–189) smakelijk opgedist. Vulcanus was getrouwd met Venus, die hem echter regelmatig bedroog met Mars. Toen hij dat uiteindelijk ontdekt had, smeedde Vulcanus in grote woede een ragfijn bronzen net, dat hij heimelijk over Venus' bed spande. Zo ving hij haar, terwijl ze naakt in de armen van Mars lag; daarna verzamelde hij de goden, om hen het overspelige paar te tonen. Dezen waren nauwelijks geschokt en Mercurius bekende zelfs dat hij best met Mars zou willen ruilen. Daarop barstten de Goden uit in een Homerisch gelach. Alleen Jupiter was niet erg vrolijk omdat zijn schoonzoon, de bedrogen echtgenoot, de bruidsschatten terugeiste die hij gegeven had om met zijn dochter Venus te mogen trouwen.[9]

Op het schilderij uit 1601 worden Venus en Mars – beiden geheel naakt op een hoofddeksel na – op heterdaad betrapt door Mercurius (met de caduceus) die het gordijn wegtrekt van het hemelbed. Amor is het uiteraard niet eens met dit verstoorde liefdesspel en richt een pijl op Mercurius. De kreupele Vulcanus, de bedrogen echtgenoot, staat terzijde met het bronzen net in zijn handen. Jupiter, met bliksemschicht en adelaar, zit op een wolk en

kijkt naar een niet geïdentificeerde godheid die komt aanvliegen, om hem te berichten(?) van het overspel. De vrouw achter Jupiter, met helm en spies, moet Minerva zijn. De goden op de wolken links zijn goed herkenbaar: vooraan zit Saturnus met zijn zeis en achter hem Diana met de maansikkel op haar voorhoofd. Een onbekende godin links boven begeleidt het tafereel met snarenspel.[10]

Wtewael heeft de tekst van Homerus, noch die van Ovidius letterlijk nagevolgd. Bij Homerus leest men dat de betrapte Venus en Mars alleen aan de mannelijke goden werden getoond, omdat de godinnen uit schaamte weggebleven waren. Volgens het verhaal zou het paar op het bed onbewegelijk in het bronzen net gekluisterd zijn blijven liggen, terwijl Vulcanus het hier wegtrekt (of op het punt staat te gooien?). De voorstelling is dan ook grotendeels ontleend aan visuele bronnen, namelijk het prentwerk van Hendrick Goltzius.

De pose en mimiek van Vulcanus is ontleend aan een prent uit 1585 [**2**][11], die bovendien model stond voor de totale compositie, gezien in spiegelbeeld. Het motief van Amor die met zijn pijl dreigt, is ook afkomstig van deze prent, evenals details zoals de tafel links en de door Vulcanus gesmede wapens op de grond. In een 1588 gedateerde prent van Goltzius, eveneens *Venus en Mars* voorstellend, komen dit tafeltje en de wapens andermaal voor en daaruit nam Wtewael in ieder geval de vorm van het hemelbed met baldakijn over.[12] Een derde prent, *Het huwelijk van Amor en Psyche* uit 1587, vormde wellicht de inspiratiebron voor de houding van sommige goden.[13]

Een opvallend verschil met de voorbeelden van Goltzius is de nadruk die Wtewael legde op de erotiek. Mars en Venus poseren niet als standbeelden, maar worden getoond op het hoogtepunt van hun vrijage, waarbij de uitgeschopte rode pantoffeltjes het overspel symboliseren.[14] Een omgevallen pispot is in de zeventiende eeuw een vast onderdeel van erotische taferelen[15], terwijl de satyr met bokkepoten als handvat van de kan op de tafel zorgt voor een ironisch commentaar.

De directheid van de uitbeelding werd niet steeds op prijs gesteld. Nog voor 1900 werd het schilderij in het Mauritshuis in het depot geplaatst 'om een onvolwassen publiek tegen zichzelf te beschermen', zoals het in 1929 heette.[16] Uit de voorstudie voor dit schilderij, bewaard in de Uffizi te Florence [**3**][17] is op een onbekend moment (uit preutsheid?) de figuur van Venus en Mars weggesneden. Zelfs op paleis Het Loo werd het volgens de inventaris van 1763 bewaard in een kastje: 'in 't cabinet bij 't billard' (naast de 'Slaepcamer van milord Portland'): 'Mars en Venus in presentie der goden in een klein houte kapsel'.[18]

Toch had juist het tonen van dergelijke taferelen in de zestiende en zeventiende eeuw een moraliserende functie. Het onderschrift van Goltzius' prent uit 1585 toont dit duidelijke aan (in vertaling): 'Zoals Phoebus, de zonnegod, met zijn verblindende licht de wellustige Mars onthult en de heimelijke schanddaden van Venus, zo ontdekt ook God de wandaden van een slecht leven en voorkomt hij dat zondige dingen verborgen blijven'.[19] Zo dacht in 1604 ook Van Mander in zijn *Wtleggingh op den Metamorphosis*, waarbij hem vooral de zingeving van Homerus aansprak, namelijk dat men deugdzaam diende te leven omdat 'Godt wel weet middelen t'achterhalen/ en te straffen de sondaren/ hoe listigh oft sterck dat sy oock zijn'.[20]

3
Joachim Wtewael
Venus en Mars betrapt door Vulcanus
Tekening, 218 x 167 mm
Niet gesigneerd, niet gedateerd (ca. 1601)
Florence, Galleria degli Uffizi, inv.nr. 9587 s

1 *Van Mander 1604*, fol. 296b–297a
2 *Art News 1983*, p. 18; *Lowenthal 1986*, p. 117–118, nr. A 44 en afb. pl. 58 en XI
3 *Van Mander 1604*, fol. 297a
4 Volgens de manuscript-catalogus van het Mauritshuis door Nicolette Sluijter (documentatie-archief Mauritshuis)
5 Over Wijntgis, zie: *Miedema 1973*, dl. II, p. 324 en *Lowenthal 1986*, p. 23, noot 53. Over andere versies van het thema *Mars en Venus* bij Wtewael, zie: *Lindeman 1929*, p. 71, noot 1
6 Zie de literatuurvermeldingen in *Lowenthal 1975*, p. 195. De identificatie van het Haagse schilderij met dat van Van Weely berustte lange tijd alleen op het feit dat het de enige versie was waarvan een afbeelding voorhanden was.
7 Over Van Weely, zie: *Wurzbach*, dl. II, p. 846 (+ lit.)
8 *Lowenthal 1975*, p. 193–194
9 *Graves 1960*, dl. I, p. 67–68, nr. 18a-c
10 Sinds *De Stuers 1874*, p. 197, nr. 190 wordt deze vrouw aangezien voor Apollo.
11 B. 139; *Hollstein*, dl. VIII, p. 30, nr. 137/139 en afb. De relatie met Goltzius werd opgemerkt door *Lindeman 1929*, p. 71
12 B. 276 (naar B. Spranger); *Hollstein*, dl. VIII, p. 110, nr. 321/276 en afb. Een dergelijk bed met baldakijn komt ook voor op de tekening *Jupiter en Danaë* (München, Alte Pinakothek, inv.nr. 1011; *Lindeman 1929*, p. 260, nr. 35 en afb. pl. LI-3)
13 B. 277; *Hollstein*, dl. VIII, nr. 322/277 en afb. De relatie tussen deze prent en die genoemd in noot 12 werd gelegd door *Lowenthal 1975*, p. 196–197
14 Over schoensymboliek, zie: *Broos 1971-A*, p. 25; *Amsterdam 1976*, p. 244–245, nr. 64, p. 258–261, nr. 68
15 Over de pispot, zie: *De Jongh 1968–69*, p. 45–47 en noot 51–53
16 *Lindeman 1929*, p. 70; door *Bredius 1895*, p. 527–528, nr. 223 werd het bij de depotstukken geplaatst; als zodanig werd het nog vermeld in *Den Haag 1954*, p. 97, nr. 223
17 *Kloek 1975*, nr. 332
18 *Drossaers/Lunsingh Scheurleer 1974–76*, dl. II, p. 646, noot 146; over de functie van deze kastjes bestaat nog geen eenduidigheid: ze beschermden kostbaar schilderwerk (veel schilderijen van Gerard Dou werden in kastjes bewaard, zie: *Martin 1901*, p. 77–78), ze hadden de functie van een kijkdoos (zie: *Blankert 1975*, p. 73) of ze beschermden speciale voorstellingen af (zoals in cat.nr. 69, noot 9 vermeld).
19 Deze vertaling is deels ontleend aan de manuscript-catalogus (genoemd in noot 4)
20 *Van Mander 1604-A*, fol. 15b; overigens is Wtewaels lichtzinnige versie van het verhaal uniek in de Nederlandse iconografie, volgens *Sluijter 1986*, p. 371, noot 38–1

Lijst van literatuurafkortingen

A. 1828
A., 'Brief van A ... aan N ... over de twee schilderstukken van Van der Werff en Berchem, die in den zomer van 1827 in den nagelaten boedel van de heeren Gevers te Rotterdam verkocht zijn', *Magazijn voor schilder- en toonkunst* 1 (1828), p. 66–85

Alciato 1534
Andreae Alciati Emblematum libellus, Parisiis 1534

Almelo 1953
Cat. *Oude kunst uit Twents particulier bezit* Almelo (kunstkring de Waag) 1953

Alpers 1983
S. Alpers, *The Art of Describing. Dutch Art in the Seventeenth Century*, Londen 1983

Amsterdam 1814
Cat. *Lijst van kunstwerken van nog in leven zijnde Nederlandse meesters, welke zijn toegelaten tot de algemeene tentoonstelling van 1814*, Amsterdam 1814

Amsterdam 1880
Cat. *Beschrijving der schilderijen van het Rijksmuseum te Amsterdam*, Den Haag 1880

Amsterdam 1904
Catalogue des tableaux, miniatures, pastels, dessins encadrés, etc. du musée de l'état à Amsterdam, Amsterdam 1904

Amsterdam 1911
Catalogue des tableaux, miniatures, pastels, dessins encadrés, etc. du musée de l'état à Amsterdam avec supplement, Amsterdam 1911

Amsterdam 1912
Catalogus der schilderijen, miniaturen, pastels, omlijste teekeningen enz. in het Rijksmuseum te Amsterdam met supplement, Amsterdam 1912

Amsterdam 1913
Cat. *Tentoonstelling van een zevental schilderijen, afkomstig uit de verzameling Steengracht* Amsterdam (Stedelijk Museum) 1913

Amsterdam 1920
Cat. *Gemälde, Miniaturen, Pastelle, eingerahmten Zeichnungen u.s.w.* Amsterdam (Rijksmuseum) 1920 (ed. princ. 1903)

Amsterdam 1923
Vereeniging 'Rembrandt' tot behoud en vermeerdering van kunstschatten in Nederland. Catalogus van de jubileum-tentoonstelling Amsterdam (Rijksmuseum) 1923

Amsterdam 1925
Cat. *Historische tentoonstelling Amsterdam 1925* (2 dln.) Amsterdam (diverse musea) 1925

Amsterdam 1926
Catalogus der schilderijen, miniaturen. pastels, omlijste teekeningen enz. in het Rijksmuseum te Amsterdam, Amsterdam 1926

Amsterdam 1933
Cat. *Rubens-tentoonstelling ten bate van de Vereeniging 'Rembrandt'* Amsterdam (Kunsthandel J. Goudstikker) 1933

Amsterdam 1934
Catalogus der schilderijen, pastels – miniaturen – aquarellen, Amsterdam 1934

Amsterdam 1934-A
Cat. *De helsche en de fluweelen Brueghel en hun invloed op de kunst in de Nederlanden* Amsterdam (Kunsthandel P. de Boer) 1934

Amsterdam 1938
Cat. *Schilderijen en teekeningen. Pieter Jansz. Saenredam 1597–1665* Amsterdam (Museum Fodor) 1938

Amsterdam 1945
Cat. *Weerzien der meesters* Amsterdam (Rijksmuseum) 1945

Amsterdam 1955–56
Cat. *Kind en kinderleven in Nederland. 1500–1900* Amsterdam (Museum Willet Holthuysen) 1955–56

Amsterdam 1958
Cat. *Rinkelbel en rammelaar* Amsterdam (Museum Willet Holthuysen) 1958

Amsterdam 1965
Cat. *Het Nederlandse geschenk aan koning Karel II van Engeland 1660* Amsterdam (Rijksmuseum) 1965

Amsterdam 1968
Cat. *'t Kan verkeren. Gerbrand Adriaensz Bredero. 1585–1618* Amsterdam (Amsterdams Historisch Museum) 1968

Amsterdam 1969
Cat. *Rembrandt 1669/1969* Amsterdam (Rijksmuseum) 1969

Amsterdam 1975
Cat. *Leidse universiteit 400. Stichting en eerste bloei 1575–ca. 1650* Amsterdam (Rijksmuseum) 1975

Amsterdam 1976
Cat. *Tot lering en vermaak. Betekenissen van Hollandse genrevoorstellingen uit de zeventiende eeuw* Amsterdam (Rijksmuseum) 1976

Amsterdam 1978
Cat. *Het land van Holland. Ontwikkelingen in het Noord- en Zuidhollandse landschap* Amsterdam (Amsterdams Historisch Museum) 1978

Amsterdam 1986
Cat. *Kunst voor de beeldenstorm. Noordnederlandse kunst 1525–1580* Amsterdam (Rijksmuseum) 1986

Amsterdam/Detroit/Washington 1980–81
Cat. *God en de goden* Amsterdam (Rijksmuseum) Detroit (The Detroit Institute of Arts) Washington (National Gallery of Art) 1980–81 (ook Engelse ed.)

Amsterdam/Rotterdam 1956
Cat. *Rembrandt. Tentoonstelling ter herdenking van de geboorte van Rembrandt op 15 juli 1606. Schilderijen* Amsterdam (Rijksmuseum) Rotterdam (Museum Boymans) 1956

Amsterdam/Rotterdam 1956-A
Cat. *Rembrandt. Tentoonstelling ter herdenking van de geboorte van Rembrandt op 15 juli 1606. Tekeningen* Amsterdam (Rijksmuseum) Rotterdam (Museum Boymans) 1956

Amsterdam/Toronto 1977
Cat. *Opkomst en bloei van het Noordnederlandse stadsgezicht in de zeventiende eeuw. The Dutch Cityscape in the 17th Century and its Sources* Amsterdam (Amsterdams Historisch Museum) Toronto (Art Gallery of Ontario) 1977

Andrews 1977
K. Andrews, *Adam Elsheimer. Paintings, Drawings, Prints*, Oxford 1977

Antwerpen 1905
Cat. *Tentoonstelling Jacob Jordaens* Antwerpen (Koninklijk Museum voor Schone Kunsten) 1905

Antwerpen 1905-A
Cat. *Album der tentoonstelling Jacob Jordaens uitgegeven door het uitvoerend comité*, Antwerpen 1905

Antwerpen 1949
Cat. *Van Dyck tentoonstelling* Antwerpen (Koninklijk Museum voor Schone Kunsten) 1949

Antwerpen 1959
Beschrijvende catalogus. Oude meesters Antwerpen (Koninklijk Museum voor Schone Kunsten) 1959

Antwerpen 1977
Cat. *P.P. Rubens. Schilderijen – Olieverfschetsen – Tekeningen* Antwerpen (Koninklijk Museum voor Schone Kunsten) 1977

Antwerpen 1982
Cat. *Het aards paradijs. Dierenvoorstellingen in de Nederlanden van de 16de en 17de eeuw* Antwerpen (Zoo) 1982

Arnhem 1949
Cat. *Karel van Gelre (1467–1538) en zijn tijd* Arnhem (Gebouw Kunstoefening) 1949

Von Arps-Aubert 1932
R. von Arps-Aubert, *Die Entwicklung des reinen Tierbildes in der Kunst des Paulus Potters* (diss.), Halle 1932

l'Art moderne 1883
'Le modernisme de Frans Hals', *l'Art moderne* 38 (1883), 23 september, p. 203

Art News 1983
'Spectacular Prices at Old Master Auctions', *Art News*, september 1983, p. 28

Van Asch van Wijck 1851
A.M.C. van Asch van Wijck 1851, *Archief voor kerkelijke en wereldlijke geschiedenis van Nederland, meer bepaaldelijk van Utrecht* (dl. II), Utrecht 1851

Van Asperen de Boer 1970
J.R.J. van Asperen de Boer, *Infrared Reflectography. A Contribution to the Examination of Earlier European Paintings* (diss. Amsterdam), Amsterdam 1970

Avery/Barbaglia 1981
C. Avery & S. Barbaglia, *L'opera completa del Cellini*, Milaan 1981

de Azeredo Perdigaõ z.j.
J. de Azeredo Perdigaõ, *Calouste Gulbenkian Collector*, Lissabon z.j.

B. + nummer
A. Bartsch, *Le peintre-graveur* (21 dln.), Wenen 1803–21 (tevens de nummering uit Bartsch)

Baard 1965
H.P. Baard, 'Job Adriaensz. Berckheyde (1630–1693). De Oude Gracht te Haarlem', *Openbaar kunstbezit* 9 (1965), p. 33a–b

Backer van Leuven 1879
J.E.G. Backer van Leuven, 'Genealogie Olycan', *Heraldieke Bibliotheek* (nieuwe reeks 1) 1 (1879) p. 370–379

Baetjer 1980
K. Baetjer, Cat. *European Paintings in the Metropolitan Museum of Art by Artists Born in or before 1865* (3 dln.) New York (The Metropolitan Museum of Art) 1980

Bakker e.a. 1984
N. Bakker, I. Bergström, G. Jansen, S.H. Levie & S. Segal, Cat. *Masters of Middelburg* Amsterdam (K. & V. Waterman) 1984

Von Baldass 1942
L. von Baldass, *Hans Memling*, Wenen 1942

Bandmann 1960
G. Bandmann, *Melancholie und Musik. Ikonographische Studien*, Keulen/Opladen 1960

Bardon 1960
H. Bardon, *Le festin des dieux. Essai sur L'humanisme dans les arts plastiques*, Parijs 1960

Bartsch
A. Bartsch, *Catalogue raisonné de toutes les estampes qui forment l'oeuvre de Rembrandt*, Wenen 1797

Basel 1966
Kunstmuseum Basel Katalog. I. Teil. Die Kunst bis 1800. Sämtlich ausgestellten Werke, Basel 1966

Bauch 1926
K. Bauch, *Jacob Adriaensz Backer. Ein Rembrandtschüler aus Friesland*, Berlijn 1926

Bauch 1933
K. Bauch, *Die Kunst des jungen Rembrandt*, Heidelberg 1933

Bauch 1966
K. Bauch, *Rembrandt. Gemälde*, Berlijn 1966

Baudouin 1969
F. Baudouin, 'De "Constkamer" van Cornelis van der Geest, geschilderd door Willem van Haecht', *Antwerpen. Tijdschrift der stad Antwerpen* 15 (1969), p. 158–173

Baudouin 1972
F. Baudouin, *Rubens en zijn eeuw*, Antwerpen 1972

Baudouin 1972-A
F. Baudouin, 'Altars and altarpieces before 1620', *Rubens before 1620* (ed. J.R. Martin), Princeton 1972, p. 45–91

Baumgart 1978
F. Baumgart, *Blumen Brueghel. (Jan Brueghel d.A) Leben und Werk*, Keulen 1978

De Beaufort 1931
R.F.P. de Beaufort, *Het mausoleum der Oranje's te Delft* (diss. Utrecht), Delft 1931

Beck 1957
H.-U. Beck, 'Jan van Goyens Handzeichnungen als Vorzeichnungen', *Oud Holland* 72 (1957), p. 241–250

Beck 1972–73
H.-U. Beck, *Jan van Goyen. 1596–1656. Ein Oeuvreverzeichnis* (2 dln.), Amsterdam 1972–73

Bedaux 1985
J. Bedaux, 'Discipline for Innocence. Metaphors for Education in Dutch SeventeenthCentury Painting' (in druk)

Beelaerts van Blokland 1960
M.A. Beelaerts van Blokland, 'De nationale positie van het huis van Egmond in de xve en xvie eeuw', *Jaarboek van het Centraal Bureau voor Genealogie* 14 (1960), p. 33–39

Beenken 1951
H. Beenken, *Rogier van der Weyden*, München 1951

Benesch 1928
O. Benesch, *Die Zeichnungen der niederländischen Schulen des XV. und XVI. Jahrhunderts* (Beschreibender Katalog der Handzeichnungen in der graphischen Sammlung Albertina, II), Wenen 1928

Benesch 1935
O. Benesch, *Rembrandt. Werk und Forschung*, Wenen 1935 (herdruk Luzern 1970)

Benesch 1959
O. Benesch, 'Rembrandt and Ancient History', *The Art Quarterly* 22 (1959), p. 308–333

Benesch 1973
O. Benesch, *The Drawings of Rembrandt* (6 dln.), Londen 1973 (ed. princ. 1954–57)

Benger 1965
F.B. Benger, 'Occasional Notes. Robert Cheseman, b. 1485 d. 1547', *Proceedings of the Leatherhead and District Local History Society* 2 (1965), nr. 9, p. 252–256

Benoit 1909
F. Benoit, *La peinture au musée de Lille* (3 dln.), Parijs 1909

Beresteyn/Del Campo Hartman 1954
E.A. van Beresteyn & W.F. del Campo Hartman, *Genealogie van het geslacht Van Beresteyn* (2 dln.), Den Haag 1954

Bergamo 1981
Cat. *Vanitas. Il simbolismo del tempo* Bergamo (Galleria Lorenzelli) 1981

Bergner 1905
P. Bergner, Cat. *Verzeichnis der gräflich Nostitzschen Gemälde-Galerie*, Praag 1905

Bergström 1947/1956
I. Bergström, *Dutch Still-Life Painting in the Seventeenth Century*, New York 1956 (ed. princ. 1947)

Bergström 1982
I. Bergström, 'Composition in flower-pieces of 1605–1609 by Ambrosius Bosschaert the Elder', *Tableau* 5 (1982), nr. 2, p. 175–179

Bergström 1983–84
I. Bergström, 'Baskets with Flowers by Ambrosius Bosschaert the Elder and their Repercussions on the Art of Balthasar van der Ast', *Tableau* 6 (1983–84), nr. 3, p. 66–75

Bergström e.a. 1977
I. Bergström, C. Grimm, M. Rosci, M & F. Faré & J.A. Gaya Nuno, *Natura in Posa. La grande stagione della natura morta Europea*, Milaan 1977

Berlijn 1906
Cat. *Ausstellung von Werken alter Kunst aus dem Privatbesitz der Mitglieder des Kaiser Friedrich-Museums-Vereins* Berlijn (ehemalig gräflich Redern'schen Palais) 1906

Berlijn 1975
Katalog der ausgestellte Gemälde des 13.–18. Jahrhunderts Berlijn (Staatliche Museen Preussischer Kulturbesitz, Gemäldegalerie) 1975

Berlijn 1980
Cat. *Bilder vom Menschen in der Kunst des Abendlandes. Jubiläumsausstellung der Preussischen Museen Berlin 1830–1930* Berlijn (Staatliche Museen) 1980

Berlijn/Londen/Philadelphia 1984
Cat. *Von Frans Hals bis Vermeer. Meisterwerke holländischer Genremalerei* Berlijn (Gemäldegalerie) Londen (Royal Academy of Arts) Philadelphia (Philadelphia Museum of Arts) 1984

Bernardi 1968
M. Bernardi, *La Galleria Sabauda di Torino*, Turijn 1968

Bernt 1948–62
W. Bernt, *Die niederländischen Maler des 17. Jahrhunderts* (4 dln.), München 1948–42

Bernt 1957–58
W. Bernt, *Die niedeländischen Zeichner des 17. Jahrhunderts* (2 dln.), München 1957–58

Berrall 1978
J.S. Berrall, *A History of Flower Arrangement*, Londen 1978

Van Beverwijck 1651
J. van Beverwijck, *Schat der gesondtheydt*, Utrecht 1651

Bialostocki 1957
J. Bialostocki, 'Au sujet de deux portraits de Ferdinand Bol', *Musées Royaux des Beaux-Arts. Bulletin. Koninklijke musea voor schone kunsten* 6 (1957), p. 43–51

Bialostocki 1972
J. Bialostocki, 'Rembrandt and Posterity', *Nederlands Kunsthistorisch Jaarboek* 23 (1972), p. 131–157

De Bie 1661
C. de Bie, *Het gvlden cabinet vande edel vry schilder const*, Antwerpen 1661

Van Biema 1896
E. van Biema, 'De verhuizing van "De anatomische les" naar Den Haag', *De Gids* (ive serie) 14 (1896), p. 560–564

Bierens de Haan 1933
J.A. Bierens de Haan, 'Der Stieglitz als Schöpfer', *Journal für Ornithologie* 81 (1933), p. 1–22

Bijleveld 1950
(W.J.J.C.) Bijleveld, *Om den hoenderhof door Jan Steen*, Leiden 1950

Binding 1980
G. Binding, *Köln- und niederrhein-Ansichten im Finckenbaum-Skizzenbuch 1660–1665*, Keulen 1980

Blanc 1857–58
Ch. Blanc, *Le trésor de la curiosité tiré des catalogues de vente ...* (2 dln.), Parijs 1857–58

Blanc 1859–64
Ch. Blanc, *L'oeuvre complet de Rembrandt* (3 dln.), Parijs 1859–64
Blankert 1965
A. Blankert, Cat. *Nederlandse 17e eeuwse Italianiserende landschapschilders* Utrecht (Centraal Museum) 1965
Blankert 1967–68
A. Blankert, 'Stechow: addenda (recensie van *Stechow 1968*)', *Simiolus* 2 (1967–68), p. 103–108
Blankert 1973
A. Blankert, 'Rembrandt, Zeuxis and Ideal Beauty', *Album Amicorum J.G. van Gelder*, Den Haag 1973, p. 32–39
Blankert 1975/1979
A. Blankert, *Amsterdams Historisch Museum. Schilderijen daterend voor 1800. Voorlopige catalogus*, Amsterdam 1975/1979
Blankert 1976
A. Blankert, *Ferdinand Bol (1606–1680). Een leerling van Rembrandt* (diss. Utrecht), Den Haag 1976
Blankert 1978
A. Blankert, *Museum Bredius. Catalogus van de schilderijen en tekeningen*, Den Haag 1978
Blankert 1978-A
A. Blankert, *Nederlandse 17e eeuwse Italianiserende landschapschilders. Dutch 17th Century Italianate Landscape Painters*, Soest 1978
Blankert 1982
A. Blankert, *Ferdinand Bol (1616–1680). Rembrandt's Pupil*, Doornspijk 1982
Blankert 1982-A
A. Blankert, 'Hendrick Avercamp', *Blankert e.a. 1982*, p. 15–35
Blankert 1985
A. Blankert, 'Dutch History Painting in the Mauritshuis', *Hoetink e.a. 1985*, p. 30–40
Blankert e.a. 1982
A. Blankert, D. Hensbroek-van der Poel, G. Keyes, R. Krudop & W. van de Watering, Cat. *Hendrick Avercamp 1585–1634. Barent Avercamp 1612–1679. Frozen Silence* Amsterdam (K. & V. Waterman) 1982
Blankert e.a. 1983
A. Blankert, B. Broos, G. Jansen, W. van de Watering & E. van de Wetering, Cat. *The Impact of a Genius. Rembrandt, his Pupils and Followers in the Seventeenth Century* Amsterdam (K. & V. Waterman) Groningen (Groninger Museum) 1983
Blankert/Slatkes e.a. 1986–87
A. Blankert, L.J. Slatkes e.a., Cat. *Nieuw licht op de gouden eeuw. Hendrick Terbrugghen en tijdgenoten* Utrecht (Centraal Museum) Braunschweig (Herzog Anton Ulrich-Museum) 1986–87
Van Bleyswijck 1667
D. van Bleyswijck, *Beschryvinge der stadt Delft* (2 dln.), Delft 1667
Bloch 1936
V. Bloch, 'Pro Caesar Boetius van Everdingen', *Oud Holland* 53 (1936), p. 256–262

Bloch 1937
V. Bloch, 'Musik im Hause Rembrandt', *Oud Holland* 54 (1937), p. 49–53
Bloch 1963
V. Bloch, *All the Paintings of Jan Vermeer*, Londen 1963 (ed. princ. 1954)
Blok 1942
G.A.C. Blok, 'De bouwmeester Pieter Post als schilder en teekenaar', *Bouwkundig weekblad* 63 (1942), nr. 14, p. 129–139, nr. 15, 141–150
Blok 1974
C. Blok, *Piet Mondriaan. Een catalogus van zijn werk in Nederlands openbaar bezit*, Amsterdam 1974
Blum 1924
A. Blum, *L'oeuvre gravé d'Abraham Bosse*, Parijs 1924
Blum 1945
A. Blum, *Vermeer et Thoré-Bürger*, Genève 1945
BNB
Biographie nationale publiée par l'académie royale des sciences, des lettres et des beaux-arts de Belgiques (28 dln.), Brussel 1866–1944
Bode 1883
W. Bode, *Studien zur Geschichte der holländischen Malerei*, Braunschweig 1883
Bode 1883-A
W. Bode, 'Rembrandt's künstlericher Entwicklungsgang in seinen Gemälde', *Bode 1883*, p. 358–610
Bode 1896
W. Bode, 'Ein männliches Bildnis von Hans Memling in der berliner Galerie', *Jahrbuch der königlich preussischen Kunstsammlungen* 17 (1896), p. 3–4
De Boer 1934
P. de Boer, 'De Bosschaerts', *Amsterdam 1934-A*, p. 18–20
Börsch-Supan 1967
H. Börsch-Supan, 'Die Gemälde aus dem Vermächtnis der Amalie von Solms und aus der Oranischen Erbschaft in den brandenburgisch-preussischen Schlössern', *Zeitschrift für Kunstgeschichte* 30 (1967), p. 143–198
Bok-Kobayashi 1985
M.J. Bok & Y. Kobayashi, 'New Data on Hendrick ter Brugghen', *Mercury* 1 (1985), nr. 1, p. 734
Bol 1955
L.J. Bol, 'Een Middelburgse Brueghel-groep', *Oud Holland* 70 (1955), p. 1–20, 96–109, 138–154
Bol 1960
L.J. Bol, *The Bosschaert Dynasty. Painters of Flowers and Fruit*, Leigh-on-Sea 1960
Bol 1966
L.J. Bol, 'Twee Braziliaanse schildpadden. Albert Eckhout (ca. 1610–1666)', *Openbaar kunstbezit* 10 (1966), p. 57a–b
Bol 1969
L.J. Bol, *Holländische Maler des 17. Jahrhunderts nahe den grossen Meister. Landschaften und Stilleben*, Braunschweig 1969

Bol 1981
L.J. Bol, 'Goede Onbekenden. VII. Schilders van het vroege Nederlandse bloemstuk met kleingedierte als bijwerk', *Tableau* 3 (1981), nr. 4, p. 578–586
Bol 1981-A
L.J. Bol, 'Goede onbekenden. VI. Schilders van het vroege Nederlandse bloemstuk met kleingedierte als bijwerk', *Tableau* 3 (1981), nr. 3, p. 520–527
Bol 1982
L.J. Bol, *'Goede onbekenden'. Hedendaagse herkennning en waardering van verscholen, voorbijgezien en onderschat talent*, Utrecht 1982
Bolten 1979
J. Bolten, *Het noord- en zuidnederlandse tekenboek. 1600–1750* (diss. Amsterdam), Ter Aar 1979
Boon 1980–81
K.G. Boon, Cat. *L'époque de Lucas de Leyde et Pierre Bruegel. Dessins des anciens Pays-Bas. Collection Frits Lugt* Florence (Istituto universitario olandese di storia dell'arte) Parijs (Institut Néerlandais) 1980–81
Borenius 1942
T. Borenius, 'Paul Potter', *The Burlington Magazine* 80–81 (1942), p. 290–294
Den Bosch 1967
Cat. *Jheronimus Bosch* Den Bosch (Noordbrabants Museum) 1967
Boström 1950
K. Boström, 'De oorspronkelijke bestemming van C. Fabritius' Puttertje', *Oud Holland* 65 (1950), p. 81–83
Boyer 1972
F. Boyer, 'Une conquête artistique de la convention: les tableaux du stathouder (1795)', *Bulletin de la société de l'histoire de l'art français* (1970), p. 149–157
Van den Branden 1883
F.J. van den Branden, *Geschiedenis der Antwerpsche schilderschool*, Antwerpen 1883
Brandt 1947
P. Brandt, 'Notities over het leven en werk van den Amsterdamschen schilder Pieter Codde', *Historia* 12 (1947), p. 27–37
Braun 1976
K. Braun, *Alle tot nu toe bekende werken van Holbein*, Rotterdam 1976
Braun 1980
K. Braun, *Alle tot nu toe bekende schilderijen van Jan Steen*, Rotterdam 1980
Braun e.a. 1976
K. Braun e.a., *Alle tot nu toe bekende werken van Van Eyck*, Rotterdam 1976
Braun e.a. 1980
K. Braun e.a., *Alle tot nu toe bekende schilderijen van Rubens. Deel 1, het werk tot 1620*, Rotterdam 1980
Braunschweig 1969
Cat. *Herzog Anton Ulrich-Museum. Braunschweig. Verzeichnis der Gemälde*, Braunschweig 1969
Braunschweig 1976
Cat. *Verzeichnis der Gemälde vor 1800* Braunschweig (Herzog Anton Ulrich-Museum) 1976

Braunschweig 1979
Cat. *Jan Lievens. Ein Maler im Schatten Rembrandts* Braunschweig (Herzog Anton Ulrich-Museum) 1979

Breda/Gent 1960–61
Cat. *Het landschap in de Nederlanden 1550/1630* Breda (De Beyerd) Gent (Museum voor Schone Kunsten) 1960–61

Bredero 1616
G.A. Bredero, *Treur-spel van Rodd'rick ende Alphonsus*, Amsterdam 1616

Bredero 1620
G.A. Bredero, *Treur-spel van Rodd'rick ende Alphonsus*, Amsterdam 1620

Bredius 1885
A. Bredius, *Catalogus van het Rijksmuseum van schilderijen*, Amsterdam 1885

Bredius 1886
A. Bredius, 'Auktion Snouck van Loosen in Enkhuizen', *Kunstchronik. Beiblatt zur Zeitschrift für bildende Kunst und zum Kunstgewerbeblatt* 21 (1886), kol. 644–646

Bredius 1887/1901
A. Bredius, *Catalogue des peintures du musée de l'état à Amsterdam*, Amsterdam 1901 (ed. princ. 1887)

Bredius 1888
A. Bredius, 'De Haagse schilders Joachim en Gerard Houckgeest', *Oud Holland* 6 (1888), p. 81–86

Bredius 1895
A. Bredius, *Musée royal de la Haye (Mauritshuis). Catalogue raisonné des tableaux et des sculptures*, Den Haag 1895

Bredius 1895-A
A. Bredius, 'Wetenschappelijk onderzoek in 1895 aangaande kunstwerken in het Koninklijk Kabinet van Schilderijen', *Verslagen omtrent 's Rijks verzamelingen van geschiedenis en kunst. XVIII. 1895*, Den Haag 1896, p. 97–102

Bredius 1895-B
A. Bredius, 'Koninklijk Kabinet van Schilderijen', *Verslagen omtrent 's Rijks verzamelingen van geschiedenis en kunst. XVII. 1894*, Den Haag 1895, p. 56–70

Bredius 1898–99
A. Bredius, 'Die Rembrand-Ausstellung in London', *Zeitschrift für bildende Kunst* (Neue Folge) 10 (1898–99), p. 297–305

Bredius 1901
A. Bredius, 'Nederlandsche kunst in provinciale musea van Frankrijk', *Oud Holland* 19 (1901), p. 1–14

Bredius 1905
A. Bredius, 'Die Jordaens-Ausstellung in Antwerpen', *Kunstchronik. Wochenschrift für Kunst und Kunstgewerbe* (N.F.) 17 (1905), kol. 33–36

Bredius 1906
A. Bredius, 'Rembrandt als verzamelaar', *Leidsch Jaarboekje* 3 (1906), p. 85–97

Bredius 1913
A. Bredius, 'De bloemschilders Bosschaert', *Oud Holland* 31 (1913), p. 137–140

Bredius 1927
A. Bredius, *Jan Steen*, Amsterdam 1927

Bredius 1935
A. Bredius, *Rembrandt. Schilderijen. 630 afbeeldingen*, Utrecht/Wenen 1935

Bredius 1939
A. Bredius, 'Een vroeg werk van Carel Fabritius', *Oud Holland* 56 (1939), p. 3–14

Brejon de Lavergnée e.a. 1979
A. Brejon de Lavergnée, J. Foucart & N. Reynaud, *Catalogue sommaire illustré des peintures du Musée du Louvre. I. Ecoles flamande et hollandaise*, Parijs 1979

Brejon de Lavergnée/Thiébaut 1981
A. Brejon de Lavergnée & D. Thiébaut, *Catalogue sommaire illustré des peintures du Musée du Louvre. II. Italie, Espagne, Allemagne, Grande-Bretagne et divers*, Parijs 1981

Bremmer 1916
H.P. Bremmer, (zonder titel), *Beeldende kunst* 3 (1916), p. 138–139

Bremmer 1938
H.P. Bremmer, *Pr: Saenredam*, Den Haag 1938

Benninkmeyer-de Rooij 1976
B. Brenninkmeyer-de Rooij, 'De schilderijengalerij van prins Willem v op het Buitenhof te Den Haag (2)', *Antiek* 11 (1976), p. 138–176

Brenninkmeyer-de Rooij 1980–81
B. Brenninkmeyer-de Rooij, '"Ansien doet ghedenken". Historieschilderkunst in openbare gebouwen en verblijven van de stadhouders', *Amsterdam/Detroit/Washington 1980–81*, p. 65–75

Brenninkmeyer-de Rooij 1982
B. Brenninkmeyer-de Rooij, 'Notities betreffende de decoratie van de Oranjezaal in Huis Ten Bosch', *Oud Holland* 96 (1982), p. 133–185

Brenninkmeyer-de Rooij 1982-A
B.M.J. Brenninkmeyer de Rooij, Cat. *Schilderijengalerij Prins Willem v/ The Prince William v Gallery of Paintings*, Den Haag 1982

Brentjes 1985
Y. Brentjes, 'Twee meisjes van Vermeer in Washington. Een costuumstudie', *Tableau* 7 (1985), nr. 4, p. 54–58

Briels 1980
J. Briels, 'De Antwerpse kunstverzamelaar Peeter Stevens (1590–1668) en zijn Constkamer', *Jaarboek van het Koninklijk Museum voor Schone Kunsten Antwerpen* (1980), p. 137–226

Brigstocke 1978
H. Brigstocke, *Italian and Spanish Paintings in the National Gallery of Scotland*, Edinburgh 1978

Brinkgreve 1960
G. Brinkgreve, 'Saenredam', *Connaissance des Arts* 95 (1960), januari, p. 32–41

Brochhagen 1965
E. Brochhagen, 'Die Landschaftsmalerei der niederländischen Italianisten', *Kunstchronik* 18 (1965), p. 177–185

Brochhagen/Knüttel 1967
E. Brochhagen & B. Knüttel, *Holländische Malerei des 17. Jahrhunderts* (Alte Pinakothek München, Katalog III), München 1967

Brom 1957
G. Brom, *Schilderkunst en literatuur in de 16e en 17e eeuw*, Utrecht/Antwerpen 1957

Brongers 1964
G.A. Brongers, *Nicotiana tabacum. The history of tobacco and tobacco smoking in the Netherlands*, Amsterdam 1964

Broos 1971
B.P.J. Broos, 'The "O" of Rembrandt', *Simiolus* 4 (1971), p. 150–184

Broos 1971-A
B.P.J. Broos, 'De caers uut, de scaemschoe uut: een vergeten erotisch symbool', *Vrij Nederland* 31 (1971), 24 april, p. 25

Broos 1975–76
B.P.J. Broos, 'Rembrandt en Lastman's Coriolanus: the History Piece in the 17th-Century Theory and Practice', *Simiolus* 8 (1975–76), p. 199–288

Broos 1976
B. Broos, '"Daar hing 't stuk. Eén blik was er maar nodig om mij te overtuigen". De spannende speurtochten van de Rembrandt-ontdekkers', *Vrij Nederland* 37 (1976), 15 mei, p. 25

Broos 1977
B.P.J. Broos, *Index to the Formal Sources of Rembrandt's Art*, Maarssen 1977

Broos 1977-A
B.P.J. Broos, *Rembrandt-Studies* (diss. Utrecht), Utrecht 1977

Broos 1977-B
B.P.J. Broos, 'De mythe van de vrolijke Frans', *Vrij Nederland* 38 (1977), 26 november, p. 27

Broos 1978
B. Broos, '"De eenige ware methode, zien, en nog eens zien en weer zien". A. Bredius in het Haagse Gemeentemuseum', *Vrij Nederland* 39 (1978), 22 april, p. 25

Broos 1978–79
B.P.J. Broos, 'A Monument to Hals (recensie van *Slive 1970–74*)', *Simiolus* 10 (1978–79), p. 115–123

Broos 1981
B.P.J. Broos, *Rembrandt en tekenaars uit zijn omgeving* (oude tekeningen in het bezit van de Gemeentemusea van Amsterdam, waaronder de collectie Fodor, III), Amsterdam 1981

Broos 1981–82
B.P.J. Broos, '(Recensie van *Strauss/Van der Meulen 1979*)', *Simiolus* 12 (1981–82), p. 245–262

Broos 1982
B. Broos, 'Het spotlicht op de doeken van Jacob Ruisdael. De cliché's van een groot landschapschilder', *Vrij Nederland* (Boekenbijlage) 43 (1982), 27 februari, p. 8–10

Broos 1983
B.P.J. Broos, 'Fame shared is Fame Doubled', *Blankert e.a. 1983*, p. 35–58

425

Broos 1984
B.P.J. Broos, '(Recensie van *Sumowski 1979–81*)', *Oud Holland* 98 (1984), p. 162–186

Broos 1984-A
B.P.J. Broos, '"Antoni Waterlo f(ecit)" in Maarsseveen', *Jaarboekje van het oudheidkundig genootschap 'Niftarlake'* (1984), p. 18–48

Broos 1984-B
B.P.J. Broos, '"Notitie der Teekeningen van Sybrand Feitama": de boekhouding van drie generaties verzamelaars van oude Nederlandse tekenkunst', *Oud Holland* 98 (1984), p. 13–36

Broos 1985
B. Broos, 'Ludolf Bakhuizen als tekenaar', *Broos/Vorstman/Van de Watering 1985*, p. 73–117

Broos 1985–86
B. Broos, Cat. *Rembrandt en zijn voorbeelden/Rembrandt and his Sources* Amsterdam (Museum het Rembrandthuis) 1985–86

Broos 1986
B. Broos, Cat. *De Rembrandt à Vermeer. Les peintres hollandais au Mauritshuis de La Haye* Parijs (Grand Palais) 1986

Broos 1987
B.P.J. Broos, '"Notitie der Teekeningen van Sybrand Feitama", III: de verzameling van Sybrand I Feitama (1620–1701) en van Isaac Feitama (1666–1709)', *Oud Holland* 101 (1987) (in druk)

Broos/Vorstman/Van de Watering 1985
B. Broos, R. Vorstman & W. van de Watering, Cat. *Ludolf Bakhuizen. 1631–1708. Schryfmeester – teyckenaer – schilder* Amsterdam (Rijksmuseum 'Nederlands Scheepvaart Museum') 1985

Broulhiet 1938
G. Broulhiet, *Meindert Hobbema (1638–1709)*, Parijs 1938

Brown 1981
C. Brown, *Carel Fabritius. Complete Edition with a Catalogue Raisonné*, Oxford 1981

Brown 1984
C. Brown, '…Niet ledighs of ydels…'. *Nederlandse genreschilders uit de zeventiende eeuw*, Amsterdam 1984

Brown 1986
C. Brown, Cat. *Dutch Landscape. The Early Years. Haarlem and Amsterdam 1590–1650* Londen (National Gallery) 1986

Brugge 1902
Cat. *Exposition des primitifs flamands et d'art ancien. Première section: tableaux*, Brugge 1902

Brugge 1902-A
Exposition de tableaux flamands des XIVe, XVe et XVIe siècles. Catalogue critique, Brugge/Gent 1902

Brugge 1939
Cat. *Memling tentoonstelling* Brugge (Stedelijk Museum) 1939

Brugge 1962
Cat. *Het gulden vlies. Vijf eeuwen kunst en geschiedenis* Brugge (Stedelijk museum voor schone kunsten) 1962

Brugge 1969
Cat. *Anonieme Vlaamse primitieven. Zuidnederlandse meesters met noodnamen van de 15de en het begin van de 16de eeuw* Brugge (Groeningemuseum) 1969

Brugge 1973
Beknopte catalogus. Schilderijen Brugge (Stedelijke musea) 1973

Brugmans/Loosjes z.j.
H. Brugmans & A. Loosjes, *Amsterdam in beeld*, Amsterdam z.j.

De Brune 1624
J. de Brune, *Emblemata of zinnewerck…*, Amsterdam 1624

Brussel 1882
Cat. *Exposition néerlandaise de beaux-arts organisée au bénéfice de la société néerlandaise de bienfaisance à Bruxelles*, Brussel 1882

Brussel 1910
Cat. *L'art belge au XVIIe siècle* Brussel (Nouveau Palais) 1910

Brussel 1928
Cat. *Exposition d'oeuvres de Jordaens et de son atelier* Brussel (Musées Royaux de Beaux-Arts de Belgique) 1928

Brussel 1935
Cat. *Cinq siècles d'art. Tome I: peintures*, Brussel 1935

Brussel 1935-A
Cat. *Cinq siècles d'art. Memorial de l'exposition* (2 dln.), Brussel 1935

Brussel 1946
Cat. *De hollandsche schilderkunst van Jeroen Bosch tot Rembrandt. (La peinture hollandaise de Jerome Bosch à Rembrandt)* Brussel (Paleis voor Schone Kunsten) 1946

Brussel 1953
Cat. *Rubens. Esquisses – dessins* Brussel (Musées Royaux des Beaux-Arts de Belgique) 1953

Brussel 1963
Cat. *Le siècle de Bruegel. La peinture en Belgique au XVIe siècle* Brussel (Musées Royaux des Beaux-Arts de Belgique) 1963

Brussel 1971
Cat. *Rembrandt en zijn tijd* Brussel (Paleis voor Schone Kunsten) 1971

Brussel 1979
Cat. *Rogier van der Weyden. Rogier de le Pasture. Officiële schilder van de stad Brussel. Portretschilder aan het hof van Bourgondië* Brussel (Broodhuis) 1979

Brussel 1980
Cat. *Bruegel. Een dynastie van schilders* Brussel (Paleis voor Schone Kunsten) 1980

Brussel 1984
Koninklijke Musea voor Schone Kunsten van België. Departement Oude Kunst. Inventariscatalogus van de oude schilderkunst, Brussel 1984

Bruyn 1951
J. Bruyn, 'Een keukenstuk van Cornelis Cornelisz. van Haarlem', *Oud Holland* 66 (1951), p. 45–50

Bruyn 1959
J. Bruyn, 'Gerard ter Borch (1617–1681). Moederlijke zorgen', *Openbaar kunstbezit* 3 (1959), p. 6a–b

Bruyn 1961
J. Bruyn, 'Hans Memling (omstreeks 1433–1494). Mansportret', *Openbaar kunstbezit* 5 (1961), p. 2a–b

Bruyn 1965
J. Bruyn, 'The Jan Gossaert Exhibition in Rotterdam and Bruges', *The Burlington Magazine* 107 (1965), p. 462–467

Bruyn 1970
J. Bruyn, 'Rembrandt and the Italian Baroque', *Simiolus* 4 (1970), p. 28–48

Bruyn 1974
J. Bruyn, 'Problemen bij grillen', *Proef* 3 (1974), p. 82–84

Bruyn 1983
J. Bruyn '(Recensie van *Blankert 1982*)', *Oud Holland* 97 (1983), p. 208–215

Bruyn 1984
J. Bruyn, '(Recensie van Sumowski 1983)', *Oud Holland* 98 (1984), p. 146–162

Bruyn 1985
J. Bruyn, 'De meester van Paulus en Barnabas (Jan Mandijn?) en een vroeg werk van Pieter Aertsen', *Rubens and his World. Studies etudes – studies – Beiträge, opgedragen aan prof. dr. ir. R.-A. d'Hulst*, Antwerpen 1985, p. 17–28

Bruyn e.a. 1982
J. Bruyn, B. Haak, S.H. Levie, P.J.J. van Thiel & E. van de Wetering, *A Corpus of Rembrandt Paintings*, Den Haag/Boston/Londen 1982

Bruyn e.a. 1986
J. Bruyn, B. Haak, S.H. Levie, P.J.J. van Thiel & E. van de Wetering, *A Corpus of Rembrandt Paintings. II. 1631–1634*, Dordrecht/Boston/Lancaster 1986

Bryan 1816/1964
G.C. Williamson, *Bryan's Dictionary of Painters and Engravers* (5 dln.), Port Washington, N.Y. 1964 (ed. princ. 1816)

Buchberger e.a. 1957–67
M. Buchberger, J. Hofer & K. Rahner, *Lexicon für Theologie und Kirche* (10 dln. + register), Freiburg 1957–67

Budde 1929
I. Budde, *Die Idylle im holländischen Barock*, Keulen 1929

Burchard 1928
L. Burchard, 'Jugendwerke von Jacob Jordaens', *Jahrbuch der preussischen Kunstsammlungen* 49 (1928), p. 207–218

Burger 1923
W. Burger, *Roger van der Weyden*, Leipzig 1923

Burke 1974
J.D. Burke, 'Haarlem vue par Ruisdaël. Ruisdael and his Haarlempjes', *Bulletin of the Montreal Museum of Fine Arts* 6 (1974), p. 3–11

Burlington Magazine 1950
'Notable Works of Art Now on the Market',
The Burlington Magazine 92 (1950), z.p. (na
p. 370)

Buschmann 1905
P. B(uschmann) Jr., 'De Jordaens-
tentoonstelling te Antwerpen', *Oude kunst* 4
(1905), p. 149–161

Cagli/Vancanover 1969
C. Cagli & F. Valcanover, *L'opera completa di
Tiziano*, Milano 1969

Campbell 1978
C. Campbell, 'Portretten en kaerteblaren.
Portraits and playing-cards', *De kroniek van
het Rembrandthuis* 30 (1978), p. 3–35

Carasso-Kok 1975
M. Carasso-Kok, *Amsterdams historisch*,
Bussum 1975

Carpentier Alting/Waterbolk 1978
M.P. Carpentier Alting & T.W. Waterbolk,
'Nieuw licht op de anatomie van de
"Anatomische les van Dr. Nicolaes Tulp"',
Oud Holland 92 (1978), p. 43–48

Cast 1981
D. Cast, *The Calumny of Apelles. A Study in the
Humanist Tradition*, New Haven/Londen 1981

Casteels 1961
M. Casteels, *De beeldhouwers De Nole te
Kamerijk, te Utrecht en te Antwerpen*, Brussel
1961

Catharijnebrief 1984
'Grafmonument Jan van Scorel',
Catharijnebrief nr. 8, november 1984, p. 5–6

Cats 1632
J. Cats, *Spiegel van den ouden ende nieuvven
tijdt…*, Den Haag 1632

Cats 1642
J. Cats, *Houwelyck, dat is: de gantsche
ghelegentheydt des echten-staets* (6 dln.), Haarlem
1642

Cats 1665
I. Cats, *Al de werken* (2 dln.), Amsterdam
1665

Cetto 1958
A.M. Cetto, 'Een onbekend portret van
Reinier de Graaf', *Bulletin Museum Boymans* 9
(1958), p. 74–81

Chamberlain 1913
A.B. Chamberlain, *Hans Holbein the Younger*
(2 dln.), Londen 1913

Chicago 1969
Cat. *Rembrandt After Three Hundred Years*
Chicago (The Art Institute of Chicago) 1969

Chicago 1973
*Rembrandt After Three Hundred Years: A
Symposium – Rembrandt and His Followers.
October 22–24, 1969*, Chicago 1973

Christoffel 1924
U. Christoffel, *Hans Holbein d.J.*, Berlijn z.j.
(1924)

Chu-ten Doesschate 1974
P. Ten Doesschate Chu, *French Realism and the
Dutch Masters*, Utrecht 1974

Clark 1976
K. Clark, *Landscape into Art*, Londen 1976 (ed.
princ. 1946)

Cleveland 1982
Cat. *European Paintings of the 16th, 17th, and 18th
Centuries* (The Cleveland Museum of Art,
Catalogue of Paintings, III), Cleveland 1982

Cleveringa 1961
J.L. Cleveringa, 'Catalogus van de
schilderijen', *Bulletin van het Rijksmuseum* 9
(1961), p. 63–67

Cogliati Arano 1965
L. Cogliati Arano, *Andrea Solario*, Milaan
1965

Commelin 1693
C. Commelin, *Beschryving der stadt Amsterdam*,
Amsterdam 1693

De Coo 1959
J. de Coo, 'Nog eens Cornelis van der Geest.
Een tekening uit zijn verzamelingen, thans
in het museum Mayer van den Bergh',
Antwerpen. Tijdschrift der stad Antwerpen 5
(1959),
p. 196–199

De Coo 1966
J. de Coo, *Museum Mayer van den Bergh.
Catalogus 1. Schilderijen, verluchte handschriften,
tekeningen*, Antwerpen 1966

Corti/Faggin 1969
M. Corti & G.T. Faggin, *L'opera completa di
Memling* (Classici dell'Arte, XXVII), Milaan
1969

Couprie 1981
L.D. Couprie, 'Broodjes met betekenis',
Openbaar kunstbezit 25 (1981), p. 12–19

Cox 1936
T. Cox, *A Short Illustrated History of the Wallace
Collection*, Londen 1936

De Cretser 1711
G. de Cretser, *Beschryvinge van 's Gravenhage*,
Amsterdam 1711

Von Criegern 1971
A. von Criegern, 'Abfahrt von einem
Wirtshaus. Ikonographische Studie zu einem
Thema von Jan Steen', *Oud Holland* 86
(1971), p. 9–31

Crivelli 1868
G. Crivelli, *Giovanni Brueghel, pittor fiammingo
o sue lettere e quadretti*, Milaan 1868

Cust 1900
L. Cust, *Anthony van Dyck. An Historical Study
of his Life and Works*, Londen 1900

Dam 1953
J.H. Dam, *Het jachtbedrijf in Nederland en west-
Europa*, Zutphen 1953

Dattenberg 1967
H. Dattenberg, *Niederrheinansichten
holländischer Künstler des 17. Jahrhunderts*,
Düsseldorf 1967

Davies 1968
M. Davies, *National Gallery Catalogues. Early
Netherlandish School. Third Edition*, Londen
1968

Davies 1979–81
A. Davies, *Dictionary of British Portraiture* (4
dln.), Londen 1979–81

De …
Zie: hoofdwoord

Dek 1970
A.W.E. Dek, *Genealogie der heren graven van
Egmond*, Zaltbommel 1970

Delacre 1932
M. Delacre, *Recherches sur le rôle du dessin dans
l'iconographie de Van Dyck*, Brussel 1932

Delbanco 1927
G. Delbanco, *Der Maler Abraham Bloemaert
(1564–1651)* (diss. Frankfurt am Main),
Straatsburg 1927

Delen 1943
A.J.J. Delen, *Jacob Jordaens. Een keuze van 25
teekeningen*, Antwerpen 1943

Delen 1959
A.J.J. Delen, 'Cornelis van der Geest. Een
groot figuur in de geschiedenis van
Antwerpen', *Antwerpen. Tijdschrift der stad
Antwerpen* 5 (1959), p. 57–71

Delft 1956
Cat. *Er was eens … Ons land gezien door schilders
in vroeger tijden* Delft (Stedelijk Museum 'Het
Prinsenhof') 1956

Delft 1965
Cat. *Delft zoals het was en wordt* Delft (Stedelijk
Museum 'Het Prinsenhof') 1965

Delft 1974–75
Cat. *Deftse deurzigten* Delft (Stedelijk
Museum 'Het Prinsenhof') 1974–75

Delft 1981
Cat. *De stad Delft: cultuur en maatschappij van
1572 tot 1667* (2 dln.) Delft (Stedelijk Museum
'Het Prinsenhof') 1981

Delft/Antwerpen 1964–65
Cat. *De schilder in zijn wereld. Van Jan van Eyck
tot Van Gogh en Ensor* Delft (Stedelijk Museum
'Het Prinsenhof') Antwerpen (Koninklijk
Museum voor Schone Kunsten) 1964–65

Della …
Zie: hoofdwoord

Demonts 1922
L. Demonts, *Musée national du Louvre.
Catalogue des peintures exposées dans les galeries.
III. Ecoles flamande, hollandaise, allemande et
anglaise*, Parijs 1922

Den …
Zie: hoofdwoord

Denucé 1931
J. Denucé, *Kunstuitvoer in de 17e eeuw te
Antwerpen. De firma Forchoudt* (Bronnen voor
de geschiedenis van de Vlaamsche kunst, I),
Antwerpen/Amsterdam 1931

Denucé 1932
J. Denucé, *De Antwerpsche 'konstkamers'.
Inventarissen van kunstverzamelingen te Antwerpen
in de 16e en 17e eeuwen* (Bronnen voor de
geschiedenis van de Vlaamsche kunst, II),
Antwerpen 1932

Der …
Zie: hoofdwoord

Descargues 1966
P. Descargues, *Vermeer. Etude biographique et
critique*, Genève 1966

Descargues 1967
P. Descargues, *The Hermitage*, Londen 1967

Destrée 1930
J. Destrée, *Roger de la Pasture van der Weyden* (2 dln.), Parijs/Brussel 1930

DIAL
Decimal Index of the Art of the Low Countries (ed. RKD), Den Haag 1958–

Dirkse 1984
P. Dirkse, 'Nicolaes Roosendael (1634/35–1686). Historieschilder voor katholiek Amsterdam', *Antiek* 19 (1984), p. 86–98

Dobrzycka 1966
A. Dobrzycka, *Jan van Goyen. 1596–1656*, Poznán 1966

Van der Does 1669
J. van der Does, *'s Gravenhage, met de voornaamste plaatsen en vermaecklijckheden*, Den Haag 1669

Donnet 1907
F. Donnet, *Het jonstich versaem der Violieren. Geschiedenis der rederijkkamer De Olijftak sedert 1480*, Antwerpen 1907

Doornik 1964
Cat. *1399/1400–1464. L'oeuvre de Roger de la Pasture van der Weyden*, z. pl. (Doornik) 1964

Dordrecht 1959
Cat. *Goede onbekenden. Nederlandse schilderijen uit de 16e en 17e eeuw zonder signatuur of met een (nog) niet verklaard monogram gemerkt* Dordrecht (Dordrechts museum) 1959

Dordrecht 1962
Cat. *Nederlandse stillevens uit de zeventiende eeuw* Dordrecht (Dordrechts Museum) 1962

Dozy 1884
C.M. Dozy, 'Pieter Codde, de schilder en de dichter', *Oud Holland* 2 (1884), p. 34–67

Dresden 1930
Die staatliche Gemäldegalerie zu Dresden. Katalog der alten Meister, Dresden/Berlijn 1930

Dresden 1960
Cat. *Gemäldegalerie Dresden. Alte Meister* Dresden (Staatliche Kunstsammlungen) 1960

Driessen 1945
L.A. Driessen, 'Pieter de la Court van der Voort. Millionnair en dilettant-tuinarchitect. 1664–1739', *Jaarboekje voor geschiedenis en oudheidkunde van Leiden en Rijnland* 37 (1945), p. 152–164

Drossaers 1955
S.W.A. Drossaers, *Het archief van de Nassause domeinraad. Tweede deel. Het archief van de raad en rekenkamer te Breda tot 1581: stukken betreffende de rechten en goederen van Anna van Buren. Inventaris*, Den Haag 1955

Drossaers e.a. 1930
S.W.A. Drossaers, C. Hofstede de Groot & C.H. de Jonge, 'Inventaris van de meubelen van het stadhouderlijk kwartier met het speelhuis en van het huis in het Noordeinde te 's Gravenhage', *Oud Holland* 47 (1930), p. 193–276

Drossaers/Lunsingh Scheurleer 1974–76
S.W.A. Drossaers & Th.H. Lunsingh Scheurleer, *Inventarissen van de inboedels in de verblijven van de Oranjes en daarmede gelijk te stellen stukken. 1567-1795* (3 dln.), Den Haag 1974–76

Drost 1928
W. Drost, *Motivübernahme bei Jakob Jordaens und Adriaen Brouwer* (Königsberger kunstgeschichtliche Forschungen, I), Königsberg i. Pr. 1928

Dublin 1971
Catalogue of the Paintings Dublin (National Gallery of Ireland) 1971

Düsseldorf 1953
Cat. *Niederrheinansichten holländischer Künstler des 17. Jahrhunderts* Düsseldorf (Kunstmuseum) 1953

Dumas 1984
C. Dumas, *Het verheerlijkt Den Haag. Achttiende-eeuwse aquarellen en tekeningen door de familie La Fargue en haar tijdgenoten*, Den Haag 1984

Duparc 1977
F.J. Duparc, '"Deze allerberoemdste schilderij". De anatomische les van Rembrandt', *Openbaar kunstbezit* 21 (1977), p. 129–134

Duparc 1980
F. Duparc, *Mauritshuis. Hollandse schilderkunst. Landschappen 17de eeuw*, Den Haag 1980

Duparc 1980-A
F.J. Duparc, 'Een teruggevonden schilderij van N. Berchem en J.B. Weenix', *Oud Holland* 94 (1980), p. 37–42

Durantini 1983
M.F. Durantini, *The Child in Seventeenth-Century Dutch Painting* (Studies in the Fine Arts: Iconography, VII), Ann Arbor 1983

Dutuit 1885
E. Dutuit, *Tableaux et dessins de Rembrandt. Catalogue historique et descriptif*, Parijs 1885

Ebbinge Wubben e.a. 1971
J.C. Ebbinge Wubben, C. Salm, C. Sterling & R. Heinemann, *Sammlung Thyssen Bornemisza* (2 dln.), Castagnola (Ticino) 1971

Edinburgh 1957
National Gallery of Scotland. Catalogue of Paintings and Sculpture, Edinburgh 1957

Edinburgh 1965
Cat. *National Gallery of Scotland. Illustrations*, Edinburgh 1965

Van Eeghen 1948
I.H. van Eeghen, 'De anatomische lessen van Rembrandt', *Amstelodamum. Maandblad* 35 (1948), p. 34–36

Van Eeghen 1956
I.H. van E(eghen), 'De kinderen van Rembrandt en Saskia', *Maandblad Amstelodamum* 43 (1956), p. 144–146

Van Eeghen 1956-A
I.H. van Eeghen, 'Een Doodshoofd van Rembrandt bij het Amsterdamse Chirurgijnsgilde?', *Oud Holland* 71 (1956), p. 35–40

Van Eeghen 1969
I.H. van E(eghen), 'Rembrandt en de mensenvilders', *Amstelodamum. Maandblad* 56 (1969), p. 1–11

Van Eeghen 1971
I.H. van Eeghen, 'De Anatomische les van Christiaan Coevershof of: Op zoek naar een notoir misdadiger', *Jaarboek van het Centraal Bureau voor Genealogie* 25 (1971), p. 181–197

Van Eeghen 1973
I.H. van Eeghen, 'De nakomelingen van Jan van der Heyden', *Maandblad Amstelodamum* 60 (1973), p. 128–134

Van Eeghen 1974
I.H. van Eeghen, 'Pieter Codde en Frans Hals', *Maandblad Amstelodamum* 61 (1974), p. 137–140

Eemans 1964
M. Eemans, *Brueghel de Velours*, Brussel 1964

Van Eijnden/Van der Willigen 1816–20
R. van Eijnden & A. van der Willigen, *Geschiedenis der vaderlandsche schilderkunst* (3 dln.), Haarlem 1816–20

Eindhoven 1948
Cat. *Nederlandse landschapskunst in de 17e eeuw* Eindhoven (Stedelijk Van Abbemuseum) 1948

Von Einem 1952
H. von Einem, 'Rembrandt und Homer', *Wallraf-Richartz-Jahrbuch* 14 (1952), p. 182–205

Eisler 1977
C. Eisler, *Paintings from the Samuel H. Kress Collection. European Schools Excluding Italian*, Oxford 1977

Emmens 1963
J.A. Emmens, 'Ay Rembrandt, maal Cornelis stem', *Emmens 1981*, dl. I, p. 61–97 (ed. princ. 1963)

Emmens 1963-A
J.A. Emmens, 'Natuur, onderwijzing en oefening. Bij een drieluik van Gerrit Dou', *Emmens 1981*, dl. II, p. 5–22 (ed. princ. 1963)

Emmens 1968
J.A. Emmens, *Rembrandt en de regels van de kunst*, Utrecht 1968

Emmens 1971
J.A. Emmens, 'De kwakzalver. Gerard Dou (1613–1675)', *Openbaar kunstbezit* 15 (1971), p. 4a–b

Emmens 1981
J.A. Emmens, *Kunsthistorische opstellen* (J.A. Emmens. Verzameld werk, III/IV) (2 dln.), Amsterdam 1981

Engelman 1961
J. Engelman, 'Jan Steen (1625–1679). Vroolijk gezelschap', *Openbaar kunstbezit* 5 (1961), p. 1a–b

Erasmus 1939
K. Erasmus, 'Frans Hals and Jan de Bray: Some Newly Identified Portraits', *The Burlington Magazine* 75 (1939), p. 236–239

Erpel 1973
F. Erpel, *Die Selbstbildnisse Rembrandts*, Berlijn 1973

Ertz 1979
K. Ertz, *Jan Brueghel der Ältere (1568–1625)*, Keulen 1979

Ertz 1979-A
K. Ertz, 'Some Thoughts on the Paintings of Jan Brueghel the Elder (1568–1625)', *London 1979-A*, p. 8–34

Ertz 1980
K. Ertz, 'Jan Brueghel de Oude', *Brussel 1980*, p. 165–208

Ertz 1984
K. Ertz, *Jan Brueghel der Jüngere (1601–1678). Die Gemälde mit kritischem Oevrekatalog*, Freren 1984

Esmeijer 1955
A.C. Esmeijer, 'Een raam in de Utrechtse Mariakerk naar ontwerp van Scorel', *Oud Holland* 70 (1955), p. 219–222

Evelyn
E.S. de Beer, *The Diary of John Evelyn*, Londen 1959

Evers 1953
H.G. Evers, *Rubens und sein Werk. Neue Forschungen*, Brussel 1953

Filedt Kok 1978
J.P. Filedt Kok, Cat. *Lucas van Leyden (1489 of 1494–1533) – grafiek* Amsterdam (Rijksprentenkabinet) 1978

Fischer 1975
P. Fischer, *Music in Paintings of the Low Countries in the 16th and 17th Centuries*, Amsterdam 1975

Flechsig 1900
E. Flechsig, *Cranachstudien*, Leipzig 1900

Floerke 1905
H. Floerke, *Studien zur niederländischen Kunst- und Kulturgeschichte. Die Formen des Kunsthandels, das Atelier und die Sammler in den Niederlanden vom 15.–18. Jahrhundert*, München/Leipzig 1905

Florence 1979
Gli Uffizi. Catalogo Generale, Florence 1979

Foucart 1975
J. Foucart, 'Anmerkungen zu einigen weiteren Bildern von Houckgeest in französischem Bezitz', *Jahrbuch der hamburger Kunstsammlungen* 20 (1975), p. 57–60

Foucart 1981
J. Foucart, 'Du Palais-Royal au Louvre: *Le Jupiter et Danaé* de Joachim Wtewael', *La revue du Louvre* 31 (1981), p. 114–124

Foucart 1983
J. Foucart, 'L'*Astronome* de Vermeer', *La revue du Louvre* 33 (1983), p. 280–281

Fouquet 1783
P. Fouquet, *Nieuwe atlas, van de voornaamste gebouwen en gezigten der Stad Amsterdam*, Amsterdam 1783 (Amsterdam 1960)

Frankfurt 1956
Cat. *Kunst und Kultur von der Reformation bis zur Aufklärung* Frankfurt am Main (Historisches Museum) 1956

Freedberg 1984
D. Freedberg, *Rubens. The Life of Christ after the Passion* (Corpus Rubenianum Ludwig Burchard, VII), New York 1984

Freise 1911
K. Freise, *Pieter Lastman. Sein Leben un seine Kunst*, Leipzig 1911

Fremantle 1959
K. Fremantle, *The Baroque Town Hall of Amsterdam*, Utrecht 1959

Frerichs 1966
L.C.J. Frerichs, 'Adriaan van de Velde (1636–1672). Strandgezicht', *Openbaar kunstbezit* 10 (1966), p. 16a–b

Frerichs/Van Regteren Altena 1963
L.C.J. Frerichs & J.Q. van Regteren Altena, Cat. *Keuze van tekeningen bewaard in het Rijksprentenkabinet* Amsterdam (Rijksprentenkabinet) 1963

Frerichs/Schatborn 1978
L.C.J. Frerichs en P. Schatborn, Cat. *Nederlandse tekeningen uit drie eeuwen* Utrecht (Centraal Museum) 1978

Friedländer 1924
M.J. Friedländer, *Rogier van der Weyden und der Meister von Flémalle* (Die altniederländische Malerei, II), Berlijn 1924

Friedländer 1928
M.J. Friedländer, *Memling und Gerard David* (Die altniederländischen Malerei, VI), Berlijn 1928

Friedländer 1930
M.J. Friedländer, *Jan Gossart. Bernart van Orley* (Die altniederländische Malerei, VIII), Berlijn 1930

Friedländer 1949
M.J. Friedländer, *Memling* (Palet-Serie), Amsterdam z.j. (1949)

Friedländer 1967–76
M.J. Friedländer (e.a.), *Early Netherlandish Painting* (14 dln.), Leiden/Brussel 1967–76

Friedländer/Rosenberg 1932
M.J. Friedländer & J. Rosenberg, *Die Gemälde von Lucas Cranach*, Berlijn 1932

Friedländer/Rosenberg 1978
M.J. Friedländer & J. Rosenberg, *The Paintings of Lucas Cranach*, Amsterdam 1978 (herziene ed.)

Von Frimmel 1896
T. von Frimmel, *Gemalte Galerien*, Berlijn 1896

Fritz 1933
R. Fritz, *Das Stadt- und Strassenbild in der holländischen Malerei des 17. Jahrhunderts* (diss. Berlijn), Berlijn 1933

Fuchs 1968
R.H. Fuchs, *Rembrandt en Amsterdam*, Rotterdam 1968

Fuchs 1973
R. Fuchs, 'Over het landschap. Een verslag naar aanleiding van Jacob van Ruisdael, "*Het Korenveld*"', *Tijdschrift voor geschiedenis* 86 (1973), p. 281–292

Gaedertz 1869
T. Gaedertz, *Adrian van Ostade. Sein Leben und seine Kunst*, Lübeck 1869

Gammelbo 1963
P. Gammelbo, 'La natura morta olandese nel seicento', *Antichità viva* 2 (1963), nr. 6, p. 24–32

Ganz 1912
P. Ganz, *Hans Holbein d.J. Des Meisters Gemälde in 252 Abbildungen* (Klassiker der Kunst, XX), Stuttgart/Leipzig 1912

Ganz 1950
P. Ganz, *The Paintings of Hans Holbein. First Complete Edition*, Londen 1950

Geffroy 1900
G. Geffroy, *Les Musées d'Europe. La Hollande*, Parijs z.j. (1900?)

De Gelder 1921
J.J. de Gelder, *Bartholomeus van der Helst*, Rotterdam 1921

Van Gelder 1943
H.E. van Gelder, *Het Haagsche Binnenhof*, Antwerpen/Utrecht 1943

Van Gelder 1948–49
J.G. van Gelder, 'De schilders van de Oranjezaal', *Nederlands Kunsthistorisch Jaarboek* 1 (1948–49), p. 119–164

Van Gelder 1949
J.G. van Gelder, 'De opdrachten van de Oranje's aan Thomas Willeboirts Bosschaert en Gonzales Coques', *Oud Holland* 64 (1949), p. 40–55

Van Gelder 1950
J.G. van Gelder, *Catalogue of the Collection of Dutch and Flemish Still-Life Pictures Bequeathed by Daisy Linda Ward*, Oxford 1950

Van Gelder 1950–51
J.G. van Gelder, 'Rubens in Holland in de zeventiende eeuw', *Nederlands Kunsthistorisch Jaarboek* 3 (1950–51), p. 102–149

Van Gelder 1957
J.G. van Gelder, 'Rembrandt van Rijn (1606–1669). Zelfportret', *Openbaar kunstbezit* 1 (1957), p. 28a–b

Van Gelder 1958
J.G. van Gelder, *De schilderkunst van Jan Vermeer*, Utrecht 1958

Van Gelder 1958-A
J.G. van Gelder, *Prenten en tekeningen* (De schoonheid van ons land, XV, Beeldende kunsten), Amsterdam 1958

Van Gelder 1959
J.G. van Gelder, 'Anthonie van Dyck in Holland in de zeventiende eeuw', *Musées Royaux des Beaux-Arts. Bulletin. Koninklijke Musea voor Schone Kunsten* 8 (1959), p. 43–85

Van Gelder 1960
H.E. van Gelder, 'Twee Braziliaanse schildpadden door Albert Eckhout', *Oud Holland* 75 (1960), p. 5–29

Van Gelder z.j.
H.E. van Gelder, *W.C. Heda, A. van Beyeren, W. Kalf* (Palet-Serie), Amsterdam z.j.

Genaille 1967
R. Genaille, 'D'Aertsen à Snyders: maniérisme et baroque', *Musées Royaux des Beaux-Arts de Belgique. Bulletin. Koninklijke Musea voor Schone Kunsten van België* 16 (1967), p. 79–98

Génard 1877
P. Génard, *P.P. Rubens. Aanteekeningen over den grooten meester en zijne bloedverwanten*, Antwerpen 1877

Gerson 1935
H. Gerson, *Philips Koninck*, Berlijn 1935

Gerson 1946
H. Gerson, 'Reyer Claesz Suycker', *Kunsthistorische mededelingen van het Rijksbureau voor Kunsthistorische Documentatie 's Gravenhage* 1 (1946), p. 51–53

Gerson 1950
H. Gerson, *Van Geertgen tot Frans Hals* (De schoonheid van ons land, VIII; De Nederlandse schilderkunst, 1), Amsterdam 1950

Gerson 1952
H. Gerson, *Het tijdperk van Rembrandt en Vermeer* (De schoonheid van ons land, XI; De Nederlandse schilderkunst, II), Amsterdam 1952

Gerson 1957
H. Gerson, 'De nieuwe aanwinst van het Mauritshuis', *Het Vaderland*, 19 januari 1957, zaterdagbijlage, p. 2

Gerson 1961
H. Gerson, *Seven Letters by Rembrandt*, Den Haag 1961

Gerson 1961-A
H. Gerson, 'Jacob Jordaens (1593–1678). Aanbidding der herders', *Openbaar kunstbezit* 5 (1961), p. 14a-b

Gerson 1968
H. Gerson, *Rembrandt Paintings*, Amsterdam 1968

Gerson/Bredius 1969
H. Gerson, *Rembrandt. The Complete Edition of the Paintings. By A. Bredius*, Londen 1969

Geyl 1906
(P.) Geyl, 'Kleine bijdragen tot de geschiedenis van de schilderijen van 't Amsterdamsche chirurgijnsgild, o.a. van de Anatomische les van Rembrandt', *Oud Holland* 24 (1906), p. 38–40

Geyl 1936
P. Geyl, *Revolutiedagen te Amsterdam*, Den Haag 1936

Gibbons 1977
F. Gibbons, *Catalogue of Italian Drawings in the Art Museum, Princeton University* (2 dln.), Princeton 1977

Gibson 1929
W. Gibson, 'The Dutch Exhibition at Burlington House', *Apollo* 9 (1929), p. 1–13

Glück 1912
G. Glück, *Les peintres d'animaux, de fruits et de fleurs*, (Trésor de l'art belge en XVIIe siècle), Brussel 1912

Glück 1931
G. Glück, *Van Dyck. Des Meisters Gemälde in 571 Abbildungen* (Klassiker der Kunst, XIII), Stuttgart/Berlijn 1931

Glück 1933
G. Glück, *Aus drei Jahrhunderten europäischer Malerei*, Wenen 1933

Goldscheider 1958
L. Goldscheider, *Johannes Vermeer. The Paintings. Complete Edition*, Londen 1958

Goldscheider 1959
L. Goldscheider, *Leonardo. Paintings and Drawings*, Londen 1959

Gombrich 1960
E.H. Gombrich, *Art and Illusion. A Study in the Psychology of Pictorial Representation*, Washington 1960

Gombrich 1964
E. Gombrich, *Kunst en illusie. De psychologie van het beeldend weergeven*, Zeist/Antwerpen 1964

Van Gool 1750–51
J. van Gool, *De nieuwe schouburg der Nederlantsche kunstschilders en schilderessen* (2 dln.), Den Haag 1750–51

Gorissen 1964
F. Gorissen, *Conspectus Cliviae. Die klevische Residenz in der Kunst des 17. Jahrhunderts*, Kleef 1964

Goscinny/Uderzo 1974
R. Goscinny & A. Uderzo, *Asterix en de ziener*, Haarlem/Parijs 1974

Gossart 1903
M. Gossart, *Jean Gossart de Maubeuge. Sa vie & son oeuvre*, Lille 1903

Gowing 1952
L. Gowing, *Vermeer*, Londen 1952

Granberg 1886
O. Granberg, 'Ambrosius Bosschaert le monogrammiste AB', *Oud Holland* 4 (1886), p. 265–267

Graves 1960
R. Graves, *The Greek Myths* (2 dln.), Harmondsworth 1960

Gregori e.a. 1985
M. Gregori, G. Bora, G. Vigo, B.W. Meijer e.a., *I Campi. Cultura artistica cremonese del Cinquecento*, Milaan 1985

Greindl 1956
E. Greindl, *Les peintres flamands de nature morte au XVIIe siècle*, Brussel 1956

Grimm 1972
C. Grimm, *Frans Hals. Entwicklung, Werkanalyse, Gesamtkatalog*, Berlijn 1972

Groningen 1975
Cat. *Delftsche deurzigten* Groningen (Instituut voor Kunstgeschiedenis) 1975

Groningen 1976
Cat. *Jan van der Heyden (1637–1712), kunstenaar en uitvinder* Groningen (Instituut voor Kunstgeschiedenis) 1976

De Groot 1952
C.L.W. de Groot, *Jan Steen. Beeld en woord*, Utrecht/Nijmegen 1952

Grootkerk 1975/1983
P. Grootkerk, *The Wedding of Peleus and Thetis in Art and Literature of the Middle Ages and Renaissance* (diss. Case Western Reserve University, 1975), Ann Arbor 1983

Grosjean 1974
J. Grosjean, 'Toward an Interpretation of Pieter Aertsen's Profane Iconography', *Kunsthistorisk Tidskrift* 43 (1974), p. 121–143

Gudlaugsson 1945
S. Gudlaugsson, *De komedianten bij Jan Steen en zijn tijdgenoten*, Den Haag 1945

Gudlaugsson 1954
S.J. Gudlaugsson, 'Aanvullingen omtrent Pieter Post's werkzaamheid als schilder', *Oud Holland* 69 (1954), p. 59–71

Gudlaugsson 1959
S.J. Gudlaugsson, *Geraert Ter Borch*, Den Haag 1959

Gudlaugsson 1960
S.J. Gudlaugsson, *Katalog der Gemälde Gerard ter Borchs sowie biographisches Material*, Den Haag 1960

Gudlaugsson 1968
S.J. Gudlaugsson, 'Kanttekeningen bij de ontwikkelingen van Metsu', *Oud Holland* 83 (1968), p. 13–44

Van Guldener 1957
H.T. van Guldener, 'Ambrosius Bosschaert (1573–1621). Vaas met bloemen', *Openbaar kunstbezit* 1 (1957), p. 27a-b

Den Haag 1836–39
Cat. *Notice de tableaux du musée-royal à la Haye*, Den Haag z.j. (na 1836, voor 1839)

Den Haag 1839–42
Cat. *Koninklijk Kabinet van Schilderijen te 's Gravenhage*, Den Haag z.j. (na 1839, voor 1842)

Den Haag (na) 1842
Cat. *Notice des tableaux du musée royal à la Haye*, Den Haag z.j. (na 1842)

Den Haag (na) 1842-A
Cat. *Koninklijk Kabinet van Schilderijen*, Den Haag z.j. (na 1842)

Den Haag 1881
Cat. *Tentoonstelling van schilderijen van oude meesters* Den Haag (Gotische Paleis) 1881

Den Haag 1914
Cat. *Musée royal de la Haye (Mauritshuis). Catalogue raisonné des tableaux et des sculptures*, Den Haag 1914

Den Haag 1925
Cat. *Tentoonstelling van schilderijen door oud-Hollandsche en Vlaamse meesters* Den Haag (Koninklijke Kunstzaal Kleykamp) 1925

Den Haag 1945
Cat. *Nederlandsche kunst van de XVde en XVIde eeuw* Den Haag (Mauritshuis) 1945

Den Haag 1946
Cat. *Herwonnen kunstbezit* Den Haag (Mauritshuis) 1946

Den Haag 1953
Cat. *Maurits de Braziliaan* Den Haag (Mauritshuis) 1953

Den Haag 1954
Beknopte catalogus der schilderijen en beeldhouwwerken Den Haag (Mauritshuis) 1954

Den Haag 1958
Abridged Catalogue of the Pictures and Sculptures. Royal Picture Gallery Mauritshuis, Den Haag 1958

Den Haag 1958–59
Cat. *Jan Steen* Den Haag (Mauritshuis) 1958–59

Den Haag 1960
Kurzgefasster Katalog der Gemälde und Skulpturensammlung Den Haag (Mauritshuis) 1960

Den Haag 1964
Cat. *Stedenspiegel* Den Haag (Gemeentemuseum) 1964

Den Haag 1966
Cat. *In het licht van Vermeer* Den Haag (Mauritshuis) 1966

Den Haag 1968
Beknopte catalogus van de schilderijen beeldhouwerken en miniaturen. Mauritshuis, Den Haag 1968

Den Haag 1970
Cat. *1945–1970. Vijfentwintig jaar aanwinsten* Den Haag (Mauritshuis) 1970

Den Haag 1974
Cat. *Gerard ter Borch. Zwolle 1617 Deventer 1681* Den Haag (Mauritshuis) 1974

Den Haag 1977
Mauritshuis. The Royal Cabinet of Paintings. Illustrated General Catalogue, Den Haag 1977

Den Haag 1979
Cat. *Zo wijd de wereld strekt* Den Haag (Mauritshuis) 1979

Haak 1968
B. Haak, *Rembrandt: zijn leven, zijn werk, zijn tijd*, Amsterdam z.j. (1968)

Haak 1972
B. Haak, *Regenten en regentessen, overlieden en chirurgijns. Amsterdamse groepsportretten van 1600 tot 1835*, Amsterdam 1972

Haak 1984
B. Haak, *Hollandse schilders in de Gouden Eeuw*, z. pl. (Amsterdam) 1984

Haarlem 1937
Cat. *Frans Hals tentoonstelling ter gelegenheid van het 75-jarig bestaan van het Gemeentelijk Museum te Haarlem op 30 juni 1937* Haarlem (Frans Halsmuseum) 1937

Haarlem 1946
Cat. *Haarlemsche meesters uit de eeuw van Frans Hals* Haarlem (Frans Halsmuseum) 1946

Haarlem 1947
Cat. *In de bloemhof der schilderkunst* Haarlem (Frans Halsmuseum) 1947

Haarlem 1962
Cat. *Frans Hals. Tentoonstelling ter gelegenheid van het honderdjarig bestaan van het Gemeentemuseum te Haarlem, 1862–1962* Haarlem (Frans Halsmuseum) 1962

Haarlem 1969
Cat. *Frans Halsmuseum Haarlem*, Haarlem 1969

Haarlem 1974
Cat. *Tulpomania* Haarlem (Frans Halsmuseum) 1974

'Haerlem' 1980
Historische Werkgroep 'Haerlem', *Der Haarlemse Oude Gracht: van water tot weg, over wonen en werken*, Haarlem 1980

Hairs 1955
M.-L. Hairs, *Les peintres flamands de fleurs au XVIIe siècle*, Parijs/Brussel 1955

Hairs 1957
M.-L. Hairs, 'Collaboration dans des tableaux de fleurs flamands', *Revue belge d'archéologie et d'histoire de l'art. Belgisch tijdschrift voor oudheidkunde en kunstgeschiedenis* 26 (1957), p. 149–162

Hairs 1965
M.-L. Hairs, *Les peintres flamands de fleurs au XVIIe siècle* (Deuxième édition entièrement revue et augmentée), Brussel 1965

Halewood 1982
W.H. Halewood, *Six Subjects of Reformation Art: A Preface to Rembrandt*, Toronto/Buffalo/Londen 1982

Van Hall 1963
H. van Hall, *Portretten van Nederlandse beeldende kunstenaars*, Amsterdam 1963

Hamburg 1966
Katalog der alten Meister der hamburger Kunsthalle Hamburg (Kunsthalle) 1966

Hannema 1955
D. Hannema, *Catalogue Raisonné of the Pictures in the Collection of J.C.H. Heldring*, Rotterdam 1955

Hartford 1978
Cat. *Wadsworth Atheneum Paintings. Catalogue 1. The Netherlands and German-Speaking Countries. Fifteenth-Nineteenth Centuries*, Hartford 1978

Van Hasselt 1968–69
C. van Hasselt, Cat. *Landschaptekeningen van Hollandse meesters uit de XVIIe eeuw* (2 dln.) Brussel (Albert I-Bibliotheek) Rotterdam (Museum Boymans-van Beuningen) Parijs (Institut Néerlandais) Bern (Kunstmuseum) 1968–69

Van Hasselt 1977–78
C. van Hasselt, Cat. *Rembrandt et ses contemporains. Dessins hollandais du six-septième siècle* New York (The Piermont Morgan Library) Parijs (Institut Néerlandais) 1977–78

Van Hasselt/Blankert 1966
C. van Hasselt & A. Blankert, Cat. *Artisti Olandesi e Fiamminghi in Italia. Mostra di disegni del cinque e seicento della collezione Frits Lugt* Florence (Istituto Universitario ollandese de storia dell'arte) 1966

Havard 1872
H. Havard, 'Les chefs-d'oeuvre de l'école hollandaise exposés à Amsterdam en 1872', *Gazette des Beaux-Arts* (2e pér., dl. 6) 14 (1872), p. 211–224, 295–311, 373–394

Havard 1879–81
H. Havard, *L'art et les artistes hollandais* (4 dln.), Parijs 1879–81

Haverkamp Begemann 1953
E. Haverkamp Begemann, Cat. *Olieverfschetsen van Rubens* Rotterdam (Museum Boymans) 1953

Haverkamp Begemann 1958
E. Haverkamp Begemann, 'Hendrick Avercamp (1585–1634). IJsvermaak', *Openbaar kunstbezit* 2 (1958), p. 1a-b

Haverkamp Begemann 1973
E. Haverkamp Begemann, '(Recensie van Wagner 1971)', *The Burlington Magazine* 115 (1973), p. 401–402

Haverkamp Begemann/Logan 1970
E. Haverkamp Begemann & A.-M. Logan, *European Drawings and Watercolors in the Yale University Art Gallery. 1500–1900* (2 dln.), New Haven/Londen 1970

Haverkate/Van der Peet 1985
H.M. Haverkate & C.J. van der Peet, *Een kerk van papier. De geschiedenis van de voormalige Mariakerk te Utrecht* (Clavis kleine kunsthistorische monografieën, 11), Utrecht/Zutphen 1985

HdG
C. Hofstede de Groot, *Beschreibendes und kritisches Verzeichnis der Werke der hervorragendsten holländischen Maler des XVII Jahrhunderts* (10 dln.), Esslingen a. N. 1907–28 (sub voce)

Hecht 1974
P. Hecht, 'Wat schilderde Gerard ter Borch: knusse huiselijke taferelen of bordeelscènes?', *Vrij Nederland* 35 (1974), 6 april, p. 25

Heckscher 1958
W.S. Heckscher, *Rembrandt's Anatomy of Dr. Nicolaas Tulp. An Iconological Study*, New York 1958

Heidelberg 1963
Cat. *Das Kurpfälzisches Museum im Heidelberg*, Heidelberg 1963

Heij/Van der Wal 1979
J.J. Heij & M. van der Wal, 'De stijl van de glorie', *Openbaar kunstbezit* 23 (1979), p. 114–119

Held 1933
J. Held, 'Nachträglich veränderte Kompositionen bei Jacob Jordaens', *Revue belge d'archéologie et d'histoire de l'art. Belgisch tijdschrift voor oudheidkunde en kunstgeschiedenis* 3 (1933), p. 214–223

Held 1953
J.S. Held, 'A propos de l'exposition Rubens à Bruxelles', *Les arts plastiques* 6 (1953), p. 107–116

Held 1957
J.S. Held, 'Artis Pictoriae Amator. An Antwerp Art Patron and his Collection', *Gazette des Beaux-Arts* (6e pér., dl. 50) 99 (1957), p. 53–84

Held 1959
J.S. Held, *Rubens. Selected Drawings* (2 dln.), Londen 1959

Held 1969
J.S. Held, *Rembrandt's Aristotle and other Rembrandt Studies*, Princeton 1969

Held 1973
J.S. Held, 'Rembrandt and the Classical World', *Chicago 1973*, p. 49–66

Held 1980
J.S. Held, *The Oil Sketches of Peter Paul Rubens. A Critical Catalogue* (2 dln.), Princeton 1980

Held 1982
J.S. Held, *Rubens and his Circle*, Princeton 1982

Helsinki 1952–53
Cat. *P.P. Rubens. Luonnoksia, piirustuksia, kaiverruksia, skisser, teckningar, gravyrer* Helsinki (Ateneum Finlands Konstakademi) 1952–53

Henkel/Schöne 1967
A. Henkel & A. Schöne, *Emblemata. Handbuch zur Sinnbildkunst des XVI und XVII. Jahrhunderts*, Stuttgart 1967

Heppner 1935
A. Heppner, 'Cornelis Deckers Innenraum-Darstellungen', *Adolph Goldschmidt zu seinem siebzigsten Geburtstag am 15. Januar 1933*, Berlijn 1935

Heppner 1938
A. Heppner, 'Thoré-Bürger en Holland', *Oud Holland* 55 (1938), p. 17–34, 67–82, 129–144

Heppner 1938-A
A. Heppner, *Weversswerkplaatsen geschilderd door Haarlemsche meesters der 17e eeuw*, Haarlem 1938

Den Herder 1949
T. den Herder, 'Van Bierkaai tot Wortelmarkt', *Ons Amsterdam* 1 (1949), p. 88–90

Herzog 1968
S. Herzog, *Jan Gossart, called Mabuse (ca. 1478–1532). A Study of his Chronology with a Catalogue of his Works*, Ann Arbor 1968

Herzog 1969
E. Herzog, *Die Gemäldegalerie der staatlichen Kunstsammlungen Kassel*, Hanau 1969

Herzog/Hoetink/Pauwels 1965
S. Herzog, H.R. Hoetink & H. Pauwels, Cat. *Jan Gossaert genaamd Mabuse* Rotterdam (Museum Boymans-van Beuningen) Brugge (Groeningemuseum) 1965

Van der Heyden 1690
J. van der Heide (Van der Heyden) & J. van der Heide de Jonge, *Beschryving der nieuwlijks uitgevonden en geoctrojeerde slang-brandspuiten, en haare wijze van brand-blussen, tegenwoordig binnen Amsterdam in gebruik zijnde...*, Amsterdam 1690

Hiller e.a. 1969
I. Hiller, H. Vey & T. Falk, *Katalog der deutschen und niederländischen Gemälde (mit Ausnahme der kölner Malerei) im Wallraf-Richartz-Museum und im Kunstgewerbemuseum der Stadt Köln*, Keulen 1969

Hind 1915
A.M. Hind, 'Van Dyck: his Original Etchings and his Iconography', *The Print-Collector's Quarterly* 5 (1915), p. 221–252

Hind 1923
A.M. Hind, *Catalogue of Drawings by Dutch and Flemish Artists Preserved in the Department of Prints and Drawings in the British Museum. Vol. 1. Drawings by Rubens, Van Dyck and other Artists of the Flemish School of the XVIIth Century*, Londen 1923

Historische Gids 1974
H.F. Wijnman e.a., *Historische Gids van Amsterdam*, Amsterdam 1974

Hodenpijl 1900
C.G. Hodenpijl, 'De oprichting van het mausoleum der Oranjes', *Elsevier's geïllustreerd maandblad* 19 (1900), p. 152–168

Hoet 1752–70
G. Hoet, *Catalogus of naamlyst van schilderyen, met derzelver pryzen* (3 dln.), Den Haag 1752–70

Hoetink 1974
H.R. Hoetink, 'Koninklijk Kabinet van Schilderijen "Mauritshuis"', *Nederlandse Rijksmusea in 1972*, Den Haag 1974, p. 210–219

Hoetink 1976
H.R. Hoetink, 'Koninklijk Kabinet van Schilderijen "Mauritshuis"', *Nederlandse Rijksmusea in 1975*, Den Haag 1976, p. 171–174

Hoetink 1977
H.R. Hoetink, 'Pronkstilleven. Abraham van Beyeren (1620/'21–1690)', *Vereniging Rembrandt. Verslag over 1977*, p. 46–48

Hoetink 1977-A
H.R. Hoetink, 'Stilleven met stenen kruik en pijpen. Pieter van Anraadt (1635–1678)', *Vereniging Rembrandt. Verslag over 1977*, p. 53–55

Hoetink 1978
H.R. Hoetink, 'Beschouwingen naar aanleiding van een unicum', *Boymans bijdragen. Opstellen van medewerkers en oud-medewerkers van het Museum Boymans-van Beuningen voor J.C. Ebbinge Wubben*, Rotterdam 1978, p. 104–109

Hoetink 1979
H.R. Hoetink, 'Koninklijk Kabinet van Schilderijen "Mauritshuis"', *Nederlandse Rijksmusea in 1977*, Den Haag 1979, p. 191–194

Hoetink 1979-A
H.R. Hoetink, 'De roeping van Mattheus, *Nicolaes Berchem, 1620–1684 en Jan Baptist Weenix, 1621–1660'61'*, *Vereniging Rembrandt. Verslag over 1979*, p. 25–26

Hoetink 1980
H.R. Hoetink, 'Gezicht op enkele boerderijen onder geboomte, Meindert Hobbema, 1638–1709', *Vereniging Rembrandt. Verslag over 1980*, p. 67–68

Hoetink 1981
H.R. Hoetink, 'Koninklijk Kabinet van Schilderijen "Mauritshuis"', *Nederlandse Rijksmusea in 1980*, Den Haag 1981, p. 165–171

Hoetink 1981-A
H.R. Hoetink, 'Koninklijk Kabinet van Schilderijen "Mauritshuis"', *Nederlandse Rijksmusea in 1979*, Den Haag 1981, p. 149–157

Hoetink 1982
H.R. Hoetink, 'Koninklijk Kabinet van Schilderijen "Mauritshuis"', *Nederlandse Rijksmusea in 1981*, Den Haag 1982, p. 165–169

Hoetink 1983
H.R. Hoetink, 'Stilleven met vruchten, Balthasar van der Ast, 1593/'94–1657', *Vereniging Rembrandt. Verslag over 1983*, p. 94–95

Hoetink 1984
H.R. Hoetink, 'Koninklijk Kabinet van Schilderijen "Mauritshuis"', *Nederlandse Rijksmusea in 1983*, Den Haag 1984, p. 147–154

Hoetink 1984-A
H.R. Hoetink, 'De poëzie en de dichter, Jan Sanders van Hemessen, ca. 1500-ca. 1556', *Vereniging Rembrandt. Verslag over 1984*, p. 90–91

Hoetink 1985
H.R. Hoetink, 'Koninklijk Kabinet van Schilderijen "Mauritshuis"', *Nederlandse Rijksmusea in 1984*, Den Haag 1985, p. 173–177

Hoetink e.a. 1985
H.R. Hoetink, N.C. Sluijter-Seijffert e.a., *The Royal Picture Gallery Mauritshuis* (Art Treasures of Holland), Amsterdam/New York 1985

Hofstede de Groot 1892
C. Hofstede de Groot, 'Schilderijen-verzamelingen van het geslacht Slingelandt', *Oud Holland* 10 (1892), p. 229–237

Hofstede de Groot 1893
C. Hofstede de Groot, *Arnold Houbraken und seine 'Groote Schouburgh' kritisch beleuchtet* (Quellenstudien zur holländischen Kunstgeschichte, 1), Den Haag 1893

Hofstede de Groot 1894
C. Hofstede de Groot, 'Entlehnungen Rembrandts', *Jahrbuch der königlich preussischen Kunstsammlungen* 15 (1894), p. 175–181

Hofstede de Groot 1895
C. Hofstede de Groot, 'Bijlage', *Verslagen omtrent 's rijks verzamelingen van geschiedenis en kunst. XVI. 1893*, Den Haag 1895, p. 48–57

Hofstede de Groot 1895-A
C. Hofstede de Groot, 'De wetenschappelijke resultaten van de tentoonstelling van oude kunst te Utrecht in 1894 gehouden', *Oud Holland* 13 (1895), p. 34–56

Hofstede de Groot 1899
C. Hofstede de Groot, *Utrechtse kerken. Teekeningen en schilderijen van Pieter Saenredam*, Haarlem 1899

Hofstede de Groot 1901
C. Hofstede de Groot, 'Kritische opmerkingen omtrent oud-Hollandsche schilderijen in onze musea. II', *Oud Holland* 19 (1901), p. 134–144

Hofstede de Groot 1916-A
C. H(ofstede) de G(root), 'Het portret van Stevens door A. van Dijck in het Mauritshuis', *Oud Holland* 34 (1916), p. 68

Hollander 1961
J. Hollander, *The Untuning of the Sky. Ideas of Music in English Poetry 1500–1700*, Princeton, N.J. 1961

Hollstein
F.W.H. Hollstein, *Dutch and Flemish Etchings, Engravings and Woodcuts. Ca. 1450–1700* (meerdere delen), Amsterdam 1949–

Hoogeveen 1951–52
D.M. Hoogeveen, 'Latijn op schilderijen', *Hermeneus. Maandblad voor de antieke cultuur* 23 (1951–52), p. 46–48

Hoogewerff 1917
G.J. Hoogewerff, 'Rembrandt en een Italiaansche maecenas', *Oud Holland* 35 (1917), p. 129–148

Hoogewerff 1931
G.J. Hoogewerff, 'Wanneer en hoe vaak was Berchem in Italië?', *Oud Holland* 48 (1931), p. 84–87

Hoogewerff 1932
G.J. Hoogewerff, 'Pieter van Laer en zijn vrienden', *Oud Holland* 49 (1932), p. 1–17

Van Hoogstraten 1678
S. van Hoogstraten, *Inleyding tot de hooge schoole der schilderkonst...*, Rotterdam 1678

Houbraken 1718–21
A. Houbraken, *De groote schouburgh der Nederlantsche konstschilders en schilderessen...* (3 dln.), Amsterdam 1718–21

Huizinga 1965
A. Huizinga, *Nederlandse zegswijzen*, Amsterdam/Brussel 1965

Hulin de Loo 1923
G. Hulin de Loo, 'Diptychs by Rogier van der Weyden – I', *The Burlington Magazine* 43 (1923), p. 53–58

Hulin de Loo 1924
G. Hulin de Loo, 'Diptychs by Rogier van der Weyden – II', *The Burlington Magazine* 44 (1924), p. 179–189

Hulin de Loo 1938
(G.) Hulin de Loo, 'Weyden (*Rogier* DE LE PASTURE, *alias* VAN DER)', BNB, dl. XXVIII (1938), kol. 222–245

d'Hulst 1953
R.-A. d'Hulst, 'Jacob Jordaens. Schets van een chronologie zijner werken ontstaan vóór 1618', *Gentse bijdragen tot de kunstgeschiedenis* 14 (1953), p. 89–136

d'Hulst 1968
R.-A. d'Hulst, *Olieverfschetsen van Rubens uit Nederland en Belgisch openbaar bezit*, z. pl. 1968

d'Hulst 1982
R.-A. d'Hulst, *Jacob Jordaens*, Antwerpen 1982

Hunger 1925
F.W.T. Hunger, 'Acht brieven van Middelburgers aan Carolus Clusius', *Archief. Vroegere en latere mededelingen voornamelijk in betrekking tot Zeeland uitgegeven door het Zeeuwsch Genootschap der Wetenschappen* (1925), p. 110–133

Huvenne 1984
P. Huvenne, Cat. *Pieter Pourbus, meesterschilder 1524–1584* Brugge (Memlingmuseum) 1984

Huyghe 1936
R. Huyghe, 'Vermeer et Proust', *L'amour de l'art* 17 (1936), p. 7–15

Hymans 1905
H. Hymans, 'L'exposition Jordaens à Anvers', *Gazette des Beaux-Arts* (3e pér., dl. 34) 47 (1905), p. 247–255

Hymans 1919
H. Hymans, *Antonio Moro. Son oeuvre et son temps*, Brussel 1910

Immerzeel 1842
J. Immerzeel, *De levens en werken der Hollandsche en Vlaamsche kunstschilders, beeldhouwers, graveurs en bouwmeesters*, Amsterdam 1842

Jähnig 1914
K.W. Jähnig, *Die Darstellungen der Kreuzabnahme, der Beweinung und der Grablegung Christi in der altniederländischen Malerei von Rogier van der Weyden bis zu Quentin Metsys*, Hohenstein-Ernstthal 1914

Jaffé 1944
H.L.C. Jaffé, 'Holländische Meister des 17. Jahrhunderts', *Du. Kulturelle Monatschrift* (1944), december, p. 35–50

Jaffé 1968
M. Jaffé, 'The Robust Virtuosity of Jordaens', *Apollo* 88 (1968), p. 364–373

Jaffé 1968-A
M. Jaffé, 'Rubens in Italy. Part II: Some Rediscovered Works of the First Phase', *The Burlington Magazine* 110 (1968), p. 174–187

Jaffé 1968–69
M. Jaffé, Cat. *Jacob Jordaens 1593–1678* Ottawa (The National Gallery of Canada) 1968–69

Jaffé 1970
M. Jaffé, 'Some Recent Acquisitions of Seventeenth-Century Flemish Painting', *National Gallery of Art. Report and Studies in the History of Art 1969*, Washington 1970, p. 6–33

Jaffé 1977
M. Jaffé, *Rubens and Italy*, Oxford 1977

Janse 1966
J.A. Janse, *In geuren en kleuren. Een geschiedenis van de Hollandse bolgewassen*, Utrecht 1966

Jansen 1948
B. Jansen, *Laat gotisch borduurwerk in Nederland*, Den Haag 1948

Jansen 1979
G. Jansen, *Over Caesar van Everdingen* (doctoraalscriptie), Utrecht 1979

Jansen 1985
G. Jansen, 'Berchem in Italy: Notes on an Unpublished Painting', *Mercury* 1 (1985), nr. 2, p. 13–17

Janson 1952
H.W. Janson, *Apes and Ape Lore in the Middle Ages and the Renaissance*, Londen 1952

Janson 1971
E.M.Ch.M. Janson, *Kastelen in en om Den Haag*, Den Haag 1971

Jantzen 1910
H. Jantzen, *Das niederländische Architekturbild*, Leipzig 1910

Jantzen 1926
H. Jantzen, 'Rembrandt, Tulp und Vesal', *Kunst und Künstler* 24 (1926), p. 313–314

Jeltes 1926
H.F.W. Jeltes, 'Mauritshuis-aanwinsten', *Elsevier's geïllustreerd maandschrift* 36 (1926), dl. LXXI, p. 146–148

Jenkins 1947
M. Jenkins, *The State Portrait, its origin and Evolution* (College Art Association of America Monographs, III), z. pl. 1947

Jimkes-Verkade 1981
E. Jimkes-Verkade, 'De ikonologie van het grafmonument van Willem I, prins van Oranje', *Delft 1981*, p. 214–227

De Jong 1980
E. de Jong, Cat. *Een schilderij centraal. De slapende Mars van Hendrik ter Brugghen* Utrecht (Centraal Museum) 1980

De Jonge 1932
C.H. de Jonge, 'Utrechtsche schilders der XVIIe eeuw in de verzameling van Willem Vincent, baron van Wyttenhorst', *Oudheidkundig jaarboek* 1 (1932), p. 120–134

De Jongh 1962–63
E. de Jongh, 'Diogenes de mensenzoeker. Bij Jacob van Campen's schilderij in het Centraal Museum', *Kunst in Utrecht* 1 (1962–63), p. 111–113

De Jongh 1967
E. de Jongh, *Zinne- en Minnebeelden in de schilderkunst van de zeventiende eeuw*, z. pl. 1967

De Jongh 1968–69
E. de Jongh, 'Erotica in vogelperspektief. De dubbelzinnigheid van een reeks 17de eeuwse genrevoorstellingen', *Simiolus* 3 (1968–69), p. 22–72

De Jongh 1969
E. de Jongh, 'The Spur of Wit: Rembrandt's Response to an Italian Challenge', *Delta* 12 (1969), nr. 2, p. 49–67

De Jongh 1971
E. de Jongh, 'Realisme en schijnrealisme in de Hollandse schilderkunst van de zeventiende eeuw', *Brussel 1971*, p. 143–194

E. de Jongh 1973
E. De Jongh, '"'t Gotsche krulligh mall". De houding tegenover de gotiek in het zeventiende-eeuwse Holland', *Nederlands Kunsthistorisch Jaarboek* 24 (1973), p. 85–145

De Jongh 1973-A
E. de Jongh, 'Vermommingen van Vrouw Wereld in de 17de eeuw', *Album Amicorum J.G. van Gelder*, Den Haag 1973, p. 198–206

De Jongh 1974
E. de Jongh, 'Grape Symbolism in Paintings of the 16th and 17th Centuries', *Simiolus* 7 (1974), p. 166–191

De Jongh 1975
E. de Jongh, '(Recensie van *Grimm 1972* en *Slive 1970–74*)', *The Art Bulletin* 57 (1975), p. 583–587

De Jongh 1975–76
E. de Jongh, 'Pearls of Virtue and Pearls of Vice', *Simiolus* 8 (1975–76), p. 69–97

De Jongh 1986
E. de Jongh, Cat. *Portretten van echt en trouw. Huwelijk en gezin in de Nederlandse kunst van de zeventiende eeuw* Haarlem (Frans Halsmuseum) 1986

De Jongh e.a. 1982
E. de Jongh, T. van Leeuwen, A. Gasten & H. Sayles, Cat. *Still-Life in the Age of Rembrandt* Auckland (City Art Gallery) 1982

De Jongh/Vinken 1961
E. de Jongh & P.J. Vinken, 'Frans Hals als voortzetter van een emblematische traditie. Bij het huwelijksportret van Isaac Massa en Beatrix van der Laen', *Oud Holland* 76 (1961), p. 117–152

Joubin 1926
Catalogue des peintures et sculptures exposées dans les galeries du Musée Fabre de la ville de Montpellier, Parijs 1926

Jowell 1974
F.S. Jowell, 'Thoré-Bürger and the Revival of Frans Hals', *The Art Bulletin* 56 (1974), p. 101–117

433

Judson 1960
J.R. Judson, '(Recensie van *Heckscher 1958*)', *The Art Bulletin* 42 (1960), p. 305–310

Jürss 1982
L. Jürss, *Holländische und flämische Malerei des 17. Jahrhunderts* (Bestandskatalog, I–II) Schwerin (Staatliches Museum) 1982

Jung 1964
H. Jung, *Traubenmadonnen und Weinheilige*, Düsseldorf 1964

Junius 1641
F. Junius, *De schilderkunst der oude*, Middelburg 1641 (ed. princ. 1637: *De pictura veterum*)

Justi 1895
C. Justi, 'Ein Bildnis der Isabella von Österreich von Mabuse', *Zeitschrift für bildende Kunst* (Neue Folge) 6 (1895), p. 161–168, 198–201

Kämmerer 1899
L. Kämmerer, *Memling*, Bielefeld/Leipzig 1899

Kahr 1975
M.M. Kahr, 'Velasquez and *Las Meninas*, *The Art Bulletin* 57 (1975), p. 225–246

Van Kalveen 1974
C.A. van Kalveen, *Het bestuur van bisschop en Staten in het Nedersticht, Oversticht en Drenthe, 1483–1520* (diss. Utrecht), Utrecht 1974

Kampen 1949
Cat. *Avercamp* Kampen (Oude Raadhuis) 1949

Kamphuis 1962
G. Kamphuis, 'Constantijn Huygens, bouwheer of bouwmeester?', *Oud Holland* 77 (1962), p. 151–180

Karlsruhe 1966
Staatliche Kunsthalle Karlsruhe. Katalog alter Meister bis 1800, Karlsruhe 1966

Kauffmann 1943
H. Kauffmann, 'Die Fünfsinne in der niederländischen Malerei des 17. Jahrhunderts', *Kunstgeschichtliche Studien* (Festschrift D. Frey), Breslau 1943, p. 133–157

Keijser 1958
H. Keijser, 'Woord vooraf', *Amsterdam 1958*, z.p.

Kellet 1959
C.E. Kellet, 'The Anatomy Lesson of Dr Tulp', *The Burlington Magazine* 101 (1959), p. 150–152

Kerber 1972
O. Kerber, 'Die Hubertus-Tafeln von Rogier van der Weyden', *Pantheon* 30 (1972), p. 292–299

Kerber 1975
O. Kerber, 'Rogier van der Weyden', *Giessener Beiträge zur Kunstgeschichte* 3 (1975), p. 11–62

Keulen 1964
Cat. *Die Sammlung Henle. Aus dem grossen Jahrhundert der niederländischen Malerei* Keulen (Wallraf-Richartz-Museum) 1964

Keulen/Rotterdam 1970
Cat. *Sammlung Herbert Girardet. Holländische und Flämische Meister* Keulen (Wallraf-Richartz-Museum) Rotterdam (Museum Boymans-van Beuningen) 1970

Keverberg van Kessel 1818
C.L.G.J. Keverberg van Kessel, *Ursula, princesse britannique d'après la légende et les peintures d'Hemling*, Gent 1818

Keyes 1975
G.S. Keyes, *Cornelis Vroom: Marine and Landscape Artist* (2 dln.) (diss. Utrecht), z. pl. 1975

Keyes 1982
G. Keyes, 'Hendrick Avercamp and the Winter Landscape', *Blankert e.a. 1982*, p. 37–55

Keyes 1984
G. Keyes, *Esaias van den Velde 1587–1630*, Doornspijk 1984

Keyszelitz 1959
R. Keyszelitz, 'Zur Deutung von Jan Steens "Soo Gewonnen, Soo Verteert"', *Zeitschrift für Kunstgeschichte* 22 (1959), p. 40–45

Der Kinderen-Besier 1933
J.H. der Kinderen-Besier, *Mode-metamorphosen. De kleedij onzer voorouders in de zestiende eeuw*, Amsterdam 1933

Kipp 1974
A.F.E. Kipp, *De immuniteit van St. Marie te Utrecht. De evolutie van een stadsbeeld* (doctoraalscriptie Utrecht), Utrecht 1974 (typescript Kunsthistorisch Instituut en Gemeente-archief, Utrecht)

Klamt 1975
J.-C. Klamt, 'Ut magis luceat. Eine Miszelle zu Rembrandts "Anslo"', *Jahrbuch der berliner Museen* 17 (1975), p. 156–165

Kleiner 1949
G. Kleiner, *Die Inspiration des Dichters*, Berlijn 1949

Kleef 1965
Cat. *Govert Flinck. Der 'Kleefsche Apelles'. 1616–1660* Kleef (Städtisches Museum Haus Koekkoek) 1965

Kleef 1979
Cat. *Soweit der Erdkreis reicht. Johann Moritz von Nassau-Siegen. 1604–1679* Kleef (Städtisches Museum Haus Koekkoek) 1979

Klessmann 1965
R. Klessmann, 'Unbekannte Zeichnungen von Albert Eckhout', *Oud Holland* 80 (1965), p. 50–55

Klessmann 1983
R. Klessmann, *Herzog Anton Ulrich-Museum Braunschweig. Die holländischen Gemälde*, Braunschweig 1983

Klessmann e.a. 1978
R. Klessmann, W.J. Müller & K. Renger, Cat. *Die Sprache der Bilder. Realität und Bedeutung in der niederländischen Malerei des 17. Jahrhunderts* Braunschweig (Herzog Anton Ulrich-Museum) 1978

Klinge 1982
M. Klinge, Cat. *Adriaen Brouwer. David Teniers the Younger* New York/Maastricht (Noortman & Brod) 1982

Kloek 1975
W.T. Kloek, *Beknopte catalogus van de Nederlandse tekeningen in het prentenkabinet van de Uffize te Florence*, Utrecht 1975

Knipping 1974
J.B. Knipping, *Iconography of the Counter Reformation in the Netherlands* (2 dln.), Nieuwkoop/Leiden 1974

Knuttel 1935
G. Knuttel Wzn, *Gemeentemuseum 's-Gravenhage. Catalogus van de schilderijen, aquarellen en teekeningen*, Den Haag 1935

Knuttel 1962
G. Knuttel, *Adriaen Brouwer. The Master and his Work*, Den Haag 1962

Koelemij 1983–84
J.W.G. Koelemij, *De 'Kruisafneming/Bewening', toegeschreven aan Rogier van der Weyden en leerlingen... Dendrochronologisch onderzoek. Verfstructuur analyse* (doctoraalscriptie Groningen), Zeist 1983–84 (typescript)

Koepplin/Falk e.a. 1974–76
D. Koepplin & T. Falk e.a., *Lucas Cranach. Gemälde, Zeichnungen, Druckgraphik* (Zur Ausstellung im Kunstmuseum Basel, 1974) (2 dln.), Basel/Stuttgart 1974–76

Kopenhagen 1951
Royal Museum of Fine Arts. Catalogue of Foreign Paintings, Kopenhagen 1951

Koslow 1967
S. Koslow, 'De wonderlijke Perspectyfkas: An Aspect of Seventeenth-Century Dutch Painting', *Oud Holland* 82 (1967), p. 35–36

Kramm 1857–64
C. Kramm, *De levens en werken der Hollandsche en Vlaamsche kunstschilders, beeldhouwers, graveurs en bouwmeesters* (6 dln.), Amsterdam 1857–64

Van Kretschmar 1969
F.G.L.O. van Kretschmar, 'De portretten op het kasteel Sypesteyn, te Loosdrecht', *Jaarboek van het Centraal Bureau voor Genealogie* 23 (1969), p. 114–173

Kris/Kurz 1934
E. Kris & O. Kurz, *Die Legende vom Künstler. Ein geschichtlicher Versuch*, Wenen 1934

Krul 1634
Jan Hermansz Krul, *Eerlycke tytkorting bestaende in verscheyde rymen*, z.pl., z.j. (1634)

Krul 1681
I.H. Krul, *Pampiere wereld ofte wereldsche oeffeninge* (4 dln.), Amsterdam 1681

Kruse 1909
J. Kruse, 'Eine neuentdeckte Homerus-Zeichnung von Rembrandt im Nationalmuseum zu Stockholm. Studie zum Gemälde im Mauritshuis', *Oud Holland* 27 (1909), p. 221–228

Kruyskamp 1973
C. Kruyskamp, *G.A. Bredero's Rodd'rick ende Alphonsus*, Culemborg 1973

Ter Kuile 1985
O. ter Kuile, *Seventeenth-Century North Netherlandish Still Lifes* (Rijksdienst Beeldende Kunst, Catalogue of Paintings by Artists Born before 1870, VI), Den Haag 1985

Künstler-Inventare
A. Bredius, *Künstler-Inventare* (6 dln., addendum, register), Den Haag 1915–22

Kunoth-Leifels 1962
E. Kunoth-Leifels, *Über die Darstellungen der 'Bathseba im Bade'*, Essen 1962

Kuznetzow 1974
J.I. Kuznetzow 1974, 'Nikolaus Knupfer (1603?–1655)', *Oud Holland* 88 (1974), p. 169–218

De Lairesse 1707
G. de Lairesse, *Groot schilderboek...* (2 dln.), Amsterdam 1707

Lammers 1979–80
J. Lammers, 'Innovation und Virtuosität', *Münster/Baden Baden 1979–80*, p. 480–512

Langemeyer 1979–80
G. Langemeyer, 'Die Nähe und die Ferne', *Münster/Baden Baden 1979–80*, p. 20–42

Laren 1963
Cat. *Modernen van toen 1570–1630. Vlaamse schilderkunst en haar invloed* Laren (Singer Museum) 1963

Larsen 1962
E. Larsen, *Frans Post, interprète du Brésil*, Amsterdam/Rio de Janeiro 1962

Larsen 1974
E. Larsen, *La vie, les ouvrages et les élèves de Van Dyck. Manuscrit inédit des Archives du Louvre. Par un auteur anonyme*, Brussel 1974

Larsen 1980
E. Larsen, *L'opera completa di Van Dyck. 1626–1641*, Milaan 1980

Larsen 1980-A
E. Larsen, *Alle tot nu toe bekende schilderijen van Van Dyck*, Rotterdam 1980

Larsen 1985
E. Larsen, *Seventeenth Century Flemish Painting*, Freren 1985

Laurentius e.a. 1980
Th. Laurentius, J.W. Niemeyer & G. Ploos van Amstel, *Cornelis Ploos van Amstel. 1726–1798. Kunstverzamelaar en prentuitgever*, Assen 1980

Lauts 1966
J. Lauts, *Katalog alte Meister bis 1800* Karlsruhe (Staatliche Kunsthalle) 1966

Lavedan 1931
P. Lavedan, *Dictionnaire illustré de la mythologie et des antiquités grecques et romaines*, Parijs 1931

Lebrun 1792–96
J.B.P. Lebrun, *Galerie des peintres flamands et allemands* (3 dln.), Parijs 1792–96

Lee 1885–1900
S. Lee (ed.), *Dictionary of National Biography* (63 dln.), Londen 1885–1900

Lee 1967
R.W. Lee, *Ut Pictura Poesis. The Humanistic Theory of Painting*, New York 1967

Leeman/Vos 1986
F. Leeman & R. Vos, *Het nieuwe ornament. Gids voor de renaissance-architectuur en -decoratie in Nederland in de 16de eeuw*, Den Haag 1986

Leeuwenberg/Halsema-Kubes 1973
J. Leeuwenberg & W. Halsema-Kubes, *Beeldhouwkunst in het Rijksmuseum*, Den Haag/Amsterdam 1973

Leiden 1926
Cat. *Jan Steen tentoonstelling* Leiden (Stedelijk Museum 'De Lakenhal') 1926

Leiden 1956
Cat. *Rembrandt als leermeester* Leiden (Stedelijk Museum 'De Lakenhal') 1956

Leiden 1966
Cat. *Gabriel Metsu* Leiden (Stedelijk Museum 'De Lakenhal') 1966

Leiden 1970
Cat. *IJdelheid der ijdelheden. Hollandse vanitasvoorstellingen uit de zeventiende eeuw* Leiden (Stedelijk Museum 'De Lakenhal') 1970

Leiden 1976–77
Cat. *Geschildert tot Leyden anno 1626* Leiden (Stedelijk Museum 'De Lakenhal') 1976–77

Leiden 1983
Catalogus van de schilderijen en tekeningen Leiden (Stedelijk Museum 'De Lakenhal') 1983

Lemmens 1979
G.T.M. Lemmens, 'Die Schenkung an Ludwig XIV. und die Auflösung der brasilianischen Sammlung des Johann Moritz 1652–1679', *Kleef 1979*, p. 265–293

Leningrad 1895
Catalogue de la galerie des tableaux. Second volume. Ecoles néerlandaises et école allemande Leningrad (Ermitage Imperial) 1895

Leningrad 1981
Peinture de l'Europe occidentale. Catalogue 2 Leningrad (Hermitage) 1981

Leupe 1876
Leupe, 'Schilderijen en statuen voor Karel de tweede, koning van Engeland 1660', *De Nederlandsche Spectator* (1876), p. 184–186

Leupe 1878
Leupe, 'Brief van de gezanten in Engeland', *De Nederlandsche Spectator* (1878), p. 82–83

Leveson Gower 1910
A. Leveson Gower Esq., 'The (so-called) Scheffield Portrait by Van Dijck in the Royal Picture Gallery at the Mauritshuis in the The Hague', *Oud Holland* 28 (1910), p. 73–76

Levey 1959
M. Levey, *National Gallery Catalogues. The German School*, Londen 1959

Liedtke 1976
W.A. Liedtke, 'Faith in Perspective. The Dutch Church Interior', *The Connoisseur* 193 (1976), nr. 776, p. 126–133

Liedtke 1982
W.A. Liedtke, *Architectural painting in Delft. Gerard Houckgeest, Hendrick van Vliet, Emanuel de Witte*, Doornspijk 1982

Liedtke 1982-A
W.A. Liedtke, 'Paintings from the Mauritshuis and Dutch Figure Drawings', *Tableau* 5 (1982), p. 180–181

Liedtke 1984
W. Liedtke, *Flemish Paintings in the Metropolitan Museum of Art* (2 dln.), New York 1984

Lieure
J. Lieure, *Jacques Callot* (3 dln.), Parijs 1924–29 (herdruk 1969, 8 dln.)

Lilienfeld 1914
K. Lilienfeld, *Arent de Gelder. Sein Leben und seine Kunst*, Den Haag 1914

Lindeboom 1958
G.A. Lindeboom, *Haller in Holland. Het dagboek van Albrecht von Haller van zijn verblijf in Holland (1725–1727)*, Delft 1958

Lindeman 1920
C.M.A.A. Lindeman, *Joachim Anthonisz Wtewael*, Utrecht 1920

Lindeman 1947
C.M.A.A. Lindeman, 'Wtewael (Wttewael, Uytewael, Utenwael, lt. van Mander Wtenwael), Joachim Antonisz.', *Thieme/Becker*, dl. XXXVI (1947), p. 285–286

Lipp/Gruber 1959
A. Lipp & G.B. Gruber, *Die Kerze als Symbol des Arzttums*, Leipzig 1959

Von Löhneysen 1956
H.-W. von Löhneysen, *Die ältere niederländische Malerei. Künstler und Kritiker*, Eysenach/Kassel 1956

Logan 1979
A.M. Logan, *The 'Cabinet' of the Brothers Gerard and Jan Reynst*, Amsterdam/Oxford/New York 1979

Londen 1880
Cat. *Exhibition of Works by the Old Masters...* Londen (Royal Academy of Arts) 1880

Londen 1899
Cat. *Exhibition of Works by Rembrandt* Londen (Royal Academy of Arts) 1899

Londen 1929
Cat. *Exhibition of Dutch Art. 1450–1900* Londen (Royal Academy of Arts) 1929

Londen 1929-A
Cat. *Dutch Art. An Illustrated Souvenir of the Exhibition of Dutch Art at Burlington House, London*, z. pl. (Londen) 1929

Londen 1950
Cat. *A Loan Exhibition of Works by Peter Paul Rubens Kt.* Londen (Wildenstein & Co) 1950

Londen 1950–51
Cat. *Exhibition of Works by Holbein & Other Masters of the 16th and 17th Centuries* Londen (Royal Academy of Arts) 1950–51

Londen 1952–53
Cat. *Dutch Pictures 1450–1750* Londen (Royal Academy of Arts) 1952–53

Londen 1964
Cat. *The Orange and the Rose. Holland and Britain in the Age of Observation. 1600–1750* Londen (Victoria and Albert Museum) 1964

Londen 1968
Cat. *Pictures and Drawings* Londen (Wallace Collection) 1968

Londen 1971
Cat. *Dutch Pictures from the Royal Collection* Londen (The Queen's Gallery, Buckingham Palace) 1971

Londen 1976
Cat. *Art in Seventeenth Century Holland* Londen (The National Gallery) 1976

Londen 1978–79
Cat. *Holbein and the Court of Henry VIII* Londen (The Queen's Gallery) 1978–79

Londen 1979
Summary Illustrated Catalogue of Pictures Londen (Wallace Collection) 1979

Londen 1979-A
Cat. *Jan Brueghel the Elder. A Loan Exhibition of Paintings* Londen (Brod Gallery) 1979

Londen 1979-B
Cat. *A Selection of Important Paintings by Old and Modern Masters from our 1979 Collection* Londen (Robert Noortman Gallery) 1979

Londen 1980
Cat. *Ten Paintings by Gerard Dou 1613–1675* Londen (Dulwich Picture Gallery) 1980

Londen 1981
Cat. *The Princess Gate Collection* Londen (Courtauld Institute Galleries) 1981

Londen 1982
Cat. *The Art of the Van de Veldes* Londen (National Maritime Museum) 1982

Loosjes z.j.
A. Loosjes, *Kerken en godshuizen*, Amsterdam z.j.

Lowenthal 1975
A.W. Lowenthal, *The Paintings of Joachim Anthonisz. Wtewael (1566–1638)* (diss.), Ann Arbor 1975

Lowenthal 1986
A.W. Lowenthal, *Joachim Wtewael and Dutch Mannerism*, Doornspijk 1986

Lugt 1936
F. Lugt, 'Italiaansche kunstwerken in Nederlandsche verzamelingen van vroeger tijden', *Oud Holland* 53 (1936), p. 97–134

Lugt 1948
F. Lugt, 'Joachim Beuckelaer als tekenaar', *Kunsthistorische mededelingen van het Rijksbureau voor Kunsthistorische Documentatie 's-Gravenhage* 3 (1948), p. 44–47

Lugt 1950
F. Lugt, *Ecole nationale supérieure des beaux-arts Paris. Inventaire général des dessins des écoles du nord. Tome I. Ecole hollandaise*, Parijs 1950

Lunsingh Scheurleer 1956
Th.H. Lunsingh Scheurleer, 'Rembrandt en het Rijksmuseum', *Bulletin van het Rijksmuseum* 4 (1956), p. 27–41

Lunsingh Scheurleer 1967
Th.H. Lunsingh Scheurleer, 'De stadhouderlijke verzamelingen', *150 jaar*, p. 9–50

Maclaren 1960
N. Maclaren, *National Gallery Catalogues. The Dutch School*, Londen 1960

Madrid 1980
Cat. *Guia ilustrata. Pintura extranjera. Museo del Prado*, Madrid 1980

Madsen 1917
K. Madsen, 'Malerisamlingen paa Gaunø', *Kunstmuseets Aarsskrift* (1917), p. 34–66

Magurn 1955
R.S. Magurn, *The Letters of Peter Paul Rubens*, Cambridge, Mass. 1955

Mahon 1949
D. Mahon, 'Notes on the "Dutch Gift" to Charles II: I', *The Burlington Magazine* 91 (1949), p. 303–305

Mahon 1949-A
D. Mahon, 'Notes on the "Dutch Gift" to Charles II: II', *The Burlington Magazine* 91 (1949), p. 349–350

Male 1904
E. Male, 'Le renouvellement de l'art par les "mystères" à la fin du moyen age. IV', *Gazette des Beaux-Arts* (3e pér., dl. 31) 46 (1904), p. 283–301

Malraux 1952
A. Malraux, *Vermeer de Delft*, Parijs 1952

Van Mander 1604
C. van Mander, *Het Schilder-Boeck...*, Haarlem 1604

Van Mander 1604-A
C. van Mander, *Wtleggingh op den metamorphosis Pub. Ovidy Nasonis...*, Haarlem 1604 (gebonden bij: *Van Mander 1604*)

Manke 1963
I. Manke, *Emanual de Witte. 1617–1692*, Amsterdam 1963

Mariacher 1968
G. Mariacher, *Palma il Vecchio*, Milaan 1968

Marks 1977
R. Marks, 'Two Early 16th-Century Boxwood Carvings Associated with the Glymes Family of Bergen op Zoom', *Oud Holland* 91 (1977), p. 132–143

Martin 1901
W. Martin, *Het leven en de werken van Gerrit Dou beschouwd in verband met het schilderen van zijn tijd* (diss. Leiden), Leiden 1901 (Engelse ed. Londen 1902)

Martin 1902
W. Martin, *Gerard Dou*, Londen 1902

Martin 1908
W. Martin, 'Een schilderij van Willem van Haecht in het Mauritshuis', *Bulletin van den Nederlandschen Oudheidkundigen Bond* (2e serie) 1 (1908), p. 33–39

Martin 1911
W. Martin, *Gérard Dou. Sa vie et son oeuvre. Etude sur la peinture hollandaise et les marchands aux dixseptième siècle*, Parijs 1911

Martin 1913
W. Martin, *Gerard Dou. Des Meisters Gemälde* (Klassiker der Kunst, XXIV), Stuttgart/Berlijn 1913

Martin 1913-A
W. M(artin), 'Gerard Terborch "Moederlijke zorgen"', *Vereeniging Rembrandt. Jaarverslag over 1913*, p. 10–11

Martin 1914
W. Martin ''s Rijks aanwinsten uit de verzameling Steengracht', *Bulletin van den Nederlandschen Oudheidkundigen Bond* (2e serie) 7 (1914), p. 8–18

Martin 1922
W. Martin, 'Jan Steen's kippenhof van 't huis Oud-Teylingen', *Oudheidkundig Jaarboek* 2 (1922), p. 165–167

Martin 1926
W. Martin, 'Koninklijk Kabinet van Schilderijen (Mauritshuis)', *Verslagen omtrent 's Rijks verzamelingen van geschiedenis en kunst. Deel XLVIII. 1925*, Den Haag 1926, p. 36–40

Martin 1926-A
W. Martin, 'Isaac van Ostade (1621–1649). Rustende reizigers vóór de herberg', *Vereeniging Rembrandt. Jaarverslag over 1925* (1926), p. 24–25

Martin 1929
W. Martin, 'Dutch Art at Burlington House', *The Connoisseur* 83 (1929), p. 67–78

Martin 1935
W. Martin, *Musée royal de tableaux Mauritshuis à La Haye. Catalogue raisonné des tableaux et sculptures*, Den Haag 1935

Martin 1936
W. Martin, *De Hollandsche schilderkunst in de zeventiende eeuw* (2 dln.), Amsterdam 1936

Martin 1950
W. Martin, *De schilderkunst in de tweede helft van de zeventiende eeuw*, Amsterdam 1950

Martin 1965
J.R. Martin, *The Farnese Gallery*, Princeton 1965

Martin 1967
G. Martin, 'A Rembrandt Self Portrait from his Last Year', *The Burlington Magazine* 109 (1967), p. 355

McFarlane 1971
K.B. McFarlane, *Hans Memling*, Oxford 1971

McNeil Kettering 1977
A. McNeil Kettering, 'Rembrandt's *Flute Player*: a Unique Treatment of Pastoral', *Simiolus* 9 (1977), p. 19–44

McNeil Kettering 1983
A. McNeil Kettering, *The Dutch Arcadia. Pastoral Art and its Audience in the Golden Age*, Montclair 1983

Mauquoy-Hendrickx 1956
M. Mauquoy-Hendrickx, *L'iconographie d'Antoine van Dyck. Catalogue raisonné* (2 dln.), Brussel 1956

Mechelen 1958
Cat. *Margareta van Oostenrijk en haar hof*, Mechelen 1958

Meder 1908
J. Meder, 'Eine Poträtzeichnung Paulus Potters von Bartholomeus van der Helst', *Oud Holland* 26 (1908), p. 18–20

Van der Meer 1971
D.J. van der Meer, 'Ulenburg', *Gyealogysk Jierboekje* (1971), p. 74–99

Meijer 1961
E.R. Meijer, 'De schilderijen', *Bulletin van het Rijksmuseum* 9 (1961), p. 45–62

Meijer 1983
B.W. Meijer, *Rembrandt nel Seicento toscano*, Florence 1983

Meltzoff 1942
S. Meltzoff, 'The Rediscovery of Vermeer', *Marsyas* 2 (1942), p. 145–166

Michel 1888
E. Michel, 'Les van de Velde', *Gazette des Beaux-Arts* (2e pér., dl. 37), 30 (1888), p. 117–196, 397–406, (dl. 38), p. 265–284

Michel 1892
E. Michel, *Les van de Velde* (Les artistes célèbres), Parijs z.j. (1892)

Michel 1893
E. Michel, *Rembrandt. Sa vie, ses oeuvres et son temps*, Parijs 1893

Michel 1906
E. Michel, *Paul Potter*, Parijs z.j. (1906)

Miedema 1972
H. Miedema, 'Johannes Vermeers "schilderkunst"', *Proef*, september 1972, p. 67–76

Miedema 1973
H. Miedema, *Karel van Mander. Den grondt der edel vry schilder-const* (2 dln.), Utrecht 1973

Miedema 1974
H. Miedema, 'Grillen van Rembrandt', *Proef* 3 (1974), p. 84–88

Miedema 1974-A
H. Miedema, 'De grillen', *Proef* 3 (1974), p. 84–88

Miedema 1980
H. Miedema, *De archiefbescheiden van het St. Lukasgilde te Haarlem* (2 dln.), Alphen aan de Rijn 1980

Mielke 1967
H. Mielke, *Hans Vredeman de Vries. Verzeichnis der Stichwerke und Beschreibung seines Stils sowie Beiträge zum Werk Gerard Groennings* (diss.), Berlijn 1967

Millar 1963
O. Millar, *The Tudor, Stuart and Early Georgian Pictures in the Collection of her Majesty the Queen* (2 dln.), Londen 1963

Millner Kahr 1975
M. Millner Kahr, 'Velasquez and Las Meninas', *The Art Bulletin* 57 (1975), p. 225–246

Milwaukee 1976
Cat. *The Bible through Dutch Eyes* Milwaukee (Art Centre) 1976

Minneapolis 1971
Cat. *European Paintings from the Minneapolis Institiute of Arts*, New York/Washington/Londen 1971

De Mirimonde 1966
A.P. de Mirimonde, 'La musique dans les allégories de l'amour', *Gazette des Beaux-Arts* (6e pér., dl. 68) 108 (1966), p. 265–290

De Mirimonde 1970
A.P. de Mirimonde, 'Musique et symbolisme chez Jan-Davidszoon de Heem, Cornelis-Janszoon et Jan II Janszoon de Heem', *Jaarboek van het Koninklijk Museum voor Schone Kunsten Antwerpen* (1970), p. 241–295

De Mirimonde 1971
A.P. de Mirimonde, 'Les peintres flamands de trompe l'oeil et de natures mortes au XVIIe siècle, et les sujets de musique', *Jaarboek van het Koninklijk Museum voor Schone Kunsten Antwerpen* (1971), p. 223–271

Misme 1923
C. Misme, 'Emanuel de Witte. Un petit maître hollandais', *Gazette des Beaux-Arts* (5e pér., dl. 17), 65 (1923), p. 137–156

Moes 1897–1905
E.W. Moes, *Iconographia Batava. Beredeneerde lijst van geschilderde en gebeeldhouwde portretten van noord-Nederlanders in vorige eeuwen* (2 dln.), Amsterdam 1897–1905

Moes 1903–04
E.W. Moes, '(Recensie van *Gossart 1902*)', *Bulletin... Nederlandschen oudheidkundigen bond* 5 (1903–04), p. 110–115

Moes 1913
E.W. Moes, 'Het kunstkabinet van Valerius Röver te Delft', *Oud Holland* 31 (1913), p. 424

Moes/Van Biema 1909
E.W. Moes & E. van Biema, *De Nationale Konst-Gallery en het Koninklijk Museum*, Amsterdam 1909

Von Moltke 1965
J.W. von Moltke, *Govaert Flinck. 1615–1660*, Amsterdam 1965

Montreal 1960
Catalogue of Paintings Montreal (Montreal Museum of Fine Arts) 1960

Montreal/Toronto 1969
Cat. *Rembrandt et ses élèves. Rembrandt and his Pupils* Montreal (Montreal Museum of Fine Arts) Toronto (Art Gallery of Ontario) 1969

Moskou 1974
Cat. *Dessin hollandais du XVIIe siècle* Moskou (Poesjkin Museum) 1974

De Moulin 1979
D. de Moulin, 'Medizinische und naturwissenschaftliche Aspekte der Regierungszeit des Grafen Johann Moritz von Nassau als Gouverneur in Brasilien', *Kleef 1979*, p. 33–46

Mourey 1906
G. Mourey, 'L'oeuvre de Jacques Jordaens à l'exposition d'Anvers', *Les Arts* 5 (1906), p. 2–32

Müllenmeister 1973–81
K.J. Müllenmeister, *Meer und Land im Licht des 17. Jahrhunderts* (3 dln.), Bremen 1973–81

Müller Hofstede 1971
J. Müller Hofstede, 'Abraham Janssens. Zur Problematik des flämischen Caravaggismus', *Jahrbuch der berliner Museen* 13 (1971), p. 208–300

Müller Hofstede 1984
J. Müller Hofstede, '"Non saturatur oculus visu" – Zur "Allegorie des Gesichts" von Peter Paul Rubens und Jan Brueghel d. Ä.', *Vekeman/Müller Hofstede 1984*, p. 243–289

München 1983
Cat. *Alte Pinakothek München. Erläuterungen zu den ausgestellten Gemälden*, München 1983

Münster/Baden Baden 1979–80
Cat. *Stilleben in Europa* Münster (Westfälisches Landesmuseum) Baden Baden (Staatliche Kunsthalle) 1979–80

Muller 1902
S. Muller, 'Utrecht's Mariakerk', *Oud Holland* 20 (1902), p. 193–224

Muller 1977
J.M. Muller, 'Rubens's Museum of Antique Sculpture: An Introduction', *The Art Bulletin* 59 (1977), p. 571–582

Muller/Vogelsang 1909
S. Muller & W. Vogelsang, *Holländische Patrizierhäuser*, Utrecht 1909

Munrow 1976
D. Munrow, *Instruments of the Middle Ages and Renaissance*, Oxford 1976

Muschart 1947
R.T. Muschart, 'Een en ander omtrent familiewapens', *Jaarboek van het Centraal Bureau voor Genealogie* 1 (1947), p. 119–126

Musper 1948
T. Musper, *Untersuchungen zu Rogier van der Weyden und Jan van Eyck*, Stuttgart z.j. (1948)

Nagler
G.K. Nagler, Neues allgemeines Künstler-Lexicon (22 dln.), München 1835–52

Naumann 1978
O. Naumann, 'Frans van Mieris as a Draughtsman', *Master Drawings* 16 (1978), p. 3–34

Naumann 1981
O. Naumann, *Frans van Mieris the Elder (1635–1681)* (2 dln.), Doornspijk 1981

Nederduytschen Helicon 1610
Den Nederduytschen Helicon, eygentlijck wezende der maet-dicht beminders lust-tooneel, Alkmaar/Haarlem 1610

Netter 1979
M. Netter, 'Überraschend und kostbar: Geschenk und Legat der Sammlung Schwarz von Spreckelsen an Basels Kunstmuseum', *Weltkunst* 49 (1979), p. 1108–1109

Neurdenberg 1930
E. Neurdenberg, *Hendrick de Keyser, beeldhouwer en bouwmeester van Amsterdam*, Amsterdam 1930

Neurdenberg 1948
E. Neurdenberg, *De zeventiende eeuwsche beeldhouwkunst in de noordelijke Nederlanden*, Amsterdam 1948

New York 1968
The Frick Collection. An Illustrated Catalogue. Volume 1. Paintings. American, British, Dutch, Flemish and German, New York 1968

New York 1979
Cat. *William and Mary and their House* New York (The Piermont Morgan Library) 1979

Nicolson 1956
B. Nicolson, 'The Rijksmuseum "Incredulity" and Terbrugghen's Chronology', *The Burlington Magazine* 98 (1956), p. 103–110

Nicolson 1958
B. Nicolson, *Hendrick Terbrugghen*, Den Haag 1958

Nicolson 1973
B. Nicolson, 'Terbrugghen Since 1960', *Album Amicorum J.G. van Gelder*, Den Haag 1973, p. 237–241

Nicolson 1979
B. Nicolson, *The International Caravaggesque Movement*, Oxford 1979

437

Niemeijer 1973
J.W. Niemeijer, *Cornelis Troost. 1696–1750*, Assen 1973

Niemeijer 1981
J.W. Niemeijer, 'De kunstverzameling van John Hope (1737–1784)', *Nederlands Kunsthistorisch Jaarboek* 32 (1981), p. 127–230

Nihom-Nijstad 1983
S. Nihom-Nijstad, Cat. *Reflects du siècle d'or. Tableaux hollandais du dix-septième siècle. Collection Frits Lugt. Fondation Custodia* Parijs (Institut Néerlandais) 1983

Nijmegen 1964
Cat. *Het schilderatelier in de Nederlanden 1500–1800* Nijmegen (De Waag) 1964

NNBW
Nieuw Nederlands Biografisch Woordenboek (10 dln.), Leiden 1911–37

Noach 1939
A. Noach, *De Oude Kerk te Amsterdam. Biografie van een gebouw*, Amsterdam 1939

Notitie der schilderyen 1827
Cat. *Notitie der schilderyen van het koninklijk kabinet te 's Gravenhage*, Den Haag 1827

Nuyens 1928
B.W.T. Nuyens, 'Het ontleedkundig onderwijs en de geschilderde Anatomische lessen van het Chirurgijns Gilde te Amsterdam, in de jaren 1550 tot 1798', *Koninklijk Oudheidkundig Genootschap. Jaarverslag* 70 (1928), p. 45–90

Oberheide 1933
A. Oberheide, *Der Einfluss Marcantonio Raimondis auf die nordische Kunst des 16. Jahrhunderts. (Unter besonderer Berücksichtigung der Graphik)* (diss. Hamburg), Hamburg 1933

Obreen 1887/1893
F.D.O. Obreen, *Wegwijzer door 's Rijks Museum te Amsterdam*, Schiedam 1893 (1e druk 1887)

Obreen 1888–90
F.D.O. Obreen, 'Rembrandt's Anatomische les van Prof. Nicolaes Tulp', *Archief voor Nederlandse kunstgeschiedenis. 7e deel*, Rotterdam 1888–90, p. 195–244

Obreen 1914
(F.D.O.) Obreen, 'Egmond (Floris van)', *NNBW*, dl. III (1914), kol. 324–325

Obreen 1914-A
(F.D.O.) Obreen, 'Egmond (Frederik van)', *NNBW*, dl. III (1914), kol. 325–326

Oldenbourg 1922
R. Oldenbourg, *Peter Paul Rubens* (herausgegeben von W. von Bode), München/Berlijn 1922

Oldenbourg/Rosenberg 1921
R. Oldenbourg & A. Rosenberg, *P.P. Rubens. Des Meisters Gemälde* (Klassiker der Kunst, v), Stuttgart/Berlijn/Leipzig z.j. (1921)

Osinga 1933
M.D. Osinga, 'Post, Pieter Jansz.', *Thieme/Becker*, dl. XXVII (1933), p. 298–299

Von der Osten 1961
G. von der Osten, 'Studien zu Jan Gossaert', *De artibus opuscula XL. Essays in Honor of Erwin Panofsky*, New York 1961, dl. I, p. 454–475, dl. II, p. 154–160

Von der Osten/Vey 1969
G. von der Osten & H. Vey, *Paintings and Sculpture in Germany and the Netherlands. 1500 to 1600*, Harmondsworth 1969

Overvoorde 1908
J.C. Overvoorde, 'De collectie Dela Court', *Jaarboekje voor geschiedenis en oudheidkunde van Leiden en Rijnland* 5 (1908), p. 154–176

Pallucchini/Canova 1974
R. Pallucchini & G.M. Canova, *L'opera completa del Lotto*, Milaan 1974

Panofsky 1927
E. Panofsky, '"Imago Pietatis". Ein Beitrag zur Typengeschichte des "Schmerzensmanns" und der "Maria Mediatrix"', *Festschrift für Max Friedländer zum 60. Geburtstage*, Leipzig 1927, p. 261–308

Panofsky 1945
E. Panofsky, *Albrecht Dürer* (2 dln.), Oxford 1945

Panofsky 1951
E. Panofsky, 'Two Roger Problems: the Donor of the Hague *Lamentation* and the Date of the Alterpiece of the Seven Sacraments', *The Art Bulletin* 33 (1951), p. 33–40

Panofsky 1953
E. Panofsky, *Early Netherlandish Painting. Its Origin and Character* (2 dln.), Cambridge, Mass. 1953

Parijs 1921
Cat. *Exposition hollandaise. Tableaux, aquarelles et dessins anciens et modernes* Parijs (Jeu de Paume) 1921

Parijs 1947
Cat. *Les primitifs flamands* Parijs (Musée de l'Orangerie) 1947

Parijs 1950–51
Cat. *Le paysage hollandais au XVIIe siècle* Parijs (Orangerie des Tuileries) 1950–51

Parijs 1952
Cat. *La nature morte de l'antiquité à nos jours* Parijs (Orangerie des Tuileries) 1952

Parijs 1952–53
Cat. *Le portrait dans l'art flamand de Memling à Van Dyck* Parijs (Orangerie des Tuileries) 1952–53

Parijs 1960
Cat. *Bestiaire hollandais* Parijs (Institut Néerlandais) 1960

Parijs 1965–66
Cat. *Le XVIe siècle européen. Peintures et dessins dans les collections publiques françaises* Parijs (Petit Palais) 1965–66

Parijs 1969
Cat. *Tableaux anciens. Meubles et objets d'art. Haute époque* Parijs (Palais Galiéra) 21 maart 1969

Parijs 1970
Cat. *Saenredam 1597–1665. Peintre des églises* Parijs (Institut Néerlandais) 1970

Parijs 1970–71
Cat. *Le siècle hollandais. Tableaux hollandais des collections publiques françaises* Parijs (Musée du Petit Palais) 1970–71

Parijs 1977–78
Cat. *Le siècle de Rubens dans les collections publiques françaises* Parijs (Grand Palais) 1977–78

Parijs/New York 1983
Cat. *Manet 1832–1883* Parijs (Galeries nationales du Grand Palais) New York (Metropolitan Museum of Art) 1983

Van Peer 1951
A. van Peer, 'Rondom Jan Vermeer van Delft. De kinderen van Vermeer', *Katholiek Cultureel Tijdschrift Streven* (nieuwe serie, IV) 1 (1951), p. 615–626

Pels 1681
A. Pels, *Gebruik én misbruik des tooneels...*, Amsterdam 1681

Pepper 1984
D.S. Pepper, *Guido Reni. A Complete Catalogue of his Works with an Introductory Text*, Oxford 1984

Della Pergola 1955
P. della Pergola, *Galleria Borghese. Vol. I. I Dipinti*, Rome 1955

Peter-Raupp 1980
H. Peter-Raupp, *Die Ikonographie des Oranjezaal*, Hildesheim/New York 1980

Philadelphia 1972
John G. Johnson Collection. Catalogue of Flemish and Dutch Paintings Philadelphia Penns. (Museum of Art) 1972

Phillips 1896/1906
C. Phillips, *The Picture Gallery of Charles I*, Londen 1906 (ed. princ. 1896)

Pigler 1974
A. Pigler, *Barockthemen* (3 dln.), Boedapest 1974

Pignatti 1969
T. Pignatti, *Giorgione*, Venetië z.j. (1969)

De Piles 1699/1725
(R.) de Piles, *Beknopt verhaal van het leven der vermaardste schilders*, Amsterdam 1725 (ed. princ. 1699)

Pinder 1951
W. Pinder, *Holbein der Jüngere und das Ende der Altdeutschen Kunst* (Vom Wesen und Werden deutscher Formen. Geschichtliche Betrachtungen, IV), Frankfurt 1951

Pirchan 1940
E. Pirchan, *Het kunstenaars getijdenboek*, Amsterdam z.j. (1940?)

Planiscig & Kris 1935
L. Planiscig & E. Kris, *Katalog der Sammlungen für Plastik und Kunstgewerbe* (Führer XXVII) Wenen (Kunsthistorisches Museum) 1935

Plietzsch 1915
E. Plietzsch, 'Everdingen, Cesar Boëtius van', *Thieme/Becker*, dl. II (1915), p. 107–108

Plietzsch 1944
E. Plietzsch, *Gerard ter Borch*, Wenen 1944

Plietzsch 1960
E. Plietzsch, *Holländische und flämische Maler des XVII. Jahrh.*, Leipzig 1960

Poensgen 1970
G. Poensgen, 'Das Werk des Jodocus a Winghe', *Pantheon* 28 (1970), p. 504–515

Pommereul 1798
(le Général Pommereul), 'Etat des objects d'arts envoyés aux divers musées français, et conquis par les armées de la République pendant la guerre de la liberté', *De l'art de voir dans les beaux-arts, traduit de l'Italien de Milizia*, Parijs z.j. (1798), p. 375–316

De Poorter 1971
N. de Poorter, 'Willem van Haecht. De kunstkamer van Cornelis van der Geest', *Openbaar kunstbezit in Vlaanderen* 9 (1971), p. 16a-b

Van Puyvelde 1951
L. van Puyvelde, 'Nouvelles oeuvres de Jean van Hemessen', *Revue belge d'archéologie et d'histoire de l'art. Belgisch tijdschrift voor oudheidkunde en kunstgeschiedenis* 20 (1951), p. 57–71

Van Puyvelde 1953
L. van Puyvelde, *Jordaens*, Parijs/Brussel 1953

Van Puyvelde 1955
L. van Puyvelde, 'Willem van Haecht en zijn "Galerij van Cornelis van der Geest"', *Revue belge d'archéologie et d'histoire de l'art. Belgisch tijdschrift voor oudheidkunde en kunstgeschiedenis* 24 (1955), p. 159–163

Van Puyvelde 1959
L. van Puyvelde, *Van Dyck*, Hasselt 1959

Van Puyvelde 1964
L. van Puyvelde, 'Le banquet d'Acheloüs par Rubens', *Gazette des Beaux-Arts* (6e pér., dl. 63) 106 (1964), p. 93–98

Querido 1967
A. Querido, 'De anatomie van de Anatomische les', *Oud Holland* 82 (1967), p. 128–136

Raupp 1984
H.-J. Raupp, *Untersuchungen zu Künstlerbildnis und Künstlerdarstellung in den Niederlanden in 17. Jahrhundert* (Studien zur Kunstgeschichte, XXV), Hildesheim/Zürich/New York 1984

Réau 1955–59
L. Réau, *Iconographie de l'art chrétien* (3 dln.), Parijs 1955–59

Regtdoorzee Greup-Roldanus 1936
S.C. Regtdoorzee Greup-Roldanus, *Geschiedenis der Haarlemmer bleekerijen* (diss. Amsterdam), Den Haag 1936

Van Regteren Altena 1932
I.Q. van Regteren Altena, 'Klassieke Hollandsche teekenaars in het Museum Fodor', *De Amsterdamsche gids* 8 (1932), p. 12–16, 23–24

Van Regteren Altena 1935
I.Q. van Regteren Altena, *Jacques de Gheyn. An Introduction to the Study of his Drawings* (diss.), Amsterdam 1935

Van Regteren Altena 1941
J.Q. van Regteren Altena, *De Nederlandsche geest in de schilderkunst*, Zeist 1941

Van Regteren Altena 1950
I.Q. van Regteren Altena, 'Retouches aan ons Rembrandtbeeld. I. De zoogenaamde voorstudie voor de Anatomische les van Dr. Deyman', *Oud Holland* 65 (1950), p. 171–178

Van Regteren Altena 1957
I.Q. van Regteren Altena, 'Jan de Bisschop (ca. 1608–1671). Gezicht op de kolk en de wal te Delft. Andries Both (ca. 1608–1641). Ophaalbrug voor een stadswal', *Openbaar kunstbezit* 1 (1957), p. 16c-d

Renger 1970
K. Renger, *Lockere Gesellschafte. Zur Ikonographie des Verlorenen Sohnes und von Wirtshausszenen in der niederländischen Malerei*, Berlijn 1970

Renger 1986
K. Renger, Cat. *Adriaen Brouwer und das niederländische Bauerngenre. 1600–1660* München (Alte Pinakothek) 1986

Rennes 1974
Cat. *Le dossier d'un tableau. Saint Luc peignant la Vierge* Rennes (Musée de Rennes) 1974

Reynolds 1781
J. Reynold, 'A Journey to Flanders and Holland (1781)', *Reynolds/Malone 1971*, dl. II, p. 1–124

Reynolds 1899
J. Reynolds, *The Literary Works of Sir Joshua Reynolds* (2 dln.) (ed. H.W. Beechy), Londen 1899

Reynolds/Malone 1971
J. Reynolds, *The Works. Edited by Edmond Malone (1797)* (2 dln.), Hildesheim/New York 1971

Reznicek 1954
E.K.J. Reznicek, 'Notities bij "de Konstkamer" van Gonzales Coques', *Bulletin van het Rijksmuseum* 2 (1954), p. 43–46

Reznicek 1961
E.K.J. Reznicek, *Die Zeichnungen von Hendrick Goltzius* (2 dln.), Utrecht 1961

Reznicek 1975
E.K.J. Reznicek, 'Het leerdicht van Karel van Mander en de acribie van Hessel Miedema', *Oud Holland* 89 (1975), p. 102–128

Reznicek 1977
E.K.J. Reznicek, 'Opmerkingen bij Rembrandt', *Oud Holland* 91 (1977), p. 75–103

Reznicek 1983
E.K.J. Reznicek, 'De achtste tronie van de schelpenverzamelaar', *Essays in Northern European Art Presented to Egbert Haverkamp-Begemann on his Sixtieth Birthday*, Doornspijk 1983, p. 209–212

Reznicek 1985
E.K.J. Reznicek, 'A Survey of Recent Discoveries and of Bibliography Concerning Dutch Art 1500–1600', *Netherlandish Mannerism. Papers Given at a Symposium in Nationalmuseum Stockholm, September 21–22, 1984*, Stockholm 1985, p. 6–13

Reznicek 1985-A
E.K.J. Reznicek, 'Two Drawings in the Uffizi: Goltzius and Wtewael', *Mercury* 1 (1985), nr. 2, p. 3–8

Reznicek 1986
E.K.J. Reznicek, 'Hendrick Goltzius and his Conception of Landscape', *Brown 1986*, p. 57–62

Ricci 1918
C. Ricci, *Rembrandt in Italia*, Milaan 1918

Richardson 1938
E.P. Richardson, 'De Witte and the Imaginative Nature of Dutch Art', *The Art Quarterly* 1 (1938), p. 5–16

Riegel 1882
H. Riegel, *Die niederländischen Schulen im herzoglichen Museum zu Braunschweig* (Beiträge zur niederländischen Kunstgeschichte, II), Berlijn 1882

Riegl 1902
A. Riegl, 'Das holländische Gruppenporträt', *Jahrbuch der kunsthistorischen Sammlungen des allerhöchsten Kaiserhauses* 23 (1902), p. 71–278

Riegl 1931
A. Riegl, *Das holländische Gruppenporträt*, Wenen 1931

Rietstap/Rolland 1938
J.-B. Rietstap & H.V. Rolland, *Planches de l'armorial général de J.-B. Rietstap* (6 dln.), Den Haag 1938

Ripa 1644
C. Ripa, *Iconologia of uijtbeeldinge des verstants* (ed. D.P. Pers), Amsterdam 1644

RKD
Rijksbureau voor Kunsthistorische Documentatie, Den Haag

Robels 1983
H. Robels, *Niederländische Zeichnungen vom 15. bis 19. Jahthundert im Wallraf-Richartz-Museum Köln* (Katalog des Wallraf-Richartz-Museums Graphische Sammlung, 1), Keulen 1983

Robinson 1974
F.W. Robinson, *Gabriel Metsu (1629–1667). A Study of his Place in Dutch Genre Painting of the Golden Age*, New York 1974

Robinson 1974-A
M.S. Robinson, *Van de Velde Drawings. A Catalogue of Drawings in the National Maritime Museum Made by the Elder and the Younger Willem van de Velde. Volume II*, Cambridge 1974

Robinson 1979
W.W. Robinson, 'Preparatory Drawings by Adriaen van de Velde', *Master Drawings* 17 (1979), p. 3–23

Robinson/Weber 1979
F.W. Robinson & R.E.J. Weber, *The Willem van de Velde Drawings in the Boymans-van Beuningen Museum* (3 dln.), Rotterdam 1979

Roemer Visscher/Brummel 1614/1949
L. Brummel, *Sinnepoppen van Roemer Visscher*, Den Haag 1949 (ed. princ. 1614)

Rogge 1880
H.C. Rogge, 'Nicolaes Tulp', *De Gids* (3e serie) 44 (1880), p. 76–125

Rollenhagen 1611
G. Rollenhagen, *Nucleus emblematum...*, Arnhem 1611

Rome 1954
Cat. *Mostra di pittura olandese del Seicento* Rome (Palazzo delle esposizioni) 1954
Rome 1956–57
Cat. *Le XVIIe siècle européen. Réalisme calssicisme baroque* Rome (Palais des expositions) 1956–57
Rome 1983
Cat. *La pastorale Olandese nel Seicento: l'inspirazione poetica della pittura nel secolo d'oro* Rome (Istituto Olandese) 1983
Romers 1969
H. Romers, *J. de Beijer oeuvre-catalogus*, Den Haag 1969
Rooses 1886–92
M. Rooses, *L'oeuvre de P.P. Rubens* (5 dln.), Antwerpen 1886–92
Rooses 1906
M. Rooses, *Jordaens' leven en werken*, Amsterdam/Antwerpen 1906
Rosenberg 1900
A. Rosenberg, *Adriaen und Isack van Ostade*, Bielefeld/Leipzig 1900
Rosenberg 1911
A. Rosenberg, *P.P. Rubens. Des Meisters Gemälde in 551 Abbildungen* (Klassiker der Kunst, V), Stuttgart/Leipzig 1911
Rosenberg 1927
J. Rosenberg, 'Hobbema', *Jahrbuch der preussischen Kunstsammlungen* 48 (1927), p. 130–151
Rosenberg 1928
J. Rosenberg, *Jacob van Ruisdael*, Berlijn 1928
Rosenberg 1944
J. Rosenberg, 'Rembrandt and Guercino', *The Art Quarterly* 7 (1944), p. 129–134
Rosenberg 1964
J. Rosenberg, *Rembrandt. Life & Work*, Londen 1964 (ed. princ. 1948)
Rosenberg/Slive/Ter Kuile 1966
J. Rosenberg, S. Slive & E.H. ter Kuile, *Dutch Art and Architecture. 1600 to 1800*, Harmondsworth 1966
Rotgans/Strengholt 1708/1968
L. Rotgans, *Boerekermis* (ingeleid en van aantekeningen voorzien door L. Strengholt), Gorinchem 1968 (ed. princ. Amsterdam 1708)
Rotterdam 1932–33
Cat. *Kersttentoonstelling* Rotterdam (Museum Boymans) 1932–33
Rotterdam 1938–39
Cat. *Schilderijen, teekeningen en beeldhouwwerken uit particuliere Nederlandsche verzamelingen* Rotterdam (Museum Boymans) 1938–39
Rotterdam 1945–46
Cat. *Het Nederlandsche zee- en riviergezicht in de XVIIde eeuw* Rotterdam (Museum Boymans) 1945–46
Rotterdam 1958
Cat. *Michiel Sweerts en zijn tijdgenoten* Rotterdam (Museum Boymans) 1958

Rotterdam 1959–60
Cat. *Collectie Thyssen-Bornemisza (Schloss Rohoncz). 110 Meesterwerken. Europese schilderkunst van de XIV-XVIIIe eeuw* Rotterdam (Museum Boymans-van Beuningen) 1959–60
Rotterdam 1962
Cat. *Schilderijen tot 1800* Rotterdam (Museum Boymans-van Beuningen) 1962
Rotterdam 1972
Cat. *Old Paintings 1400–1900. Illustrations* Rotterdam (Museum Boymans-van Beuningen) 1972
Rotterdam 1985
Cat. *Meesterwerken uit de Hermitage/Masterpieces from the Hermitage, Leningrad* Rotterdam (Museum Boymans-van Beuningen) 1985
Rousseau 1962
T. Rousseau, 'Aristolte Contemplating the Bust of Homer', *The Metropolitan Museum of Art Bulletin* (1962) januari, p. 149–156
Rowlands 1985
J. Rowlands, *Holbein. The Paintings of Hans Holbein the Younger. Complete Edition*, Oxford 1985
Ruffo 1916
V. Ruffo, 'Galleria Ruffo nel secolo XVII in Messina', *Bolletino d'Arte* 10 (1916), p. 21–64, 95–128, 165–192, 237–256, 284–320, 369–388
Russel 1975
M. Russel, *Jan van de Cappelle. 1624/6–1679*, Leigh-on-Sea 1975
Rutgers van der Loeff 1911
J.D. Rutgers van der Loeff, *Drie lofdichten op Haarlem. Het middelnederlandsch gedicht van Dirck Mathijszen en Karel van Mander's Twee Beelden van Haarlem*, Haarlem 1911
Ruurs 1974
R. Ruurs, 'Adrianus Brouwer. Gryllorum Pictor', *Proef* 3 (1974), p. 87–88
Ruurs 1982
R. Ruurs, 'Saenredam: constructies', *Oud Holland* 96 (1982), p. 97–121
Ruurs 1983
R. Ruurs, 'Pieter Saenredam: zijn boeken-bezit en zijn relatie met de landmeter Pieter Wils', *Oud Holland* 97 (1983), p. 59–67
Salvini/Grohn 1971
R. Salvini & H.W. Grohn, *L'opera pittorica completa di Holbein il Giovane*, Milaan 1971
Sambucus 1564
J. Sambucus, *Emblemata, et aliquot nummi antiqui operis*, Antwerpen 1564
Von Sandrart 1675
J. von Sandrart, *Teutsche Academie der Edlen Bau- Bild- und Mahlerey-Künste...* (2 dln.), Neurenberg 1675
San Francisco enz. 1966
Cat. *The Age of Rembrandt* San Francisco (California Palace of the Legion of Honor) Toledo (The Museum of Art) Boston (Museum of Fine Arts) 1966
Saxl 1957
F. Saxl, 'Rembrandt and Classical Antiquity', *Saxl 1957-A*, dl. I, p. 298–310

Saxl 1957-A
F. Saxl, *Lectures* (2 dln.), Londen 1957
Schaar 1958
E. Schaar, *Studien zu Nicolaes Berchem* (diss. Hamburg), Keulen 1958
Schade 1974
W. Schade, *Die Malerfamilie Cranach*, Dresden 1974
Schäffer 1909
E. Schäffer, *Van Dyck. Des Meisters Gemälde in 537 Abbildungen* (Klassiker der Kunst, XIII), Stuttgart/Leipzig 1909
Schaffhausen 1951
Cat. *Meisterwerke europäischer Malerei* Schaffhausen (Museum zu Allerheiligen) 1951
Schaffhausen 1955
Cat. *Meisterwerke flämischer Malerei* Schaffhausen (Museum zu Allerheiligen) 1955
Schapelhouman 1979
M. Schapelhouman, *Tekeningen van Noord- en Zuidnederlandse kunstenaars geboren voor 1600* (Oude tekeningen in het bezit van de Gemeentemusea van Amsterdam waaronder de collectie Fodor, II), Amsterdam 1979
Schatborn 1974
P. Schatborn, 'Figuurstudies van Nicolaes Berchem', *Bulletin van het Rijksmuseum* 22 (1974), p. 3–16
Schatborn 1981–82
P. Schatborn, Cat. *Figuurstudies. Nederlandse tekeningen uit de 17de eeuw* Amsterdam (Rijksprentenkabinet) Washington (National Gallery of Art) 1981–82 (ook Engelse ed.)
Schatborn 1985
Cat. *Tekeningen van/ Drawings by Rembrandt/ zijn onbekende leerlingen en navolgers/ his Anonymous Pupils and Followers* (Catalogue of the Dutch and Flemish Drawings in the Rijksprentenkabinet, Rijksmuseum, Amsterdam, IV) Den Haag 1985
Scheller 1969
R.W. Scheller, 'Rembrandt en de encyclopedische kunstkamer', *Oud Holland* 84 (1969), p. 81–145
Scheltema 1855
P. Scheltema, 'Govert Flinck', *Aemstel's oudheid of gedenkwaardigheden van Amsterdam* I (1855), p. 129–140
Scheltema/Thoré-Bürger
P. Scheltema, 'Govert Flinck', *Revue universelle des arts* 7 (1857), p. 501–512 (met notities van W. Bürger)
Van Schendel 1963
A.F.E. van Schendel, 'Rijksmuseum Amsterdam', *Verslagen der rijksverzamelingen van geschiedenis en kunst. Deel LXXXIII. 1961*, Den Haag 1963, p. 5–69
Schloss 1982
C.S. Schloss, *Travel, Trade and Temptation. The Dutch Italianate Harbor Scene, 1640–1680*, Ann Arbor 1982

Von Schlosser 1908
J. von Schlosser, *Die Kunst- und Wunderkammer der Spätrenaissance*, Leipzig 1908

Schmid 1945–48
H.A. Schmid, *Hans Holbein der Jüngere. Sein Aufstieg zur Meisterschaft und sein englischer Stil* (3 dln.), Basel 1945–48

Schmidt 1959
H. Schmidt, 'Rembrandt, der islamische Orient und die Antike', *Aus der Welt der islamischen Kunst. Festschrift für E. Kühnel*, Berlijn 1959, p. 336–349

Schmidt-Degener 1915
F. Schmidt-Degener, 'Rembrandt en Homerus', *Feest-bundel dr. Abraham Bredius aangeboden den achttienden april 1915* (2 dln.), Amsterdam 1915, dl. I, p. 15–24, dl. II, afb. pl. 6–12

Schmidt-Degener 1935
F. Schmidt-Degener, Cat. *Rembrandt. Tentoonstelling ter herdenking van de plechtige opening van het Rijksmuseum op 13 juli 1885* Amsterdam (Rijksmuseum) 1935

Schnackenburg 1981
B. Schnackenburg, *Adriaen van Ostade. Isack van Ostade. Zeichnungen und Aquarelle. Gesamtdarstellung mit Werkkatalogen* (2 dln.), Hamburg 1981

Schneede 1968
U.M. Schneede, 'Gabriel Metsu und der holländische Realismus', *Oud Holland* 83 (1968), p. 45–61

Von Schneider 1933
A. von Schneider, *Caravaggio und die Niederländer*, Marburg-Lahn 1933

Schneider/Ekkart 1973
H. Schneider, *Jan Lievens. Sein Leben und seine Werke* (mit einem Supplement von R.E.O. Ekkart), Amsterdam 1973 (ed. princ. 1932)

Schoemaker/Broun 1981–82
I.H. Schoemaker & E. Broun, Cat. *The Engravings of Marcantonio Raimondi* Lawrence (The Spencer Museum of Art) Chapel Hill (The Ackland Art Museum) Wellesley (The Wellesley College Art Museum) 1980–81

Schönbrunner/Meder 1896–1908
J. Schönbrunner & J. Meder, *Handzeichnungen alter Meister aus der Albertina und anderen Sammlungen* (12 dln.), Wenen 1896–1908

Schöne 1939
W. Schöne, *Die grossen Meister der niederländischen Malerei des 15. Jahrhunderts. Hubert van Eyck bis Quentin Massys*, Leipzig 1939

Scholten 1904
H.J. Scholten, *Musée Teyler à Haarlem. Catalogue raisonné des dessins des écoles française et hollandaise*, Haarlem 1904

Schotel 1903
G.D.J. Schotel, *Het oud-Hollandsch huisgezin*, Arnhem 1903

Schouten 1970
J. Schouten, 'Een onbekende *Anatomische les van Dr. Nicolaas Tulp* door Christiaan Coevershoff', *Opstellen voor H. van de Waal*, Amsterdam/Leiden 1970, p. 174–184

Schrade 1939–40
H. Schrade, 'Rembrandts "Anatomie des Dr. Tulp"', *Das Werk des Künstlers. Kunstgeschichtliches Zweimonatschrift* 1 (1939–40), p. 60–100

Schulte Nordholt 1958
H. Schulte Nordholt, 'Rogier van der Weyden (1399–1464). Bewening', *Openbaar kunstbezit* 2 (1958), p. 12a-b

Schulte Nordholt 1960
H. Schulte Nordholt, 'Rembrandt van Rijn (1606–1669). Simeon in de tempel', *Openbaar kunstbezit* 4 (1960), p. 40a-b

Schulz 1978
W. Schulz, *Cornelis Saftleven. 1607–1681. Leben und Werke. Mit einem kritischen Katalog der Gemälde und Zeichnungen*, Berlijn/New York 1978

Schupbach 1982
W. Schupbach, *The Paradox of Rembrandt's 'Anatomy of Dr. Tulp'*, Londen 1982

Schussmann 1976
R. Schussmann, 'Die "holländische Anatomie"', *Cassella-Riedel Archiv* 59 (1976), nr. 1, p. 16–21

Schuurman 1947
K.E. Schuurman, *Carel Fabritius* (Palet-Serie), Amsterdam z.j. (1947)

Schwartz 1966–67
G. Schwartz, 'Saenredam, Huygens and the Utrecht Bull', *Simiolus* 1 (1966–67), p. 69–93

Schwartz 1984
G. Schwartz, *Rembrandt. Zijn leven, zijn schilderijen*, Maarssen 1984

Schwerin 1962
Cat. *Holländische Maler des XVII. Jahrhunderts* Schwerin (Staatliches Museum) 1962

Schwineköper 1938
B. Schwineköper, *De Hanschuh im Recht, Amterwesen, Brauch und Volksglauben*, Berlijn 1938

Scriverius 1630
P. Scriverius, *Saturnalia, ofte poëtisch vasten-avond-spel...*, Haarlem 1630

Segal 1981
S. Segal, 'Een vroeg bloemstuk van Jan Brueghel de Oude', *Tableau* 4 (1981), nr. 5, p. 490–499

Segal 1982
S. Segal, Cat. *Een bloemrijk verleden. Overzicht van de noord- en zuidnederlandse bloem-schilderkunst. 1600–heden* Amsterdam (P. de Boer) Den Bosch (Noordbrabants Museum) 1982

Segal 1983
S. Segal, Cat. *A Fruitful Past. A Survey of the Fruit Still Lifes of the Northern and Southern Netherlands from Brueghel till Van Gogh* Amsterdam (P. de Boer) Braunschweig (Herzog Anton Ulrich-Museum) 1983

Segal 1984
S. Segal, 'Still-Life Painting in Middelburg', *Bakker e.a. 1984*, p. 25–95

Segal/Warner 1928/1975
R. Warner, *Dutch and Flemish Flower and Fruit Painters of the XVIIth and XVIIIth Centuries* (bewerkt door S. Segal), Amsterdam 1975 (ed. princ. 1928)

Segard 1923
A. Segard, *Jean Gossart dit Mabuse*, Brussel/Parijs 1923

Seifertová-Korecká 1962
H. Seifertová-Korecká, 'Stilleben von Jan Davidsz de Heem in der Gemäldegalerie der Stadt Liberec (Reichenberg)', *Oud Holland* 77 (1962), p. 58–60

Shapley 1979
F.R. Shapley, *Catalogue of the Italian Paintings* (2 dln.) Washington (National Gallery of Art) 1979

Von Sick 1930
I. von Sick, *Nicolaes Berchem, ein Vorläufer des Rokoko*, Berlijn 1930

Sigel 1977
B.A. Sigel, *Der Vorhang der Sixtinischen Madonna. Herkunft und Bedeutung eines Motivs der Marienikonographie* (diss.), Zürich 1977

Silver 1984
L. Siver, *The Paintings of Quinten Massys: with Catalogue Raisonné*, Oxford 1984

Simon 1930
K.E. Simon, *Jacob van Ruisdael. Eine Darstellung seiner Entwicklung*, Berlijn 1930

Von Simson 1953
O. von Simson, '*Compassio* and *Co-redemptio* in Roger van der Weyden's *Descent from the Cross*', *The Art Bulletin* 35 (1953), p. 9–16

Six 1886
J. Six, 'Nicolaes Eliaz. Pickenoy', *Oud Holland* 4 (1886), p. 81–108

Six 1897
J. Six, 'De Homerus van Rembrandt', *Oud Holland* 15 (1897), p. 1–10

Six 1905
J. Six, 'Wie is het meisje in den hoenderhof van Steen in het Mauritshuis?', *Bulletin van den Nederlandschen Oudheidkundigen Bond* 6 (1905), p. 93

Six 1906
J. Six, *Paul Potter. A propos de son portrait équestre de Dirk Tulp, gravé par P. Dupont*, Amsterdam 1906

Sjollema 1962
J. Sjollema, 'Johannes Vermeer van Delft (1626–1675). Het meisje met de parel', *Openbaar kunstbezit* 6 (1962), p. 38a-b

Slatkes 1969
L.J. Slatkes, *Dirck van Baburen (c. 1595–1524). A Dutch Painter in Utrecht and Rome*, Utrecht 1969 (ed. princ. 1965)

Slatkes 1981–82
L.J. Slatkes, '(Recensie van *Nicolson 1979*)', *Simiolus* 12 (1981–82), p. 167–183

Sliggers 1979
B. Sliggers, *Dagelijckse aentekening van Vincent Laurensz van der Vinne*, Haarlem 1979

Slive 1953
S. Slive, *Rembrandt and his Critics. 1630–1730*, Den Haag 1953

Slive 1970–74
S. Slive, *Frans Hals* (3 dln.), Londen 1970–74
Slive 1973
S. Slive, 'Notes on Three Drawings by Jacob van Ruisdael', *Album Amicorum J.G. van Gelder*, Den Haag 1973, p. 274–276
Slive/Hoetink 1981–82
S. Slive & H.R. Hoetink, Cat. *Jacob van Ruisdael* Den Haag (Mauritshuis) Cambridge, Mass. (Fogg Art Museum) 1981–82
Sluijter 1980–81
E.J. Sluijter, 'De uitbeelding van mythologische thema's', *Amsterdam/Detroit/Washington 1980–81*, p. 55–63
Sluijter 1986
E.J. Sluijter, *De 'heydensche fabulen' in de noordnederlandse schilderkunst, circa 1590–1670* (diss. Leiden), Den Haag 1986
Smith 1829–42
J. Smith, *A Catalogue Raisonné of the Works of the Most Eminent Dutch, Flemish, and French Painters...* (8 dln. + suppl.), Londen 1829–42
Smith 1982
D.R. Smith, *Masks of Wedlock. Seventeenth-Century Dutch Marriage Portraiture*, Ann Arbor 1982
Snoep-Reitsma 1973
E. Snoep-Reitsma, 'De Waterzuchtige Vrouw van Gerard Dou en de betekenis van de lampetkan', *Album Amicorum J.G. van Gelder*, Den Haag 1973, p. 285–292
Somof 1895
A. Somof, *Ermitage imperial. Catalogue de la galerie des tableaux. Second volume. Ecoles néerlandaises et école allemande*, Leningrad 1895
Sonkes 1969
M. Sonkes, *Dessins du XVe siècle: groupe van der Weyden. Essai de catalogue des originaux du maître, des copies et des dessins anonymes inspirés par son style*, Brussel 1969
De Sousa-Leaõ 1948
F. de Sousa Leaõ, *Frans Post. 1612–1680*, Amsterdam 1948
Spear 1982
R.E. Spear, *Domenichino* (2 dln.), New Haven 1982
Speth-Holterhoff 1957
S. Speth-Holterhoff, *Les peintres flamands de cabinets d'amateurs au XVIIe siècle*, Brussel 1957
Speth-Holterhoff 1958
S. Speth-Holterhoff, 'Trois amateurs d'art flamands au XVIIe siècle', *Revue belge d'archéologie et d'histoire de l'art. Belgisch tijdschrift voor oudheidkunde en kunstgeschiedenis* 27 (1958), p. 45–62
Spicer 1983
J. Spicer, '"De Koe voor d'Aerde staet": The Origins of the Dutch Cattle Piece', *Essays in Northern Art Presented to Egbert Haverkamp-Begemann on his Sixtieth Birthday*, Doornspijk 1983, p. 250–256

Starcky 1985
E. Starcky, 'Quelques dessins de Rembrandt dans les collections du Louvre: problèmes de chronologie', *La revue du Louvre et des Musées de France* 35 (1985), p. 255–264
Staring 1952
A. Staring, 'Vraagstukken der Oranje-iconographie. II. Rondom twee portretten door Jan Gossaert van Mabuse', *Oud Holland* 67 (1952), p. 144–156
Stechow 1938
W. Stechow, *Salomon van Ruysdael*, Berlijn 1938
Stechow 1940
W. Stechow, 'Rembrandt's "Presentation in the Dark Manner"', *The Print Collector's Quarterly* 27 (1940), p. 364–379
Stechow 1947
W. Stechow, 'Esajas van de Velde and the Beginning of Dutch Landscape Painting', *Nederlands Kunsthistorisch Jaarboek* 1 (1947), p. 83–94
Stechow 1948
W. Stechow, 'Jan Baptist Weenix', *The Art Quarterly* 11 (1948), p. 181–198
Stechow 1965
W. Stechow, 'Über das Verhältnis zwischen Signatur und Chronologie bei einigen holländischen Künstlern des 17. Jahrhunderts', *Festschrift Dr. h.c. Eduard Trautschold zum siebzigsten Geburtstag am 13. Januar 1963*, Hamburg 1965, p. 111–117
Stechow 1968
W. Stechow, *Dutch Landscape Painting of the Seventeenth Century*, Londen 1968 (ed. princ. 1966)
Stechow 1969
W. Stechow, 'Some Observations on Rembrandt and Lastman', *Oud Holland* 84 (1969), p. 148–162
Stechow 1975
W. Stechow, *Salomon van Ruysdael*, Berlijn 1975
Steengracht van Oostkapelle 1826–30
J. Steengracht van Oostkapelle, *Les principaux tableaux du musée royal à la Haye, gravés au trait, avec leur description* (4 dln.), Den Haag 1826–30
Stein 1929
W. Stein, *Holbein*, Berlijn 1929
Steland-Stief 1971
A.C. Steland-Stief, *Jan Asselijn, nach 1610 bis 1652*, Amsterdam 1971
Sterk 1980
J.J.B.M.M. Sterk, *Philips van Bourgondië (1465–1524), bisschop van Utrecht, als protagonist van de renaissance: zijn leven en maecenaat* (diss. Utrecht), Zutphen 1980
Sterling 1959
C. Sterling, *La nature morte de l'antiquité à nos jours*, Parijs 1959
Stockholm 1958
Cat. *Aldre utländska malningar och skulpturer (Peintures et sculptures des écoles étrangères antérieures à l'époque moderne)* Stockholm (Nationalmuseum) 1958

Van Straaten 1977
E. van Straaten, *Koud tot op het bot. De verbeelding van de winter in de zestiende en zeventiende eeuw in de Nederlanden*, Den Haag 1977
Van Straaten 1977-A
E. van Straaten, *Johannes Vermeer 1632–1675. Een Delftse schilder en de cultuur van zijn tijd*, Den Haag 1977
Strauss 1976–77
W.L. Strauss, *The Intaglio Prints of Albrecht Dürer. Engravings, Etchings & Dry-points*, New York 1976–77
Strauss/Van der Meulen 1979
W.L. Strauss & M. van der Meulen, *The Rembrandt Documents*, New York 1979
De Stuers 1874
V. de Stuers, *Notice historique et descriptive des tableaux et des sculptures exposés dans le musée royal de La Haye*, Den Haag 1874
De Stuers 1881
V. de Stuers, 'Twee portretten van Frans Hals', *Nederlansche Kunstbode* 3 (1881), p. 44–45 en 79
Suida 1929
W. Suida, *Leonardo und sein Kreis*, München 1929
Sullivan 1980
S. Sullivan, 'Rembrandt's *Self-Portrait with a Dead Bittern*', *The Art Bulletin* 62 (1980), p. 236–243
Sullivan 1984
S.A. Sullivan, *The Dutch Gamepiece*, Totowa, N.J./Montclair, N.J. 1984
Sumowski 1957–58
W. Sumowski, 'Nachträge zum Rembrandtjahr 1956', *Wissenschaftliche Zeitschrift der Humboldt-Universität zu Berlin. Gesellschafts und sprachwissenschaftliche Reihe* 7 (1957–58), p. 223–278
Sumowski 1979–81
W. Sumowski, *Drawings of the Rembrandt School* (4 dln.), New York 1979–81
Sumowski 1983
W. Sumowski, *Gemälde der Rembrandtschüler. I. J.A. Backer – A. van Dijck*, Landau 1983
Sumowski 1983-A
W. Sumowski, *Gemälde der Rembrandt-Schüler. II. G. van den Eeckhout – I. de Joudreville*, Landau 1983
Susijn 1973
J.J. Susijn, 'Die Restaurierung von Potters "Jungem Stier"', *Maltechnik* 79 (1973), p. 44–45
Sutton 1980
P.C. Sutton, *Pieter de Hooch*, Oxford 1980
Sutton 1982–83
P.C. Sutton, 'The Life and Art of Jan Steen', *Philadelphia Museum of Art Bulletin* 78 (1982–83), nr. 337–338, p. 3–43
Swaen 1926
A.E.H. Swaen, *De valk in de iconographie*, Maastricht 1926

442

Swaen 1937
A.E.H. Swaen, *De valkerij in de Nederlanden*, Zutphen 1937

Swillens 1935
P.T.A. Swillens, *Pieter Janszoon Saenredam, schilder van Haarlem 1597–1665*, Amsterdam 1935

Swillens 1950
P.T.A. Swillens, *Johannes Vermeer, Painter of Delft 1632–1675*, Utrecht/Brussel 1950

Swillens 1961
P.T.A. Swillens, *Johannes van Campen. Schilder en bouwmeester. 1595–1657*, Assen 1961

Taverne 1964
E.R.M. Taverne, 'Pictura. Enkele allegorieën op de schilderkunst', Nijmegen 1964, p. 31–46

Terwesten 1770
P. Terwesten, 'Catalogus van een gedeelte van 't vorstelyk kabinet van schilderyen van zyne doorl. hoogheid, den heere Prince van Orange en Nassau...', *Hoet 1752–70*, dl. III, p. 689–720

Theuerkauff 1975
C. Theuerkauff, 'Zu Francis van Bossuit (1655–1692), "Beeldsnyder in Yvoor"', *Wallraf-Richartz-Jahrbuch* 37 (1975), p. 119–182

Van Thiel 1967–68
P.J.J. van Thiel, 'Marriage Symbolism in a Musical Party by Jan Miense Molenaer', *Simiolus* 2 (1967–68), p. 90–99

Van Thiel 1971
P.J.J. van Thiel, 'De aanbidding der koningen en ander vroeg werk van Hendrick Terbrugghen', *Bulletin van het Rijksmuseum* 19 (1971), p. 91–116

Van Thiel 1981
P.J.J. van Thiel, 'De inrichting van de Nationale Konst-Gallery in het openingsjaar 1800', *Oud Holland* 95 (1981), p. 170–225

Van Thiel/De Bruyn Kops 1984
P.J.J. van Thiel & C.J. de Bruyn Kops, Cat. *Prijst de Lijst. De Hollandse schilderijlijst in de zeventiende eeuw* Amsterdam (Rijksmuseum) 1984

Van Thiel e.a. 1976
P.J.J. van Thiel e.a., *Alle schilderijen van het Rijksmuseum*, Amsterdam/Haarlem 1976 1984

Thiele 1973
R. Thiele, *Meister der niederländischen Kunst des 17. Jahrhunderts* (Kataloge der Gemäldegalerie, II) Leipzig (Museum der bildenden Künste) 1973

Thieme/Becker
U. Thieme & F. Becker, *Allgemeines Lexicon der bildenden Künstler von der Antike bis zur Gegenwart* (37 dln.), Leipzig 1907–1950

Van Thienen 1930
F. van Thienen, *Das Kostüm der Blütezeit Hollands. 1600–1660*, Berlijn 1930

Van Thienen 1967
F.W.S. van Thienen, 'Jan Brueghel (1568–1625) en Peter Paul Rubens (1577–1640). Adam en Eva in het paradijs', *Openbaar kunstbezit* 11 (1967), p. 21a-b en afb. 1–5

Van Thienen 1967-A
F.W.S. van Thienen, *Acht eeuwen kostuum*, Antwerpen/Hilversum 1967 (ed. princ. 1960)

Van Thienen 1969
F.W.S. van Thienen, 'Herberg-scène. Frans van Mieris (1635–1681)', *Openbaar kunstbezit* 13 (1969), p. 28a-b

Thierry de Bye Dólleman/Van Valkenburg 1979
M. Thierry de Bye Dólleman & C.C. van Valkenburg, 'Twee oude Haarlemse geslachten, Van Loo en Loo', *Jaarboek van het Centraal Bureau voor Genealogie* 33 (1979), p. 86–117

Thomas 1965
A. Thomas, 'Wein, Weintraube', *Buchberger e.a. 1957–67*, dl. x (1965), kol. 993–996

Thomsen 1938
T. Thomsen, *Albert Eckhout. Ein Niederländischer Maler und sein Gönner Moritz der Brazilianer*, Kopenhagen 1938

Thoré-Bürger 1858–60
W. (Thoré) Bürger, *Musées de la Hollande* (2 dln.), Parijs 1858–60

Thoré-Bürger 1859
W. (Thoré) Bürger, *Galerie d'Aremberg a Bruxelles avec le catalogue complète de la collection*, Parijs/Brussel/Leipzig 1859

Thoré-Bürger 1865
W. (Thoré) Bürger, 'Notes sur les Fabritius', *Gazette des Beaux-Arts* (1e série) 18 (1865), p. 80–84

Thoré-Bürger 1866
W. (Thoré) Bürger, 'Van der Meer de Delft', *Gazette des Beaux-Arts* 21 (1866), p. 297–330, 458–470, 543–575

Tieskens 1980
R. Tieskens, 'Het gebouw voor Kunsten en Wetenschappen, 1839–1846', *Jaarboek Oud-Utrecht* (1980), p. 149–164

Tietze-Conrat 1947
E. Tietze-Conrat, 'Giovanni Bologna's Bronzes as Painter's Cribs', *Gazette des Beaux-Arts* (6e série, dl. 31) 89 (1947), p. 31–38

Tijs 1984
R.J. Tijs, *P.P. Rubens en J. Jordaens: barok in eigen huis. Een architectuurhistorische studie over groei, verval en restauratie van twee 17de-eeuwse kunstenaarswoningen te Antwerpen*, Antwerpen 1984

Tilanus 1881
J.W.R. Tilanus, *Nicolaas Tulp als geneeskundige geschetst* (diss.), Amsterdam 1881

Timmers 1947
J.J.M. Timmers, *Symboliek en iconographie der Christelijke kunst*, Roermond 1947

Van Tongerloo 1982
L. van Tongerloo, 'De glazen van de Cisterciënserkloosterkerk te IJsselstein en hun schenkers', *Jaarboek Oud-Utrecht* (1982), p. 18–41

Tóth-Ubbens 1968
M. Tóth-Ubbens, *Schilderijen en beeldhouwwerken 15e en 16e eeuw* (Koninklijk Kabinbet van Schilderijen Mauritshuis, Catalogus I), Den Haag 1968

Tóth-Ubbens 1969
M.M. Tóth-Ubbens, 'Kijken naar een vogeltje', *Miscellanea I.Q. van Regteren Altena. 16/V/1969*, Amsterdam 1969, p. 155–159, 346–349

Tóth-Ubbens 1975
M.M. Tóth-Ubbens, 'De barbier van Amsterdam', *Antiek* 10 (1975), p. 381–411

Tovell 1955
R.M. Tovell, *Roger van der Weyden and the Flémalle Enigma*, Toronto 1955

Traudenius 1662
D. Traudenius, *Tyd-zifter, dat is, kort bericht of onderwys van de onderscheiding en afbeeldinge des tyds ... met een rymbundel*, Amsterdam 1662

Trautscholdt 1937
E. Trautscholdt, 'Steen, Jan', *Thieme/Becker*, dl. XXXI (1937), p. 346–349

Trautscholdt 1938
E. Trautscholdt, 'Stoop (Stoff), Dirck', *Thieme/Becker*, dl. XXXII (1938), p. 113–115

Tribout de Morembert 1963–64
M. Tribout de Morembert, 'Jean Chevrot, evêque de Tournai et de Toul. Vers 1395–1460', *Mémoires de l'Academie de Metz* 9 (1963–64), p. 171–220

Trivas 1941
N.S. Trivas, *The Paintings of Frans Hals*, Londen 1941

Trnek 1982
R. Trnek, Cat. *Niederländer und Italien. Italianisante Landschafts- und Genremalerei von Niederländern des 17. Jahrhunderts* Wenen (Gemäldegalerie der Akademie der bildenden Künste) 1982

Tümpel 1968
C. Tümpel, 'Ikonographische Beiträge zu Rembrandt. Zur Deutung und Interpretation seiner Historien', *Jahrbuch der hamburger Kunstsammlungen* 13 (1968), p. 95–126

Tümpel 1969
C. Tümpel, 'Studien zur Ikonographie der Historien Rembrandts', *Nederlands Kunsthistorisch Jaarboek* 20 (1969), p. 107–198

Tümpel 1974
A. Tümpel, 'Claes Cornelisz. Moeyaert', *Oud Holland* 88 (1974), p. 1–163, 245–290

Tümpel 1977
C. Tümpel, *Rembrandt in Selbstzeugnissen und Bilddokumenten*, Hamburg 1977

Tümpel/Tümpel 1970
C. Tümpel & A. Tümpel, *Rembrandt legt die Bibel aus. Zeichnungen und Radierungen aus dem Kupferstichkabinett der Staatlichen Museen Preussischer Kulturbesitz Berlin*, Berlijn 1970

Von Uffenbach 1753–54
Z.C. von Uffenbach, *Merkwürdige Reisen durch Niedersachsen, Holland und Engelland* (3 dln.), Frankfurt/Leipzig 1753–54

Utrecht 1894
Catalogus der tentoonstelling van oude schilderkunst te Utrecht, Utrecht 1894

Utrecht 1933
Catalogus der schilderijen Utrecht (Centraal Museum) 1933

Utrecht 1948
Cat. *Utrecht's kunst in opkomst en bloei 650–1650* Utrecht (Centraal Museum) 1948

Utrecht 1952
Cat. *Catalogus der schilderijen* Utrecht (Centraal Museum) 1952

Utrecht 1953
Cat. *Nederlandse architectuurschilders 1600–1900* Utrecht (Centraal Museum) 1953

Utrecht 1960
Cat. *Collectie J.C.H. Heldring te Oosterbeek* Utrecht (Centraal Museum) 1960

Utrecht 1961
Catalogue raisonné van de werken van Pieter Jansz. Saenredam Utrecht (Centraal Museum) 1961 (ook Engelse ed.)

Utrecht/Antwerpen 1952
Cat. *Caravaggio en de Nederlanden* Utrecht (Centraal Museum) Antwerpen (Koninklijk Museum voor Schone Kunsten) 1952

Valentiner 1907–08
W.R. Valentiner, 'Rembrandts Darstellungen der Suzanna', *Zeitschrift für bildende Kunst* (nieuwe serie, 19) 43 (1907–08), p. 32–38

Valentiner 1909
W.R. Valentiner, *Rembrandt. Des Meisters Gemälde in 643 Abbildungen* (Klassiker der Kunst, II), Stuttgart/Berlijn z.j. (1909)

Valentiner 1923
W.R. Valentiner, *Frans Hals. Des Meisters Gemälde* (Klassiker der Kunst, XXVIII), Berlijn/Leipzig 1923

Valentiner 1932
W.R. Valentiner, 'Carel and Barent Fabritius', *The Art Bulletin* 14 (1932), p. 197–240

Valentiner 1957
W.R. Valentiner, *Rembrandt and Spinoza. A Study of the Spiritual Conflicts in Seventeenth-Century Holland*, Londen 1957

Van Valkenburg 1959
C.C. van Valkenburg, 'De Haarlemse schutterstukken', *Haerlem. Jaarboek* 1959, p. 59–68

Van Valkenburg 1962
C.C. van Valkenburg, 'De Haarlemse schuttersstukken', *Haarlem. Jaarboek 1961*, Haarlem 1962, p. 47–76

Van (de, den, der) …
Zie: hoofdwoord

Varshavskaya 1963
M. Varshavskaya, *Van Dyck Paintings in the Hermitage*, Leningrad 1963

Van der Veen 1653
J. van der Veen, *Raadtselen, uytgebeeld met zinrijke uytleggingen…*, Deventer 1653

Veiling Amsterdam 1763
Catalogus van een uitmuntend kabinet schilderijen… Amsterdam (H. de Leth e.a.) 14 december 1763

Veiling Amsterdam 1790
Catalogus van een fraay kabinetje schilderyen … Amsterdam (Ph. van der Schley e.a.) 13 juli 1790 e.v.d.

Veiling Amsterdam 1828
Catalogus van eene uitgebreide en voortreffelijke verzameling zeer fraaije schilderijen … de vermaarde en alom beroemde schilderij van Rembrandt, behoorende aan het chirurgyns weduwenfonds alhier Amsterdam (J. de Vries e.a.) 4–5 augustus 1828

Veiling Amsterdam 1925
Cat. *Tableaux anciens…* Amsterdam (F. Muller & Cie.) 17 juni 1925

Veiling Van Bergen van der Grijp 1784
Catalogus van eener fraaije verzameling konstige en plaisante schilderyen…gedeeltelyk nagelaaten door wylen den wel-edele gebooren heer, den heer Johannes van Bergen van der Grijp… Zoeterwoude (Rechthuis Het Fontein) 25 juni 1784

Veiling Bout 1733
Catalogus van een overheerlyk en genoegsaam … cabinet van konstige en playsante schilderyen … by een verzamelt door den heer Adriaan Bout Den Haag (C. van Zanten) 11 augustus 1733

Veiling De la Court 1766
Catalogus van een uitmuntend cabinet schilderyen, nagelaaten door de heren de la Court van der Voort, vader en zoon. En laastelyk door mevrouw Catharina Backer, weduwe van den heer Allard de la Court … Leiden (op de Breestraat) 8 september 1766 e.v.d.

Veiling Fenwick 1950
Catalogue of Ancient and Modern Pictures and Drawings Sold by Order of Alan G. Fenwick, Esq. Londen (Christie, Manson & Woods) 21 juli 1950

Veiling Foucart 1898
Cat. *Tableaux anciens. Cabinets Foucart, Valenciennes* Valenciennes (J.B. Foucart) 12–14 oktober 1898

Veiling Fountaine 1894
Catalogue of Pictures from the Celebrated Fountaine Collection, Removed from Harfold Hall, Norfolk, Chiefly Formed by Sir Andrew Fountaine in the Early Part of the Last Century … Londen (Christie, Manson & Woods) 7 juli 1894

Veiling Duke of Leeds e.a. 1961
Catalogue of Important Old Master Paintings, Including the Property of his Grace the Duke of Leeds… Londen (Sotheby & Co) 14 juni 1961

Veiling Lek 1925
Cat. *Collections Jonas Lek, Bruxelles. 1. Tableaux anciens* Amsterdam (F. Muller) 31 maart 1925

Veiling Londen 1980
Cat. *Important Old Master Pictures* Londen (Christie, Manson & Woods) 18 april 1980

Veiling Mensing 1938
Collection de feu M.-Ant. W.M. Mensing d'Amsterdam. Catalogue des tableaux anciens Amsterdam (F. Muller & Cie) 15 november 1938

Veiling Oud Amsterdam 1925
Cat. *Oud Amsterdam in tekening* Amsterdam (R.W.P. de Vries) 27 januari 1925

Veiling Ploos van Amstel 1800
Catalogus der teekeningen, prenten, schilderijen … van wylen den heer Cornelis Ploos van Amstel (2 dln.) Amsterdam (Ph. van der Schley e.a.) 3 maart 1800

Veiling Six 1702
Catalogus van een uitmuntende konstige, meest Italiaansche schilderyen … alle nagelaten by wylen den ed: heere Jan Six … Amsterdam (J.P. Zómer) 6 april 1702

Veiling Steengracht 1913
Galerie Steengracht. Tome 1. Catalogue des tableaux anciens. Ecole hollandaise du XVIIe siècle… Parijs (Galerie Georges Petit) 9 juni 1913

Veiling Stinstra 1822
Catalogus van eene uitmuntende verzameling schilderijen … het kabinet van wijlen den heer S.J. Stinstra, van Harlingen Amsterdam (J. de Vries e.a.) 22 mei 1822

Veiling Van der Pals 1824
Catalogue d'une très belle collection de tableaux, de monsieur Gerrit van der Pals Rotterdam (A. Lamme) 30 augustus 1824

Vekeman/ Müller Hofstede 1984
H. Vekeman & J. Müller Hofstede, *Wort und Bild in der niederländischen Kunst und Literatur des 16. und 17. Jahrhundrts*, Erfstadt 1984

Van de Velde 1975
C. van de Velde, *Frans Floris (1519/20–1570). Leven en werken*, Brussel 1975

Van de Velde 1975-A
C. van de Velde, 'Rubens' Hemelvaart van Maria in de kathedraal te Antwerpen', *Jaarboek van het Koninklijk Museum voor Schone Kunsten Antwerpen* (1975), p. 245–276

Van de Velde 1982
C. van de Velde, 'Het aards paradijs in de beeldende kunsten', *Antwerpen 1982*, p. 17–35

Verbeek 1962
J. Verbeek, 'Paulus Potter (1626–1654). Paarden. Ets', *Openbaar kunstbezit* 6 (1962), p. 8a–b

Verheyen 1968
E. Verheyen, 'Der Sinngehalt von Giorgiones "Laura"', *Pantheon* 26 (1968), p. 220–227

Verwijs/Verdam
E. Verwijs & J. Verdam, *Middelnederlandsch woordenboek* (11 dln.), Den Haag 1885–1945

Vey/Kesting 1967
H. Vey & A. Kesting, *Katalog der niederländischen Gemälde von 1550 bis 1800 im Wallraf-Richartz-Museum und im öffentlichen Besitz der Stadt Köln mit Ausnahme des kölnischen Stadtmuseums*, Keulen 1967

Vlieghe 1983
H. Vlieghe, 'Some Remarks on the Identification of Sitters in Rubens' Portraits', *The Ringling Museum of Art Journal* (1983), p. 106–115

Vogel e.a. 1958
H. Vogel, T. Hausmann, L. Oehler en I.R. Manke, *Katalog der staatlichen Gemäldegalerie zu Kassel*, Kassel 1958

Vogelsang 1941
W. Vogelsang, *Rogier van der Weyden* (Palet-Serie), Amsterdam z.j. (1941)

Vogelsang 1949
W. Vogelsang, *Rogier van der Weyden. Pieta*, Amsterdam/Antwerpen 1949

Voll 1903
K. Voll, *Die Meisterwerke der königl. Gemälde-Galerie im Haag und der Galerie der Stadt Haarlem*, Londen/München/New York z.j. (1903)

Voll 1909
K. Voll, *Memling. Des Meisters Gemälde in 197 Abbildungen* (Klassiker der Kunst, xiv), Stuttgart/Leipzig 1909

Von ...
Zie: hoofdwoord

Vondel
J.F.M. Sterck e.a., *De weken van Vondel* (10 dln. + register), Amsterdam 1927–1940

Von der ...
Zie: hoofdwoord

Voorhelm Schneevoogt 1873
C.G. Voorhelm Schneevoogt, *Catalogue des estampes gravées d'après P.P. Rubens ...*, Haarlem 1873

Vorenkamp 1933
A.P.A. Vorenkamp, *Bijdrage tot de geschiedenis van het Hollandsch stilleven in de zeventiende eeuw* (diss.), Leiden 1933

Vos 1978
R. Vos, *Lucas van Leyden*, Bentveld/Maarssen 1978

Vosmaer 1868
C. Vosmaer, *Rembrandt Harmens van Rijn. Sa vie et ses oeuvres*, Den Haag 1868

Vosmaer 1873
C. Vosmaer, 'Die niederländischen Anatomie-Gemälde', *Zeitschrift für bildende Kunst* 8 (1873), p. 13–22

Vosmaer 1877
C. Vosmaer, *Rembrandt. Sa vie et ses oeuvres*, Den Haag 1877

Vosmaer 1877-A
C. Vosmaer, 'Les "Leçons d'anatomie" dans la peinture hollandaise', *L'art* 3 (1877), p. 73–77 en 108–113

De Vries 1885
A.D. de Vries, 'Biografische aanteekeningen betreffende voornamelijk Amsterdamsche schilders, plaatsnijders, enz. en hunne verwanten', *Oud Holland* 3 (1885), p. 55–80, 137–160, 225–240, 305–312

De Vries 1939
A.B. de Vries, *Jan Vermeer van Delft*, Amsterdam 1939

De Vries 1949
A.B. de Vries, 'Koninklijk Kabinet van Schilderijen (Mauritshuis)', *Verslagen omtrent 's rijks verzamelingen van geschiedenis en kunst. 1947*, Den Haag 1949, p. 45–52

De Vries 1949–A
A.B. de Vries, 'Koninklijk Kabinet van Schilderijen (Mauritshuis)', *Verslagen van de rijksverzamelingen van geschiedenis en kunst. 1948*, Den Haag 1949, p. 58–64

De Vries 1957
A.B. de Vries, 'Koninklijk Kabinet van Schilderijen (Mauritshuis)', *Verslagen van de rijksverzamelingem van geschiedenis en kunst. Deel LXXVIII. 1956*, Den Haag 1957, p. 122–130

De Vries 1959
A.B. de Vries, 'Hans Holbein de jonge (1497/98–1543). Portret van een edelman met valk', *Openbaar kunstbezit* 3 (1959), p. 19a–b

De Vries 1961
A.B. de Vries, 'Koninklijk Kabinet van Schilderijen (Mauritshuis)', *Verslagen der rijksverzamelingen van geschiedenis en kunst. Deel LXXXI. 1959*, Den Haag 1961, p. 151–157

De Vries 1962
A.B. de Vries, 'Koninklijk Kabinet van Schilderijen (Mauritshuis)', *Verslagen der rijksverzamelingen van geschiedenis en kunst. Deel LXXVII. 1960*, Den Haag 1962, p. 133–138

De Vries 1963
A.B. de V(ries), 'De bevrijding van Petrus. Hendrick Terbrugghen', *Vereniging Rembrandt. Verslag over 1963*, p. 33

De Vries 1964
A.B. de Vries, 'Carel Fabritius (1622–1654). Het puttertje', *Openbaar kunstbezit* 8 (1964), p. 32a–b

De Vries 1964-A
A.B. de Vries, 'Old Masters in the Collection of Mr. & Mrs. Sydney van den Bergh', *Apollo* 80 (1964), p. 352–359

De Vries 1965
A.B. de Vries, 'Koninklijk Kabinet van Schilderijen (Mauritshuis)', *Verslagen der rijksverzamelingen van geschiedenis en kunst. Deel LXXXV. 1963*, Den Haag 1965, p. 201–213

De Vries 1966
L. de V(ries), 'Mariakerk en Mariaplaats te Utrecht. Pieter Saenredam (1597–1665)', *Vereniging Rembrandt. Verslag over 1966*, p. 27–28

De Vries 1966-A
A.B. de Vries, 'Koninklijk Kabinet van Schilderijen "Mauritshuis"', *Verslagen der rijksverzamelingen van geschiedenis en kunst. Deel LXXXI. 1964*, Den Haag, p. 178–186

De Vries 1967
A.B. de Vries, 'Jan Steen (1625–1679). De hoenderhof', *Openbaar kunstbezit* 11 (1967), p. 61a–b

De Vries 1968
A.B. de Vries, *Verzameling Sidney J. van den Bergh*, Wassenaar 1968

De Vries 1969
A.B. de Vries, 'Lachende jongen. Frans Hals (ca. 1580–1666)', *Openbaar kunstbezit* 13 (1969), p. 24a–b

De Vries 1969-A
A.B. de Vries, 'Koninklijk Kabinet van Schilderijen "Mauritshuis"', *Verslagen der rijksverzamelingen van geschiedenis en kunst. Deel LXXXVIII. 1966*, Den Haag 1969, p. 202–212

De Vries 1970
A.B. de Vries, 'Koninklijk Kabinet van Schilderijen "Mauritshuis"', *Nederlandse Rijksmusea in 1968*, Den Haag 1970, p. 216–22

De Vries 1970-A
A.B. de Vries, 'Het Mauritshuis', *Openbaar kunstbezit. Televisie* 14 (1970), nr. 2, z.p.

De Vries 1975
L. de Vries, 'Gerard Houckgeest', *Jahrbuch der hamburger Kunstsammlungen* 20 (1975), p. 25–56

De Vries 1975-A
A. de Vries, 'Aanwinsten Frans Halsmuseum 1975', *Jaarboek Haarlem 1975*, p. 299–304

De Vries 1976
L. de Vries, *Jan Steen. De schilderende Uilenspiegel*, Weert 1976

De Vries 1977
L. de Vries, *Jan Steen 'de kluchtschilder'* (diss.), Groningen 1977

De Vries 1982
L. de Vries, *Wybrand de Geest 'De Friessche Adelaar', Portretschilder in Leeuwarden 1592ca. 1661. Met een catalogus van zijn werk in het Fries Museum*, Leeuwarden 1982

De Vries 1984
L. de Vries, *Jan van der Heyden*, Amsterdam 1984

De Vries e.a. 1978
A.B. de Vries, M. Tóth-Ubbens, W. Froentjes & H.R. Hoetink, *Rembrandt in het Mauritshuis*, Alphen aan de Rijn 1978

Vroom 1945
N.R.A. Vroom, *De schilders van het monochrome banketje*, Amsterdam 1945

Waagen 1862
G.F. Waagen, *Handbuch der deutschen und niederlandischen Malerschulen* (2 dln.), Stuttgart 1862

Waagen 1864
G.F. Waagen, *Die Gemäldesammlung in den kaiserlichen Ermitage zu St. Petersburg*, München 1864

Van de Waal 1952
H. van de waal, *Drie eeuwen vaderlandsche geschied-uitbeelding 1500–1800. Een iconologische studie* (2 dln.), Den Haag 1952

Wagenaar 1765
J. Wagenaar, *Amsterdam in zyne opkomst, aanwas, geschiedenissen, III*, Amsterdam 1765

Wagner 1970
H. Wagner, 'Jan van der Heyden als Zeichner. Die Zeichnungen für das Buch über die "Slang-Brandspuiten"', *Jahrbuch der berliner Museen* 12 (1970), p. 111–150

Wagner 1971
H. Wagner, *Jan van der Heyden. 1637–1712*, Amsterdam/Haarlem 1971

Walker 1967
J. Walker, 'Ginevra de'Benci by Leonardo da Vinci', *National Gallery of Art. Report and Studies in the History of Art*, Washington 1967, p. 1–17

Wallen 1971
B. Wallen, 'The Portraits of Jan Sanders van Hemessen', *Oud Holland* 86 (1971), p. 70–87

Wallen 1983
B. Wallen, *Jan van Hemessen. An Antwerp Painter between Reform and Counter-Reform* (studies in Renaissance Art History, ii), Ann Arbor 1983

Walsh 1973
J. Walsh Jr., 'Vermeer', *The Metropolitan Museum of Art Bulletin* 31 (1973), nr. 4, z.p.

Walsh/Schneider 1981–82
J. Walsh & C.P. Schneider, Cat. *A Mirror of Nature. Dutch Paintings from the Collection of Mr. and Mrs. Edward William Carter* Los Angeles (Los Angeles County Museum of Art) Boston (Museum of Fine Arts) New York (The Metropolitan Museum of Art) 1981–82

Warburg 1902
A. Warburg, 'Flandrische Kunst und florentinische Frührenaissance. Studien' (1902), *Warburg 1932*, dl. I, p. 187–206

Warburg 1932
A. Warburg, *Gesammelte Schriften* (3 dln.), Leipzig 1932

Warner 1928
R. Warner, *Dutch and Flemish Flower and Fruit Painters of the XVIIth and XVIIIth Centuries*, Londen 1928

Warschau 1958
Cat. *Krajobraz holenderski XVII wieku. Le paysage hollandais au XVIIe siècle* Warschau (Muzeum Narodowe) 1958

Washington 1948
Cat. *Paintings and Sculpture from the Widener Collection* Washington, D.C. (National Gallery of Art) 1948

Washington 1969
National Gallery of Art. Summary Catalogue of European Paintings and Sculpture, Washington 1969

Washington 1978
Cat. *Master Drawings from the Collection of the National Gallery of Art and Promised Gifts*, Washington 1978

Washington enz. 1982–83
Cat. *Mauritshuis. Dutch Paintings of the Golden Age* Washington (National Gallery of Art) Chicago (The Art Institute of Chicago) Los Angeles (Los Angeles County Museum of Art) 1982–83

Wassenbergh 1967
A. Wassenbergh, *De portretkunst in Friesland in de zeventiende eeuw*, Lochem 1967

Van de Watering 1982
W. van de Watering, Cat. *Terugzien in bewondering/ A Collector's Choice* Den Haag (Mauritshuis) 1982

Wattenmaker 1977
R.J. Wattenmaker, 'Inleiding', *Amsterdam/ Toronto 1977*, p. 14–50

Wauters 1893
A.J. Wauters, *Sept études pour servir à l'histoire de Hans Memling*, Brussel 1893

Weale 1901
W.H.J. Weale, *Hans Memlinc*, Londen 1901

Weale 1901-A
W.-H. Weale, 'Les peintures des matres inconnus: tableau attribué à Roger van der Weyden', *Revue de l'art chrétien* 44 (5e série, dl. XII) 1901, p. 24–25

Weale 1903
W.H.J. Weale, 'The Early Painters of the Netherlands as Illustrated by the Bruges Exhibition of 1902', *The Burlington Magazine* 1 (1903), p. 329–336

Weisz 1913
E. Weisz, *Jan Gossaert gen. Mabuse, sein Leben und seine Werke*, Parchim i.M. 1913

Welcker 1933
C.J. Welcker, *Hendrick Avercamp. 1585–1634, bijgenaamd 'de Stomme van Campen' en Barent Avercamp, 1612–1679, 'Schilders tot Campen'*, Zwolle 1933

Welcker/Hensbroeck-van der Poel 1979
D.J. Hensbroek-van der Poel, (Bewerkte uitgave van *Welcker 1933*), Doornspijk 1979

Wenen 1942
Cat. *Sichergestellte Kunstwerke in den Besetzten niederländischen Gebieten*, Wenen z.j. (1942?)

Wenen 1964
Cat. *Akademie der bildenden Künste in Wien. Gemäldegalerie. Das Legat Wolfgang v. Wurzbach*, Wenen 1964

Wescher 1965
P. Wescher, 'The Departure of King Charles V for Spain and Jan Gossaert', *The Art Quarterly* 28 (1965), p. 155–166

Wescher 1970
P. Wescher, 'Jan van Hemessen und Jan van Amstel', *Jahrbuch der berliner Museen* 12 (1970), p. 34–59

Van Wessem 1957
J.N. van Wessem, 'Jan Steen (1626–1679). Het oestereetstertje', *Openbaar kunstbezit* 1 (1957), p. 7a–b

Westerbaen 1624
Iacobi Westerbaeni, *Minnendichten*, Den Haag 1624

Westerbaen 1631/1641
Iacob. Westerbaen, *Kusies, in 't Latijn geschreven door Ioannes Secundus, ende in Duytsche vaersen ghesteldt*, Amsterdam 1641 (ed. princ. 1631)

Van Westrheene 1856
T. van Westrheene, *Jan Steen. Etude sur l'art en Hollande*, Den Haag 1856

Van Westrheene 1857
T. van Westrheene, *Paulus Potter. Sa vie et ses oeuvres*, Den Haag 1867

Wethey 1969
H.E. Wethey, *The Paintings of Titian. I. The Religious Paintings*, Londen 1969

Wethey 1971
H.E. Wethey, *The Paintings Titian. II. The Portraits*, Londen 1971

Wethey 1975
P. Wethey, *The Paintings of Titian. III. The Mythological and Historical Paintings*, Oxford 1975

Weyerman 1729–69
J.C. Weyerman, *De levens-beschryvingen der Nederlandsche konst-schilders en konst-schilderessen ...* (4 dln.), Den Haag 1729–69

Wheelock 1973
A.K. Wheelock, 'Carel Fabritius: Perspective and Optics in Delft', *Nederlands Kunsthistorisch Jaarboek* 24 (1973), p. 63–83

Wheelock 1975–76
A. Wheelock, 'Gerard Houckgeest and Emanuel de Witte: Architectural Painting in Delft Around 1650', *Simiolus* 8 (1975–76), p. 167–185

Wheelock 1977
A.K. Wheelock, *Perspective, Optics, and Delft Artists Around 1650* (diss. Harvard 1973), New York/Londen 1977

Wheelock/Kaldenbach 1982
A.K. Wheelock & C.J. Kaldenbach, 'Vermeer's *View of Delft* and his Vision of Reality', *Artibus et historiae. Revista internazionale di arti visive e cinema* 6 (1982), p. 9–35

White e.a. 1983
C. White, D. Alexander & E. d'Oench, Cat. *Rembrandt in Eighteenth-Century England* Londen (Yale Center for British Art) 1983

White/Wijman 1964
C. White & H.F. Wijman, *Rembrandt*, Den Haag 1964

Wibaral 1877
F. Wibaral, *L'iconographie d'Antoine van Dyck*, Leipzig 1877

Wiegand 1971
W. Wiegand, *Ruidael-Studien. Ein Versuch zur Ikonologie der Landschaftsmalerei* (diss.), Hamburg 1971

De Wilde 1959
E. de Wilde, 'Johannes Vermeer (1632–1675). Gezicht op Delft', *Openbaar kunstbezit* 3 (1959), p. 32a–b

Wilenski 1960
R.H. Wilenski, *Flemish Painters 1430–1830* (2 dln.), Londen 1960

Van der Willigen 1870
A. van der Willigen, *Les artistes de Harlem*, Haarlem/Den Haag 1870

Willnau 1952
C. Wilnau, 'Die Zusammenarbeit des Nikolaus Knüpfer mit anderen Künstlern', *Oud Holland* 67 (1952), p. 210–217

Wilmer 1980
T. Wilmer, *Utrecht getekend. Vier eeuwen tekeningen en aquarellen uit de topografische atlas van het Gemeentearchief*, Den Haag 1980

Winkler 1913
F. Winkler, *Der Meister von Flémalle und Rogier van der Weyden* (Zur Kunstgeschichte des Auslandes, CIII), Straatsburg 1913

Winkler 1916
F. Winkler, 'Über die Galeriebilder des Willem van Haecht und Barent van Orley', *Mitteilungen aus den sächsischen Kunstsammlungen* 7 (1916), p. 35–43

Winkler 1921
F. Winkler, 'Gossaert (Gossart), Jan, gen. Mabuse', *Thieme/Becker*, dl. XIV (1921), p. 410–413

Winkler 1924
F. Winkler, *Die altniederländische Malerei. Die Malerei in Belgien und Holland von 1400–1600*, Berlijn 1924

Winkler 1933
F. Winkler, 'Über einige Bildnisse von Jan Mostaert', *Glück 1933*, p. 321–322

Winkler 1942
F. Winkler, *Die Zeichnungen Hans Süss von Kulmbachs und Hans Leonhard Schäufeleins*, Berlijn 1942

Winner 1957
M. Winner, *Die Quellen der Pictura-Allegorien in gemalten Bildergalerien des 17. Jahrhunderts zu Antwerpen* (diss.), Keulen 1957

Winternitz 1958
E. Winternitz, 'The Inspired Musician. A Sixteenth-Century Musical Pastiche', *The Burlington Magazine* 100 (1958), p. 48–55

Winternitz 1962
E. Winternitz, 'Music and Melancholy', *The Burlington Magazine* 104 (1962), p. 166–167

Winternitz 1967
E. Winternitz, *Musical Instruments and their Symbolism in Western Art*, Londen 1967

Wintgens 1934
Wintgens, 'Het eskader onder den Vice-Admiraal C. Schrijver op zijn kruistocht in den Atlantischen Oceaan in 1747', *Onze vloot* (1934), februari, p. 18–20

Wischnitzer 1957
R. Wischnitzer, 'Rembrandt, Callot and Tobias Stimmer', *The Art Bulletin* 39 (1957), p. 224–230

Wishnevsky 1967
R. Wishnevsky, *Studien zum 'portrait historié' in den Niederlanden* (diss.), München 1967

WNT
Woordenboek der Nederlandse Taal (meerdere dln.), Den Haag/Leiden 1882–

Wölfflin 1915
H. Wölfflin, *Kunstgeschichtliche Grundbegriffe*, München 1948 (ed. princ. 1915)

Woermann 1908
K. Woermann, *Katalog der königlichen Gemäldegalerie zu Dresden*, Dresden 1908

Wolf-Heidegger/Cetto 1967
G. Wolf-Heidegger & A.M. Cetto, *Die anatomische Sektion in bildlicher Darstellung*, Basel/New York 1967

Woltmann 1866–68
A. Woltmann, *Holbein und seine Zeit* (3 dln.), Leipzig 1866–68

Woltmann 1874
A. Woltmann, *Holbein und seine Zeit. Des Künstlers Familie, Leben und Schaffen*, Leipzig 1874

Wright 1982
C. Wright, *Rembrandt: Self-Portraits*, Londen 1982

Wurfbain 1970
M.L. Wurfbain, 'Hoe was het "Puttertje" gebekt?', *Opstellen voor H. van de Waal*, Amsterdam/Leiden 1970, p. 233–240

Wurfbain 1970-A
M.L. Wurfbain, 'Over Vanitas-stillevens', *Leiden 1970*, z.p.

Wurzbach
A. von Wurzbach, *Niederländisches Künstler-Lexicon* (3 dln.), Wenen/Leipzig 1906–11

Wuyts 1975
L. Wuyts, 'Lucas van Leydens "Melkmeid". Een proeve tot ikonologische interpretatie', *De gulden passer* 53 (1975), p. 441–453

Zoege von Manteuffel 1922
Z(oege) v(on) M(anteuffel), 'Haecht, Willem II van', *Thieme/Becker*, dl. XV (1922), p. 424

Zoege von Manteuffel 1927
K. Zoege von Manteuffel, *Die Künstlerfamilie van de Velde*, Bielefeld/Leipzig 1927

150 jaar
150 jaar Koninklijk Kabinet van Schilderijen. Koninklijke Bibliotheek. Koninklijk Penningkabinet, Den Haag 1967

Fotoverantwoording

Amsterdam
Amsterdams Historisch Museum: cat.nr. 42, afb. 2; cat.nr. 45, afb. 4; cat.nr. 61, afb. 2; afb. 65, afb. 2 en 4
Collectie Six-stichting: cat.nr. 48, nr. 8; cat.nr. 51, afb. 3
Koninklijk Oudheidkundig Genootschap: cat.nr. 35, afb. 3
Kunsthandel Roelofs: cat.nr. 64, afb. 2
Kunsthandel K. & V. Waterman: cat.nr. 23, afb. 1
Rijksmuseum: Inleiding, afb. 1 en 2; cat.nr. 2, afb. 1 en 2; cat.nr. 3, afb. 1; cat.nr. 18, afb. 1; cat.nr. 20, afb. 3; cat.nr. 37, afb. 2; cat.nr. 38, afb. 1; cat.nr. 43, afb. 1; cat.nr. 44, afb. 2; cat.nr. 47, afb. 6; cat.nr. 48, afb. 1, 4, 5 en 6; cat.nr. 55, afb. 5; cat.nr. 56, afb. 3
Rijksprentenkabinet: cat.nr. 5, afb. 2; cat.nr. 6, afb. 3 en 5; cat.nr. 7, afb. 4; cat.nr. 11, afb. 4; cat.nr. 13, afb. 5; cat.nr. 16, afb. 2; at.nr. 29, afb. 4; cat.nr. 41, afb. 3 en 4; cat.nr. 42, afb. 3; cat.nr. 45, afb. 6; cat.nr. 50, afb. 4; cat.nr. 52, afb. 4; cat.nr. 60, afb. 2; cat.nr. 69, afb. 2

Antwerpen
Museum Mayer van den Bergh: cat.nr. 29, afb. 2
Koninklijk Museum voor Schone Kunsten: cat.nr. 19, afb. 3; cat.nr. 31, afb. 3; cat.nr. 41, afb. 1; cat.nr. 68, afb. 2
Rubenshuis: cat.nr. 29, afb. 1 en 7

Baltimore
The Walters Art Gallery: cat.nr. 6, afb. 2

Basel
Öffentliche Kunstsammlung Basel, Kunstmuseum: cat.nr. 34, afb. 6

Berlijn (West)
Staatliche Museen Preussischer Kulturbesitz, Gemäldegalerie: cat.nr. 20, afb. 2; cat.nr. 36, afb. 1; cat.nr. 49, afb. 1; cat.nr. 51, afb. 8; cat.nr. 55, afb. 6
Staatliche Museen Preussischer Kulturbesitz, Kupferstichkabinett: cat.nr. 47, afb. 5; cat.nr. 49, afb. 2; cat.nr. 55, afb. 3

Besançon
Musée des Beaux-Arts et d'Archéologie de Besançon: cat.nr. 9, afb. 1; cat.nr. 60, afb. 1

Birmingham
Barber Institute of Fine Arts: cat.nr. 25, afb. 1

Boston
Isabella Stewart Gardner Museum: cat.nr. 50, afb. 5
Boston Museum of Fine Arts: cat.nr. 51, afb. 6 en 7

Braunschweig
Herzog Anton Ulrich-Museum: cat.nr. 7, afb. 5; cat.nr. 39, afb. 3

Brussel
Koninklijke Bibliotheek Albert I, Prentenkabinet: cat.nr. 4, afb. 5; cat.nr. 21, afb. 2

Cambridge
Fitzwilliam Museum: cat.nr. 11, afb. 2

Châteauroux
Musée Bertrand: cat.nr. 28, afb. 3

Chicago
The Art Institute of Chicago: cat.nr. 17, afb. 1

Delft
Stedelijk Museum 'Het Prinsenhof': cat.nr. 65, afb. 3

Dijon
Musée des Beaux-Arts de Dijon: cat.nr. 27, afb. 5

Dresden
Staatliche Kunstsammlungen, Gemäldegalerie: cat.nr. 47, afb. 2

Dublin
National Gallery of Ireland: cat.nr. 4, afb. 3; cat.nr. 45, afb. 3

Florence
Galleria degli Uffizi: cat.nr. 33, afb. 3; cat.nr. 68, afb. 3; cat.nr. 70, afb. 3

Fort Worth, Texas
Kimbell Art Museum: cat.nr. 27, afb. 2

Frankfurt
Städelsches Kunstinstitut und Städtische Galerie: cat.nr. 45, afb. 1
Gouda
Stedelijk Museum 'Het Catharina Gasthuis': cat.nr. 48, afb. 7
Den Haag
Gemeentearchief: cat.nr. 8, afb. 3
Haags Gemeentemuseum: cat.nr. 8, afb. 2
Kunsthandel Hoogsteder: cat.nr. 26, afb. 2
Koninklijke Bibliotheek: cat.nr. 10, afb. 5; cat.nr. 12, afb. 2; cat.nr. 24, afb. 3; cat.nr. 58, afb. 4
Koninklijk Huisarchief (collectie Stichting Historische Verzamelingen van het Huis Oranje-Nassau): cat.nr. 25, afb. 2
Koninklijk Kabinet van Schilderijen 'Mauritshuis' (Stichting Vrienden van het Mauritshuis): cat.nr. 1, afb. 1; cat.nr. 8, afb. 1; cat.nr. 21, afb. 1 en 3; cat.nr. 30, afb. 3; cat.nr. 31, afb. 1; cat.nr. 37, afb. 1; cat.nr. 38. afb. 2; cat.nr. 50, afb. 1; cat.nr. 57, afb. 2; cat.nr. 62, afb. 2; cat.nr. 63, afb. 1; cat.nr. 64, afb. 1; cat.nr. 66, afb. 2; cat.nr. 67, afb. 2
Museum Bredius: Inleiding, afb. 3; cat.nr. 55, afb. 4
Haarlem
Frans Halsmuseum: cat.nr. 31, afb. 2 en 2a; cat.nr. 13, afb. 1; cat.nr. 53, afb. 5; cat.nr. 55, afb. 2
Gemeente-archief: cat.nr. 9, afb. 2; cat.nr. 55, afb. 1
Teylers Museum: cat.nr. 27, afb. 4; cat.nr. 50, afb. 2 en 3
Hamburg
Kunsthalle: cat.nr. 38, afb. 3; cat.nr. 47, afb. 3
Heidelberg
Kurpfälzisches Museum: cat.nr. 47, afb. 7
Ithaca
College Medical School, collectie David Arnon: cat.nr. 54, afb. 4
Keulen
Wallraf-Richartz-Museum: cat.nr. 6, afb. 1; cat.nr. 7, afb. 2
Kopenhagen
Statens Museum for Kunst: cat.nr. 3, afb. 2; cat.nr. 13, afb. 2; cat.nr. 46, afb. 3
Statens Museum for Kunst, Den kongelige Kobberstiksamling: cat.nr. 4, afb. 1; cat.nr. 13, afb. 2; cat.nr. 15, afb. 1; cat.nr. 46, afb. 3; cat.nr. 60, afb. 3
Leeuwarden
Fries Museum: cat.nr. 5, afb. 1
Leiden
Prentenkabinet van de Rijksuniversiteit: cat.nr. 58, afb. 1; cat.nr. 65, afb. 1
Leipzig
Museum der bildenden Künste: cat.nr. 56, afb. 2
Leningrad
Hermitage: cat.nr. 29, afb. 5
Lille
Musée des Beaux-Arts: cat.nr. 39, afb. 4
Lissabon
Museu Calouste Gulbenkian: cat.nr. 51, afb. 2
Londen
The British Museum: cat.nr. 39, afb. 5; cat.nr. 51, afb. 4
Courtauld Institute Galleries: cat.nr. 21, afb. 4
The Iveagh Bequest (Kenwood): cat.nr. 52, afb. 3
The National Gallery: cat.nr. 18, afb. 4; cat.nr. 36, afb. 2; cat.nr. 40, afb. 2; cat.nr. 52, afb. 1 en 2; cat.nr. 57, afb. 1; cat.nr. 66, afb. 3; cat.nr. 68, afb. 5
The Wallace Collection: cat.nr. 6, afb. 4
Lyon
Musée des Beaux-Arts: cat.nr. 16, afb. 1
Madrid
Museo del Prado: cat.nr. 68, afb. 1
Malibu
The J. Paul Getty Museum: cat.nr. 70, afb. 1
Montpellier
Musée Fabre: cat.nr. 59, afb. 1
München
Bayerische Staatsgemäldesammlungen, Alte Pinakothek: cat.nr. 11, afb. 1; cat.nr. 14, afb. 3; cat.nr. 19, afb. 1 en 2
New Haven
Yale University Art Gallery: cat.nr. 7, afb. 6
New York
The Metropolitan Museum of Art: cat.nr. 14, afb. 1; cat.nr. 39, afb. 2; cat.nr. 41, afb. 2; cat.nr. 51, afb. 1

Northampton (Mass.)
The Smith College Museum of Art: cat.nr. 28, afb. 1
Omaha
Joslyn Art Museum: cat.nr. 37, afb. 3
Oslo
Nasjonalgalleriet: cat.nr. 53, afb. 4
Oxford
The Ashmolean Museum of Art: cat.nr. 1, afb. 3; cat.nr. 10, afb. 3
Parijs
Collectie Alain Delon: cat.nr. 47, afb. 4 (foto: Sotheby's, Londen)
Collectie erven baron A. de Rothschild: cat.nr. 18, afb. 1 en 2 (foto's: Rijksmuseum, Amsterdam)
Ecole des Beaux-Arts: cat.nr. 63, afb. 3
Fondation Custodia (coll. F. Lugt), Institut Néerlandais: cat.nr. 32, afb. 1; cat.nr. 45, afb. 2; cat.nr. 46, afb. 1 en 2
Musée du Louvre (foto's: Réunion des musées nationaux): cat.nr. 34, afb. 2; cat.nr. 41, afb. 1; cat.nr. 61, afb. 1
Philadelphia
The Philadelphia Museum of Art: cat.nr. 24, afb. 2
Rennes
Musée des Beaux-Arts et d'Archéologie de Rennes: cat.nr. 29, afb. 9
Rome
Museo Capitolino: cat.nr. 49, afb. 3
Rotterdam
Museum Boymans-van Beuningen: cat.nr. 3, afb. 3; cat.nr. 4, afb. 2 en 4; cat.nr. 9, afb. 3; cat.nr. 10, afb. 4; cat.nr. 12, afb. 1; cat.nr. 59, afb. 3; cat.nr. 70, afb. 2
Schwerin
Staatliches Museum: cat.nr. 30, afb. 1 en 2; cat.nr. 15, afb. 3
Stockholm
Nationalmuseum: cat.nr. 33, afb. 2; cat.nr. 39, afb. 1; cat.nr. 51, afb. 5
Straatsburg
Musée des Beaux-Arts: cat.nr. 33, afb. 2
Tokyo
National Museum of Western Art: cat.nr. 15, afb. 2
Turijn
Galleria Sabauda: cat.nr. 24, afb. 1
Utrecht
Gemeentelijke Archiefdienst: cat.nr. 56, afb. 1, 5 en 6
Kunsthistorisch Instituut: cat.nr. 33, afb. 1; cat.nr. 42, afb. 1
Rijksarchief in de provincie Utrecht: cat.nr. 67, afb. 1
Universiteitsbibliotheek: cat.nr. 32, afb. 2
Valenciennes
Musée des Beaux-Arts (foto: Réunion des musée nationaux): cat.nr. 59, afb. 1
Wageningen
Bibliotheek der Landbouwhogeschool: cat.nr. 22, afb. 1
Washington
National Gallery of Art: cat.nr. 36, afb. 3; cat.nr. 54, afb. 3
Wenen
Gemäldegalerie der Akademie der bildenden Künste: cat.nr. 7, afb. 3; cat.nr. 24, afb. 4
Grafische Sammlung Albertina: cat.nr. 5, afb. 3; cat.nr. 14, afb. 2; cat.nr. 26, afb. 1; cat.nr. 34, afb. 5; cat.nr. 68, afb. 4
Kunsthistorisches Museum: cat.nr. 54, afb. 5; cat.nr. 66, afb. 1
Williamstown (Mass.)
S. & F. Clark Art Institute: cat.nr. 27, afb. 1